# Mécanique à l'usage des ingé[...]
## STATIQUE



523-5411

Elise Saint-Martin
837-5547 Civil engineering

# Mécanique à l'usage des ingénieurs

# STATIQUE

**Ferdinand P. Beer**
**E. Russell Johnston, Jr.**

Traduit et adapté au système
international d'unités par
**Jean Serra**

**Conseiller technique : Georges Piedboeuf**
Directeur du programme de mécanique
École de technologie supérieure

**McGRAW-HILL, ÉDITEURS**
Montréal Toronto New York Saint Louis San Francisco Auckland Bogotá Guatemala
Hambourg Lisbonne Londres Madrid Mexico New Delhi
Panama Paris San-Juan São Paulo Singapour Sydney Tokyo

**Mechanics for Engineers - STATICS**



**Mécanique à l'usage des ingénieurs - STATIQUE**



Dépôt légal: 1er trimestre 1981
Bibliothèque nationale du Québec
Imprimé et relié au Canada
67890 ICH83 1098765432
ISBN 0-07-077826-4

# TABLE DES MATIÈRES

**Préface** 1

**Liste des symboles** 3

**1**
**INTRODUCTION** 5

**1.1** Objectifs de la mécanique 5
**1.2** Concepts et principes fondamentaux 6
**1.3** Système d'unités 9
**1.4** Remarques sur la marche à suivre dans la recherche des solutions des problèmes 13
**1.5** Précision des calculs 14

**2**
**STATIQUE DES POINTS MATÉRIELS** 16

FORCES COPLANAIRES 16

**2.1** Force appliquée à un point matériel. Composition de deux forces 16
**2.2** Vecteurs 17
**2.3** Addition des vecteurs 18
**2.4** Composition de plusieurs forces concourantes 20
**2.5** Décomposition d'une force suivant ses composantes 21
**2.6** Composantes rectangulaires d'une force 25
**2.7** Addition des forces par la méthode analytique 29
**2.8** Équilibre du point 33
**2.9** Premier principe de Newton 33
**2.10** Problèmes sur l'équilibre d'un point matériel. Schéma des forces appliquées au corps rendu libre 34

FORCES DE L'ESPACE 40

**2.11** Décomposition d'une force de l'espace 40
**2.12** Définition d'une force par sa grandeur et par deux points de sa ligne d'action 44

**2.13** Addition des forces concourantes de l'espace 45
**2.14** Équilibre d'un point de l'espace 49

**3**
**STATIQUE DES CORPS RIGIDES DANS LE PLAN** 56

SYSTÈMES DE FORCES ÉQUIVALENTS 56

**3.1** Corps rigides. Forces extérieures et intérieures 56
**3.2** Principe de glissement des forces. Forces équivalentes 58
**3.3** Structures bidimensionnelles 60
**3.4** Moment d'une force par rapport à un axe 60
**3.5** Théorème de Varignon 62
**3.6** Moment d'un couple 66
**3.7** Couples équivalents 67
**3.8** Addition de couples 68
**3.9** Réduction d'une force à une force passant par un point donné et un couple. 69
**3.10** Réduction d'un système de forces coplanaires à une force et un couple. Résultante d'un système de forces coplanaires 75
**3.11** Systèmes équivalents de forces coplanaires 76

ÉQUILIBRE DES CORPS RIGIDES 81

**3.12** Corps rigide en équilibre 81
**3.13** Schéma du corps isolé 82
**3.14** Problèmes comportant l'équilibre d'un corps rigide 84
**3.15** Réactions statiquement indéterminées. Liaisons incomplètes 86
**3.16** Équilibre d'un corps soumis à deux forces 99
**3.17** Équilibre d'un corps soumis à trois forces 100

**4**
**STATIQUE DES CORPS RIGIDES DANS L'ESPACE** 106

SYSTÈMES DE FORCES ÉQUIVALENTS 106

**4.1** Moment d'une force par rapport à un axe 106
**4.2** Couples de l'espace 108
**4.3** Les couples sont des vecteurs 109
**4.4** Réduction d'une force quelconque à une force appliquée à un point *O* et un couple 116
**4.5** Réduction d'un système de forces à une force et un couple 117

ÉQUILIBRE DES CORPS RIGIDES 124

**4.6** Équilibre d'un corps rigide de l'espace 124
**4.7** Réactions d'appui et de liaison 125

**5**
**FORCES RÉPARTIES : CENTRES DE GRAVITÉ** 138

COURBES ET SURFACES 138

**5.1** Centre de gravité d'une surface 138
**5.2** Centres de gravité (centroïdes) des courbes et des surfaces 140
**5.3** Figures composées 144
**5.4** Détermination par intégration des centres de gravité (centroïdes) des figures géométriques 153
**5.5** Théorèmes de Pappus-Guldinus 154
***5.6** Charges réparties 163
***5.7** Pression hydrostatique 164

VOLUMES 171

**5.8** Centre de gravité d'un corps de l'espace. Centre de gravité (centroïde) d'un volume 171
**5.9** Corps composés 173
**5.10** Calcul du centre de gravité (centroïde) des volumes par intégration 175

**6**
**ÉTUDE DES STRUCTURES** 184

**6.1** Forces intérieures. Troisième principe de Newton 184

TREILLIS ARTICULÉS 185

**6.2** Définition d'un treillis articulé 185
**6.3** Treillis simples 187
**6.4** Analyse des treillis articulés par la méthode des noeuds 187
***6.5** Cas particuliers de chargement des noeuds 191
***6.6** Treillis ou triangulations de l'espace 193
**6.7** Analyse graphique des treillis. Polygone de Maxwell 198
**6.8** Analyse des treillis à l'aide de la méthode des sections 201
***6.9** Treillis composés 203

STRUCTURES ET MÉCANISMES 210

**6.10** Structures avec des membrures multi-forces 210
**6.11** Étude d'une ossature 210

**6.12** Structures qui deviennent hyporigides lorsqu'on les détache de leurs appuis 212
**6.13** Mécanismes 223

## 7
## FORCES DANS LES POUTRES ET DANS LES CÂBLES 236

***7.1** Introduction. Forces intérieures dans les membrures 236

POUTRES 240

***7.2** Les différents types d'appuis et de mise en charge 240
***7.3** Effort tranchant et moment de flexion dans les poutres 242
***7.4** Diagramme des efforts tranchants et des moments fléchissants 244
***7.5** Relation entre les charges, les efforts tranchants et les moments fléchissants 249

CÂBLES 258

***7.6** Câbles soumis à des charges concentrées 258
***7.7** Câbles sollicités par des charges réparties 259
***7.8** Câble parabolique 260
***7.9** Chaînette 267

## 8
## FROTTEMENT 274

**8.1** Introduction 274
**8.2** Les lois du frottement sec. Coefficients de frottement 275
**8.3** Angles de frottement 277
**8.4** Problèmes causés par le frottement sec 278
**8.5** Coins 291
**8.6** Vis à filetage carré 292
***8.7** Paliers. Frottement d'axe 300
***8.8** Butées. Frottement de disque 301
***8.9** Résistance au roulement 303
**8.10** Frottement de courroie 309

## 9
## FORCES RÉPARTIES : MOMENTS D'INERTIE 320

MOMENTS D'INERTIE DES SURFACES 320

**9.1** Moment d'inertie d'une surface 320
**9.2** Calcul du moment d'inertie d'une surface, par intégration 322

**9.3** Moment d'inertie polaire 323
**9.4** Rayon de giration des surfaces 324
**9.5** Théorème des axes parallèles 329
**9.6** Moments d'inertie des surfaces composées 330
***9.7** Produit d'inertie 339
***9.8** Axes principaux d'inertie et moments principaux d'inertie 341
***9.9** Cercle de Mohr 344

MOMENTS D'INERTIE DES MASSES 352

**9.10** Moment d'inertie d'une masse 352
**9.11** Théorème des axes parallèles 353
**9.12** Moments d'inertie de plaques minces 355
**9.13** Détermination du moment d'inertie d'un corps par intégration 356
**9.14** Moments d'inertie des corps composés 356

## 10
## MÉTHODES DES TRAVAUX VIRTUELS 369

***10.1** Travail d'une force 369
***10.2** Principe des travaux virtuels 372
***10.3** Applications du principe des travaux virtuels 373
***10.4** Machines. Rendement mécanique 375
***10.5** Travail d'une force le long d'un déplacement fini 384
***10.6** Énergie potentielle 386
***10.7** Équilibre des corps et énergie potentielle 387
***10.8** Équilibre stable 389

## ANNEXE

## A3
## CORPS RIGIDE : SYSTÈMES DE FORCES ÉQUIVALENTS 397

**A3.1** Corps rigides. Forces intérieures et forces extérieures 397
**A3.2** Principe du glissement des forces. Forces équivalentes 399
**A3.3** Produit vectoriel de deux vecteurs 401
**A3.4** Décomposition du produit vectoriel selon des axes de référence orthogonaux 403
**A3.5** Moment d'une force par rapport à un point 405
**A3.6** Théorème de Varignon 407
**A3.7** Composantes orthogonales du moment d'une force 408
**A3.8** Produit scalaire de deux vecteurs 415

**A3.9** Produit mixte de trois vecteurs 418
**A3.10** Moment d'une force par rapport à un axe donné 419
**A3.11** Moment d'un couple 426
**A3.12** Couples équivalents 427
**A3.13** Addition de couples 429
**A3.14** Représentation vectorielle des couples 430
**A3.15** Réduction d'une force quelconque à un système formé d'un couple et d'une force appliquée à un point donné. 431
**A3.16** Réduction d'un système de forces à une résultante et à un couple 440
**A3.17** Systèmes de forces équivalents 441
**A3.18** Systèmes équipollents 442
**A3.19** Cas particuliers de la réduction d'un système de forces 442

**A4**
**ÉQUILIBRE DES CORPS RIGIDES** 460

**A4.1** Corps rigide en équilibre 460
**A4.2** Schéma du corps isolé 461

ÉQUILIBRE D'UN CORPS RIGIDE DANS LE PLAN 462

**A4.3** Les réactions d'appui et de liaison dans une structure à deux dimensions 462
**A4.4** Équilibre d'un corps rigide à deux dimensions 464
**A4.5** Réactions statiquement indéterminées 466
**A4.6** Équilibre d'un corps rigide soumis à deux forces 479
**A4.7** Équilibre d'un corps rigide soumis à trois forces 480

ÉQUILIBRE D'UN CORPS RIGIDE DANS L'ESPACE 486

**A4.8** Les réactions d'appui et de liaison dans une structure à trois dimensions 486
**A4.9** Équilibre d'un corps rigide à trois dimensions 488

**Index** 505
**RÉPONSES AUX PROBLÈMES NUMÉROTÉS EN CHIFFRES PAIRS** 509

# Préface

L'objectif principal d'un premier cours en Mécanique doit permettre de développer chez l'étudiant la capacité d'aborder les problèmes d'une manière simple et logique et d'utiliser pour les résoudre un nombre restreint de principes bien compris.

Cet ouvrage, conçu pour les cours de Mécanique offerts dans les premières années des Facultés et des Écoles d'ingénierie, aidera les professeurs à atteindre cet objectif.

Afin de permettre au lecteur une meilleure utilisation de cet ouvrage, nous devons en faire ressortir quelques particularités :

— les grandeurs vectorielles ont été clairement identifiées par rapport aux grandeurs scalaires par l'usage des symboles imprimés en caractères gras.

— le concept de vecteur et les opérations d'addition et de décomposition vectorielles sont expliqués en détail dès les premiers chapitres. Comme la mécanique des points matériels est présentée séparément de celle des corps rigides, l'étudiant peut être alors rapidement en mesure de résoudre des problèmes simples. Les concepts plus complexes sont introduits plus tard lorsque l'étudiant devient plus apte à les comprendre. Dans le chapitre 2, la notion de statique du point matériel est développée et les lois d'équilibre sont appliquées à un système de forces concourantes. La statique des corps rigides est traitée plus tard aux chapitres 3 et 4, où sont introduits le principe de la transmissibilité des forces et le concept associé de moment des forces.

— les concepts nouveaux sont introduits d'une façon simple et leur application expliquée en détail. Par la suite ils sont régulièrement utilisés dans la solution des problèmes proposés.

— l'aspect déductif de la mécanique appliquée à été mis en évidence, mais pour tenir compte des processus inductifs de l'apprentissage, on a gradué la difficulté des exemples et des applications. La statique des points matériels, par exemple, précède celle des corps rigides et les forces coplanaires sont introduites avant les forces de l'espace.

— le schéma du corps isolé est introduit très tôt et son importance est mise en évidence tout au long du volume. Il est utilisé non seulement pour aider à résoudre des problèmes d'équilibre, mais aussi pour exprimer l'équivalence de deux systèmes de forces ou, plus généralement, de deux systèmes de vecteurs.

— une liste de réponses aux problèmes numérotés pairs seulement est présentée à la fin du livre.

— l'ouvrage comporte un grand nombre de sections, marquées d'un astérisque, qui peuvent être enlevées du cours élémentaire sans pour autant perturber sa compréhension. Dans ces sections, on retrouve des applications de l'hydrostatique, les diagrammes des efforts tranchants et des moments fléchissants, l'équilibre des câbles, le produit d'inertie, le cercle de Mohr et la méthode des travaux virtuels. Les sections traitant des poutres sont spécialement utiles si le cours de statique est immédiatement suivi du cours de mécanique des matériaux.

— les méthodes de solution proposées demandent des connaissances élémentaires d'analyse mathématique, d'algèbre et de trigonométrie. L'accent est mis également sur l'utilisation correcte du calcul différentiel et du calcul intégral ainsi que sur le choix judicieux des méthodes de calcul.
— en annexe, on retrouve les chapitres A3 et A4 dans lesquels les questions traitées aux chapitres 3 et 4 sont revues à l'aide du calcul vectoriel. Ces chapitres pourront donc remplacer les chapitres 3 et 4 sans perturber l'évolution pédagogique de l'étudiant. Nous avons préféré cette approche parce qu'elle permet l'introduction de la méthode vectorielle d'une façon plus générale.
— la terminologie utilisée a été choisie en fonction de deux impératifs : celui de répondre aux habitudes et aux usages déjà largement répandus en Amérique du Nord et celui de familiariser l'étudiant avec la terminologie généralement utilisée dans les pays de langue française. Chaque fois qu'il est nécessaire, le lecteur trouvera *in nota* les différents termes utilisés ainsi que les raisons de ce choix. Nous espérons, de cette façon, aider l'étudiant à se retrouver plus facilement au milieu des différentes terminologies en usage chez nous.

Comme tout ouvrage, celui-ci n'est pas exempt d'erreurs bien que de nombreuses vérifications et révisions y aient été faites. Je recevrais donc avec gratitude toute suggestion susceptible de l'améliorer.

Enfin, je voudrais remercier le professeur Georges Piedboeuf pour le soin et la compétence dont il a su faire preuve lors de la révision des épreuves et aussi exprimer mes remerciements à Mlle Yen Nguyen Thi dont la collaboration continuelle et efficace a grandement contribué à l'élaboration de ce livre.

J.L. SERRA COELHO

# LISTE DES SYMBOLES

$a$ Constante; rayon; distance
**A, B, C**,... Réactions des appuis et des liaisons
$A, B, C, \ldots$ Points
$A$ Aire
$b$ Largeur; distance
$c$ Constante
$C$ Centre de gravité
$d$ Distance
$e$ Base des logarithmes naturels
**F** Force; force de frottement
$g$ Accélération de gravité
$G$ Centre de gravité; constante de gravitation
$h$ Hauteur; flèche d'un câble
**i, j, k** Vecteurs unitaires définissant les axes de référence
$I, I_x, \ldots$ Moment d'inertie
$\bar{I}$ Moment d'inertie central
$J$ Moment d'inertie polaire
$k$ Constante d'élasticité
$K_x, K_y, K_O$ Rayon de giration
$\bar{k}$ Rayon de giration central
$l$ Longueur
$L$ Longueur; portée
$m$ Masse
**M** Couple
$\mathbf{M}_O$ Moment par rapport au point
$M$ Moment; masse de la terre
$\mathbf{M}_O^R$ Moment résultant par rapport au point $O$
$M_{OL}$ Moment par rapport à l'axe $OL$
**N** Composante normale de la réaction
$O$ Origine du système de référence
$p$ Pression
**P** Force; vecteur
$P_{xy}, \ldots$ Produit d'inertie
**Q** Force; vecteur
**r** Vecteur position
$r$ Rayon; distance; coordonnée polaire
**R** Force résultante; vecteur résultant; réaction
$R$ Rayon de la terre
**s** Vecteur position
$s$ Distance; longueur d'arc; longueur du câble
**S** Force; vecteur
$t$ Épaisseur
**T** Force
$T$ Traction
$u, v$ Coordonnées orthogonales
$U$ Travail
**V** Effort tranchant
$V$ Volume; énergie potentielle; effort tranchant
$w$ Charge par unité de longueur
**W**, $W$ Poids; charge
$x, y, z$ Coordonnées orthogonales; distances
$\bar{x}, \bar{y}, \bar{z}$ Coordonnées orthogonales du centre de gravité
$\alpha, \beta, \gamma$ Angles
$\gamma$ Poids spécifique
$\delta$ Allongement
$\delta\mathbf{s}$ Déplacement virtuel
$\delta U$ Travail virtuel
$\lambda$ Vecteur unitaire suivant une direction donnée
$\eta$ Rendement
$\theta$ Coordonnée angulaire; angle; coordonnée polaire
$\mu$ Coefficient de frottement
$\rho$ Densité
$\phi$ Angle de frottement; angle

# Introduction

CHAPITRE

# 1

**1.1. Objectifs de la mécanique.** La mécanique peut être définie comme la science qui décrit et prédit les conditions de repos ou de mouvement des corps soumis à l'action d'un ensemble de forces. Elle se divise en trois grandes parties : mécanique des *corps rigides*, mécanique des *corps déformables* et mécanique des *fluides*.

La mécanique des corps rigides qui nous intéresse particulièrement dans ce cours est habituellement divisée en *statique* et *dynamique*; la première partie étudiant les corps au repos et la dernière, les corps en mouvement. Une des hypothèses de départ de cette partie de la mécanique considère que les corps sont parfaitement rigides. Or, dans la pratique, les constructions mécaniques ne présentent pas cette rigidité absolue et se déforment plus ou moins sous l'action des forces qui leur sont appliquées. En réalité, ces déformations sont généralement très petites et n'affectent pas d'une façon sensible l'équilibre de la structure concernée. Elles sont cependant très importantes pour déterminer les conditions d'effondrement des structures. Pour cette raison, elles seront étudiées en détail dans la mécanique des matériaux qui fait partie de la mécanique des corps déformables.

La troisième division de la mécanique, la mécanique des fluides, étudie à son tour les *fluides compressibles* et les *fluides incompressibles*. L'*hydraulique* est une partie importante de l'étude des fluides incompressibles.

La mécanique est une science pure puisque dans son étude des phénomènes physiques, elle utilise des méthodes propres à ce type de science. Certains auteurs la considèrent plutôt comme une science appliquée. Ces deux points de vue ont leur raison d'être. En effet, la mécanique appliquée est à la base de nombreuses techniques de l'ingénierie, mais elle ne présente pas l'empirisme qu'on retrouve dans ces techniques : au contraire, par sa rigueur et par l'emploi systématique du raisonnement déductif, elle ressemble aux sciences mathématiques.

Cependant, il ne faut pas perdre de vue son caractère expérimental : elle n'est pas une *science abstraite*, mais une *science appliquée*. Le but de la mécanique appliquée est d'expliquer et de prédire certains phénomènes physiques pour ensuite établir les bases de leur utilisation en ingénierie.

**1.2. Concepts et principes fondamentaux.** Bien que l'étude des phénomènes mécaniques remonte à Aristote (384-322 A.C.) et à Archimède (287-212 A.C.), il a fallu attendre Newton (1642-1727) pour voir apparaître une formulation satisfaisante des principes reliant l'ensemble de phénomènes connus. Le fait que plus tard ces principes soient énoncés d'une façon différente par d'Alembert, Lagrange et Hamilton, n'a rien changé à leur validité, qui a été universellement reconnue jusqu'à l'apparition de la *théorie de la relativité* proposée par Einstein (1905). Malgré la limitation qui lui est imposée actuellement, la *mécanique newtonienne* reste encore la base des sciences appliquées en ingénierie.

Les concepts fondamentaux utilisés en mécanique sont l'*espace*, le *temps*, la *masse* et la *force*. Ces concepts ne peuvent pas être véritablement définis : ils sont acceptés dans la mesure où ils sont en accord avec notre expérience ou notre intuition et utilisés comme cadre de référence dans l'étude de la mécanique.

Le concept d'*espace* est associé à la notion de position d'un point *P*. Cette position peut être définie par trois longueurs mesurées à partir d'un certain point, appelé *origine*, et suivant trois directions données. Ces longueurs sont appelées *coordonnées* du point *P*. Mais il ne suffit pas de donner les différentes positions d'un point pour décrire, par exemple, son mouvement : il faut indiquer comment le corps change de place avec le *temps*. Le *temps* devient alors un concept fondamental, défini par sa mesure faite à l'aide d'une *horloge physique*.

Le concept de *masse* est utilisé pour caractériser et comparer différents corps à l'aide de mesures. Deux corps de même masse, par exemple, seront attirés par la terre de façon identique : ils présenteront aussi la même résistance à un changement d'état de mouvement.

La *force* représente l'action d'un corps sur un autre. Cette action peut être de contact ou à distance comme c'est le cas pour les interactions gravitationnelles ou électromagnétiques.

La force est caractérisée par sa *grandeur*, sa *direction* et son *point d'application* : elle est représentée par un *vecteur* (Section 2.2).

Dans la mécanique newtonienne, l'espace, le temps et la masse sont des concepts absolus, indépendants les uns des autres. (Ceci n'est pas vrai dans la *mécanique de la relativité* où le temps d'un événement dépend de la position et où la masse dépend de la vitesse.) Par contre, le concept de force n'est pas indépendant des trois autres. En réalité, un des principes fondamentaux de la mécanique newtonienne nous montre que la force appliquée à un corps est en relation avec sa masse et son accélération.

Nous étudierons les conditions d'équilibre statique et dynamique d'un point matériel et des corps rigides à l'aide des quatre concepts fondamentaux que nous allons introduire.

Lorsqu'un corps est suffisamment petit pour qu'on puisse concentrer sa masse dans un seul point dans l'espace, nous l'appellerons *point matériel* †. Un *corps rigide* est la combinaison d'un grand nombre de points matériels occupant des positions fixes les uns par rapport aux aûtres. L'étude de la mécanique du point matériel est un préalable à celle de la mécanique des corps rigides. D'ailleurs, les résultats obtenus dans l'étude du point matériel peuvent être utilisés directement dans un grand nombre de problèmes mettant en jeu les conditions d'équilibre statique ou dynamique des corps rigides.

L'étude de la mécanique appliquée repose sur six principes fondamentaux qui découlent de l'expérience :

*Principe du parallélogramme des forces.* Deux forces agissant sur un point matériel peuvent être remplacées par une force unique appelée *résultante* que nous obtenons en traçant la diagonale du parallélogramme dont les côtés sont formés par les forces données (Section 2.1).

*Principe du glissement des forces.* †† Les conditions d'équilibre d'un corps soumis à une force ne sont pas modifiés si on la fait glisser sur sa ligne d'action. (Section 3.2).

*Principes de Newton* Énoncés par Sir Isaac Newton dans la dernière partie du dix-septième siècle, ces principes affirment :

PREMIER PRINCIPE. Si la résultante des forces agissant sur un point matériel est nulle, le point restera au repos (si originellement il était au repos) ou il sera animé d'un mouvement rectiligne uniforme (si originellement le point était en mouvement). (Section 2.9)

DEUXIÈME PRINCIPE. Si la résultante des forces agissant sur le point matériel n'est pas nulle, celui-ci acquiert une accélération proportionnelle à la force résultante et dans la direction de celle-ci. Comme nous le verrons plus tard dans la section 12.1, ce principe se traduit par la relation

$$\mathbf{F} = m\mathbf{a} \tag{1.1}$$

où $\mathbf{F}$, $m$ et $\mathbf{a}$ représentent respectivement la force résultante agissant sur le point matériel, la masse et l'accélération de celle-ci, leurs valeurs étant exprimées dans un système cohérent d'unités.

TROISIÈME PRINCIPE. Les forces d'action et de réaction qui se manifestent entre deux corps en contact ont la même grandeur, la même ligne d'action mais des sens opposés. (Section 6.1)

† Éventuellement, nous utiliserons le mot *particule* avec le même sens, comme il est d'usage en Amérique du Nord. (N.T.)

†† Connu aussi sous le nom de principe de la transmissibilité des forces. Voir le 2ᵉ volume, *Dynamique* (section 2.1).

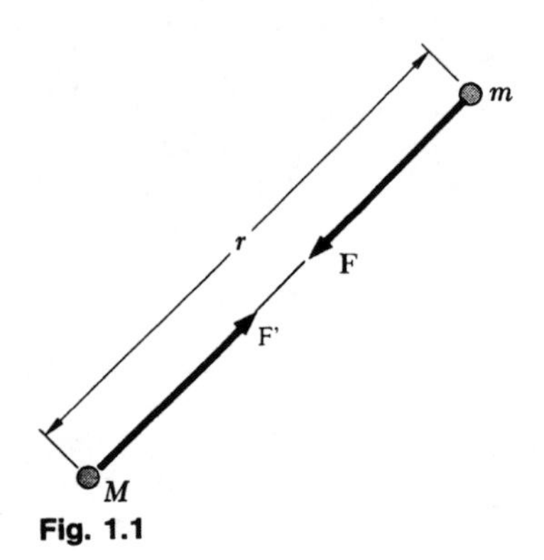

Fig. 1.1

*Principe de la gravitation universelle.* Deux corps de masse $M$ et $m$ s'attirent mutuellement avec les forces **F** et **F'** égales et opposées (Fig. 1.1) dont la grandeur $F$ est donnée par la relation

$$F = G\frac{Mm}{r^2} \tag{1.2}$$

où $r$ = la distance entre les deux corps
$G$ = la constante *de gravitation universelle*

Ce principe introduit l'idée de l'action à distance et élargit le champ d'application du 3ᵉ principe de Newton : l'action **F** et la réaction **F'** (Fig. 1.1) sont égales, opposées et ont la même ligne d'action.

Un cas particulier d'une extrême importance est celui de l'attraction mutuelle entre la terre et les corps placés sur sa surface. La force exercée par la terre sur les corps dans son voisinage a pris le nom de *poids* **W**.

Si dans la relation (1.2) on donne la valeur de la masse de la terre à $M$, celle de la masse du corps à $m$ et le rayon $R$ de la terre à $r$, et si on pose

$$g = \frac{GM}{R^2} \tag{1.3}$$

le poids $W$ du corps de masse† $m$ s'exprimera par

$$W = mg \tag{1.4}$$

La valeur de $R$ dans la relation (1.3) dépend de l'altitude du corps considéré : elle dépend aussi de sa latitude, puisque la terre n'est pas sphérique. La valeur de $g$ dépend par conséquent de la position du lieu où le corps se trouve. Mais aussi longtemps que le corps reste à la surface de la terre, nous pouvons admettre, pour les applications courantes en ingénierie, que $g$ vaut 9,81 m/s².

Les principes que nous venons d'énoncer seront introduits pendant notre étude de la mécanique, selon nos besoins. L'étude de la statique des points matériels que nous verrons au chap. 2 sera basée seulement sur le principe du parallélogramme des forces et le premier principe de Newton. Le principe du glissement des forces sera introduit au chap. 3 lorsqu'on entamera l'étude de la statique des corps rigides.

Le troisième principe de Newton sera introduit au chap. 6, lorsqu'on procédera à l'analyse des forces qu'exercent entre elles les différentes composantes d'une structure. Nous devons noter que les quatre principes que nous venons d'énoncer suffisent à l'étude de la statique du point matériel, à celle des corps rigides et à celle des systèmes de corps rigides. Pour l'étude de la dynamique des points matériels et celle des corps rigides, nous devons

† Une définition plus précise du poids **W** du corps tiendrait compte de la rotation de la terre.

introduire le deuxième principe de Newton et le principe de la gravitation universelle. Nous montrerons alors que le premier principe de Newton est en réalité un cas particulier du deuxième (Section 12.1). De la même façon nous pourrons démontrer que le principe du glissement des forces peut se déduire des autres principes et, par conséquent, être éliminé de notre liste.

Comme nous l'avons déjà remarqué, les six principes fondamentaux sont déduits de l'expérience. Si on excepte le premier principe de Newton et le principe du glissement des forces, tous les autres principes sont donc indépendants les uns des autres. C'est sur eux que s'appuie la plus grande partie de la structure compliquée de la mécanique newtonienne. Depuis plus de deux siècles, une énorme quantité de problèmes traitant des conditions d'équilibre des corps rigides, des corps déformables et des fluides, ont été résolus avec leur aide. Beaucoup de ces solutions ont pu être vérifiées expérimentalement, ce qui, du même coup, a permis de vérifier la validité des principes utilisés.

C'est tout récemment que la mécanique newtonienne a été prise en défaut, notamment dans l'étude du mouvement des atomes et celle de certaines planètes. À ce niveau, elle a dû être remplacée par la mécanique de la relativité. Cependant, à l'échelle terrestre, où les vitesses sont petites par rapport à la vitesse de la lumière, la mécanique newtonienne reste parfaitement valable.

**1.3. Système d'unités.** On associe aux quatre concepts fondamentaux introduits précédemment, des unités appelées *cinétiques*, à savoir les unités de *longueur*, de *temps*, de *masse* et de *force*. Ces unités ne peuvent pas être choisies indépendamment, l'éq. (1.1) devant être vérifiée. Trois de ces unités peuvent être choisies arbitrairement : elles seront alors appelées *unités de base*. La quatrième, devra être définie en accord avec les précédentes et avec l'éq. (1.1) : elle est appelée *unité dérivée*. Les unités cinétiques définies de cette façon forment alors un *système cohérent d'unités*.

*Système international d'unités (SI)* Ce système deviendra d'usage universel lorsque les pays anglo-saxons auront terminé leur conversion actuelle.

Dans ce système, les unités de base sont les unités de longueur, de masse et de temps appelées respectivement le *mètre* (m), le *kilogramme* (kg) et la *seconde* (s). Ces trois unités sont donc arbitrairement choisies. La seconde qui était supposée représenter 1/86 400 partie du jour solaire moyen, est définie actuellement comme étant égale à 9 192 631 770 périodes de la radiation correspondant à la transition entre les deux niveaux hyperfins de l'état fondamental de l'atome de césium 133.

Le mètre, originellement considéré comme étant égal à $10^{-7}$ partie de la distance entre l'équateur et le pôle, est maintenant défini comme étant égal à 1 650 763,73 longueurs d'onde dans le vide de la radiation correspondant à la transition entre les niveaux $2p_{10}$ et $5d_5$ de l'atome de Krypton 86.

Le kilogramme, qui initialement était égal à la masse de $10^{-3}m^3$ d'eau distillée, est actuellement défini comme étant égal à la masse d'un cylindre en platine iridié gardé au Bureau International de Poids et Mesures, situé à Sèvres, près de Paris (France).

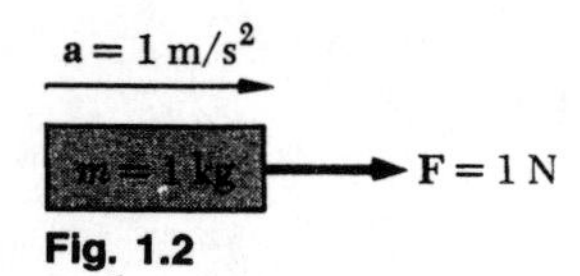

Fig. 1.2

L'unité de force est une unité dérivée. Elle est appelée *newton* (N) et est définie comme étant la force qui imprime une accélération de 1 m/s² à une masse de 1 kg (Fig. 1.2). De l'éq. (1.1), nous pouvons tirer que

$$1 \text{ N} = (1 \text{ kg})(1 \text{ m/s}^2) = 1 \text{ kg·m/s}^2 \tag{1.5}$$

Les unités du système SI forment un système *absolu* d'unités. Ceci signifie que les trois unités fondamentales choisies sont indépendantes du lieu où leurs mesures sont faites. Le mètre, le kilogramme et la seconde peuvent être utilisés partout sur la terre : ils peuvent même servir d'unités sur une autre planète. Ils garderont toujours la même signification.

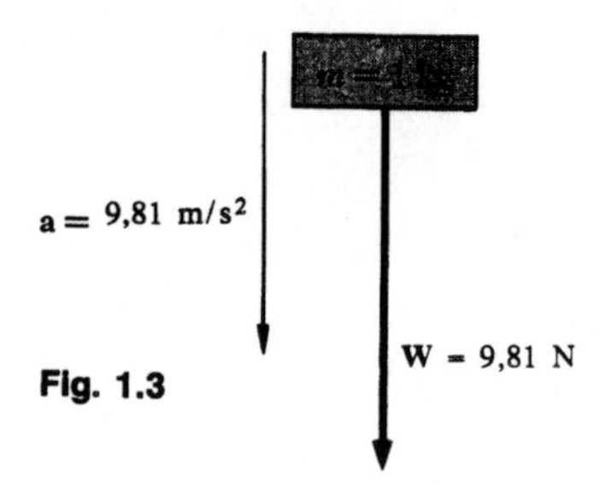

Fig. 1.3

Comme n'importe quelle autre force, le *poids* d'un corps doit être exprimé en newtons. De l'éq. (1.4), on peut déduire que le poids d'un corps de masse 1 kg (Fig. 1.3) est

$$\begin{aligned} W &= mg \\ &= (1 \text{ kg})(9{,}81 \text{ m/s}^2) \\ &= 9{,}81 \text{ N} \end{aligned}$$

Des multiples et sous-multiples des unités du système SI peuvent s'obtenir par l'usage des préfixes consignés dans le tableau 1.1. Les multiples et sous-multiples des unités de longueur, de masse et de force plus fréquemment utilisés dans la pratique sont respectivement le *kilomètre* (km) et le *millimètre* (mm); le *mégagramme*† et le *gramme* (g); et le *kilonewton* (kN). Suivant le tableau 1.1, nous aurons

$$1 \text{ km} = 1000 \text{ m} \quad 1 \text{ mm} = 0{,}001 \text{ m}$$
$$1 \text{ Mg} = 1000 \text{ kg} \quad 1 \text{ g} = 0{,}001 \text{ kg}$$
$$1 \text{ kN} = 1000 \text{ N}$$

La conversion de ces unités en mètres, kilogrammes et newtons peut être effectuée tout simplement en déplaçant la virgule décimale de trois places vers la droite ou vers la gauche.

† Appelé aussi en Amérique du Nord la *tonne métrique*.

**Tableau 1.1. Préfixes SI**

| Facteur de multiplication | Préfixe | Symbole |
|---|---|---|
| 1 000 000 000 000 = $10^{12}$ | téra | T |
| 1 000 000 000 = $10^{9}$ | giga | G |
| 1 000 000 = $10^{6}$ | méga | M |
| 1 000 = $10^{3}$ | kilo | k |
| 100 = $10^{2}$ | hecto † | h |
| 10 = $10^{1}$ | déka † | da |
| 0,1 = $10^{-1}$ | déci † | d |
| 0,01 = $10^{-2}$ | centi † | c |
| 0,001 = $10^{-3}$ | milli | m |
| 0,000 001 = $10^{-6}$ | micro | $\mu$ |
| 0,000 000 001 = $10^{-9}$ | nano | n |
| 0,000 000 000 001 = $10^{-12}$ | pico | p |
| 0,000 000 000 000 001 = $10^{-15}$ | femto | f |
| 0,000 000 000 000 000 001 = $10^{-18}$ | atto | a |

† L'usage de ces préfixes doit être évité, excepté pour des mesures d'aires, de volumes ou pour des mesures non techniques.

Par exemple, pour convertir 3,82 km en mètres, il suffit de déplacer la virgule de trois décimales vers la droite

$$3{,}82 \text{ km} = 3820 \text{ m}$$

De la même façon, pour convertir 47,2 mm en mètres, il suffit de déplacer la virgule de trois décimales vers la gauche.

$$47{,}2 \text{ mm} = 0{,}0472 \text{ m}$$

En utilisant la notation scientifique, nous pourrions encore écrire

$$3{,}82 \text{ km} = 3{,}82 \times 10^{3} \text{ m}$$
$$47{,}2 \text{ mm} = 47{,}2 \times 10^{-3} \text{ m}$$

Les multiples de l'unité de temps sont la *minute* (min) et l'*heure* (h). Et puisque

$$1 \text{ min} = 60 \text{ s et } 1 \text{ h} = 60 \text{ min} = 3600 \text{ s}$$

ces unités ne peuvent pas être converties aussi facilement que les précédentes.

*Unités de surface et volume.* L'unité de surface est le *mètre carré* ($m^2$), qui représente la surface d'un carré de 1 m de côté ; l'unité de volume est le *mètre cube* ($m^3$) qui représente le volume d'un cube dont les arêtes mesurent 1 m. Afin d'éviter l'usage des valeurs numériques très petites ou très grandes dans le calcul des surfaces et des volumes, on utilise des systèmes de sous-unités obtenues en élevant respectivement au carré et au cube non seulement le mètre, mais notamment le *décimètre* (dm) et le *centimètre* (cm). Et puisque par définition,

$$1 \text{ dm} = 0{,}1 \text{ m} = 10^{-1} \text{ m}$$
$$1 \text{ cm} = 0{,}01 \text{ m} = 10^{-2} \text{ m}$$
$$1 \text{ mm} = 0{,}001 \text{ m} = 10^{-3} \text{ m}$$

les sous-multiples de l'unité de surface s'écrivent

$$1 \text{ dm}^2 = (1 \text{ dm})^2 = (10^{-1} \text{ m})^2 = 10^{-2} \text{ m}^2$$
$$1 \text{ cm}^2 = (1 \text{ cm})^2 = (10^{-2} \text{ m})^2 = 10^{-4} \text{ m}^2$$
$$1 \text{ mm}^2 = (1 \text{ mm})^2 = (10^{-3} \text{ m})^2 = 10^{-6} \text{ m}^2$$

et les sous-multiples de l'unité de volume s'écrivent

$$1 \text{ dm}^3 = (1 \text{ dm})^3 = (10^{-1} \text{ m})^3 = 10^{-3} \text{ m}^3$$
$$1 \text{ cm}^3 = (1 \text{ cm})^3 = (10^{-2} \text{ m})^3 = 10^{-6} \text{ m}^3$$
$$1 \text{ mm}^3 = (1 \text{ mm})^3 = (10^{-3} \text{ m})^3 = 10^{-9} \text{ m}^3$$

Pour mesurer le volume occupé par un liquide, on utilise comme unité le *litre* (L) qui est égal à 1 $\text{dm}^3$.

D'autres unités SI, dites dérivées, et qui servent à mesurer le moment d'une force, le travail d'une force, etc., seront introduites dans les chapitres qui suivent. Elles sont consignées dans le tableau 1.2.

**Tableau 1.2** Principales unités dérivées utilisées en mécanique.

| Grandeur | Nom | Symbole | Dimension |
|---|---|---|---|
| Accélération | mètre par seconde au carré | $m/s^2$ | $[LT^{-2}]$ |
| Angle | radian | rad | — |
| Accélération angulaire | radian par seconde au carré | $rad/s^2$ | $[T^{-2}]$ |
| Vitesse angulaire | radian par seconde | rad/s | $[T^{-1}]$ |
| Superficie | mètre au carré | $m^2$ | $[L^2]$ |
| Masse volumique | kilogramme par mètre cube | $kg/m^3$ | $[ML^{-3}]$ |
| Énergie | Joule | J | $[ML^2 T^{-2}]$ |
| Force | Newton | N | $[MLT^{-2}]$ |
| Fréquence | Hertz | Hz | $[T^{-1}]$ |
| Moment d'une force | Newton-mètre | N·m | $[ML^2 T^{-2}]$ |
| Puissance | Watt | W | $[ML^2 T^{-3}]$ |
| Pression | Pascal | Pa | $[ML^{-1} T^{-2}]$ |
| Vitesse | mètre par seconde | m/s | $[LT^{-1}]$ |
| Volume (solides) | mètre cube | $m^3$ | $[L^3]$ |
| Volume (liquides) | litre | L | $[L^3]$ |
| Travail | Joule | J | $[ML^2 T^{-2}]$ |

**1.4. Remarques sur la marche à suivre dans la recherche des solutions des problèmes.** L'étudiant doit envisager les problèmes qui lui seront présentés pendant ce cours de la même façon qu'il envisagerait un problème réel. En puisant dans son expérience et dans son intuition, il lui sera alors plus facile de les comprendre et de les mettre en équation. Remarquons qu'une fois un problème clairement posé, il ne restera pas de place pour la fantaisie ou l'imagination de l'étudiant. *La solution doit être basée sur les six principes énoncés dans la section 1.2 ou dans les théorèmes qui en découlent.* Chaque étape franchie doit ensuite être vérifiée. Des règles strictes, devant être établies et suivies, permettront d'arriver à la solution d'une façon quasi automatique et ne laisseront pas de place à l'intuition ou au « tâtonnage » de l'étudiant.

Tous les résultats doivent être vérifiés. Ici encore, l'étudiant fera appel à son expérience et à son bon sens : s'il n'est pas satisfait des résultats obtenus, il devra vérifier soigneusement l'énoncé proposé, la validité des méthodes utilisées et la précision de ses calculs.

L'*énoncé* du problème doit être clair et précis. Il doit contenir toutes les données nécessaires à sa résolution. On doit établir, chaque fois qu'il est possible, un diagramme montrant toutes les grandeurs mises en jeu. Ensuite, on doit tracer un schéma de toutes les forces qui agissent sur les corps ou éléments à étudier, préalablement isolés. Ce schéma ou diagramme des forces agissant sur un *corps isolé* ou plus simplement *schéma du corps isolé*†, sera étudié en détail aux sections 2.10 et 3.13.

Les *principes fondamentaux* décrits à la section 1.2 *devront être utilisés pour écrire les équations* qui expriment les conditions d'équilibre au repos ou en mouvement des corps considérés. Chaque équation doit être déduite du schéma du corps isolé correspondant. Ensuite, pour résoudre le problème, l'étudiant doit suivre strictement les règles usuelles de l'algèbre ou du calcul vectoriel, en indiquant clairement les différentes étapes franchies.

Le résultat final doit être *soigneusement vérifié.* Des erreurs de *raisonnement* sont souvent détectées par la vérification des unités. Par exemple, pour calculer le moment d'une force de 50 N par rapport à un point situé à 0,60 m de sa ligne d'action, nous devons écrire (Section 3.4)

$$M = Fd = (50\ \text{N})(0{,}60\ \text{m}) = 30\ \text{N}\cdot\text{m}$$

L'unité N·m obtenue en multipliant des newtons par des mètres est l'unité cohérente pour mesurer le moment des forces : l'obtention d'une autre unité indique une erreur de raisonnement dans la recherche de la solution.

Les erreurs de *calcul* se détectent facilement en introduisant les résultats obtenus dans une équation non utilisée : ces valeurs doivent la vérifier. On n'insistera jamais assez sur l'importance pour l'ingénieur de calculer sans erreur.

† Nous préférons cette expression à celle de « schéma rendu libre » parce qu'elle est plus saisissante pour le lecteur, toutefois cette dernière expression est assez fréquemment utilisée. (N.T.)

**1.5. Précision des calculs.** La précision de la solution d'un problème dépend de deux facteurs : 1) la précision des données; 2) la précision des calculs exécutés.

Le résultat ne peut pas être plus précis que le moins précis de ces deux facteurs. Par exemple, si la charge de service d'un pont est 75 000 N et que cette charge est connue avec une erreur possible de ±100 N, l'erreur relative qui mesure la précision de cette donnée est

$$\frac{100 \text{ N}}{75\,000 \text{ N}} = 0{,}0013 = 0{,}13\%$$

Il devient alors sans signification réelle de calculer une réaction d'appui du pont jusqu'à la valeur 14 322 N. En effet, comme la précision de la solution ne peut pas dépasser 0,13%, quelle que soit la précision des calculs, on voit que l'erreur possible dans la solution est de (0,13/100) (14 322 N $\approx$ 20 N). La solution correctement indiquée serait 14 320 ±20 N

Dans les problèmes rencontrés par l'ingénieur, les données sont rarement connues avec une précision supérieure à 0,2%. Il est donc inutile de procéder à des calculs d'une précision supérieure. Dans la plupart des cas, la règle à calcul donne une précision suffisante. Si on regarde l'échelle principale d'une règle à calcul de 25 cm, on observe que le nombre 502 peut être facilement interpolé entre les graduations 500 et 505. Nous commettrons donc une erreur en choisissant soit le nombre 501, soit le nombre 503. Dans les deux cas, cette erreur ne dépassera pas 0,2%, si une attention soignée est apportée à la manipulation des échelles et du marqueur. En effet, l'erreur absolue commise serait de une unité sur 500 et l'erreur relative serait alors de 0,2%. Pour d'autres points de l'échelle, l'erreur absolue sera différente (par exemple de 2 unités sur 1000); mais, quoi qu'il en soit, la nature logarithmique des échelles maintient l'erreur relative à 0,2%.

On dit parfois que la précision obtenue par la règle à calcul est de *trois chiffres significatifs*. Ceci est correct pourvu qu'on reste dans la partie centrale de l'échelle principale où des mesures telles que 298, 299, 300 et 301 peuvent être facilement introduites. Le troisième chiffre significatif devient très discutable vers l'extrémité droite de la règle où il est difficile de distinguer 977 de 978. Par contre, si on se déplace vers l'extrémité gauche de la règle, on peut introduire un quatrième chiffre significatif. L'erreur relative commise entre 996 et 998 (extrémité droite de la règle) et celle commise entre 1002 et 1004 (extrémité gauche de la règle) reste la même, soit 0,2% pour les deux cas. Nous définirons la précision des calculs à l'aide de l'erreur relative plutôt qu'à l'aide des chiffres significatifs, et nous tenterons d'obtenir des résultats à l'intérieur d'une précision de 0,2%. Une convention pratique en usage lorsqu'on utilise une règle à calcul de 25 cm nous dit de prendre quatre chiffres significatifs pour les lectures comprises entre 1 et 2, et trois chiffres significatifs pour les lectures comprises entre 2 et 10. Sauf indication contraire, les données des problèmes sont supposées avoir un degré de précision semblable.

C'est ainsi qu'une force de 40 N doit être écrite 40,0 N et une autre de 15 N doit s'écrire 15,00 N.

Les calculatrices électroniques portatives sont maintenant d'usage courant chez les ingénieurs et les étudiants en ingénierie. La vitesse et la précision de ces calculatrices facilitent les calculs dans la plupart des problèmes. Cependant, l'étudiant ne doit pas inscrire plus de nombres significatifs que ceux qu'il peut justifier, simplement parce qu'ils sont facilement obtenus. Comme nous venons de le dire, une précision supérieure à 0,2% est rarement nécessaire et encore moins significative dans la solution des problèmes rencontrés dans la pratique.

CHAPITRE

# 2 Statique des points matériels

## FORCES COPLANAIRES

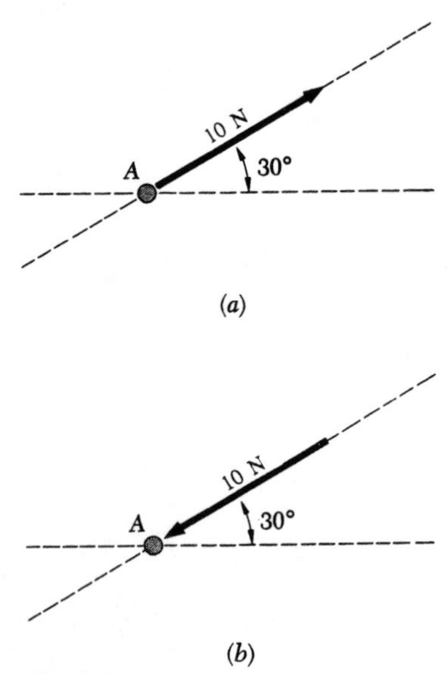

Fig. 2.1

**2.1. Force appliquée à un point matériel. Composition de deux forces.** La force représente l'action d'un corps sur un autre. Pour la définir, nous devons préciser *sa grandeur*, *son orientation* et *son point d'application*. Dans ce chapitre, nous étudierons seulement l'effet des forces appliquées à des points matériels. Nous appelons *points matériels* des corps dont la grandeur et la forme n'interviennent pas dans la solution des problèmes traités dans ce chapitre : ceci revient à admettre que toutes les forces appliquées au corps possèdent le même point d'application. Il en résulte alors que chaque force sera complètement définie par sa grandeur et son orientation.

La grandeur d'une force est définie par sa mesure. Comme nous l'avons déjà vu au chap. 1, l'unité SI, utilisée par l'ingénieur pour mesurer la grandeur d'une force, est le newton (N) ou son multiple le kilonewton (kN), qui vaut 1000 N.

La direction de la force est définie par sa *ligne d'action* et par *son sens*. La ligne d'action est la droite le long de laquelle la force agit : elle est caractérisée par l'angle qu'elle forme avec un axe de référence (Fig. 2.1). La force elle-même est représentée par un segment de cette droite : par le choix approprié d'une échelle, la longueur de ce segment peut être prise comme représentation de la grandeur de la force. Le sens de la force est généralement indiqué par une flèche apposée à l'extrémité du segment de droite qui représente sa grandeur.

Il est important de préciser ces trois caractéristiques lorsqu'on travaille avec des forces : en effet, comme on peut le voir à la fig. 2.1*a* et *b*, deux forces de même grandeur et de même direction mais de sens contraire auront des effets opposés sur un point matériel.

L'expérience nous montre qu'il est toujours possible de remplacer les deux forces **P** et **Q** agissant sur le point *A* (Fig. 2.2*a*) par une force unique **R** qui aurait les mêmes effets sur le point *A* (Fig. 2.2*b*). Cette force **R** est appelée la *résultante* des forces **P** et **Q** et peut être obtenue, comme le montre la fig. 2.2*b*, en traçant, à partir du point *A*, le parallélogramme qui a les forces **P** et **Q** comme côtés. *La diagonale partant du point A représente cette résultante.* Cette construction traduit vectoriellement le *principe du parallélogramme* de forces. Notons que ce principe est une évidence expérimentale; il ne peut pas être déduit mathématiquement.

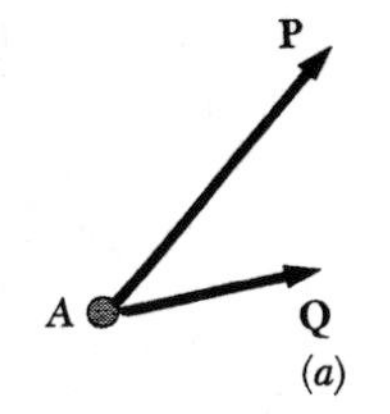


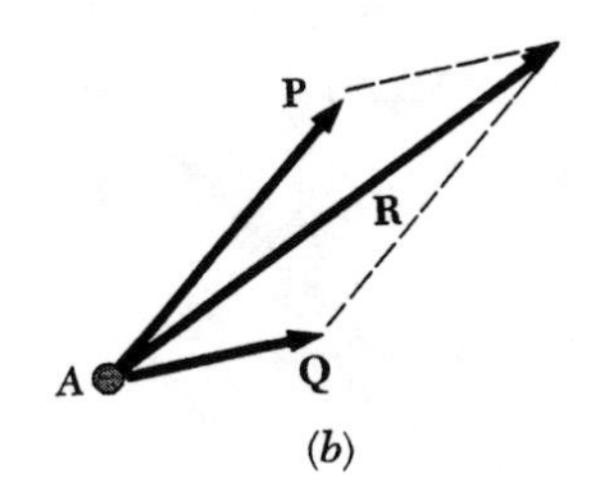


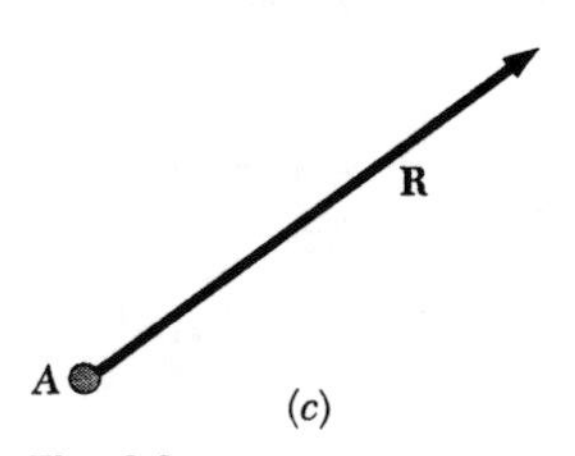


Fig. 2.2

**2.2. Vecteurs.** La construction précédente nous montre que les forces ne suivent pas les règles de l'addition définies par l'arithmétique ou par l'algèbre.

Par exemple, deux forces de 3 N et de 4 N, faisant un angle droit entre elles, auront comme résultante une force de 5 N et *non* de 7 N. Les forces ne sont pas les seules grandeurs physiques qui s'additionnent suivant le principe du parallélogramme de forces. Comme nous le verrons plus tard, les *déplacements, vitesses, accélérations, quantités de mouvement,* etc., sont d'autres exemples de grandeurs physiques qui sont non seulement caractérisées par une grandeur et une orientation, mais suivent aussi le principe du parallélogramme. Toutes ces grandeurs physiques peuvent être représentées mathématiquement par des *vecteurs.* Tandis qu'un autre type de grandeurs, telles que *volumes, masses* ou *énergies* sont complètement définies par leur mesure seule et sont représentées par des nombres ou *scalaires.*

Les vecteurs sont donc définis comme des *expressions mathématiques qui possèdent une grandeur et une direction et qui suivent le principe du parallélogramme.* Les vecteurs sont habituellement représentés par une lettre chapeautée d'une petite flèche. Cependant, dans ce texte, nous avons choisi de les représenter en caractères gras (**P**) pour les distinguer des grandeurs scalaires (*P*). Dans l'écriture courante, le vecteur peut être représenté en dessinant une petite flèche sur la lettre qui le représente ($\overrightarrow{P}$) ou en la soulignant ($\underline{P}$). Cette dernière représentation est de plus en plus utilisée parce qu'elle facilite l'usage de la machine à écrire. Dans ce texte, nous représenterons la grandeur du vecteur par une lettre en caractère italique. La grandeur du vecteur **P** sera représentée par *P*.

Un vecteur représentant une force agissant sur un point *A* possède un point d'application fixe qui est le point lui-même. Un tel vecteur est appelé *vecteur lié* et ne peut pas être déplacé sans changer les conditions du problème. D'autres grandeurs vectorielles comme les couples (Chap. 4) sont représentées par des vecteurs qui peuvent se déplacer librement dans l'espace; ces vecteurs sont appelés *vecteurs libres.* D'autres grandeurs encore, comme les forces qui agissent sur un corps rigide (Chap. 3), sont représentées par des vecteurs qui

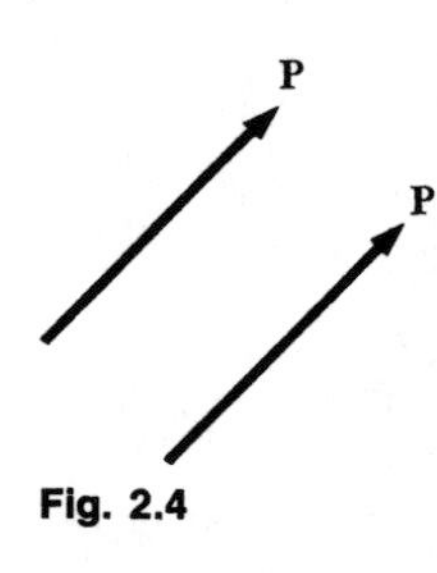


Fig. 2.4

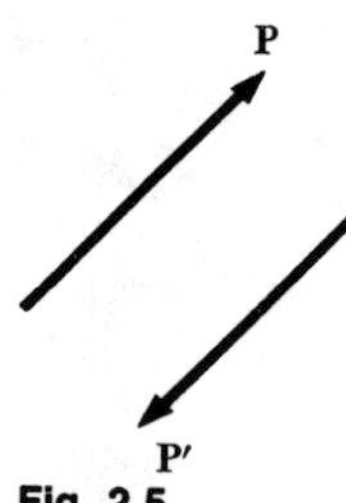


Fig. 2.5

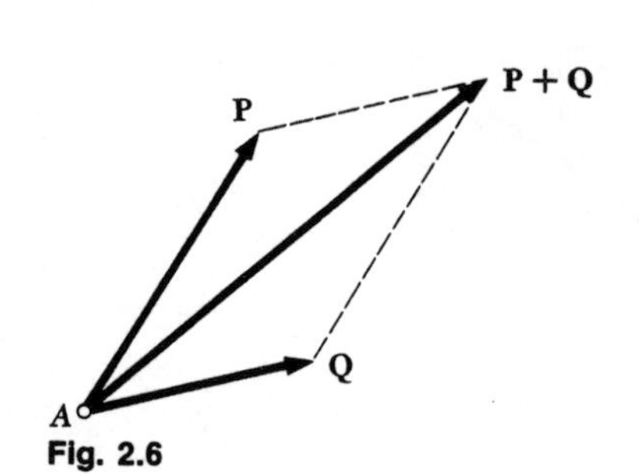


Fig. 2.6

peuvent glisser le long de leur ligne d'action sans pour autant changer leurs effets : de tels vecteurs sont appelés *vecteurs glissants.*†

On dit que deux vecteurs sont *équipollents* s'ils ont les mêmes grandeur et orientation, même s'ils n'ont pas le même point d'application (Fig. 2.4). Il en résulte que deux vecteurs libres sont égaux s'ils sont équipollents : deux vecteurs glissants sont égaux s'ils sont équipollents et s'ils ont la même ligne d'action. Finalement, deux vecteurs liés sont égaux s'ils sont équipollents et s'ils ont le même point d'application. Lorsque deux vecteurs ont la même grandeur, des lignes d'action parallèles et des sens contraires, on dit qu'ils sont *égaux* et *opposés* (Fig. 2.5).

**2.3. Addition des vecteurs.** Nous avons vu dans la section précédente que les vecteurs suivent le principe du parallélogramme. L'addition des vecteurs **P** et **Q** se fait alors en transportant les origines des deux vecteurs sur le point $A$ et en construisant le parallélogramme qui a **P** et **Q** comme côtés (Fig. 2.6). La diagonale qui part du point $A$ représente le vecteur résultant de l'addition de **P** et **Q**, addition que nous écrirons **P** + **Q**. L'usage du même signe + pour représenter deux opérations différentes (l'algébrique et la vectorielle) ne prête pas à confusion si on prend la précaution de bien identifier les vecteurs ou les scalaires en jeu. D'une façon générale, la grandeur du vecteur **P** + **Q** *n'est pas* égale à la somme $P + Q$ des grandeurs des vecteurs **P** et **Q**.

Nous pouvons vérifier facilement que le parallélogramme construit à la fig. 2.6 est indépendant de l'ordre dans lequel les vecteurs **P** et **Q** ont été additionnés : on peut conclure que l'addition vectorielle est *commutative*, et

† Certaines grandeurs physiques possèdent aussi une grandeur et une orientation telles que les grandeurs vectorielles mais ne suivent pas le principe du parallélogramme. Bien que ces grandeurs puissent être représentées par des flèches, elle *ne peuvent pas* être classées comme vecteurs.

Un ensemble de telles grandeurs est formé par les rotations finies d'un corps rigide. Placez un livre fermé sur une table en face de vous de façon à ce que sa page frontale soit orientée vers le haut et son bord relié vers le côté gauche : appliquez une rotation de 180° autour d'un axe parallèle au bord relié (Fig. 2.3*a*); cette rotation peut être représentée par une flèche de longueur égale à 180 unités et orientée de la façon indiquée à la fig. 2.3*a*. Effectuons encore à partir de sa dernière position une nouvelle rotation de 180° autour d'un axe perpendiculaire à la reliure (Fig. 2.3*b*); cette deuxième rotation peut être représentée par une flèche longue de 180 unités et orientée comme la figure l'indique. Cependant, le livre aurait pu être placé dans la même position finale par une simple rotation de 180° autour d'un axe vertical, perpendiculaire au plan du livre. Nous pouvons conclure que l'addition de deux rotations de 180°, représentées par des flèches orientées suivant les axes $z$ et $x$ est une rotation de 180° représentée par une flèche orientée suivant l'axe $y$ (Fig. 2.3*d*). En résumé, les rotations finies d'un corps rigide n'obéissent pas au principe du parallélogramme; elles ne peuvent pas être représentées par des vecteurs.

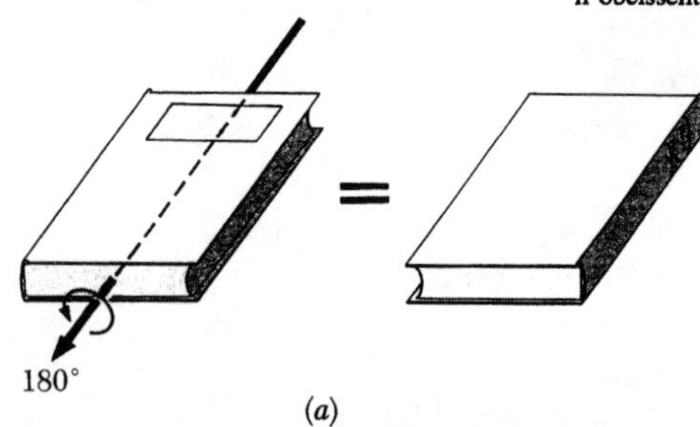


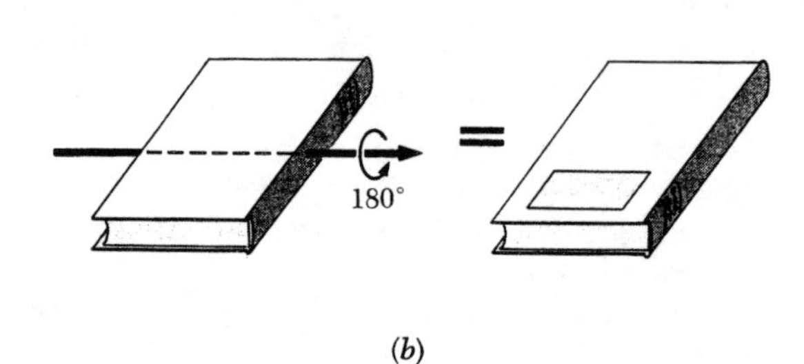


Fig. 2.3 Rotations finies d'un corps rigide

nous écrirons :

$$\mathbf{P} + \mathbf{Q} = \mathbf{Q} + \mathbf{P} \tag{2.1}$$

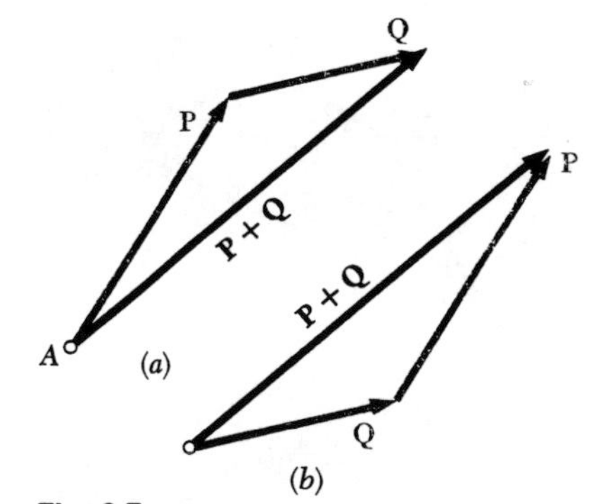

Fig. 2.7

À partir de la construction du parallélogramme, nous pouvons déduire une autre méthode graphique pour additionner deux vecteurs. Cette méthode est connue sous le nom de la *règle du triangle.* Considérons la fig. 2.6 où la somme des vecteurs **P** et **Q** a été faite à l'aide d'un parallélogramme. Puisque le côté du parallélogramme opposé au côté **Q** est égal à **Q** en grandeur et en direction, nous pourrons dessiner seulement la moitié du parallélogramme (Fig. 2.7*a*). Le vecteur résultant de l'addition des deux vecteurs peut être trouvé en *disposant* **P** *et* **Q** *bout à bout et en joignant ensuite l'origine de* **P** *à l'extrémité de* **Q**. Dans la fig. 2.7*b*, on a refait l'addition en changeant l'ordre des vecteurs et on a obtenu la même résultante. Ceci confirme que l'addition de vecteurs est une opération commutative.

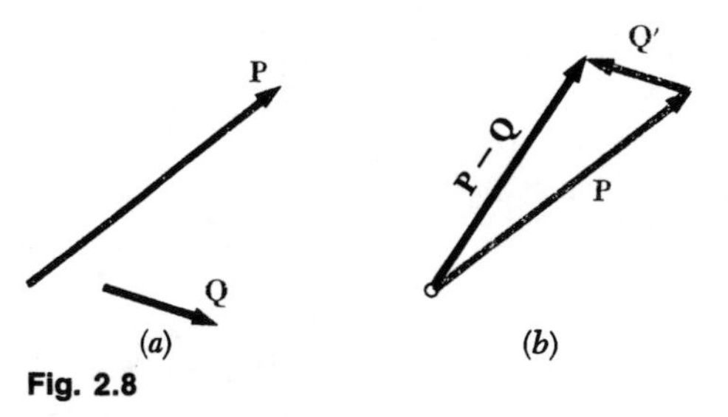

Fig. 2.8

La *soustraction* de deux vecteurs **P** – **Q** est définie comme l'addition du vecteur **P** à un vecteur **Q′** égal et opposé à **Q** (Fig. 2.8). L'usage du même signe « – » pour représenter deux opération différentes, l'algébrique et la vectorielle, ne prête pas à confusion si on prend la précaution de bien identifier les expressions en jeu (expression algébrique ou vectorielle).

L'*addition* de trois vecteurs **P**, **Q** et **S** se fait en exécutant d'abord (**P** + **Q**) et ensuite en additionnant ce résultat au vecteur **S**. Nous écrirons :

$$\mathbf{P} + \mathbf{Q} + \mathbf{S} = (\mathbf{P} + \mathbf{Q}) + \mathbf{S} \tag{2.2}$$

De la même façon, la somme de quatre vecteurs s'obtient en additionnant le quatrième vecteur à la somme des trois premiers. On peut conclure que l'addition d'un nombre quelconque de vecteurs s'obtient par l'application successive de la règle du triangle à des paires de vecteurs jusqu'à obtention de la résultante finale.

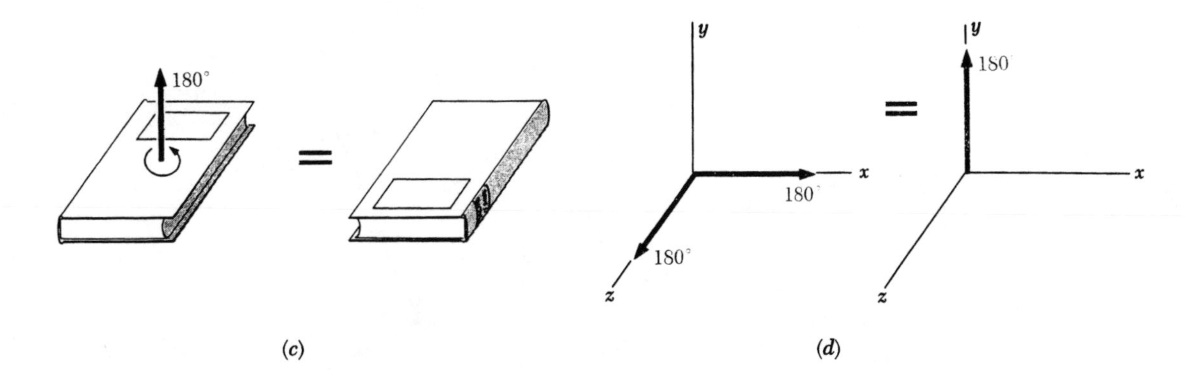

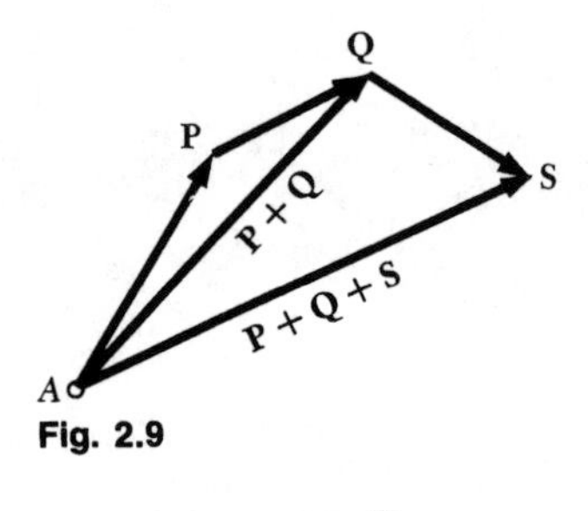

Fig. 2.9

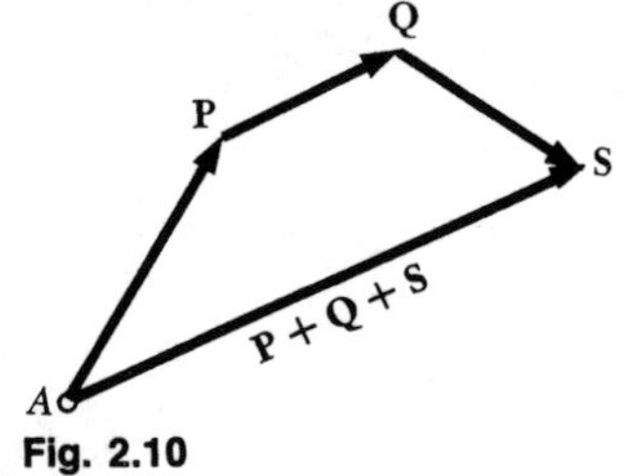

Fig. 2.10

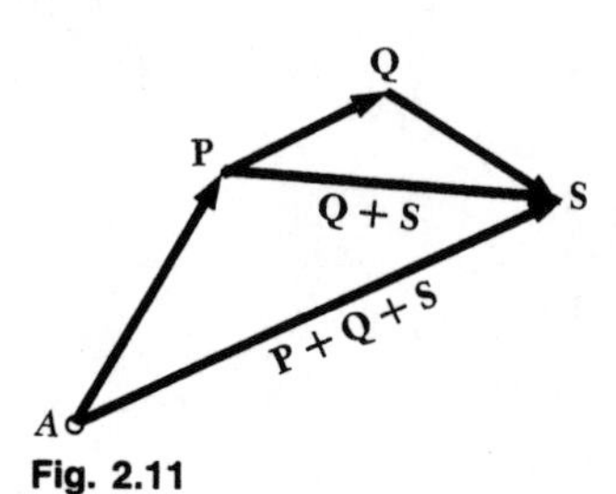

Fig. 2.11

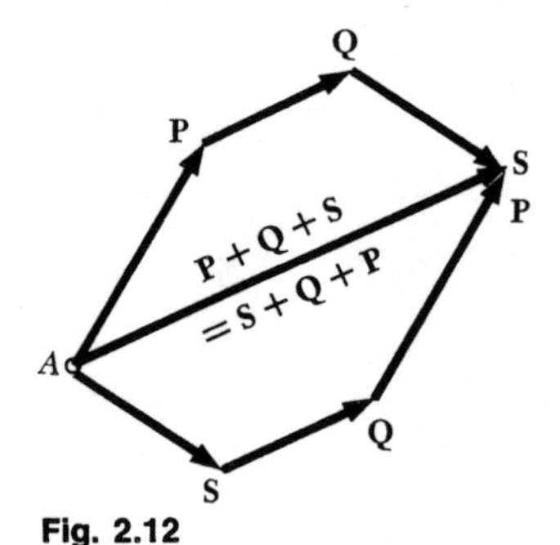

Fig. 2.12

Si les vecteurs sont *coplanaires*, c'est-à-dire s'ils se trouvent tous dans un même plan, on peut déterminer facilement leur résultante en procédant graphiquement. Dans ce cas, la règle du triangle est préférée à celle du parallélogramme. Nous avons utilisé dans la fig. 2.9 la règle du triangle. Une première application de cette règle nous donne le vecteur **P** + **Q**; une deuxième nous donne la résultante **P** + **Q** + **S**. Le tracé du vecteur **P** + **Q** peut cependant être omis dans la construction et la résultante tracée directement, comme il est montré dans la fig. 2.10, en *disposant tous les vecteurs bout à bout et en traçant le vecteur qui a comme origine, l'origine du premier vecteur, et comme extrémité, l'extrémité du dernier.* Cette façon de procéder traduit graphiquement la *règle du polygone.*

Nous pouvons observer facilement à l'aide de la fig. 2.11 que le résultat final ne change pas si on remplace deux vecteurs quelconques **Q** et **S** par leur somme **Q** + **S**. Nous écrirons

$$\mathbf{P} + \mathbf{Q} + \mathbf{S} = (\mathbf{P} + \mathbf{Q}) + \mathbf{S} = \mathbf{P} + (\mathbf{Q} + \mathbf{S}) \tag{2.3}$$

Cette relation exprime que l'addition vectorielle est *distributive* et *associative.* Nous avons déjà vérifié que l'addition vectorielle de deux vecteurs était commutative; nous pouvons donc écrire

$$\begin{aligned} \mathbf{P} + \mathbf{Q} + \mathbf{S} &= (\mathbf{P} + \mathbf{Q}) + \mathbf{S} = \mathbf{S} + (\mathbf{P} + \mathbf{Q}) \\ &= \mathbf{S} + (\mathbf{Q} + \mathbf{P}) = \mathbf{S} + \mathbf{Q} + \mathbf{P} \end{aligned} \tag{2.4}$$

Nous constatons encore que l'ordre des vecteurs dans l'addition est arbitraire (Fig. 2.12).

**2.4. Composition de plusieurs forces concourantes.** Considérons le point *A* sur lequel agissent plusieurs forces coplanaires, c'est-à-dire des forces faisant partie d'un seul et même plan (Fig. 2.13*a*). Nous dirons encore que ces forces sont *concourantes* parce qu'elles passent toutes par le même point *A*. Elles peuvent être composées dans une résultante unique en utilisant la règle du polygone (Fig. 2.13*b*). Le vecteur **R** ainsi obtenu représente la résultante des forces concourantes, c'est-à-dire la force unique qui a le même effet sur le point *A* que l'ensemble des forces données. Comme nous l'avons constaté antérieurement, l'ordre dans lequel **P**, **Q** et **S** ont été additionnés est arbitraire.

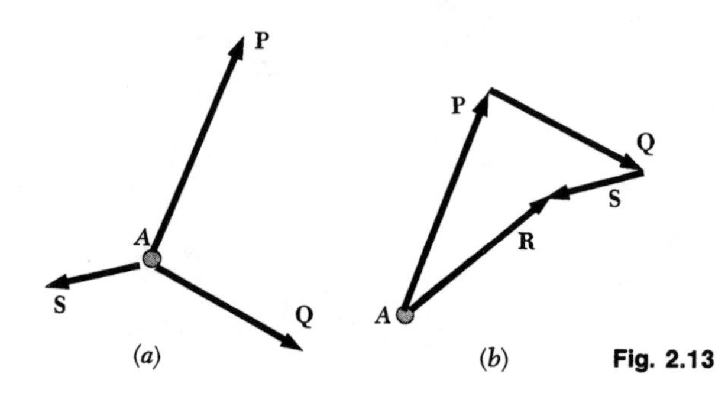

Fig. 2.13

**2.5. Décomposition d'une force suivant ses composantes.** Nous avons montré jusqu'à maintenant qu'il est toujours possible de remplacer deux ou plusieurs forces par une force unique qui aurait les mêmes effets sur le point $A$. Réciproquement, il est toujours possible de remplacer une force unique **F**, agissant sur un point, par deux ou plusieurs forces qui auraient les mêmes effets sur ce point. Ces forces sont appelées les *composantes* de la force originelle **F** et le procédé utilisé pour les calculer s'appelle *décomposition d'une force suivant ses composantes.* Il existe donc pour chaque force **F** un nombre infini de composantes. Cependant, l'ensemble de *deux composantes* **P** *et* **Q** calculées par rapport à deux directions données, est le plus utilisé dans les applications pratiques. Mais même dans ce cas, le nombre de directions possibles pour le calcul de ces composantes est illimité (Fig. 2.14). Nous devons considérer deux cas d'un intérêt particulier :

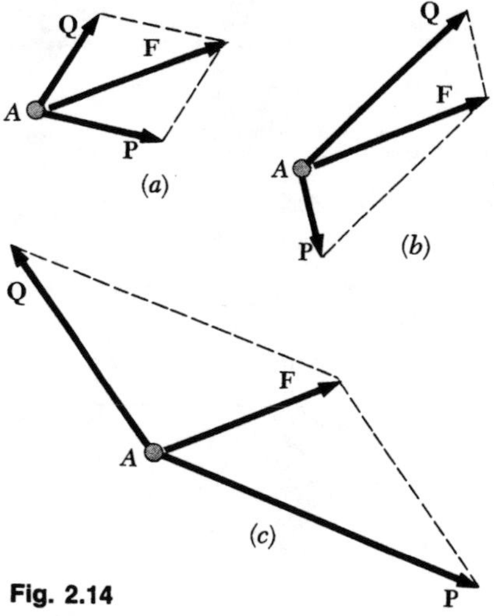

**Fig. 2.14**

1. *Une des composantes* **P** *est fixée.* On calcule la deuxième composante en utilisant la règle du triangle. La composante **Q** est représentée par le vecteur qu'on obtient en joignant l'extrémité de **P** à l'extrémité de **F** (Fig. 2.15); les grandeur et direction de **Q** peuvent être calculées par des procédés graphiques ou trigonométriques. Lorsque **Q** est connue, les deux composantes **P** et **Q** seront appliquées au point $A$.

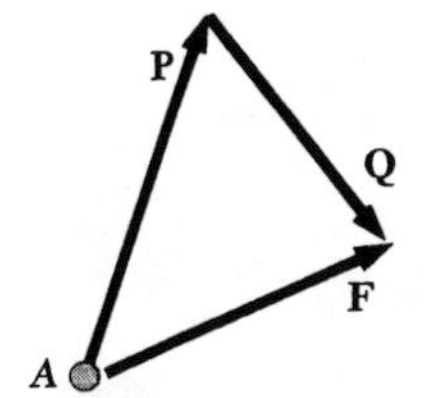

**Fig. 2.15**

2. *Les deux directions de décomposition sont données.* La grandeur et l'orientation des composantes sont obtenues en appliquant le principe du parallélogramme; pour cela, on trace à partir de l'extrémité de **F**, des parallèles aux deux directions imposées (Fig. 2.16). Les côtés du parallélogramme ainsi obtenu constituent les composantes cherchées. Celles-ci peuvent être calculées graphiquement ou en utilisant la loi des sinus.

Beaucoup d'autres cas peuvent cependant être envisagés : par exemple, la direction d'une des composantes est connue tandis que la grandeur de l'autre composante doit être la plus petite possible (voir le probl. résolu 2.2). Dans tous les cas, le triangle ou le parallélogramme approprié sera dessiné.

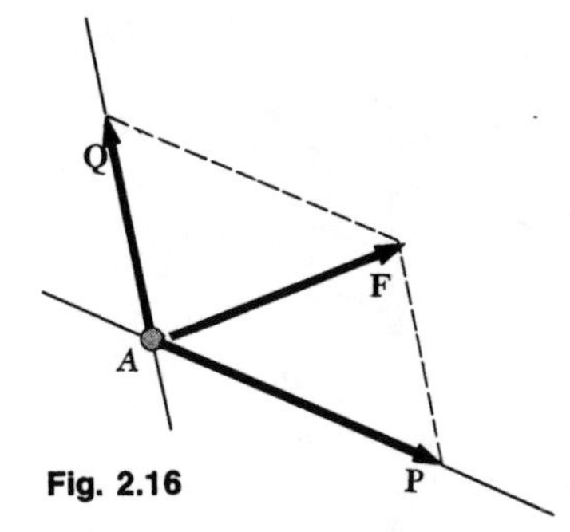

**Fig. 2.16**

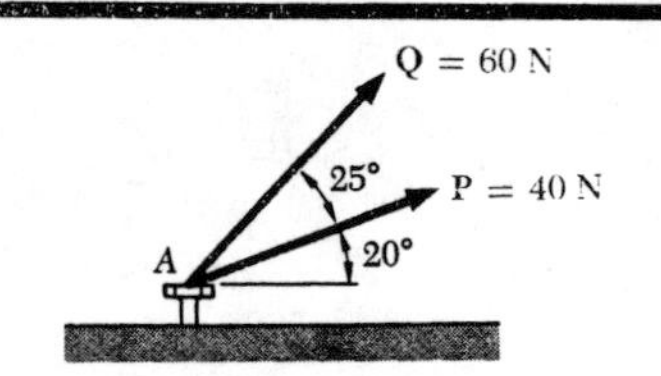


## PROBLÈME RÉSOLU 2.1

Calculez la résultante des forces **P** et **Q** appliquées au boulon $A$.

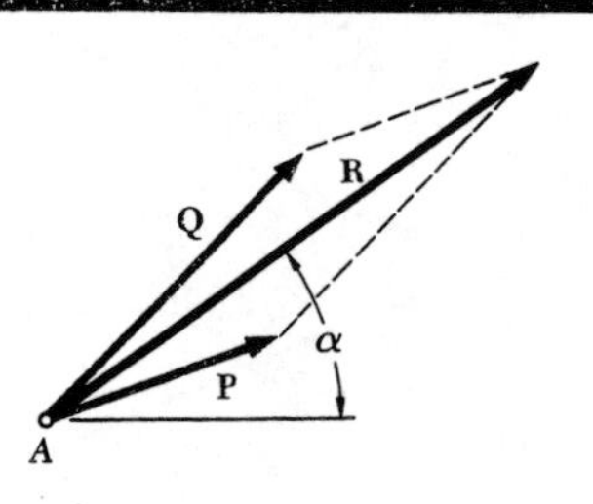


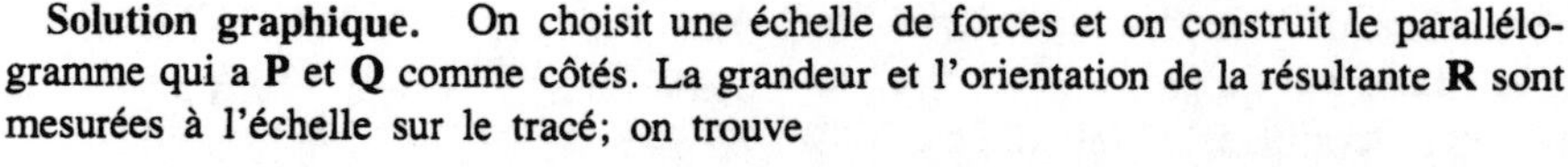

**Solution graphique.** On choisit une échelle de forces et on construit le parallélogramme qui a **P** et **Q** comme côtés. La grandeur et l'orientation de la résultante **R** sont mesurées à l'échelle sur le tracé; on trouve

$R = 98$ N $\quad \alpha = 35°$ $\quad$ **R** $= 98$ N $\measuredangle 35°$ ◄

La règle du triangle peut aussi être utilisée : on place alors les vecteurs **P** et **Q** bout à bout et on mesure sur le dessin la grandeur et l'orientation de la résultante **R**

$R = 98$ N $\quad \alpha = 35°$ $\quad$ **R** $= 98$ N $\measuredangle 35°$ ◄

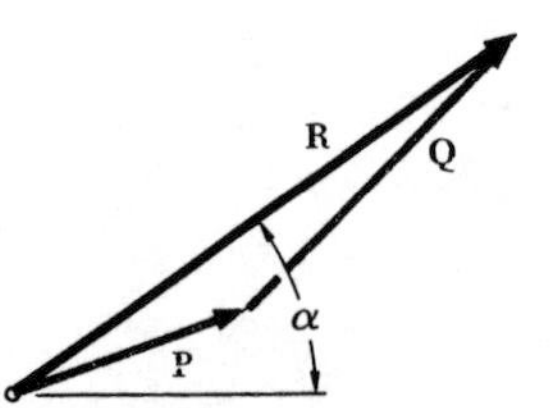
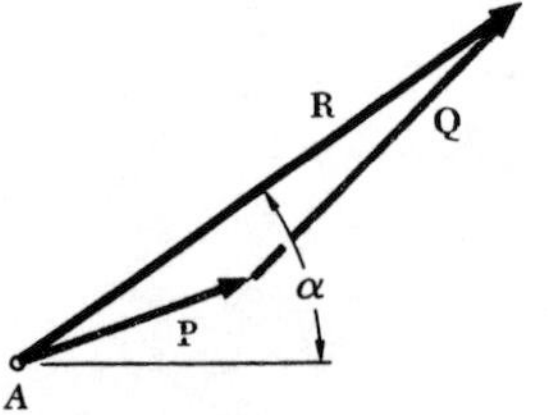


**Solution trigonométrique.** La règle du triangle est utilisée : dans ce triangle, on connaît les deux côtés et l'angle qu'ils déterminent. Appliquons la loi des cosinus. Nous obtenons

$$R^2 = P^2 + Q^2 - 2PQ \cos B$$
$$R^2 = (40 \text{ N})^2 + (60 \text{ N})^2 - 2(40 \text{ N})(60 \text{ N}) \cos 155°$$
$$R = 97{,}7 \text{ N}$$

En utilisant la loi du sinus, on peut maintenant écrire

$$\frac{\sin A}{Q} = \frac{\sin B}{R} \qquad \frac{\sin A}{60 \text{ N}} = \frac{\sin 155°}{97{,}7 \text{ N}} \tag{1}$$

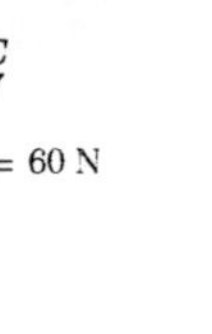


*Calculatrice électronique.* Si on résout l'éq. (1) en fonction du sin $A$, on trouve

$$\sin A = \frac{(60 \text{ N}) \sin 155°}{97{,}7 \text{ N}}$$

En calculant d'abord le quotient du membre de droite et ensuite son arcsin, nous obtenons

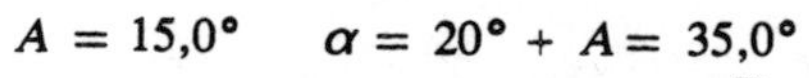

$$A = 15{,}0° \qquad \alpha = 20° + A = 35{,}0°$$

**R** $= 97{,}7$ N $\measuredangle 35{,}0°$ ◄

*Règle à calcul.* En posant sin 155° = sin 25° et en ajustant la règle suivant le schéma ci-contre, nous pouvons lire $A = 15°{,}0$ et obtenir les mêmes réponses que précédemment.

**Autre solution.** Construisons le triangle rectangle $BCD$ qui nous donne :

$$CD = (60 \text{ N}) \sin 25° = 25{,}4 \text{ N}$$
$$BD = (60 \text{ N}) \cos 25° = 54{,}4 \text{ N}$$

Alors, par le triangle $ACD$, nous obtenons

$$\tan A = \frac{25{,}4 \text{ N}}{94{,}4 \text{ N}} \qquad A = 15{,}0°$$
$$R = 25{,}4/\sin A \qquad R = 97{,}7 \text{ N}$$

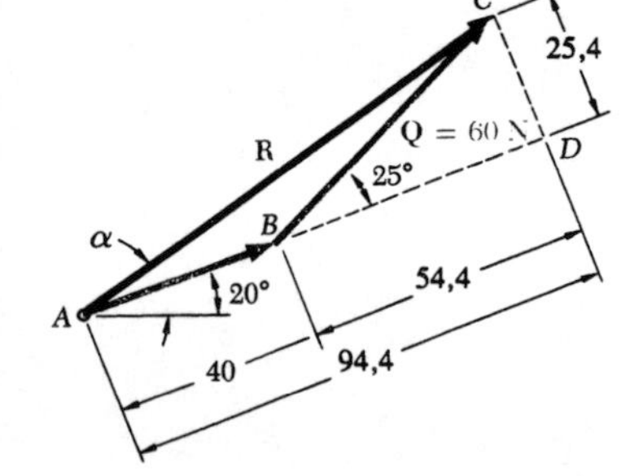


et finalement

$\alpha = 20° + A = 35{,}0°$ $\quad$ **R** $= 97{,}7$ N $\measuredangle 35{,}0°$ ◄

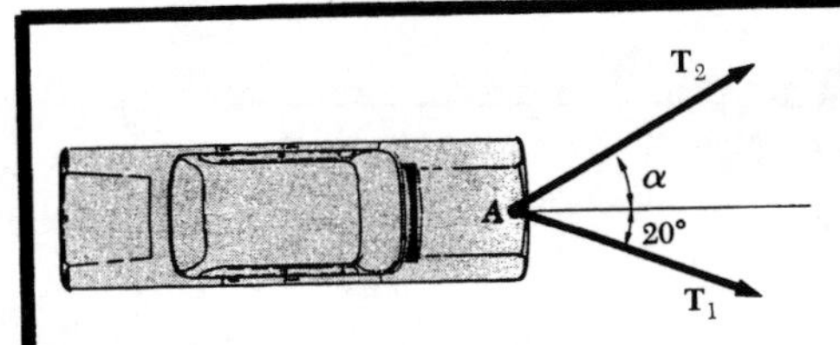


## PROBLÈME RÉSOLU 2.2

Une voiture en panne est tirée à l'aide de deux câbles. Si la résultante des deux forces exercées par les câbles est une force de 300 N parallèle à l'axe de la voiture, déterminez : *a*) la tension † dans chaque câble pour $\alpha = 30°$, *b*) la valeur de $\alpha$ lorsque la tension dans le câble 2 prend la valeur la plus petite possible.

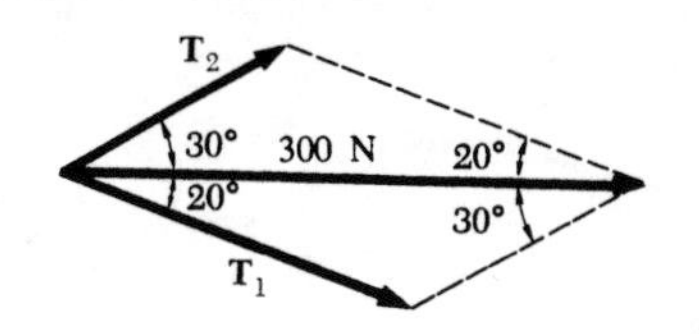


*a.* **Tension pour $\alpha = 30°$.** ***Solution graphique.*** On utilise la règle du parallélogramme; la diagonale (résultante) doit être égale à 300 N et dirigée vers la droite. Les côtés sont tracés parallèlement aux câbles. En utilisant une échelle de forces convenable, nous trouvons

$$T_1 = 196 \text{ N} \qquad T_2 = 134 \text{ N} \quad ◄$$

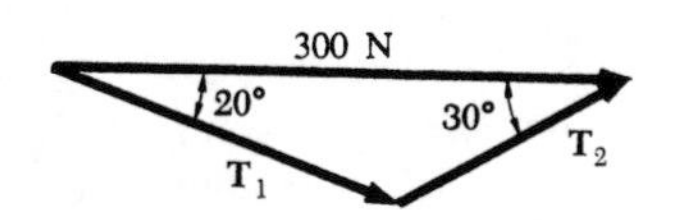


***Solution trigonométrique.*** Nous utilisons maintenant la règle du triangle. Remarquons que le triangle représenté constitue la moitié du parallélogramme précédent. La loi des sinus nous donne

$$\frac{T_1}{\sin 30°} = \frac{T_2}{\sin 20°} = \frac{300 \text{ N}}{\sin 130°}$$

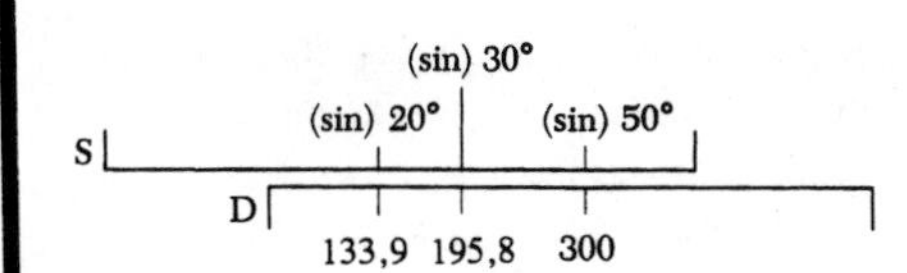


*Calculatrice électronique.* Calculons le dernier quotient et gardons-le en mémoire. En le multipliant successivement par sin 30° et sin 20°, nous obtenons

$$T_1 = 198{,}5 \text{ N} \qquad T_2 = 133{,}9 \text{ N} \quad ◄$$

*Règle à calcul.* Si on pose sin 130° = sin 50° et si on ajuste la règle suivant le schéma illustré ci-contre, on peut lire les valeurs de $T_1$ et $T_2$.

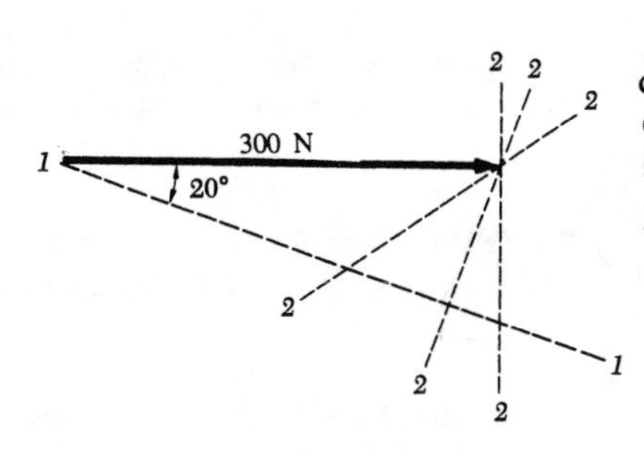


*b.* **Valeur de $\alpha$ pour $T_2$ minimum.** Nous utilisons encore la règle du triangle pour calculer cette valeur de $\alpha$. Dans le schéma ci-contre, le segment de droite 1-1 a la direction connue de $T_1$. Quelques directions possibles de $T_2$ sont indiquées par les segments de droite 2-2. Nous voyons que la valeur minimum de $T_2$ a lieu lorsqu'elle est perpendiculaire à $T_1$. Sa valeur sera alors

$$T_2 = (300 \text{ N}) \sin 20° = 102{,}6 \text{ N}$$

Les valeurs de $T_1$ et $\alpha$ correspondant à $T_2$ seront

$$T_1 = (300 \text{ N}) \cos 20° = 282 \text{ N}$$
$$\alpha = 90° - 20° \qquad \alpha = 70° \quad ◄$$

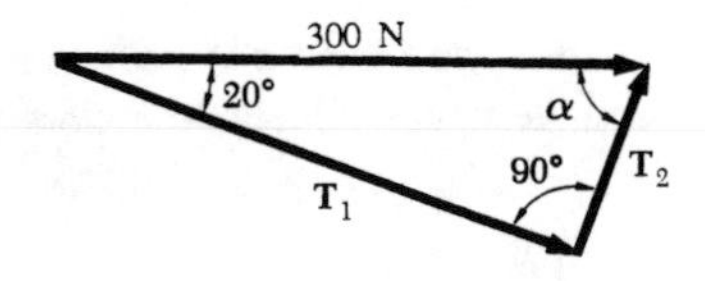


† On emploie aussi le mot *tension* pour désigner la force par unité d'aire.

## PROBLÈMES SUPPLÉMENTAIRES†

**2.1 et 2.2** Déterminez graphiquement la grandeur et la direction de la résultante des deux forces indiquées ci-dessous en utilisant pour chaque problème : *a*) la règle du parallélogramme, *b*) la règle du triangle.

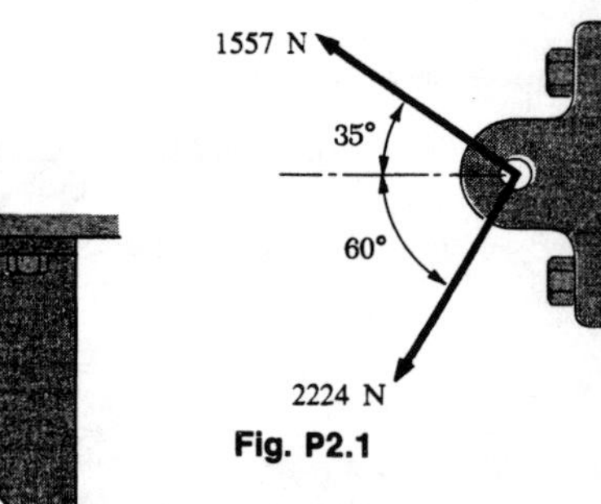

Fig. P2.1

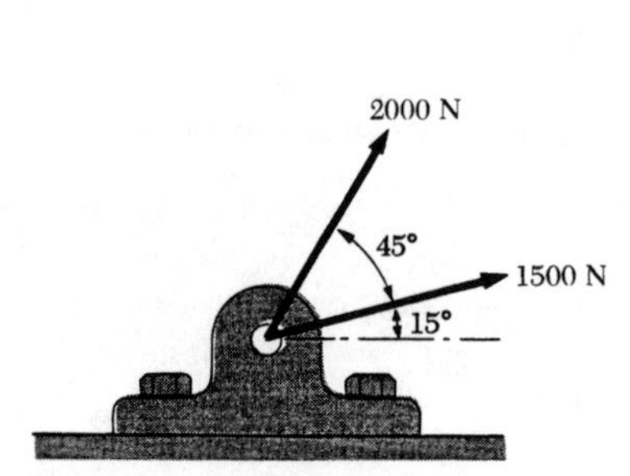

Fig. P2.2

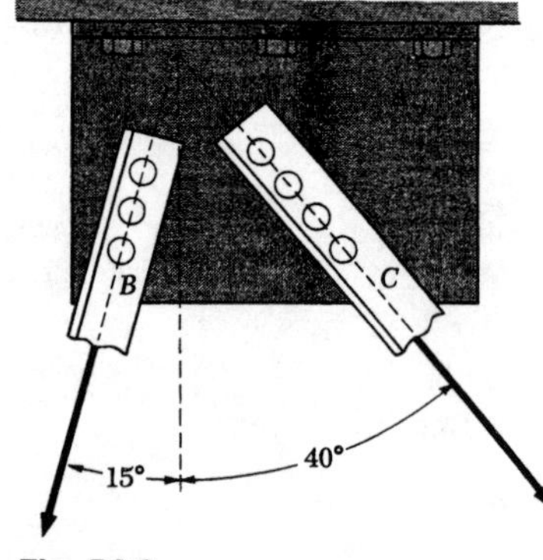

Fig. P2.3

**2.3** Les barres *B* et *C* d'une structure métallique sont rivées au gousset *A*. L'effort de tension dans la barre *B* est de 11 120 N et celle de la barre *C* est de 8896 N. Calculez graphiquement la grandeur et la direction de la résultante agissant sur le gousset.

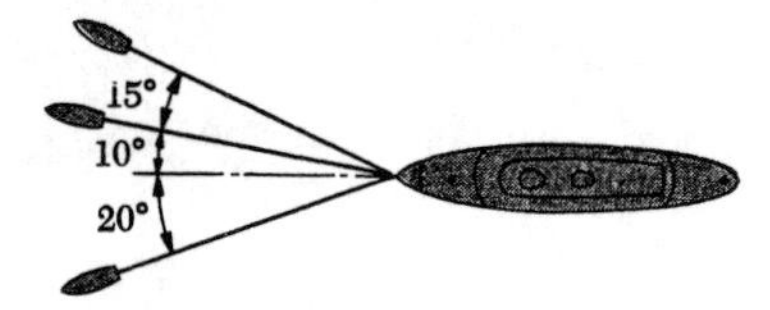

Fig. P2.4

**2.4** Un navire au long cours est remorqué par trois remorqueurs disposés tel qu'indiqué sur la figure illustrée ci-contre. La tension dans chaque câble est de 22 240 N. *a*) Déterminez graphiquement la force résultante appliquée sur le navire. *b*) Si on admet que les remorqueurs ne peuvent pas tirer le navire avec sécurité lorsque l'angle qu'ils font entre eux est inférieur à 10°, calculez l'angle qu'ils doivent faire pour que leur résultante prenne sa valeur maximum et soit parallèle à l'axe du navire. Quelle sera alors cette valeur?

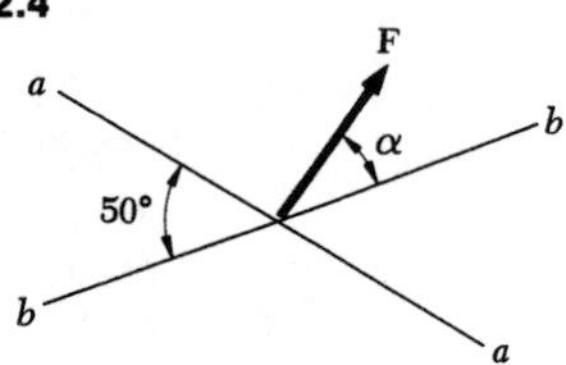

Fig. P2.5 et P2.6

**2.5** On veut décomposer une force **F** de 445 N suivant les directions définies par les segments de droite *a-a* et *b-b*. Calculez l'angle $\alpha$ par la méthode trigonométrique si on sait que la composante suivant a-a vaut 311 N.

**2.6** Une force de grandeur 800 N doit être décomposée suivant les directions définies dans le problème précédent. Calculez l'angle $\alpha$ par la méthode trigonométrique si on sait que la composante suivant *a-a* vaut 120 N.

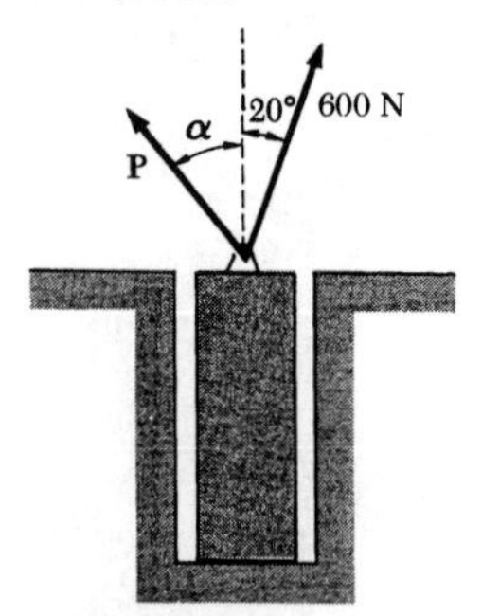

Fig. P2.7 et P2.9

**2.7** Sachant que $\alpha = 30°$, calculez la force **P** pour que la résultante des deux forces appliquées au cylindre soit verticale. Quelle est alors sa valeur?

**2.8** Déterminez à l'aide de la trigonométrie la grandeur de la force **P** pour que la résultante des deux forces appliquées au point *A* soit verticale. Quelle est alors sa valeur?

† Les réponses aux problèmes portant un numéro pair sont données à la fin du livre.

**2.9** On doit soulever le cylindre du problème 2.7 à l'aide de deux câbles dont l'un est soumis à une tension de 600 N. Déterminez la grandeur et la direction de la force **P** pour que la résultante soit une force verticale de 900 N.

**2.10** Sachant que $P = 133$ N, calculez par la trigonométrie la résultante des deux forces appliquées au point $A$.

**2.11** Résolvez le problème 2.3 à l'aide de la trigonométrie.

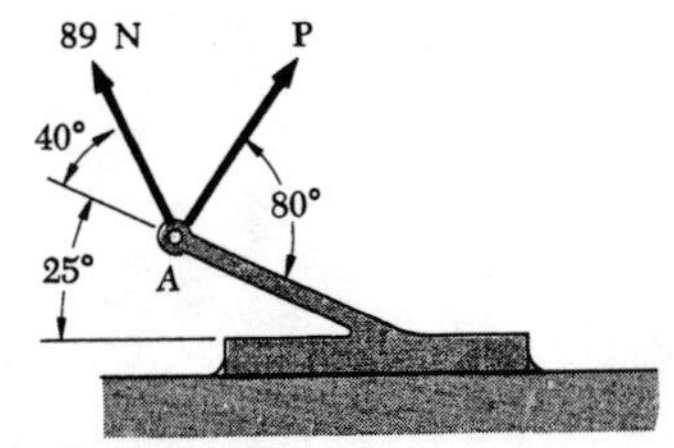

Fig. P2.8 et P2.10

**2.12** Calculez par la méthode trigonométrique la grandeur et la direction de la force **P** de façon à ce que la résultante des deux forces appliquées au chariot soit une force verticale de 2700 N.

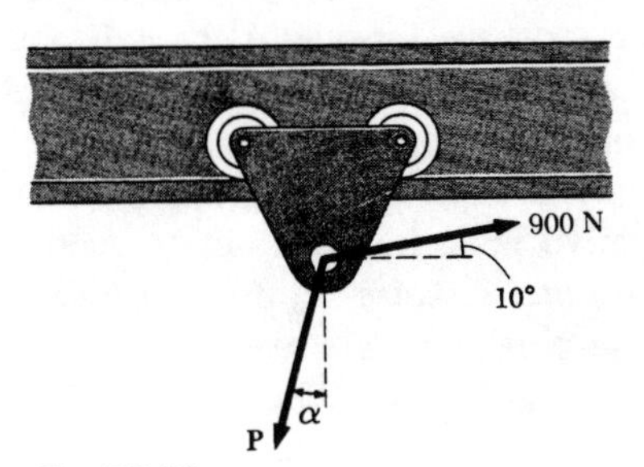

Fig. P2.12

**2.13** Si la résultante des deux forces agissant sur le cylindre du problème 2.7 est verticale, calculez : *a*) la valeur de $\alpha$ pour laquelle la grandeur de **P** est minimum, *b*) la valeur de **P** correspondante.

## 2.6. Composantes rectangulaires d'une force.†

Dans la plupart des problèmes, il est avantageux de décomposer les forces suivant deux axes perpendiculaires entre eux. Dans la fig. 2.17, nous vous montrons la décomposition d'une force **F** suivant deux axes perpendiculaires. Nous avons obtenu, à l'aide de la règle du parallélogramme, les composantes $\mathbf{F}_x$ et $\mathbf{F}_y$. Comme le parallélogramme tracé est un *rectangle*, on appelle parfois $\mathbf{F}_x$ et $\mathbf{F}_y$ les *composantes rectangulaires* de **F**.

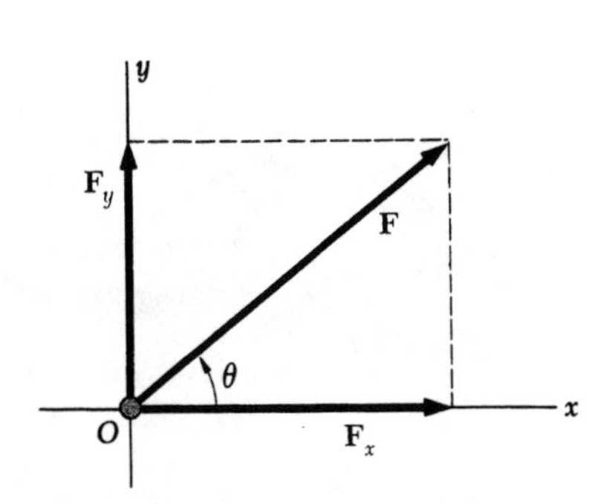

Fig. 2.17

Les axes choisis pour de telles décompositions sont habituellement l'axe vertical et l'axe horizontal, comme il est indiqué à la fig. 2.17; ils peuvent, cependant, être choisis suivant d'autres directions (Fig. 2.18). Lors de la détermination graphique des composantes rectangulaires d'une force, l'étudiant doit penser à tracer des droites *parallèles* aux axes de décomposition et non des *perpendiculaires* à ces mêmes axes. Cette façon de procéder évite des erreurs lors de la détermination des composantes suivant des axes *obliques* tels que ceux choisis dans la section 2.5.

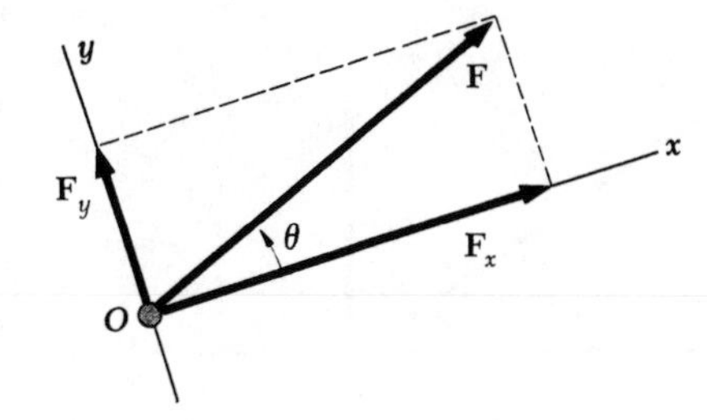

Fig. 2.18

† Les propriétés décrites aux sections 2.6 et 2.7 peuvent être facilement extrapolées aux composantes rectangulaires de toute grandeur vectorielle.

Si nous appelons $F$ la grandeur de la force **F**, $\theta$ l'angle entre **F** et l'axe $x$ et par $F_x$ et $F_y$ les grandeurs respectives des composantes $\mathbf{F}_x$ et $\mathbf{F}_y$, nous pouvons écrire

$$F_x = F \cos \theta \quad F_y = F \sin \theta \tag{2.5}$$

Nous appellerons $\mathbf{F}_x$ et $\mathbf{F}_y$ les *composantes vectorielles* de **F** tandis que leurs grandeurs respectives $F_x$ et $F_y$ seront appelées les *composantes scalaires* de **F**. Cependant, chaque fois que cela ne prêtera pas à confusion, nous appellerons l'une ou l'autre simplement les *composantes* de **F**. Remarquons que si l'angle $\theta$ est mesuré positivement dans le sens trigonométrique à partir de l'axe $x$, il résulte, d'après les relations (2.5) que les composantes scalaires $F_x$ et $F_y$ peuvent avoir des valeurs positives ou négatives. Plus précisément, nous dirons que la composante scalaire $F_x$ sera positive lorsque la force **F** appartient au premier ou au quatrième quadrant, tandis qu'elle sera négative lorsque **F** appartient au deuxième ou au troisième quadrant. Pour la même raison, la composante $F_y$ sera positive lorsque **F** appartient au premier et au troisième quadrant, tandis qu'elle sera négative pour les deux autres quadrants. Nous pouvons conclure que la *composante scalaire $F_x$ est positive lorsque la composante vectorielle $\mathbf{F}_x$ a le sens positif de l'axe x. Elle sera négative lorsque $\mathbf{F}_y$ aura le sens négatif de ce même axe.* On arrive à une conclusion similaire pour la composante scalaire $F_y$.

Nous remarquons encore que les composantes vectorielles d'une force agissant sur un point sont parfaitement définies par les composantes scalaires. En effet, la composante vectorielle $\mathbf{F}_x$ possède, par définition, l'axe $x$ comme ligne d'action et une grandeur et un sens donnés par la composante scalaire $F_x$.

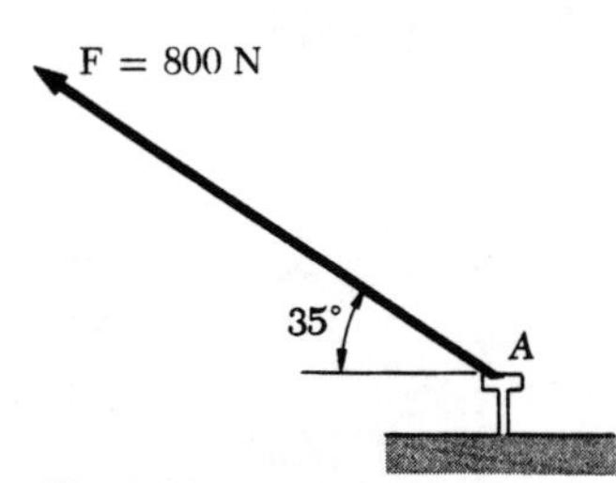

Fig. 2.19

***Exemple 1.*** Une force de 800 N est appliquée sur le boulon $A$ (Fig. 2.19). Calculez les composantes vectorielles de la force suivant les axes $x$ et $y$. Pour obtenir le signe correct des composantes scalaires $F_x$ et $F_y$, nous devons introduire comme valeur de $\theta$ dans la relation (2.5) l'angle supplémentaire $\theta = 180° - 35° = 145°$. Cependant, une autre méthode plus rapide serait de déterminer le signe de $F_x$ par la règle énoncée plus tôt. Ici, puisque $F_x$ est orientée dans le sens « – » de l'axe $x$, la composante scalaire sera affectée du signe moins; l'angle $\theta$ de la relation (2.5) aurait la valeur de $\theta = 35°$. Nous écrirons alors

$$F_x = -F \cos \alpha = -(800 \text{ N}) \cos 35° = -655 \text{ N}$$
$$F_y = +F \sin \alpha = +(800 \text{ N}) \sin 35° = +459 \text{ N}$$

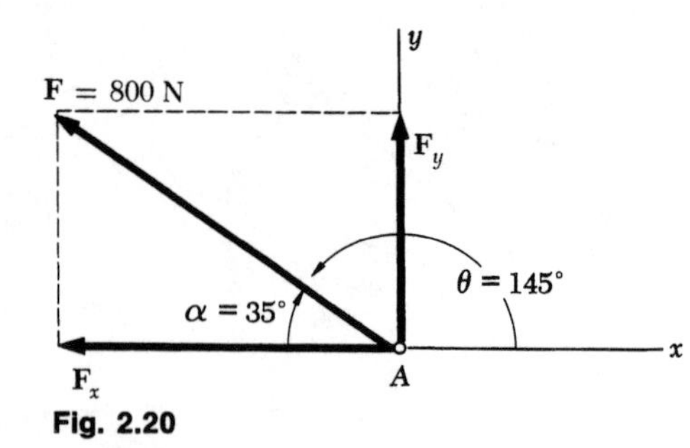

Fig. 2.20

Les composantes vectorielles de **F** seront :

$$\mathbf{F}_x = 655 \text{ N} \leftarrow \qquad \mathbf{F}_y = 459 \text{ N} \uparrow$$

*Exemple 2.* Un homme tire une corde attachée au toit d'un édifice avec une force de 300 N. Quelles seront les composantes horizontale et verticale de la force exercée au point $A$?

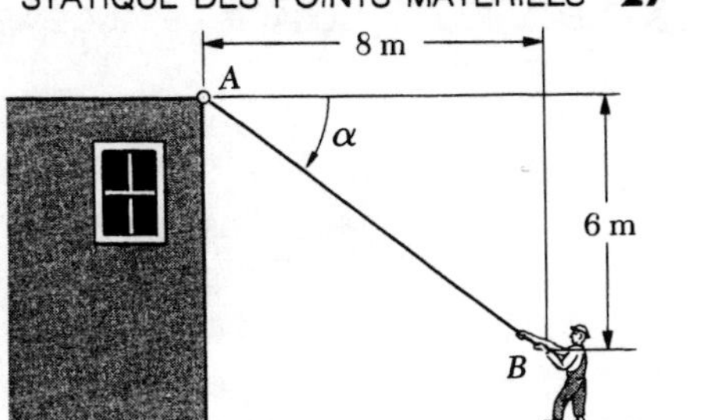

Fig. 2.21

De la fig. 2.22, nous déduisons que

$$F_x = +(300\text{ N})\cos\alpha \qquad F_y = -(300\text{ N})\sin\alpha$$

Or, nous voyons que $AB = 10$ m; alors, de la fig. 2.21, on tire

$$\cos\alpha = \frac{8\text{ m}}{AB} = \frac{8\text{ m}}{10\text{ m}} = \frac{4}{5} \qquad \sin\alpha = \frac{6\text{ m}}{AB} = \frac{6\text{ m}}{10\text{ m}} = \frac{3}{5}$$

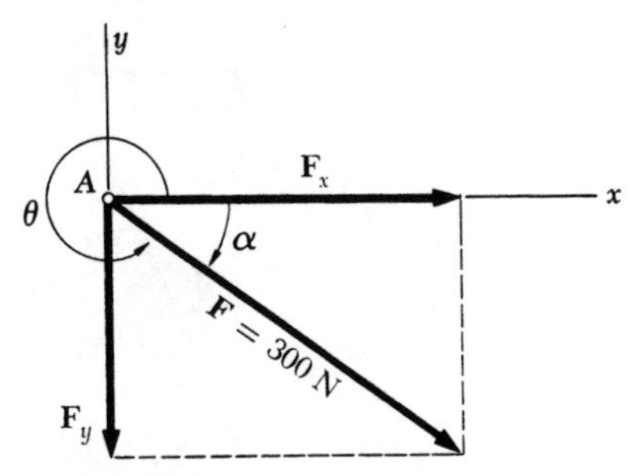

Fig. 2.22

ou encore

$$F_x = +(300\text{ N})\tfrac{4}{5} = +240\text{ N} \qquad F_y = -(300\text{ N})\tfrac{3}{5} = -180\text{ N}$$

et les composantes vectorielles de **F** seront

$$\mathbf{F}_x = 240\text{ N}\rightarrow \qquad \mathbf{F}_y = 180\text{ N}\downarrow$$

Lorsque la force donnée est définie par les composantes $\mathbf{F}_x$ et $\mathbf{F}_y$ (voir fig. 2.17 ou fig. 2.18), l'angle $\theta$ qui définit sa direction est donné par

$$\tan\theta = \frac{F_y}{F_x} \tag{2.6}$$

La grandeur $F$ de la force peut être obtenue en appliquant le théorème de Pythagore.

$$F = \sqrt{F_x^2 + F_y^2} \tag{2.7}$$

Il est cependant plus rapide, lorsque $\theta$ est connu, de calculer la grandeur $F$ de la force en utilisant les relations (2.5).

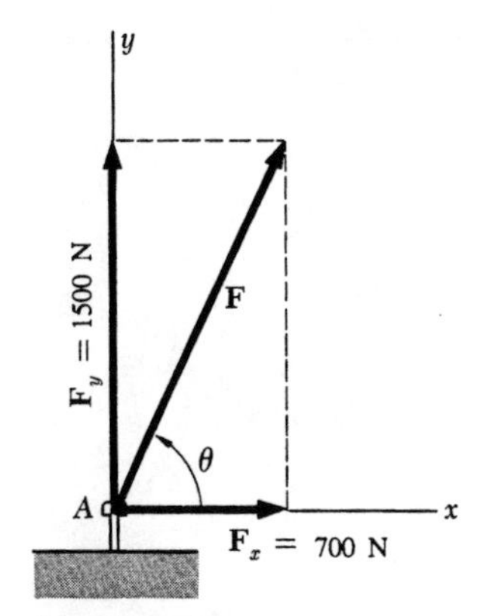

Fig. 2.23

*Exemple 3.* Les composantes de la force **F** suivant les axes vertical et horizontal sont respectivement $F_x = 700$ N et $F_y = 1500$ N. Calculez la grandeur de la force **F** et l'angle qu'elle forme avec l'axe horizontal.

*Calculatrice électronique*: de l'éq. (2.6), nous pouvons tirer

$$\tan\theta = \frac{F_y}{F_x} = \frac{1500\text{ lb}}{700\text{ lb}}$$

Après avoir entré 1500 N dans la calculatrice en divisant par 700 N et en calculant l'arc tangent correspondant à ce rapport nous obtenons $\theta = 65{,}0°$. En résolvant la deuxième des éq. (2.5) en fonction de $F$ nous obtenons

$$F = \frac{F_y}{\sin\theta} = \frac{1500\ \text{N}}{\sin 65{,}0°} = 1665\ \text{N}$$

Le dernier calcul sera facilité si la valeur de $F_y$ est envoyée en mémoire : elle peut être rappelée et divisée par sin $\theta$.

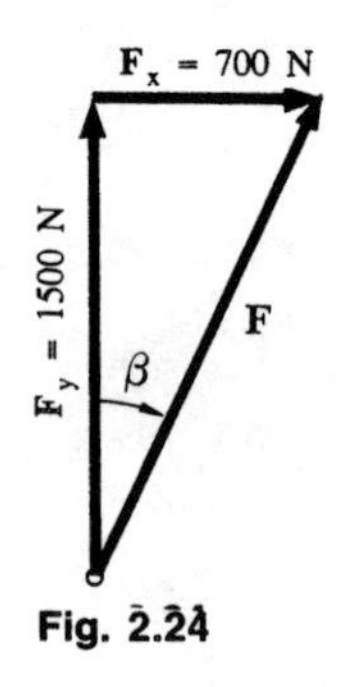


Fig. 2.24

*Règle à calcul.* Calculons $\beta$, angle complémentaire de $\theta$ (Fig. 2.24) parce que $\beta$ est inférieur à 45° et qu'ainsi sa tangente est plus facile à calculer à la règle. Nous pouvons écrire

$$\begin{aligned} F_y \tan\beta &= F_x \\ (1500\ \text{N}) \tan\beta &= 700\ \text{N} \\ \beta &= 25{,}0° \end{aligned} \tag{2.8}$$

Nous écrirons alors

$$\begin{aligned} F \sin\beta &= F_x \\ F \sin 25{,}0° &= 700\ \text{N} \\ F &= 1656\ \text{N} \end{aligned} \tag{2.9}$$

La grandeur de la force est donc 1656 N et l'angle $\theta$ qu'elle forme avec l'axe $x$ est $\theta = 90{,}0° - 25{,}0° = 65{,}0°$. Dans la majorité des règles à calcul, $\beta$ et $F$ peuvent être rapidement calculés de la manière suivante (Fig. 2.25) :

1. Déplacez la réglette jusqu'à ce qu'une des extrémités de l'échelle trigonométrique (dans notre cas, il s'agit de l'extrémité gauche) coïncide avec la plus grande des deux composantes (1500 N) lues sur l'échelle D.
2. Déplacez le curseur et ajustez-le avec la plus petite des composantes (700 N). L'angle $\beta$ peut alors se lire sur l'échelle T, sous le trait marqueur, puisque la règle à calcul est ajustée pour exécuter le produit défini par l'éq. (2.8).

*Remarque.* Si la plus petite des deux composantes est plus petite que 1/10 de la plus grande, on doit utiliser l'échelle ST au lieu de l'échelle T et l'angle trouvé sera inférieur à 5,7°. La troisième opération peut être annulée, puisque tout en restant à l'intérieur de la précision de la règle à calcul, la grandeur $F$ de la force peut être assimilée à celle de la plus grande des composantes. (Voir le probl. résolu 2.3.)

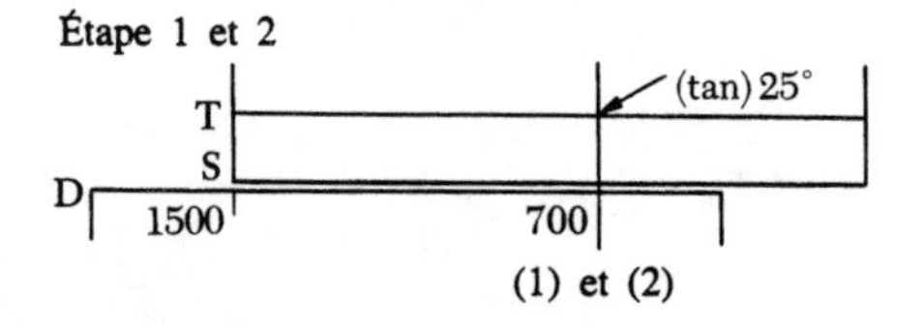


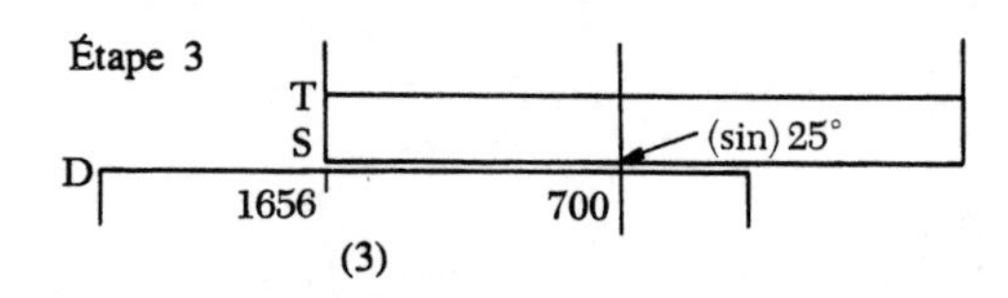


Fig. 2.25

## 2.7. Addition des forces par la méthode analytique.

Nous avons vu dans la section 2.1 que les forces s'additionnent suivant le principe du parallélogramme; en nous basant sur ce principe, nous avons ensuite établi aux sections 2.3 et 2.4 deux méthodes qui s'appliquent facilement à la solution *graphique* des problèmes : la règle du triangle, qui permet l'addition de deux forces, et la règle du polygone, qui, elle, nous permet de calculer la résultante de plus de deux forces. De plus, le triangle des forces tracé pour calculer la résultante de deux forces peut être utilisé dans la méthode *trigonométrique*.

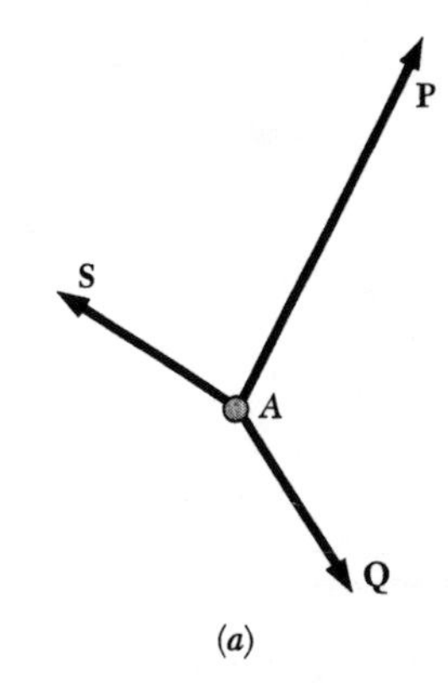

(*a*)

Lorsque trois forces ou plus sont additionnées, il n'est pas pratique d'utiliser la méthode trigonométrique. On utilise alors la méthode analytique, qui consiste à projeter les forces suivant deux axes $x$ et $y$, perpendiculaires entre eux. Le plus souvent, l'axe $y$ sera pris verticalement par suite du grand rôle que jouent les forces de pesanteur dans les problèmes de statique.

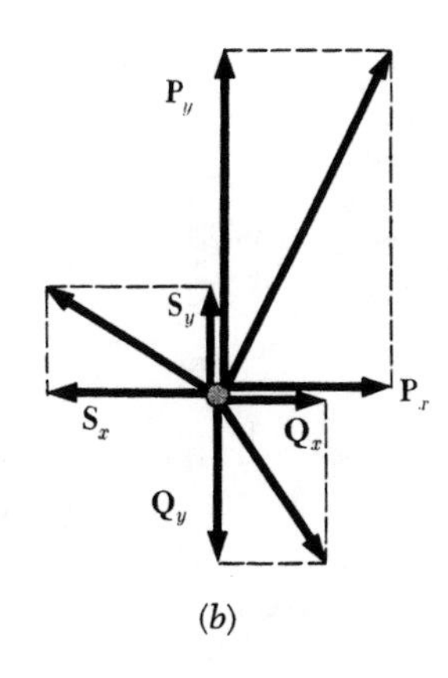

(*b*)

Dans la fig. 2.26*a*, par exemple, nous avons appliqué au point $A$ les trois forces **P**, **Q** et **S**. Dans la fig. 2.26*b*, nous avons remplacé chacune de ces forces par ses composantes verticale et horizontale : il est évident que les forces de la fig. 2.26*b* produisent le même effet sur le point $A$ que les forces originales. Nous pouvons maintenant additionner toutes les composantes horizontales et obtenir leur résultante $\mathbf{R}_x$; nous pouvons procéder de même pour obtenir la résultante $\mathbf{R}_y$. Ces deux opérations se font encore en utilisant la règle du polygone; mais comme, pour chaque cas, les composantes ont toutes la même ligne d'action, le calcul se résume à une simple addition algébrique des composantes scalaires des vecteurs. Nous pouvons écrire.

$$R_x = P_x + Q_x + S_x \qquad R_y = P_y + Q_y + S_y$$

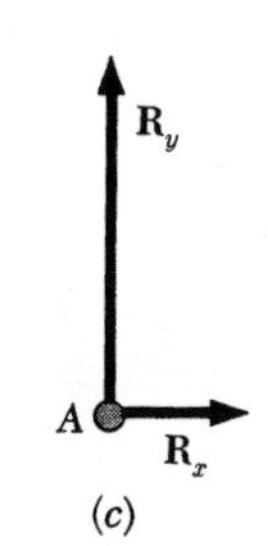

(*c*)

ou, d'une façon plus condensée,

$$R_x = \Sigma F_x \qquad R_y = \Sigma F_y \tag{2.10}$$

Nous avons donc remplacé les trois forces données à la fig. 2.26*a* par une force horizontale $\mathbf{R}_x$ et une force verticale $\mathbf{R}_y$, représentées à la fig. 2.26*c*. Finalement, ces deux forces, additionnées vectoriellement à l'aide de la méthode de la section 2.6, nous donnent la résultante **R** (Fig. 2.26*d*) du système de forces proposé.

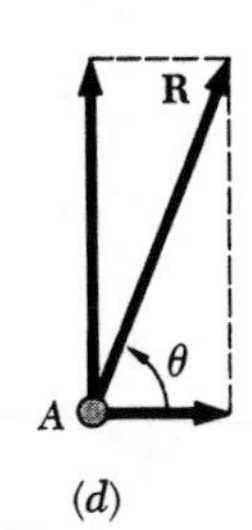

(*d*)

**Fig. 2.26**

Cette méthode, que nous venons d'exposer, peut s'appliquer très facilement si on utilise un tableau à entrées progressives. Nous en donnerons un exemple à la page suivante. Cette méthode est la seule méthode analytique pratique qui nous permet d'additionner trois forces ou plus; elle est aussi souvent utilisée pour additionner deux forces seulement.

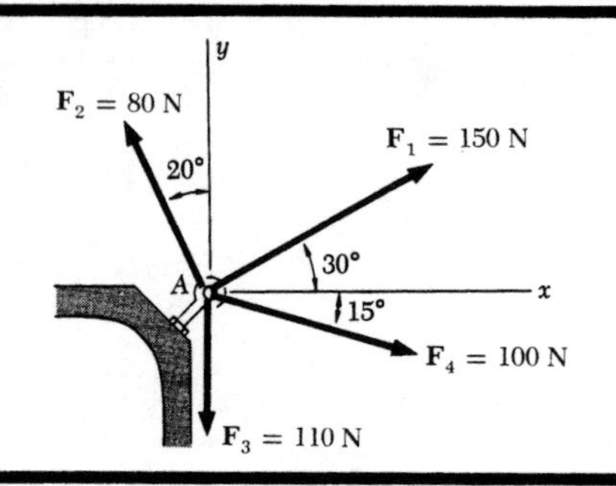


## PROBLÈME RÉSOLU 2.3

Calculez la résultante des quatre forces appliquées au boulon de la figure illustrée ci-contre.

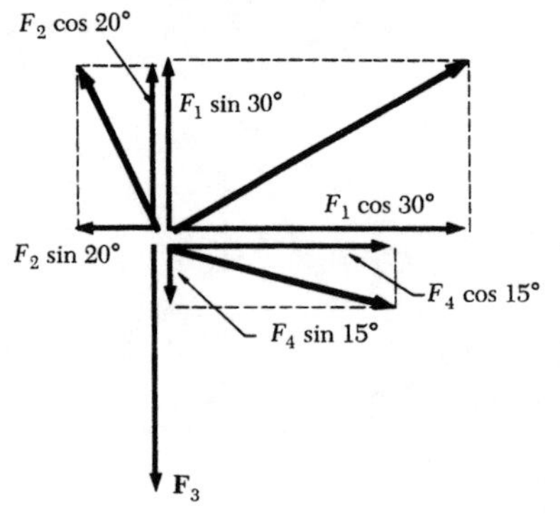


**Solution.** Les composantes $x$ et $y$ de chaque force sont obtenues par projection sur les axes choisis et leurs valeurs sont consignées dans le tableau ci-dessous. D'après la convention adoptée à la section 2.6, seront positives les composantes orientées vers la droite et les composantes orientées vers le haut.

| Force | Grandeur N | Composante $x$ N | Composante $y$ N |
|---|---|---|---|
| $\mathbf{F}_1$ | 150 | +129,9 | +75,0 |
| $\mathbf{F}_2$ | 80 | −27,4 | +75,2 |
| $\mathbf{F}_3$ | 110 | 0 | −110,0 |
| $\mathbf{F}_4$ | 100 | +96,6 | −25,9 |
| | | $R_x = +199,1$<br>$\mathbf{R}_x = 199,1 \rightarrow$ | $R_y = +14,3$<br>$\mathbf{R}_y = 14,3 \uparrow$ |

Nous pouvons maintenant calculer la grandeur et l'orientation de la résultante.

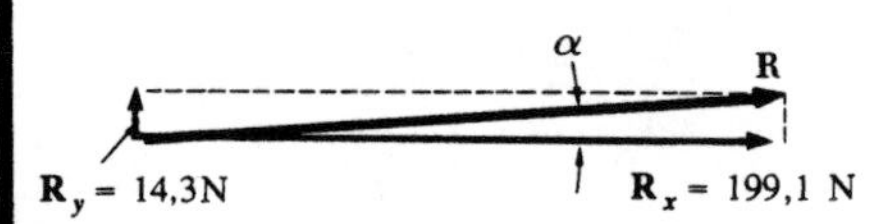


*Calculatrice électronique*: du triangle ci-contre, nous pouvons tirer

$$\tan \alpha = \frac{R_y}{R_x} = \frac{14,3 \text{ N}}{199,1 \text{ N}} \qquad \alpha = 4,1°$$

$$R = \frac{14,3 \text{ N}}{\sin \alpha} = 199,6 \text{ N} \qquad \mathbf{R} = 199,6 \text{ N} \measuredangle 4,1° \blacktriangleleft$$

Le dernier calcul peut être simplifié si la valeur de $R_y$ est mise en mémoire au commencement des calculs; elle sera rappelée pour être divisée par sin $\alpha$ (voir note p. 27).

***Règle à calcul.*** Du triangle précédent, nous tirons encore

$$R_x \tan \alpha = R_y \qquad (199,1 \text{ N}) \tan \alpha = 14,3 \text{ N}$$

Comme la plus petite composante (14,3 N) est inférieure à 1/10 de la plus grande (199,1 N), nous allons utiliser l'échelle ST et lire $\alpha = 4,1°$. Étant donné qu'avec la lecture que comporte la règle à calcul le sin 4,1° et la tan 4,1° sont confondus, la grandeur de **R** peut être admise comme étant égale à la plus grande composante

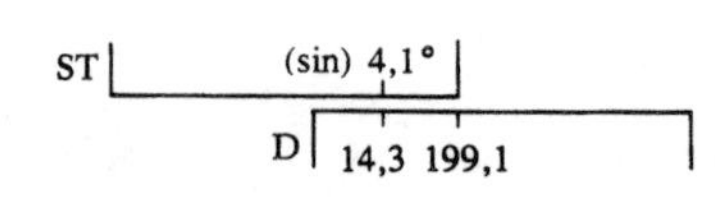


$$\mathbf{R} = 199,1 \text{ N} \measuredangle 4,1° \blacktriangleleft$$

La règle à calcul présente des résultats avec une précision de 0,25% ce qui est parfaitement acceptable pour les problèmes que nous rencontrons dans la pratique.

## PROBLÈMES SUPPLÉMENTAIRES

**2.14** Un câble d'acier transmet une force de 2,5 kN à une attache. Quelles sont les composantes horizontale et verticale de cette force?

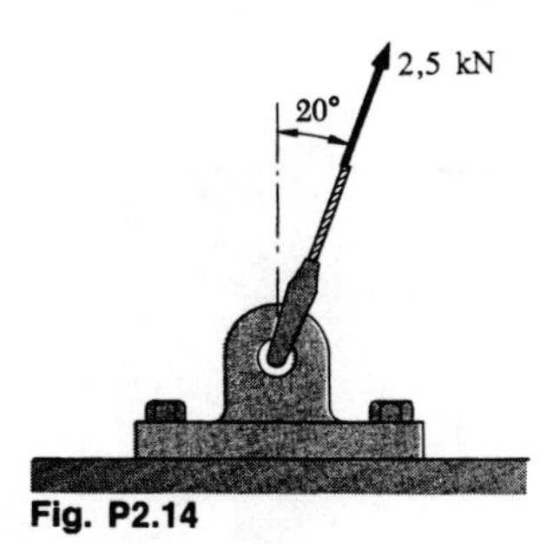

Fig. P2.14

**2.15** Nous voulons pousser le chariot le long du plan incliné avec une force de 300 N parallèle à celui-ci. Calculez **P** et sa composante perpendiculaire au plan incliné.

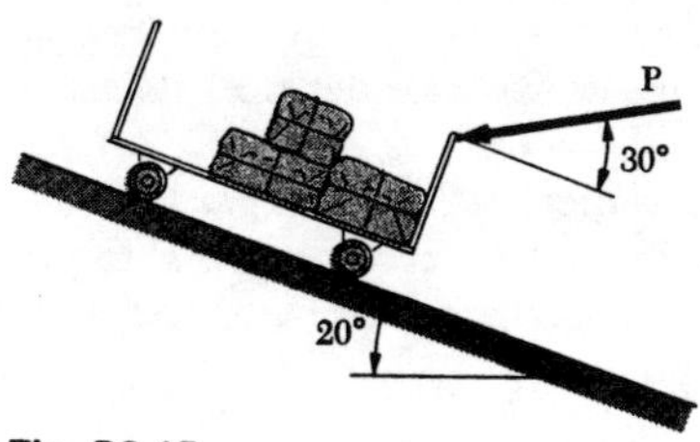

Fig. P2.15

**2.16** Calculez les composantes *x* et *y* de chaque force représentée.

**2.17** Calculez séparément les composantes de la force de 178 N et de 269 N dans deux directions, l'une parallèle et l'autre perpendiculaire à la ligne d'action de la force de 222 N.

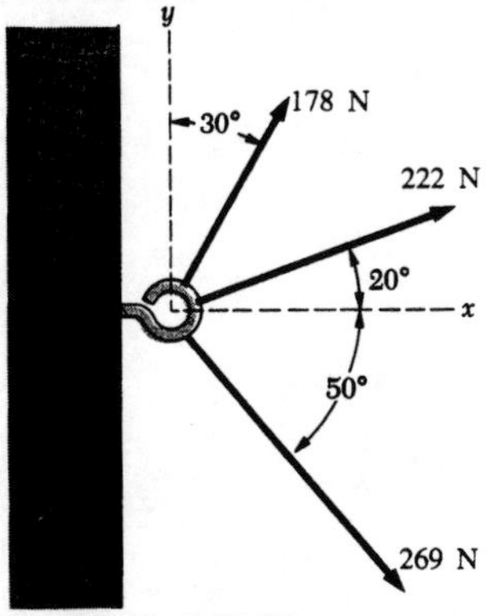

Fig. P2.16 et P2.17

**2.18** L'effort dans le câble *AB* est de 650 N. Calculez les composantes verticale et horizontale de la force qui agit en *A*.

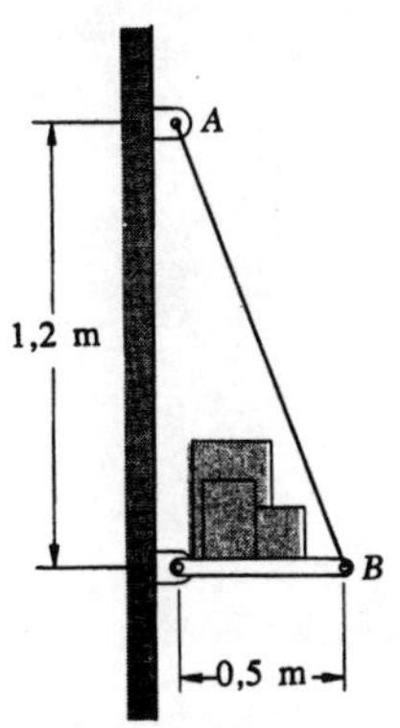

Fig. P2.18

**2.19** Calculez les composantes *x* et *y* des forces représentées.

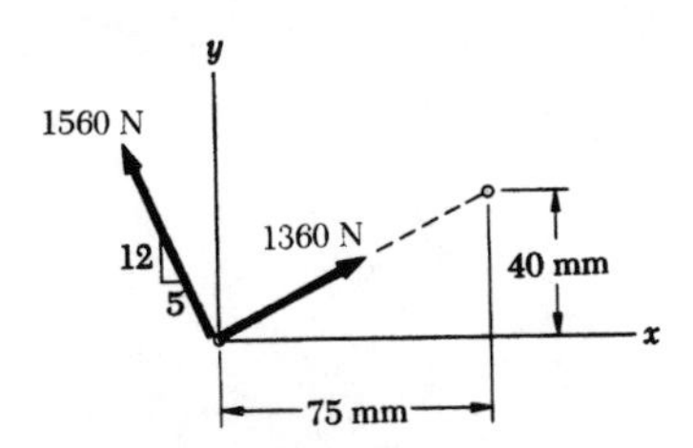

Fig. P2.19

**2.20 and 2.21**

**2.20 et 2.21** Les composantes *x* et *y* d'une force **F** sont représentées ci-dessous. Calculez pour chaque cas la grandeur et la direction de **F**.

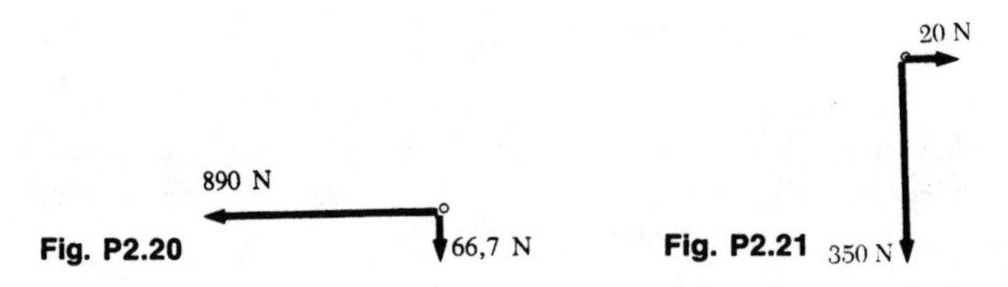

Fig. P2.20

Fig. P2.21

**2.22** Déterminez la résultante des trois forces du probl. 2.16.

**2.23** Déterminez la résultante des deux forces du probl. 2.19.

**2.24** Résolvez le probl. 2.2 à l'aide des composantes *x* et *y*.

**2.25** Résolvez le probl. 2.3 à l'aide des composantes *x* et *y*.

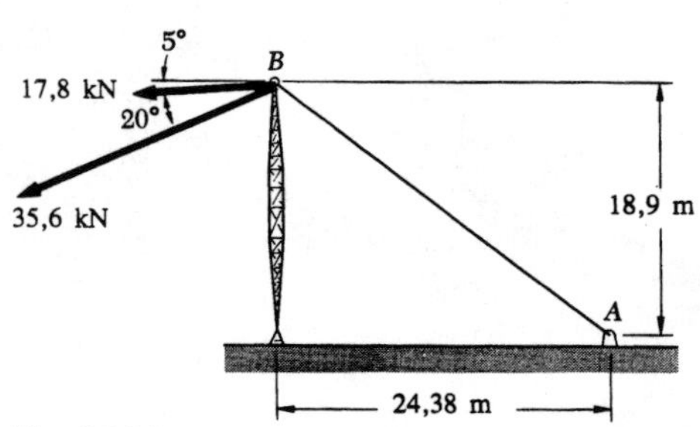

Fig. P2.26

**2.26** Deux câbles, dont les tensions sont connues, sont attachés au point *B*. Un troisième câble *AB*, utilisé comme étai, est aussi attaché au point *B*. Déterminez la tension dans le câble *AB* si on veut obtenir une résultante verticale des trois forces.

**2.27** Un manchon qui peut glisser dans un axe vertical est sollicité par les trois forces représentées. La direction de **F** peut varier. Dites s'il est possible que **F** forme avec les deux autres forces une résultante **R** horizontale, sachant que la grandeur de **F** est : *a*) 2135 N, *b*) 1245 N.

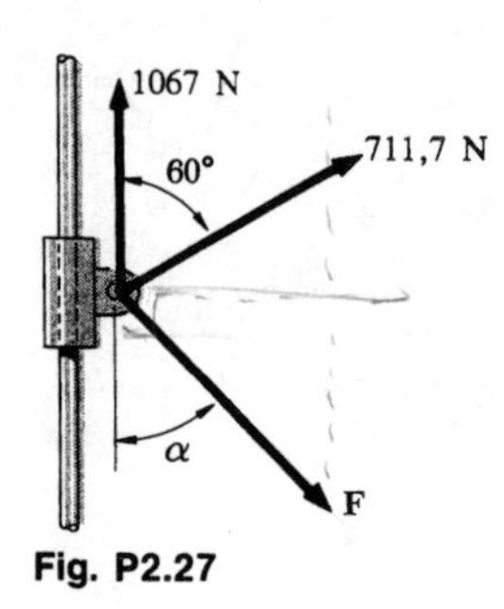

Fig. P2.27

**2.28** Les directions des deux forces de 300 N peuvent varier mais l'angle qu'elles font reste constant et égal à 40°. Calculez la valeur de $\alpha$ pour laquelle la résultante des forces agissant en *A* soit parallèle au segment *b-b*.

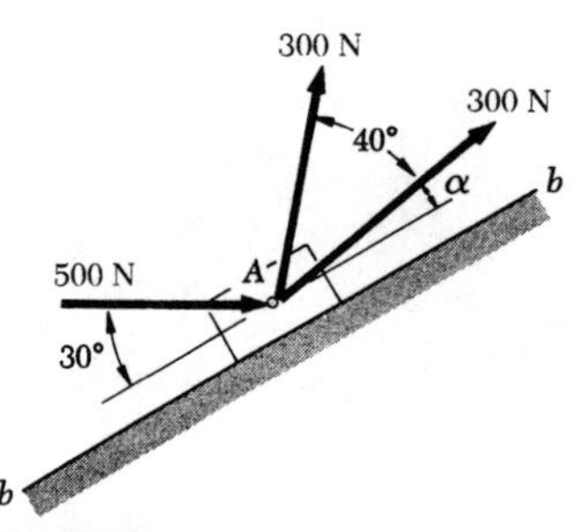

Fig. P2.28

**2.29** Une force additionnelle **F** doit être attachée à la cheville à oeillet du probl. 2.17. Calculez la grandeur et la direction de **F** pour que la résultante soit une force de 540 N orientée horizontalement vers la droite.

**2.8. Équilibre du point.** Dans les sections précédentes, nous avons exposé des méthodes qui permettent de calculer la résultante de plusieurs forces agissant sur un point. Bien que cela ne se soit pas présenté dans les exemples traités, il se peut que la résultante des forces appliquées au point soit nulle. Il est évident, alors, que l'action des forces sur le point s'annule. Le point est dit en équilibre et nous pouvons donner la définition suivante : *un point matériel est en équilibre lorsque la résultante des forces qui lui sont appliquées est nulle.*

Un point soumis à deux forces sera en équilibre si celles-ci sont égales, opposées et de même ligne d'action. Dans ce cas, leur résultante est nulle. La fig 2.27 illustre ce cas.

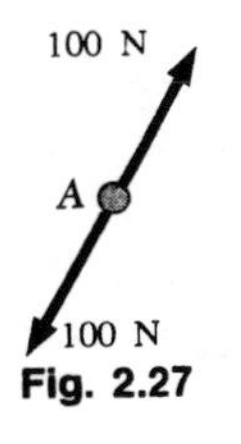

**Fig. 2.27**

La fig. 2.28*a* présente une autre situation où le point est en équilibre : quatre forces agissent ensemble sur le point $A$. La résultante de ces forces peut être déterminée par la règle du polygone, repésentée graphiquement par la fig. 2.28*b* : ici, on part du point $O$ avec la force $\mathbf{F}_1$ et on place bout à bout, l'une après l'autre, toutes les forces agissant sur le point $A$, de telle façon que l'extrémité de $\mathbf{F}_4$ coïncide avec le point $O$, c'est-à-dire l'origine. On conclut alors que la résultante $\mathbf{R}$ des forces données est nulle et on déduit que le point est en équilibre.

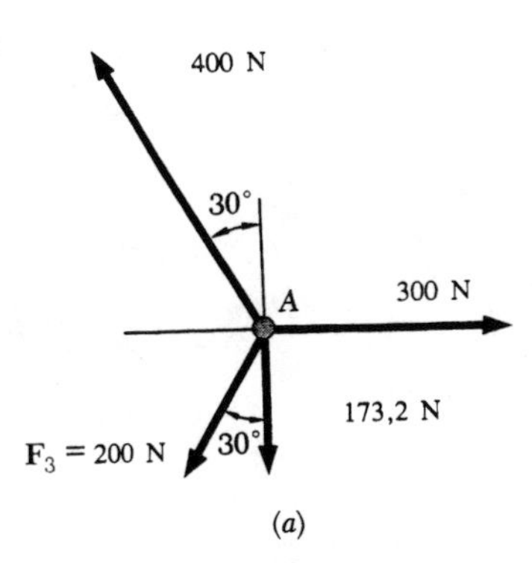

(*a*)

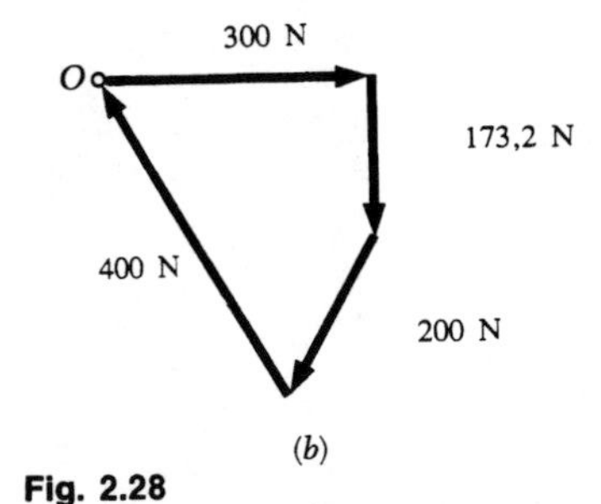

(*b*)

**Fig. 2.28**

Le polygone fermé illustré par la fig. 2.28*b* représente l'expression *graphique* de l'équation d'équilibre du point $A$. Pour exprimer cet équilibre *algébriquement*, nous écrirons que les composantes rectangulaires $R_x$ et $R_y$ de la résultante sont nulles. Or, puisque $R_x$ est la somme $\Sigma F_x$ des composantes $x$ de toutes les forces et $R_y$ la somme $\Sigma F_y$ des composantes $y$ des mêmes forces, les équations suivantes traduisent les *conditions nécessaires et suffisantes d'équilibre d'un point* :

$$\Sigma F_x = 0 \qquad \Sigma F_y = 0 \tag{2.11}$$

Nous pouvons vérifier ces équations (2.11) en les appliquant au point $A$, représenté à la fig. 2.28*a* ; nous vérifions facilement que ces équations sont satisfaites.

$$\begin{aligned}\Sigma F_x &= 300 \text{ N} - (200 \text{ N}) \sin 30° - (400 \text{ N}) \sin 30° \\ &= 300 \text{ N} - 100 \text{ N} - 200 \text{ N} = 0 \\ \Sigma F_y &= -173{,}2 \text{ N} - (200 \text{ N}) \cos 30° + (400 \text{ N}) \cos 30° \\ &= -173{,}2 \text{ N} - 173{,}2 \text{ N} + 346{,}4 \text{ N} = 0\end{aligned}$$

**2.9. Premier principe de Newton.** Dans la dernière partie du dix-septième siècle, Sir Isaac Newton a établi trois principes fondamentaux sur lesquels toute la Mécanique est basée. Nous les avons énoncés au chap. 1.

Le premier de ces principes peut s'énoncer comme suit : *si la résultante des forces agissant sur un point matériel est nulle, le point restera au repos (si originellement il était au repos) ou il sera animé d'un mouvement rectiligne uniforme (si originellement il était en mouvement).*

De ce principe et des conditions d'équilibre posées à la section 2.8, on déduit qu'un point matériel est en équilibre s'il est au repos ou animé d'un mouvement rectiligne de vitesse constante. Dans la section suivante, nous allons appliquer ces conclusions à l'étude des conditions d'équilibre du point matériel.

**2.10. Problèmes sur l'équilibre d'un point matériel. Schéma des forces appliquées au corps rendu libre.** Il est évident que les problèmes de la mécanique appliquée découlent de conditions physiques réelles. Pour la plupart de ces problèmes, on commence par tracer un dessin montrant ces conditions physiques. Un tel dessin s'appelle *plan de situation.*

Les méthodes d'analyse exposées dans les sections précédentes s'appliquent aussi à un ensemble de forces agissant sur un système de points matériels. En effet, un grand nombre de problèmes mettant en jeu des structures réelles peuvent être ramenés à de simples problèmes d'équilibre d'un point. Ceci se fait facilement en traçant un nouveau schéma ou diagramme d'une partie de la structure préalablement isolée et en indiquant sur le schéma toutes les forces qui agissent sur cette partie. Un tel tracé s'appelle *schéma* ou *diagramme des forces appliquées à la partie isolée* ou encore plus simplement *schéma de la partie isolée.*

Comme exemple, analysons l'équilibre de la caisse d'emballage de 75 kg représentée par le plan de situation tracé à la fig. 2.29*a*. Cette caisse, installée par terre entre deux édifices, est soulevée à l'aide d'un système de cordes et de poulies et doit être placée sur un camion. La caisse est attachée à un câble vertical, qui, à son tour, s'attache à deux cordes soutenues par deux poulies fixées aux points $B$ et $C$ des bâtiments. Il s'agit de déterminer la tension dans chaque corde $AB$ et $AC$.

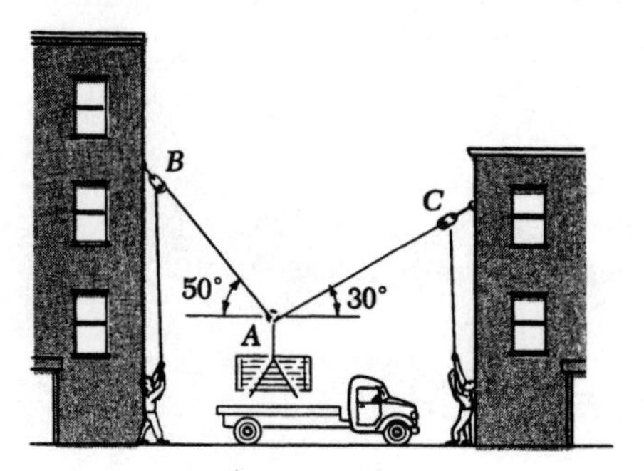


(a) Plan de situation

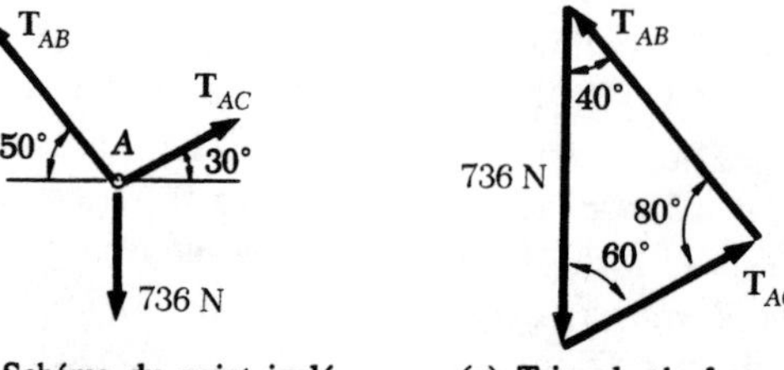


Fig. 2.29 (b) Schéma du point isolé (c) Triangle de forces

Pour résoudre ce problème, nous devons tracer un schéma du corps isolé; et puisque nous cherchons à connaître la valeur de l'effort transmis par les cordes, ce schéma doit montrer au moins une de ces forces, sinon les deux. Si on isole le point $A$, point de rencontre des deux cordes et du câble, on obtient un schéma du point isolé dans lequel les tensions cherchées sont représentées. Ce schéma a été tracé à la fig. 2.29*b*. On y voit que la tension dans le câble, orientée vers le bas, est égale au poids $W$ de la caisse. L'éq. (1.4) nous permet de déterminer ce poids.

$$W = mg = (75 \text{ kg})(9{,}81 \text{ m/s}^2) = 736 \text{ N}$$

Les forces exercées par les deux cordes sont inconnues. Cependant, comme elles sont égales en grandeur aux tensions respectives dans les cordes $AB$ et $BC$, nous allons les appeler $\mathbf{T}_{AB}$ et $\mathbf{T}_{AC}$ et les tracer sur le schéma du point isolé, comme indiqué à la fig. 2.29*b*.

Puisque le point $A$, sollicité par les trois forces, est en équilibre, celles-ci doivent former un triangle fermé lorsqu'on les place bout à bout. Ce *triangle de forces* a été dessiné à la fig. 2.29*c*. Les valeurs des forces de tension $T_{AB}$ et $T_{AC}$ dans les cordes peuvent être déterminées graphiquement en traçant le triangle de forces avec une échelle de forces appropriée ou alors par des méthodes trigonométriques. Si la dernière méthode est choisie, nous pouvons utiliser la loi des sinus et écrire

$$\frac{T_{AB}}{\sin 60°} = \frac{T_{AC}}{\sin 40°} = \frac{736 \text{ N}}{\sin 80°}$$

$$T_{AB} = 647 \text{ N} \qquad T_{AC} = 480 \text{ N}$$

Quand un point est en équilibre *sous l'action de trois forces*, le problème peut toujours se résoudre à l'aide du triangle de forces. Lorsque le point est en équilibre *sous l'action de quatre forces ou plus*, nous tracerons alors un polygone de forces : celui-ci nous permettra de trouver graphiquement la solution. Si, par contre, nous désirons une solution analytique, nous devrons *résoudre les équations d'équilibre* introduites à la section 2.8 :

$$\Sigma F_x = 0 \qquad \Sigma F_y = 0 \tag{2.11}$$

Ces équations nous permettent de trouver seulement *deux inconnues*; remarquons que la méthode graphique, elle aussi, nous permet de trouver seulement deux inconnues. Les problèmes qui se posent le plus fréquemment dans la pratique sont ceux où ces deux inconnues sont, soit les deux composantes d'une force, soit la grandeur et la direction d'une seule force, soit encore la grandeur de deux forces dont on connaît les lignes d'action respectives. D'autres problèmes qui se posent assez fréquemment aussi sont ceux où l'on recherche les valeurs limites de la grandeur d'une force (voir les problèmes 2.35 et 2.36).

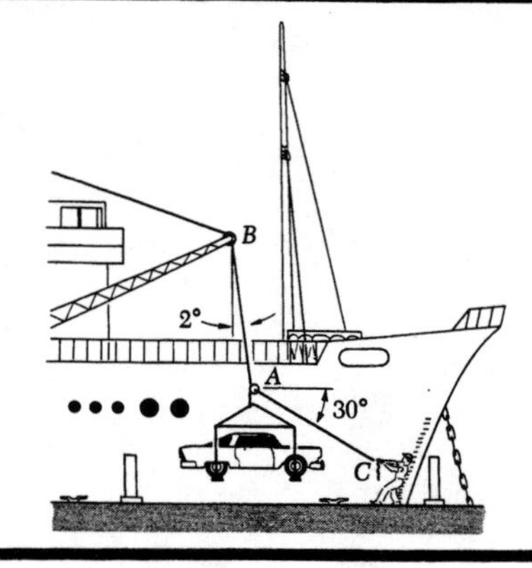


## PROBLÈME RÉSOLU 2.4

Lors du déchargement d'un cargo, on soulève une automobile de 15 570 N à l'aide d'un câble. Une corde, attachée au point *A*, est tirée de façon à centrer la voiture sur un point précis. L'angle entre le câble et la verticale est de 2°, tandis que celui formé par la corde et la ligne horizontale est de 30°. Déterminez l'effort de tension dans la corde.

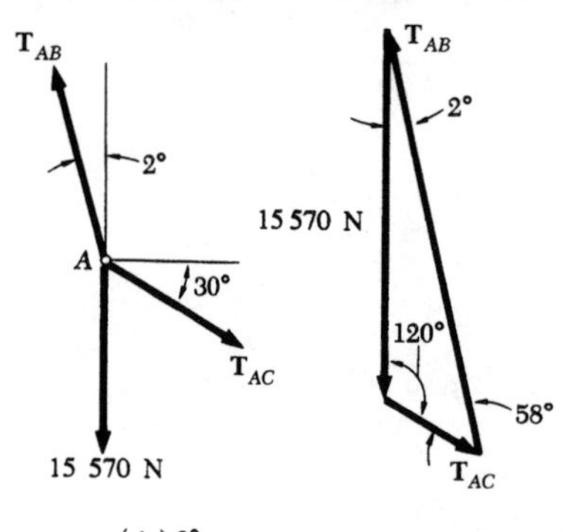


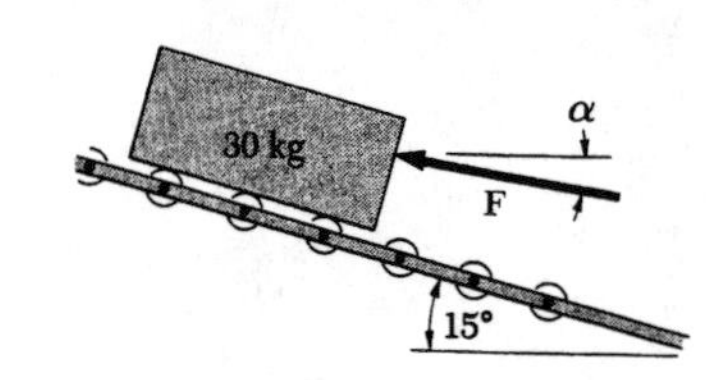


**Solution.** Isolons le point *A* et traçons le *schéma du point isolé*: $T_{AB}$ sera la tension dans le câble *AB* et $T_{AC}$ la tension dans la corde *AC*.

***Conditions d'équilibre.*** Puisque nous n'avons que trois forces appliquées en *A*, traçons le triangle de forces pour exprimer son équilibre. La loi du sinus nous donne alors

$$\frac{T_{AB}}{\sin 120°} = \frac{T_{AC}}{\sin 2°} = \frac{15\,570 \text{ N}}{\sin 58°}$$

***Calculatrice électronique.*** Calculons le dernier quotient et envoyons-le en mémoire. En multipliant successivement ce quotient par sin 120° et sin 2°, nous obtenons

$$T_{AB} = 15\,900 \text{ N} \qquad T_{AC} = 641 \text{ N}$$ ◄

***Règle à calcul.*** Si on réduit sin 120° au premier quadrant et si on utilise les échelles S et ST, nous pouvons lire directement les valeurs de $T_{AC}$ et $T_{AB}$.

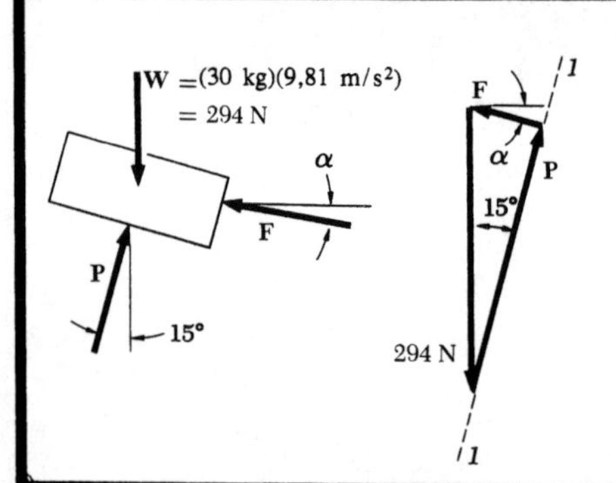


## PROBLÈME RÉSOLU 2.5

Calculez la grandeur et la direction de la plus petite force **F** qui pourra maintenir la caisse illustrée ci-contre en équilibre (la réaction des rouleaux est perpendiculaire au plan incliné).

**Solution.** Nous considérons la caisse comme un point matériel et traçons le schéma de la caisse isolée.

***Conditions d'équilibre.*** Nous pouvons tracer immédiatement le triangle de forces qui traduit l'équilibre de la caisse. La droite *1-1* représente la direction connue de **P** (sa grandeur est inconnue). Pour obtenir la plus petite valeur de **F**, sa ligne d'action doit être perpendiculaire à **P**. Nous obtenons ensuite du triangle de forces

$$F = (294 \text{ N}) \sin 15° = 76{,}1 \text{ N} \qquad \alpha = 15°$$

F = 76,1 N ⦪ 15° ◄

W =(30 kg)(9,81 m/s²)
= 294 N
α
F
P
15°
F
α
15°
P
1
294 N
1

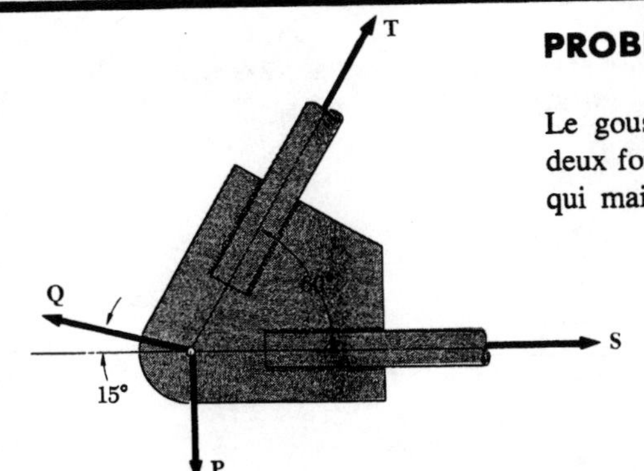


## PROBLÈME RÉSOLU 2.6

Le gousset d'assemblage d'une cellule d'avion, représenté ci-contre, est soumis aux deux forces **P** et **Q** de grandeur $P = 1000$ N et $Q = 1200$ N. Déterminez les forces $S$ et $T$ qui maintiennent le gousset en équilibre.

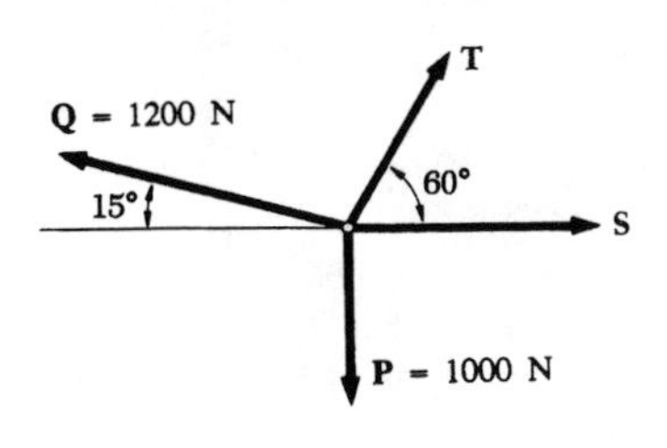


**Solution.** Nous verrons plus tard que les axes des barres attachées à un gousset doivent être concourants. Isolons ce point de concourance et traçons le schéma du point isolé : ce schéma comporte deux forces parfaitement connues et deux directions imposées par les barres S et T. Nous allons utiliser la méthode analytique. Choisissons le sens vertical vers le haut et le sens horizontal vers la droite comme étant positifs. Projetons ensuite les forces sur ces axes.

Nous obtenons

$$
\begin{aligned}
P_x &= 0 & P_y &= 1000 \text{ N}\\
Q_x &= -(1200 \text{ N}) \cos 15° & Q_y &= +(1200 \text{ N}) \sin 15°\\
&= -1159 \text{ N} & &= +311 \text{ N}\\
S_x &= +S & S_y &= 0\\
T_x &= +T \cos 60° & T_y &= +T \sin 60°\\
&= +0{,}500\,T & &= +0{,}866\,T
\end{aligned}
$$

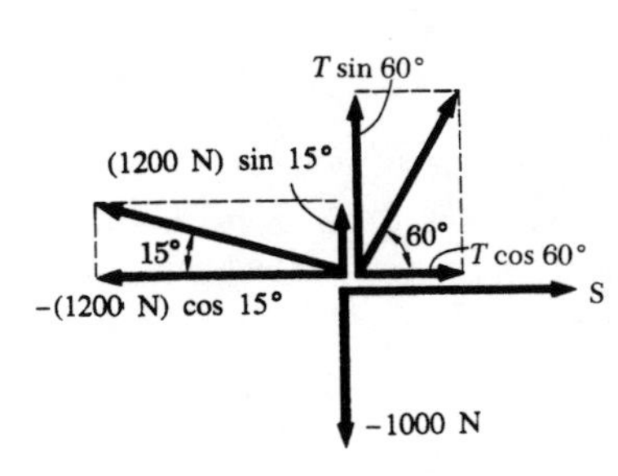


***Conditions d'équilibre.*** Pour réaliser l'équilibre du gousset, nous devons annuler la résultante des forces qui lui sont appliquées. Nous poserons donc

$$\Sigma F_x = 0 \qquad \Sigma F_y = 0$$

En introduisant les données connues dans les équations précédentes, on obtient le système

$$
\begin{aligned}
\Sigma F_x = 0 &: \quad -1159 \text{ N} + S + 0{,}500\,T = 0\\
\Sigma F_y = 0 &: \quad -1000 \text{ N} + 311 \text{ N} + 0{,}866\,T = 0
\end{aligned}
$$

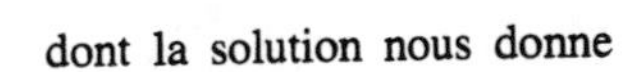

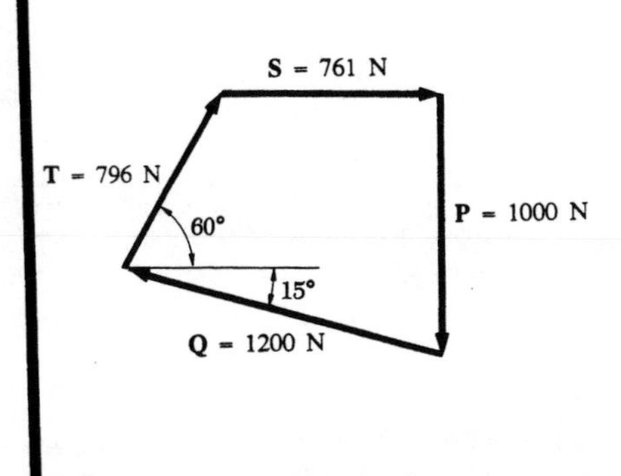


dont la solution nous donne

$$S = 761 \text{ N} \qquad T = 796 \text{ N}$$ ◄

Lorsqu'on trace le schéma du point isolé, le sens de **S** et de **T** est inconnu. Une méthode de calcul consiste à leur attribuer un sens arbitraire : si le résultat obtenu est positif, cela indique que le sens arbitraire choisi est le sens réel. Si le résultat est négatif, le sens réel est alors contraire au sens choisi. Nous avons tracé ci-contre le polygone de forces qui nous permet de vérifier l'exactitude de notre résultat.

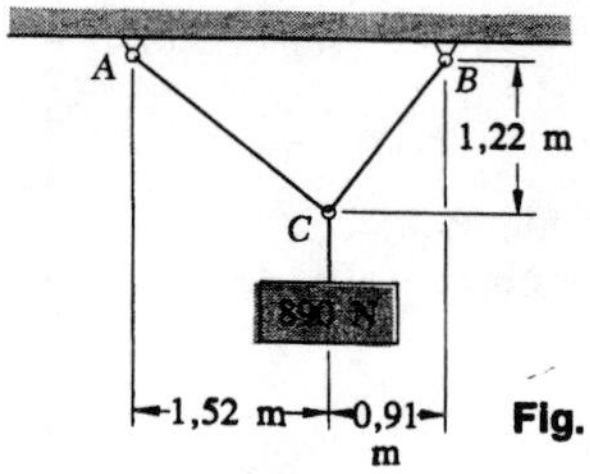

Fig. P2.30

## PROBLÈMES SUPPLÉMENTAIRES

**2.30 à 2.33** Deux câbles, attachés à l'anneau *C*, sont successivement chargés suivant les figures ci-dessous. Calculez les efforts dans les câbles *CA* et *CB*.

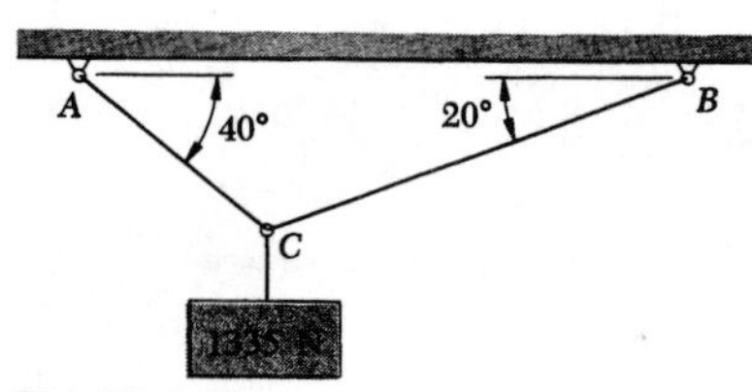

Fig. P2.31

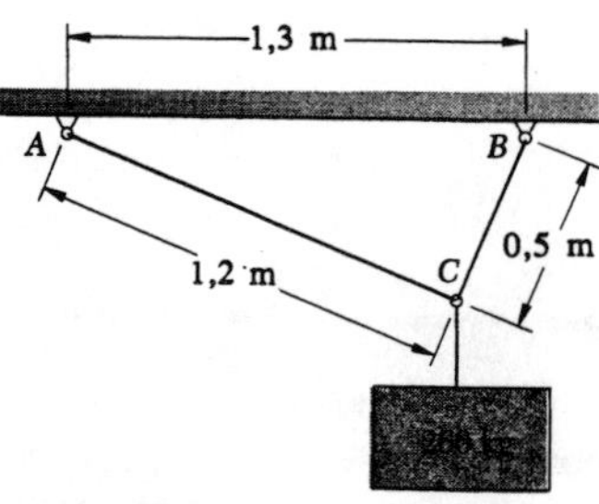

Fig. P2.32

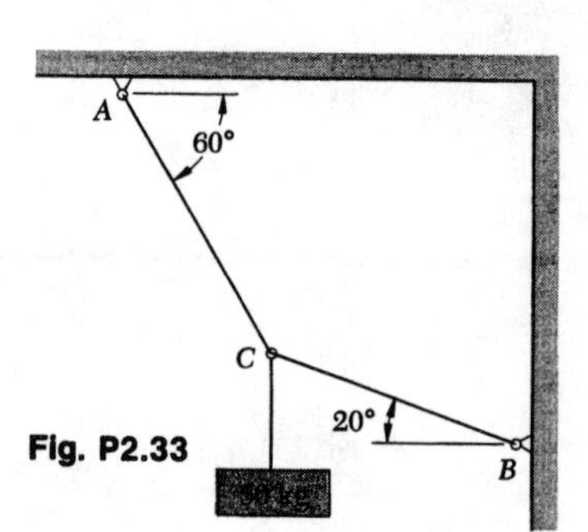

Fig. P2.33

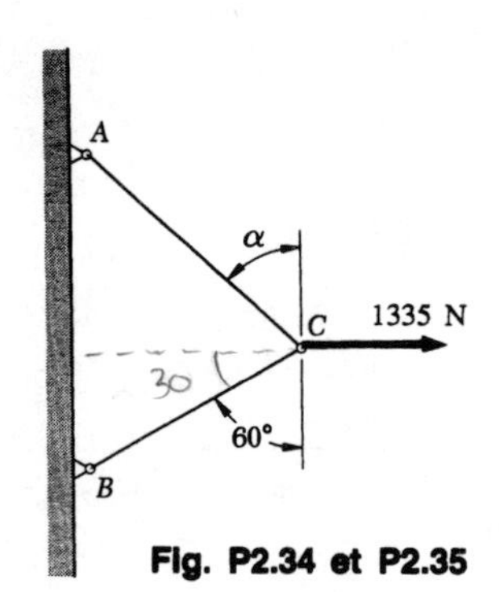

Fig. P2.34 et P2.35

**2.34** Une force de 1335 N est appliquée au point *C*. Déterminez : *a*) la valeur de $\alpha$ pour laquelle la plus grande des tensions dans les câbles est la plus petite possible, *b*) les tensions dans les câbles *AC* et *BC* pour cette valeur.

**2.35** Une force de 1335 N est encore appliquée au point *C*. *a*) Pour quelle valeur de $\alpha$ la tension dans le câble *CA* est-elle la plus petite? *b*) Quelles seront alors les valeurs de $T_{CA}$ et $T_{CB}$?

**2.36** Deux cordes sont attachées ensemble au point *C*. Si la tension maximum permise dans chaque corde est de 2,5 kN, quelle est la valeur maximum qu'on peut donner à **F**? Et dans quelle direction va-t-elle agir?

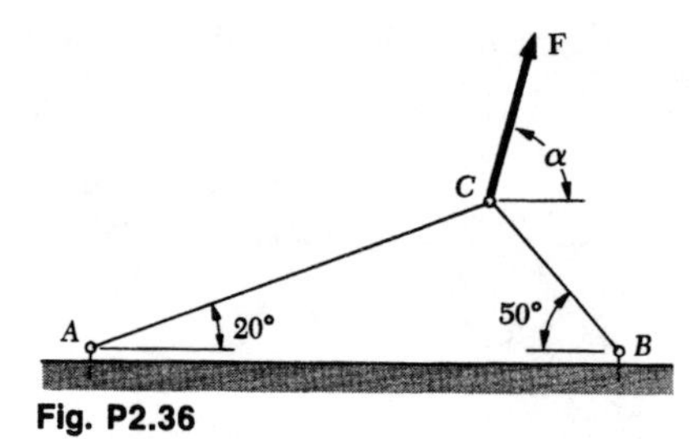

Fig. P2.36

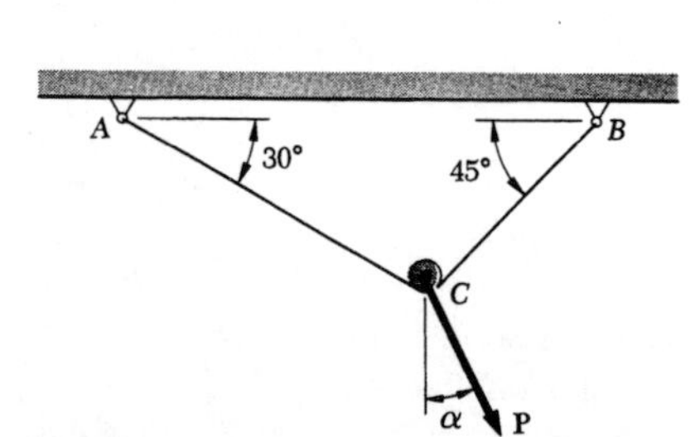

Fig. P2.37

**2.37** La force **P** est appliquée à une poulie baladeuse supportée par le câble *ACB*. Calculez la force **P** (grandeur et sens) pour qu'un effort de 750 N soit transmis à la partie *CB* du câble.

**2.38** Deux forces **A** et **B** de valeur $A = 5000$ N et $B = 2500$ N sont appliquées au gousset d'assemblage, tel que dessiné. Calculez les forces **C** et **D** pour que le gousset soit en équilibre.

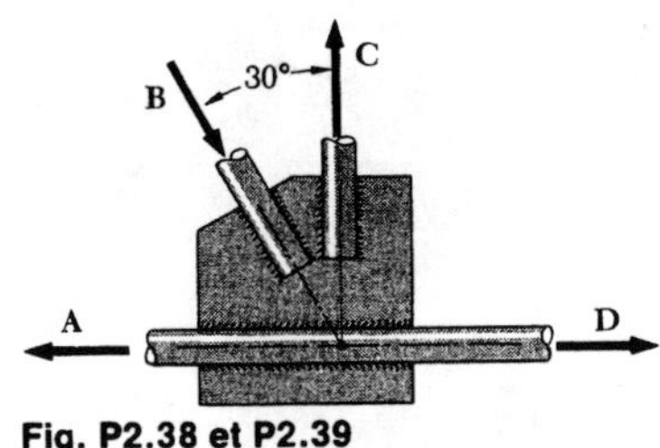

**Fig. P2.38 et P2.39**

**2.39** Si on applique deux forces **C** et **D** de valeur $C = 3560$ N et $D = 6670$ N au gousset précédent, quelles seront les valeurs de **A** et **B** pour qu'il reste en équilibre?

**2.40** Sachant que $P = 445$ N, calculez les tensions dans les câbles $AC$ et $BC$.

**2.41** Calculez le domaine de variation de **P** pour que les deux câbles restent tendus.

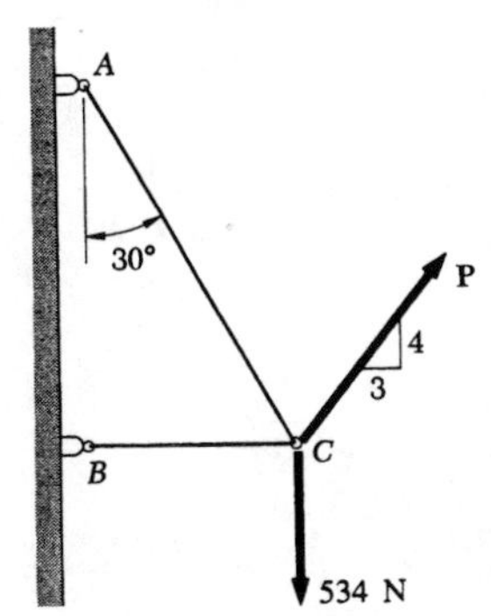

**Fig. P2.40 et P2.41**

**2.42** Un coffre chargé pèse 4450 N. Calculez la longueur minimum de la chaîne $ACB$ qui doit être utilisée pour soulever le coffre, de telle sorte que la tension maximum dans la chaîne ne dépasse pas 5780 N.

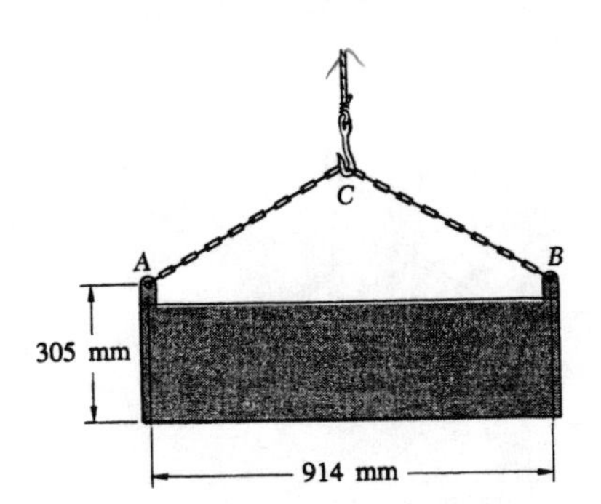

**Fig. P2.42**

**2.43** Une caisse d'emballage de 200 kg est soulevée successivement par les cinq palans représentés ci-dessous. Calculez dans chaque cas la tension dans la corde. (La tension dans la corde est la même le long de celle-ci, comme on le verra au chap. 3.)

**2.44** Donnez la solution pour les cas *b* et *d*, problème 2.43, en supposant que l'extrémité libre de la corde est attachée à la caisse.

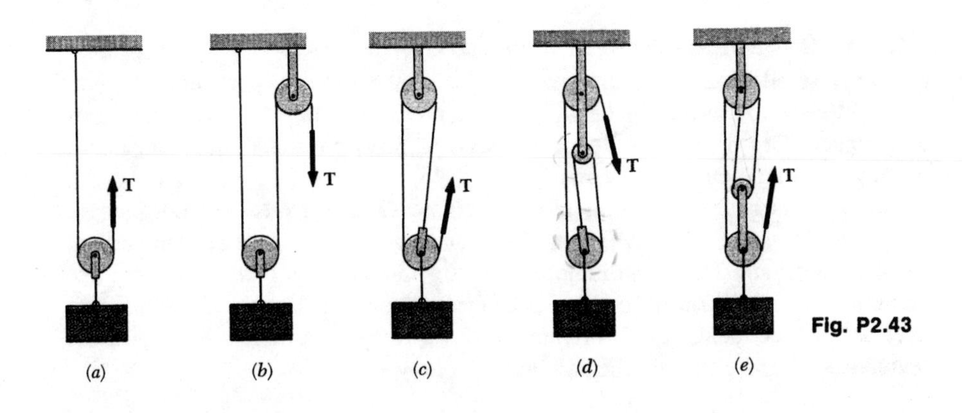

**Fig. P2.43**

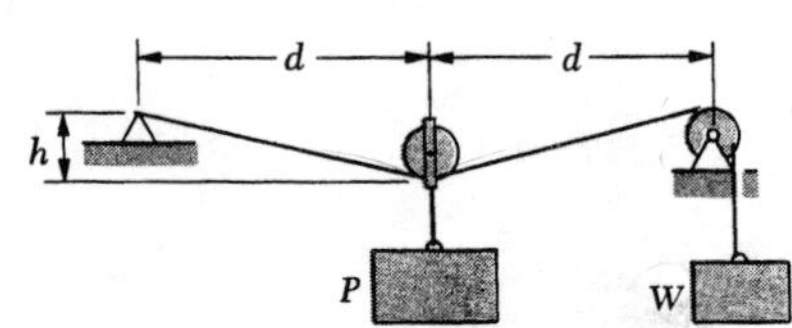


Fig. P2.45 et P2.46

**2.45** Exprimez le poids $W$ nécessaire pour maintenir le système au repos, en fonction de $P$, $d$ et $h$.

**2.46** Calculez la valeur de $h$ nécessaire pour maintenir l'équilibre du système illustré ci-contre si on pose $W = 356$ N, $P = 44{,}5$ N et $d = 51$ cm.

***2.47** Le manchon $A$ peut glisser sans frottement sur l'axe horizontal. La constante élastique du ressort attaché au manchon est de 17,5 N/cm. Ce ressort n'est pas sollicité lorsque le manchon se trouve sur la verticale de $B$. Calculez la grandeur de la force **P** nécessaire pour maintenir l'équilibre lorsque : *a*) $c = 22{,}9$ mm, *b*) $c = 40{,}6$ mm.

**2.48** Le manchon $A$ peut glisser sans frottement sur l'axe horizontal. Déterminez la grandeur de la force **P** nécessaire pour maintenir l'équilibre lorsque : *a*) $c = 22{,}9$ mm, *b*) $c = 40{,}6$ mm.

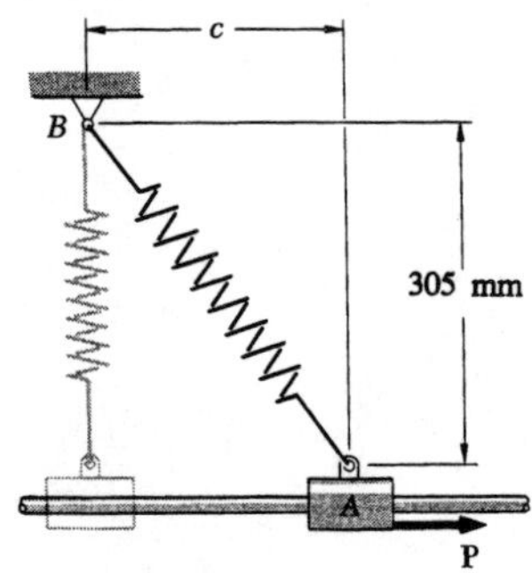


Fig. P2.47

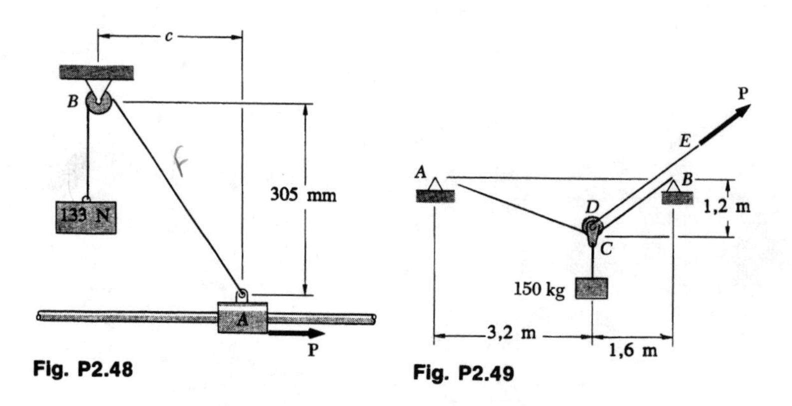


Fig. P2.48

Fig. P2.49

***2.49** Une charge de 150 kg est attachée à une petite poulie qui peut se balader le long du câble $ACB$. La poulie et la charge sont maintenues par une corde $DE$ parallèle à la portion $CB$ du câble principal. Déterminez : *a*) l'effort dans le câble $ACB$, *b*) l'effort dans le câble $DE$. (Négligez le diamètre des poulies et le poids des câbles.)

## FORCES DE L'ESPACE

### 2.11. Décomposition d'une force de l'espace.

Les problèmes analysés dans la première partie de ce chapitre se rapportaient au plan. Dans cette section et dans celles qui vont suivre, nous traiterons des problèmes de l'espace. Ces problèmes traduisent des situations physiques que l'ingénieur retrouve couramment dans la pratique.

Considérons la force **F** appliquée à l'origine $O$ du système de coordonnées orthogonales $x$, $y$, $z$. Pour définir la direction de **F**, nous traçons le plan vertical $OBAC$ contenant **F**, tel qu'indiqué à la fig. 2.30*a*. Ce plan contient l'axe vertical $y$; l'orientation de ce plan peut être définie par l'angle $\phi$ qu'il forme avec le plan $xy$, tandis que l'orientation de la force **F** dans le plan $OBAC$ est donnée par l'angle $\theta_y$ qu'elle fait avec l'axe $y$.

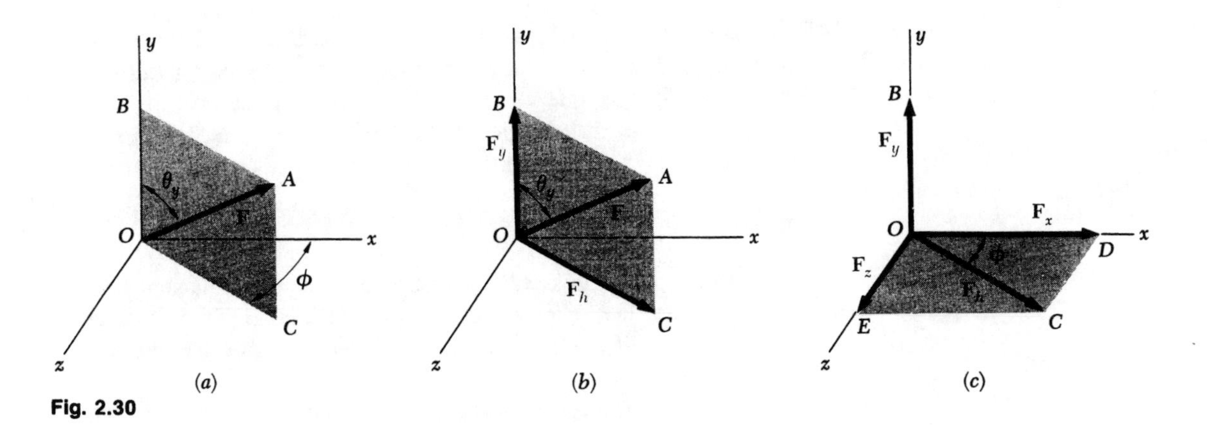


**Fig. 2.30**

Nous allons d'abord décomposer la force **F** dans ses composantes $\mathbf{F}_y$ et $\mathbf{F}_h$, cette dernière étant contenue dans le plan *xz*. Cette décomposition, illustrée par la fig. 2.30*b*, est exécutée dans le plan *OBAC* suivant les règles que nous avons vues précédemment. Les composantes scalaires de **F** sont alors

$$F_y = F\cos\theta_y \qquad F_h = F\sin\theta_y \tag{2.12}$$

La composante $\mathbf{F}_h$ peut se décomposer, ensuite, en $\mathbf{F}_x$ et $\mathbf{F}_z$, suivant les directions *x* et *z*. Nous aurons alors les composantes scalaires :

$$\begin{aligned} F_x &= F_h\cos\phi = F\sin\theta_y\cos\phi \\ F_z &= F_h\sin\phi = F\sin\theta_y\sin\phi \end{aligned} \tag{2.13}$$

Nous avons finalement décomposé **F** en $\mathbf{F}_x$, $\mathbf{F}_y$ et $\mathbf{F}_z$, suivant les trois directions *x*, *y*, *z*. Appliquons le théorème de Pythagore aux triangles *OAB* et *OCD* de la fig. 2.30; nous pouvons écrire

$$F^2 = (OA)^2 = (OB)^2 + (BA)^2 = F_y^2 + F_h^2$$

$$F_h^2 = (OC)^2 = (OD)^2 + (DC)^2 = F_x^2 + F_z^2$$

Si on élimine $F_h^2$ de ces équations et si on les résout par rapport à *F*, on obtient la relation entre **F** et les composantes scalaires :

$$F = \sqrt{F_x^2 + F_y^2 + F_z^2} \tag{2.14}$$

Cette relation entre **F** et ses composantes $\mathbf{F}_x$, $\mathbf{F}_y$ et $\mathbf{F}_z$ peut être matérialisée par un cube ayant pour arêtes $\mathbf{F}_x$, $\mathbf{F}_y$ et $\mathbf{F}_z$, tel que dessiné à la fig. 2.31. La force **F** est alors représentée par la diagonale *OA* de ce cube. La fig. 2.31*b* montre le

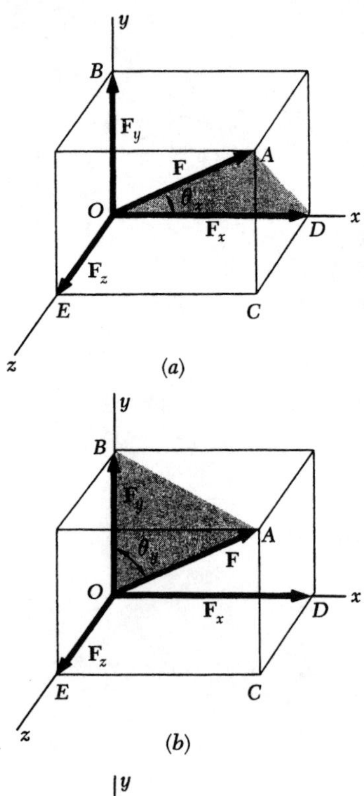


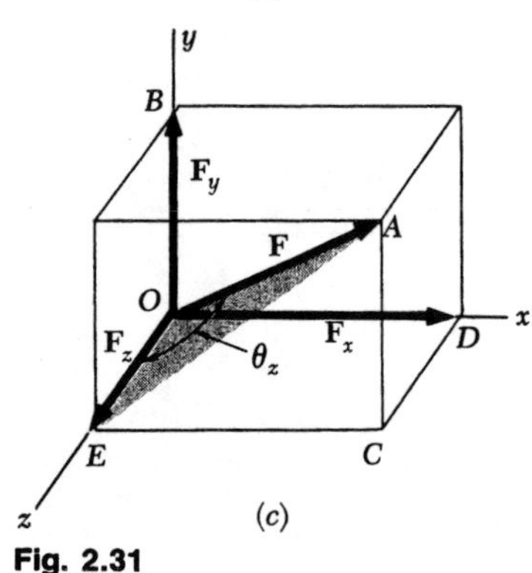


Fig. 2.31

triangle *OAB*, à partir duquel nous avons déduit la formule (2.12) : $F_y = F \cos \theta_y$. Dans la fig. 2.31*a* et *c*, deux autres triangles rectangulaires ont été tracés : *OAD* et *OAE*. On voit que ces triangles occupent dans le cube des positions comparables à celles du triangle *OAB*. Appelant $\theta_x$ et $\theta_z$ les angles que **F** forme avec les axes *x* et *z*, nous pouvons écrire

$$F_x = F \cos \theta_x \qquad F_y = F \cos \theta_y \qquad F_z = F \cos \theta_z \tag{2.15}$$

Ces trois angles $\theta_x$, $\theta_y$ et $\theta_z$ définissent la direction de la force **F**; ils sont plus couramment utilisés à cette fin que les angles $\theta_y$ et $\phi$, définis au début de cette section. Les fonctions $\cos \theta_x$, $\cos \theta_y$ et $\cos \theta_z$ sont appelées les *cosinus directeurs* de la force **F**.

L'angle que **F** forme avec un axe doit être mesuré à partir du côté positif de l'axe et doit être compris entre 0 et 180°. Un angle $\theta_x$, plus petit que 90° (angle aigü), indique que **F** (supposément attachée au point 0) se trouve du même côté du plan *yz* que l'axe positif *x*; $\cos \theta_x$ et $F_x$ seront alors positifs. Par contre, un angle $\theta_x$, plus grand que 90° (angle obtus), nous indique que **F** est de l'autre côté du plan *yz*; $\cos \theta_x$ et $F_x$ seront alors négatifs. Dans l'exemple 1, lequel sera traité plus tard, les angles $\theta_x$ et $\theta_y$ sont aigus, tandis que $\theta_z$ est un angle obtus; par conséquent, $F_x$ et $F_y$ sont positifs, tandis que $F_z$ est négatif.

Il est important de remarquer que les trois angles $\theta_x$, $\theta_y$ et $\theta_z$ ne sont pas indépendants. Si on substitue dans l'éq. (2.14) la valeur de $F_x$, $F_y$ et $F_z$ tirée de l'éq. (2.15) on retrouve l'expression

$$\cos^2 \theta_x + \cos^2 \theta_y + \cos^2 \theta_z = 1 \tag{2.16}$$

Dans l'exemple 1, une fois que nous avons décidé que $\theta_x = 60°$ et $\theta_y = 45°$, la valeur de $\theta_z$ doit être égale à 60° ou à 120° de façon à satisfaire la relation (2.16).

Lorsque les composantes $F_x$, $F_y$ et $F_z$ de la force **F** sont connues, la grandeur *F* de la force nous est donnée par la relation (2.14)†. Les relations (2.15) peuvent être résolues par rapport à $\theta_x$, $\theta_y$ et $\theta_z$ et nous donner ainsi la direction de **F**.

***Exemple 1.*** Une force de 500 N forme des angles de 60°, 45° et 120° respectivement avec les axes *x*, *y*, et *z*. Déterminez les composantes $F_x$, $F_y$ et $F_z$. En entrant les données dans la relation (2.15), nous obtenons

$$F_x = (500 \text{ N}) \cos 60° = +250 \text{ N}$$
$$F_y = (500 \text{ N}) \cos 45° = +354 \text{ N}$$
$$F_z = (500 \text{ N}) \cos 120° = -250 \text{ N}$$

Comme dans le cas des problèmes du plan, le signe positif (+) indique que la composante a le sens positif de l'axe respectif.

† Si on sélectionne le mode de coordonnées polaires dans la calculatrice, il sera plus rapide de procéder comme suit : on calcule $F_h$ à partir des composantes $F_x$ et $F_z$ (Fig. 2.30*c*); ensuite, on peut calculer *F* à partir de $F_h$ et $F_y$ (Fig. 2.30*b*). Le choix de l'ordre d'entrée dans les calculs de $F_x$, $F_y$ et $F_z$ est arbitraire.

*Exemple 2.* La force **F** possède comme composantes $F_x = 20$, $F_y = -30$ N et $F_z = 60$ N. Déterminez sa grandeur $F$ et les angles $\theta_x$, $\theta_y$ et $\theta_z$ qu'elle forme avec les axes $x$, $y$, $z$.

De la relation 2.14, nous tirons

$$\begin{aligned} F &= \sqrt{F_x^2 + F_y^2 + F_z^2} \\ &= \sqrt{(20\text{ N})^2 + (-30\text{ N})^2 + (60\text{ N})^2} \\ &= \sqrt{4900}\text{ N} = 70\text{ N} \end{aligned}$$

*Calculatrice électronique.* Si on introduit les données dans les relations (2.15), les cosinus s'obtiennent par

$$\cos\theta_x = \frac{F_x}{F} = \frac{20\text{ N}}{70\text{ N}} \qquad \cos\theta_y = \frac{F_y}{F} = \frac{-30\text{ N}}{70\text{ N}} \qquad \cos\theta_z = \frac{F_z}{F} = \frac{60\text{ N}}{70\text{ N}}$$

et les angles peuvent alors être déterminés par la fonction arccos

$$\theta_x = 73{,}4° \qquad \theta_y = 115{,}4° \qquad \theta_z = 31{,}0°$$

*Règle à calcul.*† En utilisant les relations (2.17), nous pouvons écrire

$$\frac{\cos\theta_x}{20\text{ N}} = \frac{\cos\theta_y}{-30\text{ N}} = \frac{\cos\theta_z}{60\text{ N}} = \frac{1}{70\text{ N}}$$

Si on place une des extrémités de la réglette en face de 70 de l'échelle principale, nous pouvons lire immédiatement la valeur des angles dans la réglette, en face respectivement des valeurs des composantes $F_x$, $F_y$ et $F_z$ (Fig. 2.32). N'oublions pas que $F_y$ étant négatif, la valeur de $\theta_y$ doit être plus grande que 90°; la valeur de $\theta_y$ est donc égale à 115,4°, soit un angle supplémentaire de 64,6°.

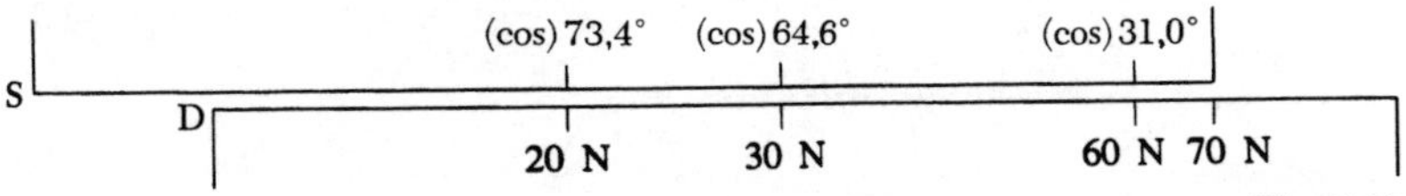

S (cos) 73,4° (cos) 64,6° (cos) 31,0°
D 20 N 30 N 60 N 70 N

**Fig. 2.32**

† Les relations (2.15) peuvent aussi s'écrire

$$\frac{\cos\theta_x}{F_x} = \frac{\cos\theta_y}{F_y} = \frac{\cos\theta_z}{F_z} = \frac{1}{F} \tag{2.17}$$

ce qui met en évidence le fait que $F_x$, $F_y$, $F_z$ et $F$ sont proportionnels aux cosinus directeurs et à l'unité. Cette relation est mieux adaptée à l'usage de la règle à calcul.

**2.12. Définition d'une force par sa grandeur et par deux points de sa ligne d'action.** Une autre métnode permettant de définir la direction de la force **F** agissant à l'origine $O$ du système de référence consiste à spécifier un deuxième point $N$, appartenant à la ligne d'action de **F** (Fig. 2.33). Si nous traçons à partir de ce point des parallèles aux axes des coordonnées, nous pouvons construire un nouveau cube où les arêtes $d_x$, $d_y$ et $d_z$ mesurent les coordonnées du point $N$. Si, en plus, nous considérons $\overrightarrow{ON}$ comme un vecteur, alors $d_x$, $d_y$ $d_z$ mesurent aussi les composantes scalaires de ce vecteur. Appelons $\theta_x$, $\theta_y$, $\theta_z$ l'angle qui forme $\overrightarrow{ON}$ avec les axes $x$, $y$ et $z$, et $d$ la grandeur de ce vecteur. Comme à la section 2.11, nous pouvons écrire

$$d_x = d\cos\theta_x \qquad d_y = d\cos\theta_y \qquad d_z = d\cos\theta_z \tag{2.18}$$

$$d = \sqrt{d_x^2 + d_y^2 + d_z^2} \tag{2.19}$$

Si on divise membre à membre les relations (2.15) et (2.18), nous obtenons

$$\frac{F_x}{d_x} = \frac{F_y}{d_y} = \frac{F_z}{d_z} = \frac{F}{d} \tag{2.20}$$

Cette dernière relation nous indique que la grandeur et les composantes scalaires de **F** sont respectivement proportionnelles à la grandeur et aux composantes du vecteur $\overrightarrow{ON}$. Ces conclusions auraient pu être acceptées intuitivement puisque les deux cubes de la fig. 2.33 sont semblables.

Supposons maintenant que la grandeur de la force **F** appliquée à l'origine $O$ est connue ainsi que les coordonnées $d_x$, $d_y$ et $d_z$ du point $N$ appartenant à sa ligne d'action. Les relations 2.19 nous permettent de déterminer $d$, la distance entre les points $O$ et $N$. Ensuite, en introduisant les valeurs de $F$, $d_x$, $d_y$, $d_z$ et $d$ dans les relations (2.20), nous obtenons, par un simple calcul de proportions, les composantes $F_x$, $F_y$ et $F_z$. Ce calcul peut d'ailleurs être fait très rapidement à l'aide de la calculatrice ou de la règle à calcul. Les angles $\theta_x$, $\theta_y$ et $\theta_z$, qui

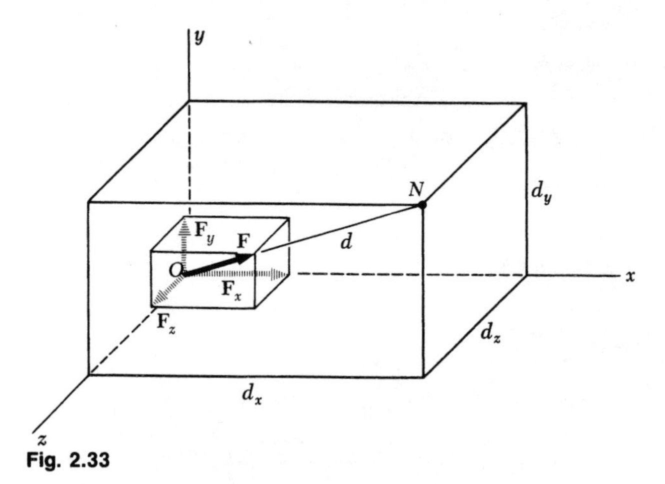


Fig. 2.33

caractérisent la direction de **F**, se trouvent facilement en résolvant les éq. (2.18) en fonction des cosinus directeurs de la droite $\overrightarrow{ON}$.†

Lorsque la ligne d'action de **F** est définie par deux points *M* et *N* — aucun des deux n'étant à l'origine — (Fig. 2.34), les composantes $d_x$, $d_y$ et $d_z$ sont égales à la différence des coordonnées des points *M* et *N*. Ces composantes auront le même signe que les composantes correspondantes de la force. Le signe de $d_x$ sera par conséquent positif si la coordonnée *x* augmente lorsque le segment de droite *MN* est décrit dans le sens défini par **F** (de *M* vers *N* dans le cas représenté à la fig. 2.34); ce signe sera négatif si la coordonnée *x* diminue de valeur. Les signes de $d_y$ et $d_z$ seront trouvés d'une façon similaire.

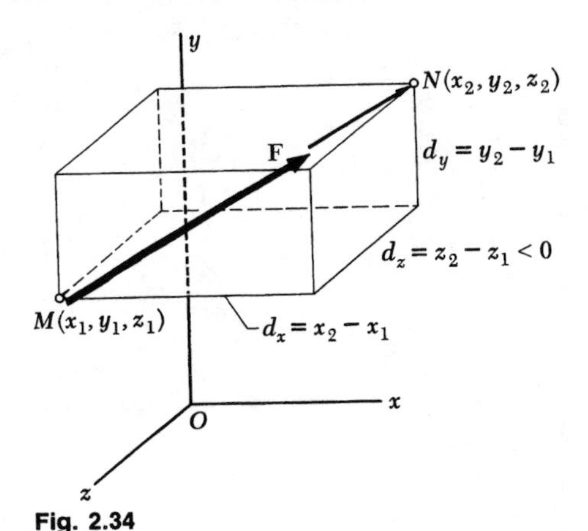

Fig. 2.34

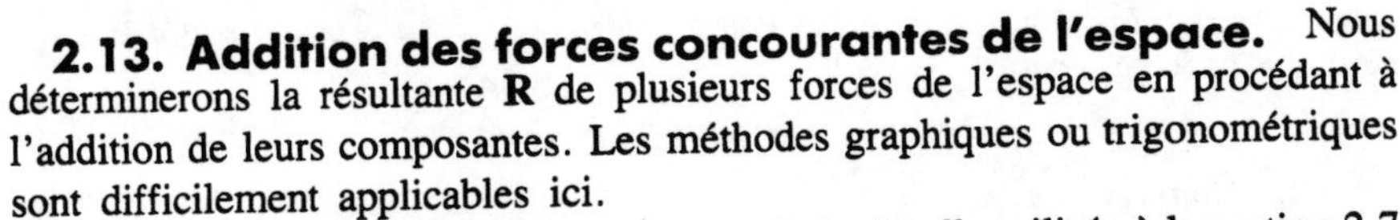

**2.13. Addition des forces concourantes de l'espace.** Nous déterminerons la résultante **R** de plusieurs forces de l'espace en procédant à l'addition de leurs composantes. Les méthodes graphiques ou trigonométriques sont difficilement applicables ici.

La méthode habituellement suivie est similaire à celle utilisée à la section 2.7 dans le cas où les forces appartenaient au même plan. Nous allons d'abord déterminer les composantes des forces. En additionnant toutes les composantes *x*, nous obtenons $R_x$; $R_y$ et $R_z$ se calculent d'une façon identique. Nous pouvons écrire

$$R_x = \Sigma F_x \qquad R_y = \Sigma F_y \qquad R_z = \Sigma F_z \tag{2.22}$$

On peut obtenir la grandeur de la résultante et les angles $\theta_x$, $\theta_y$ et $\theta_z$ que celle-ci forme avec les axes *x*, *y* et *z*, en employant la méthode décrite à la section 2.11. Nous avons donc

$$R = \sqrt{R_x^2 + R_y^2 + R_z^2} \tag{2.23}$$

$$\cos\theta_x = \frac{R_x}{R} \qquad \cos\theta_y = \frac{R_y}{R} \qquad \cos\theta_z = \frac{R_z}{R} \tag{2.24}$$

† Les relations (2.18) peuvent aussi s'écrire

$$\frac{\cos\theta_x}{d_x} = \frac{\cos\theta_y}{d_y} = \frac{\cos\theta_z}{d_z} = \frac{1}{d} \tag{2.21}$$

Cette dernière relation s'adapte très bien à la règle à calcul; en effet, $\theta_x$, $\theta_y$ et $\theta_z$ s'obtiennent directement à partir de *d* et des composantes $d_x$, $d_y$ et $d_z$.

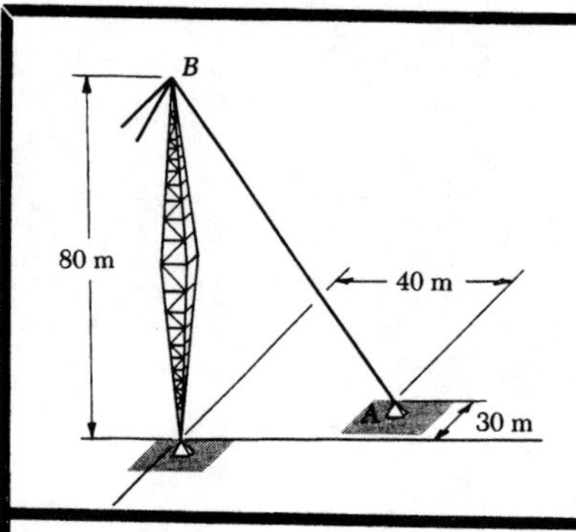


## PROBLÈME RÉSOLU 2.7

Un hauban d'une tour est ancré au point $A$. On mesure dans le hauban une tension de 2500 N. Calculez : *a*) les composantes $F_x$, $F_y$ et $F_z$ de la force transmise au boulon d'ancrage, *b*) les angles $\theta_x$, $\theta_y$ et $\theta_z$ qui définissent la direction de cette force.

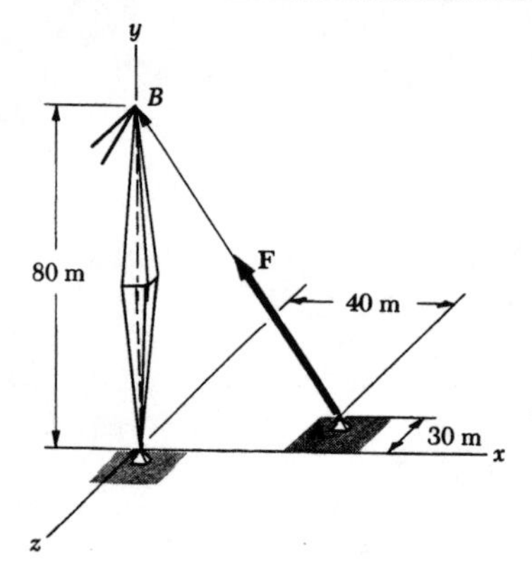


***a.* Composantes de la force.** La ligne d'action de la force transmise au boulon d'ancrage passe par les points $A$ et $B$. Les composantes du vecteur $\overrightarrow{AB}$, qui a la même direction que la force, sont

$$d_x = -40 \text{ m} \quad d_y = +80 \text{ m} \quad d_z = +30 \text{ m}$$

La distance entre $A$ et $B$ est

$$d = \sqrt{d_x^2 + d_y^2 + d_z^2} = 94{,}3 \text{ m}$$

Puisque les composantes de **F** sont proportionnelles au vecteur $\overrightarrow{AB}$, nous pouvons écrire

$$\frac{F_x}{-40 \text{ m}} = \frac{F_y}{+80 \text{ m}} = \frac{F_z}{+30 \text{ m}} = \frac{2500 \text{ N}}{94{,}3 \text{ m}}$$

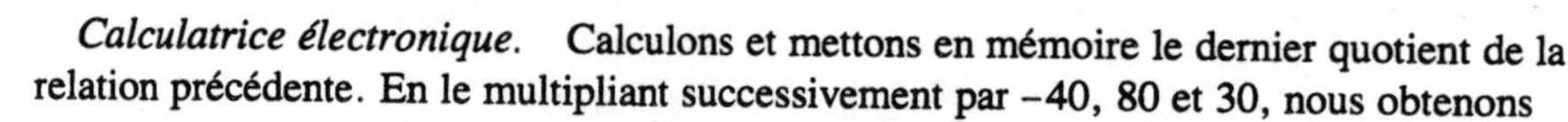

*Calculatrice électronique.* Calculons et mettons en mémoire le dernier quotient de la relation précédente. En le multipliant successivement par −40, 80 et 30, nous obtenons

$$F_x = -1060 \text{ N} \qquad F_y = +2120 \text{ N} \qquad F_z = +795 \text{ N} \blacktriangleleft$$

*Règle à calcul.* Nous ajustons 2500 sur 94,3 de l'échelle D. Les composantes de **F** se lisent immédiatement dans l'échelle C vis-à-vis de −40, 80 et 30.

***b.* Direction de la force.** *Calculatrice électronique.* En résolvant les éq. (2.18) par rapport aux cosinus directeurs de la droite $AB$, on obtient

$$\cos\theta_x = \frac{d_x}{d} = \frac{-40 \text{ m}}{94{,}3 \text{ m}} \qquad \cos\theta_y = \frac{d_y}{d} = \frac{+80 \text{ m}}{94{,}3 \text{ m}}$$

$$\cos\theta_z = \frac{d_z}{d} = \frac{+30 \text{ m}}{94{,}3 \text{ m}}$$

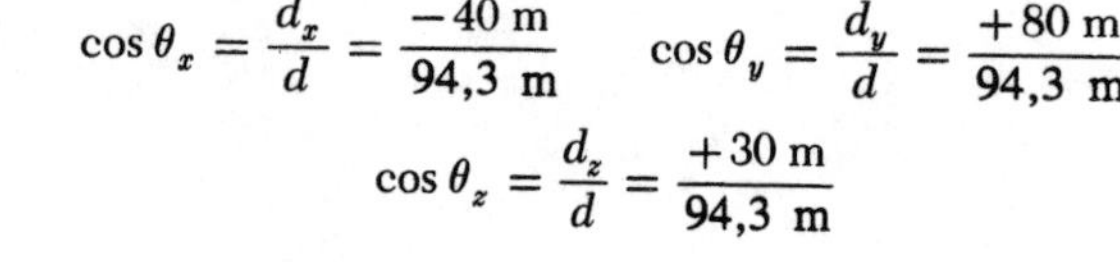

En calculant successivement chaque quotient et son arc sinus, nous obtenons

$$\theta_x = 115{,}1° \qquad \theta_y = 32{,}0° \qquad \theta_z = 71{,}5° \blacktriangleleft$$

*Règle à calcul.* Les éq. (2.21) nous donnent

$$\frac{\cos\theta_x}{-40 \text{ m}} = \frac{\cos\theta_y}{+80 \text{ m}} = \frac{\cos\theta_z}{+30 \text{ m}} = \frac{1}{94{,}3 \text{ m}}$$

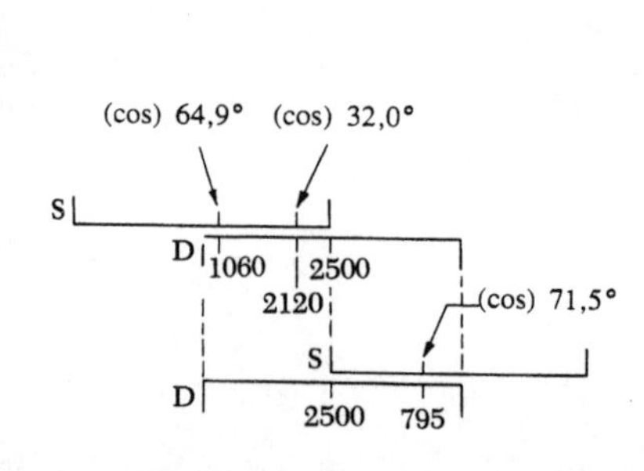


En ajustant la règle suivant ce schéma, nous obtenons

$$\theta_x = 180° - 64{,}9° = 115{,}1° \qquad \theta_y = 32{,}0° \qquad \theta_z = 71{,}5° \blacktriangleleft$$

*Note* : On obtient le même résultat en utilisant les composantes de **F** au lieu des composantes du vecteur $\overrightarrow{AB}$.

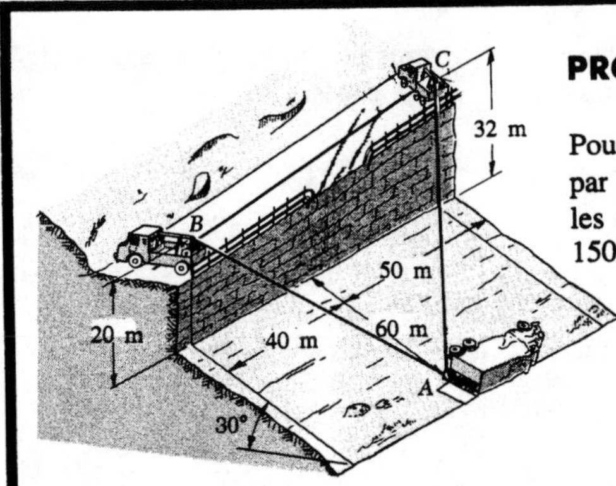


## PROBLÈME RÉSOLU 2.8

Pour remonter le camion accidenté, on attache deux câbles au point $A$ et on le fait tirer par les dépanneuses $B$ et $C$. Calculez la résultante des forces exercées sur le camion par les câbles $AB$ et $AC$ si on mesure sur chacun les tensions respectives de 2000 N et 1500 N.

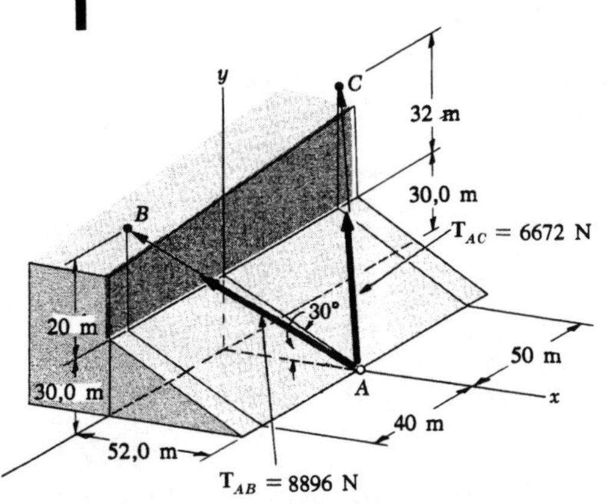


**Solution.** Nous avons besoin de connaître les composantes $x$, $y$ et $z$ de chaque force appliquée au camion. Nous calculerons les composantes et la grandeur des vecteurs $\overrightarrow{AB}$ et $\overrightarrow{AC}$ qui vont du point $A$ aux points $B$ et $C$ de chacune des dépanneuses.

Câble $AB$ ($A$ à $B$) $\quad d_x = -52$ m $\quad d_y = +50$ m
$\quad d_z = +40$ m $\quad d = 82{,}5$ m

Câble $AC$ ($A$ à $C$) $\quad d_x = -52$ m $\quad d_y = +62$ m
$\quad d_x = -50$ m $\quad d = 95{,}1$ m

Si on veut déterminer les composantes des forces, il faut savoir que celles-ci sont respectivement proportionnelles aux composantes des vecteurs $\overrightarrow{AB}$ et $\overrightarrow{AC}$ tels que définis. Cette opération se fait très bien à l'aide d'un tableau à entrée progressive. Ce tableau comporte les grandeurs et les composantes des distances $\overrightarrow{AB}$ et $\overrightarrow{AC}$ ainsi que la grandeur des forces. Les composantes des forces peuvent être facilement calculées et additionnées pour obtenir les composantes de la résultante $R_x$, $R_y$ et $R_z$

| Force | composantes des vecteurs $\overrightarrow{AB}$ et $\overrightarrow{AC}$ | | | m | composantes de la force N | | | $F$, N |
|---|---|---|---|---|---|---|---|---|
| | $d_x$ | $d_y$ | $d_z$ | | $F_x$ | $F_y$ | $F_z$ | |
| Câble $AB$ | −52 | +50 | +40 | 82,5 | −1260 | +1212 | +970 | 2000 |
| Câble $AC$ | −52 | +62 | −50 | 95,1 | −820 | +978 | −788 | 1500 |
| | | | | | $R_x$ = −2080 | $R_y$ = +2190 | $R_z$ = +182 | |

La grandeur et la direction de la résultante peuvent alors être calculées

$$R = \sqrt{R_x^2 + R_y^2 + R_z^2} = \sqrt{(-2080)^2 + (2190)^2 + (182)^2}$$

$$R = 3030 \text{ N} \blacktriangleleft$$

$$\cos\theta_x = \frac{R_x}{R} = \frac{-2080 \text{ N}}{3030 \text{ N}} \qquad \cos\theta_y = \frac{R_y}{R} = \frac{+2190 \text{ N}}{3030 \text{ N}}$$

$$\cos\theta_z = \frac{R_z}{R} = \frac{+182 \text{ N}}{3030 \text{ N}}$$

$$\theta_x = 133{,}4° \qquad \theta_y = 43{,}7° \qquad \theta_z = 86{,}6° \blacktriangleleft$$

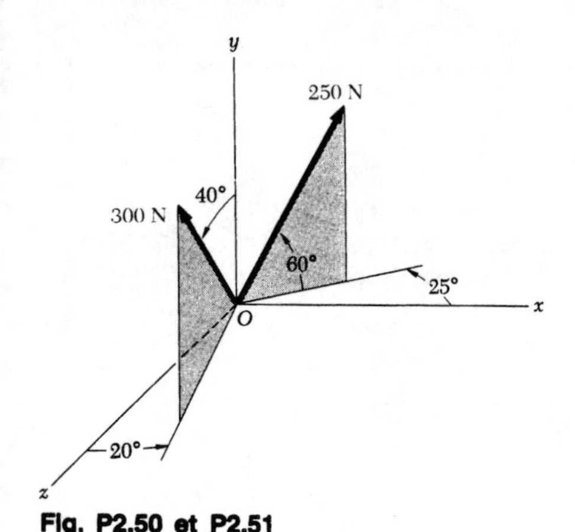


Fig. P2.50 et P2.51

## PROBLÈMES SUPPLÉMENTAIRES

**2.50** Calculez : *a*) les composantes $x$, $y$ et $z$ de la force de 250 N, *b*) les angles $\theta_x$, $\theta_y$ et $\theta_z$ que cette force forme avec les axes des coordonnées.

**2.51** Calculez : *a*) les composantes $x$, $y$ et $z$ de la force de 300 N, *b*) les angles $\theta_x$, $\theta_y$ et $\theta_z$ que cette force forme avec les axes des coordonnées.

**2.52** L'angle entre le hauban de tribord *AB* et le mât du bateau est de 20°. Si on mesure une tension de 1112 N sur le hauban, calculez : *a*) les composantes $x$, $y$ et $z$ de la force exercée par le hauban sur le bateau au point *B*, *b*) les angles $\theta_x$, $\theta_y$ et $\theta_z$ qui définissent la direction de cette force.

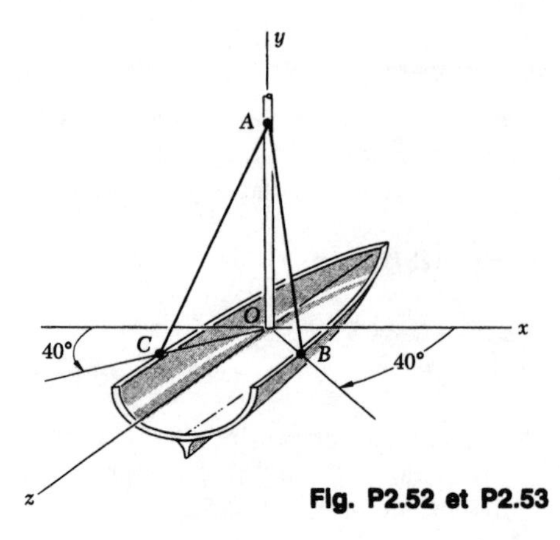


Fig. P2.52 et P2.53

**2.53** L'angle entre le hauban de bâbord *AC* et le mât du bateau est de 20°. Si on mesure une tension de 1112 N sur le hauban, calculez : *a*) les composantes $x$, $y$ et $z$ de la force exercée par le hauban sur le bateau au point *C*, *b*) les angles $\theta_x$, $\theta_y$ et $\theta_z$ qui définissent la direction de cette force.

**2.54** Une force de 890 N, appliquée au point *O*, origine des axes de référence est définie par les angles $\theta_x = 75°$ et $\theta_y = 45°$. Nous savons aussi que la composante $z$ est positive. Calculez l'angle $\theta_z$ et les composantes $x$, $y$ et $z$ de cette force.

**2.55** Une force appliquée à l'origine est définie par les angles $\theta_y = 110°$ et $\theta_z = 65°$. On sait que la composante $x$ de cette force vaut 25 N. Calculez la grandeur de la force et l'angle $\theta_x$.

**2.56** On sait que les composantes d'une force sont $F_x = 300$ N, $F_y = -360$ N et $F_z = 520$ N. Calculez la grandeur et la direction de cette force.

**2.57** Les composantes d'une force sont $F_x = -1423$ N, $F_y = -1779$ N et $F_z = 3291$ N. Calculez la grandeur et la direction de la force.

**2.58** Sachant que la tension dans le câble *AB* est de 8000 N, calculez les composantes de la force exercée par le câble *AB* au point *A* de la plaque métallique.

**2.59** Sachant que la tension dans le câble *BC* est de 4000 N, calculez les composantes de la force exercée par le câble au point *C* de la plaque métallique.

**2.60** Calculez les angles $\theta_x$, $\theta_y$ et $\theta_z$ qui définissent la direction de la force exercée au point *A*. (Probl. 2.58.)

**2.61** Calculez les angles $\theta_x$, $\theta_y$ et $\theta_z$ qui définissent la direction de la force exercée au point *C*. (Probl. 2.59.)

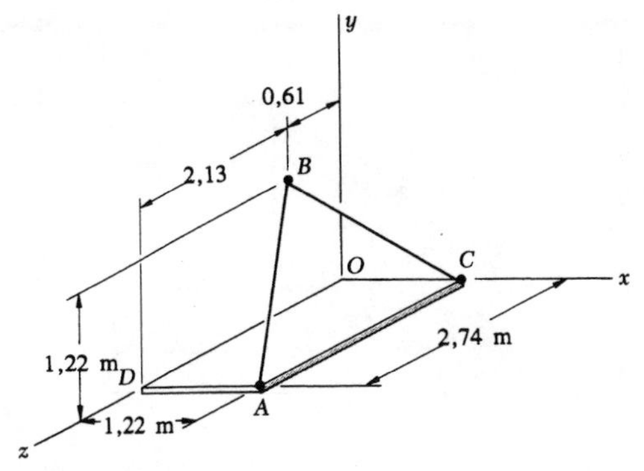

Fig. P2.58, P2.59, et P2.63

**2.62** Déterminez les deux valeurs que $\theta_x$ peut prendre : *a*) si **F** forme des angles égaux avec les directions positives des axes *x*, *y* et *z*, *b*) si **F** forme des angles égaux avec les directions positives des axes *y* et *z* et un angle de 45° avec la direction positive de l'axe *x*.

**2.63** La tension dans chaque câble *AB* et *BC* est de 4000 N. Calculez les composantes de la résultante des forces exercées au point *B*.

**2.64** On mesure une tension de 39 kN dans le câble *AB*. Calculez les efforts dans les câbles *AC* et *AD* pour que la résultante des trois forces appliquées en *A* soit verticale.

**2.65** On mesure une tension de 28 kN dans le câble *AC*. Calculez les tensions dans les câbles *AB* et *AD* pour que la résultante des trois forces appliquées en *A* soit verticale.

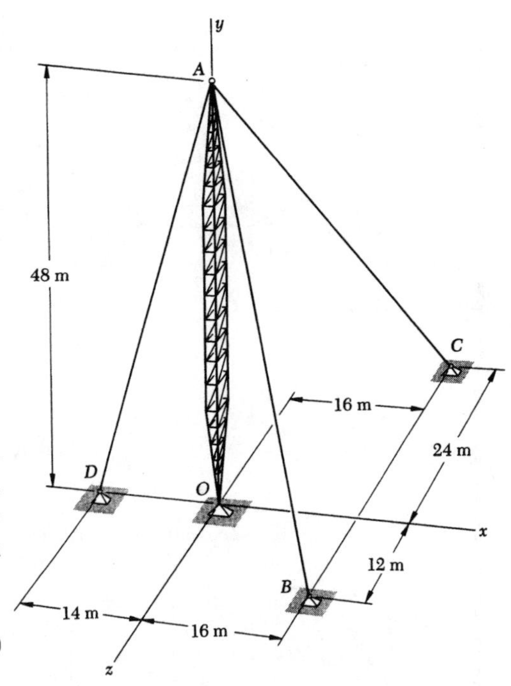

Fig. P2.64 et P2.65

## 2.14. Équilibre d'un point de l'espace.

Conformément à la définition donnée à la section 2.8, un point *A* de l'espace est en équilibre si la résultante de toutes les forces agissant sur lui est nulle. Les relations (2.22) nous permettent de calculer les composantes de cette résultante; la condition d'équilibre que l'on vient d'énoncer s'exprimera ainsi :

$$\Sigma F_x = 0 \qquad \Sigma F_y = 0 \qquad \Sigma F_z = 0 \tag{2.25}$$

Les éq. (2.25) représentent les conditions nécessaires et suffisantes pour qu'un point de l'espace soit en équilibre. Elles peuvent être utilisées pour résoudre des problèmes mettant en jeu l'équilibre d'un point de l'espace et ne comportant pas plus de trois inconnues.

Pour résoudre de tels problèmes, nous devons tracer d'abord le schéma du point isolé montrant le point en équilibre et *toutes* les forces qui agissent sur lui; nous pourrons alors écrire les équations d'équilibre (2.25) et les résoudre en fonction de trois inconnues. Dans la plupart des problèmes que l'on rencontre dans la pratique, ces trois inconnues seront : 1) les trois composantes d'une force ou 2) la grandeur de trois forces dont on connaît les lignes d'action.

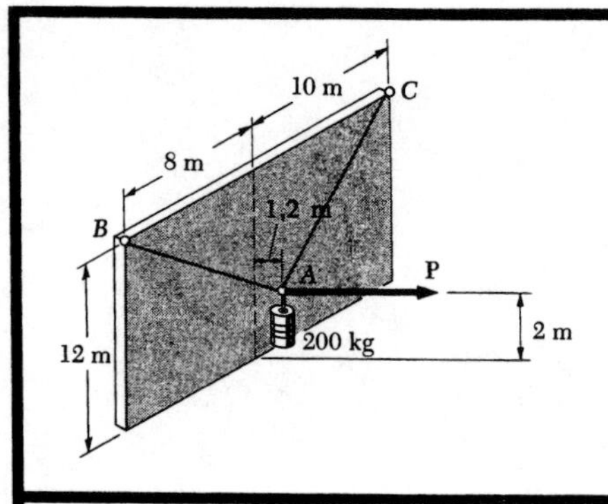


## PROBLÈME RÉSOLU 2.9

Un cylindre de 200 kg est soutenu par deux câbles $AB$ et $AC$ attachés à la partie supérieure du mur vertical. Sous l'action d'une force horizontale **P** perpendiculaire au mur, le cylindre prend la position indiquée. Calculez la valeur de **P** et la tension dans chaque câble.

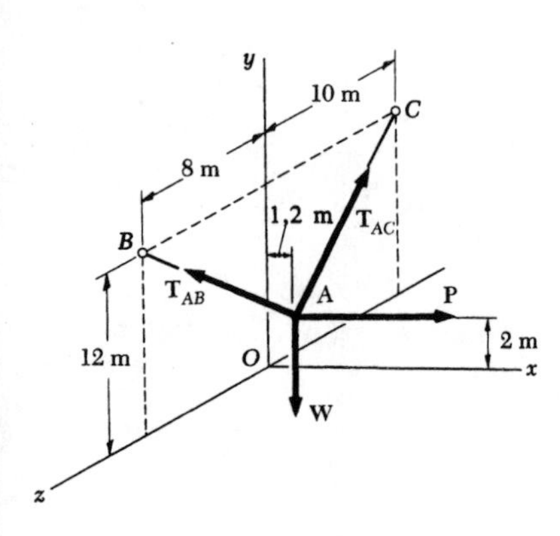


**Solution.** Isolons le point $A$; on voit alors qu'il est soumis à quatre forces. La grandeur de trois de ces forces, **P**, $\mathbf{T}_{AB}$ et $\mathbf{T}_{AC}$ est inconnue; le poids du cylindre est

$$W = mg = (200 \text{ kg})(9{,}81 \text{ m/s}^2) = 1962 \text{ N}$$

Les composantes $x$, $y$ et $z$ de chacune des forces inconnues doivent s'exprimer à l'aide des grandeurs inconnues $P$, $T_{AB}$ et $T_{AC}$. Pour $\mathbf{T}_{AB}$ et $\mathbf{T}_{AC}$, nous devons d'abord calculer les composantes des distances

$$d_x = -1{,}2 \text{ m} \quad d_y = 12 - 2 = 10 \text{ m}$$
$$d_z = 8 \text{ m} \quad d = 12{,}86 \text{ m}$$
$$d_x = -1{,}2 \text{ m} \quad d_y = 12 - 2 = 10 \text{ m}$$
$$d_z = -10 \text{ m} \quad d = 14{,}19 \text{ m}$$

Les composantes des forces peuvent alors être calculées et les résultats peuvent être entrés dans le tableau suivant :

| Force | composantes de la distance, m | | | $d$, m | composantes de la force, N | | | Force, N |
|---|---|---|---|---|---|---|---|---|
| | $d_x$ | $d_y$ | $d_z$ | | $F_x$ | $F_y$ | $F_z$ | |
| $\mathbf{T}_{AB}$ | $-1{,}2$ | $+10$ | $+8$ | 12,86 | $-0{,}0933\,T_{AB}$ | $+0{,}778\,T_{AB}$ | $+0{,}622\,T_{AB}$ | $T_{AB}$ |
| $\mathbf{T}_{AC}$ | $-1{,}2$ | $+10$ | $-10$ | 14,19 | $-0{,}0846\,T_{AC}$ | $+0{,}0705\,T_{AC}$ | $-0{,}705\,T_{AC}$ | $T_{AC}$ |
| **P** | | | | | $+P$ | 0 | 0 | $P$ |
| **W** | | | | | 0 | $-1962$ | 0 | $-1962$ |

***Équations d'équilibre.*** Les équations d'équilibre sont écrites directement à partir du tableau en additionnant successivement les colonnes des composantes et en annulant cette somme.

$$\Sigma F_x = 0: \quad -0{,}0933 T_{AB} - 0{,}0846 T_{AC} + P = 0$$
$$\Sigma F_y = 0: \quad +0{,}778 T_{AB} + 0{,}705 T_{AC} - 1962 \text{ N} = 0$$
$$\Sigma F_z = 0: \quad +0{,}622 T_{AB} - 0{,}705 T_{AC} = 0$$

La solution de ce système nous donne

$$P = 235 \text{ N} \qquad T_{AB} = 1401 \text{ N} \qquad T_{AC} = 1236 \text{ N} \blacktriangleleft$$

## PROBLÈMES SUPPLÉMENTAIRES

**2.66** Une charge $W$ est supportée par trois câbles. Calculez la valeur de la charge sachant que la tension dans le câble $BD$ est de 1735 N.

**2.67** Une charge $W$ est supportée par trois câbles. Calculez la valeur de la charge sachant que la tension dans le câble $CD$ est de 3336 N.

**2.68** Une charge $W$ de 987 N est supportée par trois câbles. Calculez la tension dans chaque câble.

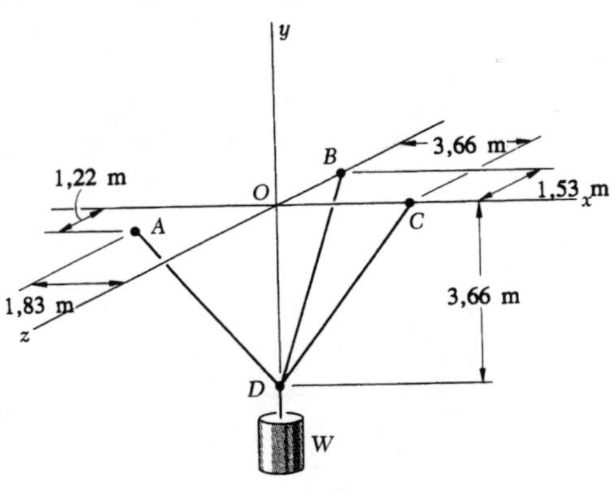

Fig. P2.66, P2.67, et P2.68

**2.69** Trois câbles sont attachés au point $D$ où deux forces **P** et **Q** sont appliquées. Calculez la tension dans chaque câble lorsque $P = 4$ kN et $Q = 0$.

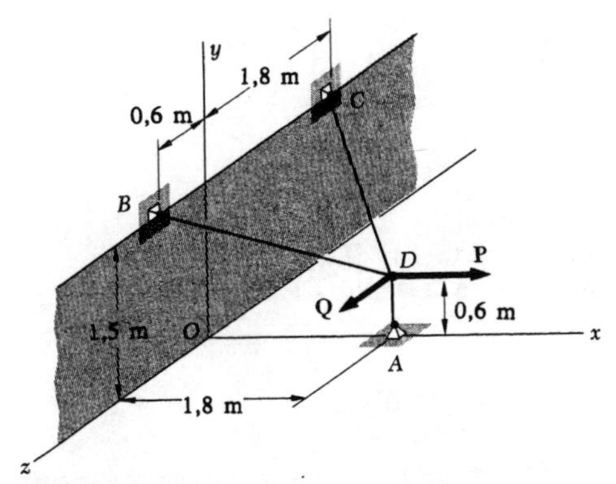

Fig. P2.69 et P2.70

**2.70** Trois câbles sont attachés au point $D$ où deux forces **P** et **Q** sont appliquées. Calculez la tension dans chaque câble lorsque $P = 3{,}5$ kN et $Q = 1{,}5$ kN.

**2.71** Une plaque métallique triangulaire de poids 80 N est supportée par les trois câbles montrés à la fig. P2.71. Calculez la tension de chaque câble.

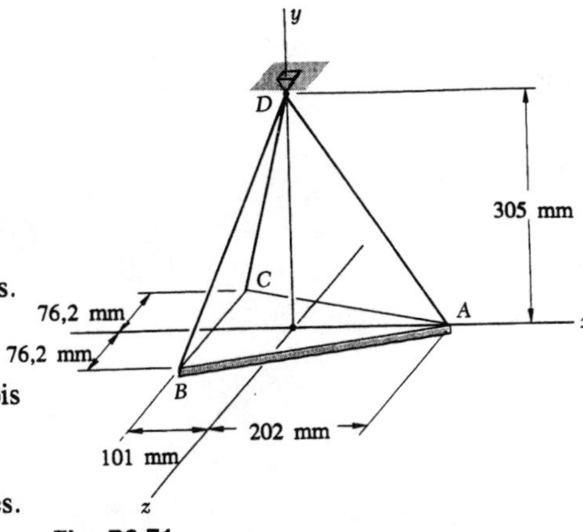

Fig. P2.71

**2.72** Un cylindre d'une masse de 15 kg est soutenu par les trois câbles indiqués. Calculez la tension dans chaque câble pour $h = 60$ mm.

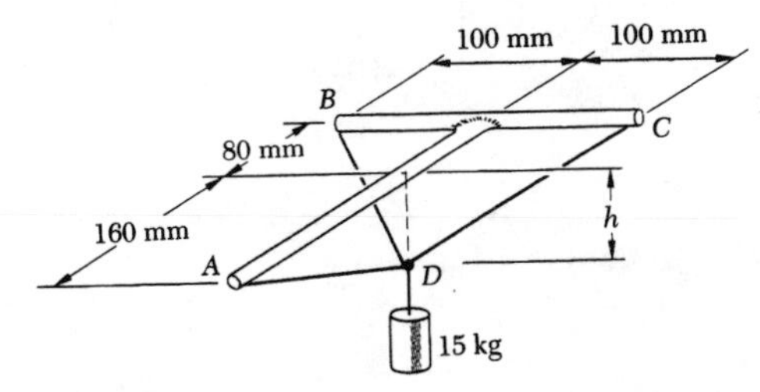

Fig. P2.72

**2.73** Résolvez le problème 2.72 pour le cas où $h = 20$ mm (expliquez pourquoi cette disposition conduit à des tension plus élevées).

**2.74** Le manchon $A$ pèse 24,9 N et peut glisser sans frottement le long d'une tige verticale; il est relié à un autre manchon $B$ par un câble $AB$. Sachant que la longueur du câble est de 45,7 cm, calculez sa tension lorsque : *a*) $c$ = 5,1 cm, *b*) $c$ = 20,3 cm.

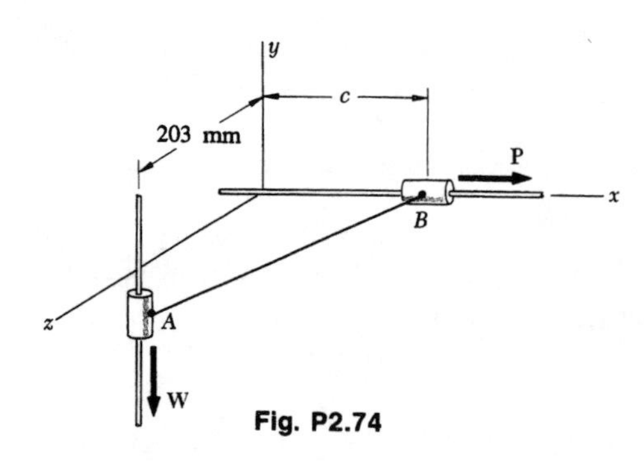

Fig. P2.74

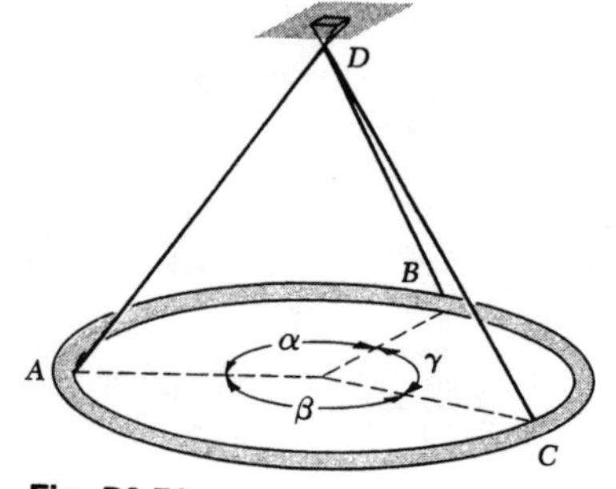

Fig. P2.76

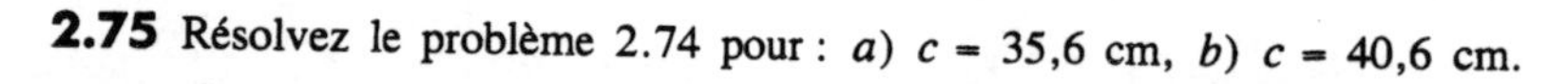

**2.75** Résolvez le problème 2.74 pour : *a*) $c$ = 35,6 cm, *b*) $c$ = 40,6 cm.

**2.76** L'anneau circulaire uniforme d'une masse de 20 kg et d'un diamètre de 300 mm est attaché à trois câbles d'une longueur de 250 mm. Calculez la tension dans chaque câble pour $\alpha = 120°$, $\beta = 150°$ et $\gamma = 90°$.

**2.77** Résolvez le problème 2.76 en supposant que $\alpha = \beta = \gamma$.

**2.78** Deux câbles sont attachés au mât $CD$. On sait que la force exercée par le mât est verticale et que la force de 2500 N appliquée au point $C$ est horizontale. Calculez la tension dans chaque câble si la force de 2500 N est parallèle à l'axe $z$ ($\alpha = 90°$).

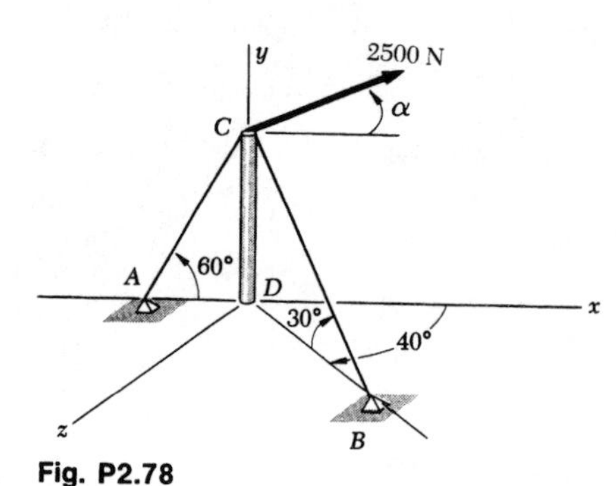

Fig. P2.78

***2.79** Dans le problème 2.78, calculez : *a*) la valeur de l'angle $\alpha$ pour lequel la tension dans le câble $AC$ est maximum, *b*) la tension correspondante de chaque câble.

## PROBLÈMES DE RÉVISION

**2.80** Déterminez les limites des valeurs de $P$ pour lesquelles la résultante des trois forces appliquées en $A$ ne dépassera pas 2400 N.

**2.81** Sachant que la grandeur de la force $P$ est de 3000 N, calculez la résultante des trois forces appliquées en $A$.

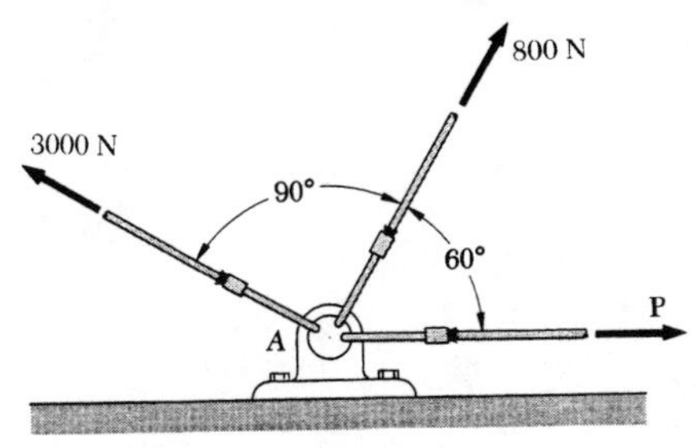

Fig. P2.80 et P2.81

**2.82** Un tuyau d'acier long de 365,5 cm et pesant 2669 N est soulevé par un pont roulant. Calculez la tension dans l'élingue $ACB$ si sa longueur est : *a*) 457 cm, *b*) 609 cm.

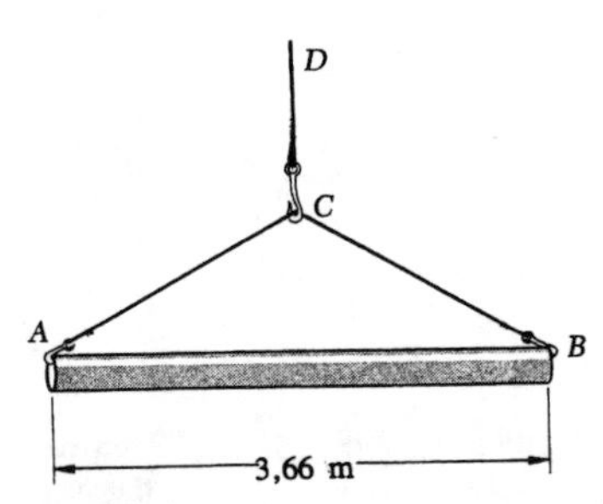

Fig. P2.82

**2.83** Trois câbles sont attachés au point $D$ et supportent une charge de 17 350 N. Calculez l'effort dans chaque câble.

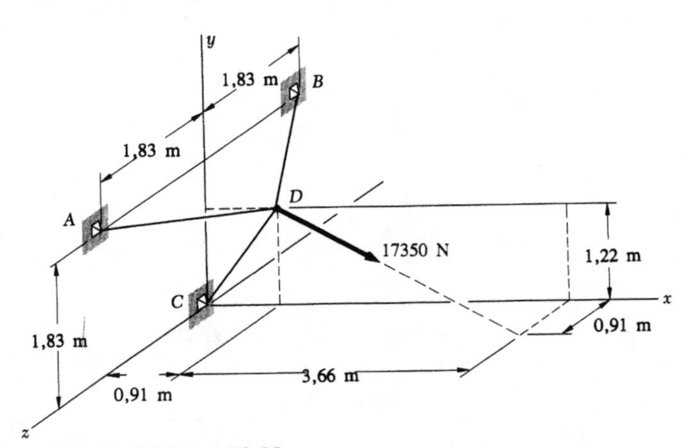

Fig. P2.83, P2.84, et P2.85

**2.84** On applique une force **P** au point $D$ parallèlement à l'axe $y$. Calculez la grandeur et le sens de cette force si on veut que l'effort de tension s'annule dans le câble $CD$.

**2.85** Déterminez les angles $\theta_x$, $\theta_y$ et $\theta_z$ pour les forces exercées : *a*) en $A$ par le câble $AD$, *b*) en $B$ par le câble $BD$, *c*) en $C$ par la câble $CD$.

**2.86** Calculez la tension dans chaque câble lorsque $F = 800$ N et $\alpha = 90°$.

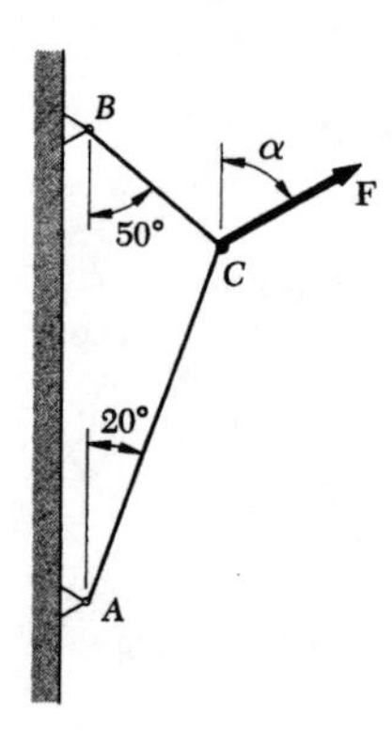


**Fig. P2.86 et P2.87**

***2.87** L'effort de tension maximum admissible dans chaque câble $AC$ et $CB$ est de 1500 N. Pour chaque valeur de l'angle $\alpha$, il existe une valeur maximum pour **F** pour laquelle la tension dans les deux câbles ne dépasse par la valeur permise. Calculez la valeur maximum de **F** en fonction de $\alpha$ si on considère seulement les cas où les câbles restent en tension.

**2.88** Une caisse d'emballage de 100 kg est soulevée par des palans, comme le montre la figure qui suit. Calculez la grandeur et la direction de la force **T**.

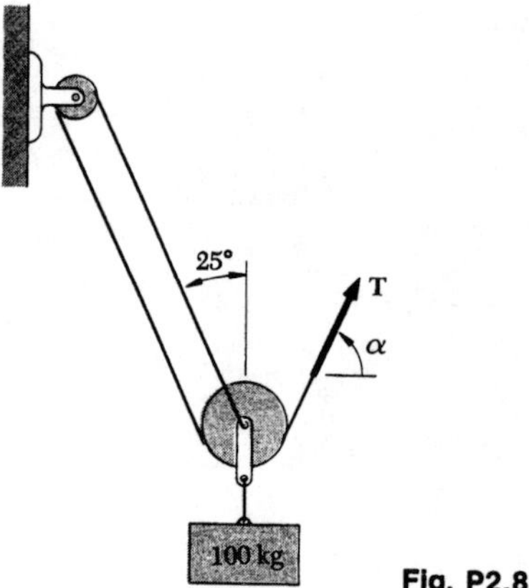


**Fig. P2.88**

**2.89** Une force de 2 kN est appliquée à l'origine avec une direction définie par les angles $\theta_y = 46{,}0°$ et $\theta_z = 80{,}0°$. Nous savons aussi que la composante $x$ est positive. Calculez la valeur de $\theta_x$ et les composantes de la force.

**2.90** Une caisse de 302,5 N est maintenue en place par le câble *AB* et par une force horizontale **P** parallèle à l'axe *z*. On suppose que la caisse est montée sur des roulettes et on admet que la réaction du plan incliné est perpendiculaire à celui-ci. Calculez la grandeur de **P** et la tension dans le câble *AB*.

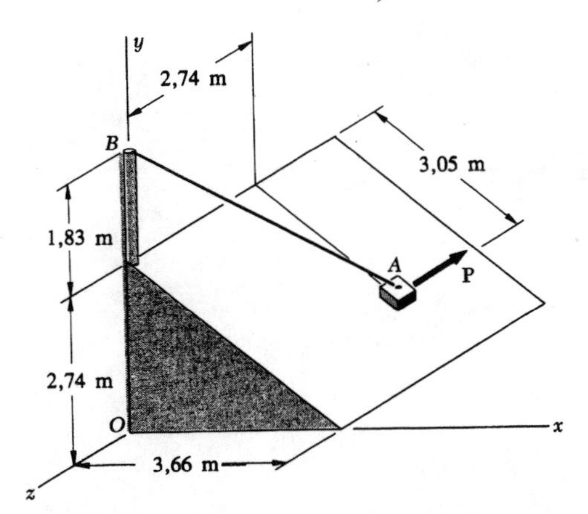


**Fig. P2.90**

**2.91** Un échafaud de peintre peut être supporté des deux manières indiquées. Si la tension maximum admissible dans le câble *ABC* est de 445 N et celle du câble *BD* de 667 N, quelle sera la charge maximum qui peut être transportée par chaque dispositif. On doit supposer que l'élément de câble *AB* est parallèle à l'élément *BC*. (On néglige ainsi la distance horizontale entre l'échafaud et le bâtiment.)

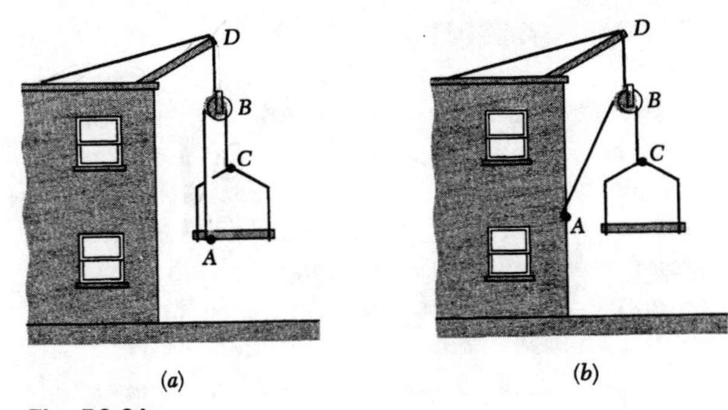


**Fig. P2.91**

CHAPITRE

# 3 Statique des corps rigides dans le plan

## SYSTÈMES DE FORCES ÉQUIVALENTS

**3.1. Corps rigides. Forces extérieures et intérieures.** Dans les chapitres précédents, nous avons assimilé les corps à des points matériels. Nous verrons dans les chapitres suivants que cette simplification n'est pas toujours possible et qu'un corps rigide doit être considéré, en général, comme l'*ensemble d'un grand nombre de points matériels.* Nous verrons encore que les dimensions du corps doivent êtres prises en considération et que les points d'application des forces interviennent dans les effets de celles-ci.

Dans la mécanique appliquée que nous étudions ici, nous avons admis que le corps était *rigide,* c'est-à-dire qu'il ne subissait pas de déformations sous l'action des forces appliquées. Cependant, les structures et les machines ne présentent pas un caractère de rigidité aussi absolu et se déforment plus ou moins sous l'action des forces appliquées. Il est vrai que ces déformations sont petites et par conséquent n'affectent pas l'équilibre générale de la structure, mais elles jouent un rôle déterminant dans la résistance de la structure à l'effrondrement par rupture; elles seront d'ailleurs étudiées en détail dans le cours de mécanique des matériaux. Une première division s'impose lorsqu'on étudie les forces agissant sur les corps rigides : 1) *forces extérieures,* 2) *forces intérieures.*

1. Nous entendons par *forces extérieures* l'action des autres corps sur le corps étudié. Ces forces sont à l'origine du comportement du corps rigide. Ce sont elles qui sont responsables de l'état de mouvement du corps. Nous parlerons uniquement des forces extérieures dans ce chapitre et dans les chapitres 4 et 5.
2. Nous entendons par *forces intérieures* l'interaction de l'ensemble des points constituant le corps. Si celui-ci est formé de différentes parties, les interactions se manifestant entre ces parties sont aussi considérées comme des forces intérieures. Nous étudierons ces forces dans les chapitres 6 et 7.

Comme exemple de forces extérieures, prenons les forces qui s'exercent sur un camion que quelques hommes tirent à l'aide d'un câble attaché au pare-chocs (Fig. 3.1). Les forces extérieures qui agissent sur le camion sont indiquées sur le *schéma du camion isolé* (Fig. 3.2). Commençons par analyser le poids du camion. Bien qu'il soit l'effet de l'attraction gravitationnelle exercée par la terre sur chaque élément du camion, le poids peut être représenté par une force unique **W**. Le *point d'application* de cette force est appelé *centre de gravité du camion.* Nous verrons au chap. 5 comment calculer ces centres de gravité. Le poids **W** tend à déplacer le camion verticalement vers le bas. En fait, cette force ferait tomber le camion si le sol n'était pas là pour le retenir. Le sol s'oppose au mouvement du camion au moyen des réactions $\mathbf{R}_1$ et $\mathbf{R}_2$. Ces forces sont exercées *par le sol sur le camion* et doivent par conséquent être comprises dans le groupe des forces extérieures.

Fig. 3.1

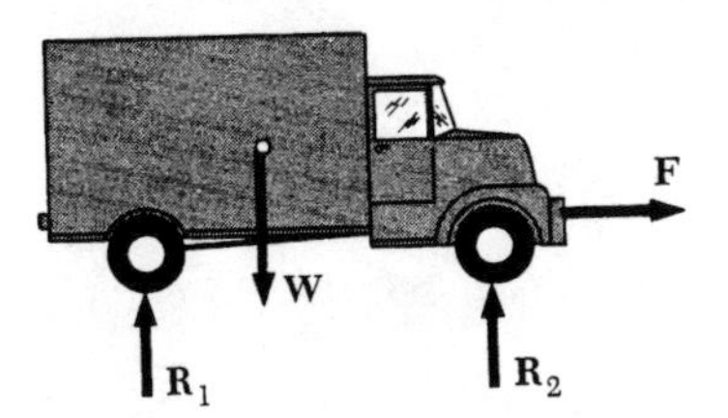

Fig. 3.2

Les hommes qui tirent sur la corde exercent une force **F**. Le point d'application de **F** est placé sur le pare-chocs avant. Cette force **F** tend à déplacer le camion vers l'avant suivant une trajectoire rectiligne : en réalité elle effectue ce mouvement puisqu'il n'y a aucune force extérieure qui s'y oppose. (Par souci de simplification, nous avons négligé les forces de frottement.) Ce mouvement du camion, au cours duquel les déplacements des différents points du camion restent parallèles, s'appelle *translation.* D'autres forces peuvent provoquer un mouvement différent du camion. Par exemple, la force exercée par un vérin placé sous l'essieu avant fait tourner le camion autour de l'essieu arrière. Ce mouvement s'appelle une *rotation.* Nous pouvons conclure que les *forces extérieures agissant sur un corps rigide* peuvent, si elles ne sont pas annulées par d'autres forces, imprimer au corps soit un mouvement de rotation, soit un mouvement de translation ou bien encore les deux mouvements simultanément.

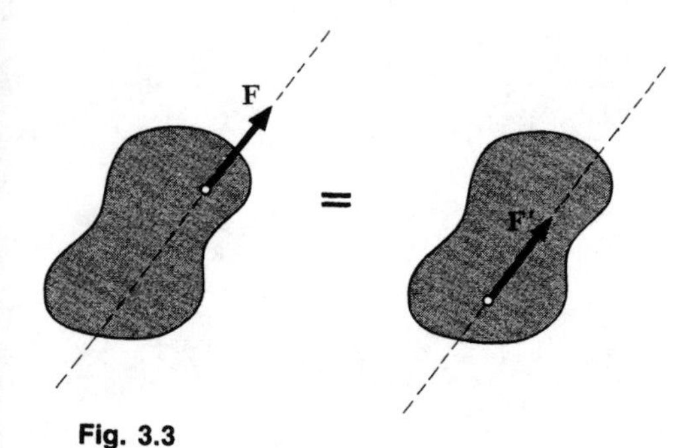

Fig. 3.3

**3.2. Principe de glissement des forces. Forces équivalentes.** Ce principe établit que les *conditions d'équilibre ou de mouvement d'un corps rigide soumis à une force* **F** *restent inchangées si on remplace cette force par une force* **F'** *de même grandeur et de même direction mais ayant un point d'application différent de* **F**, *à condition que les deux forces aient la même ligne d'action* (Fig. 3.3). Dans ces conditions, les deux forces **F** et **F'** sont dites *équivalentes.* Ce principe, qui, en fait, permet à une *force de glisser le long* de sa ligne d'action, est basé sur une évidence expérimentale : *il ne peut être déduit* d'aucune des propositions énoncées jusqu'ici et nous devons l'accepter comme une *loi expérimentale.* †

Nous avons montré au chap. 2 que les forces sont représentées par des vecteurs. Lorsque les forces sont appliquées à un point et, par conséquent, attachées à un point d'application bien défini, les vecteurs qui les représentent sont dits *vecteurs liés.* C'est le cas des vecteurs vitesse ou accélération instantanées d'un corps en mouvement, comme on le verra au chap. 11.

D'autres forces, qui suivent le principe du glissement, peuvent glisser le long de leur ligne d'action sans modifier les conditions d'équilibre des corps sur lesquels les forces agissent. Ce comportement particulier nous conduit à les représenter par un autre type de vecteurs, connus sous le nom de *vecteurs glissants.* C'est le cas, notamment, des forces qui provoquent des moments. Ces moments sont indépendants de la position du point d'application des forces sur leur ligne d'action respectives. Notons que toutes les propriétés qui seront déduites dans les chapitres suivants et qui concernent les forces appliquées aux corps rigides, seront valables, a fortiori, pour n'importe quel système de vecteurs glissants. Cependant, pour préserver le caractère pratique de ce cours, nous ferons référence aux forces plutôt qu'aux vecteurs. En retournant à l'exemple du camion, nous pouvons observer que la ligne d'action de **F** est horizontale et passe par les deux pare-chocs (Fig. 3.4). En nous servant du principe du glissement, nous pouvons remplacer **F** par une *force équivalente* **F'**, appliquée sur le pare-chocs arrière.

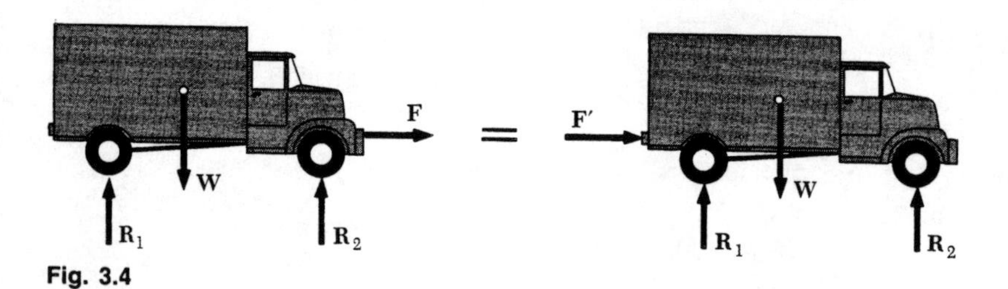

Fig. 3.4

† En effet, le principe du glissement peut se déduire des propositions établies lors de l'étude de la dynamique des corps rigides mais cette étude exige l'introduction des principes de Newton et de quelques autres principes. Voir « Vector Mechanics for Engineers », Sec. 16.5, McGraw-Hill Book Co., 1972, des mêmes auteurs.

On peut conclure que les conditions de mouvement et les forces qui agissent sur le camion ($\mathbf{W}$, $\mathbf{R}_1$ et $\mathbf{R}_2$) restent inchangées si les hommes poussent le camion par le pare-chocs arrière au lieu de le tirer par le pare-chocs avant.

Remarquons cependant que le principe du glissement et le concept d'équivalence des forces possèdent une certaines limitation. Considérons, par exemple, une courte barre *AB*, à l'extrémité de laquelle nous appliquons deux forces axiales égales et opposées $\mathbf{P}_1$ et $\mathbf{P}_2$, comme le montre la fig. 3.5*a*. Suivant le principe du glissement, la force $\mathbf{P}_2$ peut être remplacée par une force de même grandeur, de même direction et de même ligne d'action, $\mathbf{P'}_2$, mais appliquée en *A* au lieu de *B* (Fig. 3.5*b*). Les forces $\mathbf{P}_1$ et $\mathbf{P'}_2$, agissant sur le même corps, peuvent être additionnées suivant les règles énoncées au chap. 2. Étant donné qu'elles sont égales et opposées, leur somme est nulle. Le système de forces original montré à la fig. 3.5*a* est équivalent à un système de forces nul (Fig. 3.5*c*), tout au moins du point de vue du comportement extérieur de la barre.

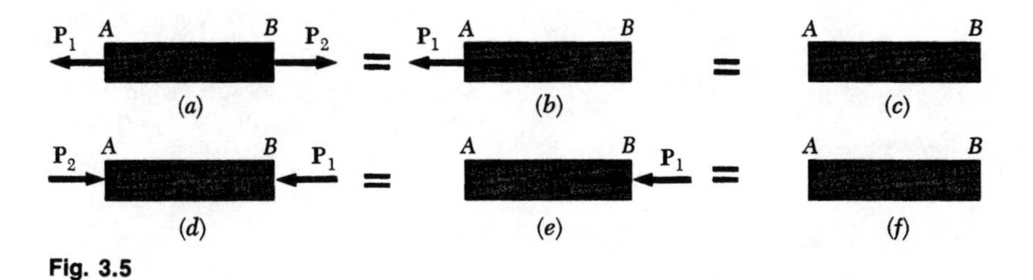


Fig. 3.5

Considérons maintenant deux forces égales et opposées $\mathbf{P}_1$ et $\mathbf{P}_2$ qui agissent sur la barre *AB* de la manière indiquée sur la fig. 3.5*d*. La force $\mathbf{P}_2$ peut être remplacée par la force $\mathbf{P'}_2$ de même grandeur, de même direction et de même ligne d'action mais appliquée en *B* plutôt qu'en *A* (Fig. 3.5*e*). Les forces $\mathbf{P}_1$ et $\mathbf{P'}_2$ peuvent s'additionner et leur somme est nulle (Fig. 3.5*f*). Du point de vue de la mécanique des corps rigides, les systèmes montrés dans les fig. 3.5*a* et *d* sont équivalents. Mais les *forces intérieures* et les *déformations produites* par les deux systèmes sont nettement différentes. La barre de la fig. 3.5*a* est en *traction* et si elle n'est pas absolument rigide, elle va s'allonger; la barre de la fig. 3.5*d* est en *compression* et si elle n'est pas absolument rigide, elle va se comprimer.

En conclusion, même si le principe du glissement des forces peut être utilisé sans restrictions pour déterminer les conditions de mouvement ou d'équilibre des corps rigides et pour calculer les forces extérieures qui agissent sur ces corps, il doit être utilisé avec prudence lorsqu'on travaille avec des forces intérieures ou des déformations.

**3.3. Structures bidimensionnelles.** Les observations faites dans les sections précédentes s'appliquent aux corps rigides ainsi qu'à toute force extérieure agissant sur eux. Dans les sections qui vont suivre, nous allons étudier seulement des structures bidimensionnelles. Nous appelons structures bidimensionnelles des structures planes, c'est-à-dire des structures où une des dimensions peut être considérée comme infiniment petite par rapport aux deux autres, ou encore, des structures qui présentent un plan de symétrie.

Toutes les forces appliquées à ce type de structure sont supposées appartenir au plan de cette structure, ou alors à son plan de symétrie quand celui-ci existe. Les structures bidimensionnelles et les forces coplanaires peuvent être aisément représentées sur une feuille de papier ou sur un tableau noir. Leur analyse est considérablement plus simple que celle des structures et forces tridimensionnelles.

**3.4. Moment d'une force par rapport à un axe.** Dans la section 3.2, nous avons établi qu'au point de vue de la mécanique des corps rigides, deux forces **F** et **F**′ sont équivalentes si elles ont la même grandeur, la même direction et la même ligne d'action (Fig. 3.6*a*). Il est évident qu'une force **F**″, de même grandeur et de même direction que **F** mais ayant une autre ligne d'action, aura sur le corps rigide un effet différent de celui provoqué par **F** (Fig. 3.6*b*). Même si **F** et **F**″ sont représentées par des vecteurs égaux, c'est-à-dire de même grandeur et de même direction (Section 2.2.), ces forces *ne sont pas équivalentes*. Il est vrai que toutes les deux provoquent le même mouvement de *translation*, mais elles font tourner le corps rigide différemment autour de l'axe *A*, perpendiculaire au plan de la figure.

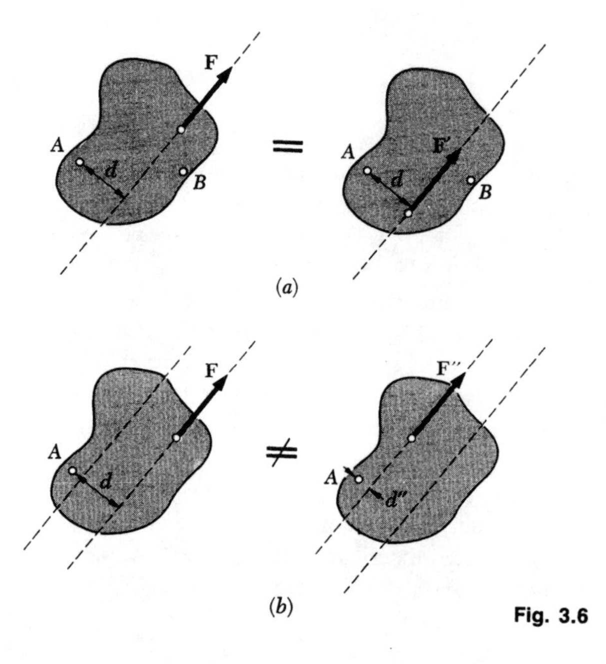


Fig. 3.6

La capacité d'une force à faire tourner un corps rigide autour d'un axe est mesurée par le *moment de la force* par rapport à cet axe. Le *moment $M_A$ de la force* **F** *par rapport à un axe*, ou, d'une façon plus simple, le *moment de* **F** *par rapport à A*, est défini comme le *produit de la grandeur* **F** *de la force par la longueur de la perpendiculaire abaissée de A sur la ligne d'action de* **F**:

$$M_A = Fd \tag{3.1}$$

Dans le système d'unités SI, comme la force est exprimée en newtons (N) et la longueur en mètres (m), l'unité de mesure du moment sera le newton-mètre (N·m). Le moment d'une force possède non seulement une grandeur mais aussi un sens qui dépend de la position de la force par rapport à l'axe. Ainsi, le corps rigide, sous l'action du moment **M**, peut tourner dans le sens des aiguilles d'une montre ou dans le sens contraire. On peut voir par exemple à la fig. 3.6*a* que le moment de **F** par rapport au point *A* a le sens contraire des aiguilles d'une montre, tandis que le moment de cette force par rapport au point *B* a le sens de ces aiguilles. Les moments des forces peuvent être additionnés algébriquement comme les scalaires, si nous adoptons une convention de signe. Dorénavant, les moments qui auront le sens des aiguilles d'une montre seront *négatifs* et dans le cas contraire, ils seront *positifs*.

Comme les forces équivalentes **F** et **F**′ de la fig. 3.6*a* ont la même grandeur, le même sens et la même ligne d'action, le moment de **F**′ par rapport à *A* sera comme celui de **F**, égal à *Fd* et de sens positif. Les deux forces ont donc le même moment par rapport à un axe quelconque *A*. Elles devront alors avoir le même moment *par rapport à n'importe quel autre axe. Nous pouvons affirmer que deux forces équivalentes ont les mêmes composantes $F_x$ et $F_y$ et le même moment par rapport à n'importe quel axe.* Par contre, le moment de **F**″ par rapport à *A* est différent (Fig. 3.6*b*); il est égal à *Fd*″.

Une force qui agit sur un corps rigide est complètement définie (excepté pour son point d'application) si les composantes $F_x$ et $F_y$ ainsi que son moment par rapport à un axe quelconque sont connus (en grandeur et en sens). La grandeur de **F** et sa direction peuvent être déduites de ces composantes $F_x$ et $F_y$ par les méthodes vues au chap. 2, tandis que la longueur de la perpendiculaire *d*, abaissée de l'axe sur la ligne d'action de *F*, peut être obtenue par le rapport $M_A/F$. La ligne d'action de **F** sera dessinée d'un côté ou de l'autre du point *A* suivant le sens de **F** et celui du moment.

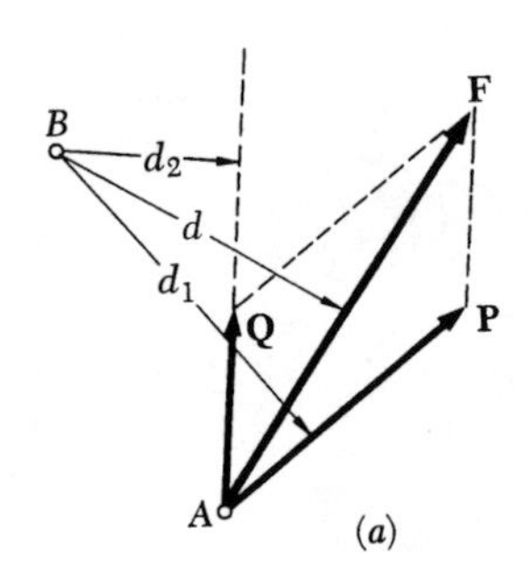


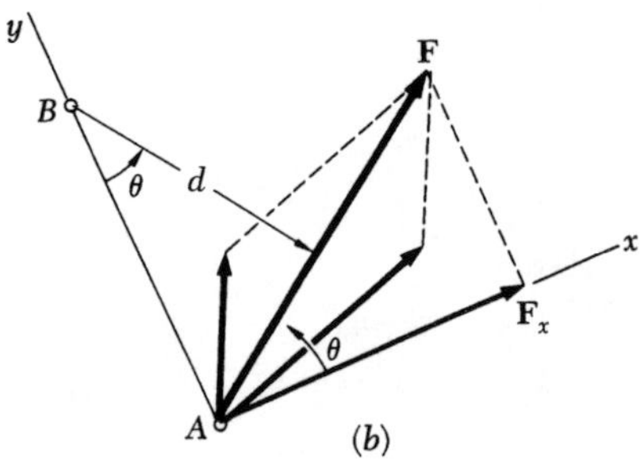


Fig. 3.7

**3.5. Théorème de Varignon.** Ce théorème, très important dans l'étude de la statique, est dû au mathématicien français Varignon (1654-1722). Il stipule que le *moment d'une force par rapport à un axe quelconque est égal à la somme des moments de ses composantes par rapport au même axe.*

Pour démontrer ce théorème, considérons la force **F** appliquée au point $A$, et ses composantes suivant deux directions quelconques **P** et **Q** (Fig. 3.7*a*).

Le moment de **F** par rapport à un axe quelconque passant par $B$ est $Fd$, où $d$ représente la longueur de la perpendiculaire abaissée de $B$ sur la ligne d'action de **F**. D'autre part, $Pd_1$ et $Qd_2$ sont les moments des composantes **P** et **Q** de la force **F**, $d_1$ et $d_2$ représentant la longueur de la perpendiculaire abaissée du point $B$ respectivement sur les lignes d'action de **P** et de **Q**. Nous nous proposons de montrer que

$$Fd = Pd_1 + Qd_2 \tag{3.2}$$

Choisissons comme axes de référence les deux axes attachés au point $A$, comme le montre la fig. 3.7*b*; l'axe $x$ est perpendiculaire au segment $AB$, tandis que l'axe $y$ est parallèle à celui-ci. Appelons $\theta$ l'angle entre **F** et l'axe $x$. D'autre part, comme $\theta$ est aussi l'angle entre le segment $AB$ et la perpendiculaire abaissée de $B$ sur la ligne d'action de **F**, nous pouvons écrire

$$Fd = F(AB)\cos\theta = (AB)\,F\cos\theta$$
$$Fd = (AB)\,F_x \tag{3.3}$$

où $F_x$ est la composante de **F** suivant $x$. En exprimant de la même façon les moments de **P** et de **Q**, nous pouvons encore écrire

$$\begin{aligned} Pd_1 + Qd_2 &= (AB)P_x + (AB)Q_x \\ &= (AB)(P_x + Q_x) \end{aligned}$$

Or, dans la section 2.7, nous avons vu que la somme $P_x + Q_x$ des composantes de deux forces **P** et **Q** est égale à la composante $F_x$ de leur résultante **F**. Par conséquent, la relation $Pd_1 + Qd_2 = (AB)F_x$ est identique à la relation (3.3). La relation (3.2), que traduit le théorème de Varignon, est donc vérifiée.

Le théorème de Varignon est très pratique dans le calcul des moments des forces : il permet, par un choix judicieux des axes de référence, de simplifier beaucoup de problèmes. Nous verrons de quelle façon dans les problèmes résolus 3.2 et 3.3.

Une dernière remarque : les moments s'additionnent algébriquement; ils sont positifs s'ils tournent dans le sens contraire aux aiguilles d'une montre; dans le cas contraire, ils sont négatifs.

## PROBLÈME RÉSOLU 3.1

Une force verticale de 100 N est appliquée à l'extrémité d'un levier attaché à un axe qui passe par $O$. Calculez : *a*) le moment de la force par rapport à $O$, *b*) la grandeur de la force horizontale appliquée en $A$ qui produirait le même moment par rapport à $O$, *c*) la plus petite force qui, appliquée en $A$, produit le même moment, *d*) à quelle distance nous devons placer une force verticale de 240 N pour créer le même moment par rapport à $O$. *e*) Dites si les forces trouvées en *b*, *c* et *d* sont équivalentes à la force de 100 N?

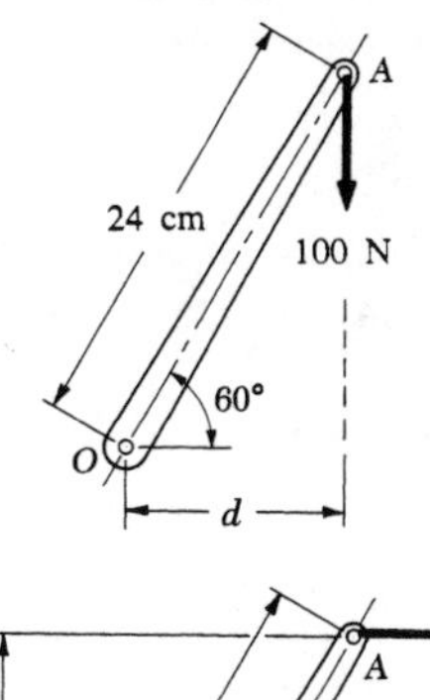


***a.* Moment par rapport à $O$.** La longueur de $d$, perpendiculaire abaissée de $O$ sur la ligne d'action de la force de 100 N, est

$$d = (24 \text{ cm}) \cos 60° = 12 \text{ cm}$$

Le moment par rapport au point $O$ s'écrit

$$M_O = Fd = (100 \text{ N})(12 \text{ cm}) = 1200 \text{ N}\cdot\text{cm}$$

$$M_O = 1200 \text{ N}\cdot\text{cm} \circlearrowleft$$ ◄

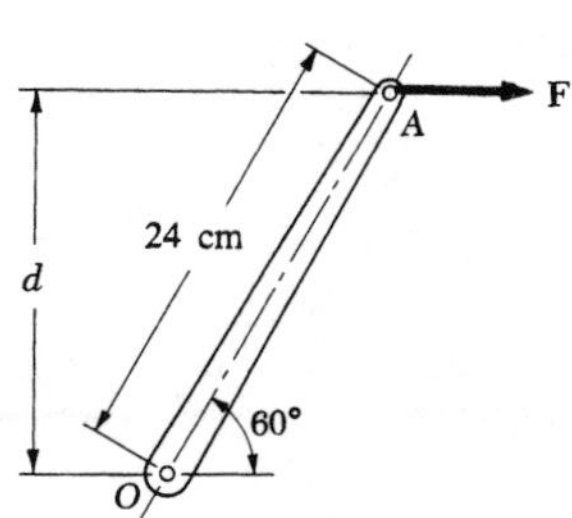


***b.* Force horizontale.** Dans ce cas, nous avons

$$d = (24 \text{ cm}) \sin 60° = 20{,}8 \text{ cm}$$

Puisque le moment par rapport au point $O$ doit être 1200 N·cm nous poserons

$$M_O = Fd \quad 1200 \text{ N}\cdot\text{cm} = F(20{,}8 \text{ cm})$$
$$F = 57{,}7 \text{ N} \qquad \mathbf{F} = 57{,}7 \text{ N} \rightarrow$$ ◄

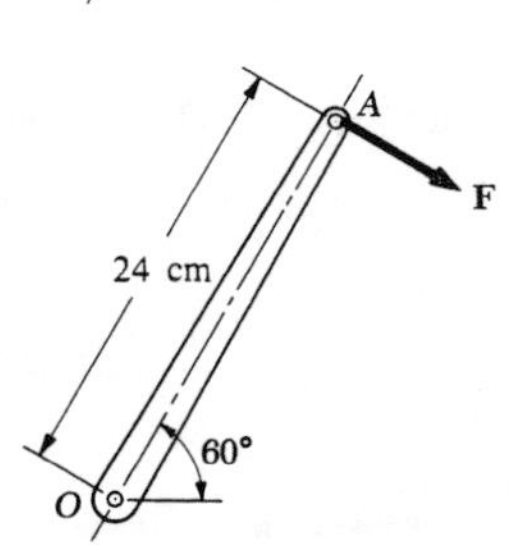


***c.* La plus petite force.** On voit facilement que d'après l'équation $M_O = Fd$, la force **F** sera minimum lorsque $d$ est maximum. Or, $d$ sera maximum lorsqu'il aura la longueur du levier, ce qui exige que $F$ soit perpendiculaire à celui-ci. Nous avons donc

$$M_O = Fd \quad 1200 \text{ N}\cdot\text{cm} = F(24 \text{ cm})$$
$$F = 50 \text{ N} \qquad \mathbf{F} = 50 \text{ N} \measuredangle 30°$$ ◄

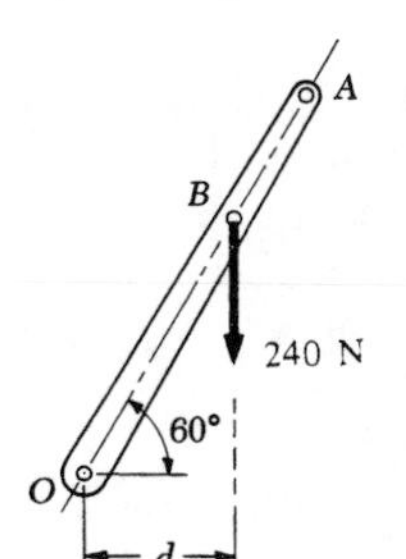


***d.* Force verticale de 240 N.** Dans ce cas, on peut écrire

$$1200 \text{ N}\cdot\text{cm} = (240 \text{ N})d \quad d = 5 \text{ cm}$$
$$OB \cos 60° = d \qquad OB = 10 \text{ cm}$$ ◄

***e.*** Aucune des forces trouvées en *b*, *c* et *d* n'est équivalente à la force originale, malgré le fait qu'elles produisent le même moment par rapport au point $O$. En d'autres mots : même si sous leur action, le levier va se mettre en rotation d'une manière identique, chacune de ces forces tire sur lui d'une façon différente.

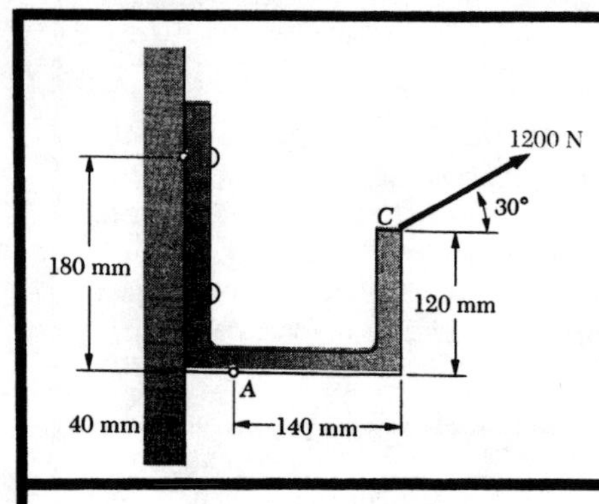


## PROBLÈME RÉSOLU 3.2

Une force de 1200 N agit sur la console dessinée sur la figure ci-contre. Calculez le moment $\mathbf{M}_A$ de la force par rapport au point $A$.

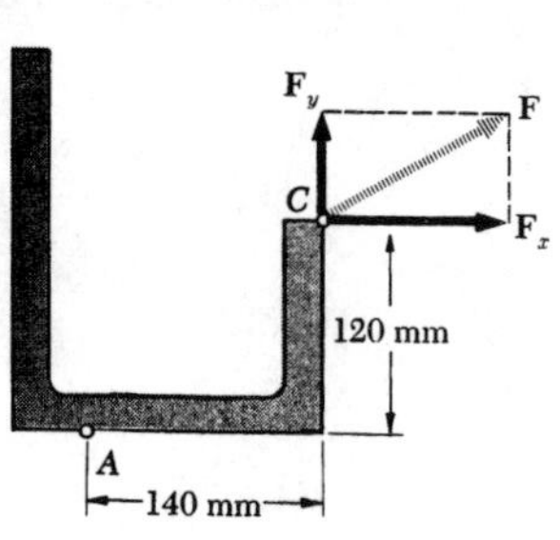


**Solution.** Décomposons la force suivant $x$ et $y$; nous aurons

$$F_x = (1200 \text{ N}) \cos 30° = 1039 \text{ N}$$
$$F_y = (1200 \text{ N}) \sin 30° = 600 \text{ N}$$

D'après la convention de signes introduite à la section 3.4, nous trouvons que le moment de $\mathbf{F}_x$ par rapport au point $A$ s'écrit

$$(1039 \text{ N})(0{,}120 \text{ m}) = 124{,}7 \text{ N}\cdot\text{m} \curvearrowright = -124{,}7 \text{ N}\cdot\text{m}$$

Celui de $\mathbf{F}_y$ sera

$$(600 \text{ N})(0{,}140 \text{ m}) = 84{,}0 \text{ N}\cdot\text{m} \curvearrowleft = +84{,}0 \text{ N}\cdot\text{m}$$

À l'aide du théorème de Varignon, nous avons

$$M_A = +84{,}0 \text{ N}\cdot\text{m} - 124{,}7 \text{ N}\cdot\text{m}$$
$$M_A = -40{,}7 \text{ N}\cdot\text{m} \blacktriangleleft$$

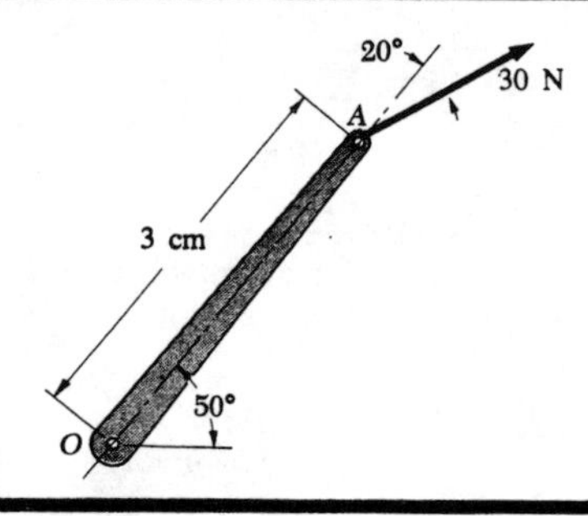


## PROBLÈME RÉSOLU 3.3

Une force de 30 N agit, comme indiqué, à l'extrémité d'un levier de 3 cm; calculez le moment de la force par rapport au point $O$.

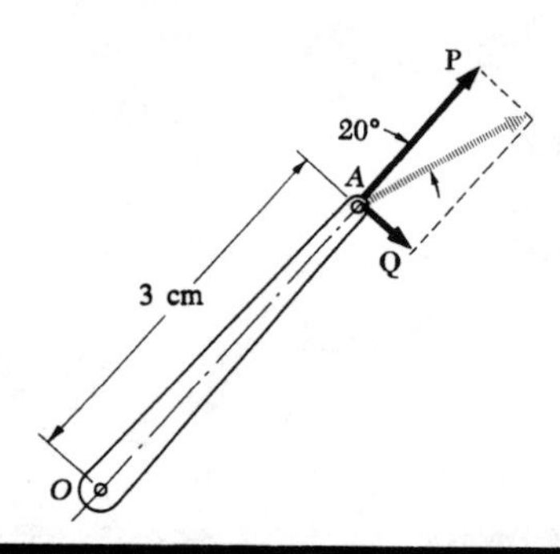


**Solution.** Remplaçons la force par ses composantes **P** suivant l'axe $OA$, et **Q** suivant un axe perpendiculaire à $OA$. Nous voyons que le moment de **P** par rapport à $O$ est nul (**P** passe par $O$) et le moment par rapport à $O$ de la force originale de 30 N se réduit à celui de **Q**; nous avons donc

$$Q = (30 \text{ N}) \sin 20° = 10{,}26 \text{ N}$$
$$M_o = -Q(3 \text{ cm}) = -(10{,}26 \text{ N})(3 \text{ cm})$$
$$M_o = -30{,}8 \text{ N}\cdot\text{cm} \blacktriangleleft$$

## PROBLÈMES SUPPLÉMENTAIRES

**3.1** Une force de 150 N est appliquée au point $A$ du levier. Sachant que la distance $AB = 250$ mm, calculez le moment de la force par rapport au point $B$ quand $\alpha = 50°$.

**3.2** Calculez la valeur de $\alpha$ pour que la force de 150 N crée un moment maximum par rapport à $B$. Quelle est sa valeur?

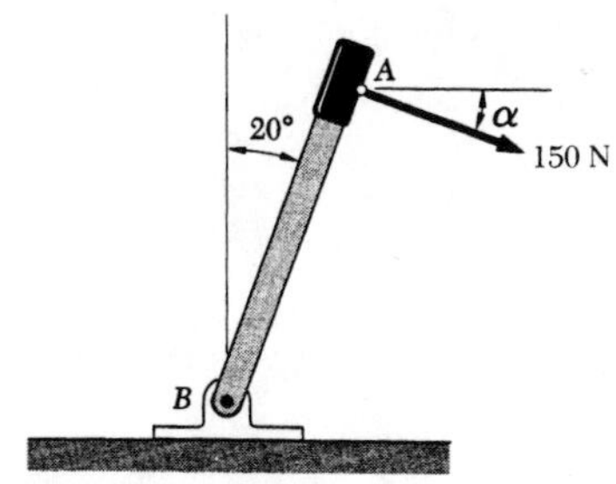

Fig. P3.1 et P3.2

**3.3** On applique une force de 450 N au point $A$. Calculez : $a$) le moment de la force par rapport au point $D$, $b$) la plus petite force à appliquer en $B$ pour avoir le même moment par rapport à $D$.

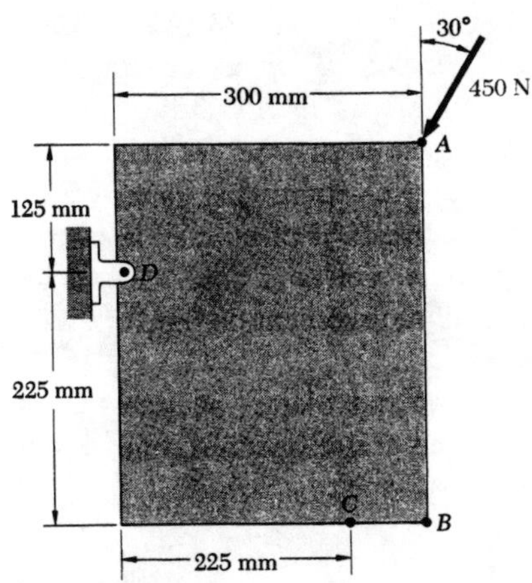

Fig. P3.3 et P3.4

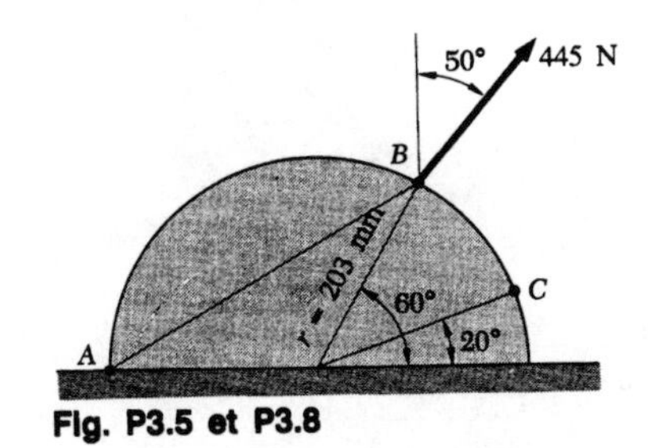

Fig. P3.5 et P3.8

**3.4** Une force de 450 N est appliquée au point $A$. Calculez : $a$) le moment de cette force par rapport à $D$, $b$) la grandeur et le sens de la force horizontale qui, appliquée au point $C$, crée le même moment par rapport à $D$, $c$) la plus petite force qui, appliquée au point $C$, crée le même moment par rapport au point $D$.

**3.5 et 3.6** Calculez le moment de la force de 445 N par rapport au point $A$ : $a$) en utilisant la définition du moment d'une force, $b$) en décomposant la force suivant la verticale et l'horizontale, $c$) en décomposant la force suivant la direction $AB$ et suivant la direction perpendiculaire à celle-ci.

**3.7 et 3.8** Calculez le moment d'une force de 445 N par rapport au point $C$.

**3.9** Une force $\mathbf{F}$ de composantes $F_x$ et $F_y$ est appliquée à un point de coordonnées $x$ et $y$. Donnez l'expression du moment de $\mathbf{F}$ par rapport à $O$, l'origine du système de coordonnées.

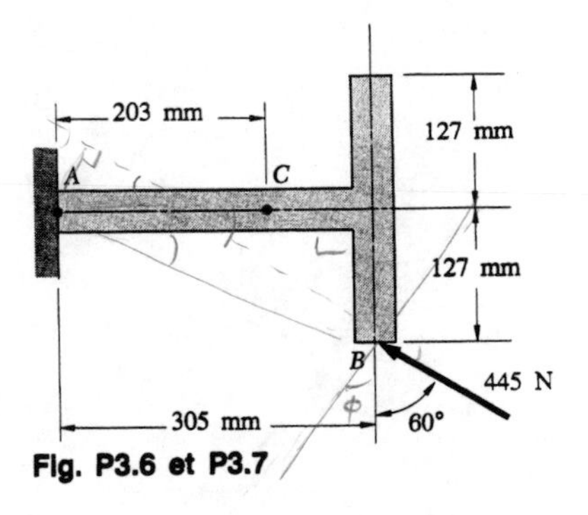

Fig. P3.6 et P3.7

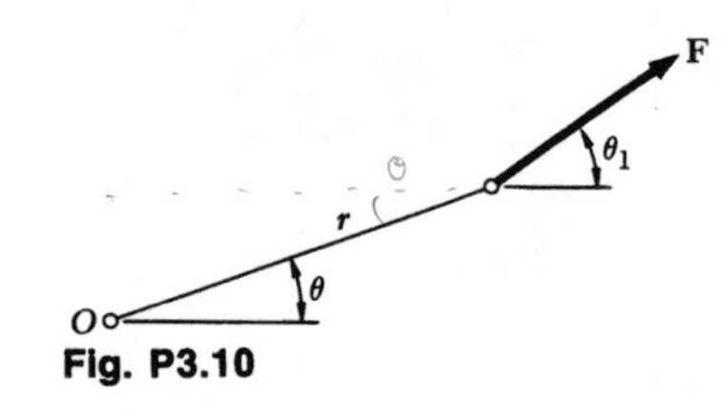

Fig. P3.10

**3.10** Une force **F** est appliquée sur un point de coordonnées $r$ et $\theta$. Elle forme un angle $\theta_1$ avec une droite parallèle à l'axe de référence horizontal. Montrez que le moment de la force par rapport à l'origine des coordonnées est égal à $Fr \sin(\theta_1 - \theta)$.

**3.11** La ligne d'action de la force **P** passe par les deux points $A(x_1, y_1)$ et $B(x_2, y_2)$. Calculez le moment de **P** par rapport à l'origine sachant que la force est orientée de $A$ vers $B$.

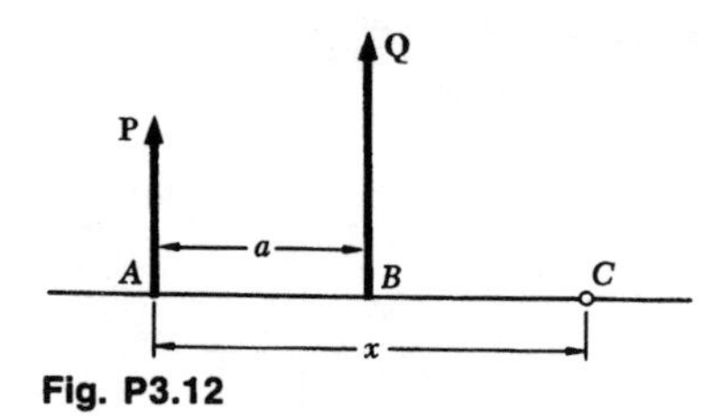

Fig. P3.12

**3.12** Deux forces **P** et **Q**, de lignes d'action parallèles, agissent respectivement en $A$ et en $B$. La distance entre $A$ et $B$ est $a$. Calculez la distance $x$ entre $A$ et $C$, $C$ étant le point par rapport auquel les forces ont le même moment. Vérifiez votre formule en supposant que $a = 40{,}5$ cm et : *a*) $P = 133{,}5$ N vers le haut, $Q = 66{,}5$ N vers le haut, *b*) $P = 66{,}5$ N vers le haut, $Q = 133{,}5$ N vers le haut, *c*) $P = 133{,}5$ N vers le haut, $Q = 66{,}5$ N vers le bas, *d*) $P = 66{,}5$ N vers le haut et $Q = 133{,}5$ N vers le bas.

**3.6. Moment d'un couple.** *On appelle couple l'ensemble de deux forces égales, opposées et de lignes d'action parallèles.* Un tel ensemble de forces **F** et **F′**, de même grandeur $F$, est schématisé à la fig. 3.8.

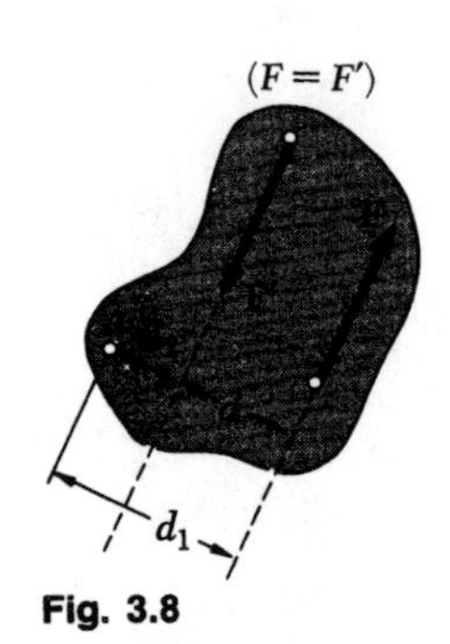

Fig. 3.8

On voit bien que la somme des composantes en $x$ et en $y$ de ces deux forces est nulle. Cependant, la somme des moments de ces forces par rapport à un point quelconque n'est pas nulle et, par conséquent, l'effet que le couple provoque sur le corps rigide ne l'est pas non plus. On peut conclure que les forces **F** et **F′**, même si elles ne produisent pas un mouvement de translation du corps rigide, font tout de même tourner celui-ci.

Si on appelle $d_1$ et $d_2$, respectivement, les perpendiculaires abaissées de $A$ sur les lignes d'action de **F** et de **F′**, nous pouvons écrire que la somme $M$ des moments des deux forces par rapport au point $A$ vaut :

$$+\circlearrowleft M = Fd_1 - Fd_2$$
$$= F(d_1 - d_2)$$

Or, on note que $d_1 - d_2$ est la distance entre les lignes d'action des forces données. D'où

$$M = Fd \circlearrowleft$$

Cette somme des moments $M$ est appelée le *moment du couple. Remarquons, notamment, que ce moment est indépendant du choix de $A$*; $M$ aura la même grandeur et le même sens, quel que soit le point $A$. Ceci peut d'ailleurs être vérifié en recommençant les calculs précédents pour différentes positions du point $A$.

Nous pouvons donc dire :

*Le moment d'un couple est constant. Sa grandeur est égale au produit de la grandeur commune F des deux forces du couple par d, la distance entre leurs lignes d'action. Le sens de M est déterminé directement par l'observation.*

**3.7. Couples équivalents.** Considérons les trois couples, illustrés à la fig. 3.9, qui agissent successivement sur la cornière. Comme nous l'avons vu dans la section précédente, le seul mouvement que ces couples peuvent faire faire à la cornière est une rotation. Chacun des couples indiqués fera tourner la cornière dans le sens contraire aux aiguilles d'une montre. Puisque les trois couples possèdent le même moment, $Fd = 30$ N · m, nous devons nous attendre à les voir provoquer la même rotation. Pour prouver cette affirmation, nous allons nous baser sur les principes établis précédemment, à savoir, le principe du parallélogramme des forces (section 2.1) et le principe du glissement des forces (section 3.2). Nous pouvons donc affirmer que *deux systèmes de forces sont équivalents* (c'est-à-dire produisent les mêmes effets sur un corps rigide) *si on peut passer de l'un à l'autre par une ou plusieurs des opérations suivantes* : 1) remplacer deux forces par leur résultante, 2) décomposer les forces, 3) annuler deux forces égales et opposées, 4) appliquer à chaque point du corps rigide deux forces égales et opposées, 5) déplacer une force le long de sa ligne d'action. Chacune de ses opérations est facilement justifiée à l'aide des principes précédents.

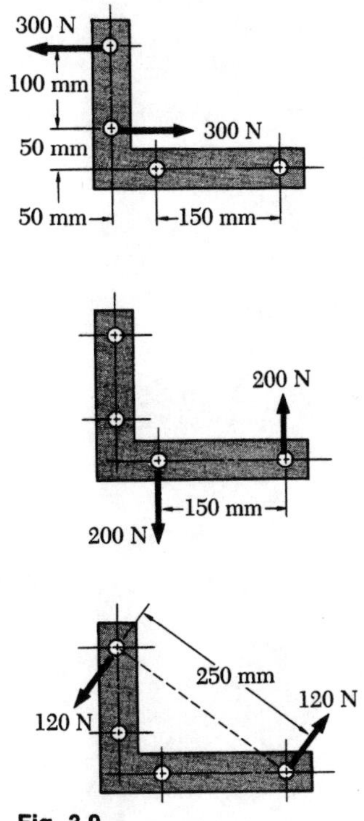

Fig. 3.9

Prouvons maintenant que *deux couples de même moment* (même grandeur et même sens) *sont équivalents.* Considérons les couples de la fig. 3.10, formés respectivement par les forces $\mathbf{F}_1$ et $\mathbf{F}_1'$ de grandeur $F_1$ et séparées l'une de l'autre par la distance $d_1$ (Fig. 3.10*a*) et par les forces $\mathbf{F}_2$ et $\mathbf{F}_2'$ , de grandeur $F_2$ et séparées l'une de l'autre par la distance $d_2$ (Fig. 3.10*d*). Ces deux couples ont le sens contraire aux aiguilles d'une montre et nous supposerons qu'ils ont le même moment.

$$F_1 d_1 = F_2 d_2 \tag{3.4}$$

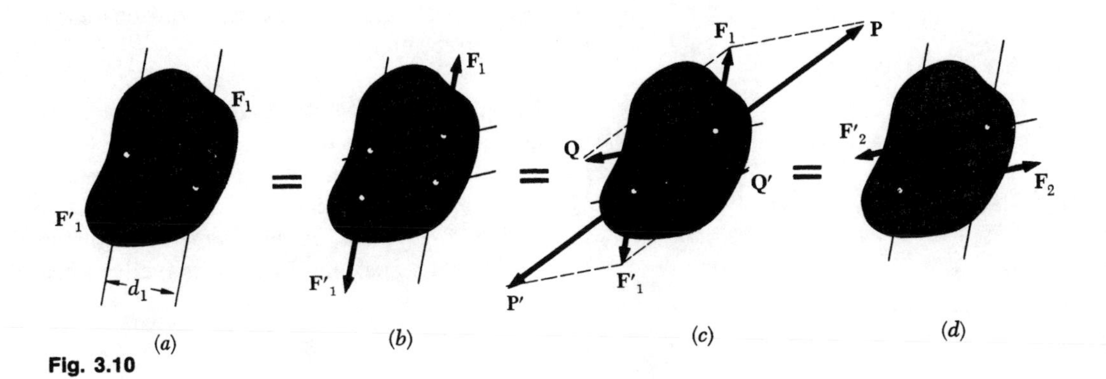

Fig. 3.10

Pour prouver qu'ils sont équivalents, il nous suffit de montrer que le couple $\mathbf{F}_1$, $\mathbf{F}'_1$ peut devenir le couple $\mathbf{F}_2$, $\mathbf{F}'_2$ par l'intermédiaire d'une ou de plusieurs des opérations indiquées précédemment.

Appelons $A$, $B$, $C$ et $D$ les points d'intersection de la ligne d'action des deux couples. Faisons glisser les forces $\mathbf{F}_1$ et $\mathbf{F}'_1$ respectivement jusqu'aux points $A$ et $B$. (Fig. 3.10*b*). Nous pouvons maintenant décomposer la force $\mathbf{F}_1$ dans la force $\mathbf{P}$, suivant la direction du segment $AB$, et dans la force $\mathbf{Q}$ agissant dans la direction du segment $AC$ (Fig. 3.10*c*); de même, la force $\mathbf{F}'_1$ peut se décomposer en $\mathbf{P}'$ suivant $AB$ et en $\mathbf{Q}'$ suivant $BD$. Or, les composantes $\mathbf{P}$ et $\mathbf{P}'$ ont la même grandeur, la même ligne d'action mais des sens opposés; nous pouvons les faire glisser jusqu'à un point commun et les annuler. Finalement, le couple formé de $\mathbf{F}_1$ et $\mathbf{F}'_1$ se réduit au couple $\mathbf{Q}$, $\mathbf{Q}'$. Nous allons montrer maintenant que les forces $\mathbf{Q}$ et $\mathbf{Q}'$ sont respectivement égales aux forces $\mathbf{F}'_2$ et $\mathbf{F}_2$. Le moment du couple formé par $\mathbf{Q}$ et $\mathbf{Q}'$ peut s'obtenir en calculant le moment de $\mathbf{Q}$ par rapport au point $B$; de la même façon, le moment du couple formé par $\mathbf{F}_1$ et $\mathbf{F}'_1$ est le moment de $\mathbf{F}_1$ par rapport à $B$. Mais, d'après le théorème de Varignon, le moment de $\mathbf{F}_1$ est égal à la somme des moments de ses composantes $\mathbf{P}$ et $\mathbf{Q}$. Puisque le moment de $\mathbf{P}$ par rapport à $B$ est nul, le moment du couple $\mathbf{Q}$ et $\mathbf{Q}'$ doit être égal au moment du couple $\mathbf{F}$ et $\mathbf{F}'_1$. La relation (3.4) nous permet d'écrire

$$Qd_2 = F_1 d_1 = F_2 d_2 \text{ et } Q = F_2$$

On conclut que les forces $\mathbf{Q}$ et $\mathbf{Q}'$ sont respectivement égales aux forces $\mathbf{F}_2$ et $\mathbf{F}'_2$ et le couple de la fig. 3.10*a* est équivalent à celui de la fig. 3.10*d*. Cette propriété, que nous venons de mettre en évidence, est très importante pour la compréhension correcte de la mécanique des corps rigides. Elle nous dit notamment que l'effet d'un couple appliqué à un corps rigide est indépendant de son point d'application, de la direction ainsi que de la grandeur de ses forces; ce qui importe, c'est le moment de ce couple (grandeur et sens). Deux couples de forces quelconques, mais qui possèdent des moments égaux, auront le même effet sur un corps rigide.

**3.8. Addition de couples.** Considérons deux couples, $\mathbf{P}$, $\mathbf{P}'$ et $\mathbf{Q}$, $\mathbf{Q}'$ appliqués au même corps rigide, comme l'indique la fig. 3.11*a*. Puisqu'un couple est complètement défini par son moment, le couple formé par les forces $\mathbf{Q}$ et $\mathbf{Q}'$ peut être remplacé par un couple de même moment formé par les forces $\mathbf{S}$ et $\mathbf{S}'$ qui ont, respectivement, la même ligne d'action que $\mathbf{P}$ et $\mathbf{P}'$ (Fig. 3.11*b*). La grandeur $S$ de ces nouvelles forces doit être telle que $Sp = Qq$.

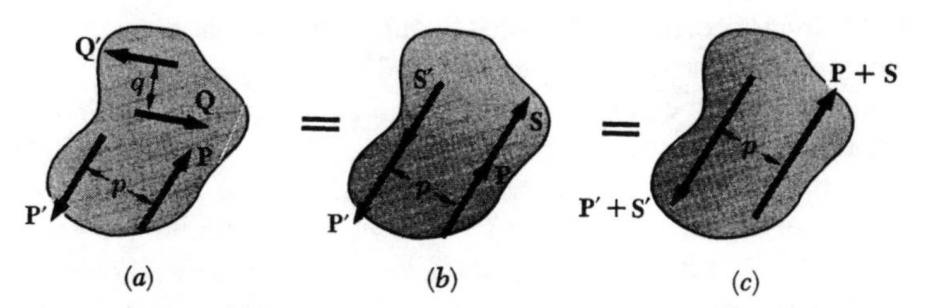

**Fig. 3.11**

Si nous additionnons les forces qui ont la même ligne d'action, nous obtenons un couple unique de forces **P** + **S** et **P'** + **S'** (Fig. 3.11*c*). Le moment de ce couple est

$$M = (P + S)p = Pp + Sp = Pp + Qq$$

Ce moment $M$ est donc la somme algébrique des moments $Pp$ et $Qq$ des couples originels. Notons en passant que si les couples avaient des sens contraires, leurs moments auraient des signes contraires.

Nous pouvons énoncer que : *deux couples peuvent être remplacés par un couple unique de moment égal à la somme algébrique des moments des couples originaux.*

**3.9. Réduction d'une force à une force passant par un point donné et un couple.** Soit la force **F** appliquée au point $B$ d'un corps igide, comme le montre la fig. 3.12*a*. Supposons que nous voulions transporter son point d'application au point $A$. Nous savons déjà que nous pouvons faire glisser **F** le long de sa ligne d'action (principe du glissement des forces); mais nous ne pouvons pas la transporter à un point $A$ en dehors de cette ligne d'action sans modifier l'action de **F** sur le corps rigide.

Cependant, nous pouvons appliquer deux forces au point $A$ : une force **F** de même grandeur et de même sens que la force donnée, et une force **F'**, égale et opposée (Fig. 3.12*b*). Comme nous avons vu à la section 3.7, cette opération ne change en rien l'effet de la force originale sur le corps rigide.

Remarquons cependant que la force **F**, appliquée en $B$, et la force **F'**, appliquée en $A$, forment un couple de moment $M = Fd$. Comme ce couple peut être remplacé par un autre couple de même moment $M$ (section 3.7), nous pouvons le représenter par la lettre **M** et le symbole ↻ judicieusement placé.†

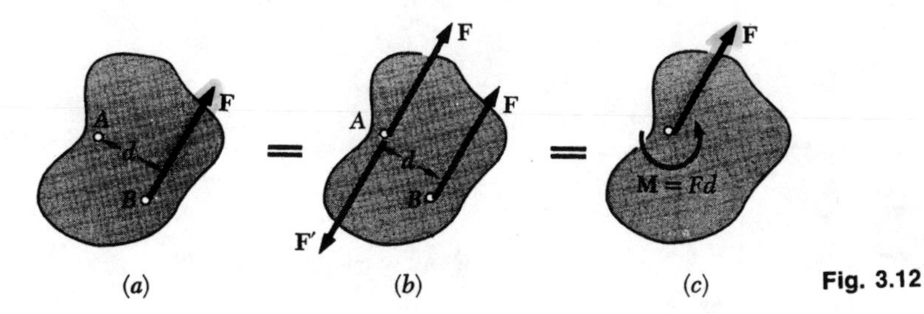

**Fig. 3.12**

† Le caractère vectoriel des couples sera mis en évidence à la section 4.3.

La force restante **F**, appliquée au point *A*, et le couple **M** peuvent alors être groupés symboliquement, comme l'indique le fig. 3.12*c*.
Ces résultants peuvent s'énoncer comme suit : *Toute force* **F**, *appliquée à un point d'un corps rigide, peut être transportée à un autre point A quelconque, pourvu qu'on lui associe un couple* **M** *dont le moment M est égal au moment de* **F** (dans sa position originale) *par rapport au point A*. Ce couple **M** va imprimer au corps rigide un mouvement de rotation autour du point identique à celui provoqué par **F** avant son déplacement vers *A*. Nous appellerons cet ensemble *système force-couple*. La position du couple **M** est arbitraire mais la force **F** doit rester attachée au point *A*. Si nous la transportons à un autre point, nous devons changer le moment du couple associé.

L'opération que nous venons de décrire peut être exécutée dans le sens contraire. Ceci s'énonce comme suit : *Une force* **F**, *appliquée au point A d'un corps rigide, et un couple associé* **M** *peuvent être réduits à une force unique identique à* **F**. En effet, en déplaçant la force **F** parallèlement à elle-même, on va lui permettre de créer un moment identique à *M* et, alors, le couple peut être éliminé. La grandeur et la direction de **F** restent les mêmes, mais sa nouvelle ligne d'action sera à la distance *d* du point *A*, donnée par la relation $d = M/F$. Nous présentons à la fig. 3.13 un exemple de cette réduction. La fig. 3.13*a* montre la tête d'un boulon, soumise, au moyen de la clef de serrage, à une force verticale de 222 N passant par le point *O* et un couple de serrage de 67,8 N·m dans le sens des aiguilles d'une montre. Ce système force-couple peut être remplacé par une force unique de 222 N, placée à 0,305 m à droite du point *O* (Fig. 3.13*b*). Dans cette nouvelle position, la force de 222 N exerce un moment de 67,8 N·m par rapport au point *O*. La fig. 3.13*a* donne une bonne idée de l'action exercée sur la tête du boulon, tandis que la fig. 3.13*b* nous suggère un moyen simple de réaliser cette action. La clef de serrage qui est dessinée nous aide à visualiser l'action sur la tête du boulon, principalement dans la partie *b* de la fig. 3.13.

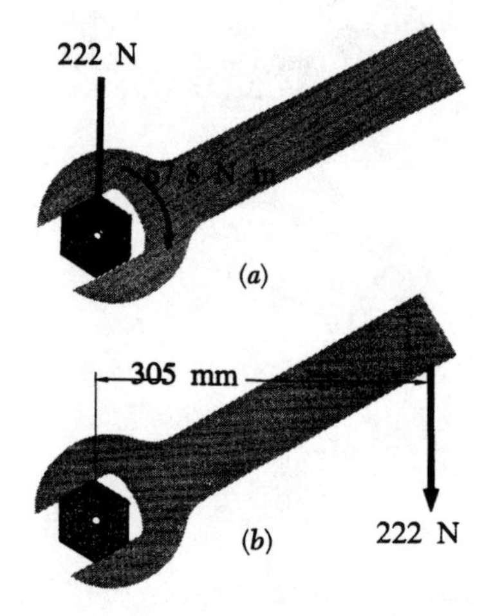


Fig. 3.13

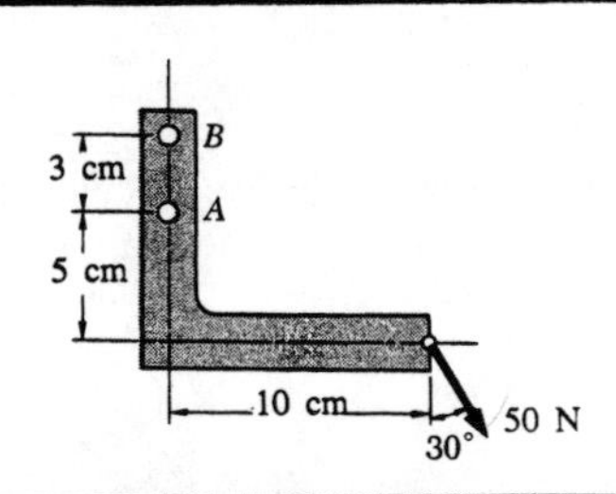


## PROBLÈME RÉSOLU 3.4

Une force de 50 N est appliquée à la cornière illustrée ci-contre. Calculez : *a*) un système force-couple équivalent appliqué au point *A*, *b*) un système équivalent formé par une force de 150 N appliqué en *B* et une autre force quelconque appliquée en *A*.

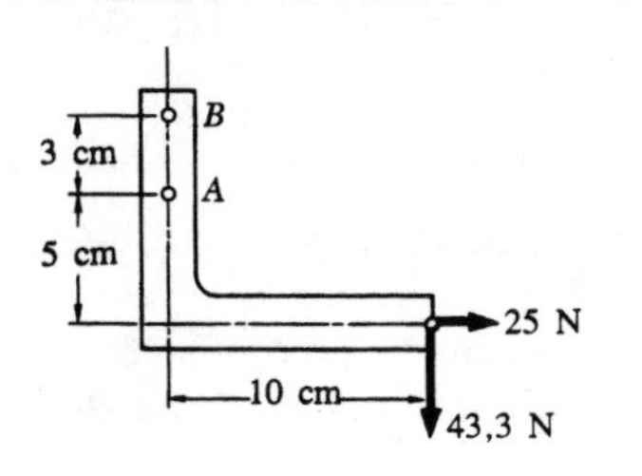


***a.* Système force-couple appliqué au point *A*.** Décomposons la force de 50 N dans ses composantes *x* et *y*.

$$F_x = (50 \text{ N}) \sin 30° \qquad \mathbf{F}_x = 25{,}0 \text{ N} \rightarrow$$ ◄
$$F_y = -(50 \text{ N}) \cos 30° \qquad \mathbf{F}_x = 43{,}3 \text{ N} \downarrow$$ ◄

Ces composantes peuvent être transportées en *A* si nous leur associons un couple de moment $M_A$ égal à la somme des moments par rapport au point *A* des composantes dans leur position initiale. Avec la convention de signes adoptée, on obtient

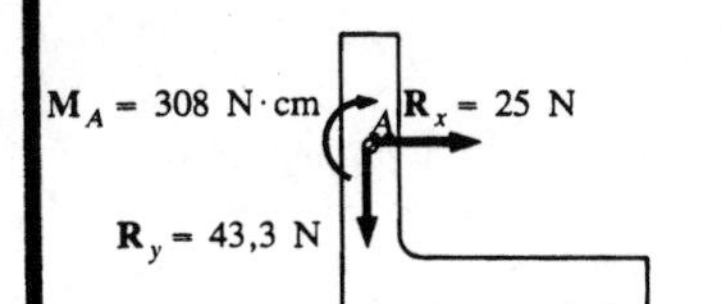


$$M_A = (25{,}0 \text{ N})(5 \text{ cm}) - (43{,}3 \text{ N})(10 \text{ cm})$$
$$M_A = -308 \text{ N}\cdot\text{cm} \qquad \mathbf{M}_A = 308 \text{ N}\cdot\text{cm} \circlearrowright$$ ◄

***b.* Forces appliquées en *A* et en *B*.** Nous supposons que le couple $\mathbf{M}_A$, calculé ci-dessus, consiste en deux forces **P** et **P′** de 150 N, appliquées respectivement en *A* et en *B*. Le moment de **P** par rapport au point *A* doit être égal au moment $M_A$ du couple; si on appelle $\theta$ l'angle que **P** forme avec l'horizontale, et en appliquant le théorème de Varignon, nous écrivons

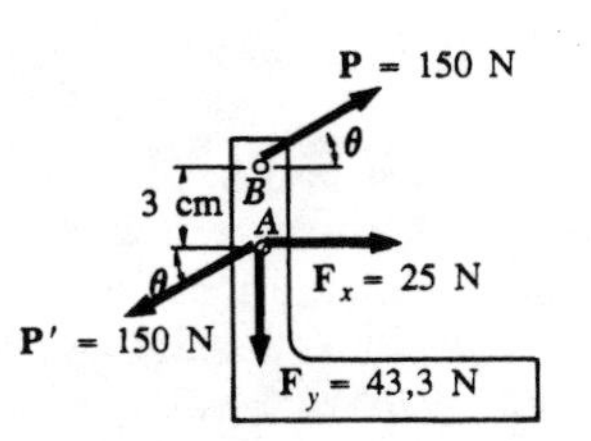


$$M_A = -P \cos \theta \, (3 \text{ cm})$$
$$-308 \text{ N}\cdot\text{cm} = -(150 \text{ N}) \cos \theta \, (3 \text{ cm})$$
$$\cos \theta = \frac{308 \text{ N}\cdot\text{cm}}{450 \text{ N}\cdot\text{cm}} = 0{,}684 \qquad \theta = \pm 46{,}8°$$

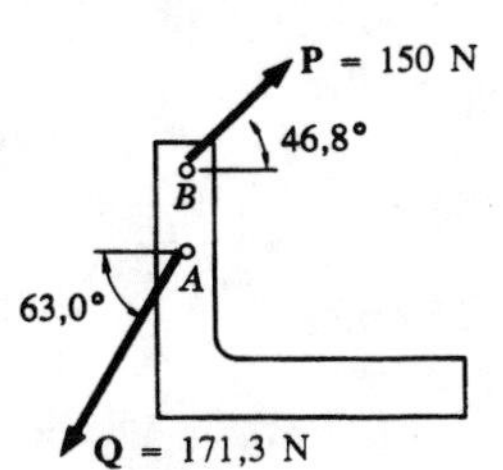


Après avoir trouvé les directions des forces **P** et **P′**, nous calculons la résultante **Q** des forces **F** et **P′** appliquées au point *A*.

$$Q_x = F_x + P'_x = 25 \text{ N} - (150 \text{ N}) \cos \theta$$
$$Q_y = F_y + P'_y = -43{,}3 \text{ N} - (150 \text{ N}) \sin \theta$$

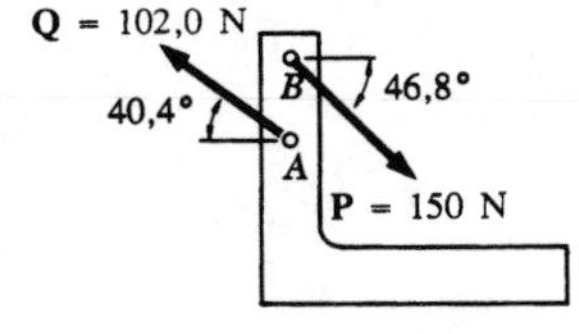


Comme nous avons trouvé deux valeurs possibles pour l'angle $\theta$, il existe deux paires de forces **P** et **Q** qui forment un système équivalent à la force originale de 50 N.

**P** = 150 N ∠46,8° en *B* **Q** = 171,3 N ∠63,0° en *A* ◄

ou

**P** = 150 N ∠46,8° en *B* **Q** = 102,0 N ∠40,4° en *A* ◄

## PROBLÈME RÉSOLU 3.5

Remplacez le système force-couple par une force unique appliquée sur le levier *OB*. Calculez la distance entre le point *O* et le point d'application de cette nouvelle force.

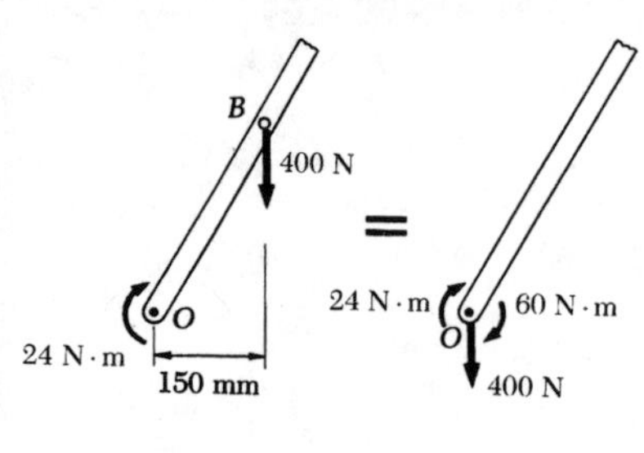


**Solution.** Remplaçons d'abord le système force-couple proposé par un système équivalent appliqué au point *O*. Nous transportons la force de 400 N au point *O* et en même temps, nous lui additionnons un couple dont le moment est égal au moment par rapport au point *O* de la force de 400 N dans sa position originale, c'est-à-dire

$$M_O = -(400 \text{ N})(0{,}150 \text{ m}) = -60 \text{ N}\cdot\text{m} \qquad M_O = 60 \text{ N}\cdot\text{m} \circlearrowright$$

Ce couple est alors additionné au couple de 24 N·m de sens négatif créé par les deux forces de 200 N·m. Ensuite, nous déplaçons la force de 400 N vers la droite et d'une distance *d*, de telle sorte que le moment de la force de 400 N par rapport au point *O* soit de 84 N·m, tournant dans le sens des aiguilles d'une montre.

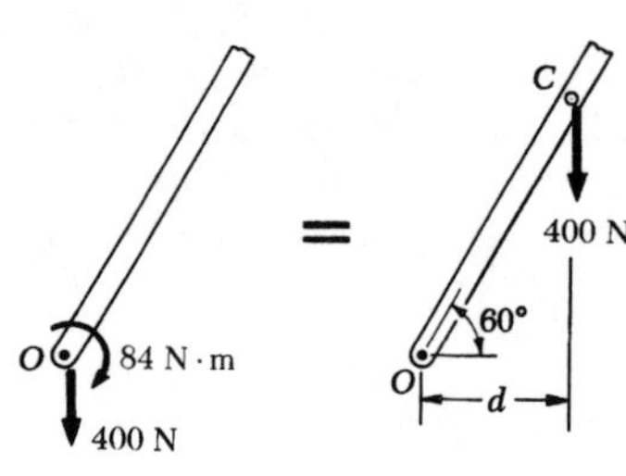


$$84 \text{ N}\cdot\text{m} = (400 \text{ N})d \qquad d = 0{,}210 \text{ m} = 210 \text{ mm}$$

**Autre solution.** Puisque l'effet d'un couple ne dépend pas de sa position, le couple de 24 N·m, orienté dans le sens des aiguilles d'une montre, peut être transporté au point *B*; nous obtenons un système force-couple appliqué au point *B*. Ensuite, nous transportons la force de 400 N vers la droite de *B*, d'une distance *d'*, de telle sorte qu'elle provoque un moment par rapport au point *B* de même valeur et de même sens (24 N·m).

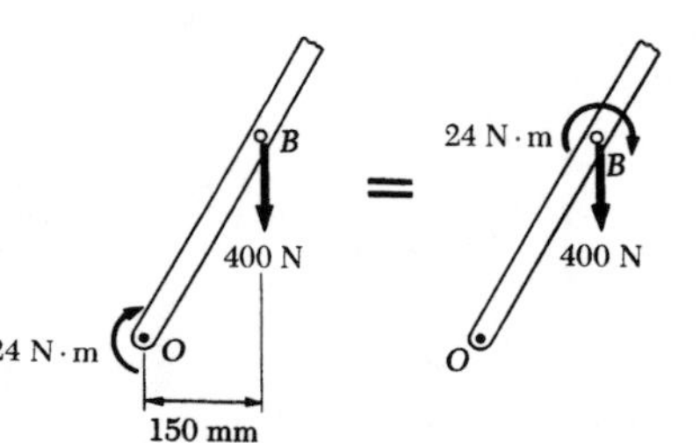


$$24 \text{ N}\cdot\text{m} = (400 \text{ N})d' \qquad d' = 0{,}060 \text{ m} = 60 \text{ mm}$$

On détermine, pour finir, la distance *OC* entre *O* et le nouveau point d'application.

$$(BC)\cos 60° = 60 \text{ mm} \qquad BC = 120 \text{ mm}$$
$$OC = OB + BC = 300 \text{ mm} + 120 \text{ mm}$$
$$OC = 420 \text{ mm} \blacktriangleleft$$

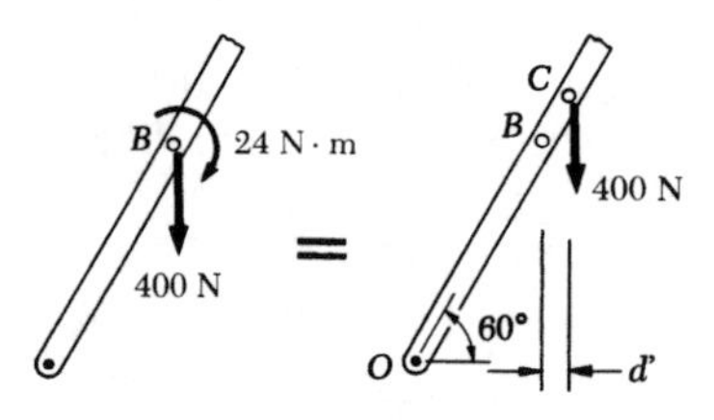

## PROBLÈMES SUPPLÉMENTAIRES

**3.13** Deux couples sont appliqués à la plaque de dimension 120 x 160 mm. Sachant que $P_1 = P_2 = 150$ N et $Q_1 = Q_2 = 200$ N, prouvez que leur somme est zéro : *a*) en additionnant leurs moments, *b*) en calculant les résultantes $\mathbf{R}_1 = \mathbf{P}_1 + \mathbf{Q}_1$ et $\mathbf{R}_2 = \mathbf{P}_2 + \mathbf{Q}_2$ et en montrant que $\mathbf{R}_1$ et $\mathbf{R}_2$ sont égales et opposées et ont la même ligne d'action.

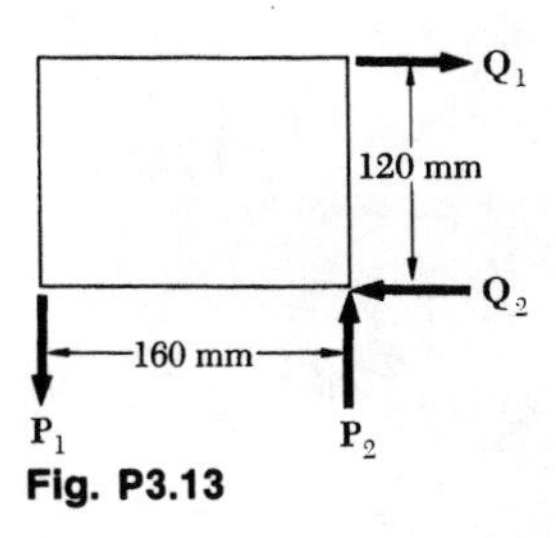

Fig. P3.13

**3.14** Un couple formé par deux forces de 975 N est appliqué aux poulies. Déterminez le couple équivalent formé par : *a*) deux forces verticales agissant en *A* et en *C*, *b*) les forces les plus petites possibles appliquées en *B* et en *D*, *c*) les forces les plus petites possibles qui peuvent être attachées à l'ensemble.

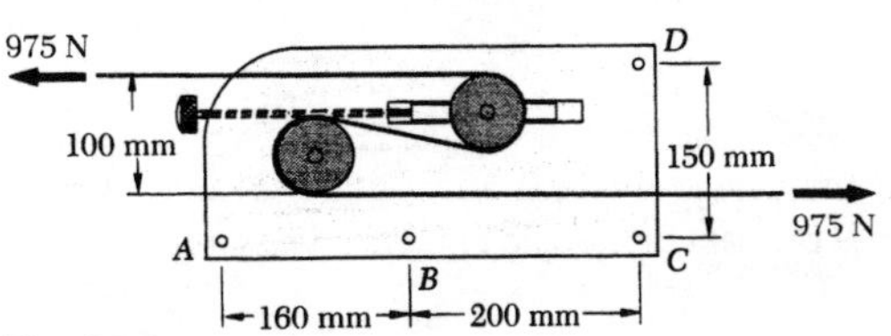

Fig. P3.14

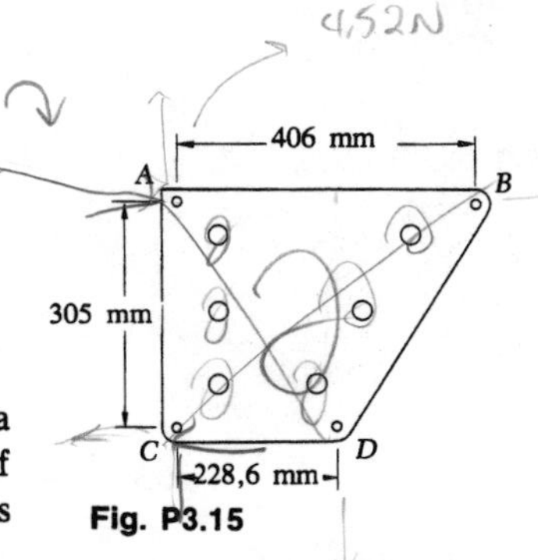

Fig. P3.15

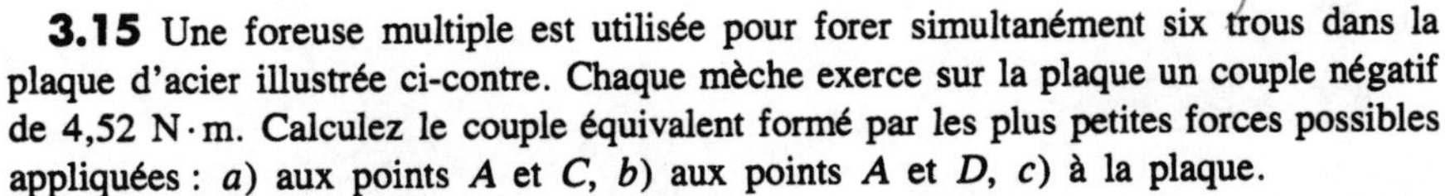

**3.15** Une foreuse multiple est utilisée pour forer simultanément six trous dans la plaque d'acier illustrée ci-contre. Chaque mèche exerce sur la plaque un couple négatif de 4,52 N·m. Calculez le couple équivalent formé par les plus petites forces possibles appliquées : *a*) aux points *A* et *C*, *b*) aux points *A* et *D*, *c*) à la plaque.

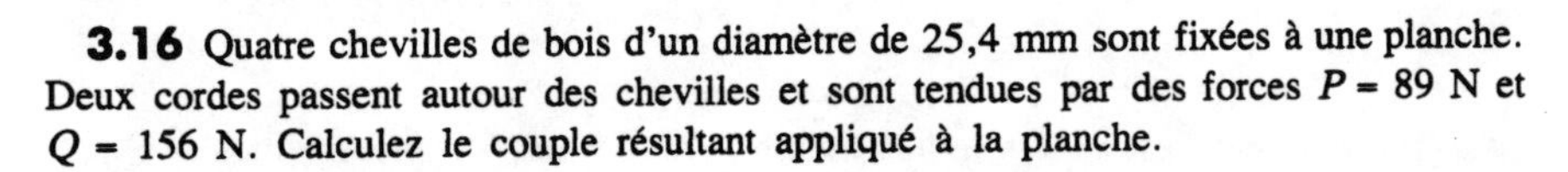

**3.16** Quatre chevilles de bois d'un diamètre de 25,4 mm sont fixées à une planche. Deux cordes passent autour des chevilles et sont tendues par des forces $P = 89$ N et $Q = 156$ N. Calculez le couple résultant appliqué à la planche.

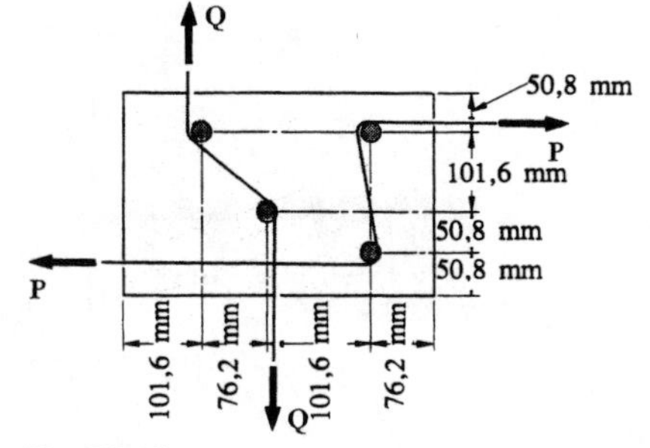

Fig. P3.16

**3.17** Remplacez chaque force considérée dans le problème résolu 3.1 par une force appliquée sur le levier et un couple.

**3.18** Une force de 400 N est appliquée à une plaque formée de la façon indiquée à la fig. P3.18. Déterminez un système force-couple équivalent : *a*) appliqué en *A*, et *b*) appliqué en *B*.

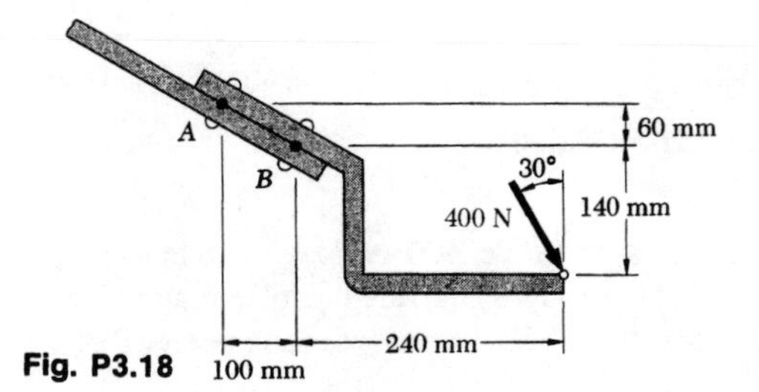

Fig. P3.18

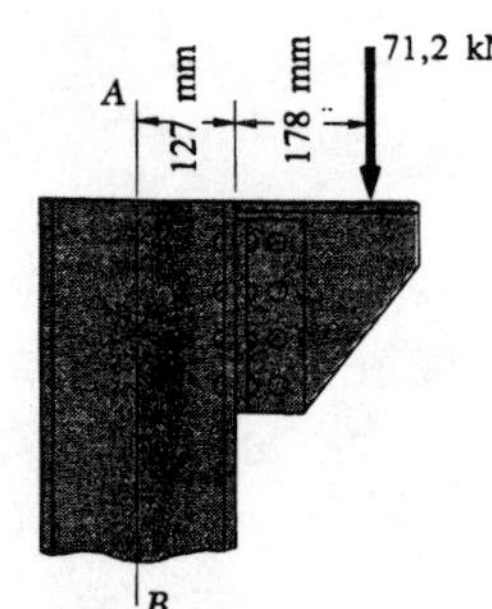


**Fig. P3.19 et P3.20**

**3.19** Une console fixée à une colonne d'acier est soumise à une force de 71,2 kN. Réduisez cette force à un système force-couple équivalent agissant le long de la direction $AB$.

**3.20** La charge de 71,2 kN doit être remplacée par un système force-couple équivalent. Sachant que le moment du couple doit être de 27,1 kN · m, déterminez sa localisation et la grandeur de la force.

**3.21** La force et le couple illustrés par la figure doivent être remplacés par une force unique. Déterminez la valeur de $\alpha$ pour que la ligne d'action de la force unique équivalente passe par le point $B$.

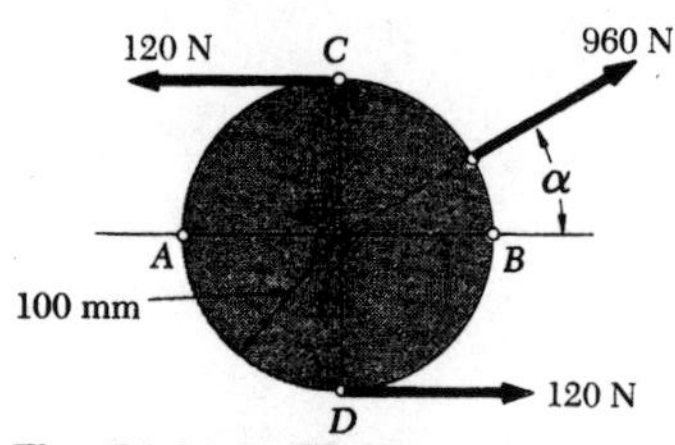


**Fig. P3.21 et P3.22**

**3.22** Sachant que $\alpha = 60°$, remplacez la force et le couple indiqués sur la fig. P3.22 par une force unique appliquée à un point : *a*) de la ligne $AB$, *b*) sur la ligne $CD$. Déterminez pour chaque cas la distance entre le point $O$ et le point d'application de la force.

**3.23** Une force de 222 N est appliquée au coin de la plaque représentée ci-contre. Calculez : *a*) un système force-couple équivalent appliqué au point $A$, *b*) deux forces horizontales appliquées aux points $A$ et $B$ formant un couple équivalent au couple trouvé dans la partie (*a*).

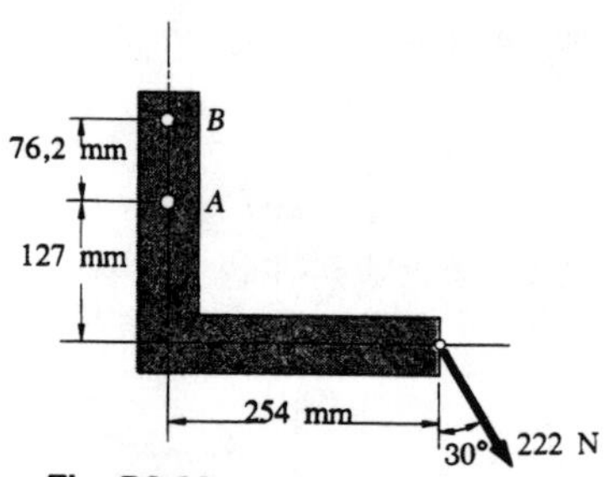


**Fig. P3.23**

**3.24** Une force **P** est appliquée à la poutre $AB$. Calculez les forces verticales $\mathbf{F}_A$ et $\mathbf{F}_C$ appliquées respectivement aux points $A$ et $C$ qui forment un système équivalent à la force **P**.

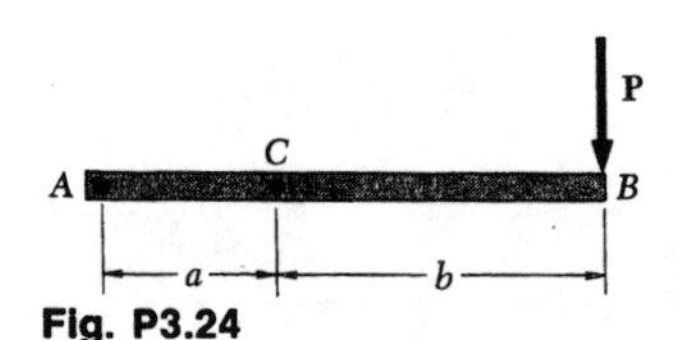


**Fig. P3.24**

**3.25** Sachant que $\alpha = 45°$, remplacez la force de 600 N par : *a*) un système force-couple équivalent appliqué au point $C$, *b*) un système équivalent formé par deux forces parallèles appliquées aux points $B$ et $C$.

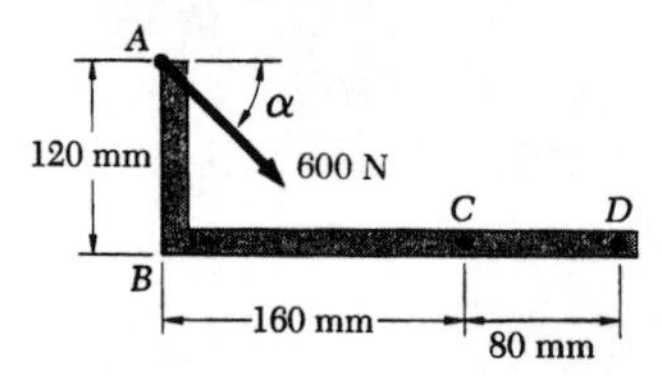


**Fig. P3.25 et P3.26**

**3.26** Sachant que la ligne d'action de la force de 600 N passe par le point $C$, remplacez cette force par : *a*) un système force-couple équivalent appliqué au point $D$, *b*) un système équivalent formé par deux forces parallèles appliquées aux points $B$ et $C$.

**3.10. Réduction d'un système de forces coplanaires à une force et un couple. Résultante d'un système de forces coplanaires.** Considérons un système de forces coplanaires $\mathbf{F}_1$, $\mathbf{F}_2$, $\mathbf{F}_3$, etc., appliquées à un corps rigide, tel que montré sur la fig. 3.14*a*. Comme nous avons vu à la section 3.9, $\mathbf{F}_1$ peut être déplacée et appliquée à un point donné $A$ si un couple $\mathbf{M}_1$ de moment $M_1$ égal au moment de $\mathbf{F}_1$ par rapport au point $A$, est additionné au système de forces. Si on répète cette procédure avec les forces $\mathbf{F}_2$, $\mathbf{F}_3$, etc., nous obtenons le système montré dans la fig. 3.14*b*. Puisque les forces sont appliquées maintenant au même point $A$, elles peuvent être remplacées par leur résultante $\mathbf{R}$, comme l'indique la fig. 3.14*c*. D'autre part, les couples peuvent aussi être remplacés par un couple résultant $\mathbf{M}$ dont le moment $M$ est la somme des moments $M_1$, $M_2$, $M_3$, etc. Tout système de forces coplanaires, quelle que soit sa complexité, peut donc être *réduit de cette manière à un système force-couple équivalent appliqué à un point quelconque A*.

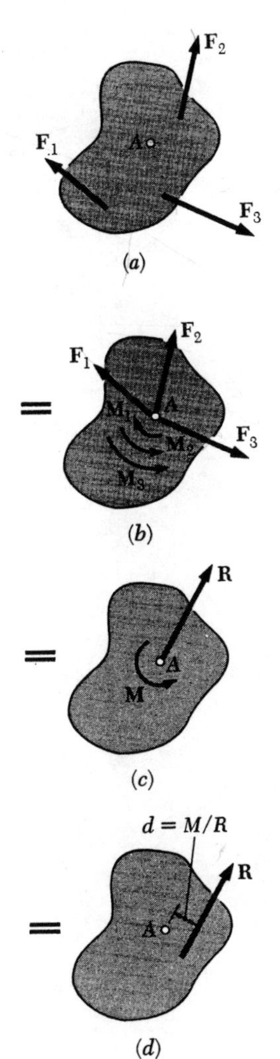

Fig. 3.14

Dans le cas général, quand $\mathbf{R}$ est différent de zéro, le système équivalent peut à son tour se réduire à une force unique $\mathbf{R}$, appelée la *résultante* du système donné (Fig. 3.14*d*). Pour cela, il suffit d'éloigner cette résultante du point de façon à créer un moment égal au moment du couple. La distance entre le point $A$ et la ligne d'action de $\mathbf{R}$ est donnée par $d = M/R$ (Fig. 3.14*d*). Lorsque $\mathbf{R}$ est nulle, le système force-couple équivalent se réduit au *couple équivalent* $\mathbf{M}$. Ce couple est appelé le *couple résultant* du système donné. Nous pouvons conclure que *tout système de forces coplanaires peut être réduit, soit à une force résultante* $\mathbf{R}$, *soit à un couple résultant* $\mathbf{M}$.

La seule exception à cette règle est celle où $\mathbf{R}$ et $\mathbf{M}$ sont nuls. Alors le système de forces n'exerce aucune action sur le corps rigide; on dit alors qu'il est en *équilibre*. Ce cas particulier reste cependant très important et il sera traité en détail un peu plus loin, sous la rubrique « Équilibre des corps rigides ». En pratique, la réduction d'un système de forces coplanaires $\mathbf{F}_1$, $\mathbf{F}_2$, $\mathbf{F}_3$, etc. à une résultante $\mathbf{R}$, appliquée au point $A$ et à un couple résultant $\mathbf{M}$, pourra se faire facilement si on décompose ces forces suivant les axes $x$ et $y$, comme le montre la fig. 3.15*a*. On peut ensuite additionner ces composantes et obtenir $\mathbf{R}_x$ et $\mathbf{R}_y$, qui sont les composantes de la force résultante $\mathbf{R}$ appliquée au point $A$. Ensuite, on peut calculer les moments des composantes des forces $\mathbf{F}_1$, $\mathbf{F}_2$, $\mathbf{F}_3$, etc. par rapport au point $A$. La somme de tous ces moments est égale au moment du couple $\mathbf{M}$.

Il est souhaitable de disposer les calculs sous forme de tableau comme il est fait au probl. résolu 3.7 et de dessiner les composantes $\mathbf{R}_x$ et $\mathbf{R}_y$ ainsi que le couple $\mathbf{M}$, qui sont les éléments de réduction du système de forces donné (Fig. 3.15*b*). Les composantes $\mathbf{R}_x$ et $\mathbf{R}_y$ peuvent alors être additionnées vectoriellement pour former le système force-couple équivalent dans sa forme définitive.

Si le système proposé doit être réduit à une résultante unique, on peut procéder comme suit : les résultantes $\mathbf{R}_x$ et $\mathbf{R}_y$ sont déplacées vers le point $B$ localisé sur la ligne d'action de $\mathbf{R}_x$, comme il est montré dans la fig. 3.15*c*; la distance entre $A$ et $B$ est définie par $d_x = M/R_y$. Le moment de $\mathbf{R}_x$ par rapport au point $A$ devient nul tandis que le moment de $\mathbf{R}_y$ par rapport au même point

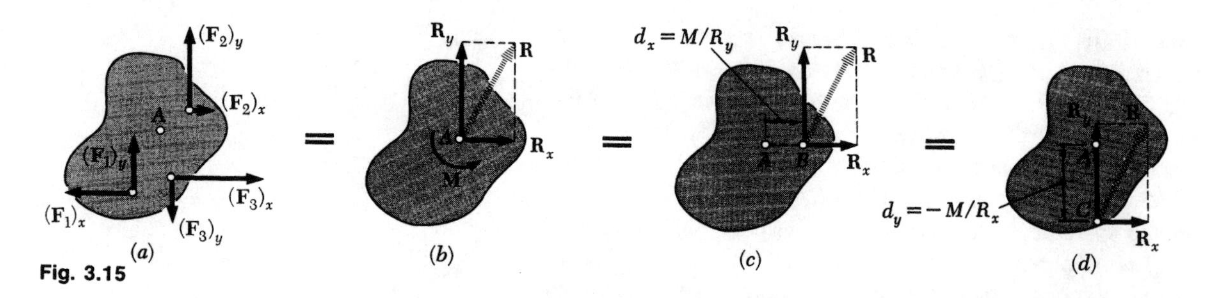


**Fig. 3.15**

est égal au moment $M$ du couple résultant. Nous avons donc éliminé le couple résultant et réduit le système proposé à deux forces $\mathbf{R}_x$ et $\mathbf{R}_y$ appliquées au point $A$. La résultante $\mathbf{R}$ de ces forces peut alors être calculée et le système équivalent se réduit à cette force résultante unique.

Similairement, les composantes $\mathbf{R}_x$ et $\mathbf{R}_y$ auraient pu être déplacées vers un point $C$ dans la ligne d'action de $\mathbf{R}_y$, comme l'indique la fig. 3.15*d*. La longueur du déplacement $AC$ sera définie par $d_y = -M/R_x$. Le moment de $\mathbf{R}_y$ par rapport au point $A$ serait encore nul et le moment de $\mathbf{R}_x$ par rapport au même point remplacerait le couple résultant $\mathbf{M}$ dont le moment $M$ aurait la même valeur. Nous aurions encore éliminé le couple résultant et réduit le système de forces proposé à un système équivalent composé d'une force résultante $\mathbf{R}$.

**3.11. Systèmes équivalents de forces coplanaires.** Nous avons vu dans les sections précédentes que tout système de forces coplanaires peut être réduit à un système force-couple appliqué à un point $A$, qui traduit complètement l'action du système original. Nous pouvons donc conclure que *deux systèmes de forces coplanaires sont équivalents s'ils peuvent se réduire au même système force-couple appliqué à un point A.* Mais nous pouvons aller plus loin. En effet, en nous référant à la fig. 3.15*b* et en nous rappelant que $\mathbf{R}_x$, $\mathbf{R}_y$ et $\mathbf{M}$ ont été obtenus par l'addition respective des composantes selon $x$ et $y$ et des moments par rapport au point $A$ des forces du système proposé, nous pouvons affirmer que : *la condition nécessaire et suffisante pour que deux systèmes de forces coplanaires soient équivalents, est qu'ils possèdent les mêmes composantes suivant x et y et le même moment par rapport au point A.*

Cet énoncé a une signification physique évidente : les deux systèmes sont équivalents s'ils impriment au corps rigide : 1) le même mouvement suivant l'axe $x$, 2) le même mouvement suivant l'axe des $y$, 3) la même rotation autour du point A. Remarquons qu'il suffit d'établir la troisième condition par rapport à *un point* quelconque. Si les systèmes sont équivalents, cette condition sera vérifiée pour *n'importe quel* autre point.

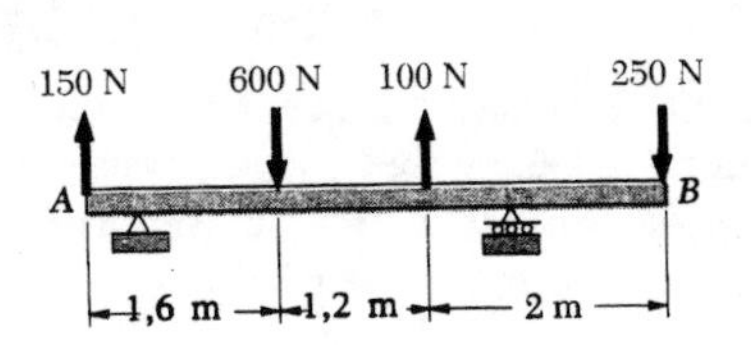


## PROBLÈME RÉSOLU 3.6

Une poutre de 4,8 m de long est soumise aux forces indiquées. Réduisez le système de forces proposé à : *a*) un système force-couple équivalent appliqué au point *A*, *b*) un système force-couple équivalent appliqué au point *B*, *c*) une force résultante unique.

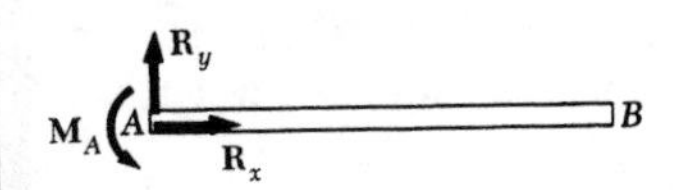


***a.* Système force-couple appliqué en *A*.** Les sens positifs de ce système sont indiqués sur la fig. illustrée ci-contre. Si on additionne les composantes des forces données ainsi que leurs moments par rapport au point *A*, on obtient

$$\overset{+}{\rightarrow} R_x = 0$$
$$+\uparrow R_y = +150\text{ N} - 600\text{ N} + 100\text{ N} - 250\text{ N} = -600\text{ N}$$
$$+\circlearrowleft M_A = -(600\text{ N})(1{,}6\text{ m}) + (100\text{ N})(2{,}8\text{ m}) - (250\text{ N})(4{,}8\text{ m})$$
$$= -1880\text{ N}\cdot\text{m}$$

Les signes négatifs indiquent que la force de 600 N est dirigée vers le bas de la feuille et que le couple a le sens des aiguilles d'une montre. Le système force-couple appliqué au point *A* sera

$$\mathbf{R} = 600\text{ N}\downarrow \qquad \mathbf{M}_A = 1880\text{ N}\cdot\text{m}\circlearrowright$$ ◄

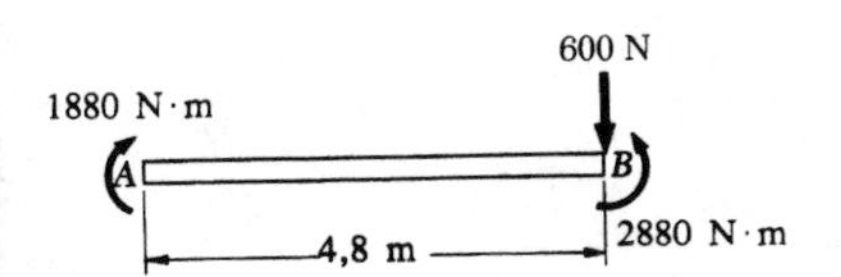


***b.* Système force-couple appliqué en *B*.** Nous déplaçons la force de 600 N de *A* vers *B* et nous lui associons un couple de moment égal au moment par rapport au point *B* de la force de 600 N appliquée au point *A*, soit

$$+(600\text{ N})(4{,}8\text{ m}) = +2880\text{ N}\cdot\text{m}$$

Le couple négatif (sens des aiguilles d'une montre) de 1880 N·m peut se déplacer vers *B* sans modifier son effet sur la poutre. En *B*, on peut alors l'additionner au couple précédent et obtenir

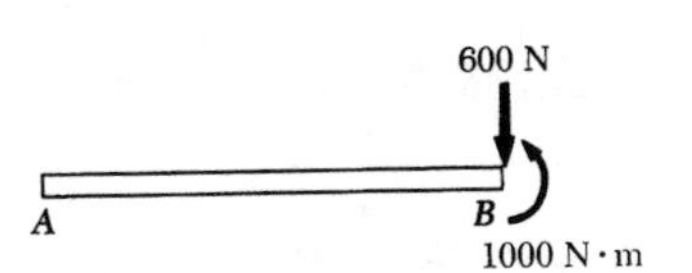


$$+2880\text{ N}\cdot\text{m} - 1880\text{ N}\cdot\text{m} = +1000\text{ N}\cdot\text{m}$$

Le système force-couple équivalent sera

$$\mathbf{R} = 600\text{ N}\downarrow \qquad \mathbf{M}_B = 1000\text{ N}\cdot\text{m}\circlearrowleft$$ ◄

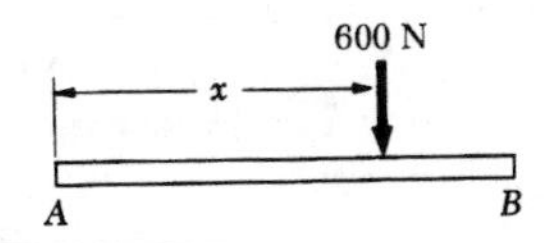


***c.* Force résultante unique.** Utilisant les résultats trouvés en (*a*), nous déplaçons la force résultante de 600 N vers la droite d'une distance *x* choisie de façon à ce que le moment par rapport au point *A* soit −1880 N·m. Nous écrirons

$$-1880\text{ N}\cdot\text{m} = -(600\text{ N})x \qquad x = 3.13\text{ m}$$

$$\mathbf{R} = 600\text{ N}\downarrow \qquad x = 3{,}13\text{ m}$$ ◄

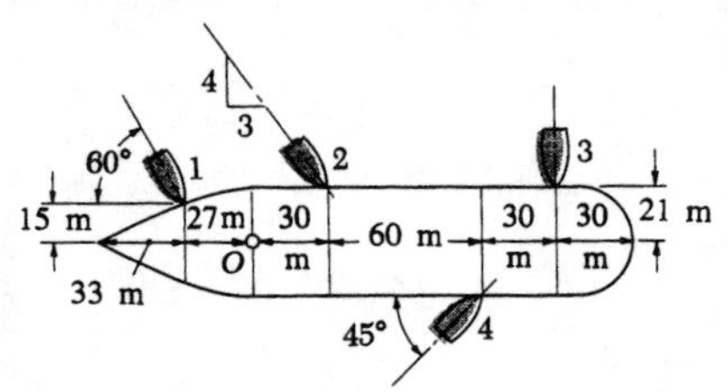


## PROBLÈME RÉSOLU 3.7

Quatre remorqueurs amènent à quai un navire au long cours. Chaque remorqueur développe une force de 20 kN dans la direction indiquée. Déterminez : *a*) un système force-couple équivalent appliqué au mât, *b*) le point où attacher le câble d'un remorqueur plus puissant qui aurait le même effet que les quatre remorqueurs.

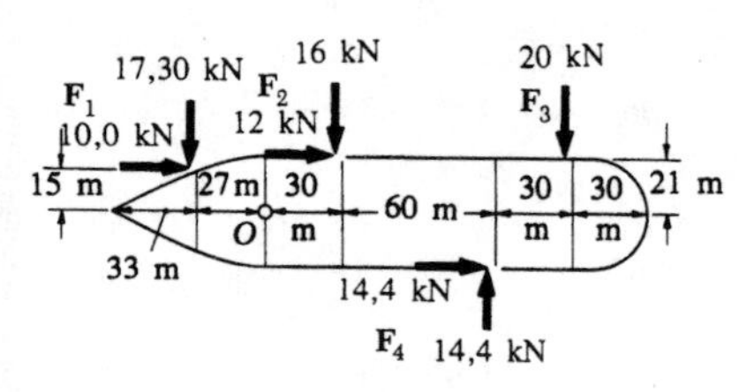


***a.* Système force-couple appliqué au point *O*.** Chaque force est décomposée suivant les axes vertical et horizontal, comme l'indique le plan de situation. Les composantes et leurs moments par rapport au point *O* sont consignés dans le tableau ci-dessous, à partir duquel $R_x$, $R_y$ et $M$ sont facilement calculés.

| Force | $F_x \xrightarrow{+}$, kN | $F_y + \uparrow$ kN | $M_O + \circlearrowleft$ kN·m |
|---|---|---|---|
| $\mathbf{F}_1$ | +10,0 | −17,3 | −150<br>+467 |
| $\mathbf{F}_2$ | +12,0 | −16,0 | −252<br>−480 |
| $\mathbf{F}_3$ | 0 | −20,0 | 0<br>−2400 |
| $\mathbf{F}_4$ | +14,4 | +14,4 | +302<br>+1296 |
| | $R_x = \Sigma F_x$<br>$= +36,4$<br>$= 36,4 \rightarrow$ | $R_y = \Sigma F_y$<br>$= -38,9$<br>$= 38,9 \downarrow$ | $M = \Sigma M_O$<br>$= -1217$<br>$= 1217 \circlearrowright$ |

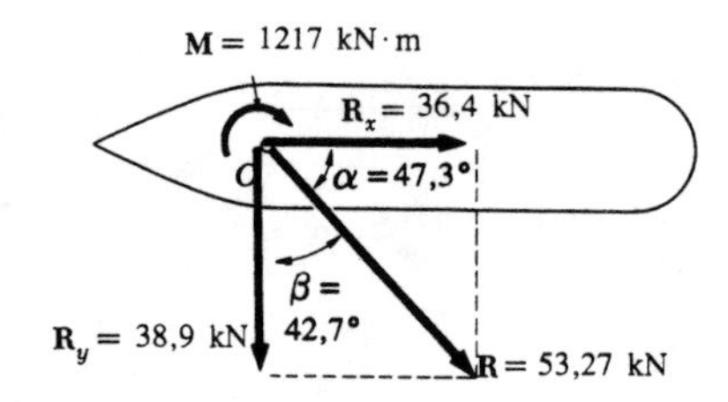


En additionnant vectoriellement $\mathbf{R}_x$ et $\mathbf{R}_y$, nous obtenons le système force-couple équivalant au système original

$$\mathbf{R} = 53,3 \text{ kN} \measuredangle 46,9° \quad \mathbf{M} = 1217 \text{ kN·m} \circlearrowright$$ ◄

***b.* Remorqueur seul.** La force exercée par un seul remorqueur doit être équivalente au système force-couple trouvé plus haut; elle doit donc être de 53,3 kN. Puisque cette force doit s'appliquer à un point *A* de la coque, nous allons la décomposer dans les composantes horizontale et verticale. La distance *x* doit être telle que le moment total par rapport à *O* soit −1217 kN·m.

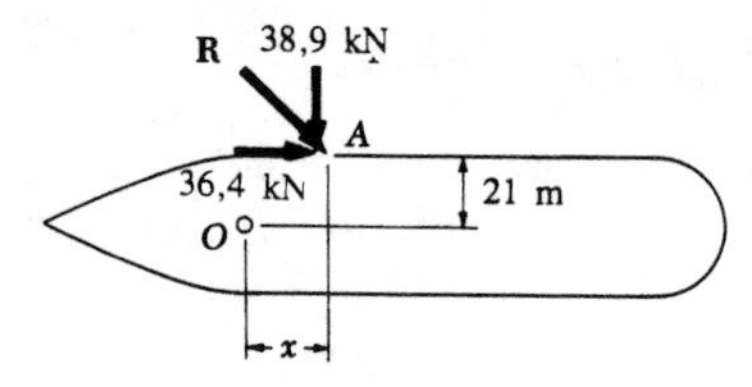


$$-1217 \text{ kN·m} = -(36,4 \text{ kN})(21 \text{ m}) - (38,9 \text{ kN})x$$
$$x = 11,6 \text{ m}$$
$$\mathbf{R} = 53,3 \text{ kN} \measuredangle 46,9° \qquad x = 11,6 \text{ m}$$ ◄

## PROBLÈMES SUPPLÉMENTAIRES

**3.27** Une poutre de 3,66 m de long est chargée de différentes manières, comme l'indique la fig. P3.27. Localisez parmi ces mises en charge celles qui sont équivalentes.

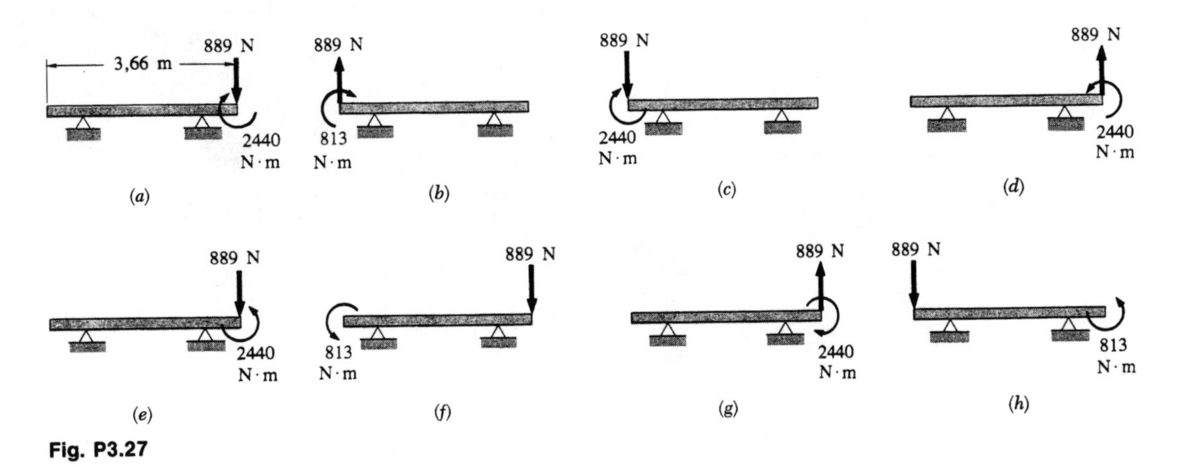


Fig. P3.27

**3.28** Une poutrelle de 3,66 m de long est chargée tel qu'indiqué. Localisez dans la fig. P3.27 une mise en charge équivalente.

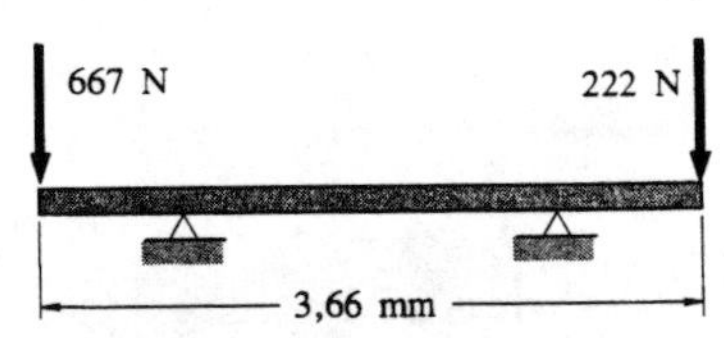


Fig. P3.28

**3.29** Deux forces parallèles **P** et **Q** sont appliquées aux extrémités de la poutrelle $AB$ de longueur $L$. Calculez la position de la résultante par rapport à l'extrémité $A$. Vérifiez la formule obtenue avec les valeurs suivantes : $L$ = 20,3 cm et : *a*) $P$ = 44,5 N dirigée vers le bas et $Q$ = 133,5 N dirigée vers le bas, *b*) $P$ = 44,5 N dirigée vers le bas et $Q$ = 133,5 N dirigée vers le haut.

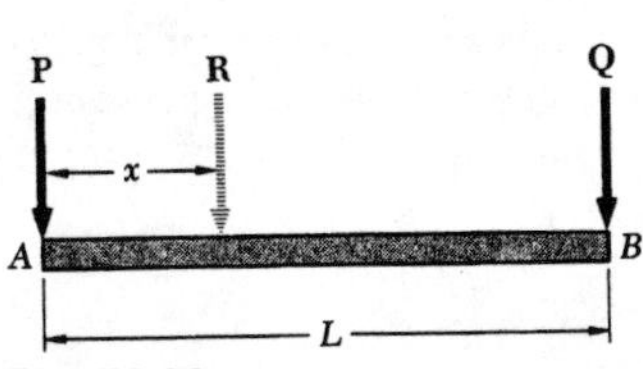


Fig. P3.29

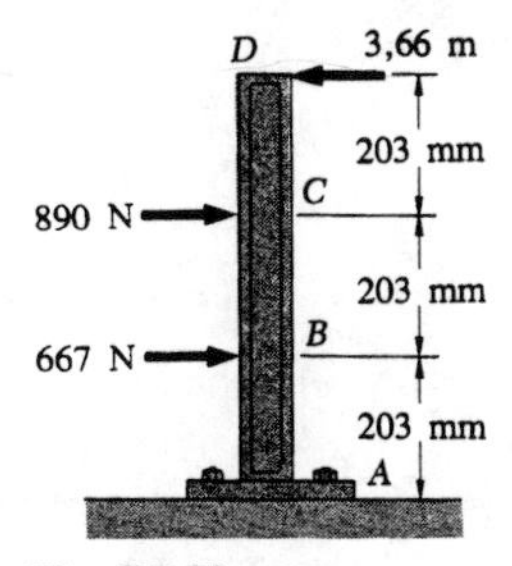


Fig. P3.30

**3.30** Trois forces horizontales sont appliquées sur une colonne, tel qu'indiqué. Calculez la résultante des charges et le point où sa ligne d'action coupe l'axe $AD$ si la grandeur de **P** est : *a*) $P$ = 222,5 N, *b*) $P$ = 2224 N, *c*) $P$ = 1557 N.

**3.31** Calculez la distance de la ligne d'action de la résultante des trois forces par rapport au point $A$ si : *a*) $a$ = 1 m, *b*) $a$ = 1,5 m, *c*) $a$ = 2,5 m.

**3.32** Résolvez le probl. 3.31 en supposant que la charge appliquée au point $C$ vaut 6 kN.

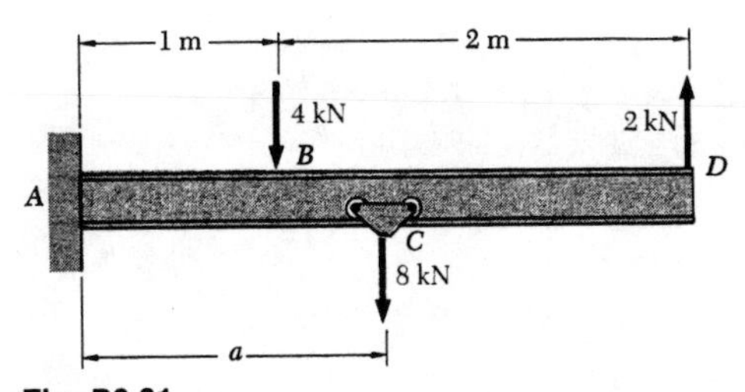


Fig. P3.31

**3.33** Un convoyeur transporte, à vitesse constante, quatre colis de $A$ vers $B$. Calculez la grandeur et la position, à un moment donné, de la charge résultante, si à cet instant les quatre colis occupent la position indiquée.

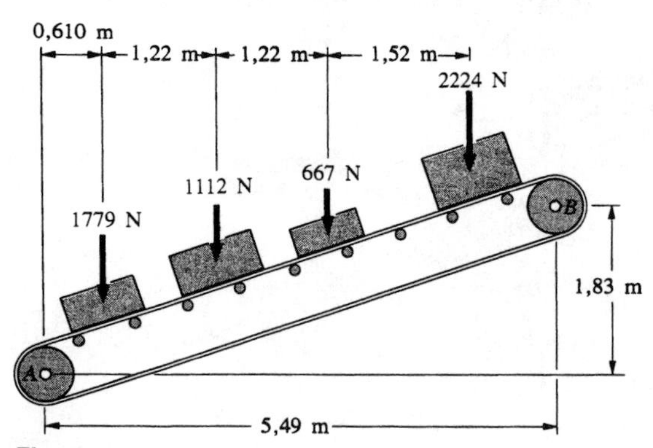


**Fig. P3.33**

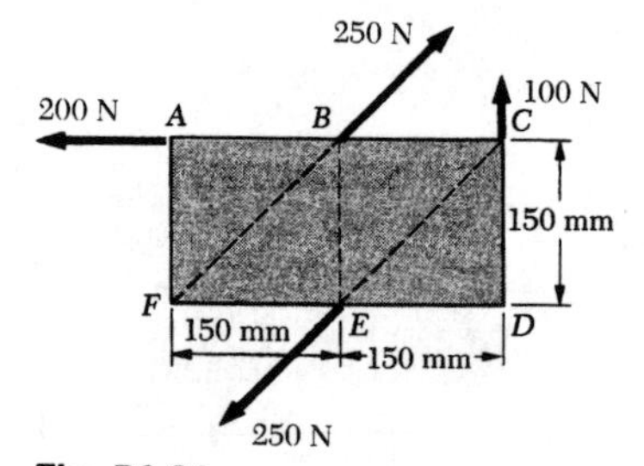


**Fig. P3.34**

**3.34** Une plaque, aux dimensions indiquées, est soumise à quatre forces. Trouvez leur résultante et les deux points où elle coupe les bords de la plaque.

**3.35** Résolvez le problème précédent en supposant que la force de 200 N, appliquée au point $A$, est dirigée horizontalement vers la droite.

**3.36** Résolvez le problème 3.33 en supposant que le colis de 1112 N est enlevé.

**3.37** Une console est soumise au système de couples et de forces indiqué. Calculez la résultante de ce système et le point d'intersection de sa ligne d'action avec : *a*) la droite $AB$, *b*) la droite $BC$, *c*) la droite $CD$.

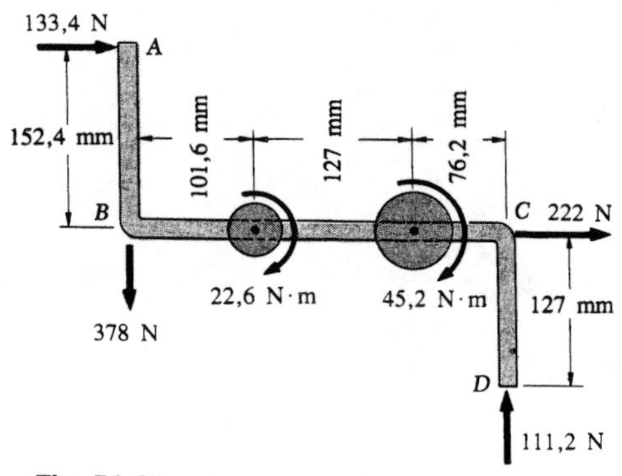


**Fig. P3.37**

**3.38** La toiture d'une charpente est soumise aux charges de vent indiquées. Calculez : *a*) le système force-couple équivalent appliqué au point $D$, *b*) la grandeur et la ligne d'action de la résultante de la mise en charge indiquée.

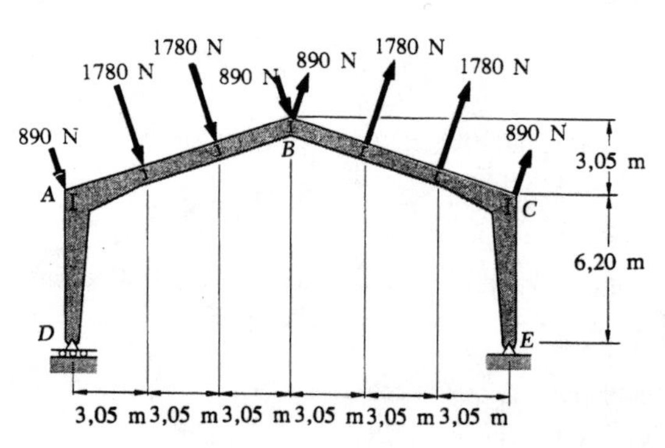


**Fig. P3.38**

**3.39** Un poteau de signalisation est soumis à trois forces, tel qu'indiqué. Calculez : *a*) le système force-couple équivalent appliqué au point $A$, *b*) la résultante du système et le point d'intersection de sa ligne d'action avec l'axe du poteau.

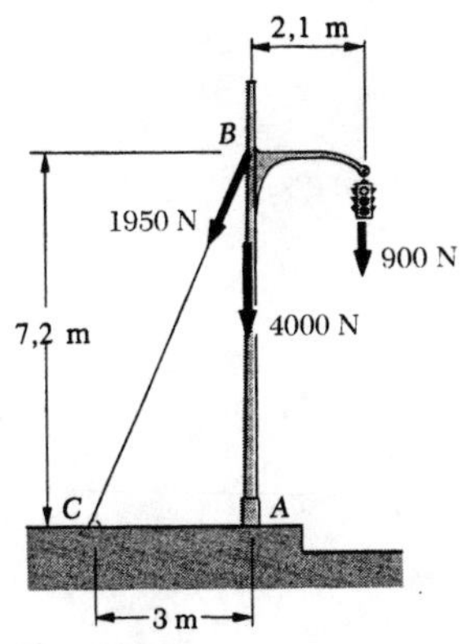

**Fig. P3.39**

**3.40** Une force **P** et un couple **M** dont le moment est de 20 N · m sont appliqués au point $A$ d'une plaque hexagonale de côté $a$ = 125 mm. Calculez la force **P** pour laquelle la résultante du système est orientée suivant : *a*) le côté $BC$, *b*) le côté $CD$, *c*) la diagonale $FC$.

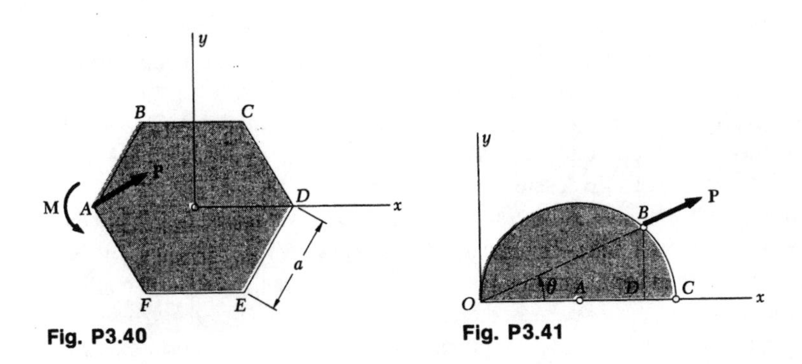

**Fig. P3.40**

**Fig. P3.41**

**3.41** Une force **P** est appliquée au point $B$ d'une plaque semi-circulaire de rayon $a$, comme indiqué. *a*) Remplacez **P** par un système force-couple équivalent appliqué au point $D$, qui est le pied de la perpendiculaire abaissée de $B$ sur l'axe $x$. *b*) Déterminez la valeur de $\theta$ pour laquelle le moment du système force-couple équivalent est maximum.

***3.42** Deux forces de grandeur $P$ sont appliquées aux points $A$ et $B$ du disque. Calculez l'angle $\beta$ pour que la ligne d'action de la résultante des deux forces soit tangente au bord du disque.

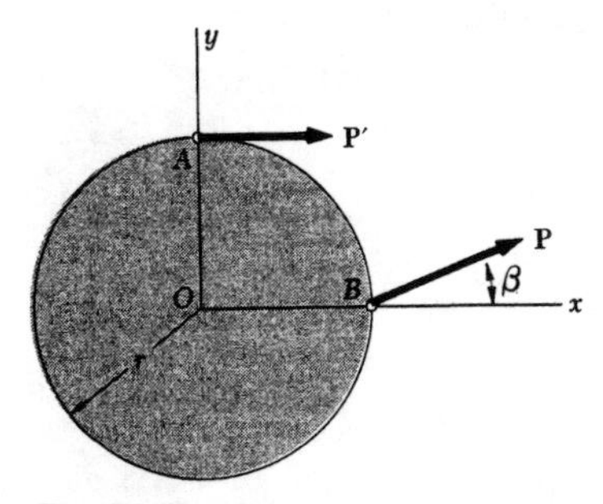

**Fig. P3.42**

## ÉQUILIBRE DES CORPS RIGIDES

**3.12. Corps rigide en équilibre.** Un *corps rigide est en équilibre lorsque les forces externes qui agissent sur lui forment un système de forces équivalent à zéro,* c'est-à-dire un système où la résultante et le couple sont nuls. Cette condition nécessaire et suffisante d'équilibre d'un corps rigide se traduit analytiquement par les équations

$$\Sigma F_x = 0 \quad \Sigma F_y = 0 \quad \Sigma M_A = 0 \tag{3.5}$$

Comme les axes $x$ et $y$ et le point $A$ peuvent être choisis arbitrairement, les éq. (3.5) indiquent que les forces extérieures appliquées au corps ne lui impriment pas de mouvement, que ce soit de translation ou de rotation.

L'action de chacune de ces forces extérieures est chaque fois annulée par l'action d'une autre : les forces extérieures sont *équilibrées*.

**3.13. Schéma du corps isolé.** Pour résoudre un problème concernant l'équilibre d'un corps rigide, il est essentiel de considérer *toutes* les forces agissant sur lui; il est aussi très important d'exclure du problème toutes les forces qui ne lui sont pas directement appliquées. Oublier une force ou en mettre trop compromet l'équilibre du corps. Par conséquent, la première démarche dans la recherche de la solution consiste à dessiner le *schéma du corps isolé*. Ce schéma a déjà été utilisé à diverses reprises au chap. 2. Cependant, vu son importance dans la solution des problèmes d'équilibre des corps, nous allons résumer ici les différentes étapes qui doivent être accomplies si on veut le dessiner correctement.

If faut tout d'abord choisir judicieusement le corps ou l'élément du corps à être isolé (c'est-à-dire coupé de toute liaison avec les autres corps ou éléments). Nous pouvons tracer alors un dessin du corps ainsi isolé.
Toutes les forces extérieures agissant sur le corps isolé doivent être dessinées. Ces forces représentent l'action exercée *sur* le corps isolé *par* le sol et *par* les parties détachées; elles ont comme point d'application les points de contact avec le sol ou avec les autres parties détachées. Le *poids* du corps isolé doit être inclus parmi les forces extérieures puisqu'il représente l'attraction exercée par la terre sur l'ensemble du corps isolé. Comme nous le verrons au chap. 5, le poids est une force qui est appliquée au centre de gravité du corps isolé. Quand celui-ci est formé de plusieurs parties, les forces que ces différentes parties exercent les unes sur les autres *ne doivent pas* être incluses dans les forces extérieures. La grandeur et la direction des *forces extérieures connues* doivent être clairement indiquées dans le schéma du corps isolé. *On doit prendre la précaution d'indiquer le sens de la force exercée sur le corps isolé et non la force exercée par le corps isolé.* Les forces extérieures généralement connues sont le poids et certaines forces appliquées dans un but précis.

Les *forces extérieures inconnues* incluent généralement les *réactions d'appui* et les réactions d'autres corps qui s'opposent au mouvement du corps isolé et le contraignent à rester immobile. Les réactions s'exercent aux points où le corps isolé est *en contact* ou *supporté par* les autres corps. Elles peuvent être divisées en trois groupes qui correspondent aux trois types de support ou liaison :

1. *Appui simple ou à rouleau.* La *réaction est une force de ligne d'action connue.* Les liaisons et les appuis qui introduisent ce type de réaction sont notamment les *appuis à rouleaux, à bascule*, les *surfaces de contact sans frottement*, les *liaisons par câble ou par barre courte*, les *manchons glissant sans frottement sur des axes*, les *pivots glissant sans frottement dans des rainures*, etc. Tous ces appuis ou liaisons empêchent le corps de se mouvoir dans une direction seulement. Ils sont représentés à la fig. 3.16 ainsi que la réaction qu'ils produisent. Les réactions de ce type introduisent une incon-

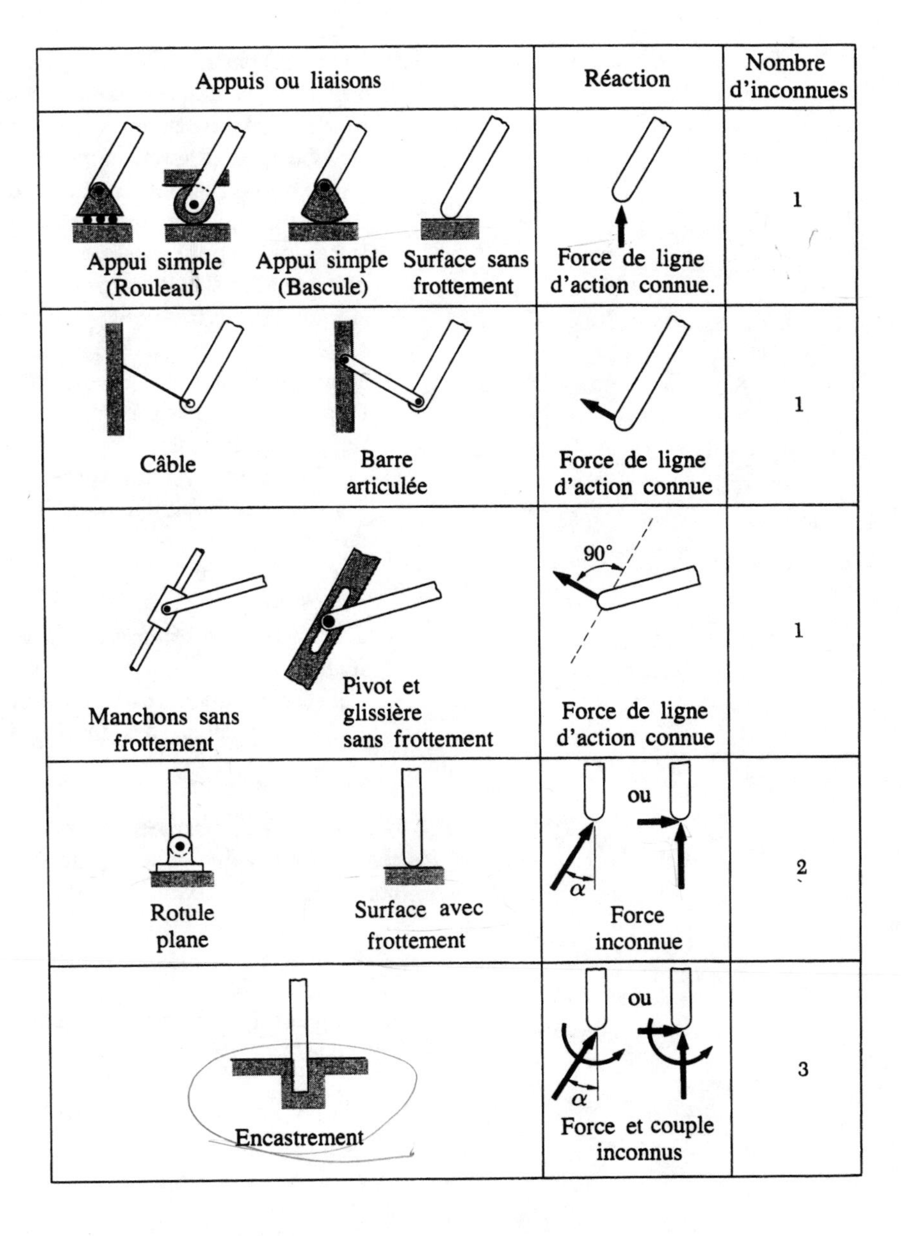

| Appuis ou liaisons | Réaction | Nombre d'inconnues |
|---|---|---|
| Appui simple (Rouleau); Appui simple (Bascule); Surface sans frottement | Force de ligne d'action connue. | 1 |
| Câble; Barre articulée | Force de ligne d'action connue | 1 |
| Manchons sans frottement; Pivot et glissière sans frottement | 90° Force de ligne d'action connue | 1 |
| Rotule plane; Surface avec frottement | ou $\alpha$ Force inconnue | 2 |
| Encastrement | ou $\alpha$ Force et couple inconnus | 3 |

**Fig. 3.16 Réactions d'appui ou de liaisons**

nue, à savoir la grandeur de la réaction; cette grandeur doit être identifiée par une lettre appropriée. La ligne d'action de la réaction est connue et doit être clairement indiquée dans le schéma du corps isolé. Son sens doit être un de ceux indiqués dans la fig. 3.16. Dans le cas de l'appui sans frottement, la force de réaction est perpendiculaire aux surfaces de contact et doit pousser sur le corps, tandis que dans le cas du câble d'appui, la force de réaction a la direction de celui-ci et tire sur le corps. Dans les autres types d'appui *simples*, comme par exemple les barres d'assemblage, manchons, pivots à glissement, rouleaux à double effet, la réaction peut avoir l'un ou l'autre sens. Notons finalement que les appuis à rouleaux ou à bascule sont souvent réversibles et, par conséquent, la réaction d'appui peut avoir l'un ou l'autre sens.

2. *Appui à rotule. Dans ce cas, la réaction est une force de grandeur et de direction inconnues.* Dans cette catégorie d'appuis, nous trouvons les *rotules*, les *pivots*, les *charnières*, les *surfaces rugueuses avec frottement*, etc. Ce type d'appui empêche les mouvements de translation mais permet les rotations autour de l'axe de la rotule. Ces appuis introduisent *deux inconnues* qui peuvent être représentées par leurs composantes $x$ et $y$. Dans le cas où l'appui est une surface avec frottement, la composante normale doit pousser sur le corps.
3. *Appui à encastrement. Dans ce cas, la réaction est équivalente à un système force-couple.* Dans ce type de liaison, le corps est *serti* sur son appui de manière à annuler tout mouvement de translation et de rotation. Ces appuis produisent des pressions sur toute la surface de contact entre l'appui et le corps; nous supposerons, toutefois, qu'elles peuvent être réduites à un système force-couple équivalent. Les *trois inconnues de ce système* sont habituellement les deux composantes de la force et le moment du couple.

   Lorsque le sens de la force ou celui de rotation du couple est difficile à déterminer, nous lui donnerons un sens arbitraire : si un signe négatif accompagne la réponse, cela signifie que le sens choisi est opposé au sens réel.

   Le schéma du corps isolé doit inclure les différentes dimensions afin de faciliter le calcul des moments de force. Les autres détails peuvent être omis.

**3.14. Problèmes comportant l'équilibre d'un corps rigide.** Nous avons déjà vu à la section 3.12 que les conditions d'équilibre d'un corps rigide s'écrivent

$$\Sigma F_x = 0 \quad \Sigma F_y = 0 \quad \Sigma M_A = 0 \tag{3.5}$$

où $A$ peut être n'importe quel point de la structure. Les équations (3.5) permettent de déterminer *trois* et seulement *trois* inconnues.

Nous avons vu dans la même section que les réactions d'appui sont souvent les inconnues et que leur nombre, correspondant à une réaction donnée, dépend du type d'appui ou de liaison qui provoque la réaction. En se référant à la section 3.13, on peut constater que les équations (3.5) permettent de déterminer trois inconnues : les forces de réaction de deux appuis simples et d'une barre d'assemblage, les réactions d'un appui encastré, ou encore les réactions d'un appui à rouleau et d'un appui à rotule.

Considérons, par exemple, la poutre en treillis de la fig. 3.17, qui est soumise aux forces **P**, **Q** et **S**. Cette poutre s'appuie sur une rotule en $A$ et sur un rouleau en $B$. La rotule $A$ empêche les mouvements de translation du point $A$ par l'intermédiaire d'une réaction de composantes $\mathbf{A}_x$ et $\mathbf{A}_y$; quant au rouleau, il empêche la poutre de tourner autour du point $A$ par l'intermédiaire d'une réaction verticale **B**. Le schéma de la poutre isolée fait voir clairement ces réactions. Il inclut, comme l'indique la fig. 3.17$b$, non seulement les réactions $\mathbf{A}_x$, $\mathbf{A}_y$ et **B**, mais aussi les forces **P**, **Q** et **S**, appliquées sur la poutre ainsi que le poids **W** de celle-ci. Si nous exprimons que la somme des moments par rapport au point $A$ de toutes les forces indiquées dans la fig. 3.17$b$ est nulle, nous pouvons écrire l'équation $\Sigma M_A = 0$, dont la solution nous donne la grandeur de la réaction $B$, puisque cette équation ne contient ni $A_x$ ni $A_y$. En exprimant ensuite que la somme des composantes suivant l'axe $x$ et celle des composantes suivant l'axe $y$ sont toutes les deux nulles, nous écrirons les équations $\Sigma F_x = 0$ et $\Sigma F_y = 0$, dont la solution nous donnera respectivement $A_x$ et $A_y$.

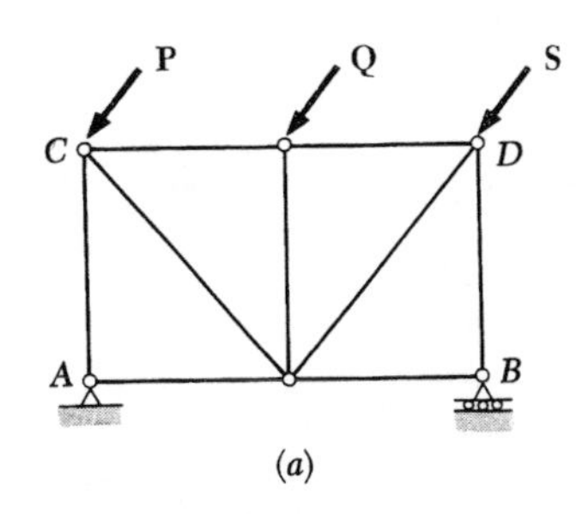

($a$)

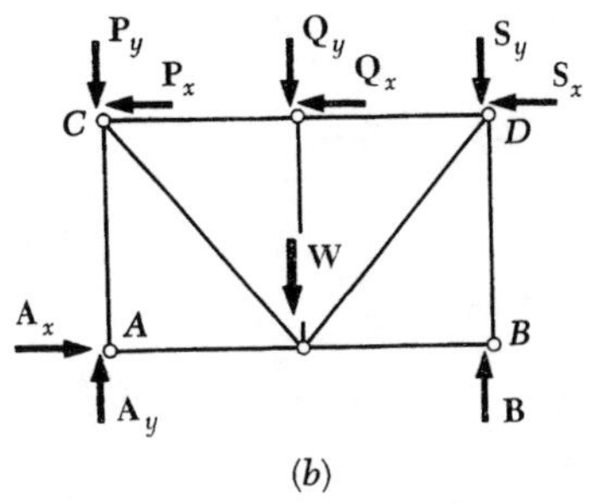

($b$)

**Fig. 3.17**

Nous pouvons obtenir d'autres équations en exprimant que la somme des moments des forces extérieures pris par rapport à des points différents, est aussi nulle. Nous aurions pu écrire par exemple $\Sigma M_B = 0$. Une telle équation ne nous apporterait pas une nouvelle information puisque nous avons déjà établi que le système de forces indiqué à la fig. 3.17$b$ est équivalent à zéro.

L'équation additionnelle *n'est donc pas indépendante* des trois autres et ne peut pas servir pour déterminer une quatrième inconnue. Elle peut cependant être utilisée pour vérifier la solution donnée par les trois autres équations.

Bien que le nombre des équations d'équilibre indépendantes ne puisse pas être supérieur à trois, chacune de celles-ci peut néanmoins être remplacée par une autre équation. Par exemple, un système d'équations d'équilibre équivalent pourrait s'écrire

$$\Sigma F_x = 0 \quad \Sigma M_A = 0 \quad \Sigma M_B = 0 \tag{3.6}$$

où le segment de droite défini par les deux points $A$ et $B$ doit avoir une direction différente de l'axe $y$ (Fig. 3.17$b$). Ces équations introduisent des conditions suffisantes d'équilibre de la poutre. En effet, les deux premières nous disent que la résultante des forces extérieures doit être une force verticale appliquée au point $A$. La troisième équation nous impose que le moment de cette force par rapport au point $B$, point qui est en dehors de sa ligne d'action, doit être nul. Il s'ensuit que la force résultante qui passe par le point $A$ doit forcément être nulle, ce qui n'est possible que lorsque le corps est en équilibre.

(a)

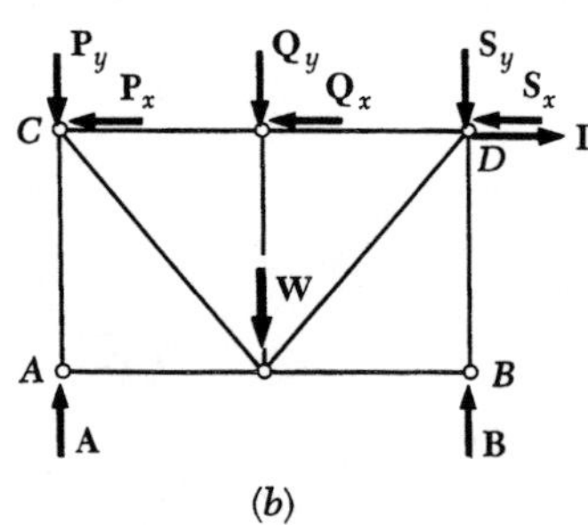


(b)

Fig. 3.18

Un troisième système d'équations portant sur l'équilibre de la poutre pourrait s'écrire

$$\Sigma M_A = 0 \quad \Sigma M_B = 0 \quad \Sigma M_C = 0 \tag{3.7}$$

où les trois points $A$, $B$ et $C$ ne se trouvent pas sur une même droite (Fig. 3.17$b$). La première équation impose que les forces extérieures peuvent se réduire à une force unique passant par le point $A$; la seconde exige que cette force passe aussi par le point $B$; la troisième oblige cette résultante à passer aussi par le point $C$. Comme ces trois points ne sont pas sur le même droite, le seul cas possible est celui où la résultante est nulle et le corps est donc en équilibre.

L'équation $\Sigma M_A = 0$, qui annule la somme des moments de toutes les forces par rapport au point $A$, possède une signification physique mieux définie que celle des deux autres équations (3.7). Ces dernières expriment une notion d'équilibre, mais relativement à des points par rapport auxquels le corps rigide n'est pas en rotation. Elles sont cependant aussi utiles que la première; notre choix des trois équations d'équilibre ne doit pas être dicté par la signification physique de ces équations.

À vrai dire, il est souhaitable, en pratique, de choisir des équations d'équilibre qui contiennent chacune une seule inconnue, ce qui évite de résoudre simultanément les trois équations. Les équations contenant une seule inconnue peuvent s'obtenir en additionnant les moments par rapport au point d'intersection des lignes d'action des deux forces inconnues, ou encore, si ces forces sont parallèles, par la somme des composantes suivant une direction perpendiculaire à leur direction commune. Dans le cas de la poutre de la fig. 3.18, par exemple, qui est appuyée sur les rouleaux aux points $A$ et $B$ et sur une barre articulée au point $D$, les réactions d'appui $A$ et $B$ peuvent être éliminées par l'addition des composantes $x$.

Les réactions en $A$ et $D$ seront éliminées par la somme des moments par rapport au point $C$ et les réactions aux points $B$ et $D$ par la somme des moments par rapport au point $D$. Les équations ainsi obtenues s'écrivent

$$\Sigma F_x = 0 \quad \Sigma M_C = 0 \quad \Sigma M_D = 0$$

Chacune de ces équations contient une seule inconnue.

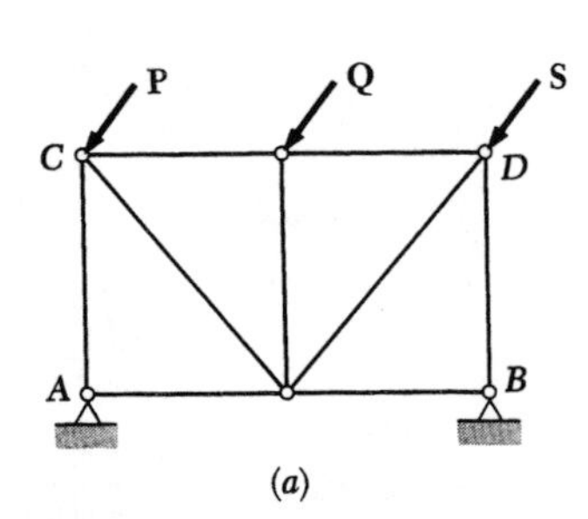


(a)

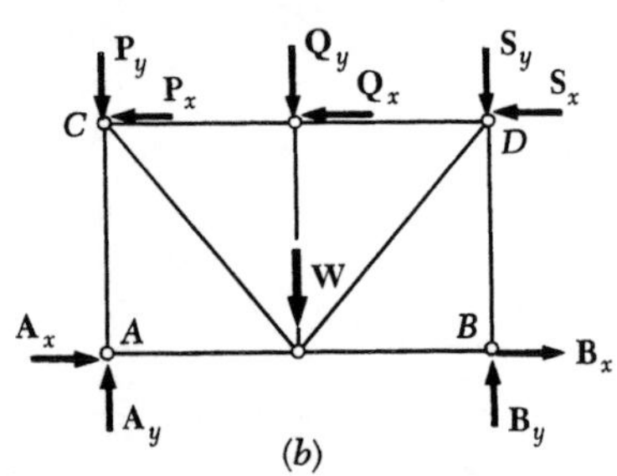


(b)

**Fig. 3.19 Réactions statiquement indéterminées**

**3.15. Réactions statiquement indéterminées. Liaisons incomplètes.** Dans chacun des deux exemples traités précédemment (Fig. 3.17 et 3.18), les réactions à déterminer *étaient au nombre de trois.*

Ces inconnues ont été calculées à l'aide des trois équations d'équilibre. Les appuis ont été choisis de façon à ce que le corps ne puisse se mettre en mouvement sous l'action des forces données ou d'un autre système de charge. Dans ce cas, le système d'appui est *statiquement déterminé* ou *isostatique* et le corps est dit être *à liaison complète.*

Considérons maintenant la poutre montrée à la fig. 3.19$a$ qui est appuyée sur les rotules $A$ et $B$. Nous pouvons voir sur le schéma du corps isolé représenté dans la fig. 3.19*b* que les appuis introduisent *quatre inconnues*. Or, comme il a été souligné dans la section 3.14, nous ne pouvons écrire que trois équations d'équilibre indépendantes.

Par conséquent, nous avons *plus d'inconnues que d'équations*. Bien que les équations $\Sigma M_A = 0$ et $\Sigma M_B = 0$ permettent respectivement le calcul de $B_y$ et $A_y$, l'équation $\Sigma F_x = 0$ nous donne seulement la somme $A_x + B_x$ des composantes horizontales des réactions $A$ et $B$. Les composantes $A_x$ et $B_x$ sont *statiquement indéterminées* et le système d'appui formé par les deux rotules est appelé *hyperstatique*. Ces réactions peuvent être déterminées par l'étude des déformations de la poutre provoquées par la mise en charge proposée. Cette méthode sort du cadre de la statique et appartient plutôt à la mécanique des matériaux.

(*a*)

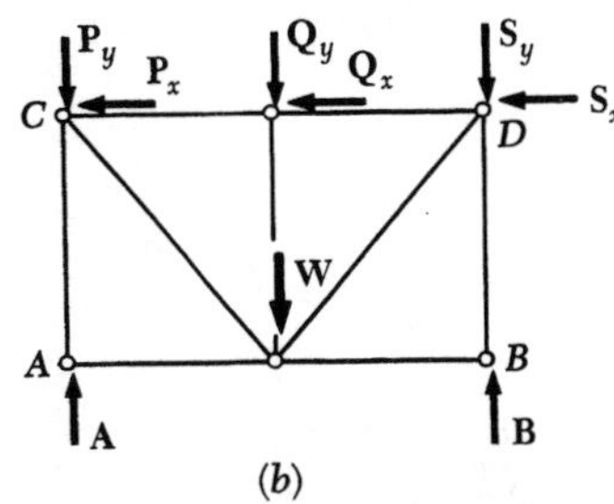


(*b*)

**Fig. 3.20 Liaison incomplète**

Les appuis $A$ et $B$ de la poutre montrée à la fig. 3.20*a* sont du type à rouleaux. Les réactions qu'ils introduisent, dessinées sur la fig. 3.20*b* sont donc au nombre de deux. Comme nous avons trois équations d'équilibre à notre disposition, nous avons donc *plus d'équations que d'inconnues*. Dans ce cas, puisque nous avons une équation de trop, celle-ci ne pourra pas être satisfaite. En effet, bien qu'on puisse vérifier les équations $\Sigma M_A = 0$ et $\Sigma M_B = 0$, la dernière équation $\Sigma F_x = 0$ ne pourra pas l'être, à moins que l'ensemble des forces (réaction et charges) forme déjà un système de forces composantes horizontales nul. L'interprétation physique de ces considérations est claire : bien que le déplacement vertical de la poutre soit annulé, celle-ci est libre de se déplacer horizontalement. De telles structures sont dites *à liaisons incomplètes.*†

Nous pouvons conclure maintenant que les appuis d'un corps seront statiquement déterminés et le corps dit à liaison complète, lorsque le nombre de réactions *inconnues est égal au nombre d'équations d'équilibre* disponibles. Remarquons cependant que cette condition est nécessaire mais *n'est pas* suffisante. Considérons, par exemple, la poutre en treillis de la fig. 3.21*a*, supportée par trois appuis à rouleau $A$, $B$ et $E$. Bien que ces appuis introduisent trois réactions verticales **A**, **B** et **E** (Fig. 3.21*b*), nous constatons facilement que l'équation d'équilibre $\Sigma F_x = 0$ ne sera pas satisfaite à moins que la somme des composantes horizontales des charges soit, elle aussi, nulle. Nous avons donc un nombre suffisant de liaisons mais elles sont mal agencées : la poutre est *incorrectement appuyée*. Dans ce cas, les équations d'équilibre se limitent à deux et les réactions seront statiquement indéterminées. Nous voyons donc que des appuis mal choisis conduisent aussi à un système de réactions statiquement indéterminées.

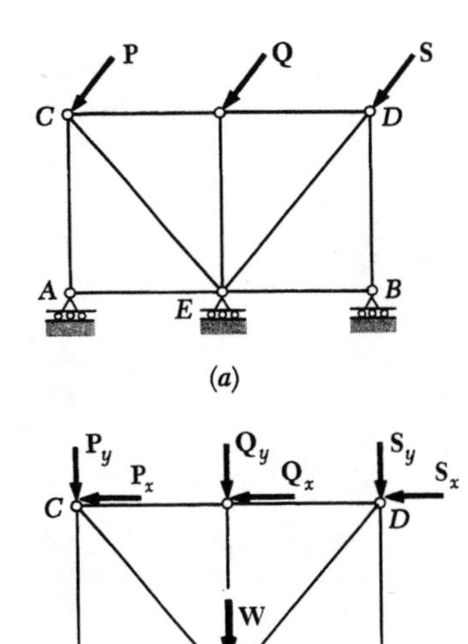


(*b*)

**Fig. 3.21 Liaison incorrecte**

† On dit souvent que les structures à liaisons incomplètes sont instables. Cependant, afin d'éviter une confusion possible entre ce type d'instabilité résultant d'une liaison incorrecte et celui traité au chap. 10, qui étudie le comportement des corps rigides dont l'état d'équilibre est perturbé, nous réserverons pour ce dernier cas l'usage des mots *stable* et *instable*.

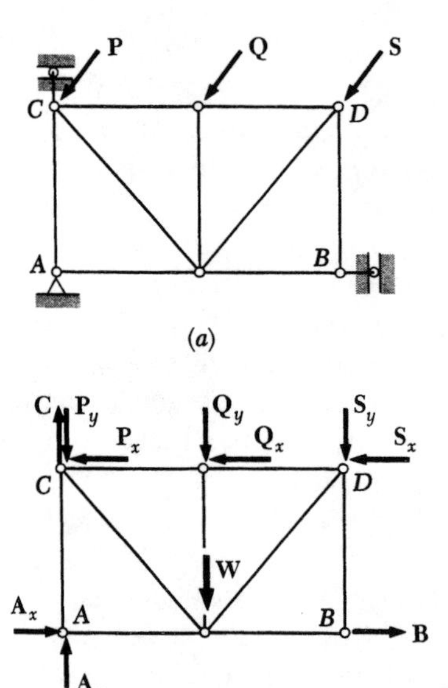


**Fig. 3.22 Liaison incorrecte**

Un autre exemple de liaisons incorrectes est présenté à la fig. 3.22. Cette poutre est appuyée sur une rotule $A$ et sur des rouleaux $B$ et $C$, formant un ensemble de quatre réactions inconnues. Si on choisit les équations d'équilibre $\Sigma M_A = 0$, $\Sigma F_x = 0$ et $\Sigma F_y$ 0, nous constatons que la première équation ne peut pas être satisfaite, tandis que les deux autres nous donnent seulement $(A_x + B_x)$ et $(A_x + C)$. Les exemples des fig. 3.21 et 3.22 nous amènent à conclure qu'un *corps rigide est incorrectement lié lorsque ses appuis, même s'ils introduisent un nombre suffisant de réactions, sont choisis de telle façon que ces réactions sont soit parallèles, soit concourantes.*†

Les supports susceptibles d'introduire un système de réactions statiquement indéterminées doivent être choisis avec précaution et seulement lorsqu'on possède une connaissance détaillée des problèmes qu'ils peuvent créer. Il est intéressant de remarquer que les structures à réactions d'appuis statiquement indéterminées peuvent être partiellement *analysées* par les méthodes de la statique. Dans le cas des poutres de la fig. 3.19, par exemple, les composantes verticales des réactions $A$ et $B$ peuvent être calculées à l'aide des équations d'équilibre.

Pour des raisons évidentes, les appuis qui introduisent des liaisons incomplètes ou incorrectes doivent être bannis des structures immobiles. Cependant, beaucoup de structures à liaisons incomplètes ou incorrectes ne s'effondrent pas; dans certaines conditions de charge, elles peuvent rester en équilibre. Par exemple, les poutres représentées aux fig. 3.20 et 3.21 seront en équilibre si les forces appliquées **P**, **Q** et **S** sont verticales. Bien plus, certaines structures sont conçues pour se déplacer et *doivent* donc être à liaisons incomplètes. Une voiture de chemin de fer ne serait pas de grande utilité si on la rendait à liaisons complètes en serrant ses freins d'une façon permanente.

† Cette situation est souvent appelée « situation d'instabilité géométrique ».

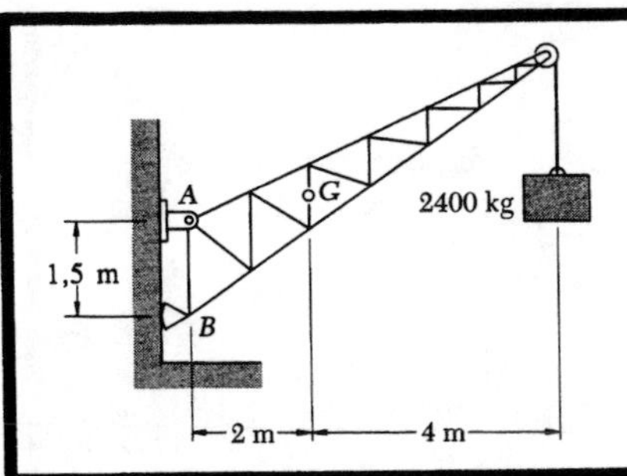


## PROBLÈME RÉSOLU 3.8

Une grue fixe de masse 1000 kg est utilisée pour soulever une caisse d'emballage de 2400 kg. Elle s'appuie sur une rotule $A$ et sur un appui à bascule $B$. Son centre de gravité se trouve au point $G$. Calculez les composantes horizontales et verticales des réactions $A$ et $B$.

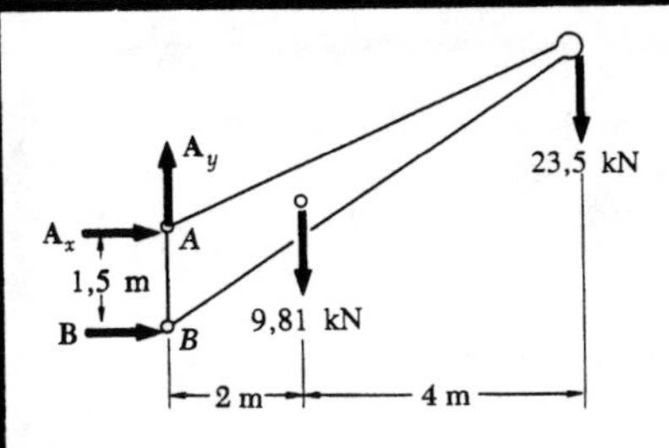


**Solution.** Nous avons tracé le schéma de la grue isolée. En multipliant les masses de la grue et de la caisse par 9,81 m/s$^2$, nous obtenons respectivement les poids de 9810 N ou de 9,81 kN et de 23 500 N ou de 23,5 kN. La réaction de la rotule $A$ est une force de direction inconnue, représentée par ses composantes $\mathbf{A}_x$ et $\mathbf{A}_y$. La réaction de l'appui à bascule $B$ est perpendiculaire à la surface de contact : elle est donc horizontale. Nous avons dessiné ces réactions sur le schéma illustré ci-contre.

*Détermination de* **B**. Exprimons que la somme des moments des forces extérieures (charges et réactions) par rapport au point $A$ est nulle. L'équation que nous obtenons ne contient ni $A_x$ ni $A_y$ puisque les moments de $\mathbf{A}_x$ et $\mathbf{A}_y$ par rapport à $A$ sont nuls. En multipliant la grandeur des autres forces par leur distance au point $B$, nous avons

$$+\circlearrowleft \Sigma M_A = 0: \quad +B(1,5 \text{ m}) - (9,81 \text{ kN})(2 \text{ m}) - (23,5 \text{ kN})(6 \text{ m}) = 0$$
$$B = +107,1 \text{ kN} \qquad \mathbf{B} = 107,1 \text{ kN} \rightarrow \blacktriangleleft$$

Puisque $B$ est positif, le sens que nous lui avons donné arbitrairement est son sens réel.

*Détermination de* $\mathbf{A}_x$. La somme des composantes horizontales doit être nulle.

$$\overset{+}{\rightarrow} \Sigma F_x = 0: \quad A_x + B = 0 \qquad A_x + 107,1 \text{ kN} = 0$$
$$A_x = -107,1 \text{ kN} \qquad \mathbf{A}_x = 107,1 \text{ kN} \leftarrow \blacktriangleleft$$

Puisque $\mathbf{A}_x$ est négatif, le sens que nous lui avons donné arbitrairement est contraire à son sens réel.

*Détermination de* $\mathbf{A}_y$. La somme des composantes verticales doit être nulle.

$$+\uparrow \Sigma F_y = 0: \quad A_y - 9,81 \text{ kN} - 23,5 \text{ kN} = 0$$
$$A_y = +33,3 \text{ kN}$$
$$\mathbf{A}_y = 33,3 \text{ kN} \uparrow \blacktriangleleft$$

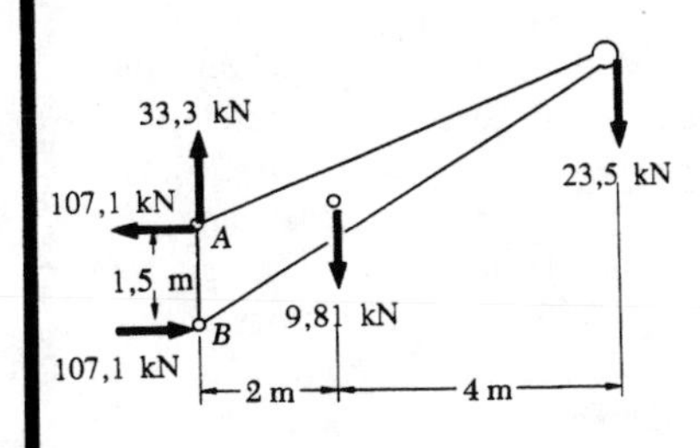


Si nous additionnons vectoriellement $\mathbf{A}_x$ et $\mathbf{A}_y$, nous trouvons que la réaction de l'appui $A$ est 112,2 kN $\measuredangle$ 17,3°.

***Vérification.*** Les réactions obtenues peuvent être vérifiées en écrivant que la somme des moments des forces externes (charges et réactions) par rapport à un point quelconque est encore nulle. Si par exemple on prend le point $C$, on trouve

$$+\circlearrowleft \Sigma M_B = -(9,81 \text{ kN})(2 \text{ m}) - (23,5 \text{ kN})(6 \text{ m}) + (107,1 \text{ kN})(1,5 \text{ m}) = 0$$

## PROBLÈME RÉSOLU 3.9

La pièce de métal illustrée est sollicitée par les trois forces indiquées. Elle est supportée par un appui à rouleau $A$ et par un appui à rotule $B$. Calculez les réactions en $A$ et $B$.

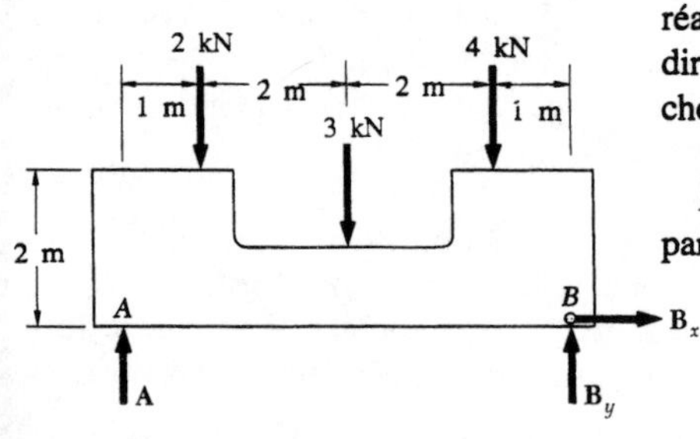


**Solution.** Nous avons tracé le schéma de la plaque isolée. L'appui $A$ introduit une réaction verticale que nous appellerons **A** et l'appui $B$ introduit une autre réaction de direction inconnue, que nous représenterons par ses composantes $\mathbf{B}_x$ et $\mathbf{B}_y$. Nous avons choisi arbitrairement le sens de chacune des composantes.

*Équations d'équilibre.* En écrivant les trois équations d'équilibre et en les résolvant par rapport à $A$, $B_x$ $B_y$, nous trouvons

$$\xrightarrow{+} \Sigma F_x = 0: \qquad B_x = 0 \qquad \mathbf{B}_x = 0$$

$$+\circlearrowleft \Sigma M_A = 0:$$
$$-(2 \text{ kN})(1 \text{ m}) - (3 \text{ kN})(3 \text{ m}) - (4 \text{ kN})(5 \text{ m}) + B_y (6 \text{ m}) = 0$$
$$B_y = +5{,}17 \text{ kN} \qquad \mathbf{B}_y = 5{,}17 \text{ kN} \uparrow$$

$$+\circlearrowleft \Sigma M_B = 0:$$
$$-A(6 \text{ m}) + (2 \text{ kN})(5 \text{ m}) + (3 \text{ kN})(3 \text{ m}) + (4 \text{ kN})(1 \text{ m}) = 0$$
$$A = +3{,}83 \text{ kN} \qquad \mathbf{A} = 3{,}83 \text{ kN} \uparrow$$

*Vérification.* Ces résultats peuvent être vérifiés en additionnant les composantes verticales de toutes les forces extérieures (charges et réactions). Nous devons obtenir une somme nulle.

$$+\uparrow \Sigma F_y = +5{,}17 \text{ kN} + 3{,}83 \text{ kN} - 2 \text{ kN} - 3 \text{ kN} - 4 \text{ kN} = 0$$

*Remarque* : Dans ce problème, les deux réactions d'appui sont verticales ($B_x = 0$). Elles le sont cependant pour différentes raisons. La pièce est appuyée sur un rouleau au point $A$ : la réaction ne peut donc pas avoir de composante horizontale. En $B$, la composante horizontale est nulle parce que l'équation d'équilibre $\Sigma F_x = 0$ doit être satisfaite et parce qu'aucune des charges ne possède de composante horizontale.

Au premier coup d'oeil, nous aurions pu voir que la réaction de l'appui $B$ devait forcément être verticale et annuler $\mathbf{B}_x$. Cette façon de procéder est mauvaise. En l'appliquant systématiquement, nous courons le risque d'oublier cette composante lorsque les conditions de charge ne l'annulent pas (c'est-à-dire lorsqu'on a des charges horizontales). Une autre raison est que $\mathbf{B}_x$ a été calculé à l'aide de l'équation $\Sigma F_x = 0$. Si on pose $\mathbf{B}_x = 0$ en nous basant sur la symétrie de la mise en charge, nous courons le risque d'oublier que cette équation fait partie du nombre d'équations disponibles pour résoudre le problème.

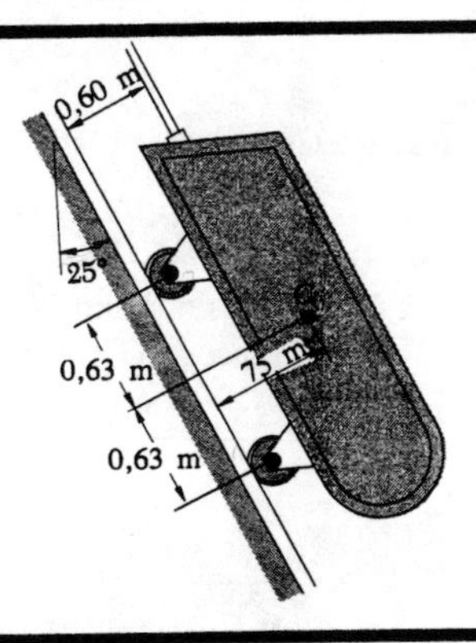


## PROBLÈME RÉSOLU 3.10

Une benne de chargement est au repos sur des rails qui forment un angle de 25° avec la verticale. Le poids de la benne chargée est de 25 000 N. Son centre de gravité se trouve à 0,75 m des rails et à mi-distance des roues. La benne est tirée par un câble attaché à 0,60 m des rails. Calculez la tension dans le câble et la réaction de chaque roue.

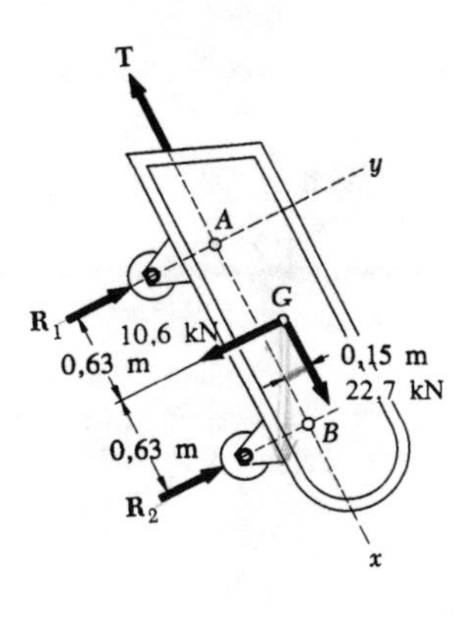


**Solution.** Commençons par tracer le schéma de la benne isolée. La réaction à chacune des roues est perpendiculaire aux rails. Nous choisissons l'axe $x$ parallèle aux rails, tandis que l'axe $y$ est perpendiculaire à ceux-ci. Nous commençons par calculer les composantes $x$ et $y$ du poids de 25 000 N.

$$W_x = +(25{,}0 \text{ kN}) \cos 25° = +22{,}7 \text{ kN}$$
$$W_y = -(25{,}0 \text{ kN}) \sin 25° = -10{,}6 \text{ kN}$$

*Équations d'équilibre* : Prenons les moments par rapport au point $A$. Cette équation nous donne immédiatement $\mathbf{R}_2$ :

$$+\circlearrowleft \Sigma M_A = 0: \quad -(10{,}6 \text{ kN})(0{,}63 \text{ m}) - (22{,}7 \text{ kN})(0{,}15 \text{ m}) + R_2\,(1{,}26 \text{ m}) = 0$$
$$R_2 = +8{,}0 \text{ kN} \qquad \mathbf{R}_2 = 8{,}0 \text{ kN} \nearrow \blacktriangleleft$$

Ensuite, en prenant les moments par rapport à $B$, ce qui élimine $\mathbf{T}$ et $\mathbf{R}_2$, on peut calculer immédiatement $\mathbf{R}_1$ :

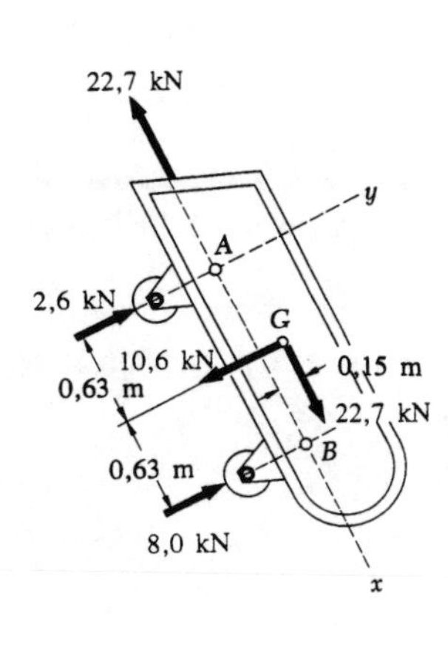


$$+\circlearrowleft \Sigma M_B = 0: \quad +(10{,}6 \text{ kN})(0{,}63 \text{ m}) - (22{,}7 \text{ kN})(0{,}15 \text{ m}) - R_1\,(1{,}26 \text{ m}) = 0$$
$$R_1 = +2{,}60 \text{ kN} \qquad R_1 = 2{,}60 \text{ kN} \nearrow \blacktriangleleft$$

et finalement la tension $T$ est donnée par l'équation

$$\searrow + \Sigma F_x = 0: \quad 22{,}7 - T = 0$$
$$T = +22{,}7 \text{ kN} \qquad \mathbf{T} = 22{,}7 \text{ kN} \nwarrow \blacktriangleleft$$

*Vérification* : On peut vérifier ces résultats en utilisant l'équation d'équilibre suivant $y$

$$\nearrow + \Sigma F_y = +2{,}6 + 8{,}0 - 10{,}6 = 0$$

On aurait pu procéder à une autre vérification en annulant les moments par rapport à un point autre que $A$ ou $B$.

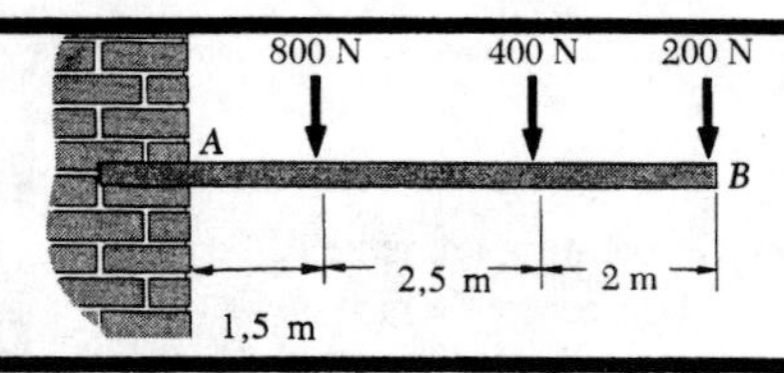


## PROBLÈME RÉSOLU 3.11

On applique trois charges concentrées sur une poutre console. Calculez les réactions à l'encastrement.

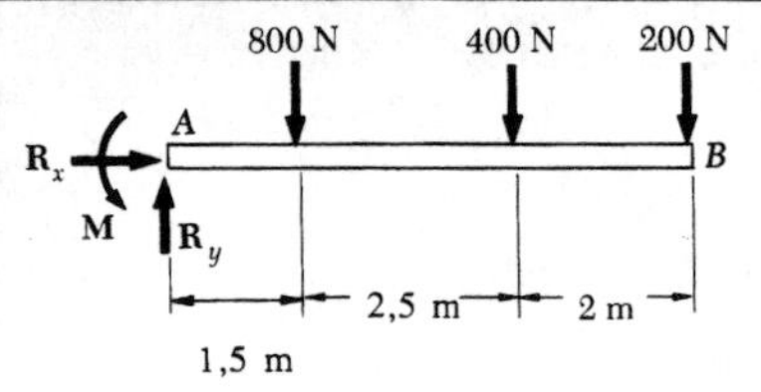


**Solution** : La partie encastrée de la poutre console est le siège d'un grand nombre de forces qui peuvent néanmoins être réduites à une résultante unique de composantes $\mathbf{R}_x$, $\mathbf{R}_y$ et à un couple **M**.

*Équations d'équilibre*

$$\overset{+}{\rightarrow} \Sigma F_x = 0: \quad R_x = 0 \qquad \mathbf{R}_x = 0 \blacktriangleleft$$

$$+\uparrow \Sigma F_y = 0: \quad R_y - 800\text{ N} - 400\text{ N} - 200\text{ N} = 0$$

$$R_y = +1400\text{ N} \qquad \mathbf{R}_y = 1400\text{ N}\uparrow \blacktriangleleft$$

$$+\circlearrowleft \Sigma M_A = 0:$$

$$-(800\text{ N})(1{,}5\text{ m}) - (400\text{ N})(4\text{ m}) - (200\text{ N})(6\text{ m}) + M = 0$$

$$M = +4000\text{ N}\cdot\text{m} \qquad \mathbf{M} = 4000\text{ N}\cdot\text{m}\circlearrowleft \blacktriangleleft$$

La réaction d'encastrement se compose d'une force verticale de 1400 N et d'un couple de 400 N·m de sens contraire aux aiguilles d'une montre.

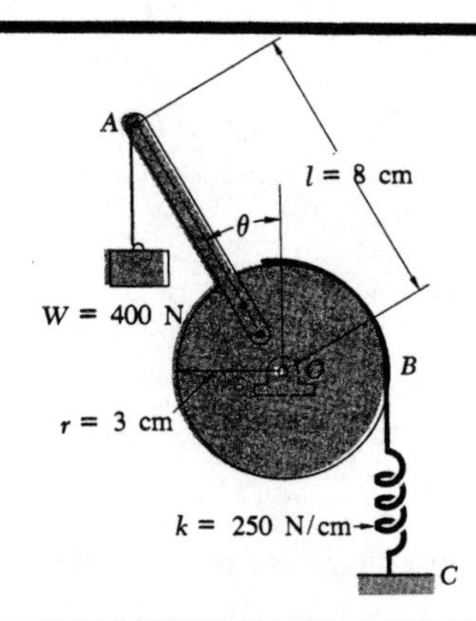


## PROBLÈME RÉSOLU 3.12

Un poids de 400 N est attaché au levier $OA$. La constante élastique du ressort $BC$ est $k$ = 250 N/cm. Pour $\theta$ = 0, le ressort n'est pas sollicité. Calculez la position ou les positions d'équilibre du système.

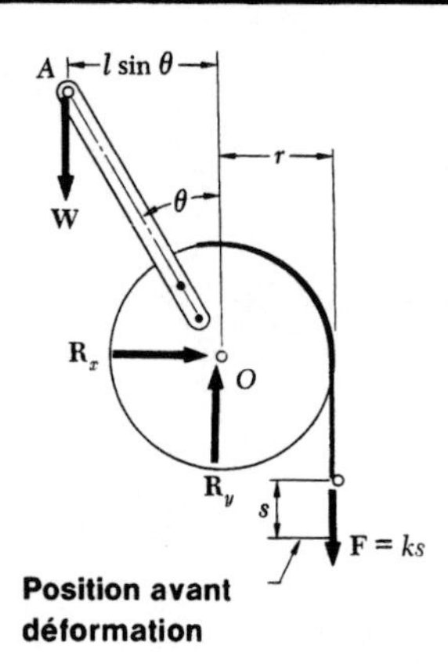

**Position avant déformation**

**Solution.** *Force exercée par le ressort.* Si nous appelons $s$ l'allongement du ressort, nous pouvons écrire

$$F = ks = kr\theta$$

*Équations d'équilibre.* Si on calcule les moments de **W** et **F** par rapport au point $O$, on a

$$+\circlearrowleft \Sigma M_O = 0: \quad Wl\sin\theta - r(kr\theta) = 0 \qquad \sin\theta = \frac{kr^2}{Wl}\theta$$

et en rentrant les données, nous obtenons

$$\sin\theta = \frac{(250\text{ N/cm})(3\text{ cm})^2}{(400\text{ N})(8\text{ cm})}\theta \qquad \sin\theta = 0{,}703\,\theta$$

Cette équation est vérifiée pour $\theta = 0°$ et $\theta = 80{,}3°$ ◄

## PROBLÈMES SUPPLÉMENTAIRES

**3.43** La flèche $AB$ d'une grue mesure 12,2 m et pèse 8,9 kN; la distance entre l'appui $A$ de la flèche et son centre de gravité $G$ est de 6,10 m. Calculez la tension $T$ du câble et la réaction d'appui $A$ pour la position et la mise en charge indiquées.

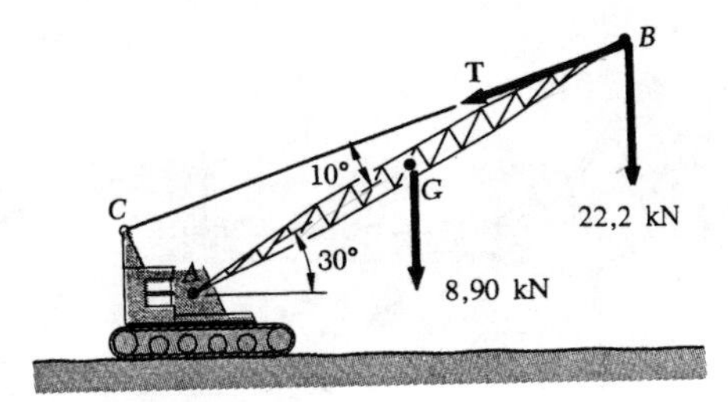

Fig. P3.43

**3.44** Sachant que la force verticale **P** est de 400 N, calculez : $a$) la tension du câble $CD$, $b$) la réaction à l'appui $B$.

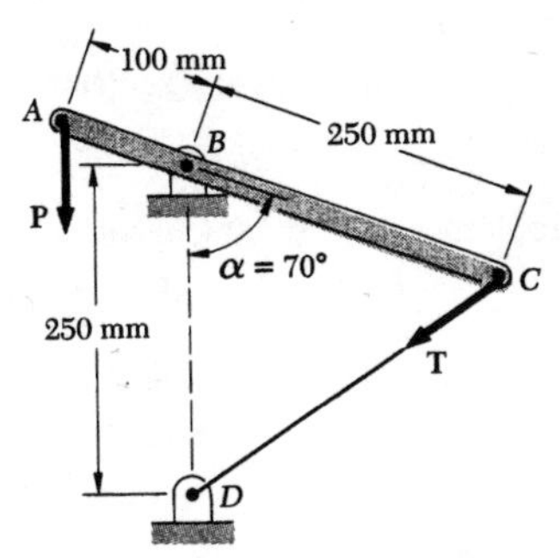

Fig. P3.44

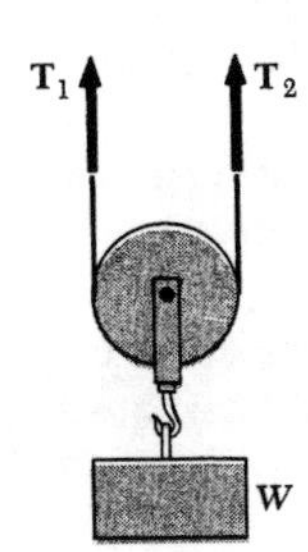

Fig. P3.45

**3.45** Une charge $W$ est appliquée à une poulie. Démontrez que si la poulie est en équilibre, les forces de traction $T_1$ et $T_2$ sont égales toutes les deux à $W/2$.

**3.46** L'échelle $AB$ de longueur $L$ et de poids $W$ peut être levée par le câble $BC$. Calculez la tension $T$ qu'il faut développer dans le câble si on veut soulever légèrement du plancher l'extrémité $B$ de l'échelle : $a$) en fonction de $W$ et $\theta$, $b$) si $h$ = 2,45 m, $L$ = 3,05 m et $W$ = 156 N.

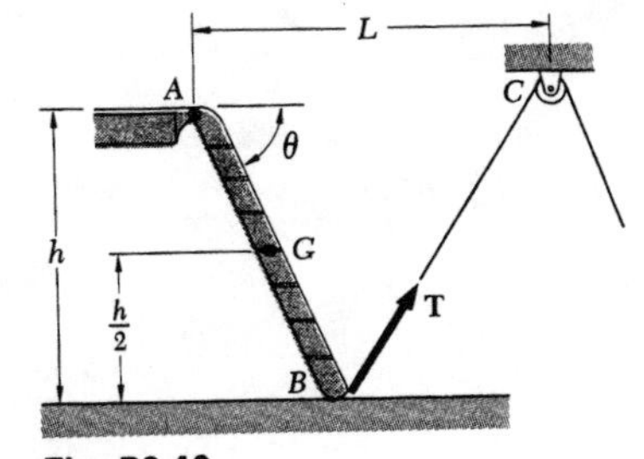

Fig. P3.46

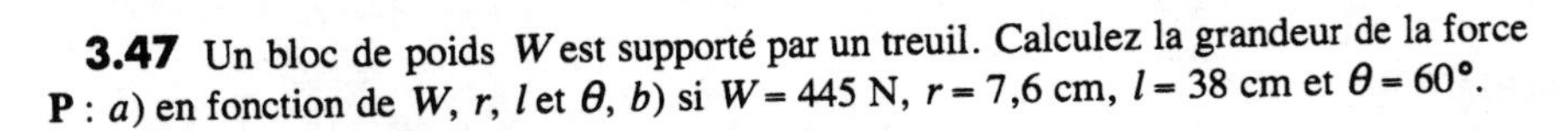

**3.47** Un bloc de poids $W$ est supporté par un treuil. Calculez la grandeur de la force **P** : $a$) en fonction de $W$, $r$, $l$ et $\theta$, $b$) si $W$ = 445 N, $r$ = 7,6 cm, $l$ = 38 cm et $\theta$ = 60°.

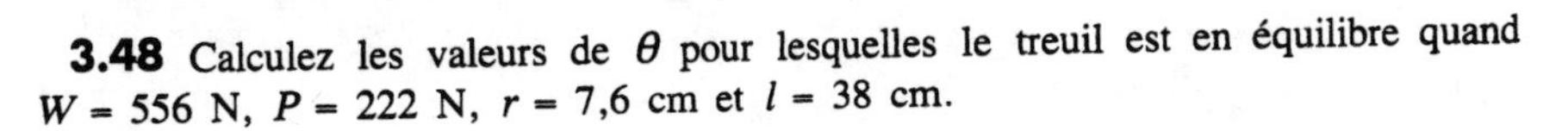

**3.48** Calculez les valeurs de $\theta$ pour lesquelles le treuil est en équilibre quand $W$ = 556 N, $P$ = 222 N, $r$ = 7,6 cm et $l$ = 38 cm.

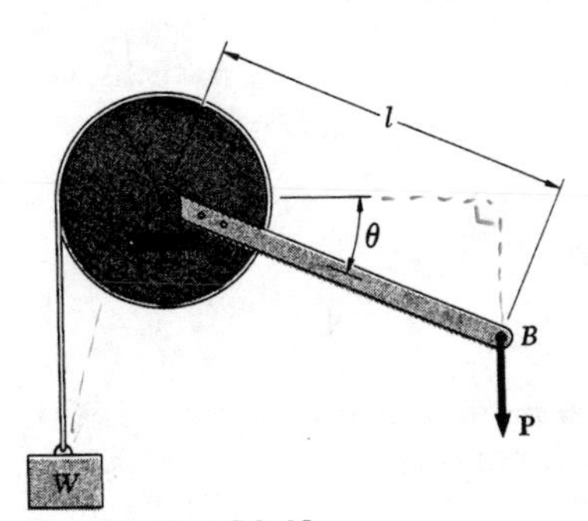

Fig. P3.47 et P3.48

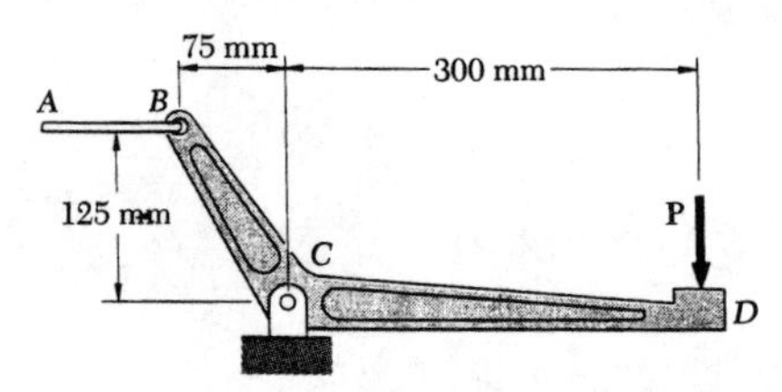


Fig. P3.49 et P3.50

**3.49** La tension à développer dans le câble *AB* est de 1200 N. Calculez : *a*) la force verticale **P** qu'on doit appliquer sur la pédale, *b*) la réaction correspondante à l'appui *C*.

**3.50** Calculez la tension maximum qui peut être développée par le câble *AB* si on veut limiter à 2,6 kN la valeur de la réaction au point *C*.

**3.51** Calculez les réactions aux appuis *A* et *B* de la poutre en treillis chargée comme l'indique la fig. P3.51.

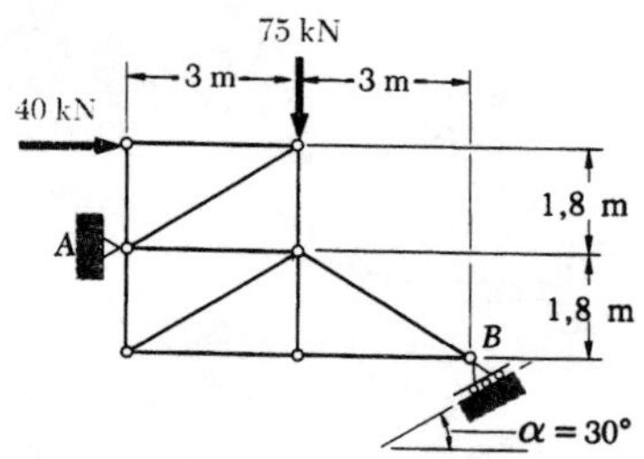


Fig. P3.51

**3.52** Calculez les réactions aux appuis *A* et *B* du problème précédent si on applique une charge horizontale de 400 kN orientée sur la gauche.

**3.53** Calculez les réactions aux appuis *A* et *B* du problème 3.51 si l'appui à rouleau *B* se trouve sur un plan horizontal ($\alpha = 0°$).

**3.54** Calculez les réactions aux appuis *A* et *B* du problème 3.51 si on enlève la charge horizontale de 40 kN.

**3.55** Une tige mince de 38 cm de longueur et d'un poids égal à 22,2 N est soutenue sans frottement par les deux axes horizontaux *B* et *C*. Calculez les réactions en *A*, *B* et *C*, en supposant que la tige s'appuie en *A* sans frottement.

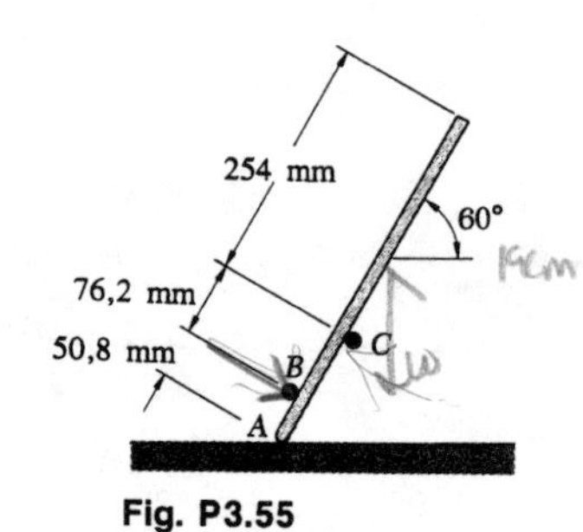


Fig. P3.55

**3.56** Une console mobile est tenue en place par un câble attaché au point *C* et par les rouleaux *A* et *B*, tel qu'indiqué. Calculez l'effort de traction dans le câble et les réactions en *A* et *B*.

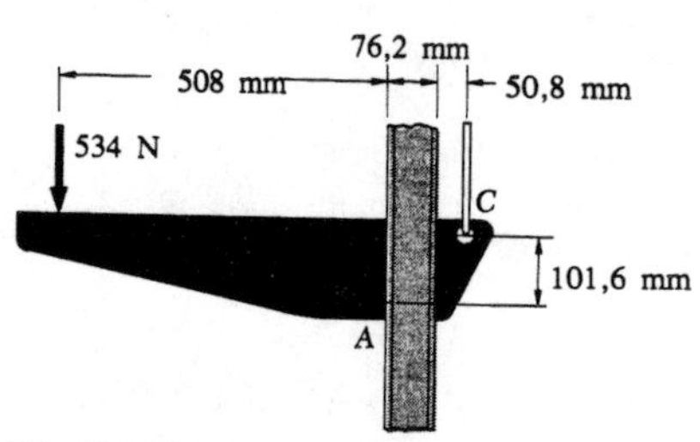


Fig. P3.56

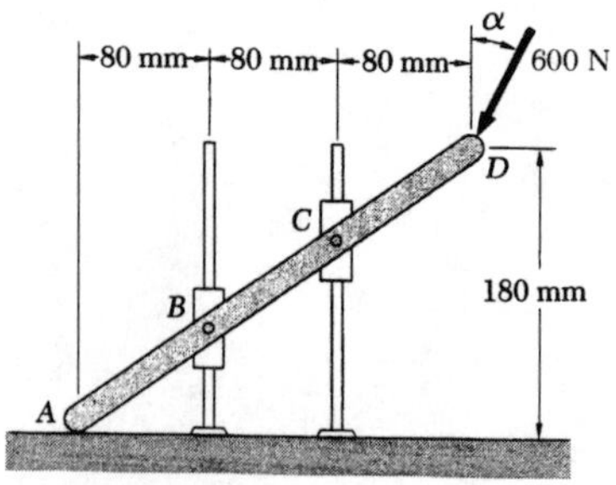

Fig. P3.57

**3.57** Une tige légère est attachée aux manchons *B* et *C* qui peuvent glisser sur des axes verticaux. Si la surface d'appui *A* est sans frottement, calculez les réactions aux points *A*, *B*, et *C*: *a*) pour $\alpha = 60°$, et *b*) pour $\alpha = 90°$.

**3.58** Résolvez le problème 3.57 si : *a*) $\alpha = 0°$, et *b*) $\alpha = 30°$.

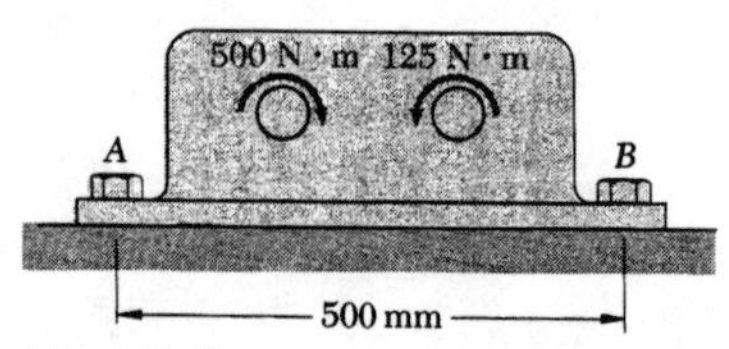


Fig. P3.59

**3.59** Les deux arbres d'une boîte de vitesses transmettent les couples indiqués à la fig. P3.59. Calculez les composantes verticales des forces développées par les boulons *A* et *B* pour maintenir la boîte en équilibre.

**3.60** Calculez les réactions en $A$ et $B$ pour la mise en charge indiquée.

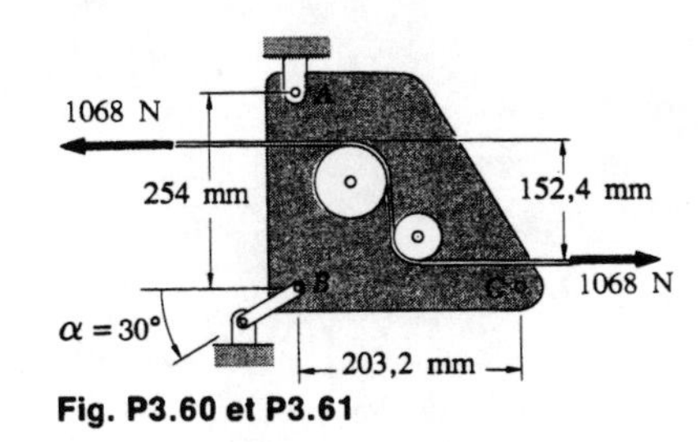

**Fig. P3.60 et P3.61**

**3.61** Calculez les réactions en $B$ et $C$ si l'articulation $A$ est remplacée par une rotule placée au point $C$.

**3.62** On applique un couple **M** à une tige $AB$ qui peut être appuyée de quatre façons différentes. Calculez les réactions d'appui pour chaque cas.

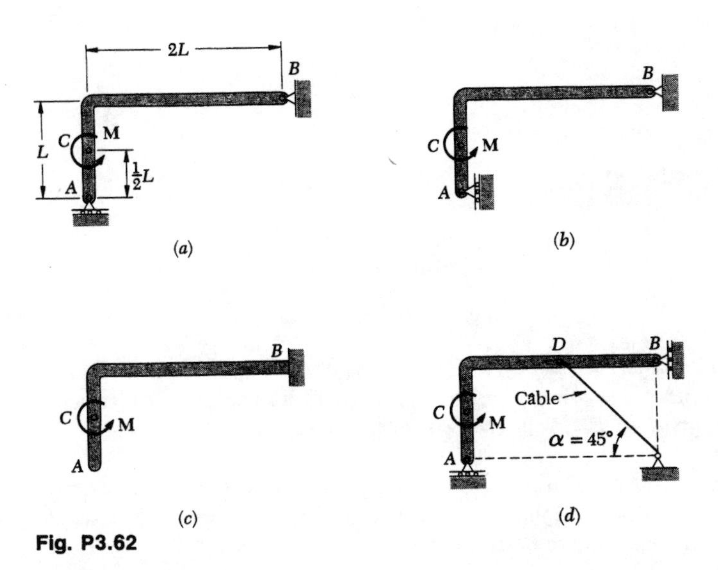

**Fig. P3.62**

**3.63** La valeur maximum admissible pour chaque réaction est de 150 kN. En négligeant le poids de la poutre, calculez les valeurs limites de $P$, si on impose une réaction verticale à l'appui $A$.

**3.64** Calculez les réactions $A$ et $B$ de la poutre chargée comme indiqué si : *a*) $P = 75$ kN, *b*) $P = 150$ kN.

**3.65** Une poutre $AB$ de 3,04 m de long est simplement appuyée sur les supports en béton $C$ et $D$. Calculez les valeurs de $P$ pour lesquelles la poutre est en équilibre. (Négligez le poids de la poutre.)

**3.66** Calculez les valeurs de $P$ pour que la poutre du probl. 3.65 reste en équilibre si son poids est de 445 N.

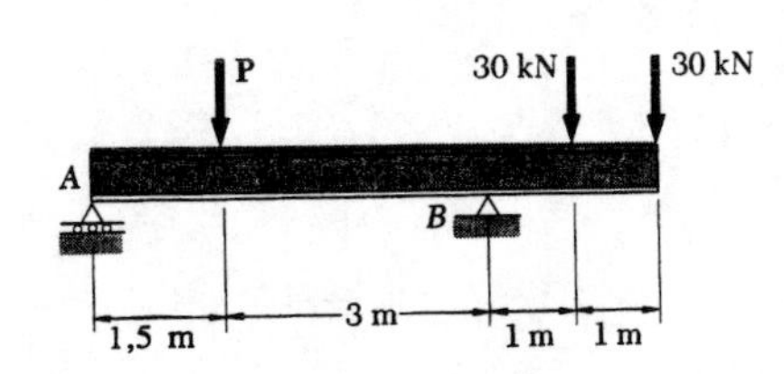

**Fig. P3.63 et P3.64**

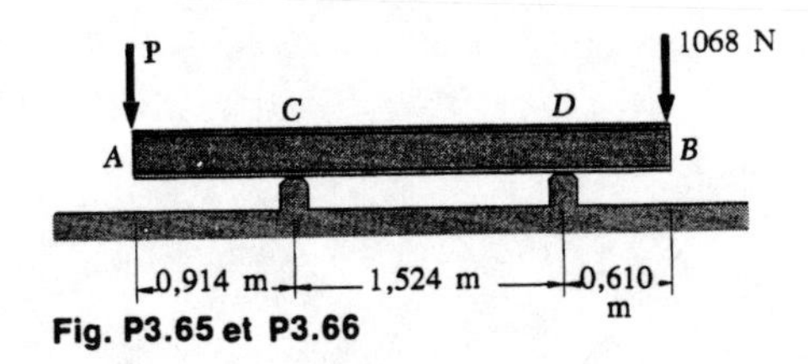

**Fig. P3.65 et P3.66**

**3.67** Un poteau de signalisation peut être fixé de trois façon différentes. Calculez les réactions pour chaque cas.

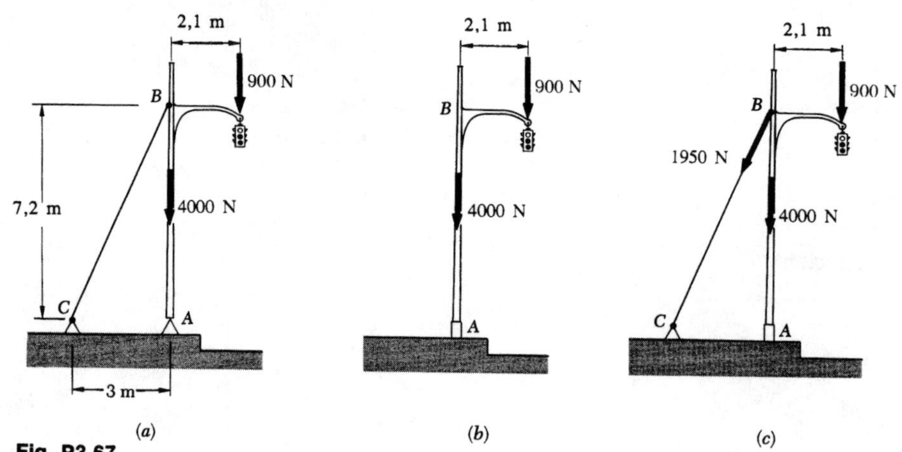


**Fig. P3.67**

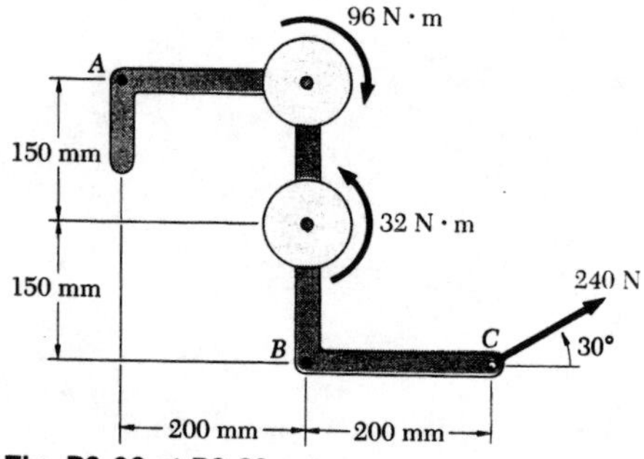


**Fig. P3.68 et P3.69**

**3.68** Calculez les réactions aux appuis $A$ et $B$ en supposant successivement : *a*) un pivot en $A$ et un axe dans une rainure horizontale en $B$, *b*) un axe dans une rainure verticale en $A$ et un pivot en $B$, *c*) un rivet parfaitement encastré en $A$.

**3.69** Calculez les réactions aux appuis $A$ et $B$ en supposant successivement : *a*) une rotule en $A$ et un axe pouvant se déplacer dans une rainure verticale en $B$, *b*) un axe pouvant se déplacer dans une rainure horizontale en $A$ et une rotule en $B$, *c*) un rivet parfaitement fixé en $B$.

**3.70** Un poteau téléphonique de 4,88 m de long et d'un poids égal à 1335 N supporte les extrémités de deux câbles. La tension dans le câble de gauche est de 356 N et ce câble forme avec l'horizontale un angle de 10°. Calculez : *a*) la réaction d'appui en $A$ si $T_2 = 0$, *b*) les valeurs limites de $T_2$ si le moment admissible au point $A$ est de 814 N·m.

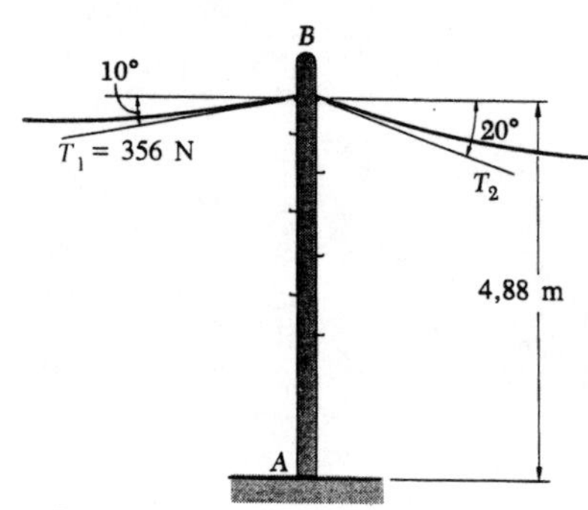


**Fig. P3.70**

**3.71** Une poutre pesant 1335 N est chargée au point $B$ par une force de 2225 N. Elle est encastrée au point $A$ et supportée par un câble $CD$ et un contrepoids $W$. *a*) Calculez la réaction en $A$ si $W = 5780$ N. *b*) Calculez les valeurs extrêmes de $W$ pour que le moment du couple au point $A$ ne dépasse pas 2034 N·m.

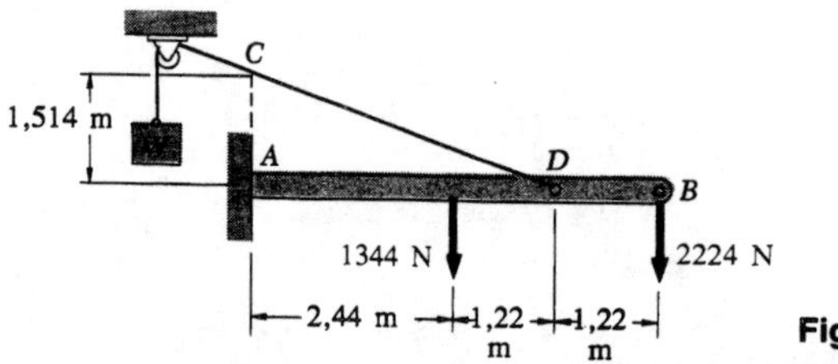


**Fig. P3.71**

**3.72** Un moteur électrique monté sur support pivotant utilise son poids pour maintenir la courroie sous tension. Lorsque le moteur est au repos, les tensions $T_1$ et $T_2$ peuvent être considérées comme égales. La masse du moteur est de 90 kg et le diamètre de la poulie d'entraînement est de 150 mm. En négligeant la masse de support *AB*, calculez : *a*) la traction dans la courroie, *b*) la réaction d'appui en *C* (moteur arrêté).

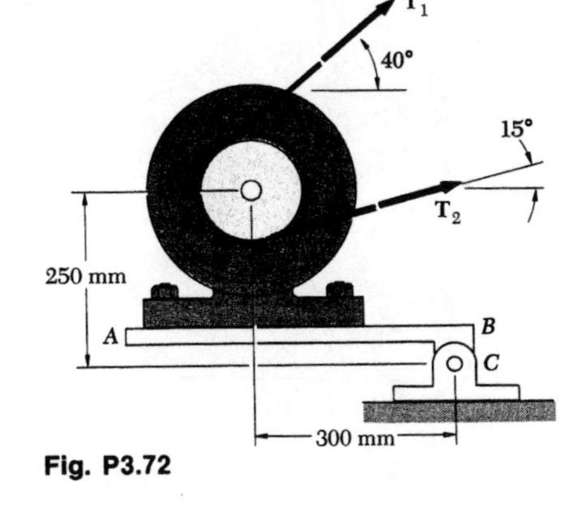


Fig. P3.72

**3.73** Une force **P** de 400 N est appliquée à la pièce *AB*, appuyée sur une rotule en *D* et supportée par le câble *ACB*. Nous supposons que la tension dans le câble est la même partout. Calculez cette tension et la réaction au point *D* lorsque $a = 7{,}6$ cm.

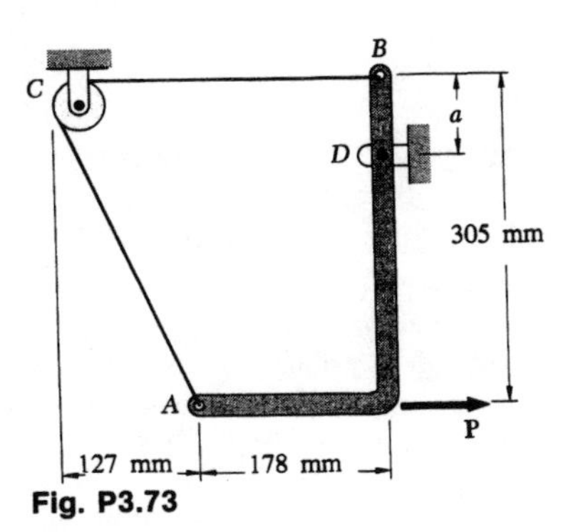


Fig. P3.73

***3.74** Deux roues *A* et *B* de poids $2W$ et $W$ sont reliées par une tige de poids négligeable et peuvent rouler sur les surfaces indiquées. Calculez l'angle que la tige forme avec l'horizontale lorsque le système est en équilibre, si on suppose que $\theta = 45°$.

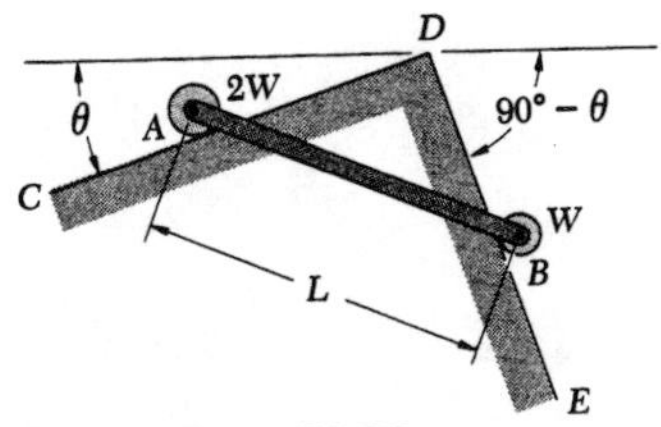


Fig. P3.74 et P3.75

***3.75** Calculez l'angle $\theta$ de l'ensemble précédent pour que la tige soit horizontale lorsque le système est en équilibre.

**3.76** Une tige mince *AB* de poids *W* est attachée aux blocs *A* et *B* qui peuvent se déplacer librement sur des glissières. Les poids sont reliés entre eux par une corde extensible passant par la poulie *C*. *a*) Exprimez la tension dans la corde en fonction de *W* et $\theta$. *b*) Déterminez la valeur de $\theta$ pour que la tension dans la corde soit égale à 2 *W*.

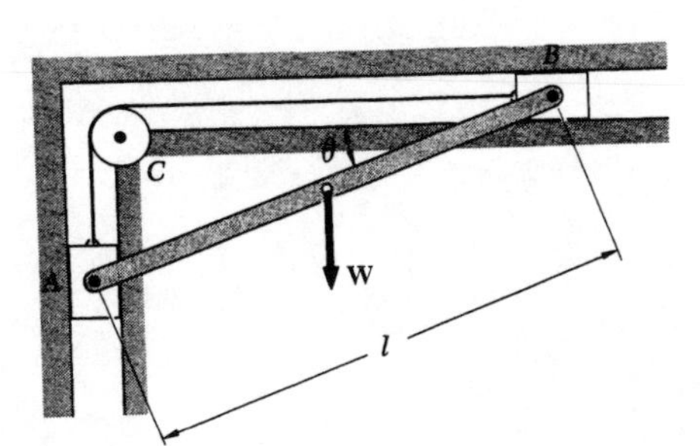


Fig. P3.76

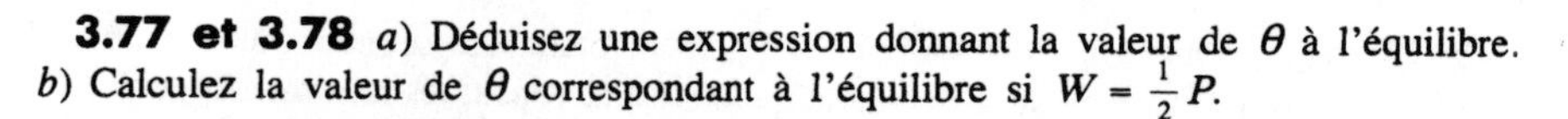

**3.77 et 3.78** *a*) Déduisez une expression donnant la valeur de $\theta$ à l'équilibre. *b*) Calculez la valeur de $\theta$ correspondant à l'équilibre si $W = \frac{1}{2}P$.

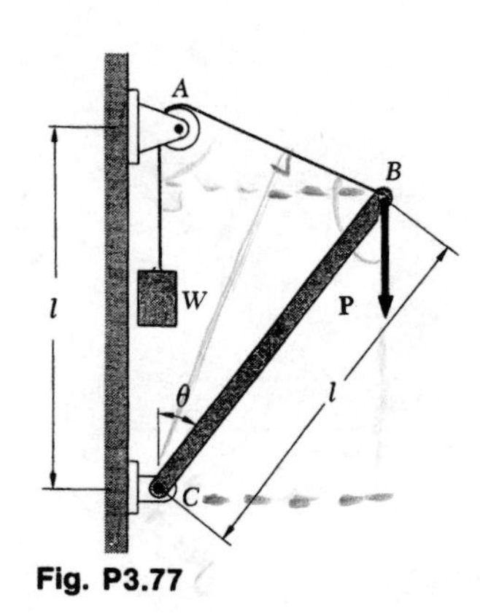


Fig. P3.77

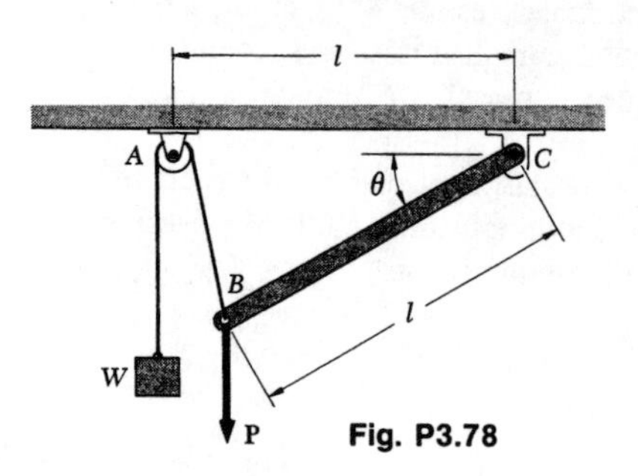


Fig. P3.78

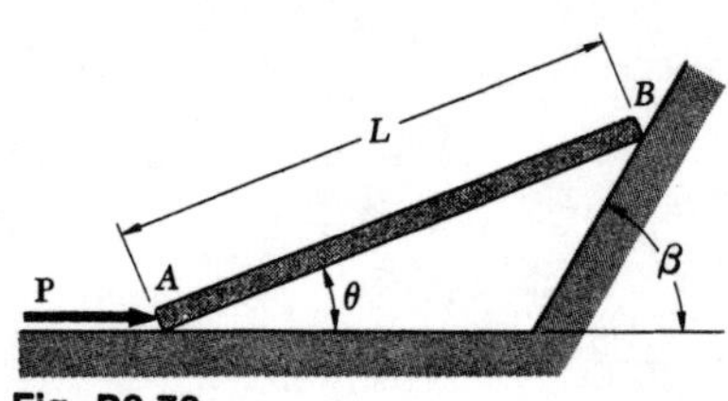


Fig. P3.79

***3.79** Une tige mince, uniforme, de longueur $L$ et de poids $W$ est soulevée par la force **P** à la position indiquée sur la figure. En négligeant l'effet de frottement aux appuis $A$ et $B$, calculez l'angle $\theta$ correspondant à l'équilibre : *a*) en fonction de $P$, $W$, $L$ et $\beta$, *b*) lorsque $P = 44{,}5$ N, $W = 89$ N, $L = 76$ cm et $\beta = 60°$.

***3.80** Dans les problèmes qui suivent, les corps rigides sont à liaison complète et les réactions statiquement déterminées. Calculez pour chaque cas la valeur de $\alpha$ ou de $a$ qui rendent les liaisons de ces corps incorrectes. *a*) Probl. 3.44. *b*) Probl. 3.51. *c*) Probl. 3.60. *d*) Probl. 3.62. *e*) Probl. 3.73.

**3.81** La console métallique $ABC$ peut être supportée de huit manières différentes, comme l'indique la fig. P3.81. Toutes les liaisons d'appui sont considérées comme étant sans frottement et sont du type rotule, rouleau ou barre articulée. Identifiez chaque cas où : *a*) la console est à liaisons complètes, à liaisons incomplètes, à liaisons incorrectes, *b*) les réactions sont statiquement déterminées ou statiquement indéterminées, *c*) la console est en équilibre. Chaque fois qu'il est possible, calculez les réactions d'appui en supposant que la force **P** est de 400 N.

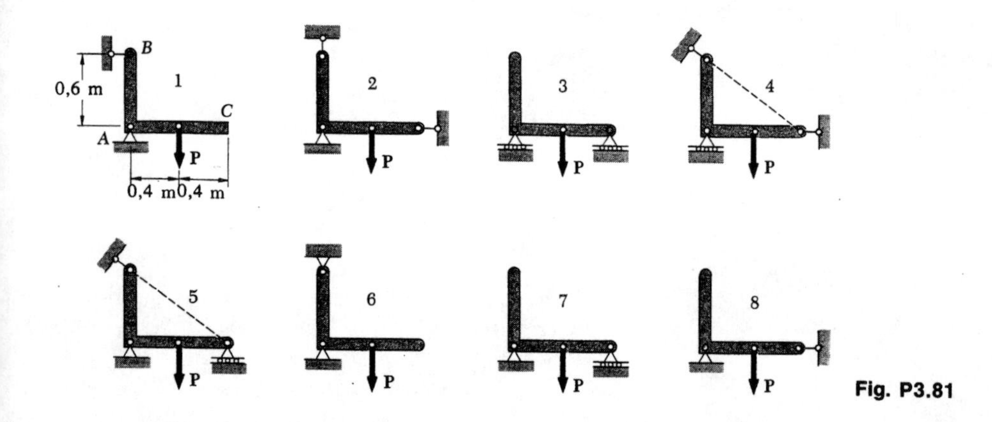


Fig. P3.81

**3.82** Neuf plaques rectangulaires identiques, d'une aire de 61 x 91 cm et d'un poids de 445 N, sont disposées dans un plan vertical, tel qu'illustré. Toutes les liaisons d'appui sont sans frottement et du type à rotule, à rouleau ou à barre articulée. Répondez, pour chaque cas, aux questions posées au probl. 3.81 et calculez les réactions d'appui chaque fois que possible.

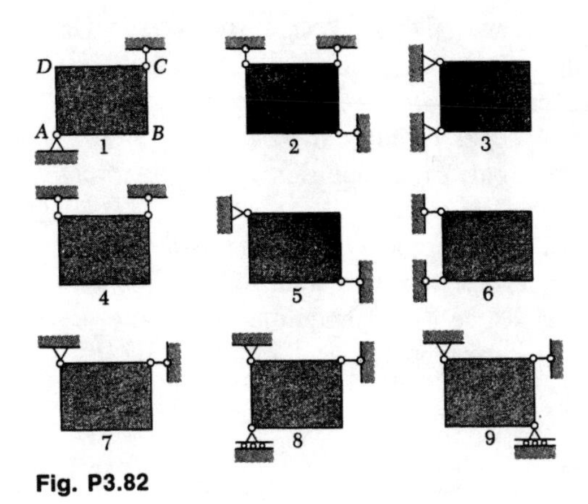

Fig. P3.82

## 3.16. Équilibre d'un corps soumis à deux forces.

Un cas particulier qui présente un grand intérêt est celui d'un corps rigide soumis à l'*action de deux forces*. Il est évident que si ce corps est en équilibre, les *deux forces doivent être égales, opposées et avoir la même ligne d'action.*

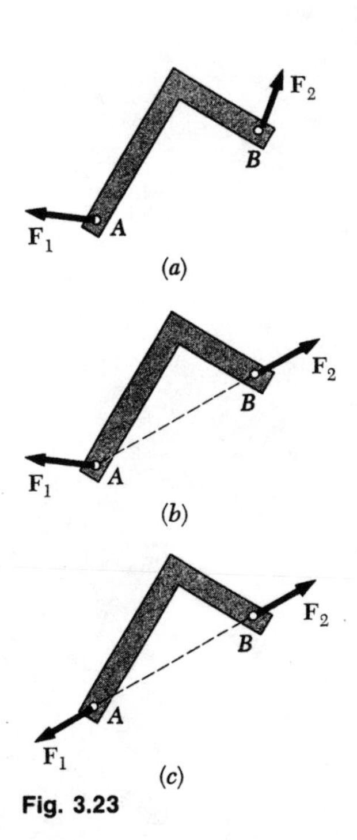

Fig. 3.23

Considérons la pièce ci-contre, pliée à 90°, soumise à deux forces $\mathbf{F}_1$ et $\mathbf{F}_2$ appliquées respectivement aux points $A$ et $B$ (Fig. 3.23*a*). Pour que cette pièce soit en équilibre, la somme des moments de $\mathbf{F}_1$ et $\mathbf{F}_2$ par rapport à n'importe quel point doit être nulle($\Sigma M = 0$). Additionnons d'abord les moments par rapport au point $A$; puisque le moment de $\mathbf{F}_1$ est manifestement nul, le moment de $\mathbf{F}_2$ doit aussi être nul et pour cela, la ligne d'action de $\mathbf{F}_2$ doit passer par le point $A$ (Fig. 3.23*b*). En additionnant les moments par rapport à $B$, nous constatons que la ligne d'action de $\mathbf{F}_1$ doit aussi passer par le point $B$ (Fig. 3.23*c*). Il en résulte que $\mathbf{F}_1$ et $\mathbf{F}_2$ doivent avoir la même ligne d'action (droite $AB$). D'autre part, nous déduisons, d'après les équations d'équilibre ($\Sigma F_x = 0$ et $\Sigma F_y = 0$), que les forces $\mathbf{F}_1$ et $\mathbf{F}_2$ doivent avoir aussi la même grandeur et des sens opposés.

Si plusieurs forces agissent aux deux points $A$ et $B$, elles peuvent être remplacées par leur résultante $\mathbf{F}_1$, agissant en $A$ et la résultante $\mathbf{F}_2$ appliquée au point $B$. Nous pouvons énoncer d'une façon plus générale que si un corps est en équilibre *sous l'action de forces appliquées en deux points*, les résultantes $\mathbf{F}_1$ et $\mathbf{F}_2$ de ces forces sont égales, opposées et de même ligne d'action.

Il est souvent plus pratique d'utiliser cette propriété lorsqu'on a à étudier un corps soumis à deux forces seulement, plutôt que de recourir aux méthodes générales que nous avons vues précédemment.

**3.17. Équilibre d'un corps soumis à trois forces.** Un deuxième cas de grand intérêt pratique est celui d'un corps rigide en équilibre *sous l'action d'un système de forces qui peut être réduit à trois résultantes appliquées respectivement aux points A, B et C* (Fig. 3.24*a*).

Nous allons démontrer que si le corps rigide est en équilibre, ces trois forces sont *ou bien concourantes, ou bien parallèles.*

En effet, puisque le corps est en équilibre, la somme des moments des forces $\mathbf{F}_1$, $\mathbf{F}_2$ et $\mathbf{F}_3$ par rapport à n'importe quel axe doit être nulle. Considérons le point $B$, point d'intersection des forces $\mathbf{F}_1$ et $\mathbf{F}_2$, et annulons la somme des moments ($\Sigma M_D = 0$) de toutes les forces par rapport à ce point (Fig. 3.24*b*).

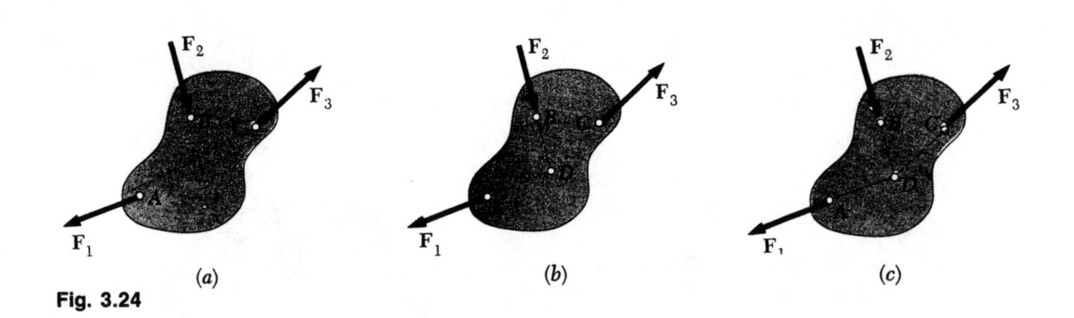


Fig. 3.24

Comme les moments de $\mathbf{F}_1$ et $\mathbf{F}_2$ sont nuls (leur lignes d'action passent par $D$), il s'ensuit que le moment de $\mathbf{F}_3$ par rapport à $D$ est aussi nul et sa ligne d'action passe par le point $D$ (Fig. 3.24*c*). Les trois forces sont donc concourantes. La seule exception est celle où les trois forces ne s'intersectent pas : leurs lignes d'action seront alors parallèles.

Il est souvent plus pratique d'utiliser cette propriété lorsqu'on a à étudier un corps rigide soumis à l'action de trois forces seulement, plutôt que de recourir aux méthodes générales que nous avons vues précédemment (Section 3.12 à 3.15). La solution peut être graphique ou résulter de l'application de relations géométriques ou trigonométriques simples.

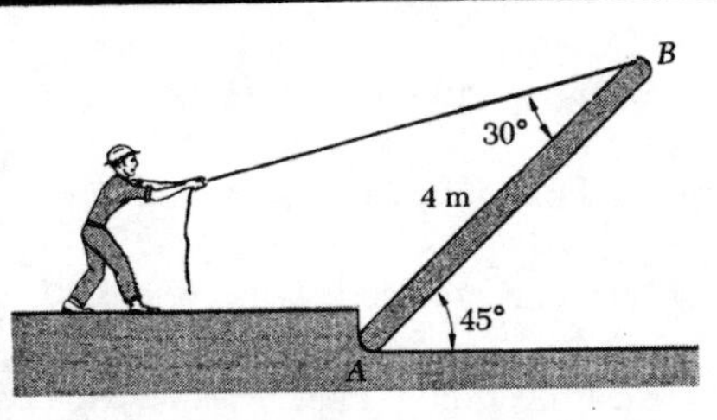


## PROBLÈME RÉSOLU 3.13

Un homme soulève une poutrelle d'une masse de 10 kg et d'une longueur de 4 m, en tirant sur une corde. Calculez la tension $T$ dans la corde et la réaction d'appui $A$.

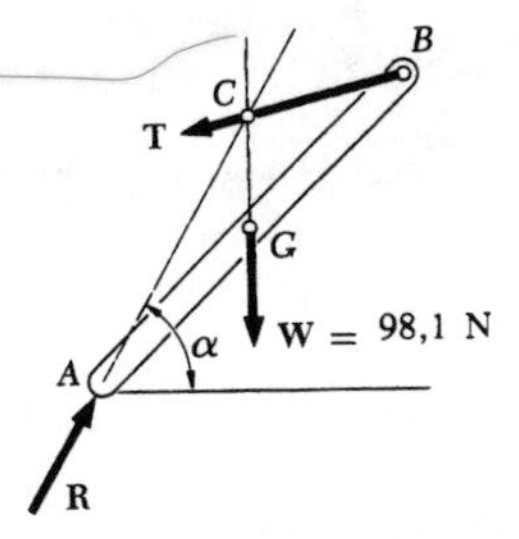


**Solution.** La poutrelle est sollicitée par trois forces : son poids **W**, la tension de la corde **T** et la réaction **R** à l'appui $A$. Son poids sera

$$W = mg = (10 \text{ kg})(9{,}81 \text{ m/s}^2) = 98{,}1 \text{ N}$$

*Corps soumis à trois forces.* Nous venons de voir que ces trois forces doivent être concourantes. Comme les lignes d'action de **T** et **W** se coupent au point $C$, la ligne d'action de **R** est la droite $AC$. Traçons la verticale $BF$ et l'horizontale $CD$. Nous pouvons calculer l'angle $\alpha$

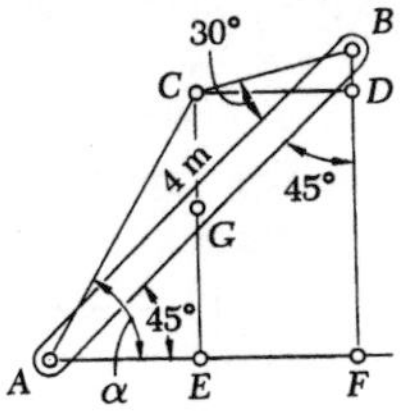

$$AF = BF = (AB) \cos 45° = (4 \text{ m}) \cos 45° = 2{,}83 \text{ m}$$
$$CD = EF = AE = \tfrac{1}{2}(AF) = 1{,}415 \text{ m}$$
$$BD = (CD) \cot (45° + 30°) = (1{,}415 \text{ m}) \tan 15° = 0{,}379 \text{ m}$$
$$CE = DF = BF - BD = 2{,}83 \text{ m} - 0{,}379 \text{ m} = 2{,}45 \text{ m}$$

De là, nous tirons

$$\tan \alpha = \frac{CE}{AE} = \frac{2{,}45 \text{ m}}{1{,}415 \text{ m}} = 1{,}732$$

$$\alpha = 60{,}0° \blacktriangleleft$$

Nous connaissons maintenant la direction de toutes les forces qui agissent sur la poutrelle.

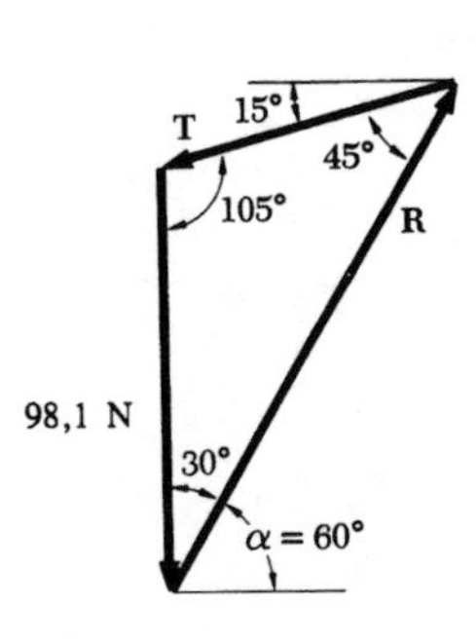


*Triangle de forces.* Ce triangle a été tracé ci-contre, les angles internes étant déduits facilement à partir de la direction des forces. La loi des sinus nous permet d'écrire

$$\frac{T}{\sin 30°} = \frac{R}{\sin 105°} = \frac{98{,}1 \text{ N}}{\sin 45°}$$

$$T = 69{,}4 \text{ N} \blacktriangleleft$$
$$\mathbf{R} = 134{,}0 \text{ N} \angle 60{,}0° \blacktriangleleft$$

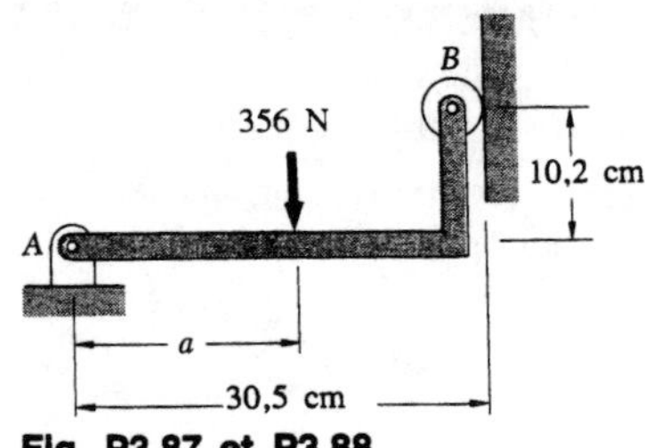

Fig. P3.87 et P3.88

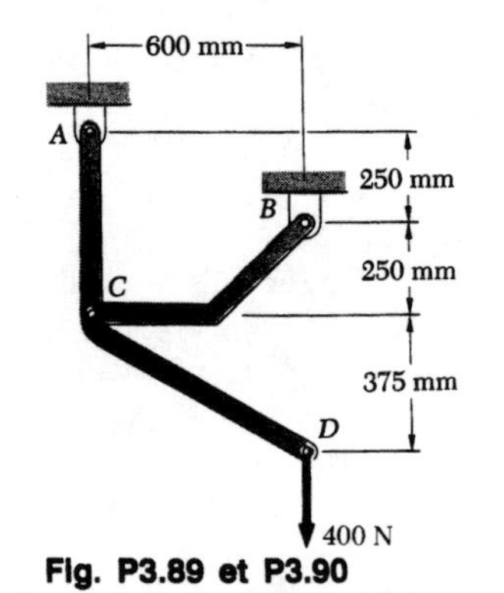

Fig. P3.89 et P3.90

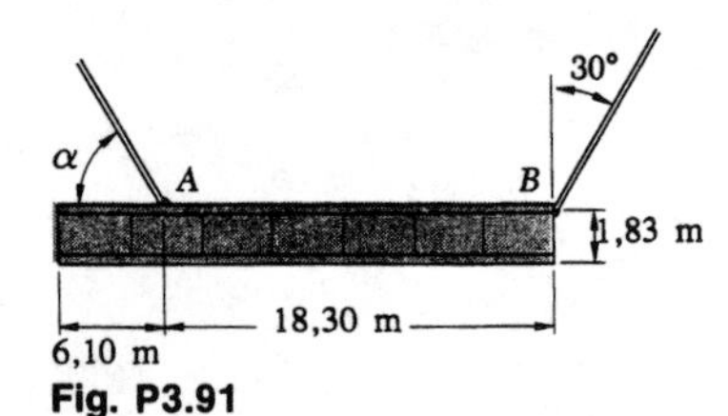

Fig. P3.91

## PROBLÈMES SUPPLÉMENTAIRES

**3.83** Résolvez le probl. 3.49 en utilisant la méthode utilisée à la section 3.17.

**3.84** Résolvez le probl. 3.44 en utilisant la méthode utilisée à la section 3.17.

**3.85** Résolvez le probl. 3.50 en utilisant la méthode utilisée à la section 3.17.

**3.86** Déterminez dans le probl. 3.57 : *a*) la valeur de $\alpha$ pour laquelle la réaction en *B* est zéro, *b*) les réactions correspondantes en *A* et *C*.

**3.87** Calculez les réactions en *A* et *B* quand $a = 19$ cm.

**3.88** Calculez *a* pour que la grandeur de la réaction **B** soit de 890 N.

**3.89** Calculez les réactions en *A* et *B*.

**3.90** Résolvez le probl. 3.89 en supposant que la force de 400 N appliquée en *D* est dirigée horizontalement vers la droite.

**3.91** Une poutre à âme pleine, de section uniforme, pèse 26 700 N. Elle est soulevée par deux grues dont le câble attaché en *B* fait un angle de 30° avec la verticale. Calculez la force de tension dans chaque câble ainsi que l'angle $\alpha$ si on veut placer la poutre horizontalement.

**3.92** Une tige mince *BC* de longueur *L* et de poids *W* est supportée par le câble *AB* et par un axe *C* qui peut glisser dans une rainure verticale. Sachant que $\theta = 30°$, calculez : *a*) la valeur de $\beta$ pour laquelle la tige est en équilibre, *b*) la force de tension correspondante dans le câble.

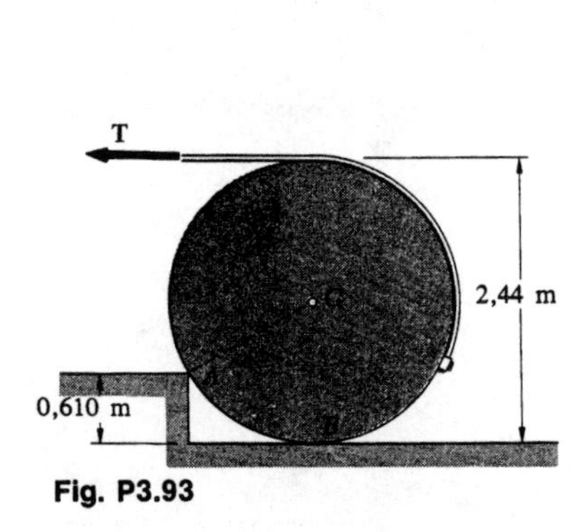

Fig. P3.93

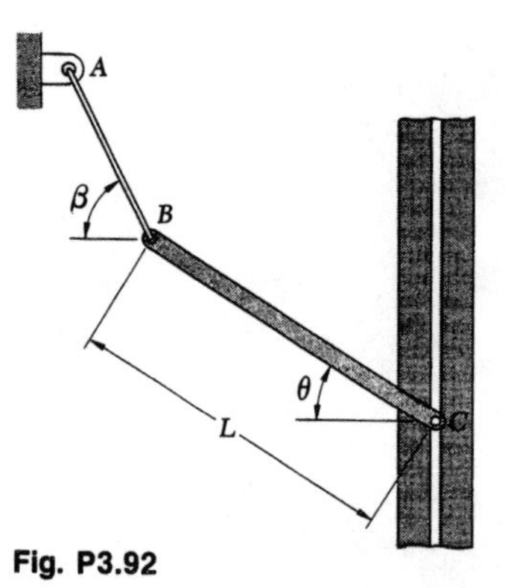

Fig. P3.92

**3.93** Un réservoir cylindrique pesant 2225 N et ayant un diamètre de 2,44 m doit être placé sur une plate-forme à 0,610 m de hauteur. Un câble est attaché autour du réservoir et est tiré horizontalement, comme la figure l'indique. Calculez la réaction au point *A* et la force de tension dans le câble.

**3.94** Une tige de section uniforme et de 2 m de long est en équilibre avec une des extrémités appuyée contre un mur vertical, sans frottement, tandis que l'autre est attachée à une corde. Calculez la longueur de la corde.

**3.95** La tige mince $AB$, de longueur $L$ et de poids $W$, est attachée au manchon $A$ et repose sur une roulette $C$. Calculez l'angle $\theta$ correspondant à l'équilibre, en négligeant le frottement et le poids du manchon.

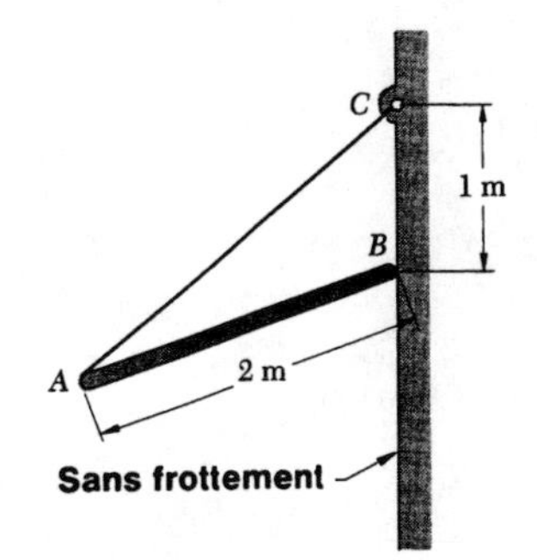

**Fig. P3.94**

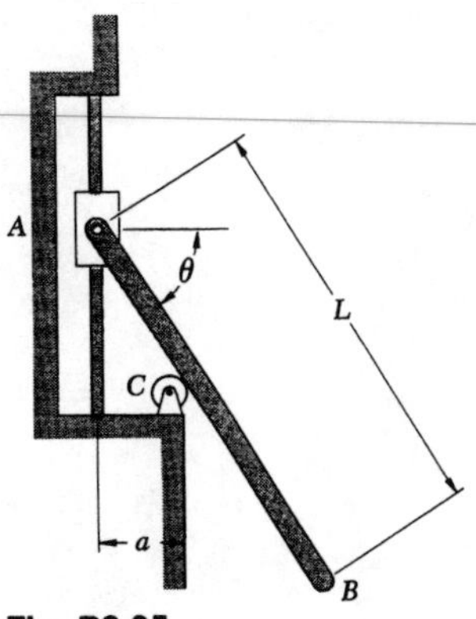

**Fig. P3.95**

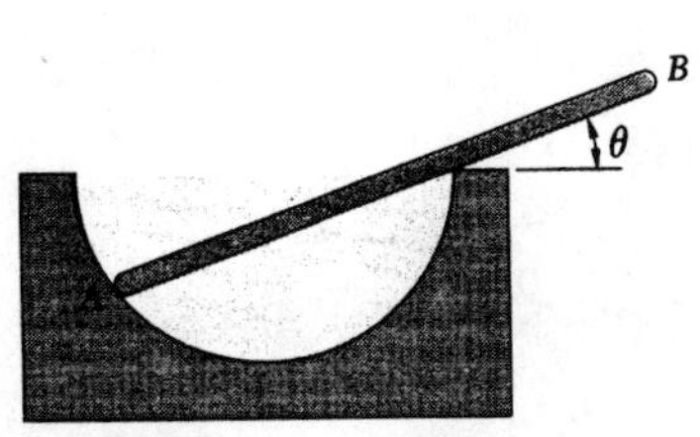

**Fig. P3.96**

***3.96** Une tige uniforme $AB$, de longueur $3R$, repose à l'intérieur d'un hémisphère de rayon $R$. Calculez l'angle $\theta$ pour que la tige soit en équilibre. (Négligez les frottements.)

***3.97** Une tige mince, de longueur $2r$ et de poids $W$, est attachée au manchon $B$ qui peut se déplacer verticalement; elle s'appuie, d'autre part, sur un cylindre de rayon $r$. Calculez l'angle $\theta$ pour lequel le système est en équilibre. (Négligez les frottements.)

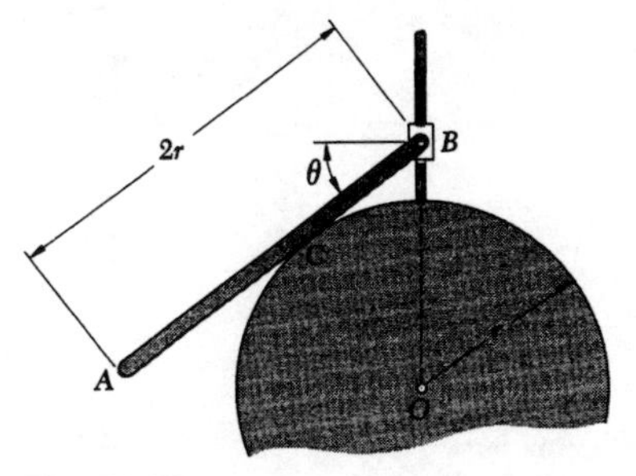

**Fig. P3.97**

## PROBLÈMES DE RÉVISION

**3.98** Afin de déplacer une caisse de poids 770 N, deux hommes poussent sur elle tandis que deux autres la tirent par l'intermédiaire de deux cordes. La force horizontale exercée par l'homme $A$ est de 667 N et celle exercée horizontalement par l'homme $B$ est de 222 N. Les deux autres hommes $C$ et $D$ tirent la caisse à l'aide de deux cordes dont les tensions sont respectivement 356 N et 534 N. Calculez la résultante de toutes les forces appliquées à la caisse.

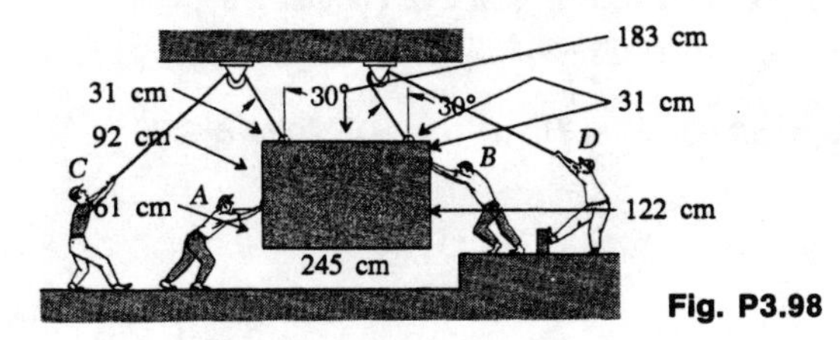

**Fig. P3.98**

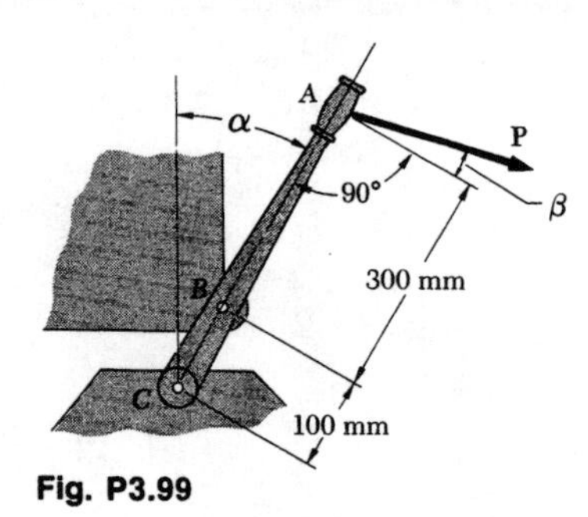

Fig. P3.99

**3.99** Remplacez la force **P** par un système équivalent formé de deux forces parallèles appliquées en $B$ et $C$. Montrez : *a*) que ces forces sont parallèles à la force **P**, *b*) que la grandeur de ces forces est indépendante des angles $\alpha$ et $\beta$.

**3.100** Une tige légère, appuyée sur des rouleaux aux points $B$, $C$ et $D$, est soumise à une force de 890 N, appliquée au point $A$. En posant $\beta = 0$, déterminez : *a*) les réactions d'appui en $B$, $C$ et $D$, *b*) les appuis qui peuvent être enlevés sans perturber l'équilibre du système.

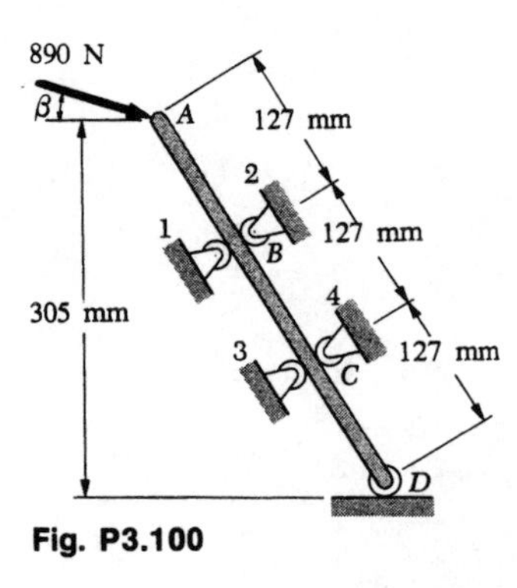

Fig. P3.100

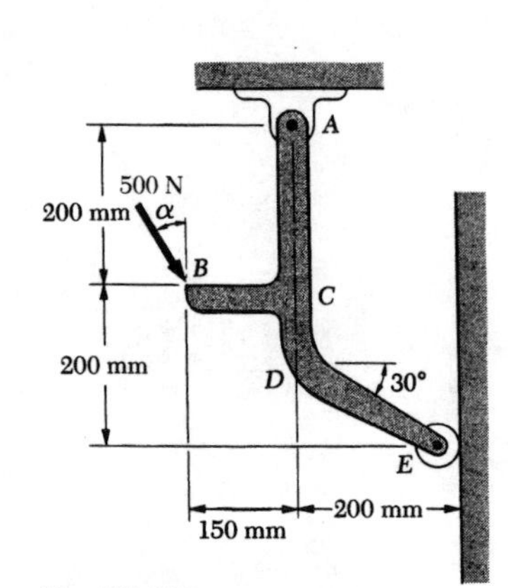

Fig. P3.102

**3.101** Résolvez le probl. 3.100 avec une force verticale vers le bas de 890 N, appliquée au point $A$.

**3.102** *a*) Calculez les réactions d'appui en $A$ et $E$ si $\alpha = 0$. *b*) Déterminez les valeurs de $\alpha$ pour lesquelles la grandeur de la réaction en $E$ est de 300 N.

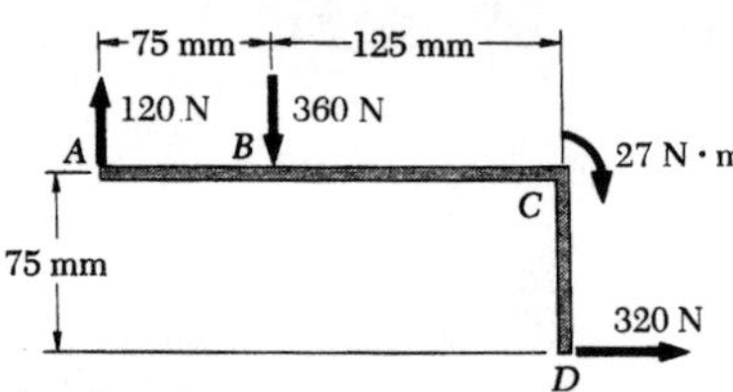

Fig. P3.103, P3.104 et P3.105

**3.103** Calculez la résultante des forces appliquées à la pièce ci-contre et le point d'intersection de sa ligne d'action avec : *a*) la droite $AC$, *b*) la droite $CD$.

**3.104** Le couple de 27 N · m, appliqué au point $C$ de la pièce ci-contre, est remplacé par un couple de moment inconnu $M$. Calculez les valeurs limites de ce couple pour que la ligne d'action de la résultante de toutes les forces coupe la pièce.

**3.105** Calculez la grandeur et le sens de la force verticale **P** qui doit être appliquée au point $D$ pour que la ligne d'action de la résultante du système passe par le point $B$.

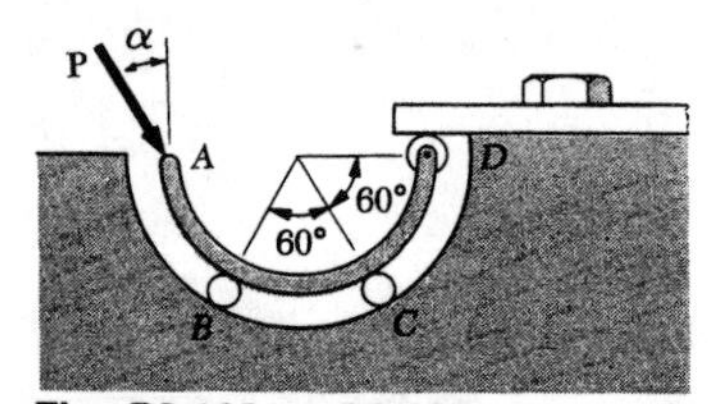

Fig. P3.106 et P3.107

**3.106** Déterminez les valeurs limites de $\alpha$ pour que la tige circulaire appuyée sur des rouleaux aux points B, C et D, se maintienne en équilibre.

**3.107** Calculez les réactions aux appuis $B$, $C$ et $D$ : *a*) si $\alpha = 0$, *b*) si $\alpha = 30°$.

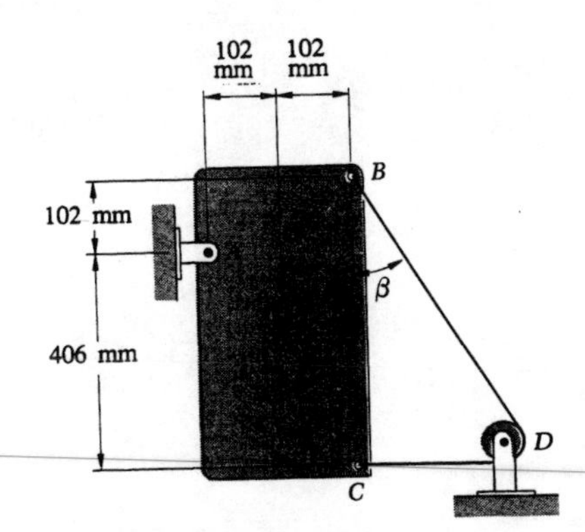


**Fig. P3.108 et P3.109**

**3.108** Une plaque de 356 N est appuyée sur une rotule au point *A* et attachée à un câble *BDC* passant par une poulie à frottement négligeable *D*. Déterminez la réaction d'appui *A* et la tension dans le câble lorsque $\beta = 30°$.

**3.109** Calculez dans le problème précédent : *a*) la valeur de $\beta$ pour que la force de tension dans le câble soit maximum, *b*) les composantes correspondantes de la réaction d'appui *A* et la tension dans le câble.

CHAPITRE

# 4 Statique des corps rigides dans l'espace

## SYSTÈMES DE FORCES ÉQUIVALENTS

**4.1.1 Moment d'une force par rapport à un axe.** Lorsque le moment d'une force par rapport à un axe a été défini au chap. 3, toutes les forces que nous avons alors considérées appartenaient au plan de la figure et leurs moments ont été calculés par rapport à des axes perpendiculaires à ce plan. Or, dans l'espace, les forces n'appartiennent pas, généralement, au plan perpendiculaire à l'axe par rapport auquel leurs moments ont été calculés. La difinition du moment d'une force, donnée à la section 3.4, nécessite donc d'être élargie.

Considérons une force **F** appliquée au point $B$ et un axe $AA'$ (Fig. 4.1). Décomposons **F** en $\mathbf{F}_1$ et $\mathbf{F}_2$ perpendiculaires entre elles; la composante $\mathbf{F}_1$ est choisie suivant une direction parallèle à l'axe $AA'$ et la composante $\mathbf{F}_2$, suivant une direction appartenant au plan $\pi$ perpendiculaire à l'axe $AA'$ et passant par le point $B$. (Nous disons alors que $\mathbf{F}_2$ est la projection de **F** sur le plan $\pi$.) Si **F** est appliquée à un corps rigide, on voit facilement que seule la composante $\mathbf{F}_2$ tend à faire tourner le corps autour de l'axe $AA'$. Par conséquent, *le moment de la force* **F** *par rapport à l'axe $AA'$ est égal au moment de sa composante* $\mathbf{F}_2$ *par rapport à cet axe.* Ce moment est égal à $F_2 d$, où $d$ est la longueur de la perpendiculaire entre l'axe $AA'$ et la ligne d'action de $\mathbf{F}_2$. Le sens de ce moment (positif ou négatif) est déterminé à partir d'un observateur placé au point $A'$ et qui regarde vers le point $A$. Le moment de **F** par rapport à l'axe $AA'$ (tracé de $A$ vers $A'$), illustré à la fig. 4.1, est donc positif.

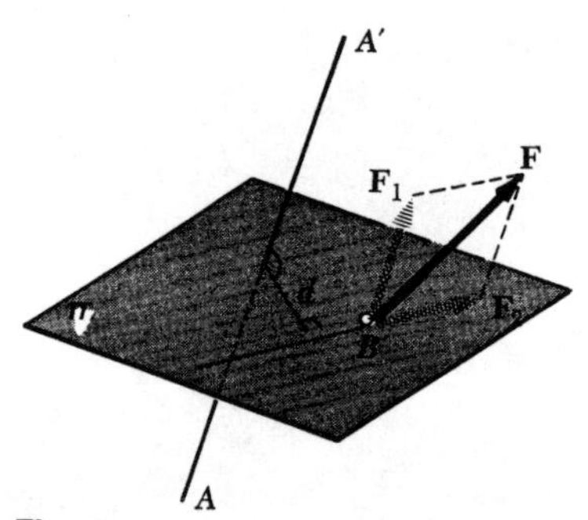

Fig. 4.1

Remarquons que si le moment de la force **F** par rapport à l'axe $AA'$ est nul, la ligne d'action de **F** coupe l'axe ou lui est parallèle. Dans le premier cas, la ligne d'action de $\mathbf{F}_2$ coupe aussi cet axe (Fig. 4.2) et dans le second, la grandeur de $\mathbf{F}_2$ est nulle (Fig. 4.3). Dans ces deux cas, le moment de $\mathbf{F}_2$, et par conséquent le moment de **F**, est nul.

Considérons maintenant une force **F** appliquée au coin $B$ du parallélipipède de côtés $a$, $b$, et $c$ (Fig. 4.4). Cette force imprime au parallélipipède un mouvement de translation suivant les directions $x$, $y$ et $z$, ou un mouvement de rotation autour des axes $x$, $y$ et $z$, ou encore une combinaison de ces deux mouvements. La capacité de la force à produire une translation est mesurée par ses composantes $F_x$, $F_y$ et $F_z$; sa capacité à provoquer une rotation autour des axes de référence est mesurée par les moments par rapport à ces mêmes axes. Les moments de **F** par rapport aux axes $x$, $y$ et $z$ s'écrivent respectivement $M_x$, $M_y$ et $M_z$.

En suivant la définition du moment d'une force, le moment $M_x$ de **F** par rapport à l'axe $x$ s'obtient en projetant **F** dans le plan $yz$ et en calculant le moment de cette projection par rapport à l'axe $x$. La fig. 4.5$a$ illustre ces opérations : on y représente le plan $yz$ tel qu'il serait vu par un observateur, debout, appuyé sur la partie positive de l'axe $x$ et regardant vers le point $O$.

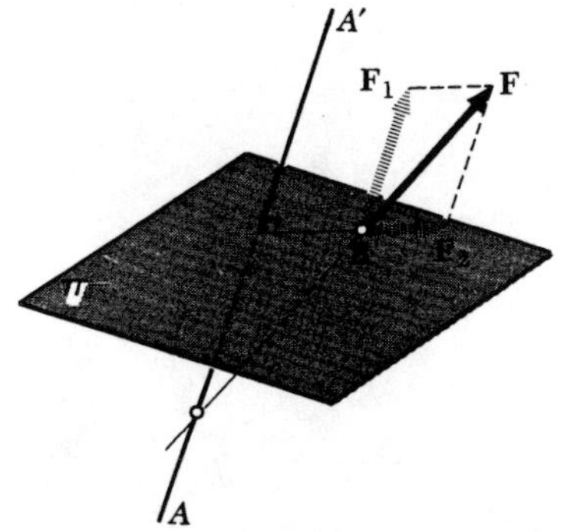

Fig. 4.2

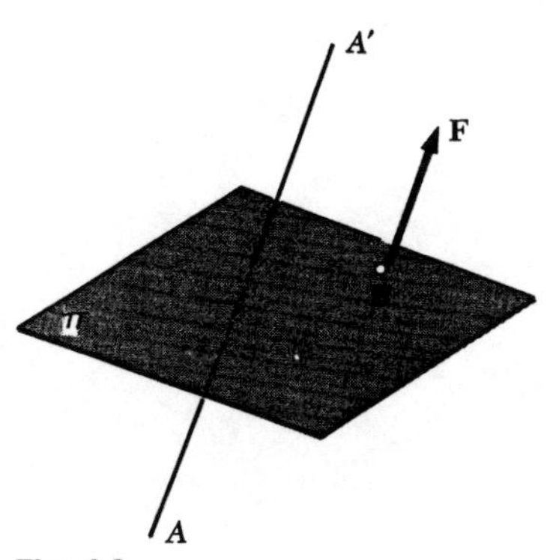

Fig. 4.3

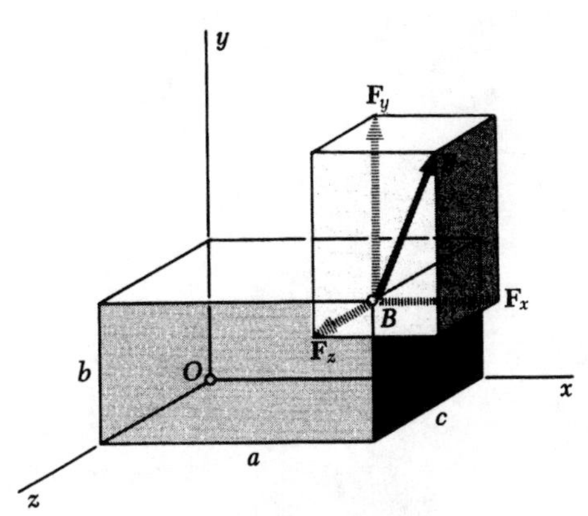

Fig. 4.4

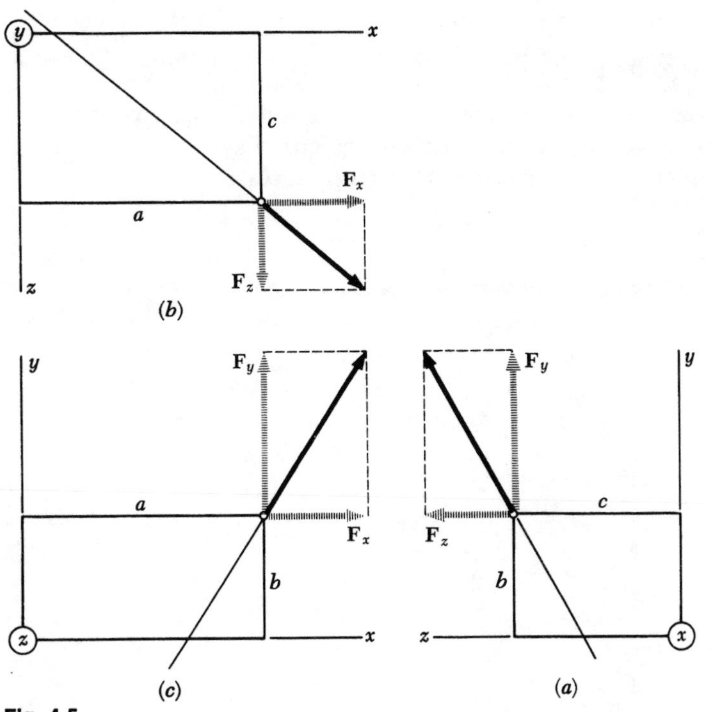

Fig. 4.5

Il est souvent plus facile de procéder au calcul des moments en utilisant le théorème de Varignon et en calculant les moments des composantes $F_y$ et $F_z$ par rapport au point $O$. La fig. 4.5*b* montre la projection de **F** sur le plan *zx*, telle qu'elle est vue par un observateur appuyé sur la partie positive de l'axe *y* et regardant vers l'origine du système $O$. Le moment de cette projection par rapport à l'axe *y* est le moment $M_y$ de la force **F** par rapport à ce même axe. La fig. 4.5*c* montre la projection de **F** sur le plan *xy*, telle qu'elle est vue par un observateur appuyé sur la moitié positive de l'axe *z* et regardant vers l'origine $O$. Le moment de cette projection par rapport à l'axe *z* est le moment $M_z$ de la force **F** par rapport à cet axe. Dans le cas que nous étudions ici et en nous servant de la convention de signes adoptée à la section 3.4, nous pouvons dire que les moments $M_x$, $M_y$ et $M_z$ sont respectivement négatif, négatif, et positif.

**4.2. Couples de l'espace.** Nous avons défini, à la section 3.6, le *couple* comme étant l'ensemble de deux forces **F** et **F'** qui ont la même grandeur *F*, des lignes d'action parallèles et de sens opposé. Nous avons encore vu, à la section 3.7, que l'action exercée par un couple sur un corps rigide dépend seulement du moment *M* du couple, lequel est égal à *Fd*, produit de la grandeur de la force **F** par la distance† entre leurs lignes d'action. Dans le cas d'un couple de l'espace cependant, le *plan dans lequel le couple agit* doit être spécifié (Fig. 4.6*a*). Puisqu'un couple peut être remplacé par un autre couple de même moment et agissant dans le même plan, il est très avantageux de représenter le couple de l'espace par un vecteur perpendiculaire au plan du couple et de grandeur égale au moment *M* du couple (Fig. 4.6*b*). Ce vecteur **M** est appelé *vecteur-couple* et son sens positif est tel, qu'un homme placé à l'extrémité de **M** voit le couple tourner dans le sens contraire aux aiguilles d'une montre. Le sens de ce vecteur-couple peut être facilement trouvé par la *règle de la main droite* : fermez légèrement votre main droite et tenez-la de façon à ce que vos doigts soient courbés dans le sens du couple : votre pouce indiquera le sens du vecteur-couple. Remarquons que le symbole ↻ est ajouté au vecteur-couple pour le distinguer des vecteurs forces.

† La distance entre deux droites est la longueur de la perpendiculaire commune. (N.T.)

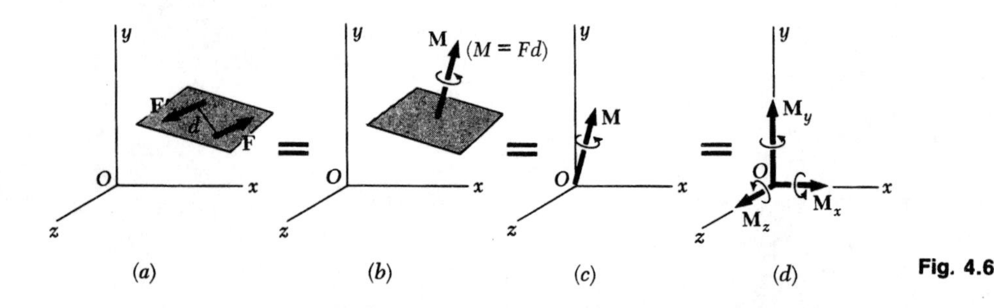


**Fig. 4.6**

Le point d'application du vecteur-couple peut être placé dans n'importe quel point du plan du couple, parce que, comme nous allons le voir, c'est l'orientation seule du plan du couple qui doit être considérée. (En d'autres termes : deux couples de moments identiques et agissant sur des plans parallèles sont équivalents.) À cause de ce comportement, les vecteurs-couples sont appelés vecteurs *libres*, à l'instar des vecteurs appelés *liés*, lesquels ont des points d'application bien définis et des vecteurs appelés glissants, qui eux, ont des lignes d'action bien définies. Le point d'application du vecteur-couple peut être placé, par exemple, à l'origine $O$ du système de référence (Fig. 4.6*c*). Par ailleurs, le vecteur-couple $\mathbf{M}$ peut se décomposer suivant ses composantes vectorielles $\mathbf{M}_x$, $\mathbf{M}_y$ et $\mathbf{M}_z$ définies par les axes de référence (Fig. 4.6*d*). Le vecteur $\mathbf{M}_x$, de grandeur $M_x$, dont l'axe $x$ est la ligne d'action, représente un couple de moment $M_x$ agissant dans le plan $yz$ : de la même façon, les deux autres vecteurs représentent des couples de moment $M_y$ et $M_z$ agissant respectivement sur les plans $zx$ et $xy$.

**4.3. Les couples sont des vecteurs.** La représentation du couple à l'aide des vecteurs est très avantageuse. Cette représentation doit cependant être justifiée, c'est-à-dire que nous devons démontrer que les couples possèdent toutes les caractéristiques des vecteurs (voir la section 2.2). Nous savons déjà que les couples ont une grandeur et une direction; nous devons encore prouver que les couples peuvent s'additionner. Pour cela, il nous suffit de montrer que les vecteurs-couples correspondants peuvent s'additionner suivant la loi du parallélogramme.

Considérons deux couples, de moment $M_1$ et $M_2$, agissant respectivement dans les plans $\pi_1$ et $\pi_2$ (Fig. 4.7*a*). Chacun de ces couples peut être représenté par deux forces $\mathbf{F}$ et $\mathbf{F}'$ de grandeur arbitraire $F$. La distance $d_1$ entre les forces qui forment le premier couple et la distance $d_2$ entre les forces qui forment le second couple doivent satisfaire aux équations

$$M_1 = Fd_1 \quad M_2 = Fd_2 \tag{4.1}$$

Une force de chaque couple peut être placée le long de la ligne d'intersection $AA'$ des deux plans, une dans le sens $AA'$ et l'autre dans le sens contraire. Les forces de ligne d'action $AA'$ s'annulent mutuellement, et les couples proposés

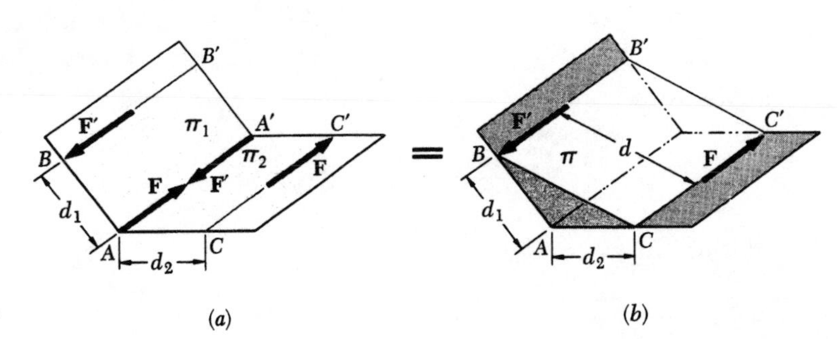


Fig. 4.7

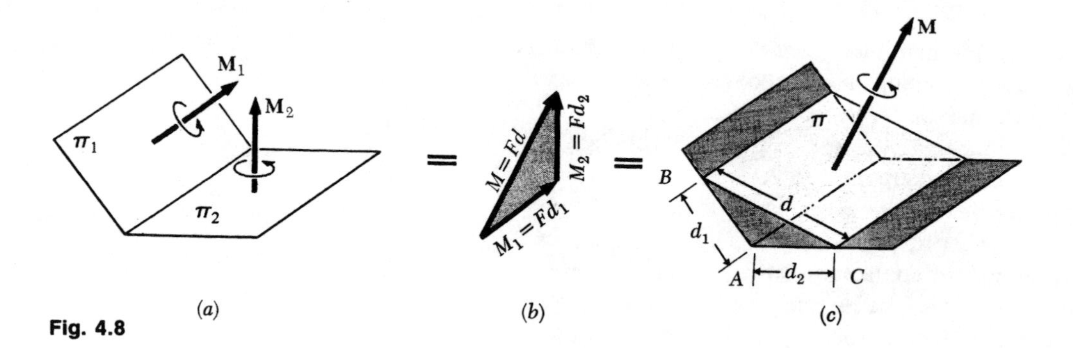


Fig. 4.8

se réduisent aux seules forces de ligne d'action $BB'$ et $CC'$. Ces deux forces forment un couple de moment $M = Fd$ agissant dans le plan défini par $BB'$ et $CC'$ (Fig. 4.7*b*).

Représentons maintenant les deux couples de la fig. 4.7*a* par des flèches $\mathbf{M}_1$ et $\mathbf{M}_2$, de grandeur $M_1$ et $M_2$, respectivement perpendiculaires aux plans $\pi_1$ et $\pi_2$ (Fig. 4.8*a*). Ces deux vecteurs $\mathbf{M}_1$ et $\mathbf{M}_2$ définissent un plan parallèle au plan $ABC$ de la fig. 4.8*c*. En joignant l'origine de $\mathbf{M}_1$ à l'extrémité de $\mathbf{M}_2$ (Fig. 4.8*b*), nous obtenons un triangle identique au triangle $ABC$ puisque les côtés $\mathbf{M}_1$ et $\mathbf{M}_2$ sont respectivement perpendiculaires aux côtés $AB$ et $AC$. Alors suivant (4.1), ils sont proportionnels à $d_1$ et à $d_2$. Le troisième côté du triangle de la fig. 4.8*b* doit par conséquent être perpendiculaire à $BC$ et proportionnel à $d$ : sa grandeur est alors $Fd = M$. Par conséquent, le troisième côté du triangle construit sur $\mathbf{M}_1$ et $\mathbf{M}_2$ est égal à la flèche $\mathbf{M}$ qui représente le couple résultant (Fig. 4.8*c*). Nous pouvons conclure que $\mathbf{M}$ peut s'obtenir en additionnant vectoriellement $M_1$ et $\mathbf{M}_2$ et, par conséquent, les flèches $\mathbf{M}_1$ $\mathbf{M}_2$ et $\mathbf{M}$ représentant des couples *sont réellement des vecteurs.*

Nous remarquons que si les forces $\mathbf{Q}$ et $\mathbf{Q}'$ de grandeur $Q$ différente de $F$, sont utilisées pour représenter les couples de la fig. 4.7*a*, de nouvelles valeurs $d_1'$ et $d_2'$ devront être déterminées et le couple qu'elles forment aura le même moment $M$ et appartiendra au plan $\pi'$ (non représenté) parallèle au plan $\pi$ de la figure 4.7*b*. Ce nouveau couple est évidemment équivalent au précédent. Ceci nous amène à conclure que les couples de même moment et agissant dans des plans parallèles sont équivalents. Les couples peuvent donc être transférés d'un point à l'autre et s'additionner algébriquement s'ils sont coplanaires.

En résumé : *a*) les couples de l'espace peuvent *être parfaitement représentés par des vecteurs*, *b*) ces vecteurs, appelés *vecteurs-couples*, peuvent *s'additionner suivant la loi du parallélogramme*, *c*) ils sont des *vecteurs libres* et peuvent donc être *appliqués à n'importe quel point de l'espace.*

## PROBLÈME RÉSOLU 4.1

Un poteau $AB$ de 6 m de hauteur est soutenu par trois haubans, tel qu'illustré. Calculez le moment de la force transmise au point $B$ par le hauban $BE$, par rapport à chacun des axes de référence. La tension $\mathbf{T}$ dans le câble $BE$ est de 840 N.

**Solution.** La force $\mathbf{T}$ transmise par le hauban $BE$ doit être décomposée suivant les trois axes de référence. Les composantes et les grandeurs du vecteur $\overrightarrow{BE}$, que nous obtenons en joignant le point $B$ au point $E$, sont

$$d_x = +3 \text{ m} \qquad d_y = -6 \text{ m} \qquad d_z = +2 \text{ m} \qquad d = 7 \text{ m}$$

Nous pouvons alors calculer,

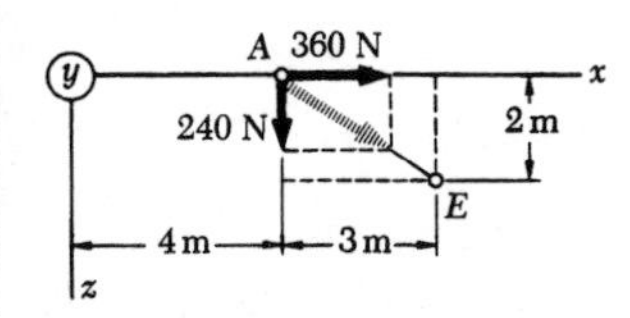


$$\frac{T_x}{+3\text{ m}} = \frac{T_y}{-6\text{ m}} = \frac{T_z}{+2\text{ m}} = \frac{840\text{ N}}{7\text{ m}}$$

$$T_x = +360\text{ N} \qquad T_y = -720\text{ N} \qquad T_z = +240\text{ N}$$

Les projections de la force $\mathbf{T}$ dans les trois plans de coordonnées peuvent être dessinées. Le théorème de Varignon nous donne

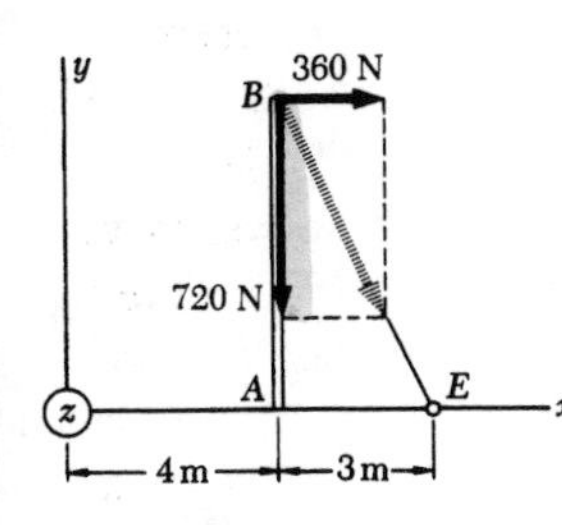


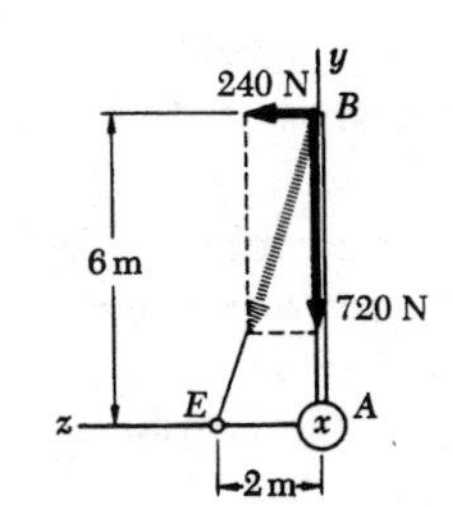


$$+\circlearrowleft M_x = +(240\text{ N})(6\text{ m}) = +1440\text{ N}\cdot\text{m}$$

$$+\circlearrowleft M_y = -(240\text{ N})(4\text{ m}) = -960\text{ N}\cdot\text{m}$$

$$+\circlearrowleft M_z = -(720\text{ N})(4\text{ m}) - (360\text{ N})(6\text{ m}) = -5040\text{ N}\cdot\text{m}$$

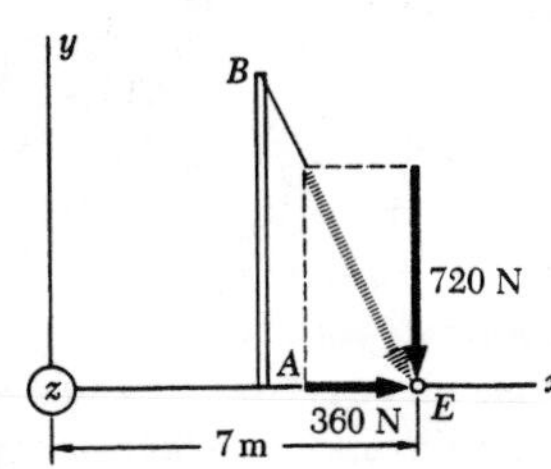


**Autre solution.** Le calcul de $M_z$ peut se simplifier en déplaçant la projection $T_x$ de $\mathbf{T}$ le long de sa ligne d'action jusqu'au point où elle coupe l'axe $x$ : le moment $T_x$ par rapport à l'axe est maintenant nul. Nous obtenons

$$+\circlearrowleft M_z = -(720\text{ N})(7\text{ m}) = -5040\text{ N}\cdot\text{m}$$

## PROBLÈME RÉSOLU 4.2

Deux couples sont appliqués à la pièce illustrée ci-contre. Remplacez ces deux couples par un couple équivalent.

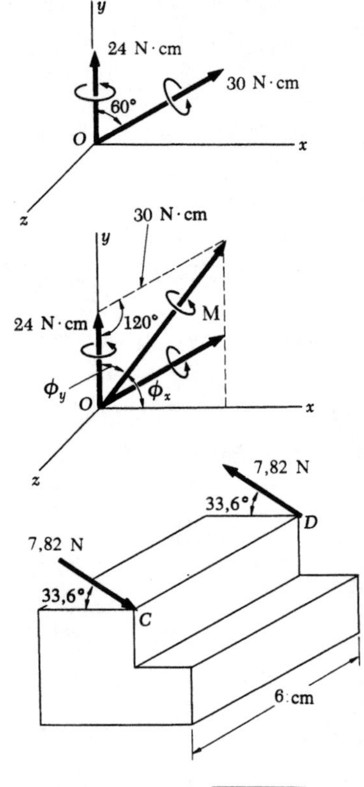


**Solution.** Chaque couple initial peut être représenté par un vecteur-couple perpendiculaire au plan du couple et dont la grandeur est le moment du couple. Le sens de chaque vecteur s'obtient en appliquant la règle de la main droite et, par commodité de calcul, les deux couples sont transportés à l'origine.

Le couple unique équivalant au système initial sera représenté par la résultante des deux vecteurs-couples. Le moment du vecteur-couple résultant **M** s'obtient facilement par la loi du cosinus.

$$M^2 = (24)^2 + (30)^2 - (2)(24)(30) \cos 120°$$
$$M = 46{,}9 \text{ N}\cdot\text{cm}$$

L'angle $\phi_y$, que la résultante du vecteur-couple forme avec la verticale, s'obtient par la loi du sinus.

$$\frac{\sin \phi_y}{30 \text{ N}\cdot\text{cm}} = \frac{\sin 120°}{46{,}9 \text{ N}\cdot\text{cm}} \qquad \phi_y = 33{,}6°$$

L'angle $\phi_x$, que le vecteur-couple forme avec l'axe $x$, est

$$\phi_x = 90° - 33{,}6° = 56{,}4°$$

et l'angle $\phi_z$ qu'il forme avec l'axe $z$ est 90°. Alors le vecteur-couple résultant **M** est défini par

$$M = 46{,}9 \text{ N}\cdot\text{cm} \qquad \phi_x = 56{,}4° \qquad \phi_y = 33{,}6° \qquad \phi_z = 90° \quad ◄$$

Le couple unique équivalant au système initial est un couple de moment $M = 46{,}9$ N·cm agissant dans un plan parallèle à l'axe $z$ et formant un angle de 33,6° avec le plan horizontal. Ce couple peut être formé de différentes façons : par exemple, par deux forces de 7,82 N appliquées aux points $C$ et $D$ avec les directions indiquées ou alors par deux forces de 9,77 N appliquées aux points $E$ et $F$, parallèles à l'axe $z$.

## PROBLÈMES SUPPLÉMENTAIRES

**4.1** Sachant que le câble $AB$ est tendu par une force de 8000 N, calculez les moments par rapport à chacun des axes $x$, $y$ et $z$ de la force transmise au point $A$ de la plaque.

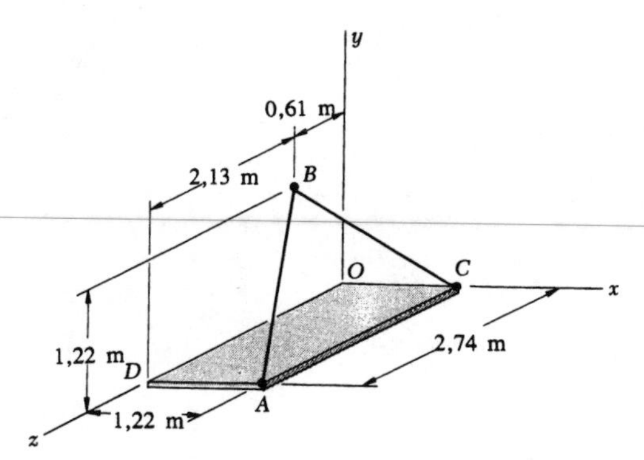


Fig. P4.1 et P4.2

**4.2** Sachant que le câble $BC$ est tendu par une force de 4000 N, calculez les moments par rapport à chacun des axes $x$, $y$ et $z$ de la force transmise au point $C$ de la plaque.

**4.3** Une force **P**, d'une grandeur de 360 N, est appliquée au point $D$. Calculez les moments de **P** par rapport à chacun des axes $x$, $y$ et $z$.

**4.4** Une force **Q**, d'une grandeur de 450 N, est appliquée au point $C$. Calculez les moments de **Q** par rapport à chacun des axes $x$, $y$ et $z$.

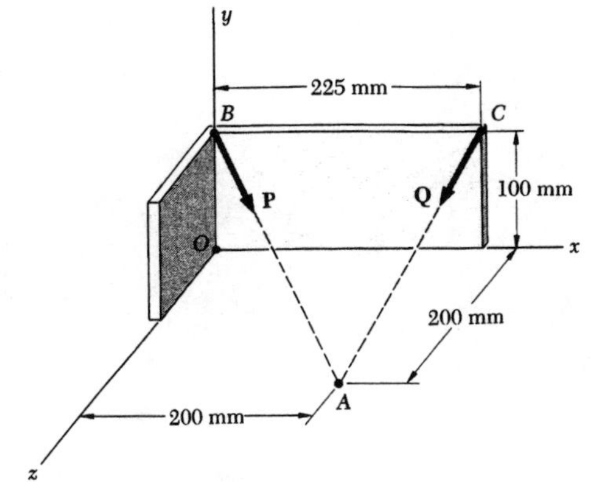


Fig. P4.3 et P4.4

**4.5** Une force verticale **P**, d'une grandeur de 267 N, est appliquée au point $A$ d'une manivelle. Calculez les moments de **P** par rapport à chacun des axes $x$, $y$ et $z$, sachant que $\theta = 75°$.

**4.6** En supposant que la force **P** reste toujours verticale pendant la rotation de la manivelle, calculez le moment de **P** par rapport à chacun des axes $x$, $y$ et $z$ : *a*) en fonction de $\theta$, *b*) quand $\theta = 120°$, *c*) quand $\theta = 240°$.

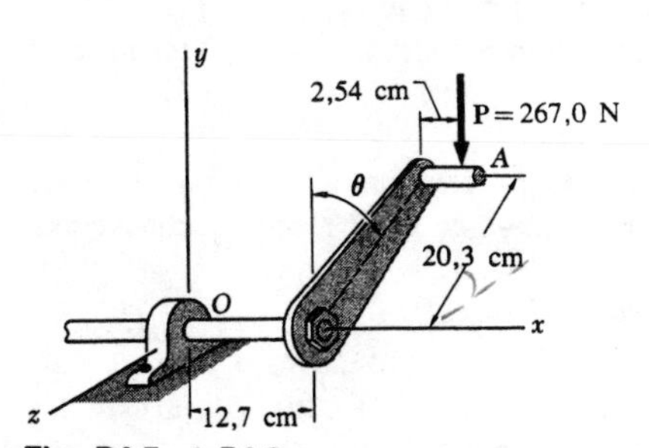


Fig. P4.5 et P4.6

**4.7** L'appareil de levage ci-contre a sa flèche *DA* orientée parallèlement à l'axe $x$. On suppose que la force de tension dans le câble *AB* est de 13 kN. Calculez les moments par rapport aux axes de référence de la force transmise au point *A* par le câble *AB*.

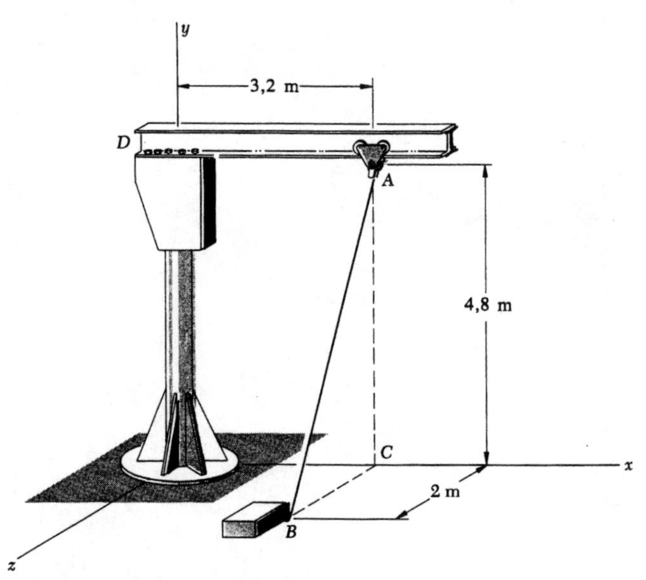


**Fig. P4.7 et P4.8**

**4.8** Calculez, dans le problème précédent, la force de tension maximale permise dans le câble *AB* pour que la grandeur des moments par rapport aux axes $x$, $y$ et $z$ de la force transmise au point *A* soit $M_x \leq 10$ kN·m, $M_y \leq 6$ kN·m et $M_z \leq 16$ kN·m.

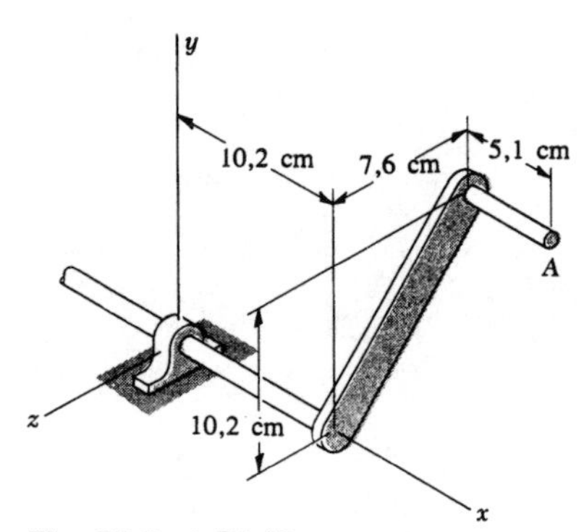


**Fig. P4.9 et P4.10**

**4.9** Le premier but d'une manivelle est de produire la rotation d'un axe. Démontrez qu'une force appliquée au point *A*, et ayant par rapport à l'axe $x$ un moment $M_x$ différent de zéro, doit avoir un moment non nul par rapport à au moins un des autres axes de référence.

**4.10** Une force unique **F** de grandeur et de direction inconnues est appliquée à la manivelle. Calculez le moment $M_x$ de la force **F** par rapport à l'axe $x$, sachant que $M_y = 20{,}33$ N·m et $M_z = -36{,}15$ N·m.

**4.11** Une force **F** de composantes $F_x$, $F_y$ et $F_z$ est appliquée à un point de coordonnées $x$, $y$ et $z$. Écrivez les expressions du moment de **F** par rapport à chaque axe de référence.

**4.12** La force unique **F** est appliquée au point *A* de coordonnées $x = y = z = a$. Montrez que $M_x + M_y + M_z = 0$; c'est-à-dire montrez que la somme *algébrique* des moments de **F** par rapport aux axes de référence est nulle.

**4.13** Une boîte de vitesses est soumise aux trois couples indiqués. Remplacez ces couples par un couple équivalent.

**4.14** Calculez les composantes du couple résultant équivalant au deux couples initiaux. Vérifiez le résultat en additionnant les moments de chaque force par rapport aux axes $x$, $y$ et $z$.

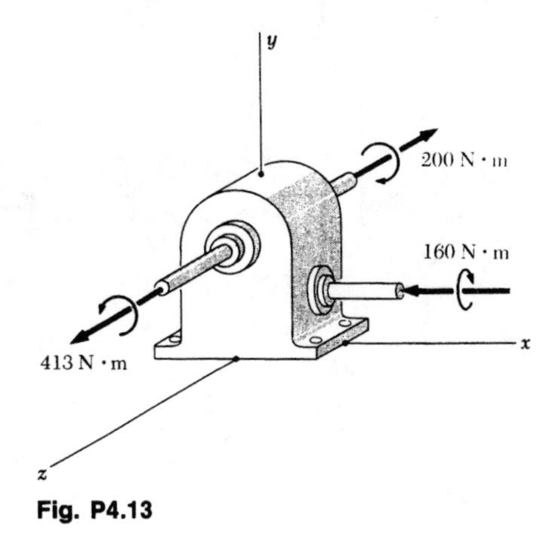

**Fig. P4.13**

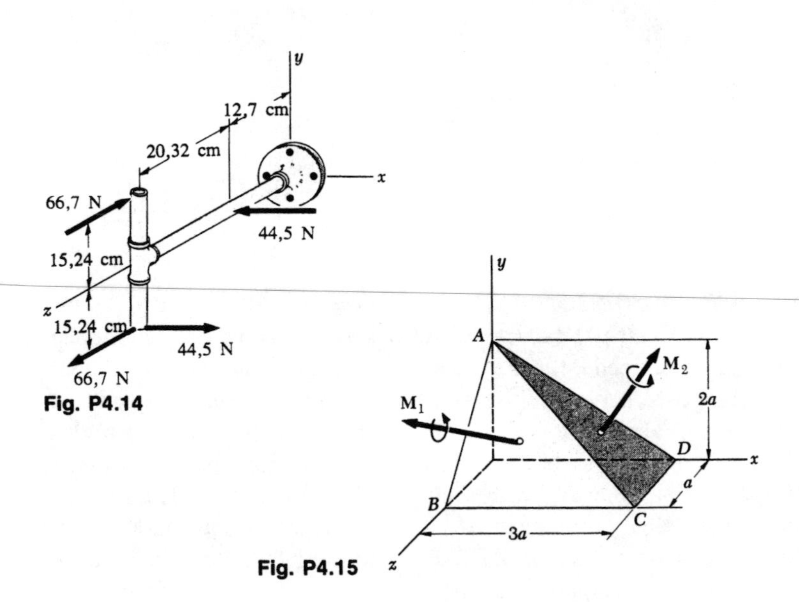

**Fig. P4.14**

**Fig. P4.15**

**4.15** Les vecteurs-couples $\mathbf{M}_1$ et $\mathbf{M}_2$ représentent des couples qui agissent respectivement dans les plans *ABC* et *ACD*. Déterminez un couple équivalant aux couples donnés si on suppose que $M_1 = M_2 = M$.

**4.16** Trois arbres d'une boîte de vitesses sont soumis aux couples illustrés. L'arbre *A* est horizontal tandis que les arbres *B* et *C* appartiennent au plan vertical *yz*. Déterminez les composantes du couple résultant appliqué à la boîte de vitesses.

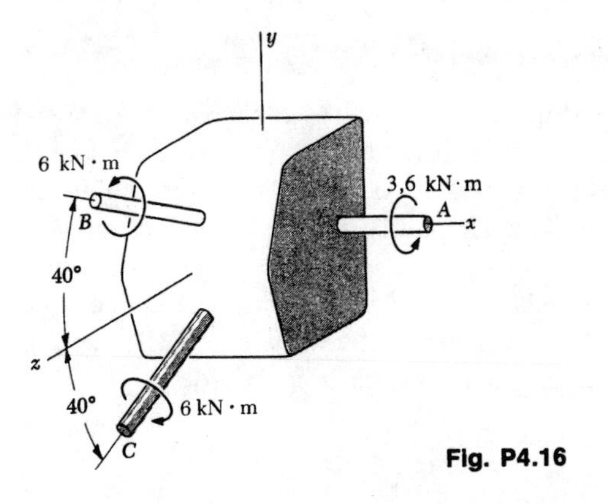

**Fig. P4.16**

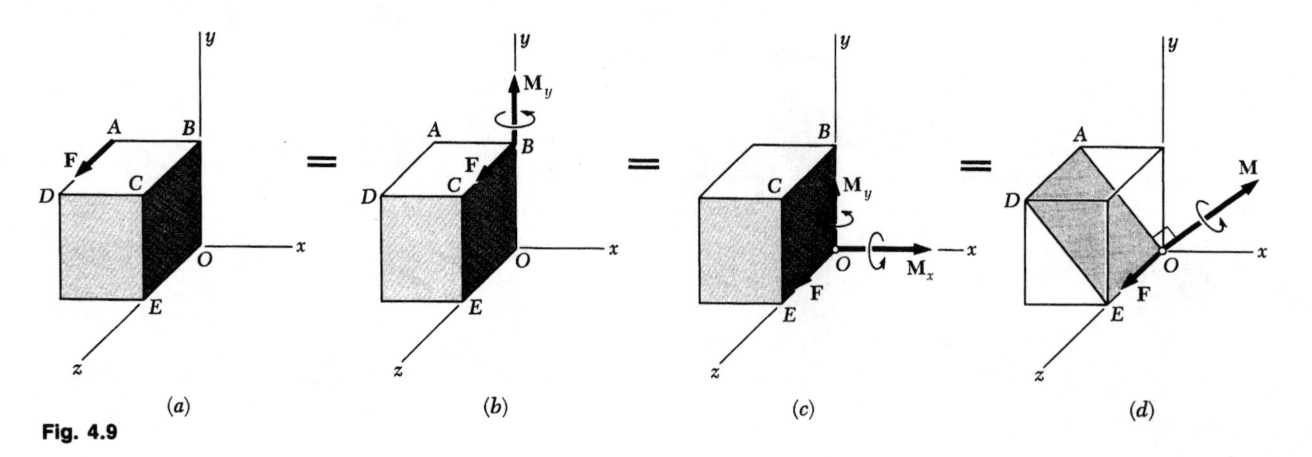


(a) (b) (c) (d)

Fig. 4.9

**4.4 Réduction d'une force quelconque à une force appliquée à un point *O* et un couple.** Considérons une force **F** appliquée au coin $A$ du parallélipipède illustré à la fig. 4.9. Puisqu'une force peut toujours être décomposée suivant les axes $x$, $y$ et $z$, nous supposerons que **F** est parallèle à un de ces axes, soit l'axe $z$ (Fig. 4.9*a*). En utilisant les règles établies au chap. 3, nous pouvons remplacer la force donnée par un système force-couple appliqué au point $B$. La force de grandeur $F$ est parallèle à l'axe $z$. Le couple de moment égal au moment $M_y$ de **F** (dans sa position initiale), par rapport à l'axe $y$, appartient au plan $ABCD$ et peut alors être représenté par le vecteur $\mathbf{M}_y$ dont la direction est l'axe $y$ (Fig. 4.9*b*). Si on déplace le vecteur-couple au point $O$, nous remplaçons la force **F** appliquée au point $B$ par un système force-couple appliqué au point $O$; le nouveau couple, dont le moment est égal au moment $M_x$ de la force **F** (appliquée en $A$ ou $B$) par rapport à $x$, peut être représenté par le vecteur $\mathbf{M}_x$ dont la ligne d'action est l'axe $x$ (Fig. 4.9*c*). Nous pouvons aussi conclure que *la force* **F** *appliquée au point A peut être déplacée au point O, pourvu qu'on ajoute des vecteurs-couples orientés suivant les axes de référence : la grandeur de chaque vecteur-couple doit être égale au moment de* **F** *(dans sa position originelle) par rapport à l'axe de référence correspondant*. Remarquons que dans le cas considéré, comme **F** n'a pas de moment par rapport à l'axe $z$, il n'y a pas de vecteur-couple parallèle à cet axe. Les vecteurs-couples peuvent être remplacés par leur résultante. Dans le cas considéré, la résultante de $\mathbf{M}_x$ et $\mathbf{M}_y$ est un vecteur-couple **M** agissant dans le plan $xy$ (Fig. 4.9*d*). Alors le vecteur-couple **M** est perpendiculaire à la force **F**. Remarquez que le vecteur **M** représente un couple appartenant au plan $ADEO$ et peut être obtenu d'une façon plus rapide en déplaçant la force **F** du point $A$ au point $O$, points qui appartiennent au plan précédent.

Même si la représentation illustrée à la fig. 4.9*d* est plus condensée que celle de la fig. 4.9*c*, cette dernière est généralement préférée parce qu'elle montre plus clairement l'action de la force originelle sur le corps rigide.

**4.5. Réduction d'un système de forces à une résultante et un couple.** Considérons un système de forces $\mathbf{F}_1$, $\mathbf{F}_2$ et $\mathbf{F}_3$, etc., appliquées au corps rigide (Fig. 4.10*a*). Décomposons chacune de ces forces selon les axes $x$, $y$ et $z$ : d'après la section 4.4, ces composantes peuvent être remplacées par un système équivalent de forces et de couples appliqués au point $O$. Si on additionne toutes les composantes $x$, $y$ et $z$, nous obtenons les résultantes $\mathbf{R}_x$, $\mathbf{R}_y$ et $\mathbf{R}_z$, dirigées suivant les axes de référence; de la même manière, nous allons additionner tous les moments par rapport aux axes $x$, $y$ et $z$, et obtenir les vecteurs-couples $\mathbf{M}_x$, $\mathbf{M}_y$ et $\mathbf{M}_z$ (Fig. 4.10*b*). Il est souhaitable de procéder aux calculs à l'aide des tableaux, comme nous avons fait pour les problèmes résolus 4.3 et 4.4.

Les forces et les vecteurs-couples obtenus sont encore équivalents au système donné; ils donnent une représentation claire de l'action exercée par ce système sur le corps rigide. Notez que nous obtenons des vecteurs-couples différents si nous choississons un autre point $O'$.

Nous pouvons observer que pour être équivalents, deux systèmes de forces doivent se réduire aux mêmes forces et aux mêmes couples appliqués à un point quelconque $O$. La somme de leur composantes $x$, $y$ et $z$ et la somme de leurs moments $M_x$, $M_y$, $M_z$ par rapport aux axes de référence doivent être égales entre elles.

Si on le désire, les trois composantes $\mathbf{R}_x$, $\mathbf{R}_y$ et $\mathbf{R}_z$ de la fig. 4.10*b* peuvent être remplacées par leur résultante $\mathbf{R}$; de la même façon les vecteurs-couples $\mathbf{M}_x$, $\mathbf{M}_y$ et $\mathbf{M}_z$ peuvent être remplacés par leur vecteur-couple résultant $\mathbf{M}$ (Fig. 4.10*c*).

La grandeur et la direction de la force $\mathbf{R}$ et du vecteur-couple $\mathbf{M}$ peuvent être obtenues par la méthode étudiée à la section 2.11. Si on appelle $\theta_x$, $\theta_y$, $\theta_z$ et $\phi_x$, $\phi_y$, $\phi_z$ les angles formés respectivement par $\mathbf{R}$ et $\mathbf{M}$ avec les axes $x$, $y$ et $z$, nous pouvons écrire :

$$R = \sqrt{R_x^2 + R_y^2 + R_z^2}$$
$$\cos\theta_x = \frac{R_x}{R} \qquad \cos\theta_y = \frac{R_y}{R} \qquad \cos\theta_z = \frac{R_z}{R} \tag{4.2}$$

$$M = \sqrt{M_x^2 + M_y^2 + M_z^2}$$
$$\cos\phi_x = \frac{M_x}{M} \qquad \cos\phi_y = \frac{M_y}{M} \qquad \cos\phi_z = \frac{M_z}{M} \tag{4.3}$$

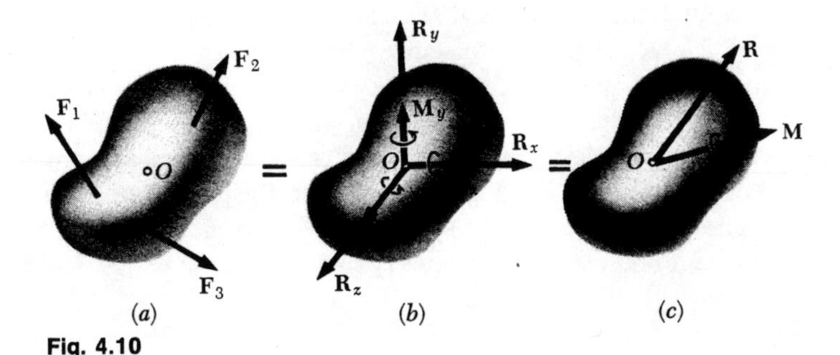

Fig. 4.10

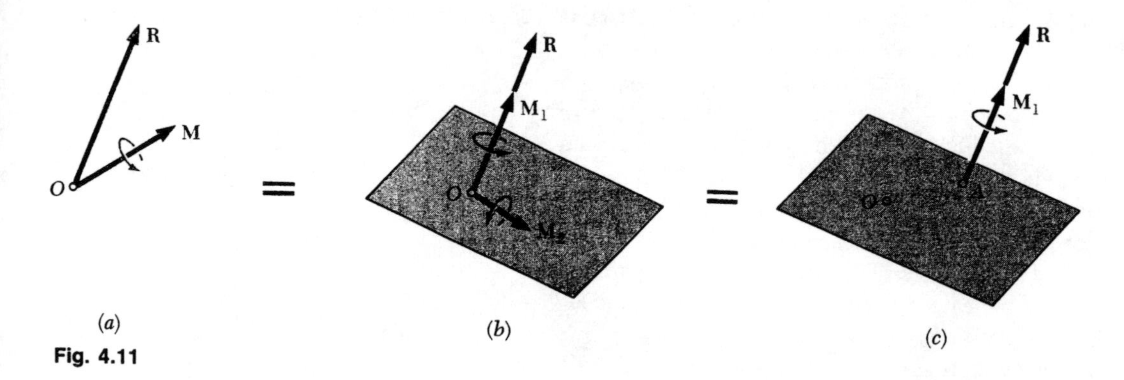


(a) (b) (c)

**Fig. 4.11**

Nous devons attirer l'attention sur une différence remarquable entre la réduction d'un système de forces coplanaires et celle d'un système de forces de l'espace. Nous avons vu dans la section 3.10 que le système force-couple obtenu par la réduction d'un système de forces coplanaires peut, à son tour, être réduit à une résultante unique. *Dans le cas d'un système de forces de l'espace, cette dernière réduction ne sera généralement pas possible.* Un système force-couple de l'espace pourra être réduit à une résultante unique, seulement quand la force et le couple appartiennent au même plan, c'est-à-dire si la force et le vecteur-couple sont perpendiculaires entre eux (voir la section 4.4.).

Si, comme c'est généralement le cas, la force **R** et le vecteur-couple ne sont pas perpendiculaires (Fig. 4.11*a*), le vecteur-couple peut être remplacé par deux autres vecteurs-couples obtenus en décomposant **M** suivant une direction parallèle au vecteur **R**, que nous appellerons la composante $\mathbf{M}_1$ et suivant une direction perpendiculaire à **R**, que nous appellerons la composante $\mathbf{M}_2$ (Fig. 4.11*b*). Le vecteur-couple $\mathbf{M}_2$ et la force **R** peuvent maintenant être remplacés par une force **R** unique agissant suivant une nouvelle ligne d'action parallèle à la précédente. Le système de forces initial se réduit alors à une résultante et à un couple de moment $M_1$ agissant dans un plan perpendiculaire à **R** (Fig. 4.11*c*). Cette combinaison particulière d'une force et d'un couple reçut le nom de *torseur*. La force **R** et le couple de moment $M_1$ ont tendance à déplacer le corps rigide le long de la ligne d'action de **R** et en même temps à le faire tourner autour de cette ligne. La ligne d'action de **R** est appelée l'*axe* du torseur et le rapport $M_1/R$, le *pas* du torseur.

Ainsi, nous pouvons voir que si l'action d'un système de forces coplanaires peut toujours être représentée par une résultante (ou un couple résultant), il est nécessaire généralement d'avoir recours au torseur, c'est-à-dire à une combinaison force-couple pour représenter l'action des forces de l'espace. Une exception importante à cette règle est le cas du système de forces parallèles : un tel système peut se réduire à une résultante unique (voir le problème résolu 4.4).

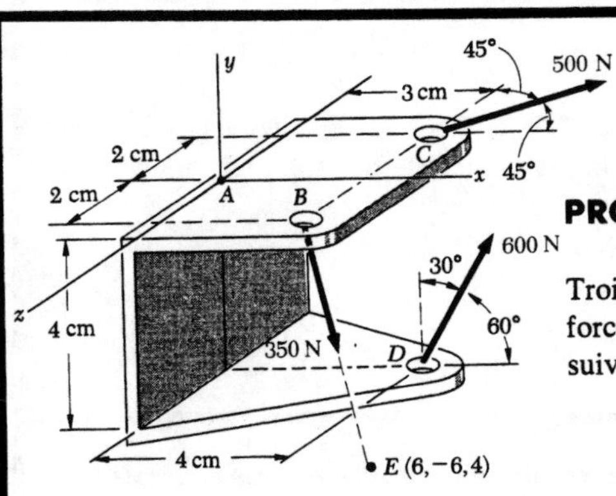


## PROBLÈME RÉSOLU 4.3

Trois forces sont appliquées au support illustré ci-contre. Remplacez ce système de forces par un système de trois forces appliquées au point $A$ et trois couples dirigés suivant les axes de référence.

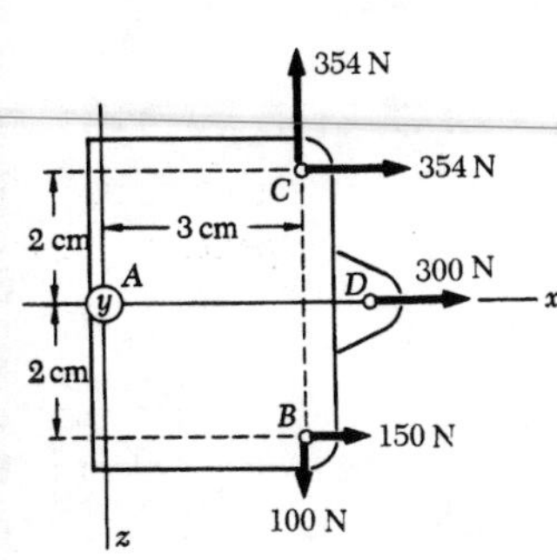


**Solution.** À cause du grand nombre de calculs que ce problème demande, nous allons procéder en utilisant un tableau. Commençons par calculer les composantes des trois forces que nous consignons dans le tableau ci-dessous. Notons que les composantes de la force appliquée au point $B$ sont calculées à partir de la relation

$$\frac{B_x}{+3\text{ cm}} = \frac{B_y}{-6\text{ cm}} = \frac{B_z}{+2\text{ cm}} = \frac{350\text{ N}}{7\text{ cm}}$$

Les composantes sont aussi tracées dans les trois plans de référence et leurs moments, par rapport à chaque axe, sont calculés et consignés dans le tableau. Nous pouvons alors additionner algébriquement les composantes et les moments.

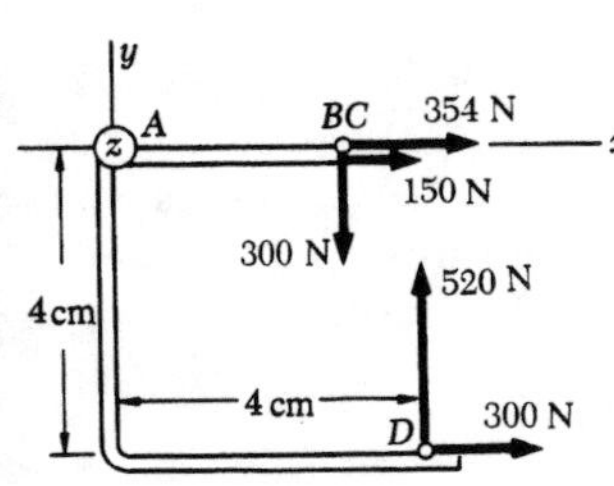


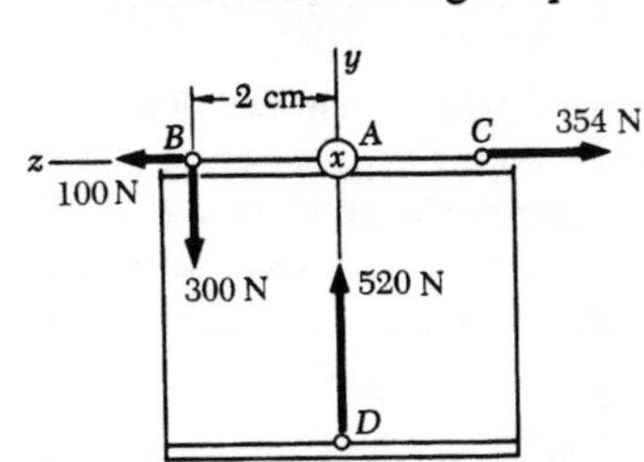


| Forces | $F_x$, N | $F_y$, N | $F_z$, N | $M_x$, N·cm | $M_y$, N·cm | $M_z$, N·cm |
|---|---|---|---|---|---|---|
| **B** | +150 | −300 | +100 | +600 | +300<br>−300 | −900 |
| **C** | +354 | 0 | −354 | 0 | +1062<br>−708 | 0 |
| **D** | +300 | +520 | 0 | 0 | 0 | +2080<br>+1200 |
| | $R_x$ = +804 | $R_y$ = +220 | $R_z$ = −254 | $M_x$ = +600 | $M_y$ = +354 | $M_z$ = +2380 |

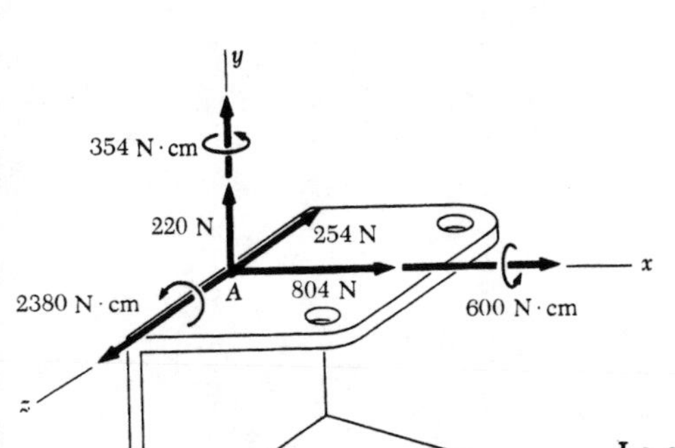


Le système initial peut alors être remplacé par trois forces et trois vecteurs-couples, comme il a été dessiné. Les trois forces $R_x$, $R_y$ et $R_z$ peuvent être composées dans une force unique **R** et les trois vecteurs-couples $M_x$, $M_y$ et $M_z$ dans un vecteur-couple résultant **M**.

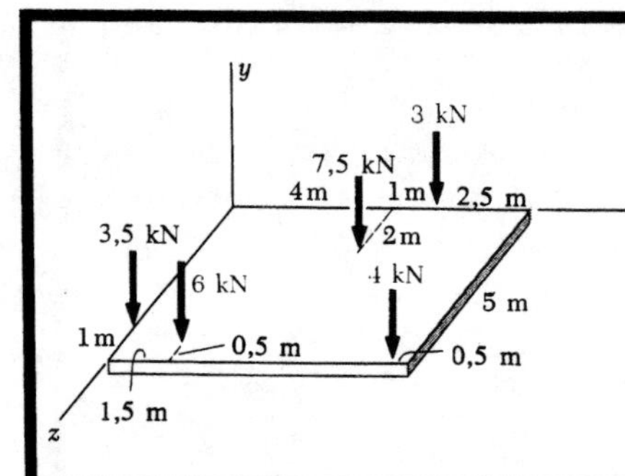


## PROBLÈME RÉSOLU 4.4

Une dalle rectangulaire de dimensions 5 x 7,5 m supporte cinq colonnes qui lui transmettent les forces indiquées. Calculez la grandeur et le point d'application de la force équivalant au système de forces donné.

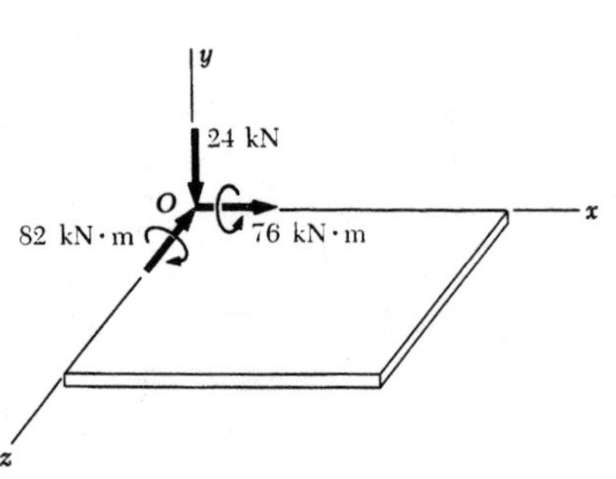


**Solution.** Les composantes $x$ et $z$ des forces données et leurs moments par rapport à l'axe $y$ sont évidemment nuls. Il reste cependant les composantes $y$ et leurs moments $M_x$ et $M_z$, qui ont été consignés dans le tableau qui suit.

| $F_y$, kN | $M_x$, kN·m | $M_z$, kN·m |
|---|---|---|
| −3 | 0 | −15 |
| −3,5 | +14 | 0 |
| −4 | +20 | −28 |
| −6 | +27 | −9 |
| −7,5 | +15 | −30 |
| $R_y = -24$ | $M_x = +76$ | $M_z = -82$ |

Nous voyons facilement dans ce tableau que le système de forces donné peut être remplacé par une force de 24 kN appliquée au point $O$ et par deux couples représentés par deux vecteurs-couples orientés suivant les axes $x$ et $z$. Ces deux couples sont perpendiculaires à la force et, par conséquent, peuvent être éliminés en déplaçant la force vers un nouveau point d'application. Les coordonnées de ce nouveau point sont

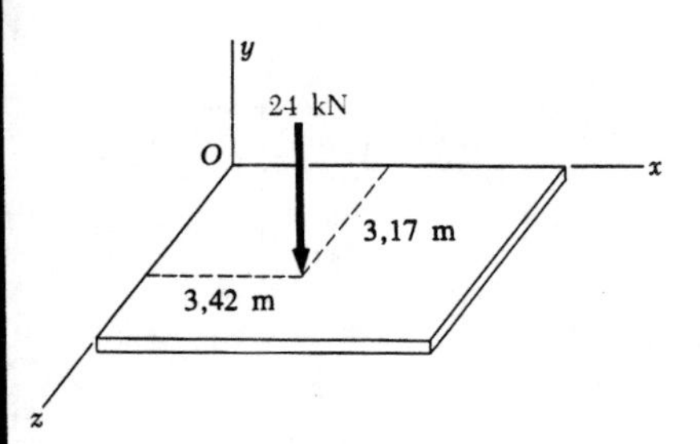


$$x = \frac{82 \text{ kN} \cdot \text{m}}{24 \text{ kN}} = 3{,}42 \text{ m} \qquad z = \frac{76 \text{ kN} \cdot \text{m}}{24 \text{ kN}} = 3{,}17 \text{ m}$$

Finalement la force équivalant au système initial est

$$R = 24 \text{ kN} \downarrow \qquad x = 3{,}42 \text{ m}, \ z = 3{,}17 \text{ m}$$ ◄

## PROBLÈMES SUPPLÉMENTAIRES

**4.17** Une force de 17,8 kN est appliquée sur la surface extérieure de la semelle supérieure d'une poutrelle. Calculez les composantes du système force-couple équivalent, appliquées au point *G*.

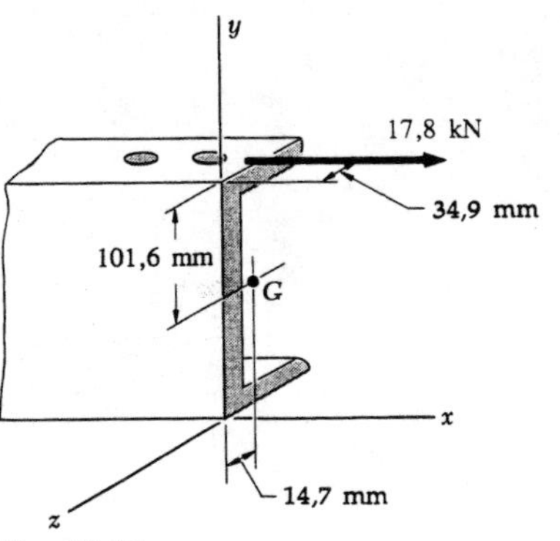


Fig. P4.17

**4.18** Une charge de 100 kN est appliquée excentriquement à la colonne illustrée. Calculez les composantes du système force-couple équivalent, appliqué au point *G*.

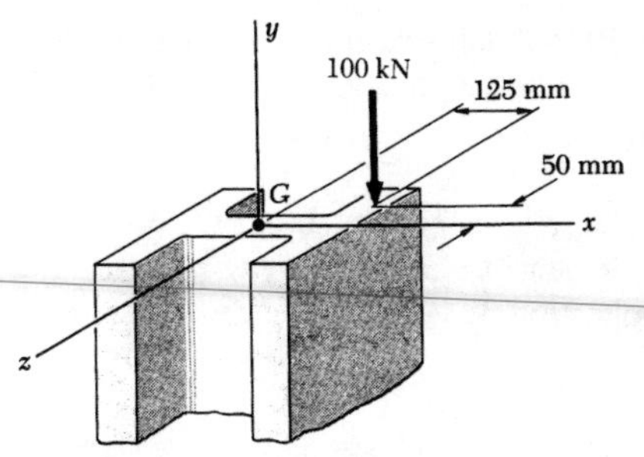


Fig. P4.18

**4.19** L'effort de tension dans le câble *AB* est de 8000 N. Remplacez la force exercée au point *A* de la plaque par un système force-couple appliqué : *a*) à l'origine des coordonnées *O*, *b*) au point *D*.

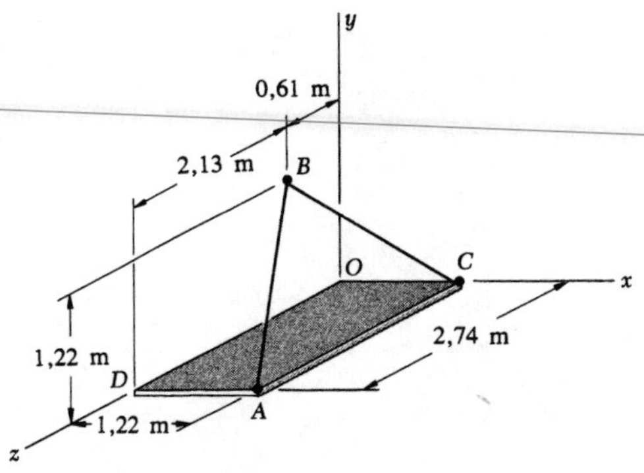


Fig. P4.19 et P4.20

**4.20** L'effort de tension dans le câble *BC* est de 4000 N. Remplacez la force exercée au point *C* de la plaque par un système force-couple appliqué : *a*) à l'origine des coordonnées *O*, *b*) au point *D*.

**4.21** Deux forces sont appliquées au mât vertical illustré à la fig. P4.21. Calculez les composantes du système force-couple équivalant aux deux forces initiales, et appliqué au point *O*.

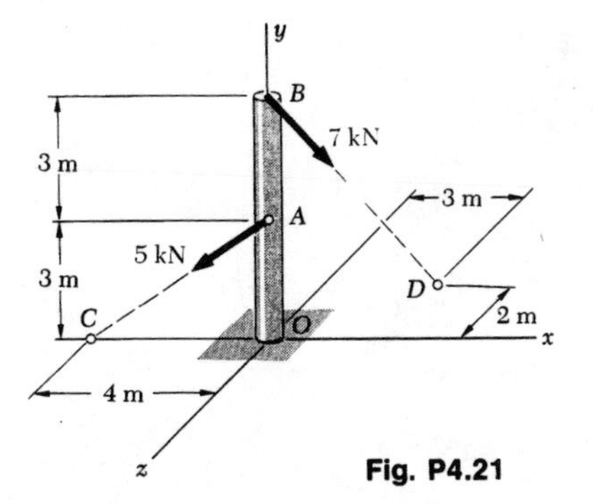


Fig. P4.21

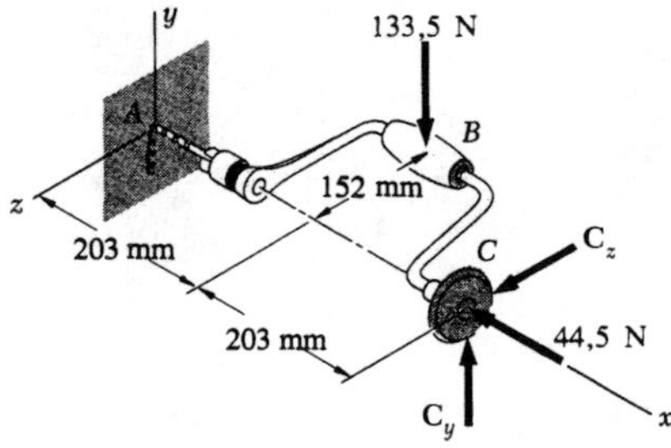

Fig. P4.22

**4.22** En forant un trou dans un mur, un homme applique une force verticale de 133,5 N au point $B$ d'un vilebrequin et exerce en même temps une poussée de 44,5 N au point $C$. Le corps du vilebrequin est disposé dans un plan horizontal $zx$. *a*) Calculez les autres composantes de la force totale exercée sur le point $C$ si le vilebrequin ne tourne pas autour des axes $y$ et $z$ (si le système de forces appliqué au vilebrequin a un moment nul par rapport aux axes $y$ et $z$). *b*) Réduisez le système formé par la force verticale de 133,5 N et la force totale appliquée au point $C$ à un système force-couple appliqué au point $A$.

**4.23** Résolvez le probl. 4.21 en supposant que la force 5 kN est augmentée à 10 kN.

**4.24** Quelle sera la plus petite force additionnelle **P** qui doit être appliquée au point $B$ du probl. 4.21, de façon à transformer le système de forces donné dans un système équivalant à une force unique appliquée à l'origine $O$ du système de référence.

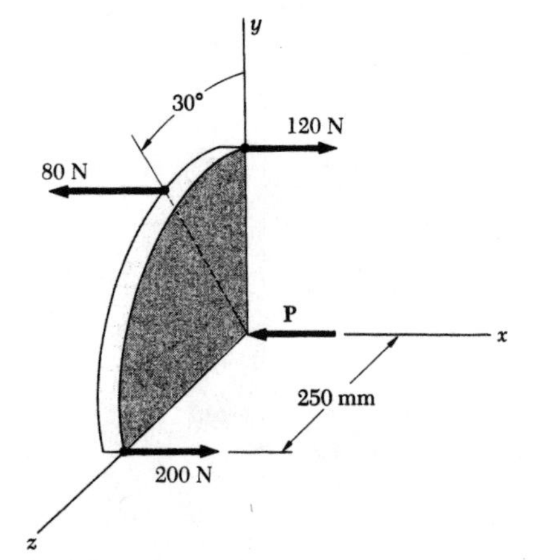

Fig. P4.25 et P4.26

**4.25** Quatre forces horizontales sont appliquées à une plaque de métal dont la surface est égale à un quart de cercle placé verticalement. Le rayon de cette plaque est de 250 mm. Calculez la grandeur et le point d'application de la résultante de ces quatre forces si on admet que $P = 40$ N.

**4.26** Calculez la grandeur de la force **P** pour laquelle la résultante des quatre forces est appliquée au rebord de la plaque.

**4.27** Quatre colonnes transmettent à une dalle de fondation les charges indiquées. Calculez la grandeur et le point d'application de la résultante des quatre forces.

**4.28** Calculez la force verticale additionnelle qu'on doit appliquer aux points $A$ et $B$ du prob. 4.27 pour que la résultante des six forces passe par le centre de la dalle.

**4.29** Calculez la grandeur et le point d'application de la plus petite charge qu'on doit ajouter aux charges appliquées à la dalle pour que la résultante des cinq forces passe par le centre de celle-ci.

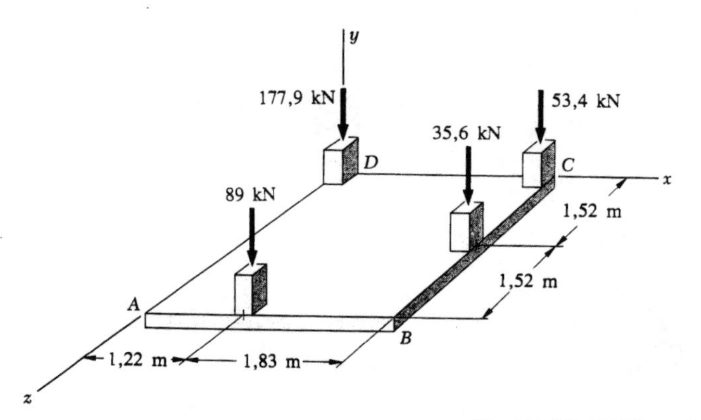

Fig. P4.27, P4.28, et P4.29

**4.30** Trois charges verticales $\mathbf{P}_1$, $\mathbf{P}_2$ et $\mathbf{P}_3$ sont appliquées respectivement aux points $A$, $B$ et $C$, qui se trouvent sur le périmètre d'une plaque circulaire horizontale, de rayon $r$. Calculez les angles $AOB$ et $AOC$ pour que la résultante des trois charges passe par le centre de la plaque.

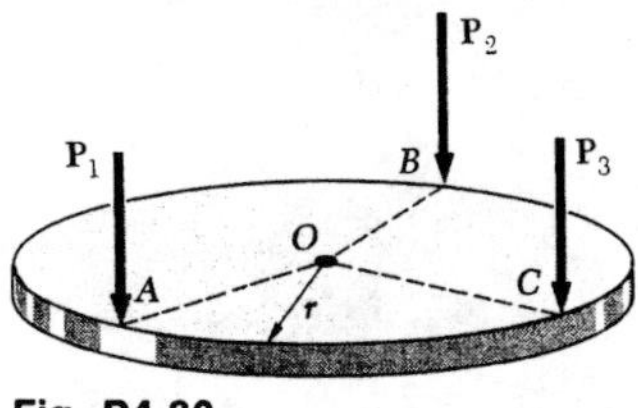


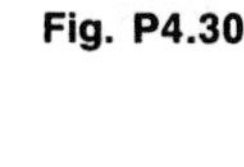

Fig. P4.30

**4.31** Une boîte réductrice de vitesses, à vis sans fin, pèse 300 N : son centre de gravité se trouve sur l'axe des $x$ à 200 mm de l'origine. Remplacez le poids et les couples par le torseur équivalent. (Indiquez l'axe et le pas du torseur.)

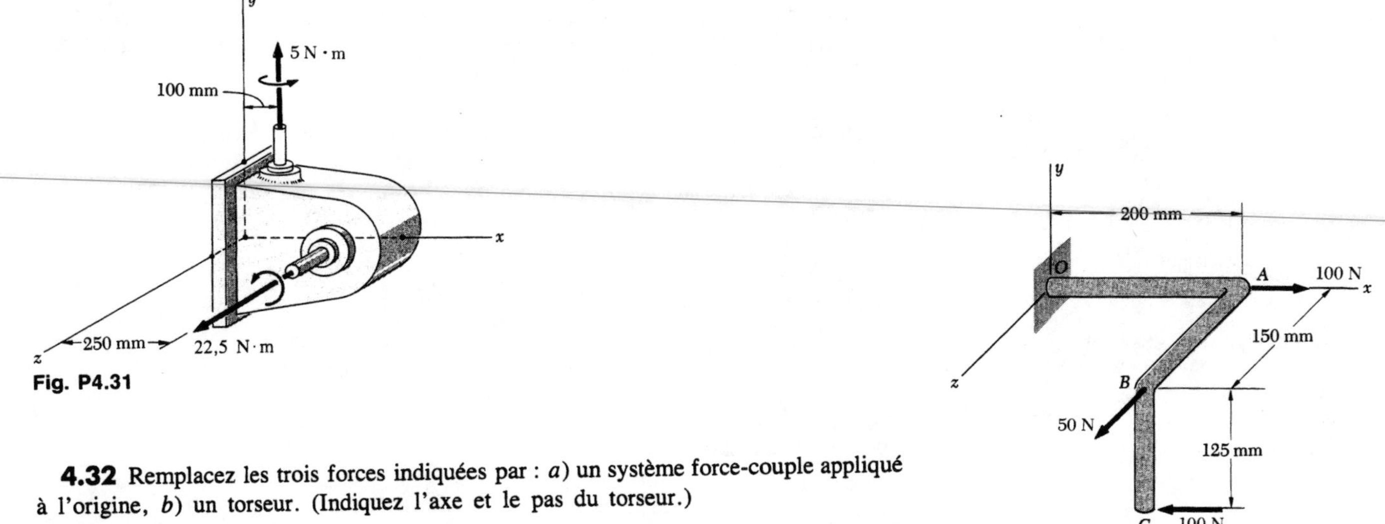


Fig. P4.31

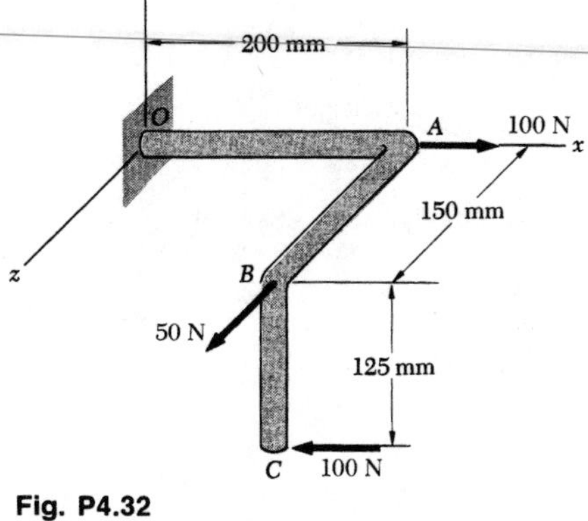


Fig. P4.32

**4.32** Remplacez les trois forces indiquées par : *a*) un système force-couple appliqué à l'origine, *b*) un torseur. (Indiquez l'axe et le pas du torseur.)

**4.33** Réduisez le système de forces indiqué à un torseur. (Indiquez l'axe et le pas du torseur.)

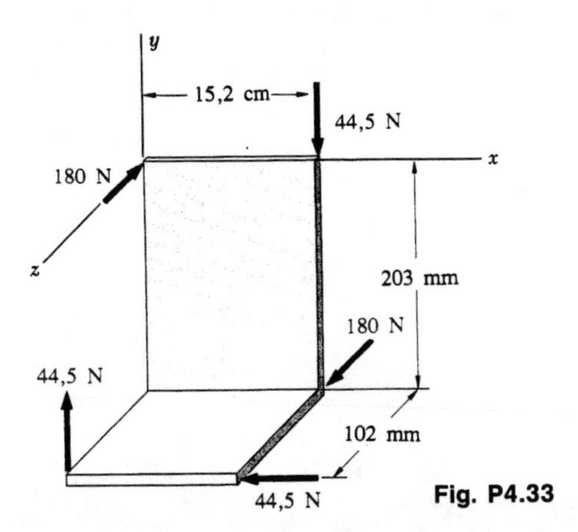


Fig. P4.33

**4.34** Résolvez le probl. 4.33 si les forces de 180 N sont remplacées par des forces de 89 N.

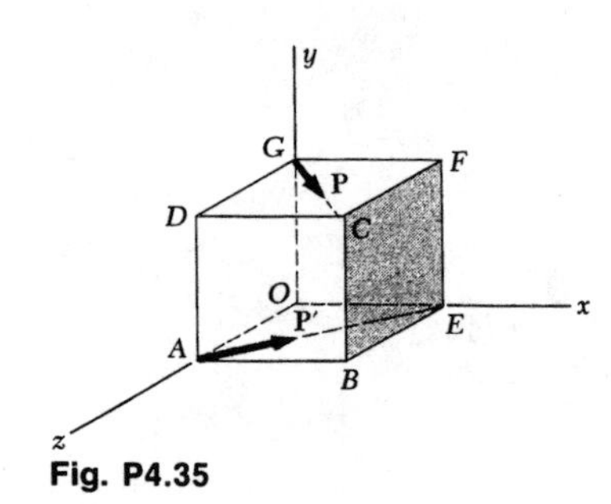

Fig. P4.35

**4.35** Deux forces de grandeur $P$ agissent le long des diagonales de deux côtés du cube d'arête $a$, tel qu'illustré. Remplacez les deux forces par un système formé par : $a$) une force résultante et un couple appliqués au point $O$, $b$) un torseur. (Indiquez l'axe et le pas du torseur.)

**4.36** Calculez la grandeur et l'axe du torseur équivalant aux forces $F_1 = F_2 = P$ et $F_3 = 0$ appliquées au cube de côté $a$, tel qu'illustré.

**4.37** Trois forces sont appliquées au cube illustré ci-contre. Calculez la grandeur et l'axe du torseur équivalant aux trois forces si $F_1 = F_2 = F_3 = P$.

***4.38** Trois forces sont appliquées au cube d'arête $a$. Calculez la grandeur de $\mathbf{F}_3$ sachant que $F_1 = F_2 = P$ et que le système peut être réduit à une force unique $\mathbf{R}$. Calculez aussi la grandeur de $\mathbf{R}$ et sa ligne d'action.

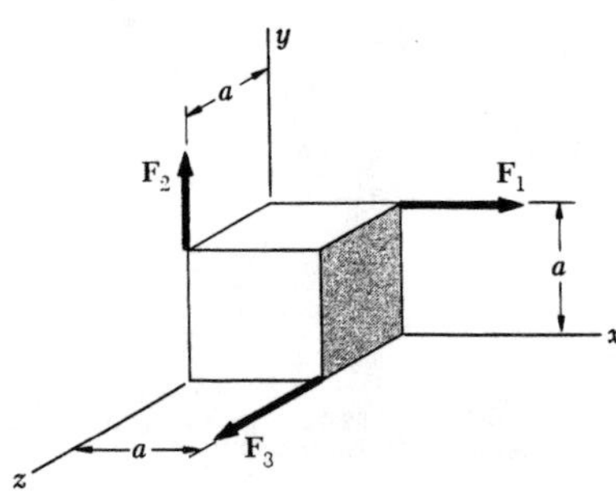

Fig. P4.36, P4.37, et P4.38

**4.39** $a$) Réduisez le torseur illustré par un système équivalent formé par deux forces perpendiculaires à l'axe $y$ et appliquées respectivement aux points $A$ et $B$. $b$) Résolvez la partie ($a$) en supposant que $R = 240$ N, $M = 40$ N · m, $a = 125$ mm, et $b = 250$ mm.

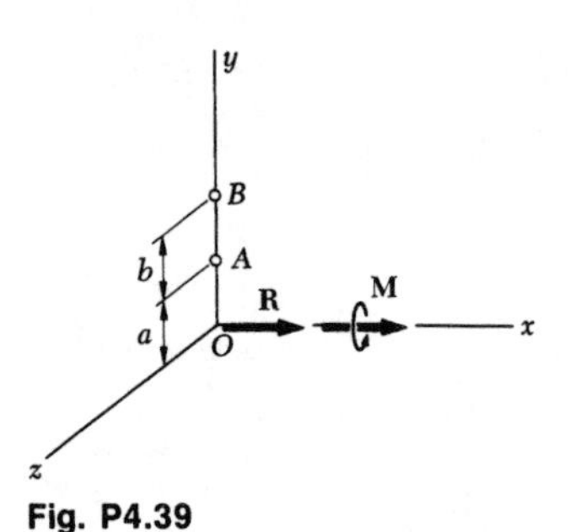

Fig. P4.39

***4.40** Montrez qu'un torseur peut être remplacé par deux forces perpendiculaires, dont l'une est appliquée à un point donné.

## ÉQUILIBRE DES CORPS RIGIDES

**4.6. Équilibre d'un corps rigide de l'espace.** Comme nous l'avons indiqué à la section 3.12, *un corps rigide est dit en équilibre quand les forces externes appliquées sur lui forment un système de forces équivalant à zéro.* Dans le cas de forces de l'espace, un système de forces est équivalent à zéro, quand les trois forces et les trois vecteurs-couples illustrés à la fig. 4.10$b$

sont tous nuls. Les conditions nécessaires et suffisantes d'équilibre d'un corps rigide de l'espace peuvent s'exprimer par les six équations

$$\Sigma F_x = 0 \qquad \Sigma F_y = 0 \qquad \Sigma F_z = 0 \tag{4.4}$$

$$\Sigma M_x = 0 \qquad \Sigma M_y = 0 \qquad \Sigma M_z = 0 \tag{4.5}$$

Les équations (4.4) expriment le fait que les composantes des forces extérieures $x$, $y$, $z$ sont équilibrées. Les équations (4.5) expriment le fait que les moments de toutes les forces extérieures par rapport aux axes $x$, $y$ et $z$ s'annulent. Le système de forces extérieures n'imprime au corps rigide, ni *translations*, ni *rotations*.

Après avoir dessiné le schéma du corps isolé, les équations générales d'équilibre (4.4) et (4.5) peuvent se résoudre pour un nombre maximal de six inconnues. Ces inconnues sont généralement les réactions d'appui et les liaisons à d'autres corps rigides. Dans la pratique, il est souvent plus avantageux de commencer par résoudre les équations des moments (4.5), en choisissant des axes qui se coupent ou qui sont parallèles aux lignes d'action des différentes forces ou composantes de forces inconnues. De cette façon, les équations d'équilibre des moments comportent seulement deux inconnues, parfois même une seule, ce qui facilite la résolution du système d'équations (4.4) et (4.5).

Même si le nombre d'équations d'équilibre est limité à six, chacune de ces équations peut être remplacée par une autre relation. Ainsi, par exemple, des équations de moments calculés par rapport à d'autres axes que les axes $xyz$ peuvent souvent remplacer avantageusement une ou plusieurs des éq. (4.4) et (4.5).

**4.7. Réactions d'appui et de liaison.** Le nombre d'inconnues associées aux réactions d'appui peut varier de un à six dans les problèmes mettant en jeu des structures tridimensionnelles. Nous illustrons à la fig. 4.12 différents types d'appui et de liaison ainsi que les réactions qu'ils créent. Une manière simple de déterminer le type de réaction correspondant à un appui ou à une liaison donnée et, par conséquent, de déterminer le nombre d'inconnues, est de voir lesquels des six mouvements fondamentaux (trois translations suivant $xyz$ et trois rotations autour de $xyz$) sont possibles et lesquels sont impossibles.

Les appuis à rouleau, les surfaces d'appui sans frottement et les câbles, par exemple, empêchent la translation dans une seule direction et par conséquent ils développent une seule force de ligne d'action connue : chacun de ces appuis introduit une inconnue, qui est la grandeur de la réaction. Des roues sur des rails, par exemple, empêchent le mouvement suivant deux directions; nous devons considérer dans ce cas une réaction dont la grandeur et la direction sont inconnues. D'autres appuis, comme les surfaces rugueuses et les rotules, empêchent le mouvement de translation de l'appui et introduisent trois inconnues suivant les trois axes $x$, $y$ et $z$.

Une autre catégorie de supports empêchent des mouvements de rotation aussi bien que des mouvements de translation des appuis : les réactions qu'ils créent peuvent être des couples aussi bien que des forces. L'appui par encastrement (pièce parfaitement sertie dans son support) introduit six inconnues, à savoir trois forces de réaction $F_x$, $F_y$ et $F_z$ ainsi que trois couples $M_x$, $M_y$ et $M_z$, respectivement d'axe $x$, $y$ et $z$. Un appui par joint de cardan, qui empêche les translations et la rotation autour d'un axe tout en permettant la rotation autour des deux autres, introduit quatre inconnues, à savoir trois forces $F_x$, $F_y$ et $F_z$ ainsi qu'un couple $M_x$ (arbre de transmission d'une automobile).

D'autres appuis et liaisons ont été conçus initialement pour éviter des translations; cependant ils sont aussi capables d'empêcher certaines rotations. Les réactions qu'ils provoquent sont généralement des forces, mais éventuellement elles peuvent inclure des couples. Dans les appuis ou supports de ce type nous incluons les gonds (d'une porte) et les paliers conçus pour supporter des charges radiales, tout en permettant des translations axiales. Ces appuis introduisent quatre inconnues, à savoir deux forces $F_y$ et $F_z$ ainsi que deux couples $M_y$ et $M_z$. Un autre groupe comprend les appuis articulés : charnières, paliers de butée qui reprennent des charges aussi bien radiales qu'axiales. Ces appuis introduisent généralement cinq inconnues, à savoir les trois forces $F_x$, $F_y$ et $F_z$ ainsi que deux couples $M_z$ et $M_y$. Tous ces supports ont été conçus pour empêcher des mouvements de translation et ne développent pas des couples importants sous les conditions normales de travail. C'est pour cela que *seules* les réactions $F_x$, $F_y$ et $F_z$ doivent être prises en considération lorsqu'on analyse les réactions de ces appuis, *à moins* qu'il soit nécessaire d'introduire des couples pour garantir l'équilibre du corps rigide, ou que l'appui utilisé ait été conçu pour créer un couple.

Si les réactions introduisent plus de six inconnues, nous nous trouvons avec plus d'inconnues que d'équations et quelques-unes de ces réactions sont *statiquement indéterminées* ou *hyperstatiques* (voir probl. 4.58 et 4.59). Si les réactions introduisent moins de six inconnues, nous nous trouvons avec plus d'équations que d'inconnues et alors certaines de ces équations ne peuvent pas être satisfaites dans les conditions générales de charge : le corps rigide est dit *incomplètement lié*. Sous l'action d'une mise en charge particulière, correspondant à un cas donné, ces équations surabondantes se réduisent à des relations indéterminées du type $0 = 0$ et peuvent donc être mises de côté : cependant même s'il est incomplètement lié, le corps rigide reste en équilibre (voir les probl. résolus 4.5 et 4.6). Même avec six inconnues ou plus, il est encore possible que certaines des équations d'équilibre ne soient pas satisfaites. Ceci arrive lorsque les appuis sont tels, que leurs réactions sont parallèles ou coupent la même droite : dans un tel cas le corps rigide est dit *incorrectement lié*.

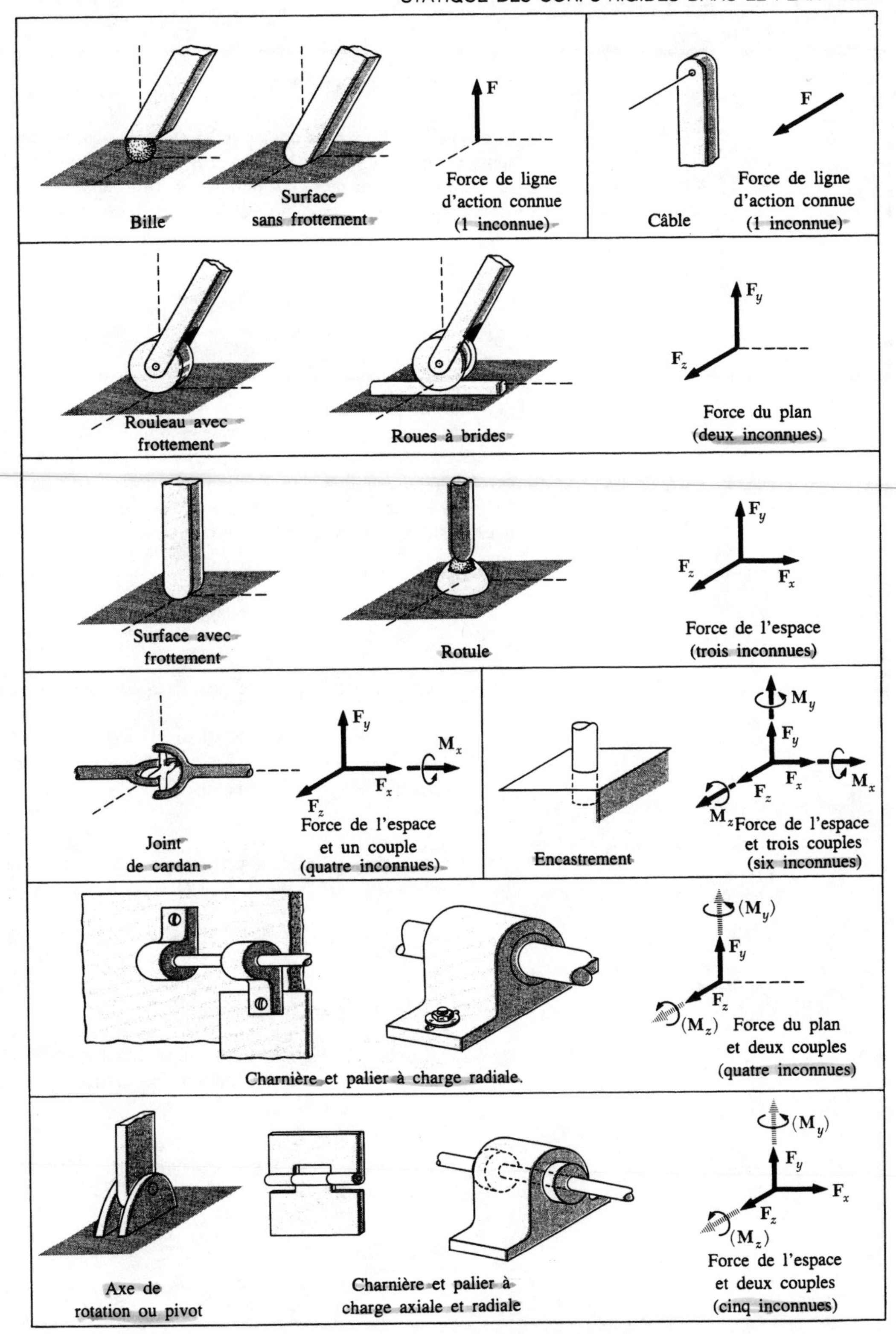


**Fig. 4.12** Types d'appui et leurs réactions.

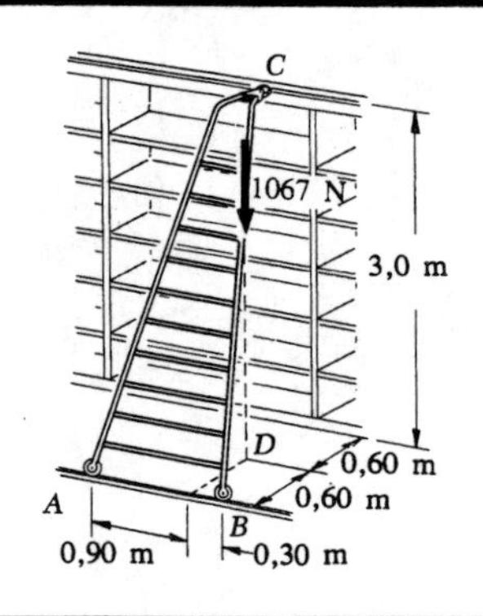


## PROBLÈME RÉSOLU 4.5

Une échelle utilisée pour desservir les étagères supérieures d'une salle d'entreposage est appuyée sur deux roues à bride *A* et *B*, qui roulent sur un rail et sur une roue *C* appuyée sur un rail fixé au mur. Un homme se tient debout sur l'échelle et se penche vers la droite. La ligne d'action du poids de l'homme et du poids de l'échelle, qui est de 1067 N, rencontre le plancher au point *D*. Calculez les réactions aux appuis *A*, *B* et *C*.

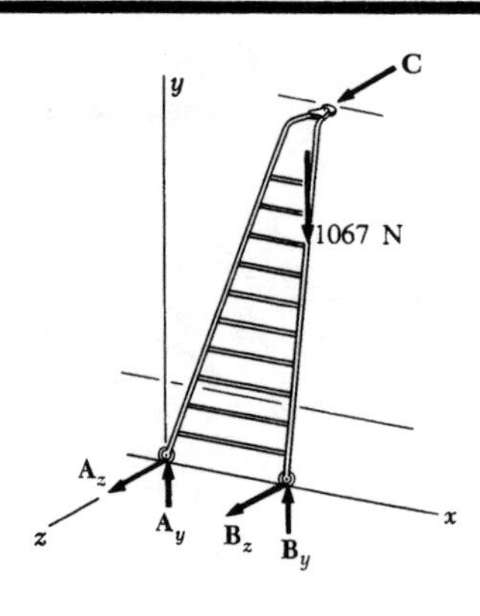


**Solution.** Traçons le schéma de l'échelle isolée : on y relève cinq réactions inconnues, deux pour chaque roue à brides et une pour la roue *C*. L'échelle est cependant incomplètement liée : en effet elle peut rouler le long des deux rails. Elle est cependant en équilibre sous l'action de la force verticale de 1067 N puisque l'équation $\Sigma F_x = 0$ est satisfaite. Nous avons dessiné les trois vues de l'échelle et ensuite nous avons écrit les équations d'équilibre :

***Équations d'équilibre***

$$+\circlearrowleft \Sigma M_x = 0: \quad -(1067 \text{ N})(0{,}60 \text{ m}) + C\,(3{,}0 \text{ m}) = 0$$

$$C = +213{,}4 \text{ N}$$

En utilisant la projection sur le plan *xy* nous pouvons écrire

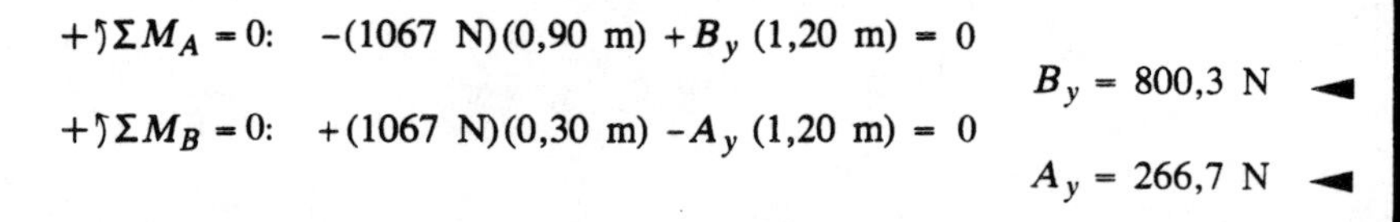

$$+\circlearrowleft \Sigma M_A = 0: \quad -(1067 \text{ N})(0{,}90 \text{ m}) + B_y\,(1{,}20 \text{ m}) = 0$$

$$B_y = 800{,}3 \text{ N}$$

$$+\circlearrowleft \Sigma M_B = 0: \quad +(1067 \text{ N})(0{,}30 \text{ m}) - A_y\,(1{,}20 \text{ m}) = 0$$

$$A_y = 266{,}7 \text{ N}$$

En utilisant la projection sur le plan *zx* et en utilisant la valeur de *C* déjà calculée, nous pouvons écrire

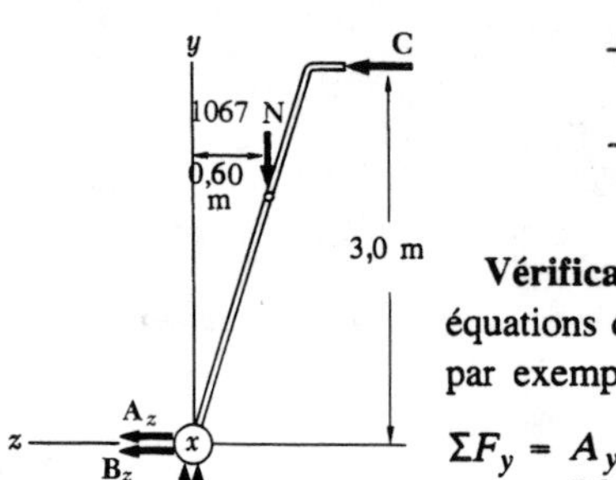


$$+\circlearrowleft \Sigma M_A = 0: \quad -(213{,}4 \text{ N})(0{,}60 \text{ m}) - B_z\,(1{,}20 \text{ m}) = 0$$

$$B_z = -106{,}7 \text{ N}$$

$$+\circlearrowleft \Sigma M_B = 0: \quad +(213{,}4 \text{ N})(0{,}60 \text{ m}) + A_z\,(1{,}20 \text{ m}) = 0$$

$$A_z = -106{,}7 \text{ N}$$

**Vérification.** Les résultats peuvent être vérifiés en utilisant les équations d'équilibre non utilisées, qui doivent être satisfaites; par exemple

$$\Sigma F_y = A_y + B_y - 1067 \text{ N}$$
$$= 266{,}7 \text{ N} + 800{,}2 \text{ N} - 1067 \text{ N} = 0$$
$$\Sigma F_z = A_z + B_z + C$$
$$= -106{,}7 \text{ N} - 106{,}7 \text{ N} + 213{,}4 \text{ N} = 0$$

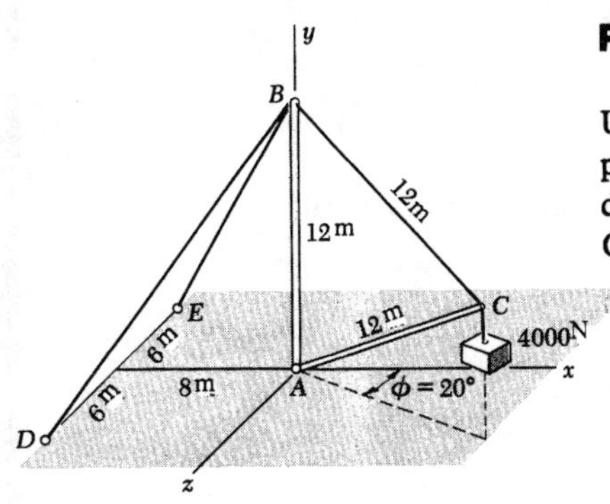


## PROBLÈME RÉSOLU 4.6

Un mât de charge supporte une charge de 4000 N. Ce mât est supporté par une rotule au point $A$ et par deux câbles attachés aux points $D$ et $E$. Dans la position indiquée, le mât de charge est situé dans un plan vertical qui forme un angle $\phi$ = 20° avec le plan $xy$. Calculez l'effort dans chaque câble et les composantes de la réaction au point $A$.

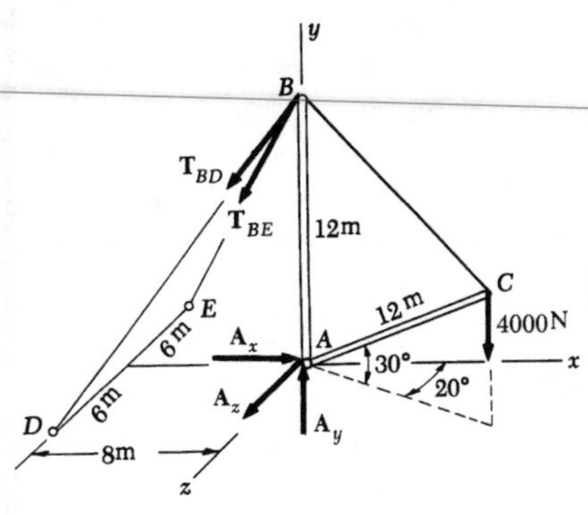


**Solution.** Nous avons tracé d'abord le schéma du mât de charge isolé. Puisque la direction des forces exercées au point $B$ par les câbles est connue, ces forces introduisent une seule inconnue chacune, qui sont en fait $T_{BD}$ et $T_{BE}$. La réaction de l'appui à rotule du point $A$ introduit trois inconnues $\mathbf{A}_x$, $\mathbf{A}_y$ et $\mathbf{A}_z$. Puisque nous avons seulement cinq inconnues, le mât est incomplètement lié : il peut tourner librement autour de l'axe $y$; il est cependant en équilibre sous la mise en charge indiquée puisque l'équation $\Sigma M_y = 0$ est satisfaite.

En nous rappelant que les composantes et les grandeurs des forces $\mathbf{T}_{BD}$ et $\mathbf{T}_{BE}$ sont respectivement proportionnelles aux composantes et grandeurs des vecteurs $\overrightarrow{BD}$ et $\overrightarrow{BE}$, nous exprimons les composantes de ces forces en fonction de $T_{BD}$ et $T_{BE}$. D'autre part les distances $a$ et $b$ sont obtenues comme suit

$$a = (12 \text{ m}) \cos 30° \cos 20° = 9{,}77 \text{ m}$$
$$b = (12 \text{ m}) \cos 30° \sin 20° = 3{,}55 \text{ m}$$

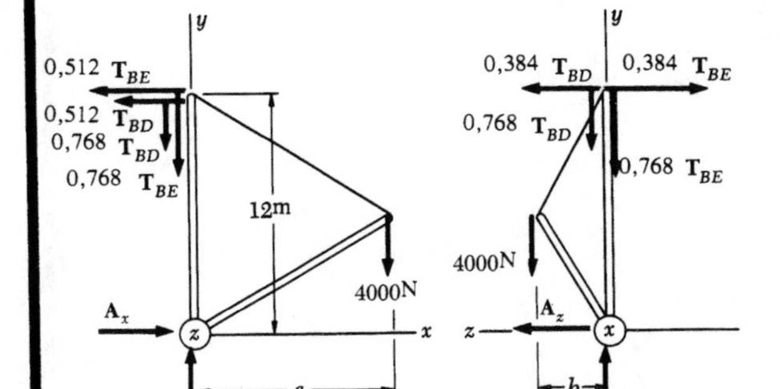


***Équations d'équilibre.*** À l'aide des projections dessinées nous pouvons écrire

$$+\circlearrowleft \Sigma M_x = 0: \quad 0{,}384\, T_{BD}\,(12 \text{ m}) + (4000 \text{ N})(3{,}55 \text{ m}) - 0{,}384\, T_{BE}\,(12 \text{ m}) = 0$$

$$+\circlearrowleft \Sigma M_z = 0: \quad 0{,}512\, T_{BD}\,(12 \text{ m}) + 0{,}512\, T_{BE}\,(12 \text{ m}) - (4000 \text{ N})(9{,}77 \text{ m}) = 0$$

Si on résout ce système d'équations nous obtenons

$$T_{BD} = 1640 \text{ N} \quad T_{BE} = 4720 \text{ N} \quad ◄$$

En utilisant les grandeurs calculées de $T_{BD}$ et $T_{BE}$ nous écrivons

$$\Sigma F_x = 0: \quad A_x - 0{,}512\, T_{BD} - 0{,}512\, T_{BE} = 0$$
$$A_x - 0{,}512\,(1640 \text{ N}) - 0{,}512\,(4720 \text{ N}) = 0$$
$$A_x = +3260 \text{ N} \quad ◄$$

$$\Sigma F_y = 0: \quad A_y - 0{,}768\, T_{BD} - 0{,}768\, T_{BE} - 4000 \text{ N} = 0$$
$$A_y - 0{,}768\,(1640 \text{ N}) - 0{,}768\,(4720 \text{ N}) - 4000 \text{ N} = 0$$
$$A_y = +8880 \text{ N} \quad ◄$$

$$\Sigma F_z = 0: \quad A_z + 0{,}384\, T_{BD} - 0{,}384\, T_{BE} = 0$$
$$A_z + 0{,}384\,(1640 \text{ N}) - 0{,}384\,(4720 \text{ N}) = 0$$
$$A_z = +1183 \text{ N} \quad ◄$$

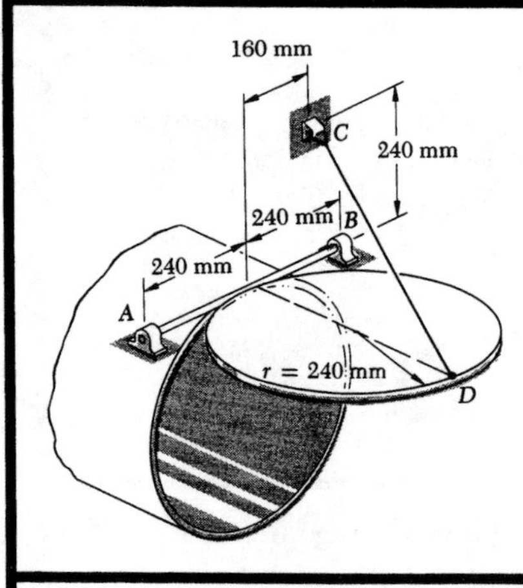


## PROBLÈME RÉSOLU 4.7

Un couvercle de tuyau de rayon $r = 240$ mm et de masse 30 kg est maintenu en position horizontale par un câble *CD*. En supposant que le palier *B* n'exerce pas d'effort axial, calculez l'effort de tension dans le câble et les composantes des réactions aux appuis *A* et *B*.

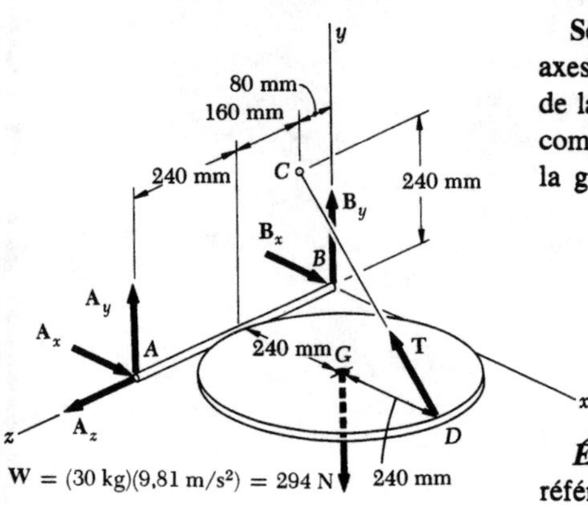


**Solution.** Nous avons tracé d'abord le schéma du couvercle isolé en utilisant les axes *xyz* indiqués. Les réactions d'appui introduisent six inconnues qui sont : la grandeur de la tension **T** dans le câble, les trois composantes de la réaction du palier *A* et les deux composantes du palier *B*. Les composantes de **T** peuvent être exprimées en fonction de la grandeur *T* inconnue en écrivant

$$\frac{T_x}{-480\text{ mm}} = \frac{T_y}{+240\text{ mm}} = \frac{T_z}{-160\text{ mm}} = \frac{T}{560\text{ mm}}$$

$$T_x = -\tfrac{6}{7}T \qquad T_y = +\tfrac{3}{7}T \qquad T_z = -\tfrac{2}{7}T$$

***Équations d'équilibre.*** En nous servant des projections sur les trois plans de référence, nous avons

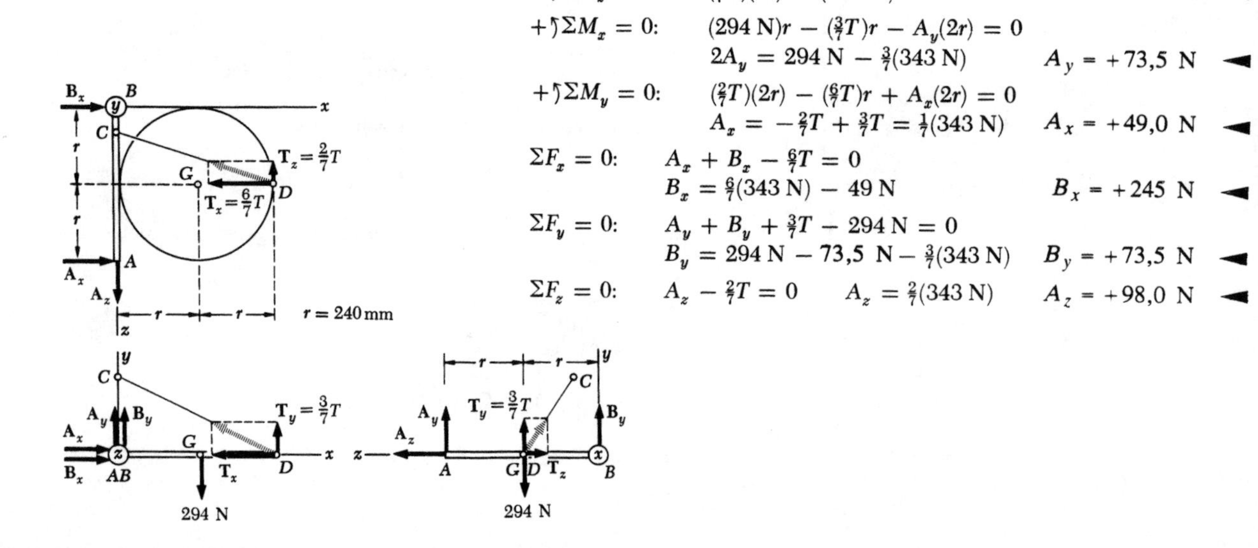


$+\circlearrowleft\Sigma M_x = 0$: $\quad (\tfrac{3}{7}T)(2r) - (294\text{ N})r = 0 \qquad T = 343\text{ N}$ ◄

$+\circlearrowleft\Sigma M_z = 0$: $\quad (294\text{ N})r - (\tfrac{3}{7}T)r - A_y(2r) = 0$

$\quad 2A_y = 294\text{ N} - \tfrac{3}{7}(343\text{ N}) \qquad A_y = +73{,}5\text{ N}$ ◄

$+\circlearrowleft\Sigma M_y = 0$: $\quad (\tfrac{2}{7}T)(2r) - (\tfrac{6}{7}T)r + A_x(2r) = 0$

$\quad A_x = -\tfrac{2}{7}T + \tfrac{3}{7}T = \tfrac{1}{7}(343\text{ N}) \qquad A_x = +49{,}0\text{ N}$ ◄

$\Sigma F_x = 0$: $\quad A_x + B_x - \tfrac{6}{7}T = 0$

$\quad B_x = \tfrac{6}{7}(343\text{ N}) - 49\text{ N} \qquad B_x = +245\text{ N}$ ◄

$\Sigma F_y = 0$: $\quad A_y + B_y + \tfrac{3}{7}T - 294\text{ N} = 0$

$\quad B_y = 294\text{ N} - 73{,}5\text{ N} - \tfrac{3}{7}(343\text{ N}) \qquad B_y = +73{,}5\text{ N}$ ◄

$\Sigma F_z = 0$: $\quad A_z - \tfrac{2}{7}T = 0 \qquad A_z = \tfrac{2}{7}(343\text{ N}) \qquad A_z = +98{,}0\text{ N}$ ◄

## PROBLÈMES SUPPLÉMENTAIRES

**4.41** Le mât de 10 m est soumis à la force de 8,4 kN, tel qu'illustré. Il est appuyé sur une rotule $A$ et soutenu par deux câbles $BD$ et $BE$. Calculez l'effort dans chaque câble et la réaction d'appui $A$, en supposant que le poids du mât est négligeable.

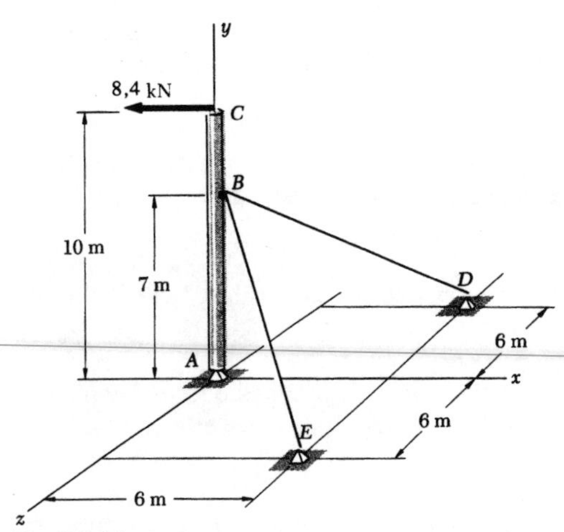

Fig. P4.41

**4.42** Une hampe $AC$ de 3 m de longueur forme un angle de 60° avec la verticale; elle est appuyée sur une rotule en $A$ et soutenue par les deux attaches $BD$ et $BE$. Calculez les composantes de la réaction au point $A$ et la tension dans chaque partie de câble $DB$ et $EB$ provoquée par une force verticale de 400 N. On suppose que la distance $AB$ est de 1 m.

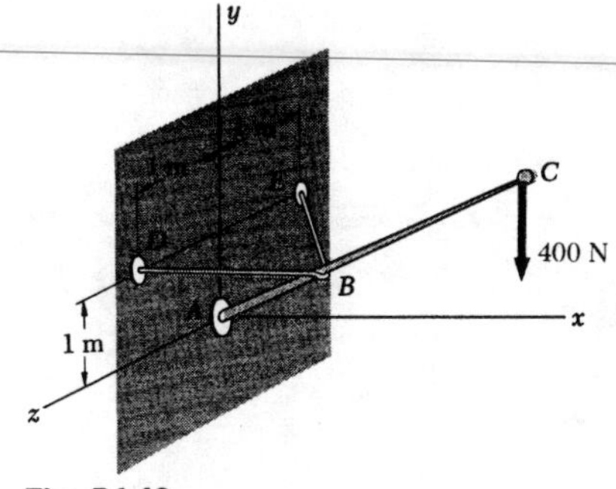

Fig. P4.42

**4.43** Un mât de charge de 3,66 m de longueur est soumis à une force verticale de 1512 N tel qu'indiqué. Calculez l'effort de tension dans chaque câble et la réaction d'appui $A$.

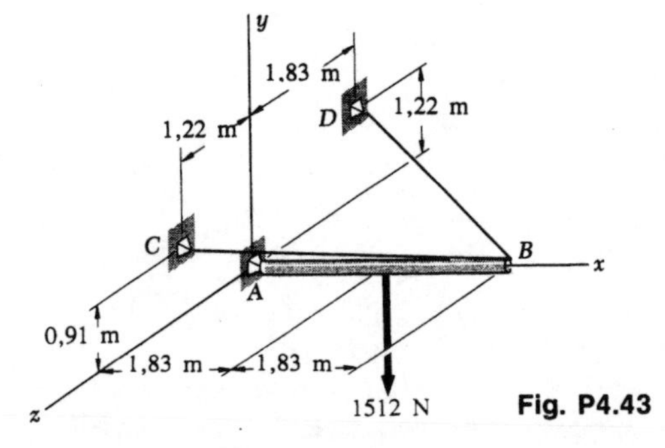

Fig. P4.43

**4.44** Résolvez le probl. 4.43 en supposant que la charge de 1512 N est appliquée au point $B$.

**4.45** Une plaque de 2 x 3 m, possédant une masse de 600 kg, est soutenue par trois câbles qui s'attachent à leur tour au point $D$ situé à la verticale du centre de la plaque. Calculez la tension exercée par chaque câble.

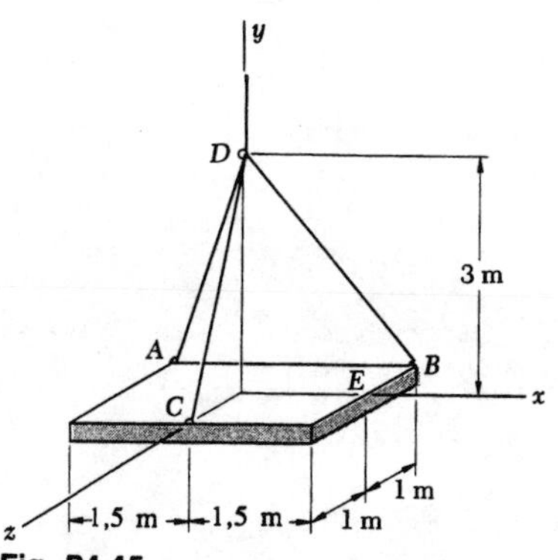

Fig. P4.45

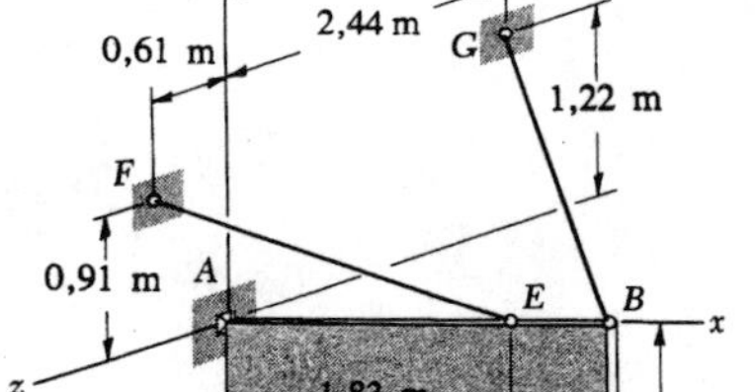
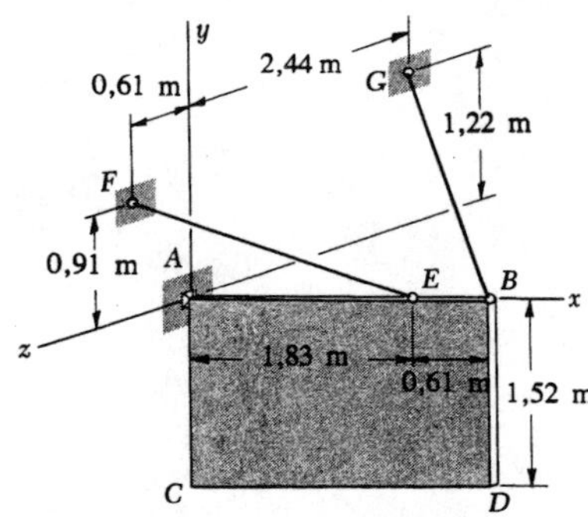


**Fig. P4.48**

**4.46** Résolvez le probl. 4.45 en remplaçant le câble $DB$ par le câble $DE$.

**4.47** Dans le probl. résolu 4.6, calculez l'angle $\phi$ pour lequel la force de tension dans le câble $BE$ est maximale : *a*) si tous les câbles restent tendus, *b*) si les câbles $BE$ et $BD$ sont remplacés par des barres (capables de supporter à la fois tension et compression).

**4.48** Une enseigne de dimensions 1,52 x 2,43 m et de poids 1201 N est appuyée sur une rotule en $A$ et soutenue par deux câbles. Calculez la force de tension exercée par chaque câble et la réaction de l'appui $A$.

**4.49** Un mât de 2,5 m est appuyé sur une rotule au point $A$ et retenu par deux câbles $EBF$ et $DC$ : le câble $EBF$ passe par une poulie $B$ (frottement négligeable). Calculez la tension exercée par chaque câble.

**4.50** La plaque carrée pèse 178 N et est supportée par trois câbles, tel qu'illustré. Calculez la tension dans chaque câble.

**4.51** Calculez la grandeur et le point d'application de la plus petite force à appliquer à la plaque de 178 N, si on veut que les trois câbles développent des efforts de tension identiques.

**4.52** Une charge $W$ doit être placée sur la plaque du probl. 4.51. Calculez sa grandeur et sa position si on veut que les efforts de tension dans les trois câbles ne dépassent pas 133 N.

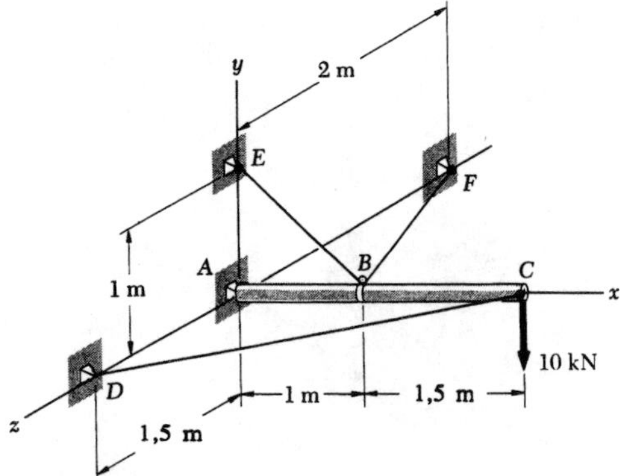


**Fig. P4.49**

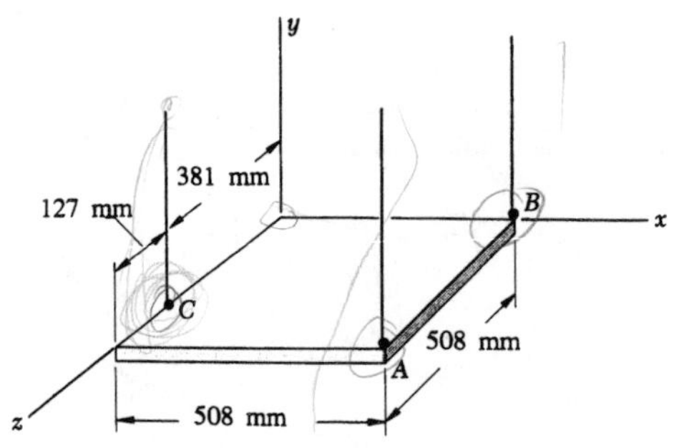


**Fig. P4.50, P4.51 et P4.52**

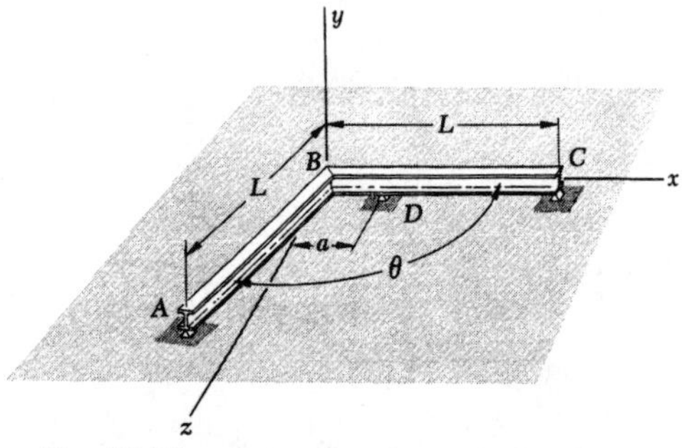


**Fig. P4.53**

**4.53** Deux poutrelles $AB$ et $BC$, du type I et de longueur $L$, sont soudées au point $A$ et s'appuient sur les appuis $A$, $D$ et $C$, qui appartiennent au même plan horizontal. Les appuis sont du type rouleau simple et introduisent seulement des réactions verticales orientées de bas en haut. Les poutrelles pèsent $W$ N/m. Calculez les réactions d'appui si $\theta = 90°$ et $a = \frac{1}{4}L$.

**4.54** Sachant que $\theta = 90°$, calculez la plus grande valeur de $a$, si on veut que la poutrelle $BC$ du probl. 4.53 ne se soulève pas de l'appui $C$.

**4.55** Calculez les réactions dans le probl. 4.53 en fonction de $W$, $L$ et $\theta$, sachant que $a = \frac{1}{4} L$. Expliquez pourquoi les résultats obtenus ne sont pas valides pour $\theta = 0°$ et $\theta = 180°$.

**4.56** Un treuil est en équilibre sous l'action d'une charge verticale **P** appliquée au point $E$. Sachant que $\theta = 60°$, calculez la grandeur de **P** et les réactions en $A$ et $B$. Nous supposons que le palier n'exerce pas de force axiale.

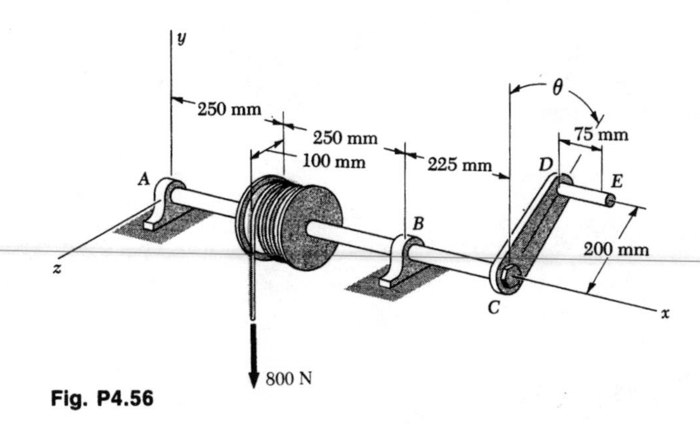


**Fig. P4.56**

**4.57** Résolvez le probl. 4.56, en supposant que le treuil reste en équilibre sous l'action d'une force **P** appliquée au point $E$, perpendiculairement au plan $CDE$.

**4.58** La porte blindée d'une chambre forte pèse 53,4 kN et est supportée par deux gonds $A$ et $B$. Déterminez les composantes de la réaction en $A$ et $B$.

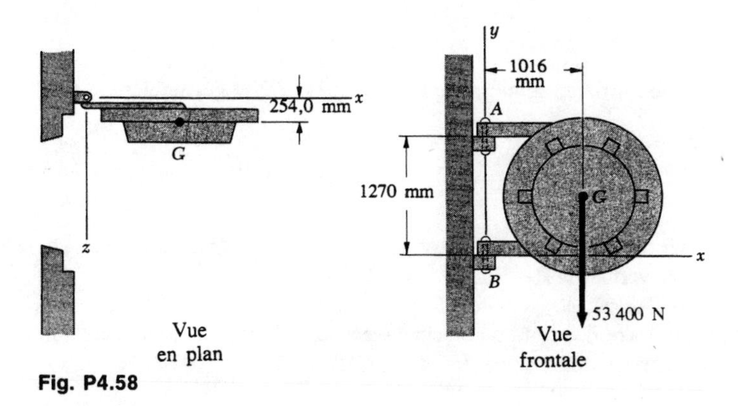


**Fig. P4.58**

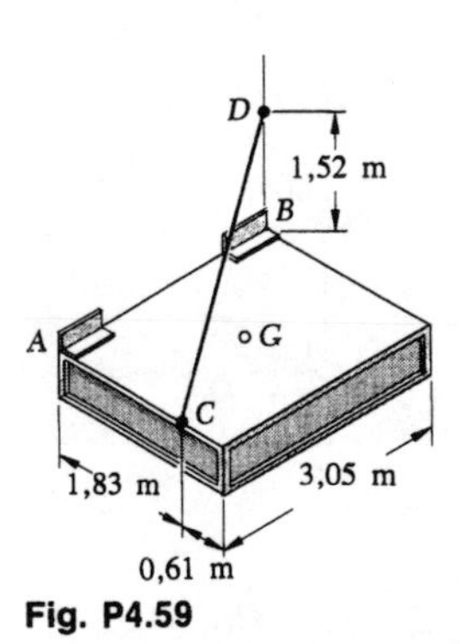


**Fig. P4.59**

**4.59** Un auvent vitré, d'un poids de 2220 N et de dimensions 2,44 x 3,04 m, est appuyé sur les charnières $A$ et $B$ et soutenu par un câble $CD$ attaché au point $C$, à 1,52 m à la verticale de $B$. Calculez l'effort de tension dans le câble et les composantes des réactions aux charnières $A$ et $B$.

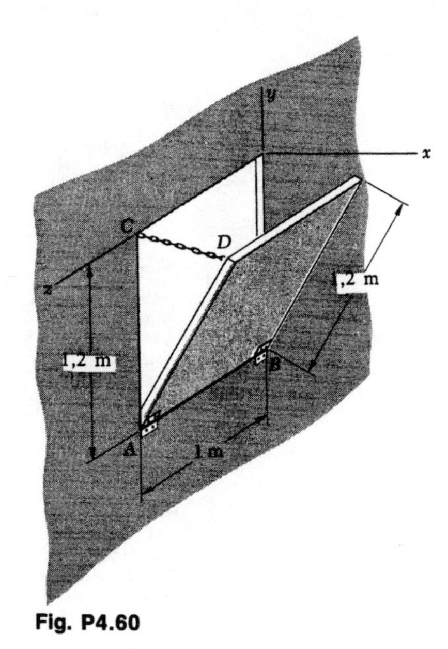


Fig. P4.60

**4.60** Une plaque de four de masse 75 kg est appuyée sur les charnières $A$ et $B$ et soutenue par la chaîne $CD$ de longueur 0,6 m. Si on suppose que la charnière $A$ n'exerce pas d'effort axial, calculez la tension dans la chaîne et les réactions aux appuis $A$ et $B$.

**4.61** Résolvez le probl. 4.60 en supposant que la charnière $A$ est enlevée.

**4.62** Une plate-forme horizontale $ABCD$ pèse 222 N et supporte une charge de 890 N appliquée à son centre géométrique. La plate-forme est maintenue en place par les charnières $A$ et $B$ et par les entretoises $CE$ et $DE$. Calculez les réactions des charnières et l'effort dans l'entretoise $CE$, si on enlève l'entretoise $DE$ et si on suppose que la charnière $A$ n'exerce aucun effort axial.

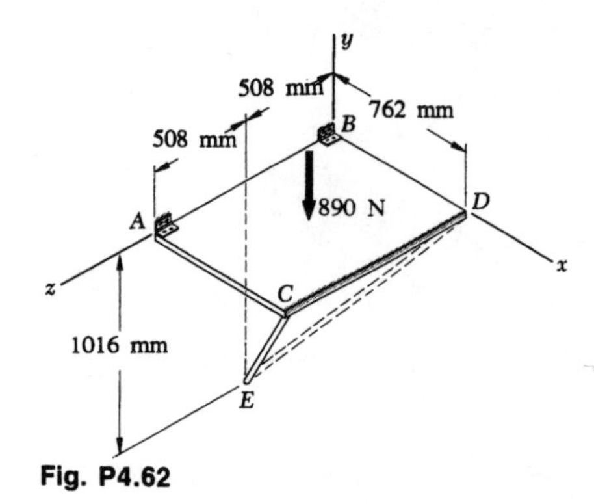


Fig. P4.62

**4.63** Résolvez le probl. 4.62 si la charge de 890 N est placée au coin $D$.

**4.64** Résolvez le probl. 4.62 en supposant que l'entretoise $DE$ et la charnière $A$ sont enlevées.

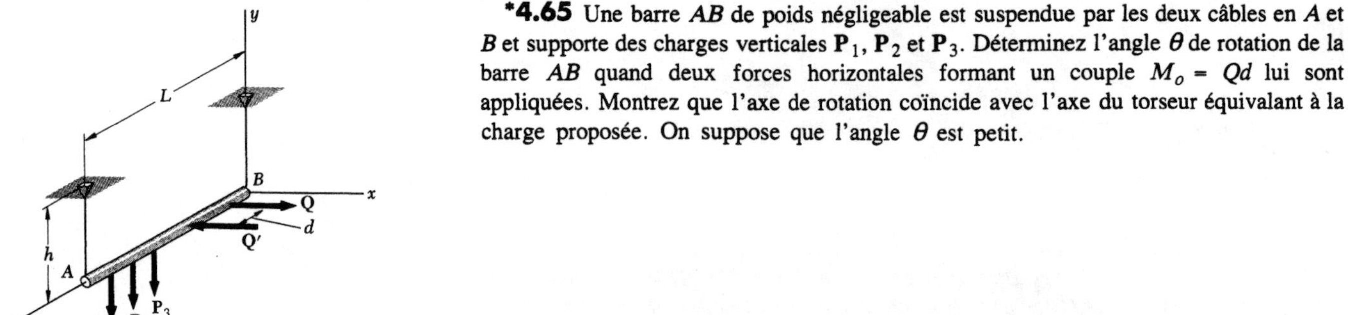

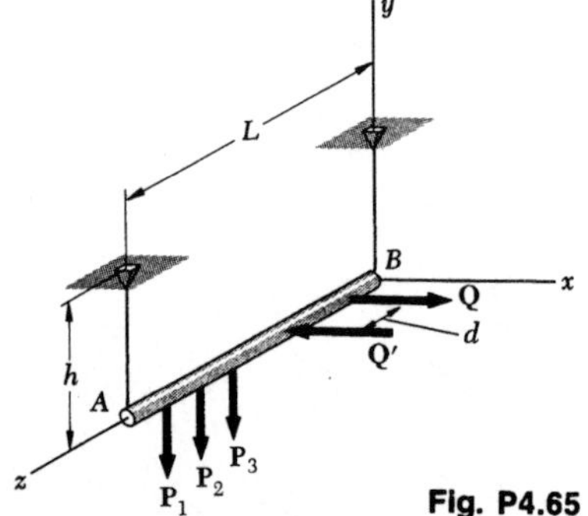


Fig. P4.65

***4.65** Une barre $AB$ de poids négligeable est suspendue par les deux câbles en $A$ et $B$ et supporte des charges verticales $\mathbf{P}_1$, $\mathbf{P}_2$ et $\mathbf{P}_3$. Déterminez l'angle $\theta$ de rotation de la barre $AB$ quand deux forces horizontales formant un couple $M_o = Qd$ lui sont appliquées. Montrez que l'axe de rotation coïncide avec l'axe du torseur équivalant à la charge proposée. On suppose que l'angle $\theta$ est petit.

**4.66** Une structure tubulaire en forme de $L$ est appuyée sur une rotule $A$ et est soutenue par trois câbles. Calculez la force de tension dans chaque câble et la réaction à l'appui $A$ créées par une charge de 5 kN appliquée au point $C$.

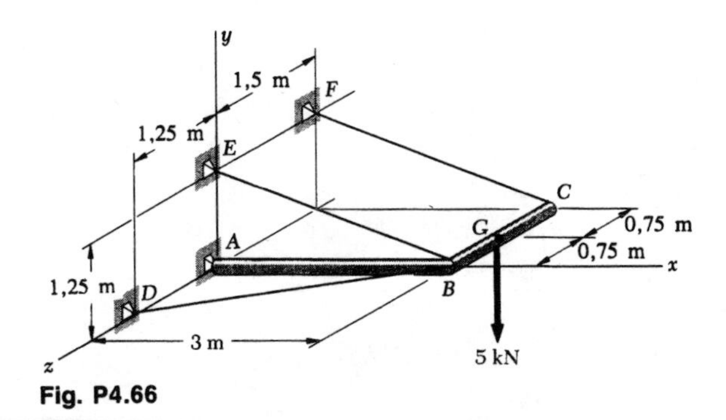


**Fig. P4.66**

**4.67** Résolvez le probl. 4.66 en supposant que le câble $BD$ est enlevé et remplacé par un câble $EC$.

**4.68** Trois tiges sont soudées pour former un trièdre. Ce trièdre est supporté par trois collets. Calculez les réactions en $A$, $B$ et $C$ quand $P = 800$ N, $a = 150$ mm, $b = 100$ mm et $c = 125$ mm.

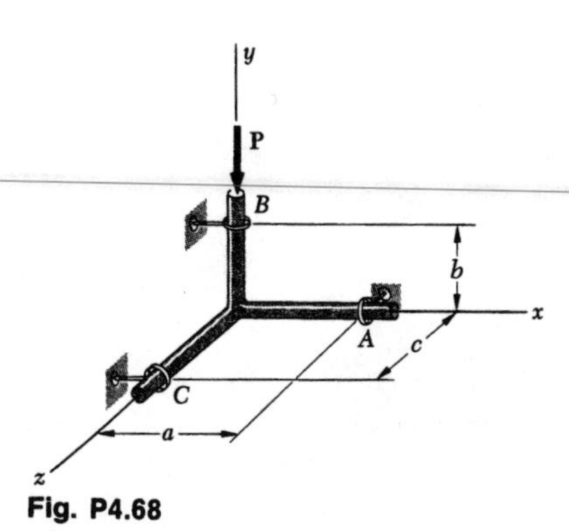


**Fig. P4.68**

## PROBLÈMES DE RÉVISION

**4.69** Une table pesant 133,5 N et dont le diamètre est de 1,22 m est supportée par trois pieds placés à égale distance les uns des autres. Une charge verticale **P** de grandeur 334 N est appliquée au point $D$. Calculez la valeur maximale de $a$, pour que la table ne bascule pas autour de l'axe $AB$. Dessinez la surface à l'intérieur de laquelle **P** peut se déplacer sans renverser la table.

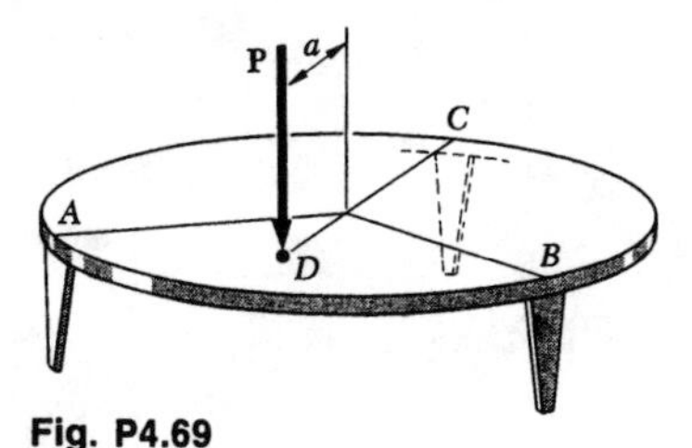


**Fig. P4.69**

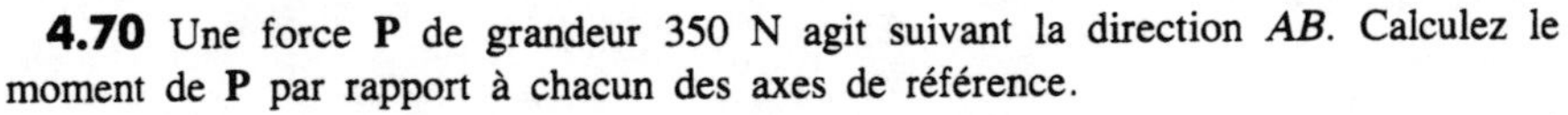

**4.70** Une force **P** de grandeur 350 N agit suivant la direction $AB$. Calculez le moment de **P** par rapport à chacun des axes de référence.

**4.71** Calculez : $a$) la grandeur de la force **P** pour laquelle le moment de **P** par rapport à l'axe $x$ est de 50 N · m, $b$) le moment correspondant de **P** par rapport aux axes $y$ et $z$.

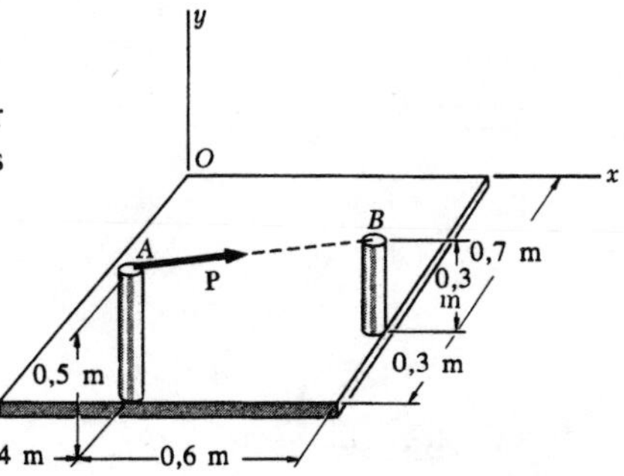


**Fig. P4.70 et P4.71**

**4.72** Une barre uniforme $AB$ pèse 49,8 kg et sa longueur est de 45,7 cm. Elle est appuyée par l'intermédiaire des rotules $A$ et $B$ sur les deux manchons $A$ et $B$ qui peuvent glisser sans frottement le long de deux tubes. Calculez la grandeur de la force **P** nécessaire pour maintenir l'équilibre quand : *a*) $c$ = 5,1 cm, *b*) $c$ = 20,3 cm.

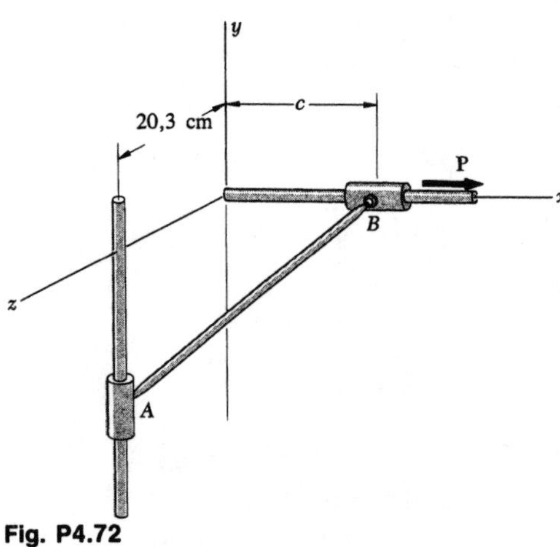


**Fig. P4.72**

**4.73** Résolvez le probl. 4.72 quand : *a*) $c$ = 35,6 cm, *b*) $c$ = 40,6 cm.

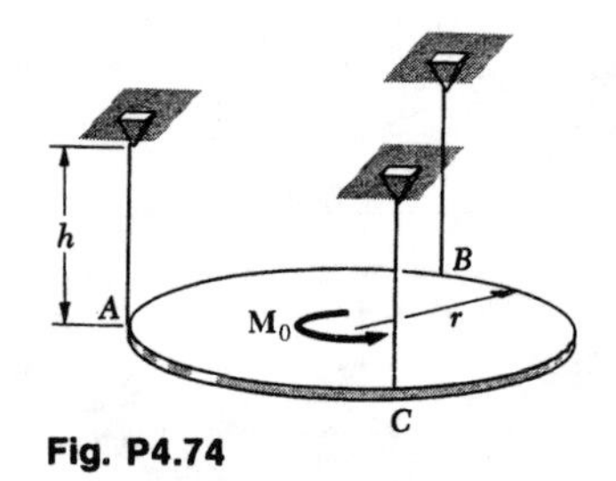


**Fig. P4.74**

**4.74** Une plaque circulaire uniforme de rayon $r$ et de poids $W$ est supportée par trois câbles verticaux de longueur $h$, attachés au rebord de la plaque et à égale distance les uns des autres. Calculez l'angle horizontal $\theta$ de rotation de la plaque lorsqu'on lui applique un couple de moment $\mathbf{M}_0$ dans son propre plan. On suppose que $\theta$ est petit.

**4.75** Montrez dans le probl. 4.74 que l'angle $\theta$ est indépendant de la localisation des points $A$, $B$ et $C$, pourvu que ces points ne soient pas tous du même côté d'un diamètre. On suppose que $\theta$ est petit.

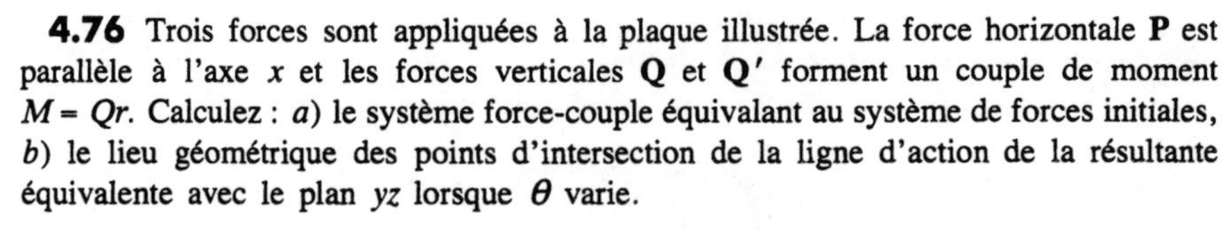
**4.76** Trois forces sont appliquées à la plaque illustrée. La force horizontale **P** est parallèle à l'axe $x$ et les forces verticales **Q** et **Q′** forment un couple de moment $M = Qr$. Calculez : *a*) le système force-couple équivalant au système de forces initiales, *b*) le lieu géométrique des points d'intersection de la ligne d'action de la résultante équivalente avec le plan $yz$ lorsque $\theta$ varie.

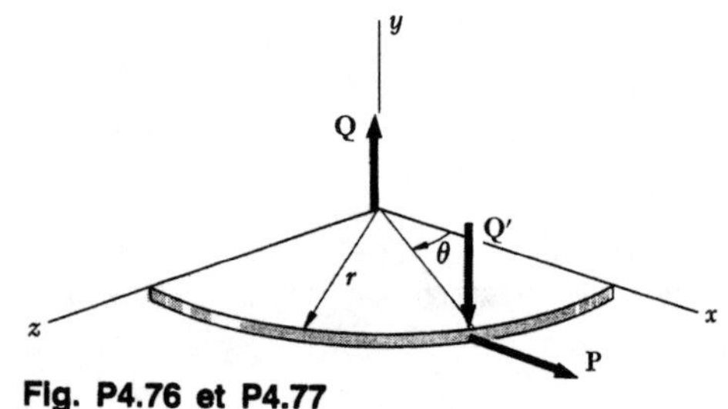


**Fig. P4.76 et P4.77**

**4.77** Si on donne $P$ = 400 N, $Q$ = 800 N et $r$ = 200 mm, calculez le torseur équivalant au système initial quand : *a*) $\theta = 30°$, *b*) $\theta = 90°$. (Spécifiez l'axe et le pas du torseur.)

**4.78** Une plaque carrée de côté $a$ supporte une charge dans chaque coin, tel qu'illustré. Calculez la grandeur et le point d'application de la résultante de ces 4 charges.

**4.79** Calculez dans le probl. 4.78 le point d'application de la plus petite charge additionnelle à appliquer à la plaque si on veut que la résultante de ces cinq forces passe par le centre géométrique de la plaque.

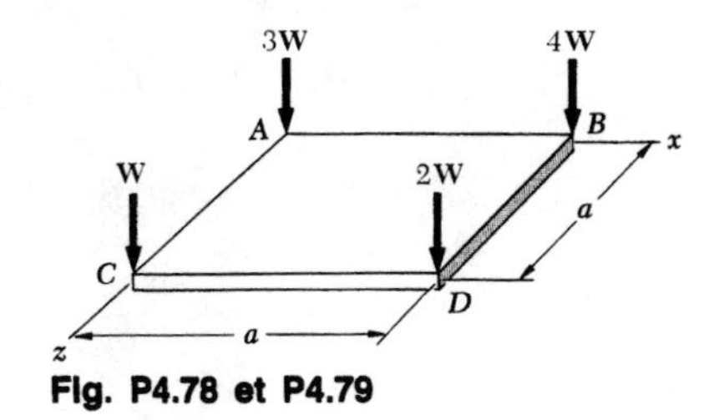

**Fig. P4.78 et P4.79**

**4.80** Une boîte de vitesses est soumise aux couples et à la force horizontale, tel qu'illustré. Calculez : $a$) le système force-couple équivalent appliqué à l'origine, $b$) le torseur équivalent. (Spécifiez l'axe et le pas du torseur.)

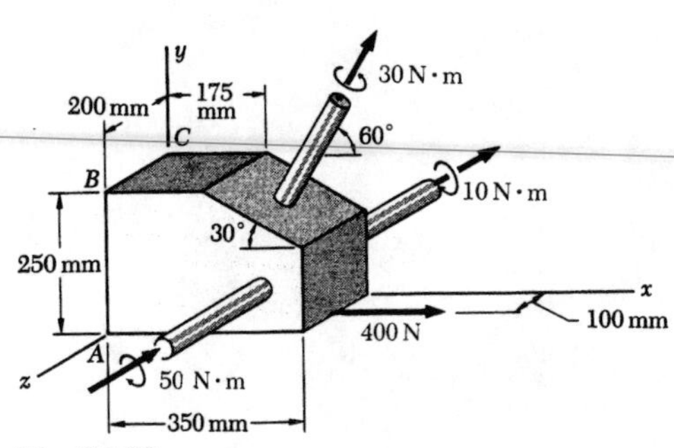

**Fig. P4.80**

CHAPITRE

# 5 Forces réparties : centres de gravité

## COURBES ET SURFACES

**5.1. Centre de gravité d'une surface.** Nous avons admis précédemment que l'attraction exercée par la terre sur un corps rigide peut se représenter par une force unique **W**. Cette force, le *poids*, doit être attachée à un point du corps que nous appellerons *centre de gravité* (Section 3.1). En réalité la terre attire vers elle chacune des particules formant le corps. Cette action de la terre devrait être représentée par un grand nombre de petites forces distribuées sur tout le corps. Nous verrons dans ce chapitre comment cet ensemble de petites forces peut être remplacé par une seule force équivalente **W**. Nous allons apprendre aussi à déterminer le centre de gravité du corps, c'est-à-dire le point d'application de la force résultante **W**.

Considérons d'abord une plaque mince, horizontale (Fig. 5.1), divisée en $n$ petits éléments : $x_1$, $y_1$; $x_2$, $y_2$; etc., sont les coordonnées de ces $n$ éléments. Les forces d'attraction exercées par la terre sur eux seront appelées $\Delta\mathbf{W}_1$, $\Delta\mathbf{W}_2$, ..., $\Delta\mathbf{W}_n$. Ces forces, ou poids, sont orientées vers le centre de la terre; cependant, dans les problèmes pratiques que nous avons à résoudre, nous pouvons les considérer en première approximation comme des forces parallèles.

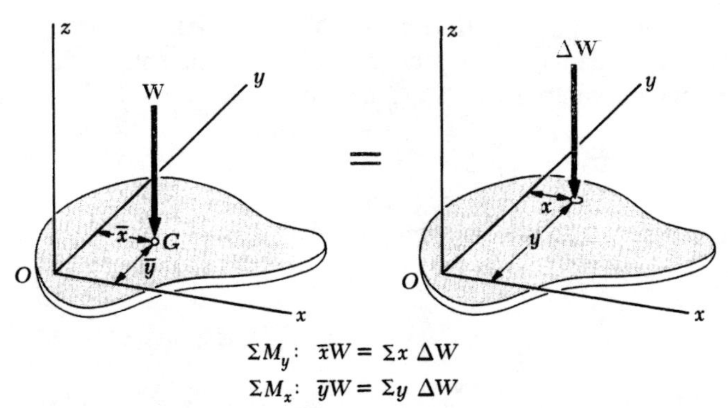


**Fig. 5.1** Centre de gravité d'une plaque.

Alors leur résultante **W** sera aussi parallèle à leur direction commune et aura comme valeur la somme de ces poids élémentaires

$$\Sigma F_z: \qquad W = \Delta W_1 + \Delta W_2 + \cdots + \Delta W_n \tag{5.1}$$

Pour obtenir les coordonnées $x$ et $y$ du point $G$ où la résultante **W** doit être appliquée, nous allons exprimer que le moment de **W** par rapport aux axes $x$ et $y$ est égal à la somme des moments des poids élémentaires par rapport aux mêmes axes

$$\begin{aligned} \Sigma M_y: &\quad \bar{x}W = x_1\,\Delta W_1 + x_2\,\Delta W_2 + \cdots + x_n\,\Delta W_n \\ \Sigma M_x: &\quad \bar{y}W = y_1\,\Delta W_1 + y_2\,\Delta W_2 + \cdots + y_n\,\Delta W_n \end{aligned} \tag{5.2}$$

Si maintenant nous augmentons le nombre d'éléments indéfiniment, nous obtenons, à la limite, les expressions

$$W = \int dW \qquad \bar{x}W = \int x\,dW \qquad \bar{y}W = \int y\,dW \tag{5.3}$$

Ces équations définissent le poids **W** ainsi que les coordonnées $\bar{x}$ et $\bar{y}$ du centre de gravité $G$ de la plaque. Ces mêmes équations peuvent être appliquées à un fil dont l'axe appartient au plan $xy$ (Fig. 5.2). Nous voyons, dans ce dernier cas, que le centre de gravité $G$ ne tombe pas nécessairement à l'intérieur du fil.

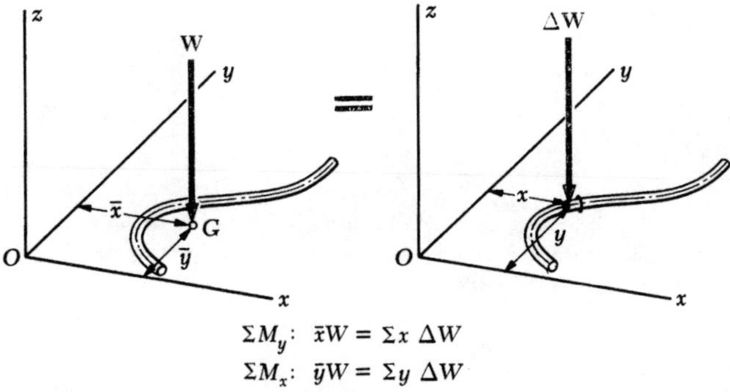


**Fig. 5.2** Centre de gravité d'un fil.

**5.2. Centres de gravité (centroïdes) des courbes et des surfaces.** Considérons une plaque homogène d'épaisseur constante $t$: la grandeur $\Delta W$ d'un élément de volume de la plaque est donné par

$$\Delta W = \gamma t \, \Delta A$$

où $\gamma$ = le poids par unité de volume de l'élément (densité)
$t$ = l'épaisseur de la plaque
$\Delta A$ = l'aire de l'élément.

Si on procède à la somme des poids de tous les éléments de la plaque, nous obtenons le poids de celle-ci

$$W = \gamma t A$$

où $A$ est l'aire totale de la plaque.

En utilisant le Système international d'unités, les unités de $\gamma$, $t$ et $A$ seront exprimées respectivement par le (N/m$^3$), le (m) et le (m$^2$). L'unité du poids sera alors le newton (N). †

Revenons aux éq. (5.2). Si nous substituons $\Delta W$ et $W$ par les valeurs trouvées ci-haut, nous obtenons, après division par $\gamma t$, les relations

$$\begin{aligned} \Sigma M_y: \quad \bar{x}A &= x_1 \, \Delta A_1 + x_2 \, \Delta A_2 + \ldots + x_n \, \Delta A_n \\ \Sigma M_x: \quad \bar{y}A &= y_1 \, \Delta A_1 + y_2 \, \Delta A_2 + \ldots + y_n \, \Delta A_n \end{aligned} \qquad (5.4)$$

Si nous faisons tendre le nombre d'éléments vers l'infini, nous pouvons écrire à la limite

$$\bar{x}A = \int x \, dA \qquad \bar{y}A = \int y \, dA \qquad (5.5)$$

Ces dernières équations nous donnent les coordonnées $\bar{x}$ et $\bar{y}$ du centre de gravité $G$ de la plaque homogène. Ce point des coordonnées $\bar{x}$ et $\bar{y}$ est aussi connu comme étant le *centre de gravité C* (ou *centroïde*) de la surface A de la plaque (Fig. 5.3). Si la plaque n'est pas homogène, ces équations ne peuvent plus être utilisées pour déterminer le centre de gravité $G$ de la plaque : elles continuent cependant à être valables pour déterminer le centre de gravité $C$ (centroïde) de la surface $A$ de la plaque, figure purement géométrique.

† Nous voulons faire remarquer que dans le Système international d'unités, les corps sont définis plutôt par leur masse volumique $\rho$ (masse par unité de volume) que par leur poids volumique $\gamma$ (poids par unité de volume). Nous avons, bien entendu, entre ces deux notions, la relation

$$\gamma = \rho g$$

où $g$ = 9,81 m/s$^2$. Puisque $\rho$ est mesuré en kg/m$^3$, nous pouvons vérifier que $\gamma$ se mesure en N/m$^3$.

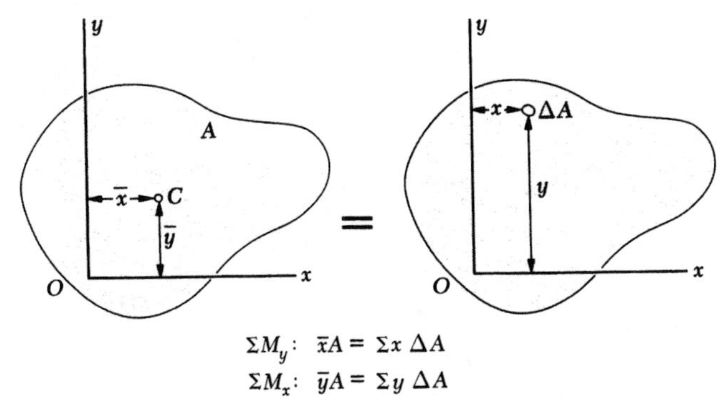


**Fig. 5.3** Centre de gravité (centroïde) d'une surface.

L'intégrale $\int x\, dA$ est appelée le *moment statique de la surface A par rapport à l'axe y.* De la même façon, l'intégrale $\int y\, dA$ définit le *moment statique de la surface A par rapport à l'axe x.* Nous pouvons vérifier facilement par les éq. (5.5) que, si le centre de gravité (centroïde) de la surface appartient à un axe, le moment statique de la surface par rapport à *cet* axe est nul.

Dans le cas d'un fil de section constante, le poids $\Delta W$ de chaque élément du fil s'exprime par

$$\Delta W = \gamma a\, \Delta L$$

où $\gamma$ = le poids par unité de volume de l'élément
$a$ = la section du fil
$\Delta L$ = la longueur de l'élément

Si le fil est homogène, son *centre de gravité (centroïde) coïncide* avec celui de la ligne géométrique qui le définit (Fig. 5.4). Les coordonnées $\bar{x}$ et $\bar{y}$ du centre de gravité (centroïde) de la courbe $L$ seront données par

$$\bar{x}L = \int x\, dL \qquad \bar{y}L = \int y\, dL \tag{5.6}$$

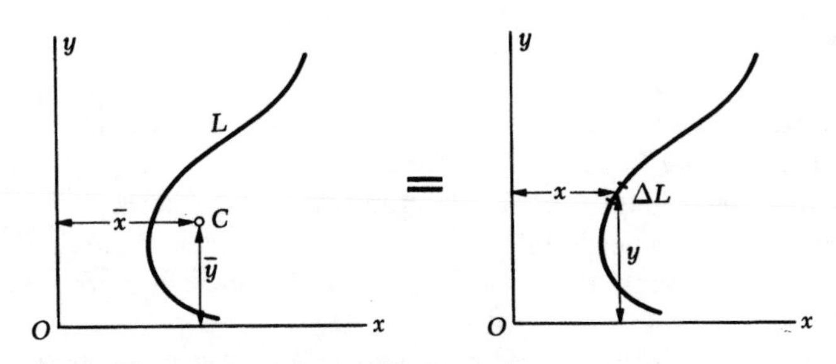


**Fig. 5.4** Centre de gravité (centroïde) d'une courbe.

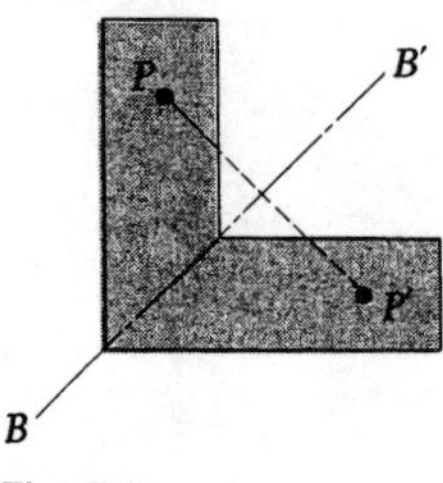

Fig. 5.5

Une surface *A est symétrique par rapport à un axe BB'* si à chaque point $P$ de la surface correspond un point $P'$ de la même surface, de telle façon que la droite $PP'$ est perpendiculaire à l'axe $BB'$ et est divisée par cet axe en deux parties égales (Fig. 5.5). Une courbe $L$ est symétrique par rapport à un axe $BB'$ si elle satisfait aux mêmes conditions. Quand la surface $A$ ou la courbe $L$ possèdent un axe de symétrie $BB'$ le centre de gravité (centroïde) de la surface ou de la courbe doit être situé sur cet axe. Par conséquent, si l'axe de symétrie est pris comme axe $y$, la coordonnée $\bar{x}$ du centre de gravité (centroïde) est nulle puisque à chaque expression $x\,dA$ ou $x\,dL$ donnée par les éq. (5.5) ou (5.6) correspond une expression de même grandeur mais de signe contraire. Il

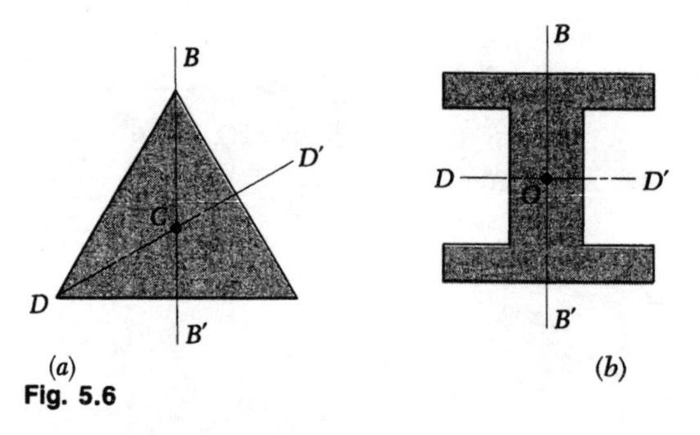

Fig. 5.6

s'ensuit que si la surface ou la courbe possèdent deux axes de symétrie, le centre de gravité (centroïde) de la surface ou de la courbe se trouvera alors à l'intersection de ces deux axes (Fig. 5.6). Cette propriété va nous permettre de déterminer rapidement le centre de gravité (centroïde) de surfaces circulaires, ellipsoïdales, carrées, triangulaires, etc., ainsi que celui de lignes polygonales régulières.

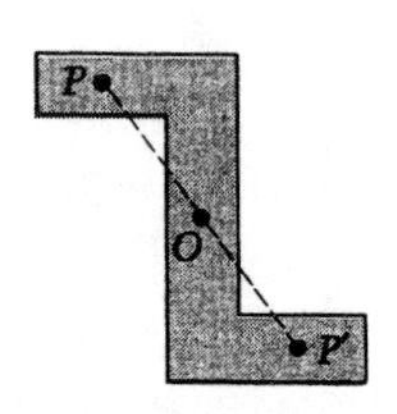

Fig. 5.7

*Une surface est symétrique par rapport à un point O,* si à chacun de ses points $P$ correspond un autre point $P'$, de façon telle que la droite $PP'$ est divisée en deux parties égales par le point $O$ (Fig. 5.7).

| Surfaces | | $\bar{x}$ | $\bar{y}$ | Aires |
|---|---|---|---|---|
| Triangulaire | 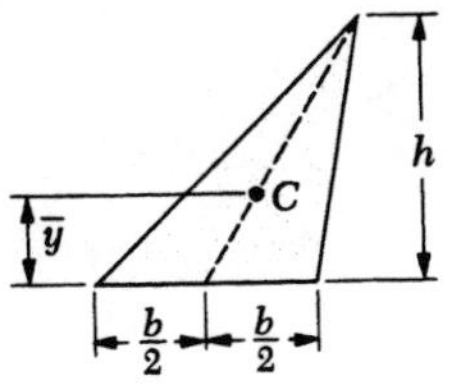 | | $\frac{h}{3}$ | $\frac{bh}{2}$ |
| Quart de cercle | 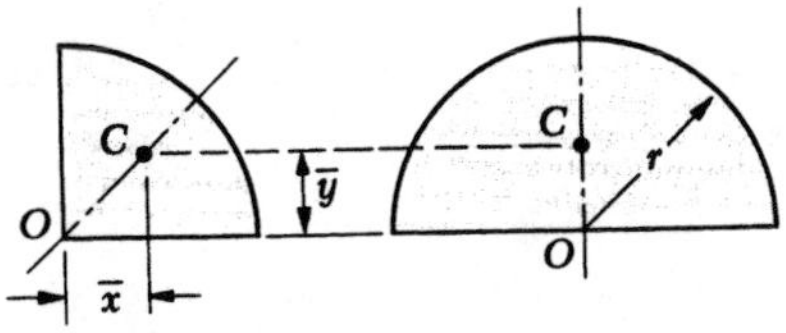 | $\frac{4r}{3\pi}$ | $\frac{4r}{3\pi}$ | $\frac{\pi r^2}{4}$ |
| Semi-circulaire | | $0$ | $\frac{4r}{3\pi}$ | $\frac{\pi r^2}{2}$ |
| Quart d'ellipse | 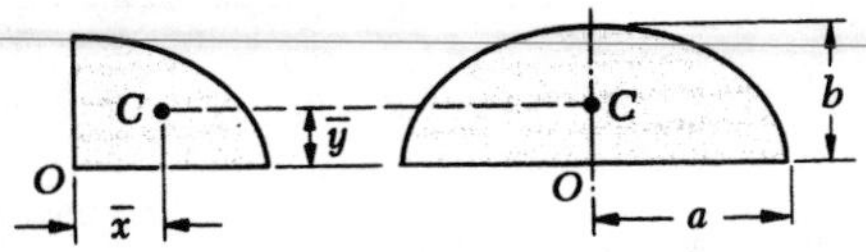 | $\frac{4a}{3\pi}$ | $\frac{4b}{3\pi}$ | $\frac{\pi ab}{4}$ |
| Demi-elliptique | | $0$ | $\frac{4b}{3\pi}$ | $\frac{\pi ab}{2}$ |
| Demi-parabolique | 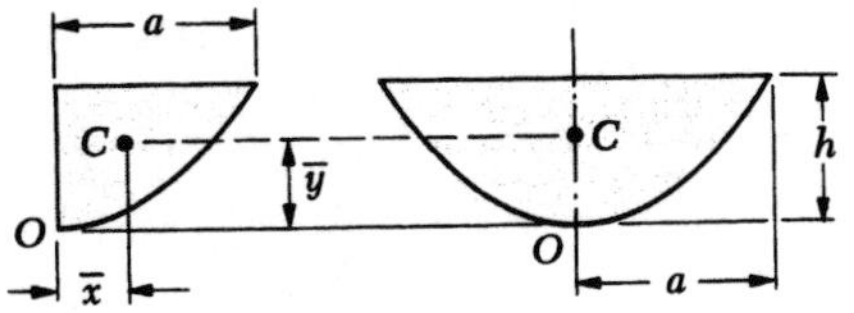 | $\frac{3a}{8}$ | $\frac{3h}{5}$ | $\frac{2ah}{3}$ |
| Parabolique | | $0$ | $\frac{3h}{5}$ | $\frac{4ah}{3}$ |
| Délimitée par une courbe parabolique | 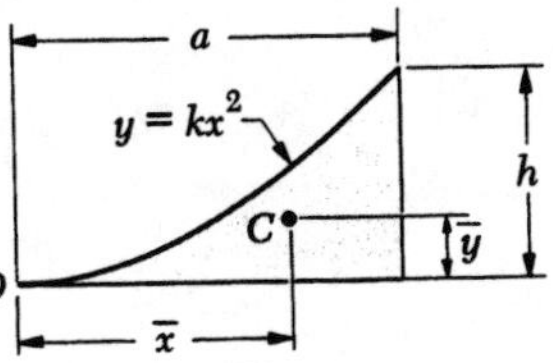 | $\frac{3a}{4}$ | $\frac{3h}{10}$ | $\frac{ah}{3}$ |
| Délimitée par une courbe | 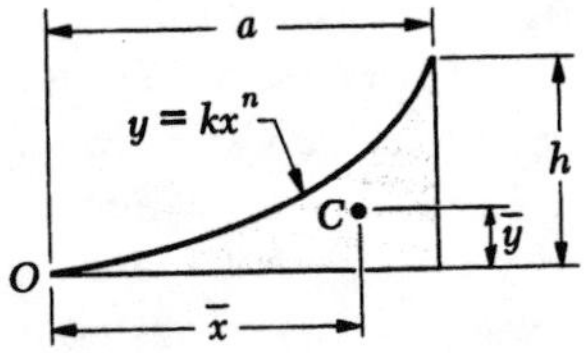 | $\frac{n+1}{n+2}a$ | $\frac{n+1}{4n+2}h$ | $\frac{ah}{n+1}$ |
| Secteur circulaire | 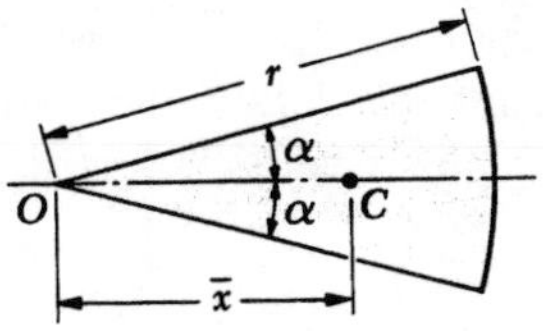 | $\frac{2r\sin\alpha}{3\alpha}$ | $0$ | $\alpha r^2$ |

**Fig. 5.8A** Centres de gravité (centroïdes) des surfaces usuelles.

| Courbes | | $\bar{x}$ | $\bar{y}$ | Longueur |
|---|---|---|---|---|
| Quart de circonférence | 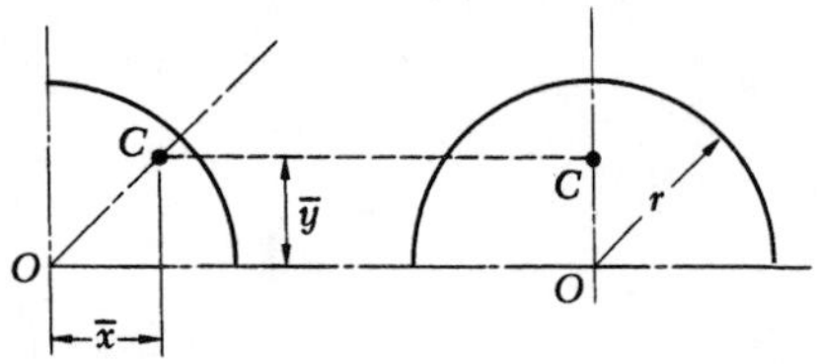 | $\frac{2r}{\pi}$ | $\frac{2r}{\pi}$ | $\frac{\pi r}{2}$ |
| Demi-circonférence | | 0 | $\frac{2r}{\pi}$ | $\pi r$ |
| Arc de circonférence | 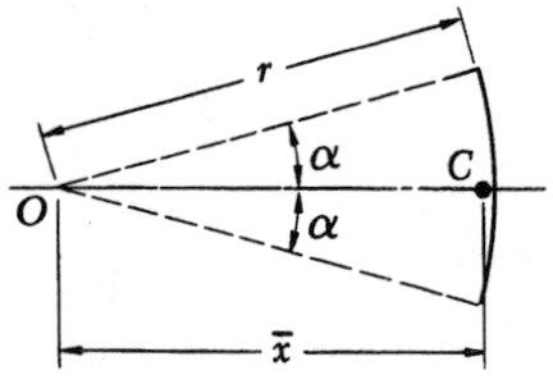 | $\frac{r \sin \alpha}{\alpha}$ | 0 | $2\alpha r$ |

**Fig. 5.8B** Centres de gravité (centroïdes) des courbes usuelles.

Une courbe *est symétrique par rapport à un point O* si elle satisfait aux mêmes conditions. De la même façon, si une surface ou une courbe possèdent un centre de symétrie $O$, ce point est le centre de gravité (centroïde) de la figure. Remarquons qu'une figure géométrique peut posséder un centre de symétrie sans pour autant avoir un axe de symétrie (Fig. 5.7), tandis que d'autres figures possédant deux axes de symétrie ne possèdent pas de centre de symétrie (Fig. 5.6*a*). On peut vérifier facilement que si une figure géométrique possède deux axes de symétrie qui se coupent à angle droit, le point d'intersection de ces axes est un centre de symétrie (Fig. 5.6*b*).

Les centres de gravité (centroïdes) des surfaces et des courbes asymétriques ainsi que des surfaces et des courbes possédant un seul axe de symétrie seront calculés par les méthodes exposées aux sections 5.4 et 5.5. Les centres de gravité (centroïdes) des figures usuelles sont indiqués dans la fig. 5.8*A* et *B*. Les relations qui définissent ces centres de gravité (centroïdes) seront établies dans les problèmes résolus et dans les problèmes supplémentaires des sections 5.4 et 5.5.

**5.3. Figures composées.** Souvent, une plaque dont on veut connaître le centre de gravité peut être composée de différentes figures géométriques, telles que rectangles, triangles ou autres figures identiques à celles illustrées à la fig. 5.8. L'abscisse $\overline{X}$ du centre de gravité $G$ de la figure composée peut être déterminée à partir des abscisses $\bar{x}_1$, $\bar{x}_2$, ... des centres de gravité des différentes figures qui la composent, en exprimant que le moment du poids total de la plaque par rapport à l'axe $y$ est égal à la somme des moments des poids de ses différentes parties par rapport au même axe (Fig. 5.9). L'ordonnée $\overline{Y}$ du centre de gravité $G$ de la plaque est trouvée de façon identique.

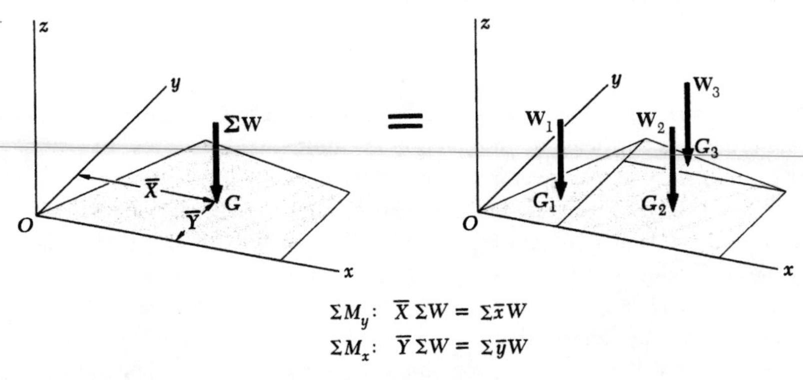


**Fig. 5.9** Centre de gravité d'une plaque composée.

Nous pouvons écrire

$$\begin{aligned}
\Sigma M_y: \quad & \overline{X}(W_1 + W_2 + \cdots + W_n) \\
& \quad = \bar{x}_1 W_1 + \bar{x}_2 W_2 + \cdots + \bar{x}_n W_n \\
\Sigma M_x: \quad & \overline{Y}(W_1 + W_2 + \cdots + W_n) \\
& \quad = \bar{y}_1 W_1 + \bar{y}_2 W_2 + \cdots + \bar{y}_n W_n
\end{aligned} \tag{5.7}$$

Si la plaque est homogène et d'épaisseur négligeable, le centre de gravité de la plaque $G$ coïncide avec le centre de gravité (centroïde) $C$ de la surface. L'abscisse $\overline{X}$ de ce point $C$ peut donc être déterminée en exprimant que le moment statique de la surface composée, pris par rapport à l'axe $y$, est égal à la somme des moment statiques des surfaces composantes pris par rapport au même axe (Fig. 5.10). L'ordonnée $\overline{Y}$ du point $C$ se trouve d'une façon identique en égalant les moments statiques pris par rapport au même axe $x$.

$$\begin{aligned}
\Sigma M_y: \quad & \overline{X}(A_1 + A_2 + \cdots + A_n) \\
& \quad = \bar{x}_1 A_1 + \bar{x}_2 A_2 + \cdots + \bar{x}_n A_n \\
\Sigma M_x: \quad & \overline{Y}(A_1 + A_2 + \cdots + A_n) \\
& \quad = \bar{y}_1 A_1 + \bar{y}_2 A_2 + \cdots + \bar{y}_n A_n
\end{aligned} \tag{5.8}$$

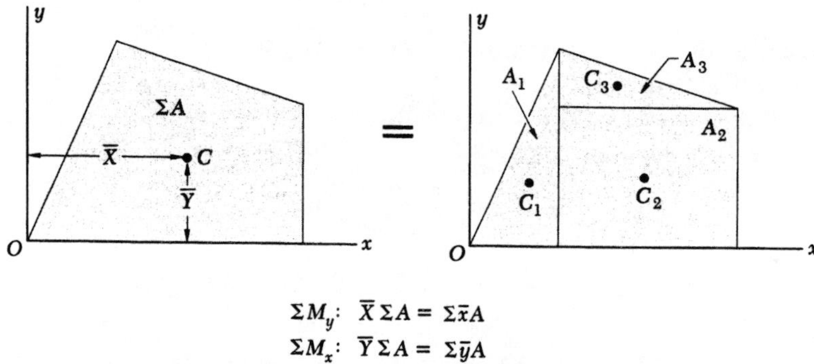


$$\Sigma M_y:\ \bar{X}\,\Sigma A = \Sigma \bar{x} A$$
$$\Sigma M_x:\ \bar{Y}\,\Sigma A = \Sigma \bar{y} A$$

**Fig. 5.10** Centre de gravité (centroïde) d'une surface composée.

Une attention spéciale doit être apportée aux signes des moments. Les moments statiques des surfaces, aussi bien que les moments des forces, peuvent être positifs ou négatifs. Par exemple, une surface qui aurait son centre de gravité (centroïde) du côté négatif de l'axe $y$ aurait un moment statique négatif par rapport à cet axe. Par convention, l'aire d'un évidement doit être affectée d'un signe négatif (Fig. 5.11).

Il est aussi possible, dans un grand nombre de cas, de déterminer le centre de gravité d'un fil, ou le centre de gravité (centroïde) de la courbe qui le représente, en divisant le fil ou la courbe en parties dont on connaît le centre de gravité. (Problème résolu 5.2.)

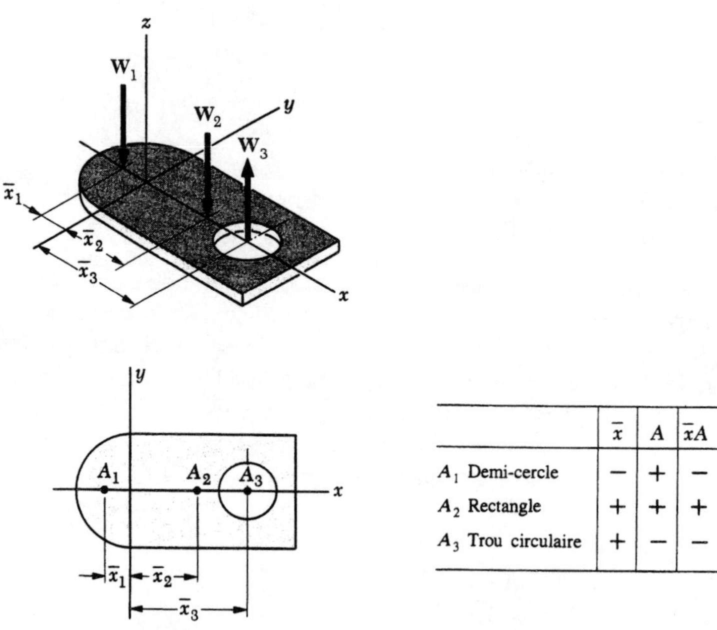


| | $\bar{x}$ | $A$ | $\bar{x}A$ |
|---|---|---|---|
| $A_1$ Demi-cercle | − | + | − |
| $A_2$ Rectangle | + | + | + |
| $A_3$ Trou circulaire | + | − | − |

**Fig. 5.11**

## PROBLÈME RÉSOLU 5.1

Déterminez le centre de gravité de la plaque homogène d'épaisseur négligeable dessinée ci-contre.

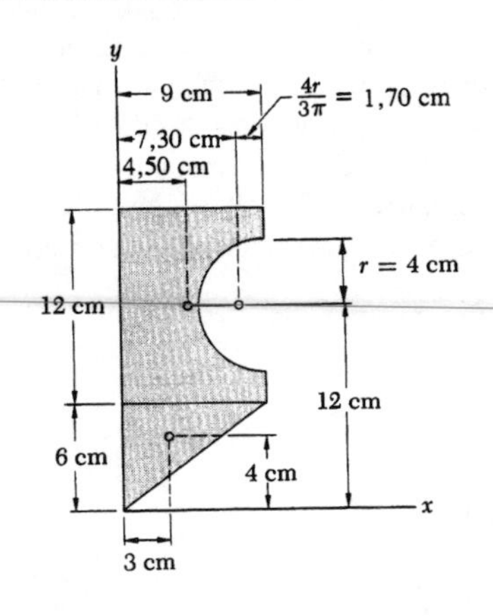


**Solution.** Puisque l'épaisseur de la plaque est négligeable, nous pourrions *confondre* son centre de gravité avec le centre de gravité (centroïde) de la figure qui la compose. La surface de cette figure s'obtient en additionnant une surface rectangulaire à une surface triangulaire et en retranchant une surface semi-circulaire. L'origine du système de coordonnées est placée au coin inférieur gauche de la plaque. L'aire et les coordonnées du centre de gravité (centroïde) de chaque élément composant ont été déterminées et consignées dans le tableau ci-joint. L'aire de l'évidement en demi-cercle est entrée avec un signe négatif et doit être soustraite des autres aires. On calcule ensuite les moments statiques des différentes aires par rapport aux axes de référence et on les inscrit dans les colonnes respectives. Nous avons utilisé comme unité de longueur le *centimètre* (cm) afin de simplifier l'écriture numérique.

| Figures composantes | $A$, cm² | $\bar{x}$, cm | $\bar{y}$, cm | $\bar{x}A$, cm³ | $\bar{y}A$, cm³ |
|---|---|---|---|---|---|
| Rectangle | +108 | 4,50 | 12 | +486 | +1296 |
| Triangle | +27 | 3,00 | 4 | +81 | +108 |
| Demi-cercle | −25,1 | 7,30 | 12 | −183 | −301 |
| | $\Sigma A = 109{,}9$ | ... | ... | $\Sigma\bar{x}A = 384$ | $\Sigma\bar{y}A = 1103$ |

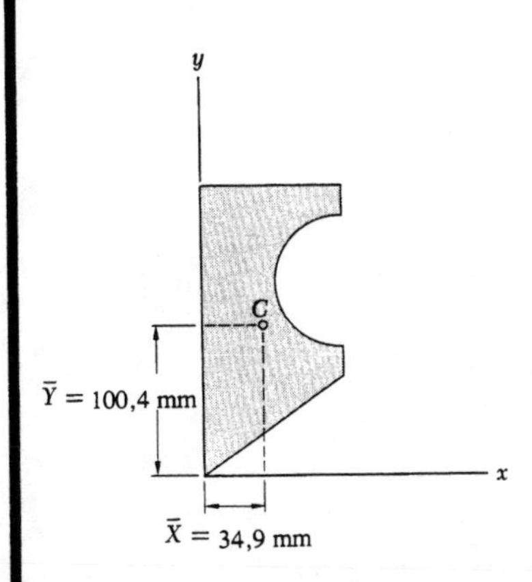


En introduisant les valeurs tirées du tableau dans les éq. (5.8), nous obtenons les coordonnées du centre de gravité (centroïde) de la surface totale :

$$\bar{X}\Sigma A = \Sigma\bar{x}A: \quad \bar{X}(109{,}9 \text{ cm}^2) = 384 \text{ cm}^3$$
$$\bar{X} = 3{,}49 \text{ cm} \qquad \bar{X} = 34{,}9 \text{ mm} \blacktriangleleft$$

$$\bar{Y}\Sigma A = \Sigma\bar{y}A: \quad \bar{Y}(109{,}9 \text{ cm}^2) = 1103 \text{ cm}^3$$
$$\bar{Y} = 10{,}04 \text{ cm} \qquad \bar{Y} = 100{,}4 \text{ mm} \blacktriangleleft$$

Ces coordonnées sont aussi celles de la plaque puisque nous l'avons supposée très mince et homogène. Remarquez qu'en réalité, le centre de gravité $G$ se situe au milieu de l'épaisseur de la plaque.

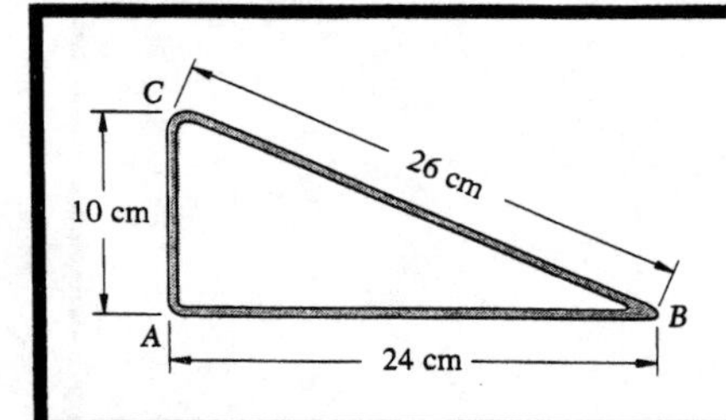


## PROBLÈME RÉSOLU 5.2

Déterminez le centre de gravité de la pièce triangulaire illustrée ci-contre. Cette pièce est fabriquée en fil métallique homogène, de section constante.

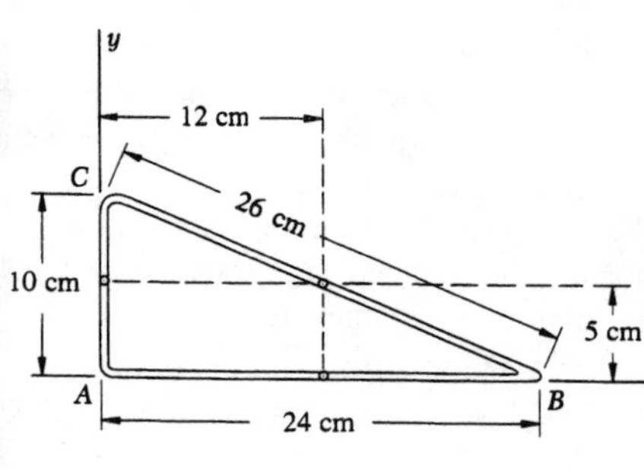


**Solution.** Le centre de gravité de cette pièce coïncide avec le centre de gravité (centroïde) de son périmètre (ligne polygonale fermée). Nous allons choisir les axes de référence indiqués et placer l'origine de référence au point *A*. Calculons les coordonnées du centre de gravité (centroïde) de chaque côté du triangle et déterminons leurs moments statiques par rapport aux axes de référence. Consignons tous ces résultats dans un tableau. Les éq. (5.8) nous donneront alors les valeurs $\bar{x}$ et $\bar{y}$ des coordonnées du centre de gravité de la pièce.

| Segments | $L$, cm | $\bar{x}$, cm | $\bar{y}$, cm | $\bar{x}L$, cm$^2$ | $\bar{y}L$, cm$^2$ |
|---|---|---|---|---|---|
| *AB* | 24 | 12 | 0 | 288 | 0 |
| *BC* | 26 | 12 | 5 | 312 | 130 |
| *CA* | 10 | 0 | 5 | 0 | 50 |
| | $\Sigma L = 60$ | ... | ... | $\Sigma \bar{x}L = 600$ | $\Sigma \bar{y}L = 180$ |

En introduisant les valeurs tirées du tableau dans les équations définissant le centre de gravité (centroïde) de la pièce triangulaire , nous obtenons

$\bar{X}\Sigma L = \Sigma \bar{x}L$: $\quad \bar{X}$ (60 cm) = 600 cm$^2$ $\qquad \bar{X} = 10$ cm ◄

$\bar{Y}\Sigma L = \Sigma \bar{y}L$: $\quad \bar{Y}$ (60 cm) = 180 cm$^2$ $\qquad \bar{Y} = 3$ cm ◄

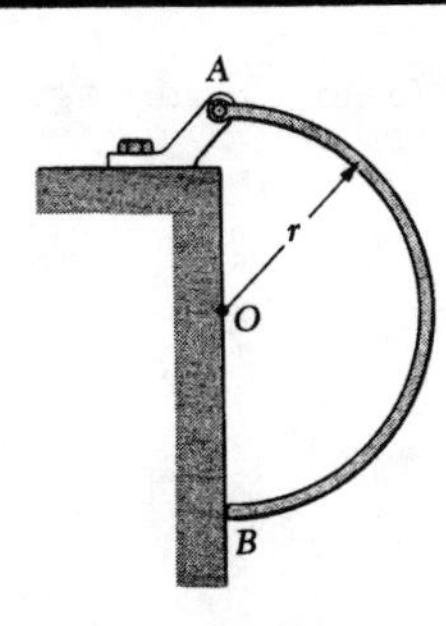


## PROBLÈME RÉSOLU 5.3

Une pièce de forme circulaire, fabriquée en fil métallique homogène de section constante, de poids $W$ et de rayon $r$, est supportée par la rotule $A$ et est appuyée sans frottement sur le mur $B$. Calculez les réactions d'appui $A$ et $B$.

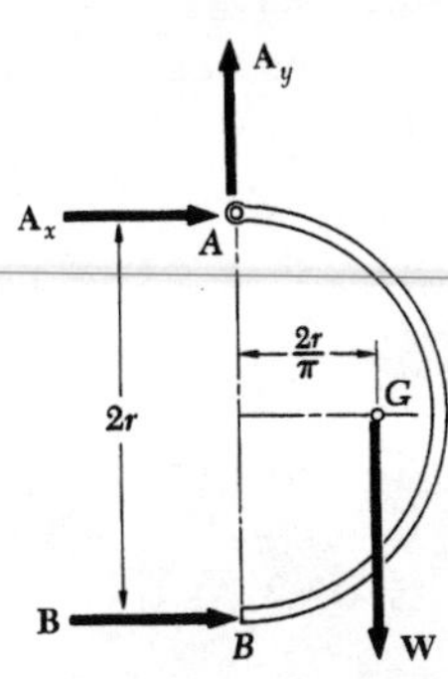


**Solution.** Dessinons d'abord le schéma du corps isolé. Les forces qui agissent sur la pièce sont le poids **W** appliqué au centre de gravité $G$, calculé à partir des données du tableau de la fig. 5.8$B$, une réaction d'appui $A$ représentée par les composantes $\mathbf{A}_x$ et $\mathbf{A}_y$ et une réaction horizontale **B**.

$$+\circlearrowleft \Sigma M_A = 0: \qquad B(2r) - W\left(\frac{2r}{\pi}\right) = 0$$

$$B = +\frac{W}{\pi} \qquad\qquad \mathbf{B} = \frac{W}{\pi} \rightarrow \quad ◄$$

$$\xrightarrow{+} \Sigma F_x = 0: \qquad A_x + B = 0$$

$$A_x = -B = -\frac{W}{\pi} \qquad \mathbf{A}_x = \frac{W}{\pi} \leftarrow$$

$$+\uparrow \Sigma F_y = 0: \qquad A_y - W = 0 \qquad \mathbf{A}_y = W \uparrow$$

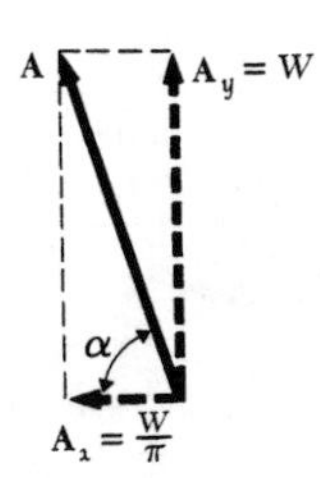


Si on additionne les deux composantes de la réaction d'appui $\mathbf{A}_x$ et $\mathbf{A}_y$, on obtient :

$$A = \left[W^2 + \left(\frac{W}{\pi}\right)^2\right]^{1/2} \qquad\qquad A = W\left(1 + \frac{1}{\pi^2}\right)^{1/2} \quad ◄$$

$$\tan \alpha = \frac{W}{W/\pi} = \pi \qquad\qquad \alpha = \tan^{-1} \pi \quad ◄$$

Ces réponses peuvent aussi s'écrire :

$$\mathbf{A} = 1{,}049\, W \measuredangle 72{,}3° \qquad \mathbf{B} = 0{,}318\, W \rightarrow \quad ◄$$

## PROBLÈMES SUPPLÉMENTAIRES

**5.1 à 5.12** Déterminez les centres de gravité (centroïdes) des figures géométriques indiquées.

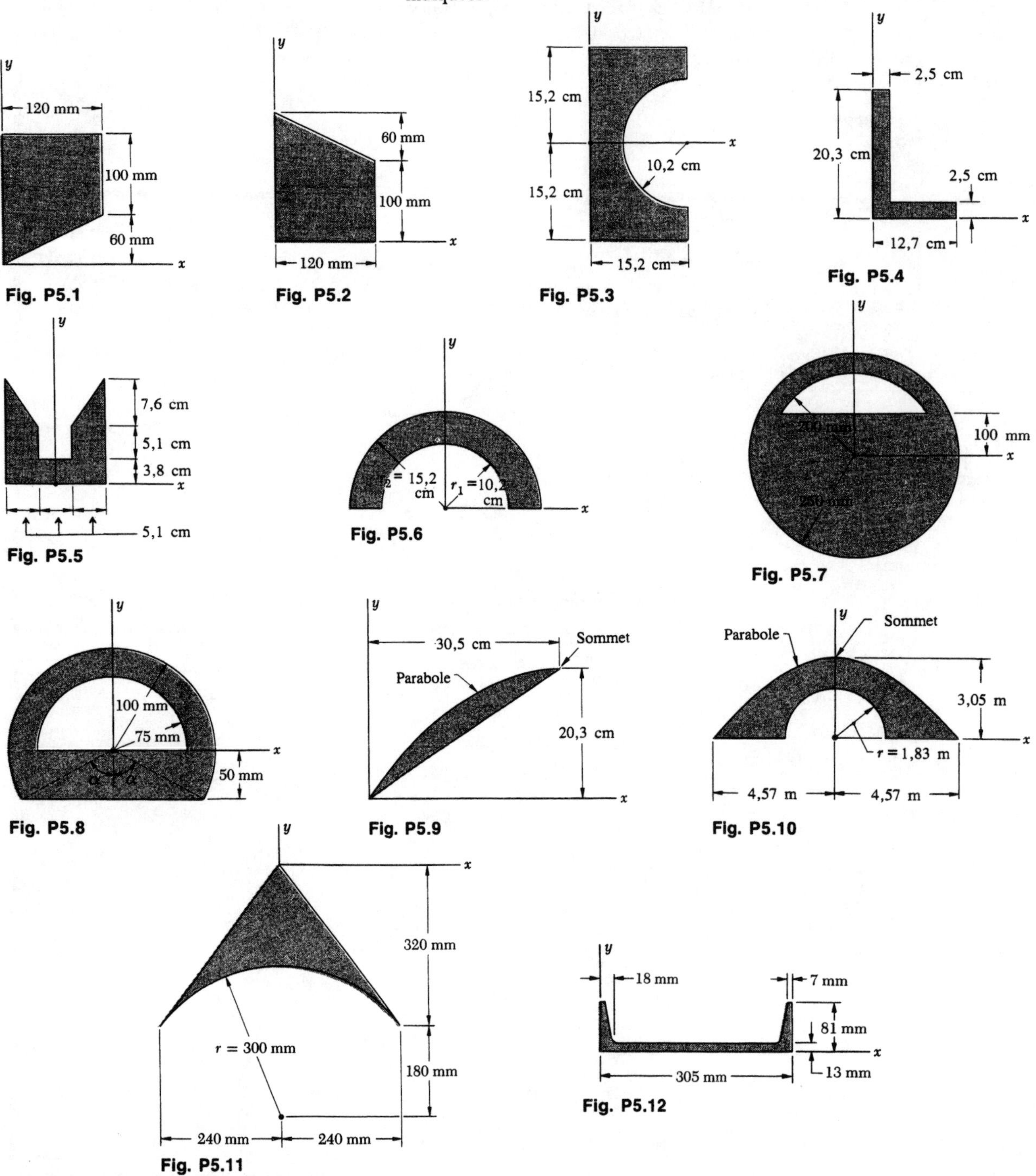

**5.13** Déterminez le centre de gravité (centroïde) du segment circulaire, en fonction de $r$ et $\alpha$.

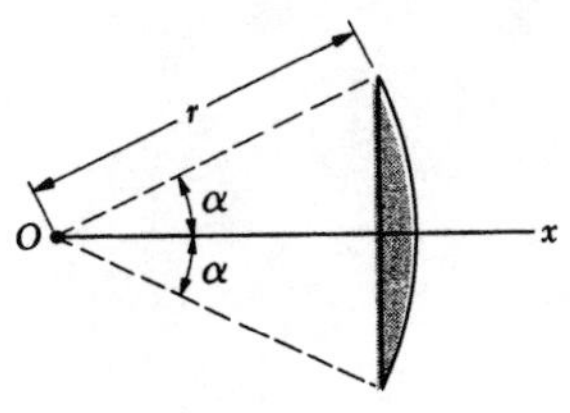

Fig. P5.13

**5.14** Déterminez le centre de gravité (centroïde) de la surface ombrée, en fonction de $a$, $b$ et $\alpha$.

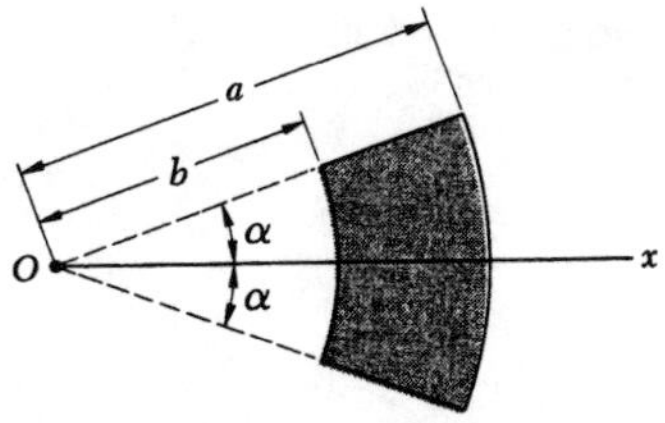

Fig. P5.14

**5.15 à 5.18** Un fil métallique fin est plié suivant les contours des figures géométriques indiquées ci-après. Déterminez le centre de gravité de chaque pièce ainsi formée.

**5.15** Fig. P5.1
**5.16** Fig. P5.2
**5.17** Fig. P5.3
**5.18** Fig. P5.6

**5.19** Calculez le rapport $r_1/r_2$ de la figure géométrique du problème 5.6 pour que son centre de gravité (centroïde) se trouve à l'intersection du cercle intérieur et de l'axe $y$.

**5.20** Calculez le rapport $r_1/r_2$, dans le problème 5.6, pour que les coordonnées du centre de gravité (centroïde) soient $x = 0$ et $y = \frac{1}{2}r_2$.

***5.21** Calculez les coordonnées du centre de gravité (centroïde) du problème 5.6 en fonction de $r_1$ et $r_2$, et montrez que si $r_1$ tend vers $r_2$, les coordonnées du centre de gravité (centroïde) de la figure tendent vers celles d'un arc semi-circulaire de rayon 0,5 $(r_1 + r_2)$.

**5.22** La pièce illustrée est formée d'un fil métallique fin et homogène. Déterminez la longueur $a$ de la partie droite et l'angle $\alpha$ pour lesquels le centre de gravité de la pièce se trouve sur l'origine $O$.

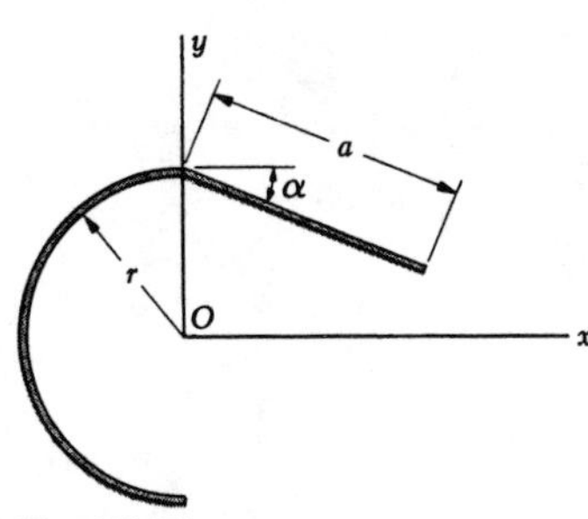

Fig. P5.22

**5.23** Le fil métallique homogène $ABC$ est plié et attaché à une charnière $C$, comme le montre l'illustration. Calculez la longueur $L$ pour laquelle la partie $AB$ est horizontale.

**5.24** Calculez la longueur $L$ du probl. 5.23 pour laquelle la partie $BC$ de la pièce est horizontale.

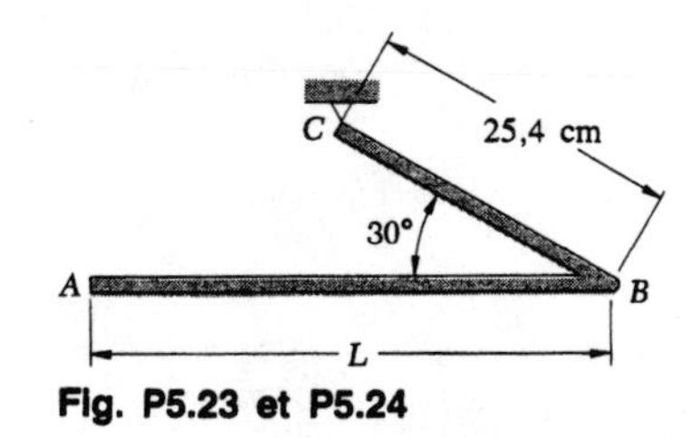

Fig. P5.23 et P5.24

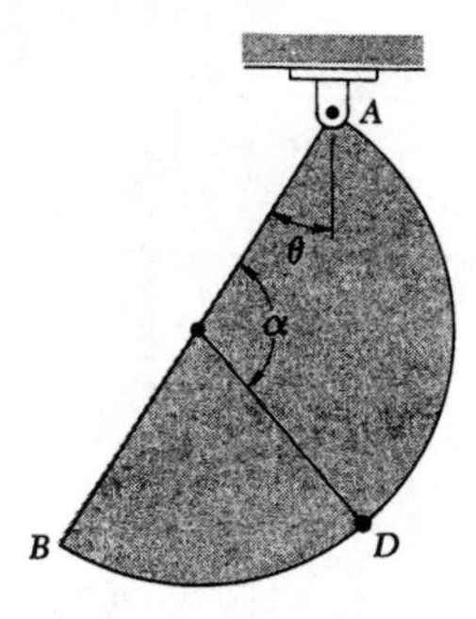


Fig. P5.25

**5.25** Un disque uniforme semi-circulaire, de poids $W$ et de rayon $r$, est supporté par la charnière $A$. Un poids $W$ de dimensions négligeables est attaché en $D$ au contour du disque. Déterminez la valeur de $\theta$ quand : *a*) $\alpha = 180°$, *b*) $\alpha = 90°$.

**5.26** L'équilibrage sur la ligne de production de la roue d'inertie d'un tachymètre d'automobile est réalisé de la façon suivante : la pièce est placée sur un arbre horizontal où elle tourne sans frottement. Lorsqu'elle s'arrête de tourner autour du point $O$, on fore un trou au point $A$. La roue tourne alors d'un angle $\theta$ avant de s'arrêter à nouveau. On finit l'équilibrage en forant des trous de dimensions identiques $B$ et $C$. Calculez l'angle $\alpha$ en fonction de l'angle $\theta$, sachant que les trois trous sont situés à égale distance du point $O$.

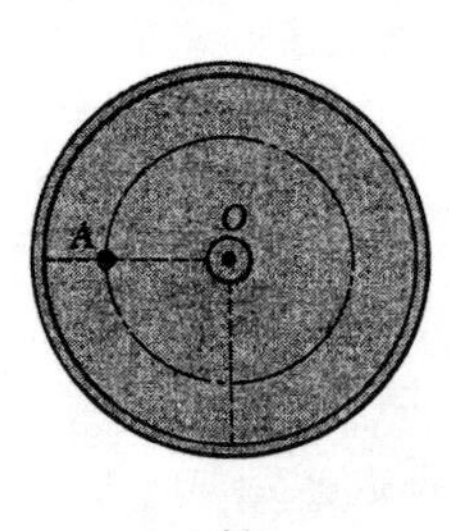


(*a*) (*b*)

Fig. P5.26

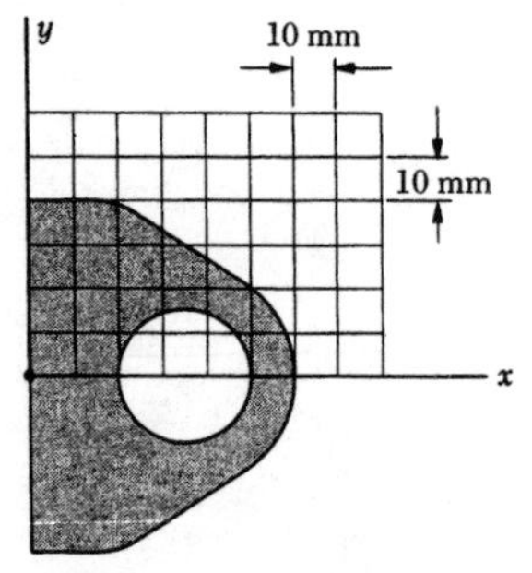


Fig. P5.28

**5.27** Calculez pour le probl. 5.25 l'angle $\alpha$ pour lequel l'angle $\theta$ est maximal. Calculez aussi la valeur maximale de $\theta$.

**5.28** Une plaque d'épaisseur uniforme est illustrée ci-contre. Déterminez son centre de gravité en utilisant une méthode empirique.

**5.29** Déterminez par des méthodes empiriques le centre de gravité (centroïde) de l'aire délimitée par la courbe parabolique de la fig. P5.29. Pour cela, admettez que cette aire est la somme des aires des cinq rectangles de la forme $bcc'b'$. Quelle erreur commettez-vous en procédant ainsi? (Voir le résultat exact à la fig. 5.8*A*.)

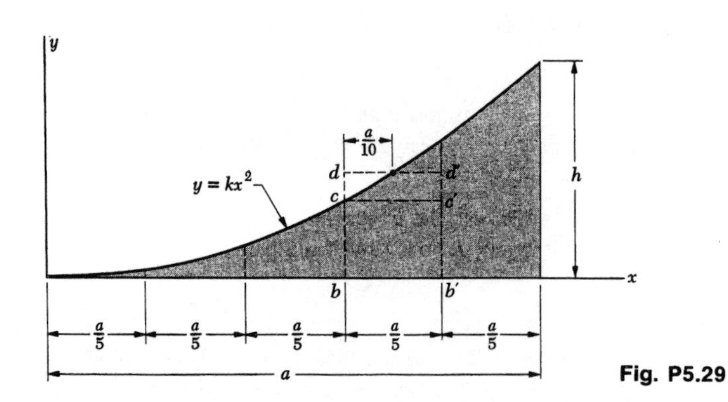


Fig. P5.29

**5.30** Résolvez le probl. 5.29 à l'aide de rectangles de la forme *bdd' b'*.

**5.31** Calculez la coordonnée $x$ du centre de gravité de la surface illustrée, utilisant un procédé empirique.

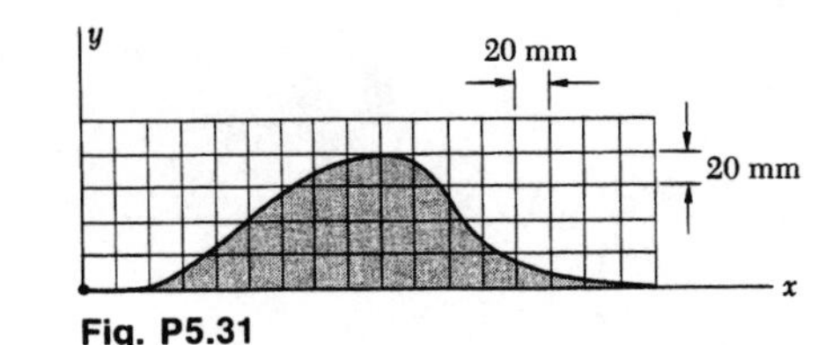


**Fig. P5.31**

**5.4. Détermination par intégration des centres de gravité (centroïdes) des figures géométriques.** Le centre de gravité d'une aire délimitée par une courbe géométrique† se calcule en intégrant les éq. (5.5) de la section 5.2.

$$\bar{x}A = \int x\,dA \qquad \bar{y}A = \int y\,dA \tag{5.5}$$

Si l'élément de surface $dA$ est un rectangle de côtés $dx$ et $dy$, nous devons alors procéder à une *double intégration* le long de $x$ et de $y$. Si nous utilisons les coordonnées polaires, l'élément de surface aura comme côtés $dr$ et $r\,d\theta$ et nous sommes encore obligés de procéder à une double intégration.

Cependant dans la plus grande partie des cas, la détermination des coordonnées du centre de gravité (centroïde) s'obtient par une seule intégration. Nous obtenons cela en choisissant, comme élément $dA$, un rectangle mince ou un secteur circulaire mince ou encore un mince trapèze (Fig. 5.12). Les coordonnées du centre de gravité (centroïde) de la surface concernée sont alors obtenues en exprimant que le moment statique de la surface complète par rapport aux axes de référence est égal à la somme (ou l'intégrale) des moments statiques de tous les éléments composants par rapport aux mêmes axes.

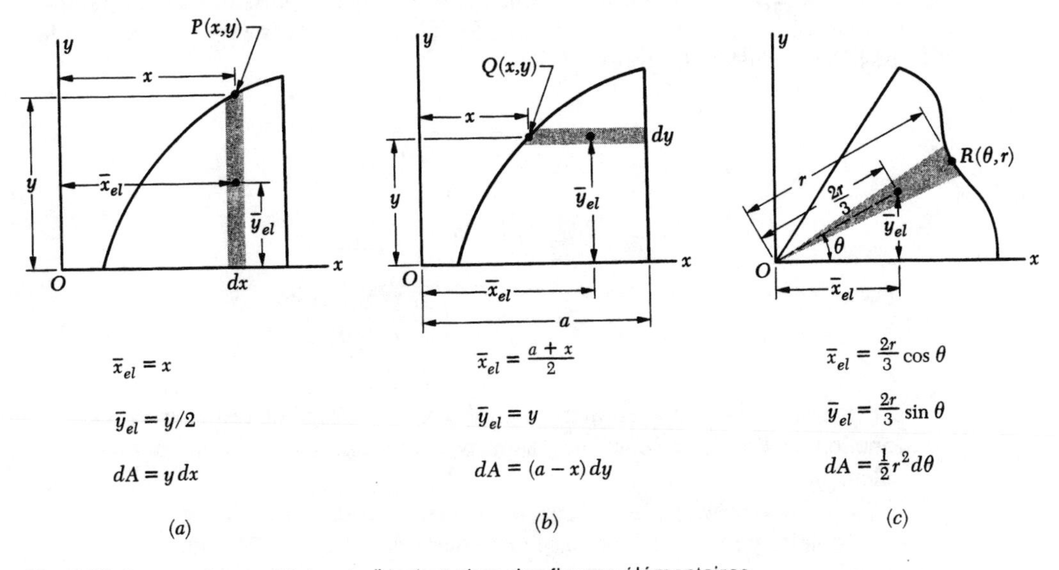


**Fig. 5.12** Centres de gravité (centroïdes) et aires des figures élémentaires.

† Lieu géométrique des positions successives d'un point qui se déplace suivant une loi déterminée. (N.T.)

Si nous appelons $\bar{x}_{el}$ et $\bar{y}_{el}$ les coordonnées du centre de gravité (centroïde) de chaque élément composant $dA$, nous pouvons écrire

$$
\begin{aligned}
\Sigma M_y: \quad & \bar{x}A = \int \bar{x}_{el}\, dA \\
\Sigma M_x: \quad & \bar{y}A = \int \bar{y}_{el}\, dA
\end{aligned}
\tag{5.9}
$$

La surface peut aussi être calculée à partir de ces éléments.

Les coordonnées $\bar{x}_{el}$ et $\bar{y}_{el}$ du centre de gravité (centroïde) de chaque élément peuvent être exprimées en fonction des coordonnées d'un point de la courbe délimitant la surface. L'aire de l'élément $dA$ s'exprime en fonction des coordonnées de ce point et de leurs différentielles $dx$, $dy$. Nous avons fait tout cela sur la fig. 5.12 pour trois types d'éléments $dA$ que l'on rencontre souvent; le type en forme de secteur circulaire, illustré dans la partie $c$ de la fig. 5.12, doit être utilisé lorsqu'on travaille en coordonnées polaires. Dans ce cas, nous devons remplacer les éq. (5.9) par des expressions appropriées et l'équation de la courbe-enveloppe doit être utilisée pour exprimer une des coordonnées en fonction de l'autre. La sommation se réduit à une intégration linéaire qui, dans la plupart des cas, est facile à exécuter.

Le centre de gravité (centroïde) d'une courbe définie par une équation algébrique peut se déterminer en procédant à l'intégration des éq. (5.6) de la section 5.2.

$$
\bar{x}L = \int x\, dL \qquad \bar{y}L = \int y\, dL \tag{5.6}
$$

L'élément $dL$ doit être ensuite remplacé par une des expressions suivantes, qui varient suivant l'équation de la courbe (on peut calculer ces expressions à l'aide du théorème de Pythagore).

$$
\begin{aligned}
dL &= \sqrt{1 + \left(\frac{dy}{dx}\right)^2}\, dx \\
dL &= \sqrt{1 + \left(\frac{dx}{dy}\right)^2}\, dy \\
dL &= \sqrt{r^2 + \left(\frac{dr}{d\theta}\right)^2}\, d\theta
\end{aligned}
$$

L'équation de la courbe est alors utilisée pour exprimer une des coordonnées en fonction de l'autre et cette intégration peut être exécutée suivant les règles du calcul intégral.

**5.5. Théorèmes de Pappus-Guldinus.** Ces théorèmes, qui ont été formulés en premier lieu par le géomètre grec Pappus, 300 ans avant J.C., et reformulés plus tard par le mathématicien suisse Guldinus ou Guldin (1577-1643), concernent les surfaces et les volumes de révolution.

Une *surface de révolution* est une surface engendrée par une courbe plane tournant autour d'un axe. Par exemple (Fig. 5.13), la surface d'une sphère s'obtient par la rotation d'une demi-circonférence autour d'un axe diamétral

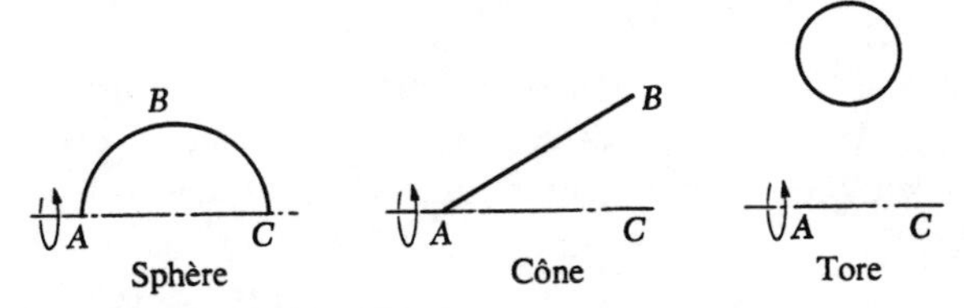


**Fig. 5.13** Courbes génératrices de surfaces de révolution.

$AC$; la surface latérale d'un cône s'obtient en tournant la demi-droite $AB$ autour de l'axe $AC$; la surface d'un tore ou d'un anneau s'obtient en faisant tourner une circonférence autour d'un axe appartenant à son plan mais qui ne la coupe pas.

Un *volume de révolution* (solide de révolution) est un volume engendré par une surface plane tournant autour d'un axe fixe. Un volume sphérique s'obtient par la rotation d'un demi-cercle; un cône par la rotation d'une surface triangulaire; et un tore par la rotation d'un cercle autour d'un axe appartenant à son plan mais qui ne le traverse pas (Fig. 5.14).

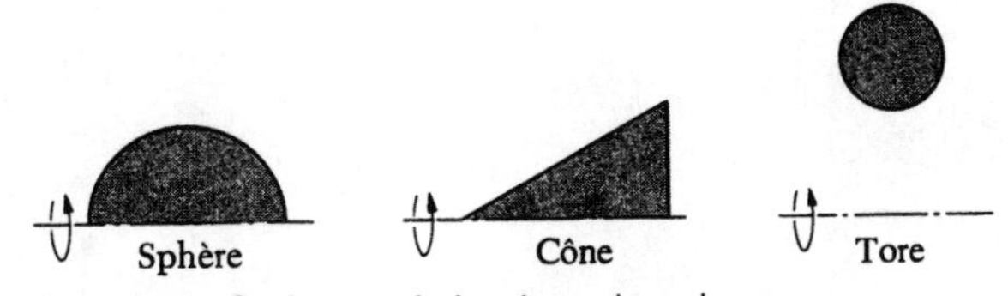


**Fig. 5.14** Surfaces génératrices de volumes de révolution.

THÉORÈME I. *L'aire d'une surface de révolution est égale à la longueur de la courbe plane génératrice, multipliée par la distance parcourue par le centre de gravité (centroïde) de la courbe lors de la rotation.*

En effet, considérons un élément $dL$ de la courbe génératrice $L$, en rotation autour de l'axe $x$. L'aire $dA$ engendrée par l'élément $dL$ est $2\pi y\, dL$. Alors

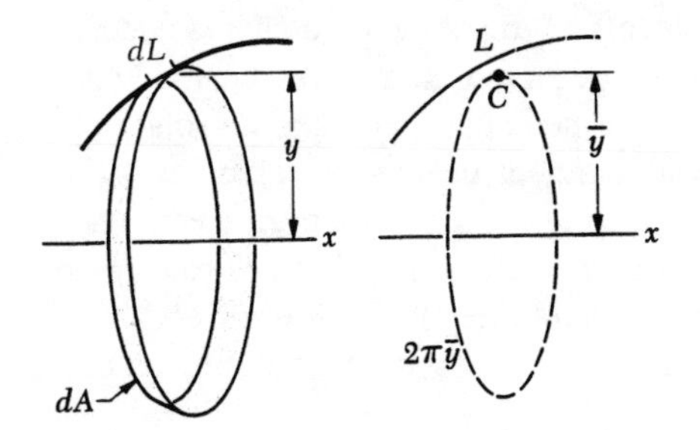


**Fig. 5.15**

l'aire totale engendrée par $L$ est $A = \int 2\pi y\, dL$. Or, nous avons vu à la section 5.2 que l'intégrale $\int y\, dL$ est égale à $\bar{y}L$. Nous avons alors

$$A = 2\pi\bar{y}L \tag{5.10}$$

où $2\pi\bar{y}$ est la distance parcourue par le centre de gravité (centroïde) de la courbe $L$. Nous remarquerons que la courbe génératrice ne doit pas couper l'axe de rotation; si elle le fait, les deux parties de courbe d'un côté et de l'autre de l'axe engendrent des surfaces avec des signes opposés et le théorème ne peut pas se démontrer.

THÉORÈME II. *Le volume d'un solide de révolution est égal au produit de l'aire de la surface génératrice par la distance parcourue par le centre de gravité (centroïde) de la surface lors de la rotation.*

En effet, considérons un élément $dA$ de la surface génératrice $A$ en révolution autour de l'axe $x$ (Fig. 5.16). Le volume $dV$ engendré par l'élément $dA$ est égal à $2\pi y\, dA$. Alors le volume total engendré par la surface $A$ est

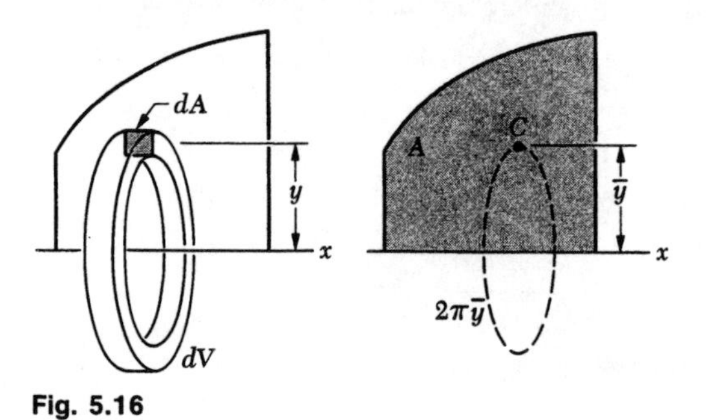


**Fig. 5.16**

$V = \int 2\pi y\, dA$. Or, comme l'intégrale $\int y\, dA$ est égale à $\bar{y}A$ (Section 5.2), nous pouvons écrire

$$V = 2\pi\bar{y}A \tag{5.11}$$

où $2\pi\bar{y}$ est la distance parcourue par le centre de gravité (centroïde) de la surface génératrice $A$. Remarquons encore que pour démontrer ce théorème nous avons supposé que la surface génératrice ne coupe pas l'axe de rotation.

Les théorèmes de Pappus-Guldinus nous donnent un moyen rapide et facile de calculer les surfaces et les volumes de révolution. Ils nous permettent aussi de calculer les coordonnées du centre de gravité (centroïde) d'une courbe plane lorsque l'on connaît l'aire de la surface engendrée par la courbe ou encore le centre de gravité (centroïde) d'une surface plane lorsque le volume qu'elle engendre est connu (voir le probl. résolu 5.8).

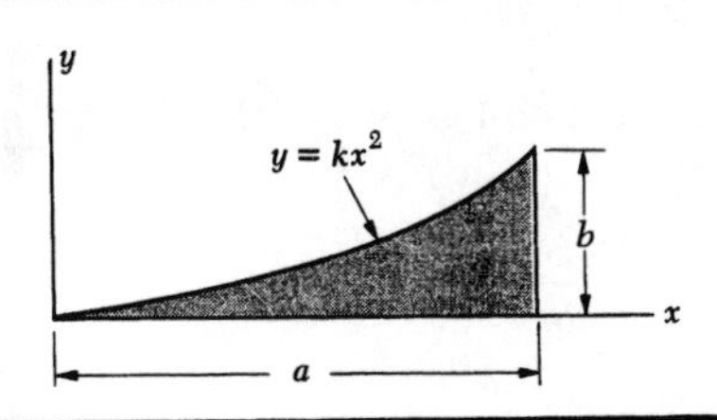


## PROBLÈME RÉSOLU 5.4

Calculez par intégration les coordonnées du centre de gravité (centroïde) de la surface plane délimitée par la courbe parabolique $y = kx^2$, illustrée par la figure.

**Solution.** La valeur de $k$ peut se calculer en posant $x = a$ et $y = b$ dans l'équation de la courbe. Nous obtenons $b = ka^2$ et par conséquent $k = b/a^2$. L'équation de la courbe devient

$$y = \frac{b}{a^2}x^2 \qquad \text{ou} \qquad x = \frac{a}{b^{1/2}}y^{1/2}$$

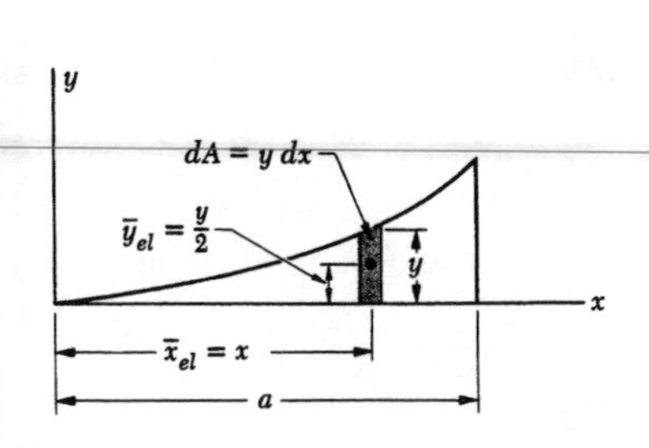


*Intégration suivant l'axe x.* Traçons la surface élémentaire verticale $dA = y\,dx$ et calculons l'aire totale délimitée par la courbe parabolique donnée.

$$A = \int dA = \int y\,dx = \int_0^a \frac{b}{a^2}x^2\,dx = \left[\frac{b}{a^2}\frac{x^3}{3}\right]_0^a = \frac{ab}{3}$$

Le moment statique de la surface élémentaire $dA$ par rapport à l'axe $y$ est $\bar{x}_{el}\,dA$; le moment statique de l'aire totale sera, par intégration,

$$\int \bar{x}_{el}\,dA = \int xy\,dx = \int_0^a x\left(\frac{b}{a^2}x^2\right)dx = \left[\frac{b}{a^2}\frac{x^4}{4}\right]_0^a = \frac{a^2b}{4}$$

Alors

$$\bar{x}A = \int \bar{x}_{el}\,dA \qquad \bar{x}\frac{ab}{3} = \frac{a^2b}{4} \qquad \bar{x} = \tfrac{3}{4}a \blacktriangleleft$$

D'une façon semblable, le moment statique de l'élément de surface $dA$ par rapport à l'axe $x$ est $\bar{y}_{el}\,dA$ et par conséquent le moment statique de l'aire totale par rapport à cet axe sera

$$\int \bar{y}_{el}\,dA = \int \frac{y}{2}y\,dx = \int_0^a \frac{1}{2}\left(\frac{b}{a^2}x^2\right)^2 dx = \left[\frac{b^2}{2a^4}\frac{x^5}{5}\right]_0^a = \frac{ab^2}{10}$$

Alors

$$\bar{y}A = \int \bar{y}_{el}\,dA \qquad \bar{y}\frac{ab}{3} = \frac{ab^2}{10} \qquad \bar{y} = \tfrac{3}{10}b \blacktriangleleft$$

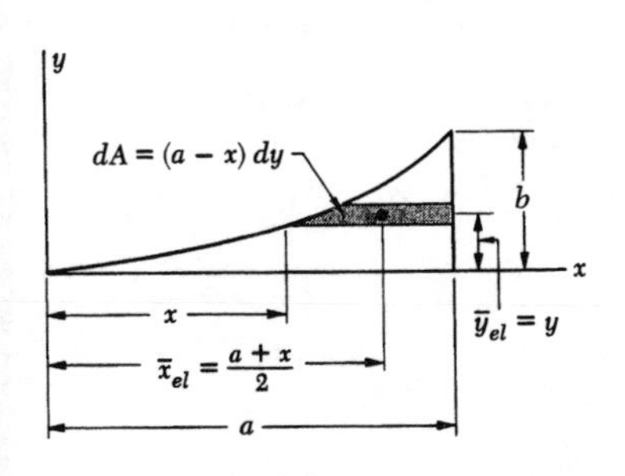


*Intégration suivant l'axe y.* Nous obtenons le même résultat en considérant maintenant la surface élémentaire horizontale. Les moments statiques sont

$$\int \bar{x}_{el}\,dA = \int \frac{a+x}{2}(a-x)\,dy = \int_0^b \frac{a^2-x^2}{2}\,dy$$

$$= \frac{1}{2}\int_0^b \left(a^2 - \frac{a^2}{b}y\right)dy = \frac{a^2b}{4}$$

$$\int \bar{y}_{el}\,dA = \int y(a-x)\,dy = \int y\left(a - \frac{a}{b^{1/2}}y^{1/2}\right)dy$$

$$= \int_0^b \left(ay - \frac{a}{b^{1/2}}y^{3/2}\right)dy = \frac{ab^2}{10}$$

Ces moments sont introduits dans les équations qui définissent les coordonnées du centre de gravité (centroïde) afin d'obtenir $\bar{x}$ et $\bar{y}$.

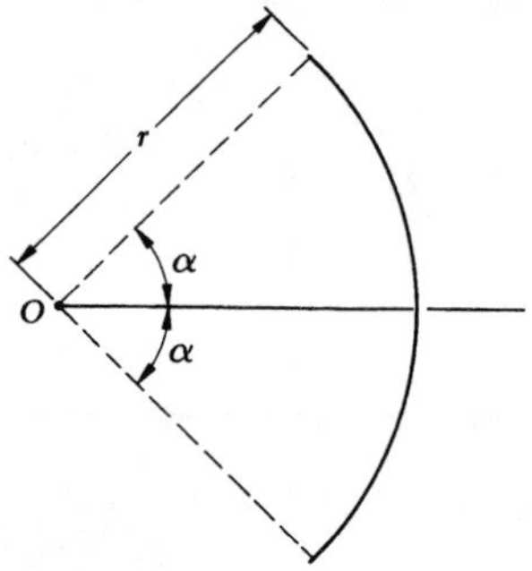

## PROBLÈME RÉSOLU 5.5

Déterminez les coordonnées du centre de gravité (centroïde) de l'arc de cercle illustré par la figure.

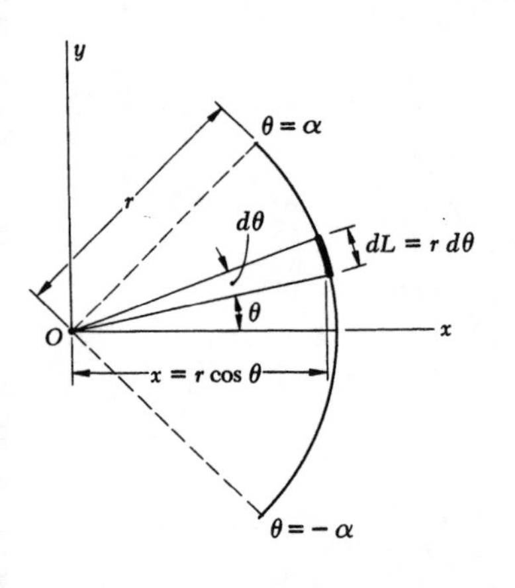


**Solution.** Puisque l'arc est symétrique par rapport à l'axe $x$, alors $\bar{y} = 0$. Pour calculer la coordonnée $\bar{x}$ prenons $dL = r d\theta$ comme arc élémentaire dont l'intégration entre les limites $-\alpha$ et $+\alpha$ nous donnera la longueur $L$.

$$L = \int dL = \int_{-\alpha}^{\alpha} r\,d\theta = r\int_{-\alpha}^{\alpha} d\theta = 2r\alpha$$

Le moment statique par rapport à l'axe $y$ de l'arc de cercle $L$ s'obtient par intégration

$$\int x\,dL = \int_{-\alpha}^{\alpha} (r\cos\theta)(r\,d\theta) = r^2\int_{-\alpha}^{\alpha} \cos\theta\,d\theta$$

$$= r^2\Big[\sin\theta\Big]_{-\alpha}^{\alpha} = 2r^2\sin\alpha$$

Alors, $\quad \bar{x}L = \int x\,dL \qquad \bar{x}(2r\alpha) = 2r^2\sin\alpha \qquad \bar{x} = \dfrac{r\sin\alpha}{\alpha}$ ◄

## PROBLÈME RÉSOLU 5.6

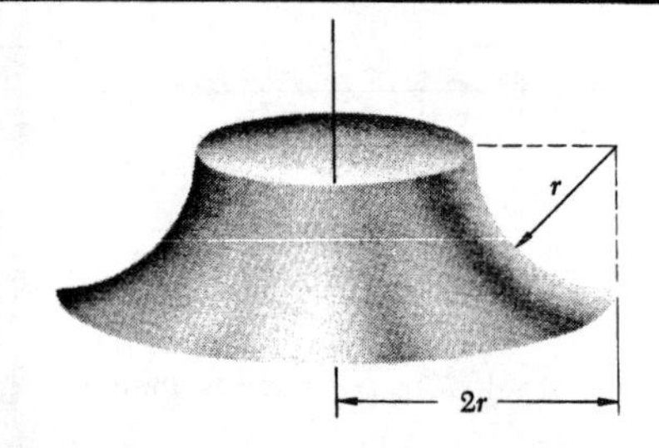


Calculez l'aire de la surface de révolution obtenue en faisant tourner un arc de $\pi/2$ radians autour d'un axe vertical, comme le montre la figure.

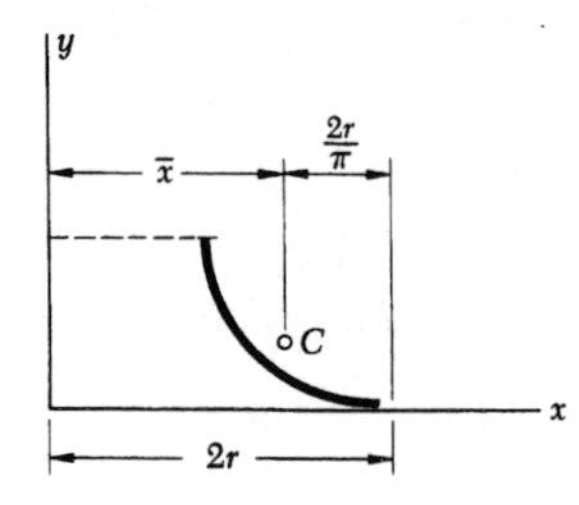


**Solution.** Le théorème I de Pappus-Guldinus nous dit que l'aire générée est égale au produit de la longueur de l'arc par la longueur de la circonférence décrite par le centre de gravité (centroïde) lors de la rotation. De la fig. 5.8*B*, nous pouvons tirer

$$\bar{x} = 2r - \frac{2r}{\pi} = 2r\left(1 - \frac{1}{\pi}\right)$$

$$A = 2\pi\bar{x}L = 2\pi 2r\left(1 - \frac{1}{\pi}\right)\frac{\pi r}{2}$$

$$A = 2\pi r^2(\pi - 1)$$ ◄

## PROBLÈME RÉSOLU 5.7

Le diamètre extérieur d'une poulie pour courroie en V mesure 1 m. Calculez la masse et le poids de la jante si on sait qu'elle a les dimensions indiquées sur le dessin et que la masse volumique de l'acier est $\rho$ = 7,85 x $10^3$ kg/$m^3$.

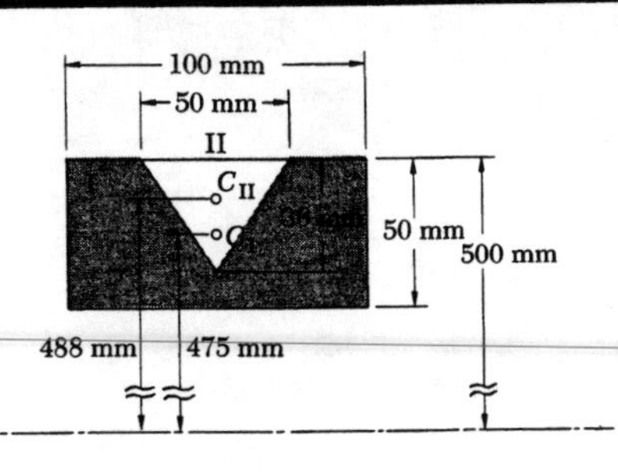


**Solution.** Le théorème de Pappus-Guldinus nous donne immédiatement le volume de la jante puisqu'il nous montre que celui-ci est le produit de l'aire de la section de la jante par le périmètre du cercle décrit par son centre de gravité (centroïde) autour de l'axe de rotation. Pour calculer l'aire de la section, nous la considérons composée d'une aire positive (rectangle I) et d'une aire négative (triangle II)

| Figures composantes | Surface, $mm^2$ | $\bar{y}$, mm | Distance parcourue par $C$, mm | Volume, $mm^3$ |
|---|---|---|---|---|
| I | +5 000 | 475 | $2\pi(475)$ = 2985 | (5000)(2985) = 14,92 x $10^6$ |
| II | −900 | 488 | $2\pi(488)$ = 3066 | (−900)(3066) = −2,76 x $10^6$ |
| | | | | Volume de la jante = 12,16 x $10^6$ |

Puisque 1 mm = $10^{-3}$ m, alors 1 $mm^3$ = $10^{-9}$ $m^3$, et
$V$ = 12,16 x $10^6$ $mm^3$ = (12,16 x $10^6$)($10^{-9}$ $m^3$) = 12,16 x $10^{-3}$ $m^3$

$m = \rho V$ = (7,85 x $10^3$ kg/$m^3$)(12,16 x $10^{-3}$ $m^3$) $\qquad m$ = 95,4 kg ◄
$W = mg$ = (95,4 kg)(9,81 m/$s^2$) = 936 kg·m/$s^2$ $\qquad W$ = 936 N ◄

## PROBLÈME RÉSOLU 5.8

Calculez à l'aide des théorèmes de Pappus-Guldinus : *a*) le centre de gravité (centroïde) du demi-cercle illustré ci-contre, *b*) le centre de gravité (centroïde) de la demi-circonférence. Rappelons que le volume de la sphère est $\frac{4}{3}\pi r^3$ et sa surface $4\pi r^2$.

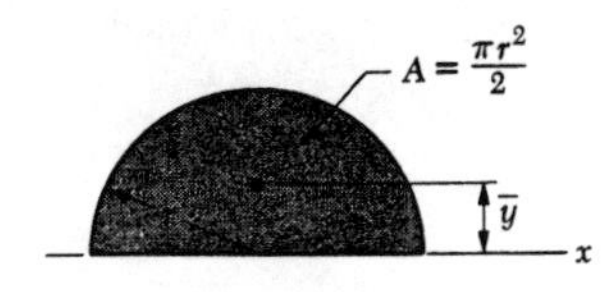


**Solution.** Le volume de la sphère est égal au produit de l'aire du demi-cercle par le périmètre du cercle décrit par son centre de gravité (centroïde) dans une révolution autour de l'axe $x$.

$$V = 2\pi\bar{y}A \qquad \tfrac{4}{3}\pi r^3 = 2\pi\bar{y}(\tfrac{1}{2}\pi r^2) \qquad \bar{y} = \frac{4r}{3\pi} \blacktriangleleft$$

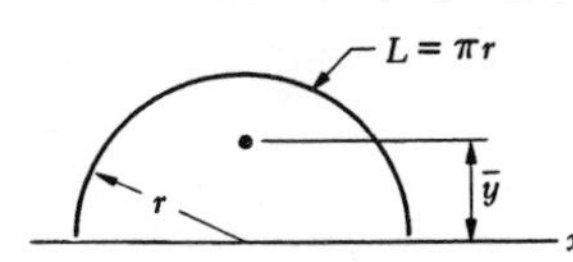


La surface d'une sphère est égale au produit de la longueur de la demi-circonférence par le périmètre décrit par son centre de gravité (centroïde) dans une révolution autour de l'axe $x$.

$$A = 2\pi\bar{y}L \qquad 4\pi r^2 = 2\pi\bar{y}(\pi r) \qquad \bar{y} = \frac{2r}{\pi} \blacktriangleleft$$

## PROBLÈMES SUPPLÉMENTAIRES

Fig. P5.32

**5.32 à 5.35** Calculez par intégration les aires des figures illustrées ci-contre.

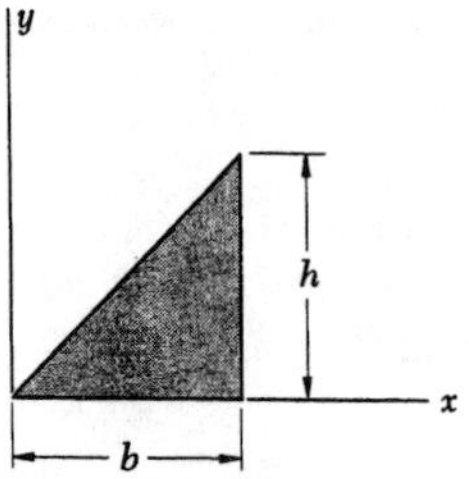

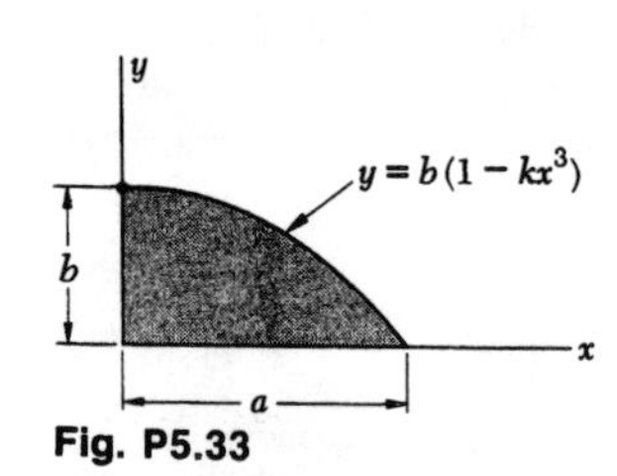


Fig. P5.33

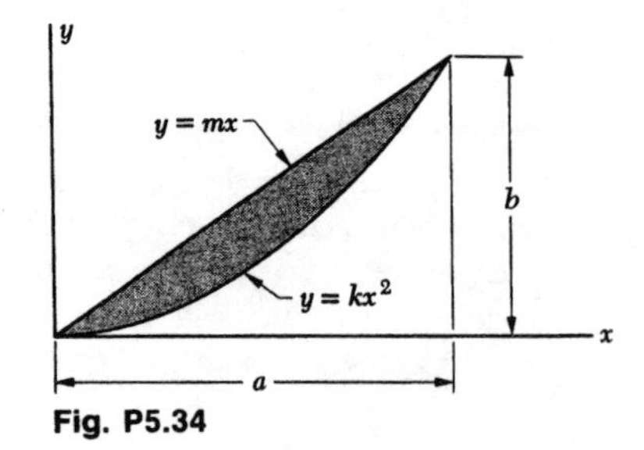


Fig. P5.34

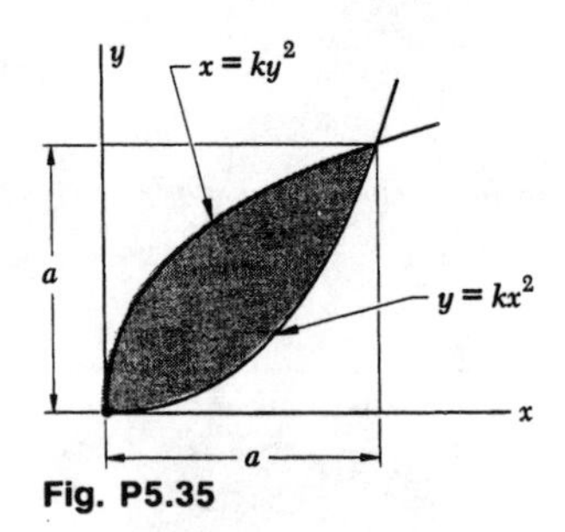


Fig. P5.35

**5.36 à 5.41** Calculez par intégration les coordonnées $x$ et $y$ des centres de gravité (centroïdes) des surfaces données à la fig. 5.8 :

**5.36** L'aire délimitée par un quart d'éllipse.
**5.37** L'aire délimitée par un quart de cercle.
**5.38** L'aire délimitée par une demi-parabole.
**5.39** L'aire délimitée par un secteur circulaire.
**5.40** L'aire délimitée par un arc de $\pi/2$ radians.
**5.41** L'aire délimitée par la courbe $y = kx^n$.

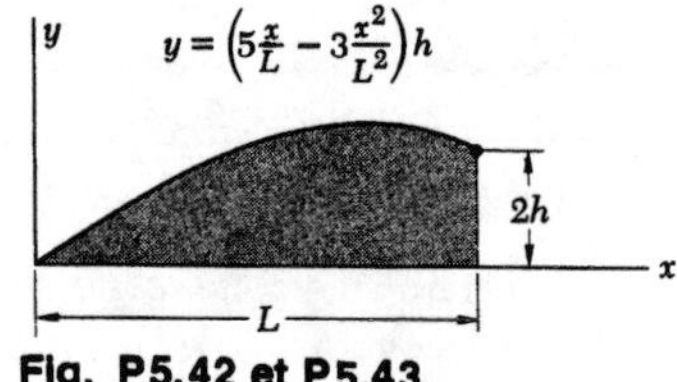


Fig. P5.42 et P5.43

**5.42** Calculez par intégration la coordonnée $x$ du centre de gravité (centroïde) de la figure illustrée ci-contre.

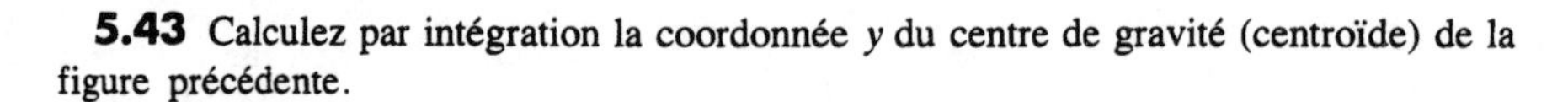

**5.43** Calculez par intégration la coordonnée $y$ du centre de gravité (centroïde) de la figure précédente.

***5.44** Calculez par intégration les coordonnées du centre de gravité (centroïde) de la figure représentée ci-contre.

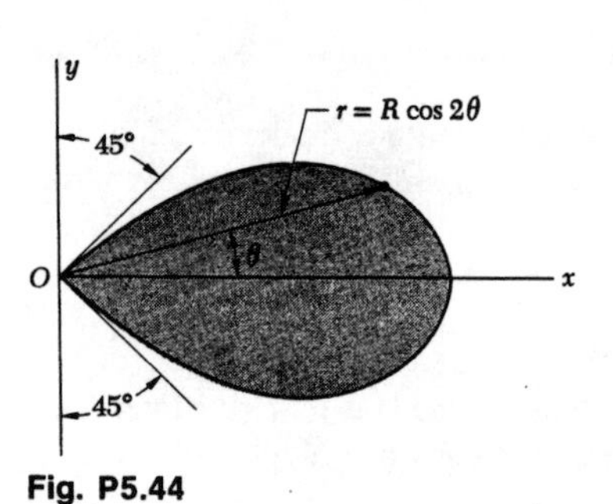


Fig. P5.44

**5.45** Calculez par intégration les coordonnées du centre de gravité (centroïde) de la figure illustrée ci-dessous.

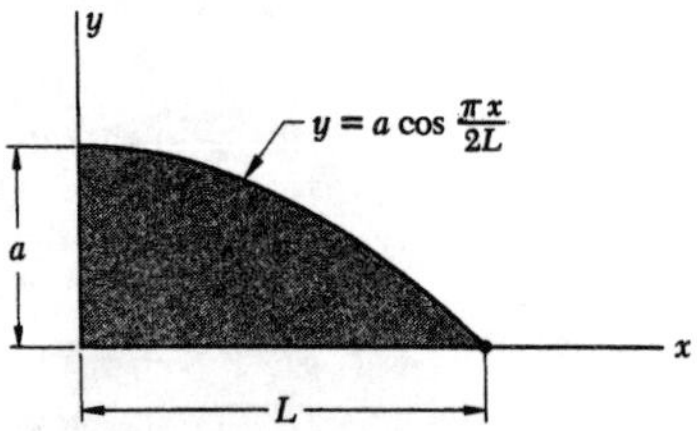

Fig. P5.45

**5.46** Calculez par intégration les coordonnées du centre de gravité (centroïde) de la figure illustrée ci-contre.

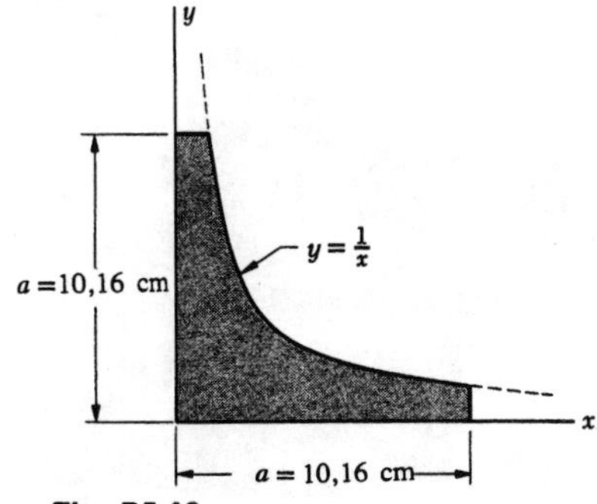


**Fig. P5.46**

**5.47** Calculez les coordonnées du centre de gravité (centroïde) de la fig. P5.46 en fonction de $a$.

**5.48** Calculez par intégration directe les coordonnées du centre de gravité (centroïde) de l'aire du premier quadrant délimitée par les courbes $y = x^n$ et $x = y^n$ pour $n > 1$.

**5.49** Calculez le volume du solide obtenu par rotation du trapèze de la fig. P5.2 autour de : $a$) l'axe $x$, $b$) l'axe $y$.

**5.50** Calculez le volume du solide obtenu par rotation de l'aire semi-parabolique autour de : $a$) l'axe $y$, $b$) l'axe $x$.

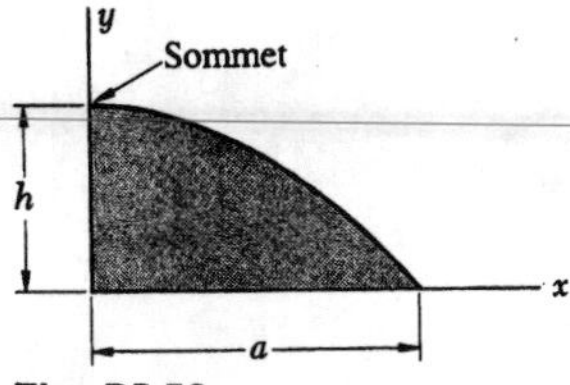


**Fig. P5.50**

**5.51** Calculez la surface du demi-tore dessiné ci-dessous.

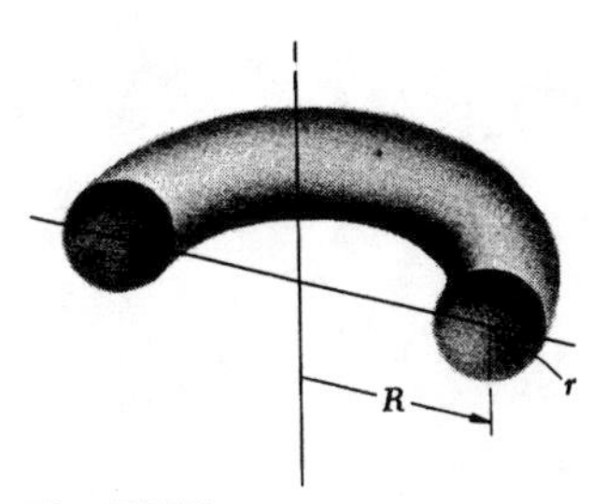


**Fig. P5.51**

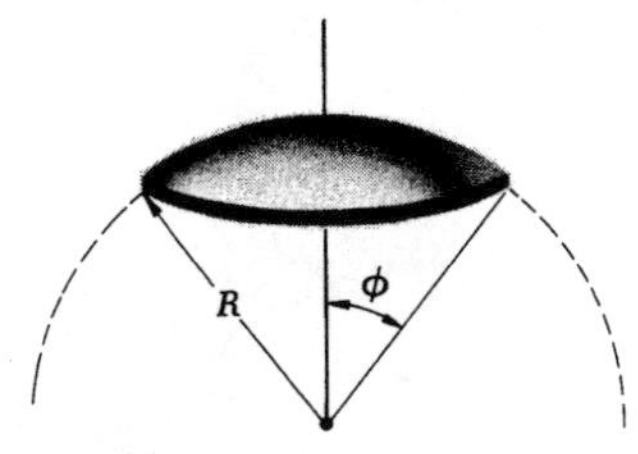


**Fig. P5.52**

**5.52** Le couvercle sphérique illustré s'obtient en coupant une sphère creuse par un plan horizontal. Calculez l'aire de la surface extérieure du couvercle en fonction de $R$ et $\phi$.

**5.53** Calculez la surface totale du solide obtenu par rotation de la surface représentée au probl. 5.3 autour de l'axe $y$.

**5.54** Le diamètre intérieur d'un réservoir sphérique mesure 2 m. Quel est le volume du liquide nécessaire pour le remplir jusqu'au niveau de 0,5 m.

**5.55** La configuration géométrique d'un remblai est dessinée à la fig. P5.55. Calculez le volume de matière de remplissage nécessaire pour former la partie de l'extrémité délimitée par le plan $ABCD$, si $a$ = 5,80 m, $b$ = 11,28 m et $h$ = 2,44 m.

**5.56** Résolvez le probl. 5.55 pour les dimensions : $a$) $a$ = 5,80 m, $b$ = 10,36 m et $h$ = 2,44 m, et $b$) $a$ = 4,88 m, $b$ = 11,28 m et $h$ = 2,44 m.

**Fig. P5.55**

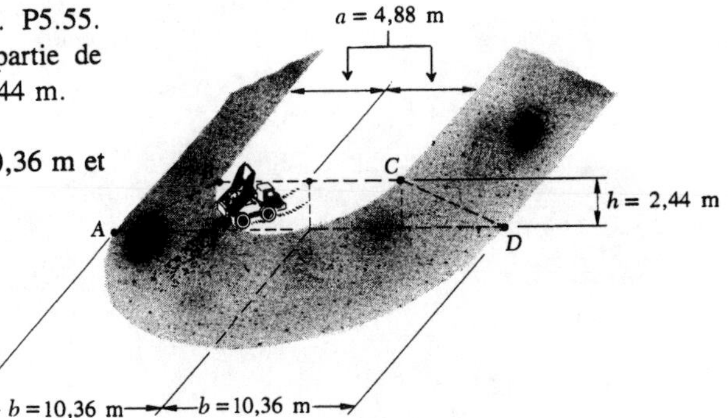

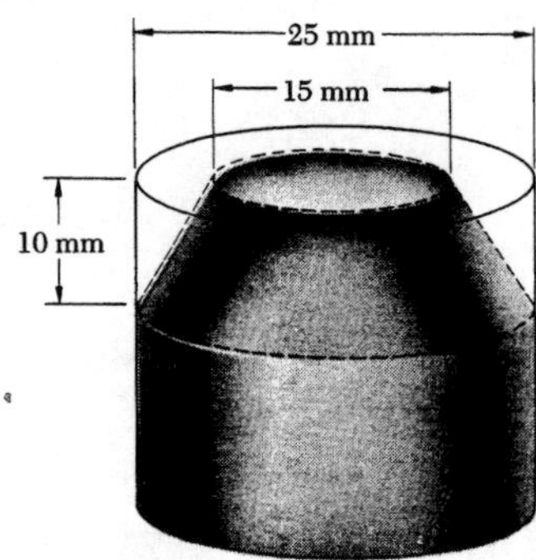
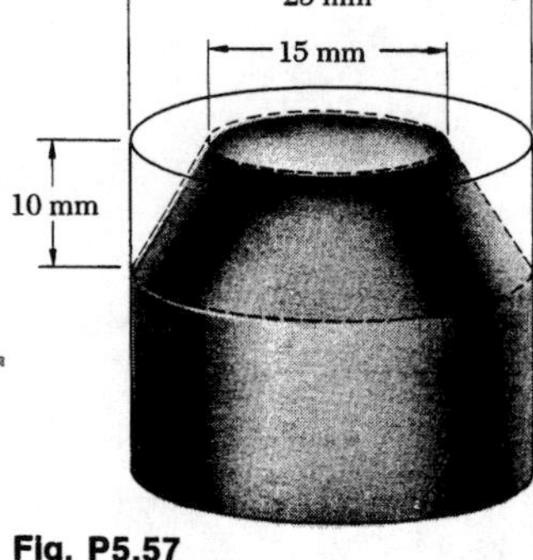

Fig. P5.57

**5.57** Calculez le volume de l'acier enlevé au cylindre de la fig. P5.57 pour usiner son extrémité en tronc de cône, suivant les dimensions indiquées.

**5.58** Un pneu d'automobile d'un poids de 98 N, possède une section de 4516 mm$^2$. Calculez les coordonnées du centre de gravité (centroïde) de cette section si on sait que son poids volumique est de 12,57 kN/m$^3$.

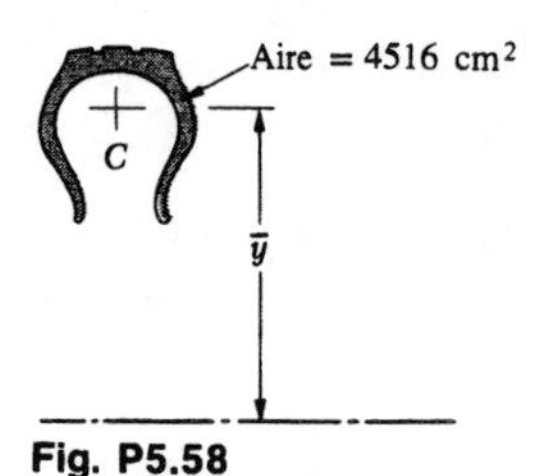

Fig. P5.58

20 mm, r = 20 mm, 120°, R = 100 mm, 100 mm

Fig. P5.59

**5.59** Une portion d'anneau est coupée en deux parties, tel qu'illustré à la fig. P5.59 : la section de chaque partie est un demi-cercle. Calculez le volume et la surface de la partie 1.

**5.60** Calculez le volume et la surface de la partie 2. (Fig. P5.59.)

**5.61** Calculez le volume et la surface intérieure du volume de révolution de la fig. 5.61.

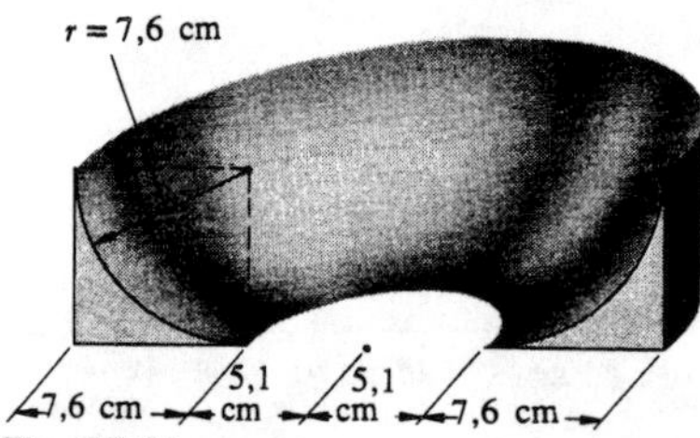

Fig. P5.61

**5.62** Calculez le volume du solide de révolution formé par la rotation des différentes surfaces planes illustrées ci-dessous autour du côté vertical $AB$. Montrez que les volumes des solides formés sont dans les rapports 6 :4 :3 :2 :1.

**5.63** Calculez le volume du solide de révolution formé par la révolution des aires planes du problème précédent autour du côté $BC$. Montrez que les volumes sont dans les rapports 15 :10 :8 :5 :3.

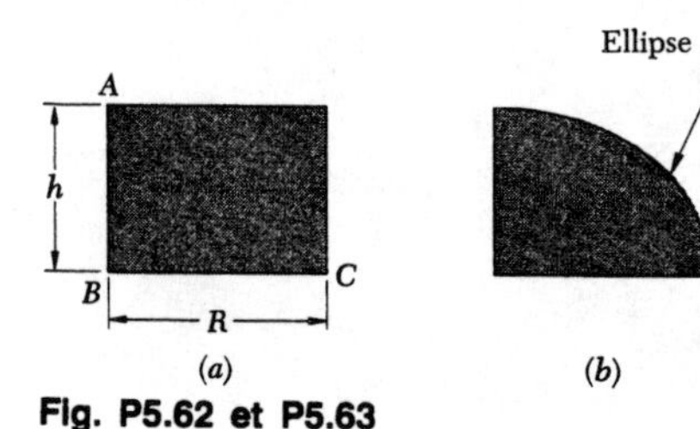

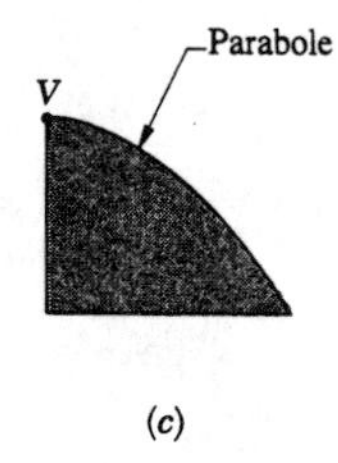

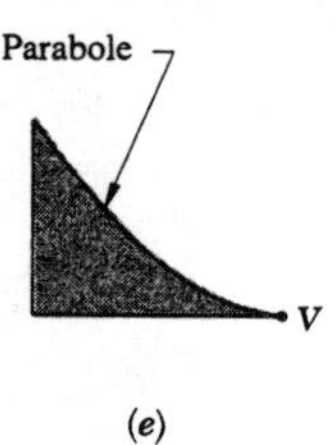

Fig. P5.62 et P5.63

***5.64** On fore un trou cylindrique à travers le centre d'une bille de roulement dont nous avons dessiné, à la fig. P5.64, une coupe latérale. La profondeur du trou est $L$. Montrez que le volume de la pièce résultante est $\frac{1}{6}\pi L^3$.

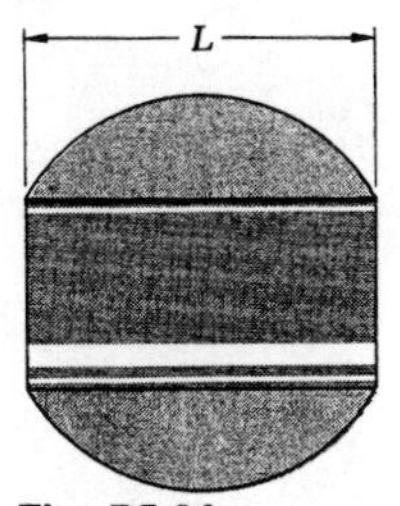


Fig. P5.64

**5.65** Un réservoir à l'huile possède une paroi d'égale résistance. (Les tensions sont constantes dans toute section de la paroi : la forme du réservoir est aussi la forme d'une goutte d'eau sur une surface sèche.) Calculez approximativement : *a*) le volume, *b*) la surface du réservoir.

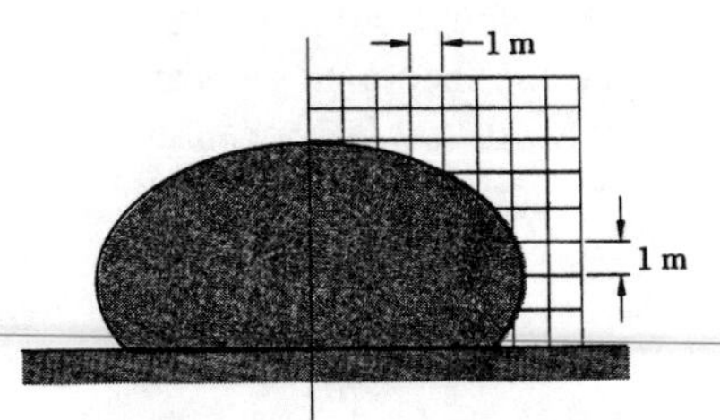


Fig. P5.65

## *5.6. Charges réparties.

Le centre de gravité (centroïde) d'une aire peut être utilisé pour résoudre d'autres problèmes que celui que nous venons d'étudier. Considérons une poutre supportant une *charge répartie* constituée de matériaux reposant directement ou indirectement sur la poutre, ou encore provoquée par une pression de vent ou une pression hydrostatique. La charge répartie peut être représentée sous forme de graphique en traçant la courbe $w = f(x)$ où $w$ est le poids par unité de longueur de la poutre. Cette charge linéaire $w$ sera exprimée en N/m (Fig. 5.17). La charge appliquée sur une longueur $dx$ de la poutre sera alors $dW = w\,dx$, et la charge totale appliquée sur la poutre est finalement

$$W = \int_0^L w\,dx$$

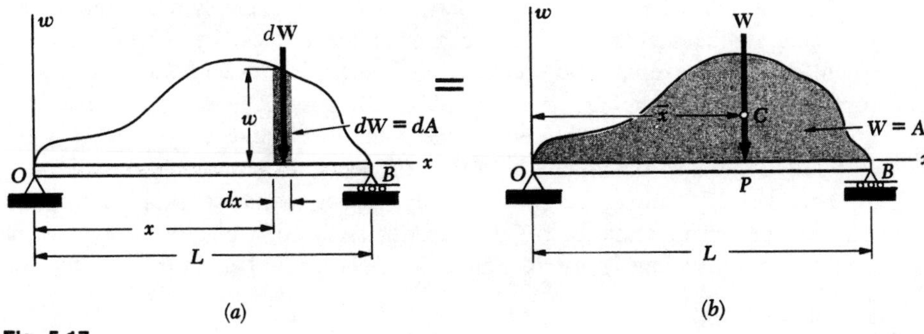


Fig. 5.17

On voit bien que $w\,dx$ est égal à la grandeur de l'élément d'aire $dA$ de la fig. 5.17*a* et $W$ représente alors l'aire totale $A$ du diagramme de charge (Fig. 5.17*b*).

$$W = \int dA = A$$

Nous allons maintenant calculer la position d'une *charge concentrée*, de même valeur $W$, qui produirait les mêmes réactions d'appui. Cette charge est la résultante des charges réparties initiales : elle sera leur charge équivalente tout au moins relativement au schéma de la poutre isolée. Nous pouvons obtenir les coordonnées de son point d'application en appliquant le théorème de Varignon généralisé à un ensemble de charges élémentaires. Si $OP$ est la coordonnée du point d'application $P$ de la charge équivalente, on écrit :

$$(OP)W = \int x\,dW$$

or, comme $dW = w\,dx = dA$ et $W = A$, on obtient

$$(OP)A = \int_0^L x\,dA \qquad (5.12)$$

L'intégrale précédente est le moment statique du diagramme de charge par rapport à l'axe $w$ de la fig. 5.17*b* et peut donc être remplacée par $\bar{x}A$. Nous obtenons alors $OP = \bar{x}$ où $\bar{x}$ est l'abscisse du centre de gravité (centroïde) de l'aire totale $A$ (qui *ne coïncide pas* nécessairement avec le centre de gravité (centroïde) de la poutre).

*Une charge répartie appliquée sur une poutre peut être remplacée par une charge concentrée; la valeur de cette charge unique est donnée par l'aire du diagramme de charge et sa ligne d'action passe par le centre de gravité (centroïde) de ce diagramme.* Nous devons faire remarquer cependant que la force concentrée est équivalente à la charge répartie initiale uniquement du point de vue des forces extérieures. Elle peut servir pour déterminer les réactions d'appui mais ne pourra pas être utilisée pour calculer les déformations ou les tensions intérieures de la poutre.

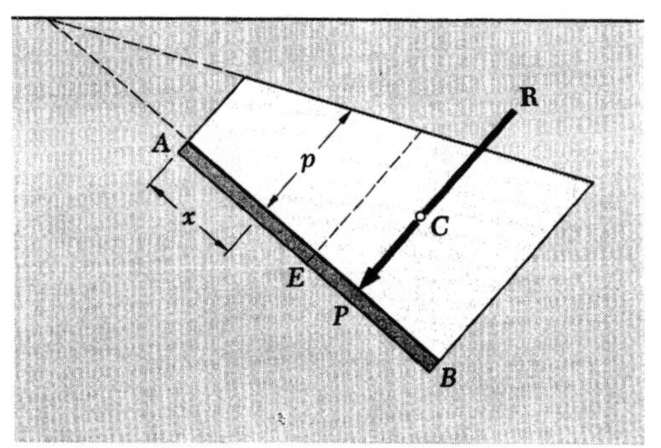

Fig. 5.18

## *5.7. Pression hydrostatique.

Un autre exemple d'utilisation des moments statiques et des centres de gravité (centroïdes) des surfaces est le calcul des forces exercées sur une surface† immergée dans un liquide. Considérons la plaque rectangulaire de la fig. 5.18; elle possède une longueur $L$ et une épaisseur unitaire. La pression en chaque point d'un liquide est $p = \gamma h$ où $\gamma$ est le poids volumique du liquide et $h$ la profondeur du point.

Dans notre exemple, la pression sur chaque point de la plaque varie linéairement en fonction de $x$. Comme l'épaisseur de la plaque est l'unité, la pression hydrostatique $p$ est identique à la charge $w$ par unité de longueur

† Il s'agit d'une surface rectangulaire. (N.T.)

définie à la section 5.6.† Les résultats obtenus dans cette section peuvent alors être utilisés ici. On peut vérifier facilement que la grandeur de la résultante **R** des forces hydrostatiques exercées sur la plaque immergée dans le liquide est donnée par l'aire du diagramme des pressions tracé à la fig. 5.18. Nous pouvons vérifier aussi que la ligne d'action de cette résultante passe par le centre de gravité (centroïde) $C$ de l'aire délimitée par la courbe des pressions. Si on remarque que cette aire est égale à $p_E L$ où $p_E$ est la pression hydrostatique du point central $E$ de la plaque et $L$ la longueur (ou l'aire) de la plaque, nous pouvons trouver que la grandeur $R$ de la résultante peut être obtenue en multipliant la surface de la plaque par la pression hydrostatique au point $E$. La résultante **R**, cependant, *n'est pas* appliquée à ce point : sa ligne d'action doit passer par le centre de gravité (centroïde) $C$ du *diagramme des pressions hydrostatiques*. Le point d'application $P$ de cette résultante est appelé *centre de pression*.

Considérons maintenant les forces hydrostatiques exercées sur une surface courbe d'égale épaisseur plongée dans un liquide. Comme la détermination par intégration de la résultante **R** de ces forces présente des difficultés, commençons par considérer le volume élémentaire délimité par la surface $AB$ et par les plans $AD$ et $DB$ (Fig. 5.19$b$). Les forces appliquées à l'élément isolé $ABD$ sont le poids **W** du volume de liquide isolé, la résultante $\mathbf{R}_1$ des forces exercées sur le côté $AD$, la résultante $\mathbf{R}_2$ des forces exercées sur le côté $BD$ et finalement la résultante $\mathbf{R}'$ des réactions exercées sur l'élément par la surface courbe. La résultante $\mathbf{R}'$ est égale et opposée à la résultante **R** des forces exercées par le liquide sur la surface. Les forces **W**, $\mathbf{R}_1$ et $\mathbf{R}_2$ peuvent se calculer par les méthodes habituelles : lorsqu'on trouve leurs valeurs, la force $\mathbf{R}'$ peut se calculer en résolvant les équations d'équilibre établies à partir du schéma de l'élément isolé à la fig. 5.19$b$. La résultante **R** des forces hydrostatiques exercées sur la surface courbe s'obtient en reversant le sens de $\mathbf{R}'$.

Les méthodes exposées dans cette section peuvent s'utiliser pour calculer la résultante des forces hydrostatiques exercées sur les surfaces immergées des barrages, des vannes d'écluse, etc. Les résultantes des forces hydrostatiques exercées sur les surfaces des corps d'épaisseur variable seront calculées à l'aide des méthodes particulières exposées au chap. 9.

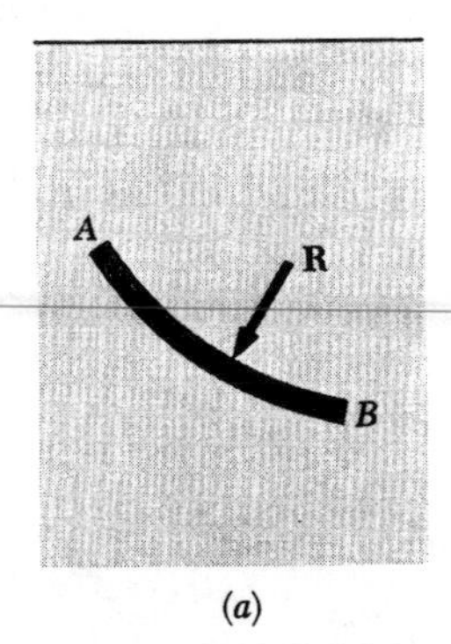

($a$)

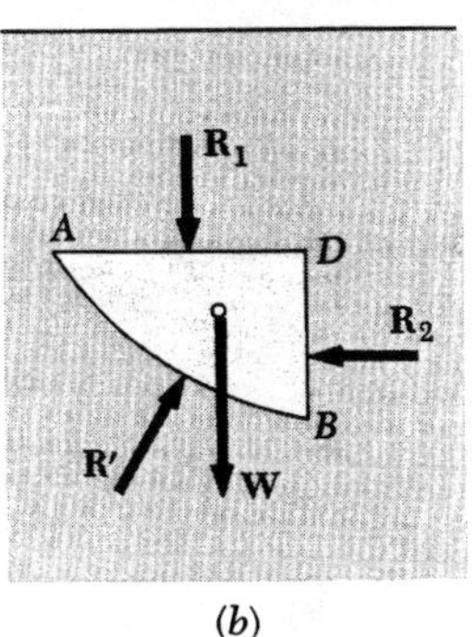

($b$)

† Insistons sur le fait que $w$ est une charge par *unité de longueur* (N/m) tandis que $p$ est une pression, c'est-à-dire une charge par *unité de surface* ($N/m^2$). L'unité correspondante est le *pascal* (Pa).

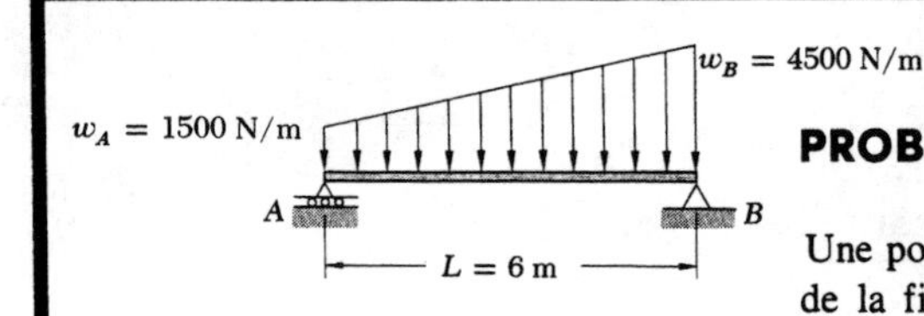


## PROBLÈME RÉSOLU 5.9

Une poutre est sollicitée par la charge répartie représentée par le diagramme trapézoïdal de la figure illustrée ci-contre. Calculez : *a*) la charge concentrée équivalente, *b*) les réactions d'appui.

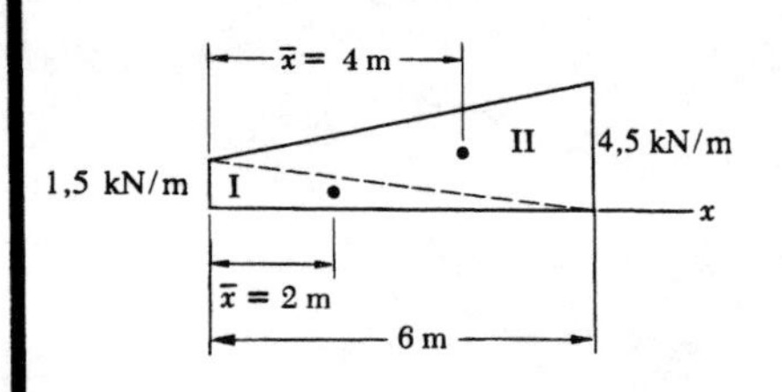


***a.* Charge concentrée équivalente.** La grandeur de la résultante des charges réparties est égale à l'aire du diagramme de charge et la ligne d'action de cette résultante passe par le centre de gravité (centroïde) du diagramme. Nous avons divisé cette aire en deux triangles et construit ensuite le tableau ci-dessous. Pour faciliter les calculs et uniformiser les unités, les charges données ont été converties en kN/m.

| Figures composantes | A, kN | $\bar{x}$, m | $\bar{x}A$, kN · m |
|---|---|---|---|
| Triangle I | 4,5 | 2 | 9 |
| Triangle II | 13,5 | 4 | 54 |
| | $\Sigma A = 18{,}0$ | ... | $\Sigma \bar{x}A = 63$ |

Alors, $\bar{X}\Sigma A = \Sigma \bar{x}A$: $\bar{X}(18 \text{ kN}) = 63 \text{ kN} \cdot \text{m}$ $\bar{X} = 3{,}5 \text{ m}$

et la charge concentrée équivalente est

$$\mathbf{W} = 18 \text{ kN} \downarrow$$ ◄

passant par le point à la distance

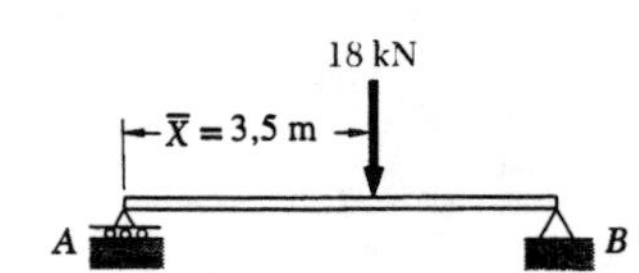


$$\bar{X} = 3{,}5 \text{ m à droite du point } A$$ ◄

***b.* Réactions.** La réaction à l'appui *A* est verticale et est appelée **A**; la réaction à l'appui *B*, qui est une rotule, est représentée par ses composantes $\mathbf{B}_x$ et $\mathbf{B}_y$. Les charges réparties peuvent être considérées comme la somme de deux charges réparties triangulaires I et II. La grandeur de la résultante de chacune de ces charges réparties est donnée par l'aire respective de chacun des diagrammes et sa ligne d'action passe par le centre de gravité (centroïde) de chaque diagramme. Du schéma de la poutre isolée, nous tirons les équations

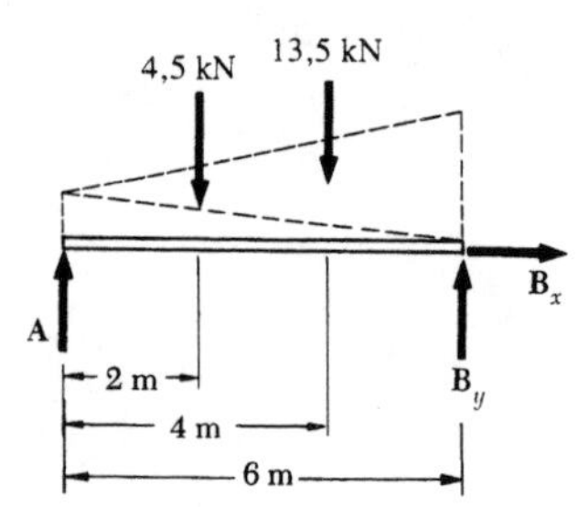


$\overset{+}{\rightarrow} \Sigma F_x = 0$ : $\mathbf{B}_x = 0$ ◄

$+\circlearrowleft \Sigma M_A = 0$ : $-(4{,}5 \text{ kN})(2 \text{ m}) - (13{,}5 \text{ kN})(4 \text{ m}) + B_y(6 \text{ m}) = 0$

$\mathbf{B}_y = 10{,}5 \text{ kN} \uparrow$ ◄

$+\circlearrowleft \Sigma M_B = 0$ : $+(4{,}5 \text{ kN})(4 \text{ m}) + (13{,}5 \text{ kN})(2 \text{ m}) - A(6 \text{ m}) = 0$

$\mathbf{A} = 7{,}5 \text{ kN} \uparrow$ ◄

***Autre solution.*** Les charges réparties peuvent être remplacées par la résultante trouvée en (*a*). Les réactions peuvent se déterminer à partir des équations d'équilibre $\Sigma F_x = 0$, $\Sigma M_A = 0$ et $\Sigma M_B = 0$. Nous obtenons

$\mathbf{B}_x = 0$ $\mathbf{B}_y = 10{,}5 \text{ kN} \uparrow$ $\mathbf{A} = 7{,}5 \text{ kN} \uparrow$ ◄

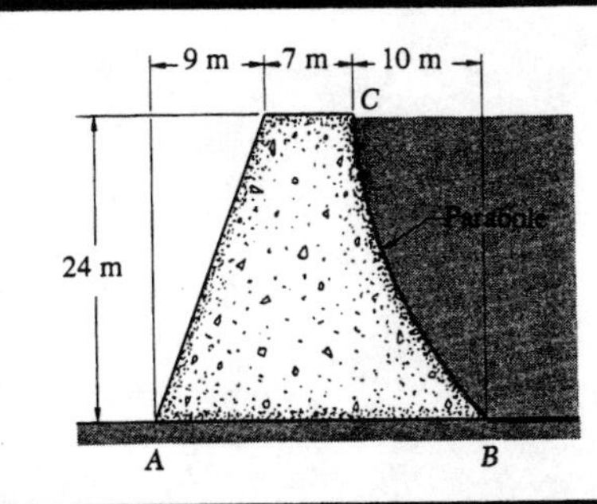


## PROBLÈME RÉSOLU 5.10

La section d'un barrage en béton possède les dimensions indiquées. Considérez un élément de 1 m de longueur et déterminez : *a*) la résultante des forces de réaction appliquées sur la base *AB*, *b*) la résultante des forces de pression exercées par l'eau sur la surface *BC*. Le poids volumique du béton = 23 560 N/m$^3$; celui de l'eau = 9800 N/m$^3$.

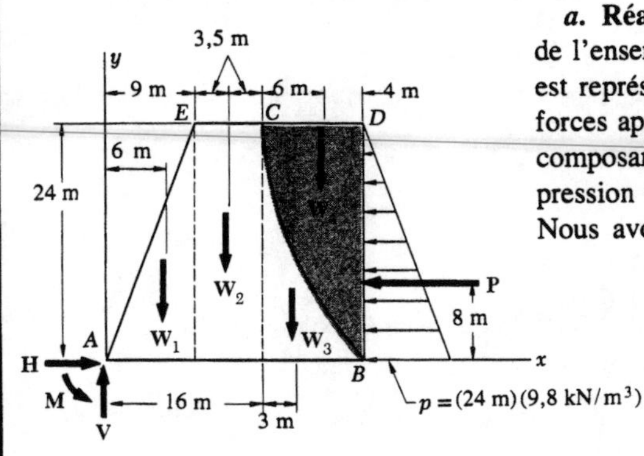


***a*. Réaction du sol.** Choisissons *ABDEA* comme élément isolé de 1 m d'épaisseur de l'ensemble barrage-eau, tel qu'illustré. La réaction exercée par le sol sur la base *AB* est représentée par un système force-couple équivalent appliqué au point *A*. Les autres forces appliquées sur le barrage sont le poids du barrage, représenté par le poids de ses composantes $\mathbf{W}_1$, $\mathbf{W}_2$ et $\mathbf{W}_3$, le poids de l'eau $\mathbf{W}_4$ et la résultante des forces de pression exercées sur la section *BD* par l'eau se trouvant à droite de cette section. Nous avons

$$W_1 = \tfrac{1}{2}(9 \text{ m})(24 \text{ m})(1 \text{ m})(23{,}56 \text{ kN/m}) = 2544{,}5 \text{ kN}$$
$$W_2 = (7 \text{ m})(24 \text{ m})(1 \text{ m})(23{,}56 \text{ kN/m}) = 3958{,}1 \text{ kN}$$
$$W_3 = \tfrac{1}{3}(10 \text{ m})(24 \text{ m})(1 \text{ m})(23{,}56 \text{ kN/m}) = 1884{,}6 \text{ kN}$$
$$W_4 = \tfrac{2}{3}(10 \text{ m})(24 \text{ m})(1 \text{ m})(9800 \text{ N/m}) = 1568{,}0 \text{ kN}$$
$$P = \tfrac{1}{2}(24 \text{ m})(1 \text{ m})(24 \text{ m})(9800 \text{ N/m}) = 2822{,}4 \text{ kN}$$

***Équations d'équilibre :***

$\Sigma F_x = 0 :$ $\quad H - 2822{,}4 \text{ kN} = 0$ $\qquad \mathbf{H} = 2822{,}4 \text{ kN} \rightarrow$ ◄

$\Sigma F_y = 0 :$ $\quad V - 2544{,}5 \text{ kN} - 3958{,}1 \text{ kN} - 1884{,}6 \text{ kN} - 1568{,}0 \text{ kN} = 0$

$\mathbf{V} = 9955{,}2 \text{ kN} \uparrow$ ◄

$$+\circlearrowleft \Sigma M_A = 0 : \quad -(2544{,}4 \text{ kN})(6 \text{ m}) - (3958{,}1 \text{ kN})(12{,}5 \text{ m})$$
$$-(1884{,}6 \text{ kN})(19 \text{ m}) - (1568{,}0 \text{ kN})(22 \text{ m}) + (2822{,}4 \text{ kN})(8 \text{ m}) + M = 0$$

$\mathbf{M} = 112\,967 \text{ kN}\cdot\text{m} \circlearrowleft$ ◄

Nous pouvons remplacer le système force-couple équivalent par une force résultante dirigée vers la droite et à une distance du point *A* donnée par

$$d = \frac{112\,467 \text{ kN}\cdot\text{m}}{9955{,}2 \text{ kN}} \qquad d = 11{,}29 \text{ m}$$ ◄

***b*. Résultante des forces hydrostatiques.** On considère le schéma isolé du volume d'eau de section *BCD*. Les forces mises en jeu sont la résultante $\mathbf{R}'$ des forces exercées sur l'eau par le barrage, le poids $\mathbf{W}_4$ et la force **P**. Comme ces forces sont concourantes, $\mathbf{R}'$ passe par le point *F*, intersection des lignes d'action des forces $\mathbf{W}_4$ et **P**. Un triangle de forces nous donnera la grandeur et la direction de $\mathbf{R}'$. La résultante **R** des forces exercées par l'eau sur la surface *BC* du barrage sera égale et opposée à $\mathbf{R}'$.

$\mathbf{R} = 3227{,}1 \text{ kN} \measuredangle 29{,}0°$ ◄

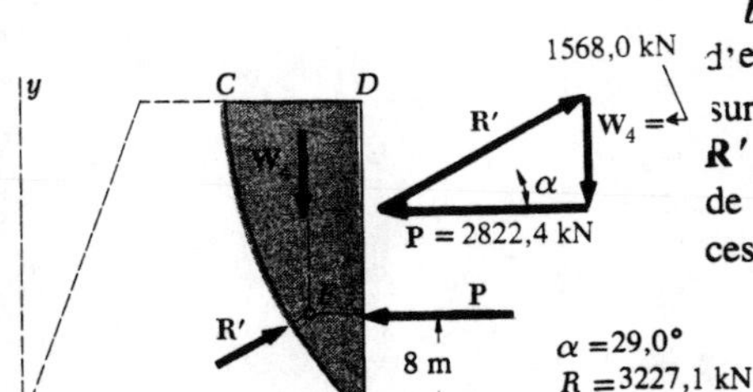

## PROBLÈMES SUPPLÉMENTAIRES

**5.66 et 5.67** Déterminez les réactions d'appui $A$ et $B$ et le point d'application des résultantes des deux charges réparties dessinées ci-dessous.

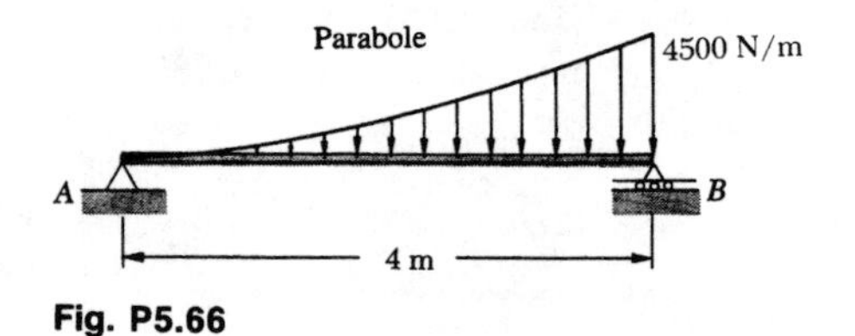


**Fig. P5.66**

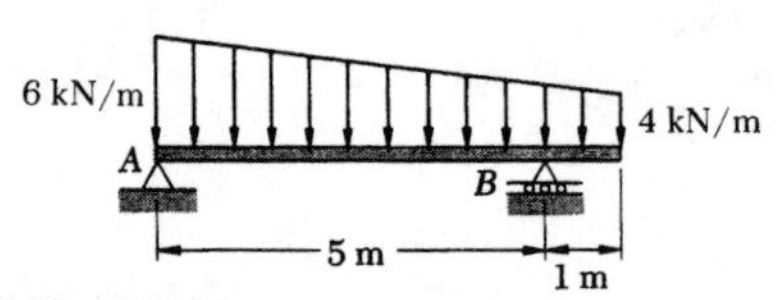


**Fig. P5.67**

**5.68 à 5.71** Calculez les réactions d'appui de chaque poutre sous les mises en charge indiquées.

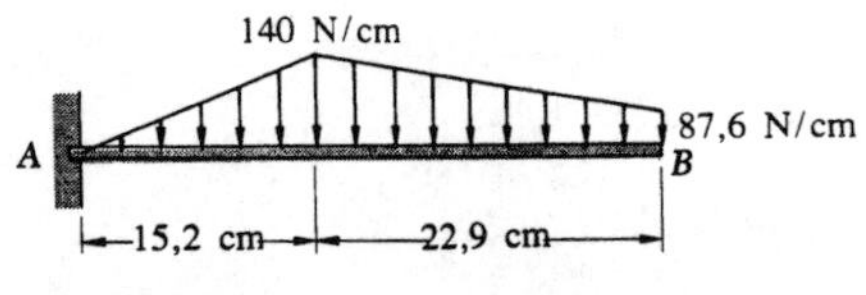


**Fig. P5.68**

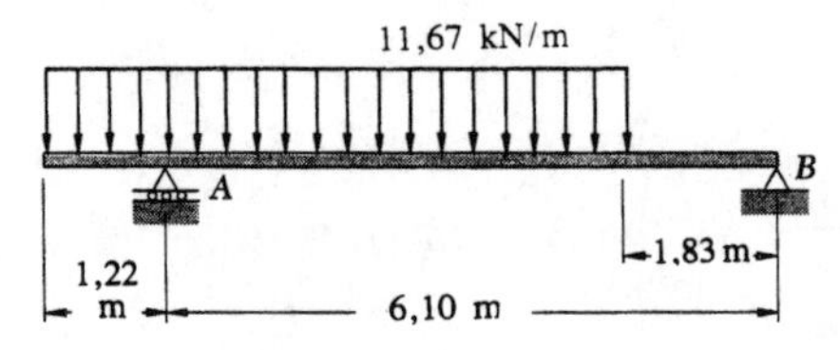


**Fig. P5.69**

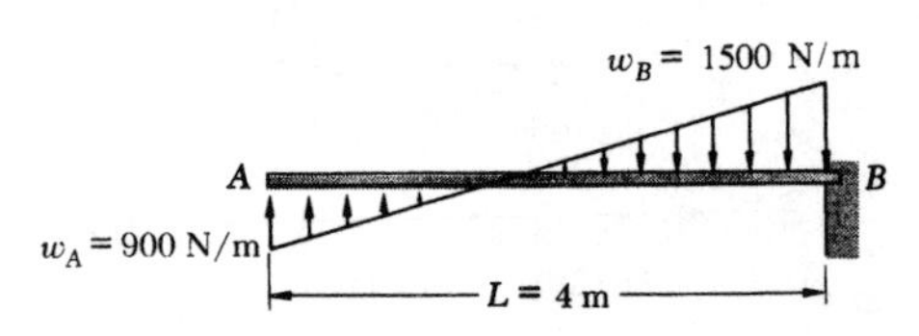


**Fig. P5.70**

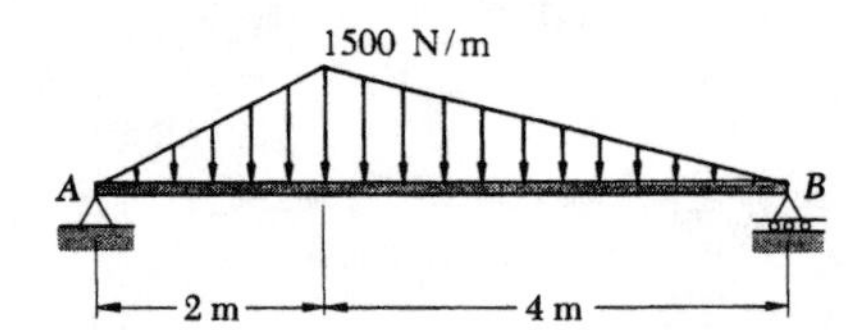


**Fig. P5.71**

**5.72** Déterminez le rapport $w_A/w_B$ pour lequel la réaction en $A$ est égale à : *a*) un couple unique, *b*) une force unique. Exprimez dans chaque cas la réaction en fonction de $w_A$ et $L$.

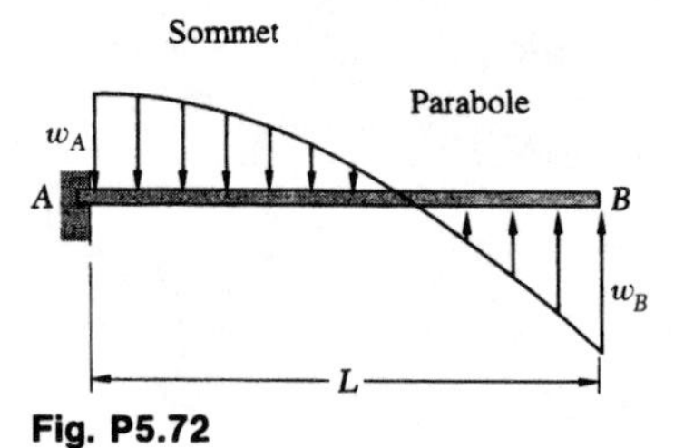


**Fig. P5.72**

**5.73** Déterminez le rapport $w_A/w_B$ dans le probl. 5.70 pour que la réaction de l'appui $B$ soit égale à : *a*) une force unique, *b*) un couple unique. Exprimez pour chaque cas la réaction en fonction de $w_B$ et $L$.

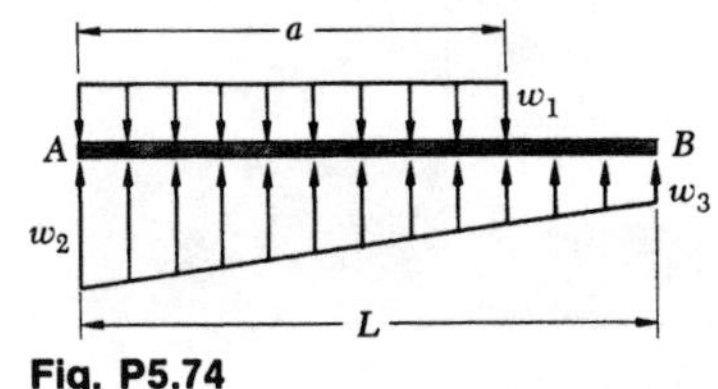

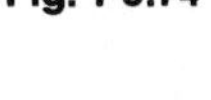
Fig. P5.74

**5.74** Une poutre supporte une charge uniformément répartie $w_1$ et repose sur le sol, lequel exerce sur elle une charge répartie uniformément variable telle qu'indiquée.

*a*) Déterminez $w_2$ et $w_3$ correspondant à l'équilibre de la poutre. *b*) Sachant qu'à chaque point, le sol n'exerce sur la poutre que des charges verticales dirigées de bas en haut, déterminez pour quel domaine des valeurs de $a/L$ les résultats obtenus sont valables.

**5.75** Résolvez le problème résolu 5.9 en fonction de $w_A$, $w_B$ *et* $L$†.

**5.76** En considérant une longueur de 1 m du barrage dont la section est dessinée ci-contre, déterminez : *a*) la résultante des forces de réaction exercées par le sol sur la base $AB$ du barrage, *b*) la résultante des forces de pression exercées par l'eau sur la surface $BC$ du barrage.

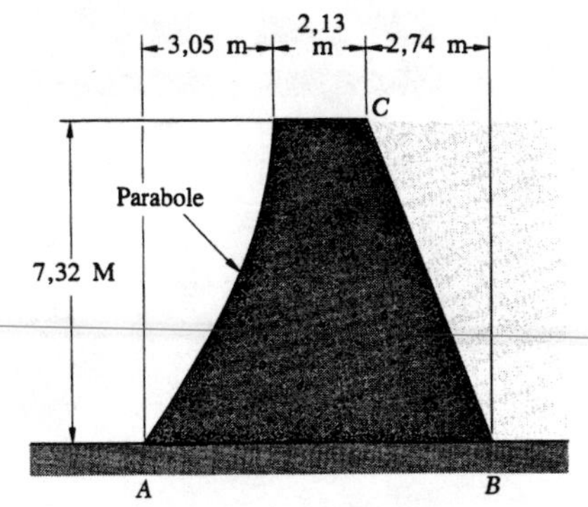

Fig. P5.76

**5.77** On place une porte, de dimensions 0,914 x 0,914 m, dans un mur et en dessous du niveau d'eau. *a*) Calculez la grandeur et la position de la résultante des forces exercées par l'eau sur la porte. *b*) Déterminez la force de réaction exercée par la butée de seuil $B$, en supposant un appui par charnière au point $A$.

**5.78** Calculez la profondeur de l'eau $d$ pour laquelle, dans le probl. 5.77, la force exercée par la butée $B$ est de 8896 N.

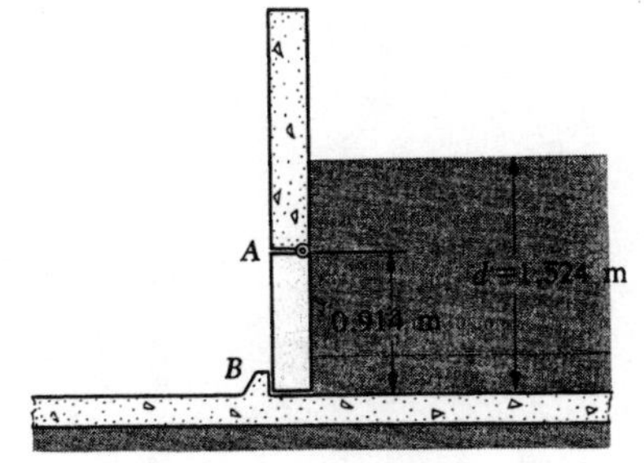

Fig. P5.77

**5.79** Une porte automatique, formée d'une plaque carrée de dimensions 225 x 225 mm, peut pivoter autour de l'axe horizontal passant par $A$ et placé à une distance $h$ = 100 mm de son bord inférieur. Calculez la hauteur de l'eau $d$ pour laquelle la porte s'ouvre automatiquement.

**5.80** Déterminez la hauteur $h$ du fond de la porte au point $A$, si on sait que la porte s'ouvre lorsque la profondeur de l'eau est $d$ = 300 mm.

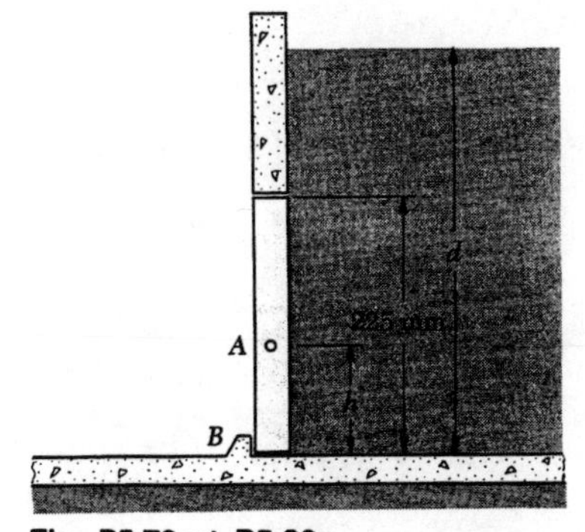

Fig. P5.79 et P5.80

† Dans les problèmes qui vont suivre, nous utiliserons comme masse volumique $\rho = 10^3$ kg/m$^3$ pour l'eau fraîche et $P_C = 2{,}4 \times 10^3$ kg/m$^3$ pour le béton. (Voir note page 140.)

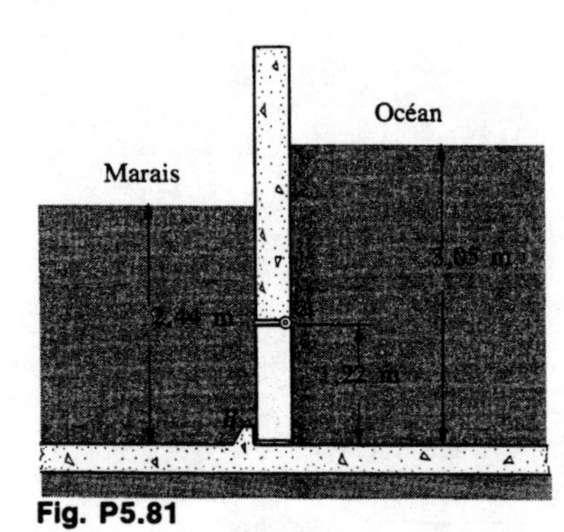


Fig. P5.81

**5.81** L'eau d'un marais est drainée vers la mer à travers une porte, à ouverture par différence de pression, mesurant 1,52 m de largeur et 1,22 m de hauteur. La porte est attachée à des charnières fixées au bord supérieur *A* et s'appuie sur la butée de seuil *B*. À un moment donné, la hauteur de l'eau dans le marais est $h = 2{,}44$ m et celle de la mer $d = 3{,}05$ m. Calculez la force de réaction exercée par la butée *B* et la réaction d'appui *A*. La masse volumique de l'eau salée est 1025 kg/m$^3$.

**5.82** Calculez la hauteur *d* de la marée pour laquelle la porte automatique décrite au problème précédent s'ouvrira lorsque la hauteur de l'eau en amont de la porte est de $h = 2{,}44$ m.

**5.83** Le plaque *ABCD*, pliée en L, mesure 2 m de largeur et est attachée par la charnière *A*. Calculez les réactions en *A* et *D* lorsque le niveau de l'eau atteint 1 m.

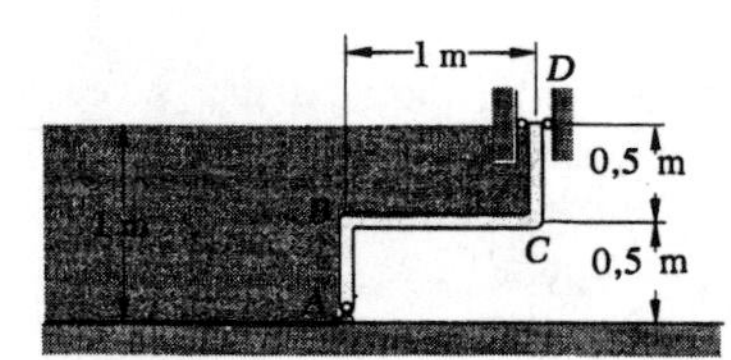


Fig. P5.83

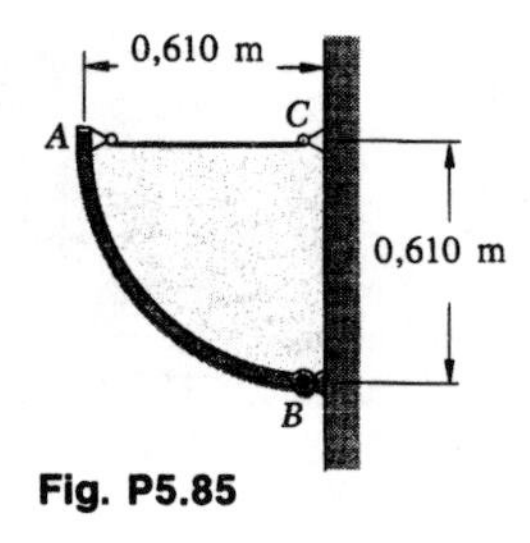


Fig. P5.85

**5.84** Résolvez le probl. 5.83 en supposant que l'eau est enlevée du côté gauche et placée au même niveau du côté droit.

**5.85** Une auge métallique *AB* en arc de cercle de rayon 0,61 m est appuyée sur la charnière *B* et est soutenue par des câbles *AC* espacés de 0,91 m. Calculez les efforts de tension dans les câbles *AC* lorsque l'auge est remplie d'eau jusqu'au point *A*.

**5.86** Calculez l'épaisseur *a* du barrage en béton de forme rectangulaire pour qu'il ne puisse pas pivoter autour du point *A* sous l'effet des pression hydrostatiques lors d'un trop plein ($d = h = 4$ m).

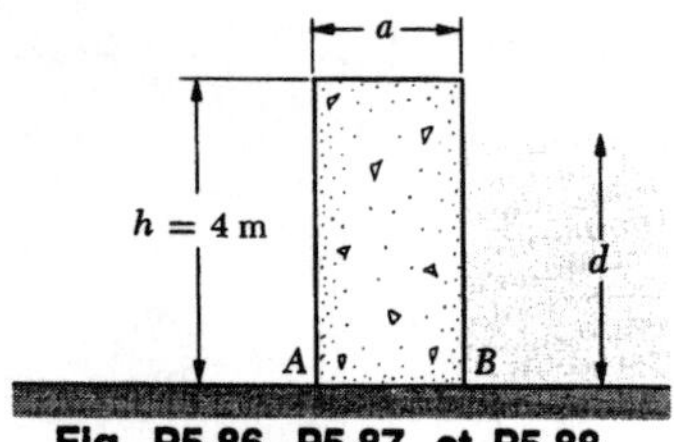


Fig. P5.86, P5.87, et P5.88

**5.87** Calculez la hauteur maximale de l'eau en aval du barrage pour que celui-ci ne pivote pas autour du point *A* si son épaisseur est $a = 1{,}25$ m et sa hauteur $h = 4$ m.

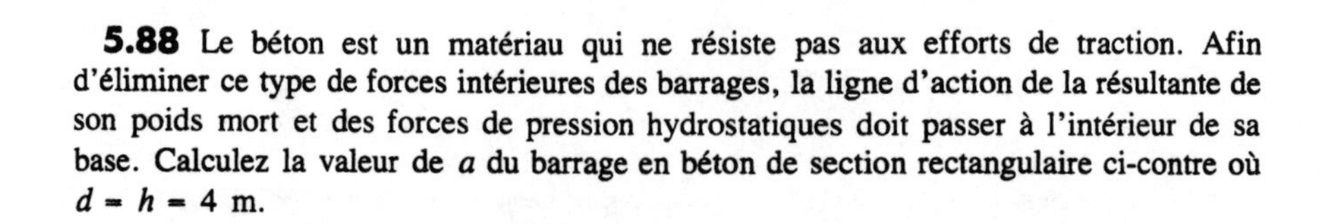

**5.88** Le béton est un matériau qui ne résiste pas aux efforts de traction. Afin d'éliminer ce type de forces intérieures des barrages, la ligne d'action de la résultante de son poids mort et des forces de pression hydrostatiques doit passer à l'intérieur de sa base. Calculez la valeur de *a* du barrage en béton de section rectangulaire ci-contre où $d = h = 4$ m.

**5.89** Avec le temps, un dépôt de vase d'épaisseur $d_s$ s'est formé en aval du barrage. Déterminez la grandeur et le point d'application de la résultante des forces hydrostatiques exercées sur la surface *CB*, si on mesure $d_s = 2{,}74$ m, $d_w = 7{,}32$ m et si on admet que la masse volumique de la vase est $\rho = 1763\ \mathrm{kg/m^3}$ et que la vase peut être assimilée à un liquide. Considérez une section du barrage de 0,305 m.

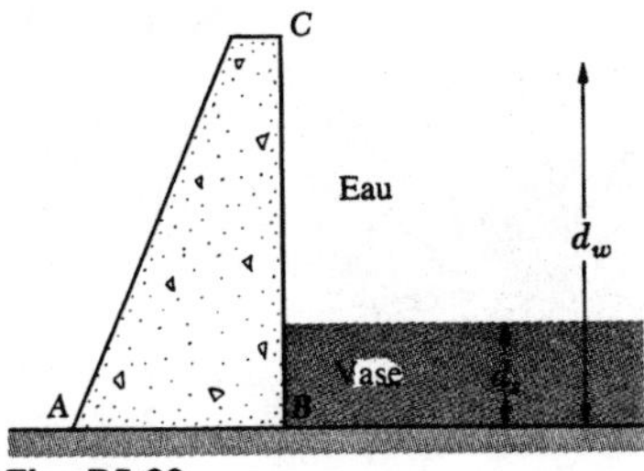

Fig. P5.89

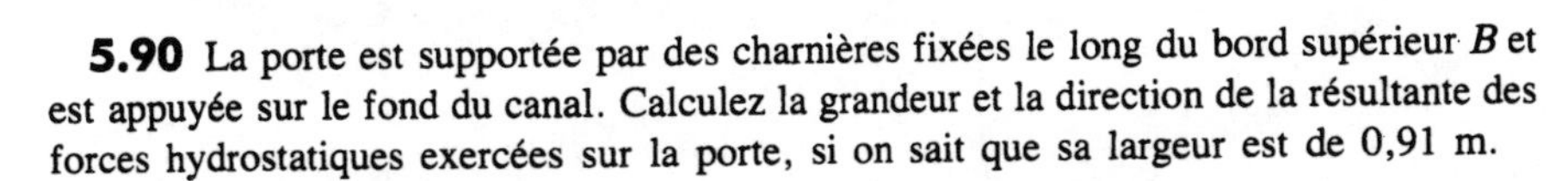

**5.90** La porte est supportée par des charnières fixées le long du bord supérieur *B* et est appuyée sur le fond du canal. Calculez la grandeur et la direction de la résultante des forces hydrostatiques exercées sur la porte, si on sait que sa largeur est de 0,91 m.

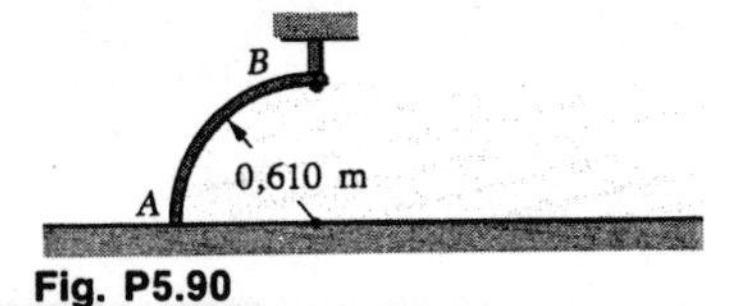

Fig. P5.90

**5.91** L'extrémité d'un canal d'eau potable est formée d'une plaque *ABC* appuyée sur des charnières au point *B*. Calculez les réactions en *A* et *B* sachant que $b = 0{,}61$ m et $h = 0{,}48$ m et que la largeur de la porte est de 0,91 m.

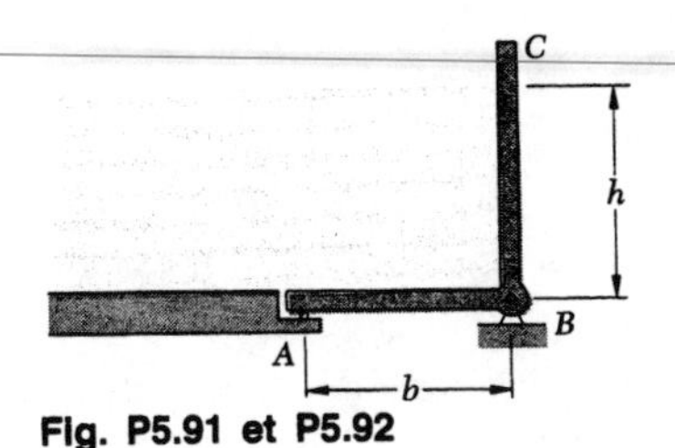

Fig. P5.91 et P5.92

**5.92** Calculez le rapport $h/b$, dans le probl. 5.91, qui annule la réaction au point *A*.

## VOLUMES

**5.8. Centre de gravité d'un corps de l'espace. Centre de gravité (centroïde) d'un volume.** Le *centre de gravité d'un corps quelconque peut se calculer en divisant le corps en petits éléments de poids* $\Delta\mathbf{W}_1$, $\Delta\mathbf{W}_2$ ... etc., et en exprimant que le poids $\mathbf{W}$, attaché au centre de gravité *G*, est équivalent au système de forces élémentaires $\Delta\mathbf{W}$. C'est ce que nous avons représenté aux fig. 5.20 et 5.21 pour deux éléments du corps. Dans la fig. 5.20, l'axe *y* est vertical; dans la fig. 5.21 le corps et les axes ont subi une rotation de 90° et l'axe *z* est devenu vertical. Nous pouvons écrire trois équations indépendantes qui nous serviront à calculer $\bar{x}$, $\bar{y}$ et $\bar{z}$, coordonnées du centre de gravité *G*. Sous forme différentielle, ces équations peuvent s'écrire

$$\bar{x}W = \int x\,dW \qquad \bar{y}W = \int y\,dW \qquad \bar{z}W = \int z\,dW \tag{5.13}$$

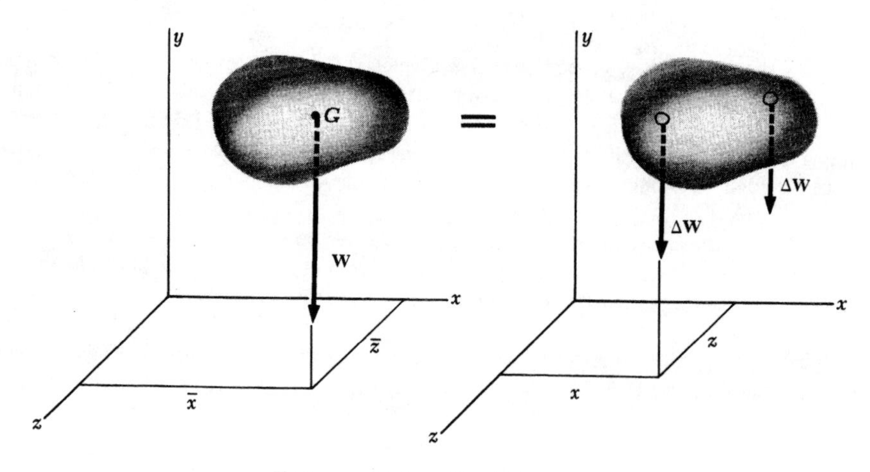


**Fig. 5.20**

$$\Sigma M_z : \quad \bar{x}W = \Sigma\, x\, \Delta W$$
$$\Sigma M_x : \quad \bar{z}W = \Sigma\, z\, \Delta W$$

Si le corps est homogène et de masse volumique $\rho$, la grandeur $dW$ du poids de chaque élément peut s'exprimer en fonction du volume $dV$ de l'élément, et la grandeur $W$ du poids du corps en fonction de son volume total $V$. Nous pouvons écrire

$$dW = \rho g dV \quad W = \rho g V$$

Si nous substituons $dW$ et $W$ dans les éq. (5.13), nous obtenons

$$\bar{x}V = \int x\, dV \qquad \bar{y}V = \int y\, dV \qquad \bar{z}V = \int z\, dV \tag{5.14}$$

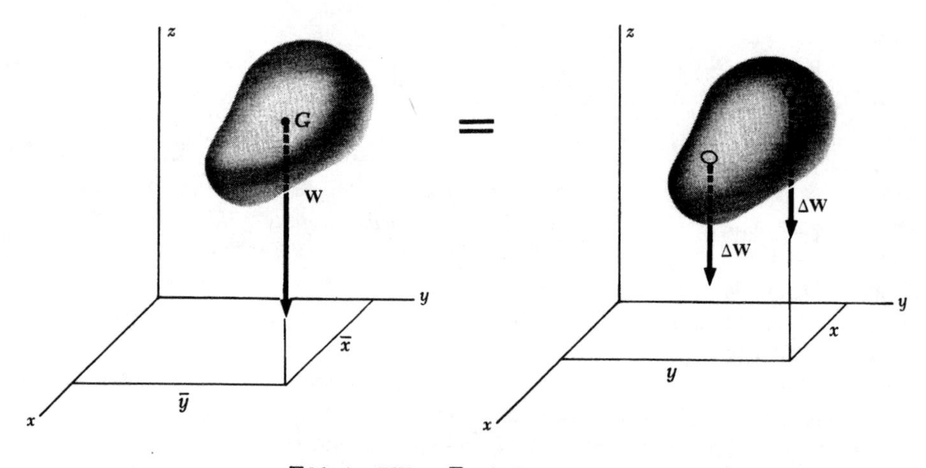


**Fig. 5.21**

$$\Sigma M_x : \quad \bar{y}W = \Sigma\, y\, \Delta W$$
$$\Sigma M_y : \quad \bar{x}W = \Sigma\, x\, \Delta W$$

Le point de coordonnées $\bar{x}$, $\bar{y}$ et $\bar{z}$ est le *centre de gravité (centroïde) C* du volume $V$ représentant le corps. Si le corps n'est pas homogène, les éq. (5.14) ne peuvent pas être utilisées pour calculer les coordonnées du point $G$, centre de gravité du corps; cependant elles restent valables pour calculer les coordonnées du point $C$, centre de gravité (centroïde) du volume $V$ contenant le corps.

L'intégrale $\int x\,dV$ est appelée *moment statique du volume* par rapport au plan $yz$. De la même façon $\int y\,dV$ et $\int z\,dV$ sont les moments statiques du volume $V$ par rapport respectivement au plan $zx$ et $xy$. On peut vérifier à partir des éq. (5.14) que si le centre de gravité (centroïde) $C$ du volume du corps fait partie d'un plan de référence, le moment statique du volume par rapport à ce plan s'annule.

Un volume quelconque est dit symétrique par rapport à un plan donné si à chaque point $P$ du volume correspond un point $P'$ du même volume, de façon telle que la ligne $PP'$ est perpendiculaire à ce plan et est divisée par lui en deux parties égales : ce plan est appelé *plan de symétrie* du volume. Quand un volume $V$ possède un plan de symétrie, son centre de gravité doit appartenir à ce plan. Quand le volume $V$ possède deux plans de symétrie, son centre de gravité (centroïde) doit se trouver à l'intersection de ces deux plans. Finalement quand le volume a trois plans de symétrie qui possèdent un et un seul point commun, ce point coïncide avec son centre de gravité (centroïde). Ces propriétés nous permettent de déterminer facilement le centre de gravité (centroïde) de volumes réguliers tels que sphères, ellipsoïdes, cubes, parallélipipèdes, etc.

Les centres de gravité (centroïdes) des volumes irréguliers ou des volumes possédant seulement un ou deux plans de symétrie se calculeront par intégration (Section 5.10). Les centres de gravité (centroïdes) des volumes usuels sont indiqués dans la fig. 5.22. Nous devons faire remarquer que le centre de gravité (centroïde) d'un volume de révolution *ne coïncide pas* en général avec le centre de gravité (centroïde) de sa section diamétrale. En effet le centre de gravité (centroïde) d'un hémisphère est différent de celui d'une aire semicirculaire et le centre de gravité (centroïde) d'un cône est différent de celui d'un triangle.

**5.9. Corps composés.** Si le corps peut être subdivisé en plusieurs parties de formes simples telles que dessinées à la fig. 5.22, les coordonnées $\bar{X}$, $\bar{Y}$ et $\bar{Z}$ de son centre de gravité $G$ peuvent s'obtenir en exprimant que le moment du poids **W** du corps est égal à la somme des moments des poids des parties composantes. Les moments doivent être calculés par rapport aux trois axes de coordonnées. (Voir les fig. 5.20 et 5.21.)
Les équations seront alors

$$\bar{X}\Sigma W = \Sigma \bar{x} W \qquad \bar{Y}\Sigma W = \Sigma \bar{y} W \qquad \bar{Z}\Sigma W = \Sigma \bar{z} W \tag{5.15}$$

| Volumes de révolution | | $\bar{x}$ | Volume |
|---|---|---|---|
| Hémisphère | 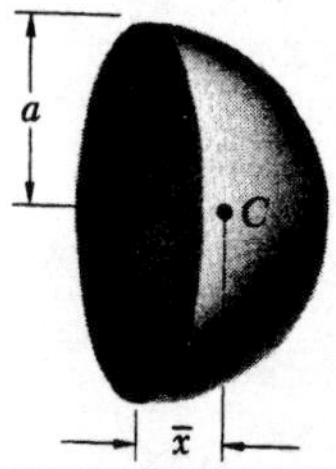 | $\frac{3a}{8}$ | $\frac{2}{3}\pi a^3$ |
| Demi-ellipsoïde | 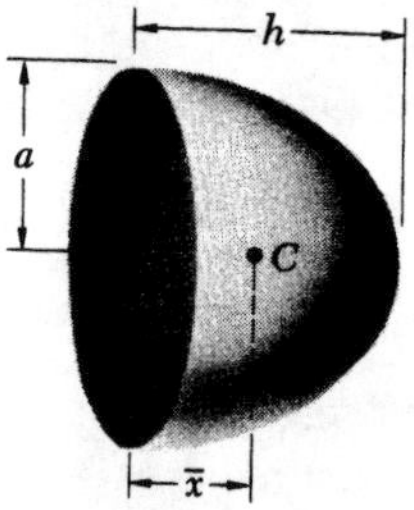 | $\frac{3h}{8}$ | $\frac{2}{3}\pi a^2 h$ |
| Paraboloïde | 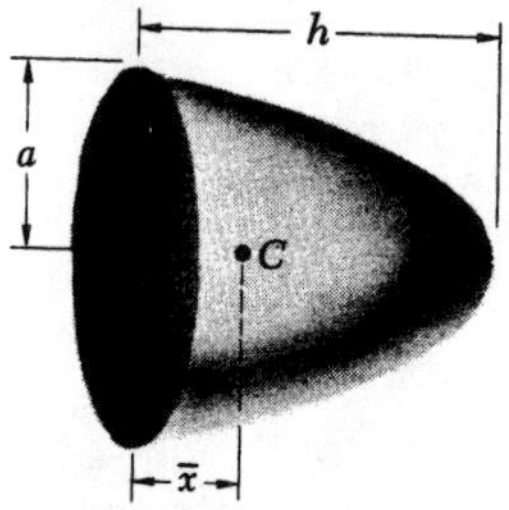 | $\frac{h}{3}$ | $\frac{1}{2}\pi a^2 h$ |
| Cône | 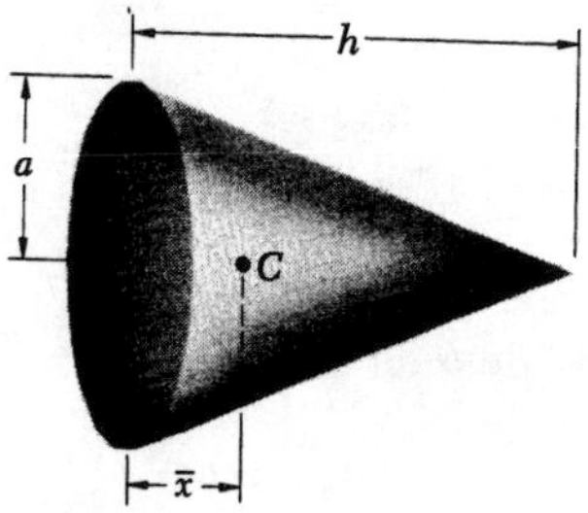 | $\frac{h}{4}$ | $\frac{1}{3}\pi a^2 h$ |
| Pyramide | 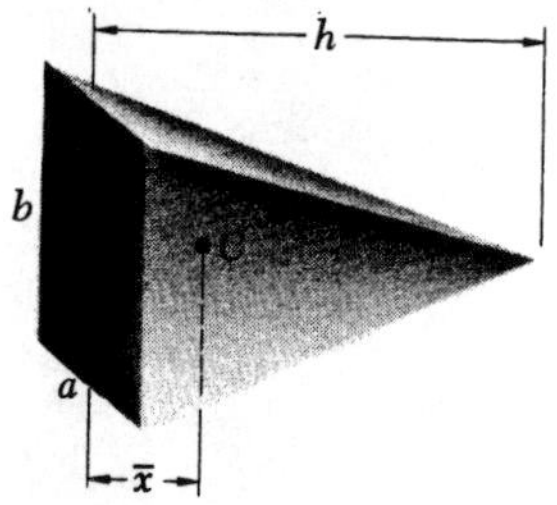 | $\frac{h}{4}$ | $\frac{1}{3}abh$ |

**Fig. 5.22** Centres de gravité (centroïdes) des volumes usuels.

Si le corps est homogène, son centre de gravité $G$ coïncide avec le centre de gravité $G$ (centroïde) du volume qui le contient et alors les équations deviennent

$$\bar{X}\Sigma V = \Sigma \bar{x} V \qquad \bar{Y}\Sigma V = \Sigma \bar{y} V \qquad \bar{Z}\Sigma V = \Sigma \bar{z} V \tag{5.16}$$

**5.10. Calcul du centre de gravité (centroïde) des volumes par intégration.** Les coordonnées du centre de gravité (centroïde) d'un volume délimité par des surfaces analytiques peuvent se calculer à l'aide des équations établies à la section 5.8 :

$$\bar{x}V = \int x\,dV \qquad \bar{y}V = \int y\,dV \qquad \bar{z}V = \int z\,dV \tag{5.17}$$

Si l'élément de volume $dV$ est un cube de côtés $dx$, $dy$ et $dz$, la solution du système d'équations (5.17) exige une *triple intégration* en $x$, $y$ et $z$. Cependant il est possible de résoudre ce système avec une *double intégration* si l'élément choisi est le mince parallélipipède dessiné à la fig. 5.23. Les coordonnées du centre de gravité (centroïde) du volume sont alors obtenues à partir des équations

$$\bar{x}V = \int \bar{x}_{el}\,dV \qquad \bar{y}V = \int \bar{y}_{el}\,dV \qquad \bar{z}V = \int \bar{z}_{el}\,dV \tag{5.18}$$

et en substituant $dV$ et les coordonnées $\bar{x}_{el}$, $\bar{y}_{el}$ et $\bar{z}_{el}$ par les valeurs indiquées à la fig. 5.23. Si après nous utilisons l'équation de la surface délimitant le volume total pour exprimer la coordonnée $z$ en fonction des coordonnées $x$ et $y$, l'intégration se réduit à une double intégration suivant $x$ et $y$.

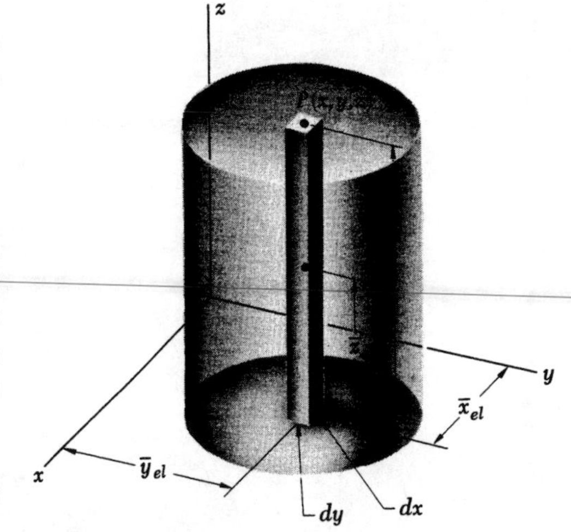


$\bar{x}_{el} = x$, $\bar{y}_{el} = y$, $\bar{z}_{el} = \frac{z}{2}$

$dV = z\,dx\,dy$

**Fig. 5.23** Détermination du centre de gravité (centroïde) d'un volume par double intégration

Si le volume $V$ possède *deux plans de symétrie*, son centre de gravité (centroïde) se trouve *sur leur droite d'intersection.* En choisissant cette droite comme axe $x$, nous pouvons écrire

$$\bar{y} = \bar{z} = 0$$

et $\bar{x}$ sera alors la seule coordonnée à déterminer. Ceci se fera plus facilement en divisant le volume en tranches minces parallèles au plan $yz$. Dans le cas particulier d'un volume de révolution, ces tranches seront circulaires : leur volume est donné par la fig. 5.24. En substituant $\bar{x}_{el}$ et $dV$ dans l'équation

$$\bar{x}V = \int \bar{x}_{el}\,dV \tag{5.19}$$

et en exprimant le rayon $r$ de la tranche en fonction de $x$, nous pouvons déterminer $\bar{x}$ par une simple intégration.

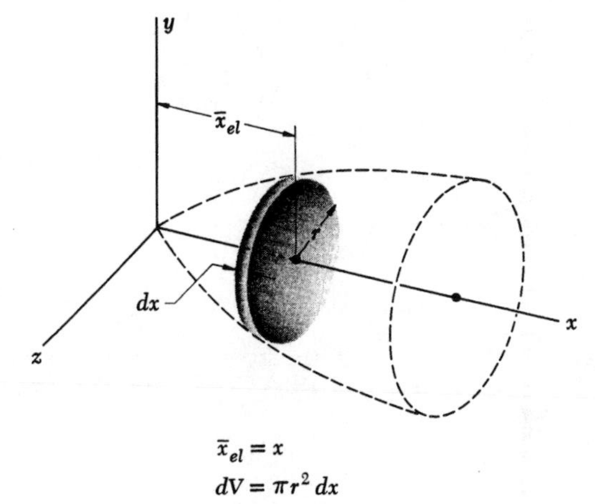


$\bar{x}_{el} = x$

$dV = \pi r^2\,dx$

**Fig. 5.24** Détermination du centre de gravité (centroïde) d'un corps de révolution.

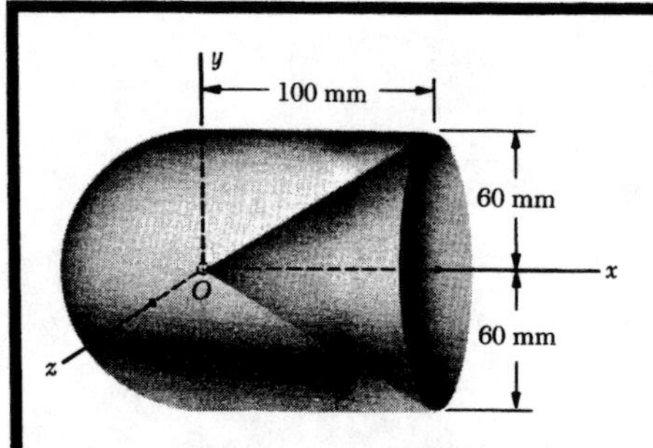


## PROBLÈME RÉSOLU 5.11

Calculez les coordonnées du centre de gravité du corps de révolution homogène représenté ci-contre.

**Solution.** Par symétrie, le centre de gravité se trouve sur l'axe $x$. Le corps peut être considéré comme étant composé d'un hémisphère attaché à un cylindre duquel on a retranché un cône. Le volume et l'abscisse du centre de gravité de ces volumes composants peuvent être pris sur le tableau de la fig. 5.22 et consignés dans le tableau ci-dessous (nous avons utilisé le cm pour la commodité d'écriture).

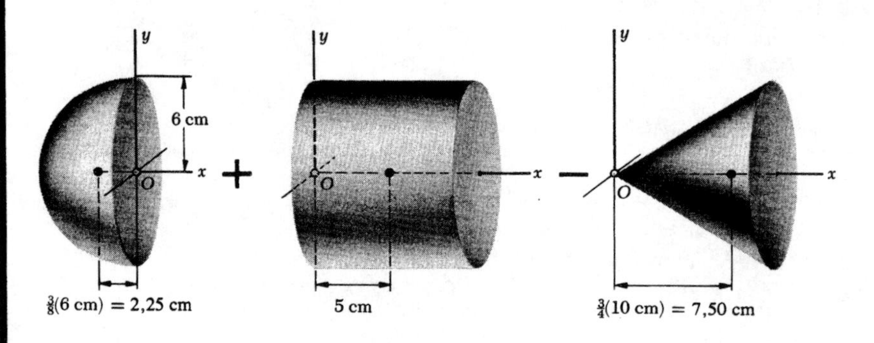


| Figures composantes | Volume, cm$^3$ | $\bar{x}$, cm | $\bar{x}V$, cm$^4$ |
|---|---|---|---|
| Hémisphère | $\frac{1}{2}\frac{4\pi}{3}(6)^3 = 452$ | $-2,25$ | $-1017$ |
| Cylindre | $\pi(6)^2(10) = 1131$ | $+5,00$ | $+5655$ |
| Cône | $-\frac{\pi}{3}(6)^2(10) = -377$ | $+7,50$ | $-2828$ |
| | $\Sigma V = 1206$ | ... | $\Sigma \bar{x}V = +1810$ |

Alors

$\bar{X}\Sigma V = \Sigma \bar{x}V$: $\quad \bar{X}(1206 \text{ cm}^3) = 1810 \text{ cm}^4$

$$\bar{X} = 1,5 \text{ cm}$$

$\bar{X} = 15 \text{ mm}$ ◄

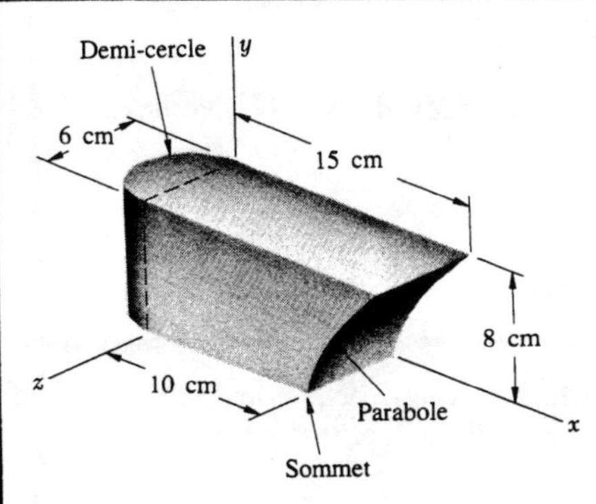


## PROBLÈME RÉSOLU 5.12

Déterminez le centre de gravité du corps homogène dessiné ci-contre.

**Solution.** Par symétrie, le centre de gravité appartient à un plan parallèle au plan *xy*, tel que $\bar{Z}$ = 3 cm. Le corps peut être considéré comme composé d'un demi-cylindre (I), d'un parallélipipède rectangulaire (II), et une partie de forme cylindrique dont la section est délimitée par une courbe parabolique (III). Les coordonnées des centres de gravité (centroïdes) des différents volumes composants sont prises dans le tableau de la fig. 5.8*a*. Ces coordonnées sont indiquées dans le dessin ci-contre. Le volume total et les moments statiques des volumes par rapport aux plans *zx* et *yz* sont déterminés dans le tableau ci-dessous.

| Figures composantes | $V \cdot cm^3$ | $\bar{x}$, cm | $\bar{y}$, cm | $\bar{x}V$, $cm^4$ | $\bar{y}V$, $cm^4$ |
|---|---|---|---|---|---|
| I | $(8)\frac{\pi(3^2)}{2} = 113$ | $-\frac{4}{\pi}$ | 4 | −144 | 452 |
| II | $(10)(8)(6) = 480$ | 5 | 4 | 2400 | 1920 |
| III | $\frac{1}{3}(5)(8)(6) = 80$ | 11,5 | 6 | 920 | 480 |
| | $\Sigma V = 673$ | … | … | $\Sigma\bar{x}V = 3176$ | $\Sigma\bar{y}V = 2852$ |

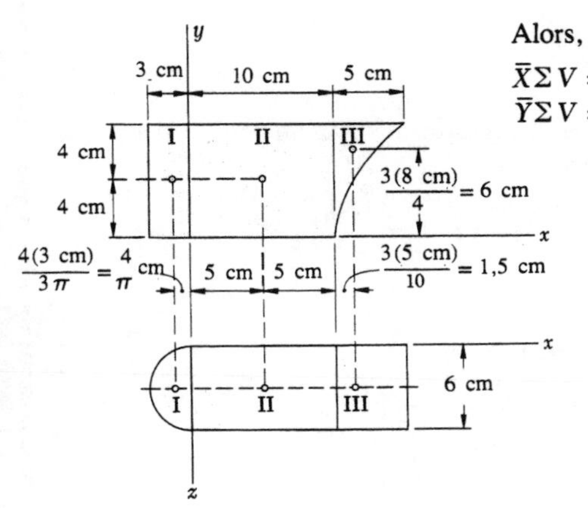


Alors,

$\bar{X}\Sigma V = \Sigma\bar{x}V$: $\quad \bar{X}(673\ cm^3) = 3176\ cm^4$ $\qquad \bar{X} = 4{,}72$ cm ◀

$\bar{Y}\Sigma V = \Sigma\bar{y}V$: $\quad \bar{Y}(673\ cm^3) = 2852\ cm^4$ $\qquad \bar{Y} = 4{,}24$ cm ◀

$\bar{Z} = 3{,}00$ cm ◀

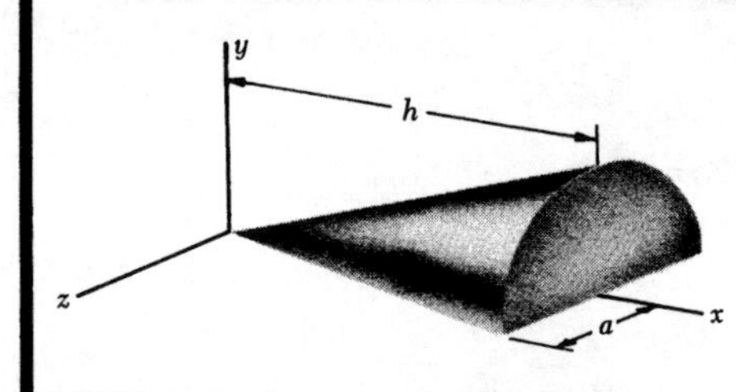


## PROBLÈME RÉSOLU 5.13

Calculez les coordonnées du centre de gravité (centroïde) du demi-cône dessiné ci-contre.

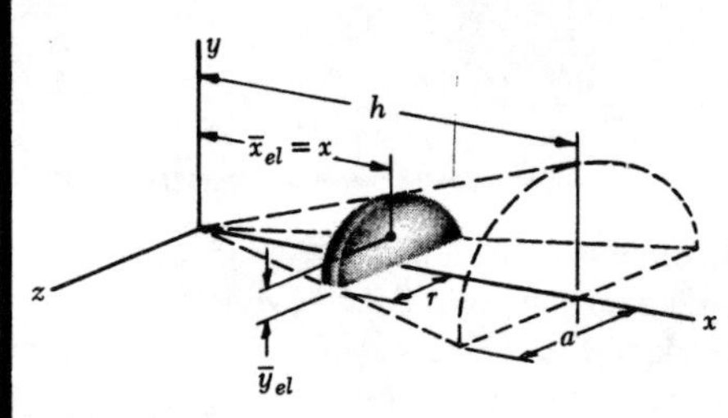


**Solution.** Puisque le plan $xy$ est un plan de symétrie, le centre de gravité (centroïde) appartient au plan $\bar{z} = 0$. Une tranche d'épaisseur $dx$ est prise comme volume élémentaire $dV$. Ce volume est donné par

$$dV = \tfrac{1}{2}\pi r^2\,dx$$

Les coordonnées $\bar{x}_{el}$ et $\bar{y}_{el}$ du centre de gravité (centroïde) de l'élément de volume $dV$ peuvent s'obtenir directement de la fig. 5.8 (aire semi-circulaire).

$$\bar{x}_{el} = x \qquad \bar{y}_{el} = \frac{4r}{3\pi}$$

Comme $r$ est proportionnel à $x$, on peut écrire

$$\frac{r}{x} = \frac{a}{h} \qquad r = \frac{a}{h}x$$

Le volume total $V$ du corps est alors

$$V = \int dV = \int_0^h \tfrac{1}{2}\pi r^2\,dx = \int_0^h \tfrac{1}{2}\pi\left(\frac{a}{h}x\right)^2 dx = \frac{\pi a^2 h}{6}$$

Le moment de l'élément de volume $dV$ par rapport au plan $yz$ s'écrit $\bar{x}_{el}\,dV$; le moment du volume total $V$ s'écrit alors

$$\int \bar{x}_{el}\,dV = \int_0^h x(\tfrac{1}{2}\pi r^2)\,dx = \int_0^h x(\tfrac{1}{2}\pi)\left(\frac{a}{h}x\right)^2 dx = \frac{\pi a^2 h^2}{8}$$

Alors $\qquad \bar{x}V = \int \bar{x}_{el}\,dV \qquad \bar{x}\dfrac{\pi a^2 h}{6} = \dfrac{\pi a^2 h^2}{8} \qquad \bar{x} = \tfrac{3}{4}h$ ◄

De la même façon, le moment du volume élémentaire $dV$ par rapport au plan $zx$ est $\bar{y}_{el}\,dV$; le moment du volume total $V$ est

$$\int \bar{y}_{el}\,dV = \int_0^h \frac{4r}{3\pi}(\tfrac{1}{2}\pi r^2)\,dx = \frac{2}{3}\int_0^h \left(\frac{a}{h}x\right)^3 dx = \frac{a^3 h}{6}$$

Alors $\qquad \bar{y}V = \int \bar{y}_{el}\,dV \qquad \bar{y}\dfrac{\pi a^2 h}{6} = \dfrac{a^3 h}{6} \qquad \bar{y} = \dfrac{a}{\pi}$ ◄

## PROBLÈMES SUPPLÉMENTAIRES

**5.93** Un corps est formé d'un cylindre et d'un cône de même rayon $r$ et de même hauteur $h$. Calculez les coordonnées du centre de gravité (centroïde) de l'ensemble.

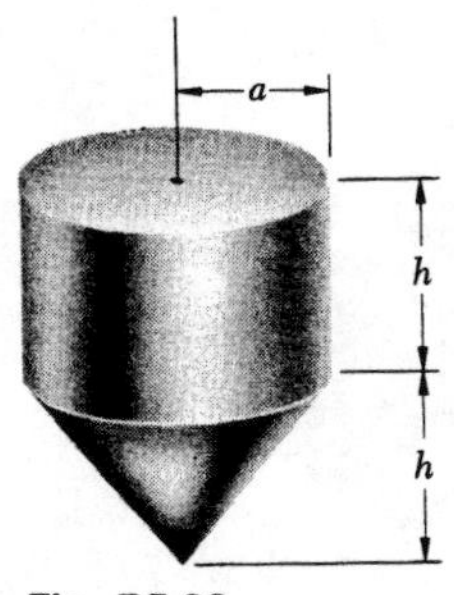

Fig. P5.93

**5.94** Un corps est formé par un hémisphère et un cône, tel qu'illustré ci-contre. Calculez le rapport $h/a$ pour lequel le centre de gravité (centroïde) du corps homogène se trouve sur le plan commun aux deux volumes.

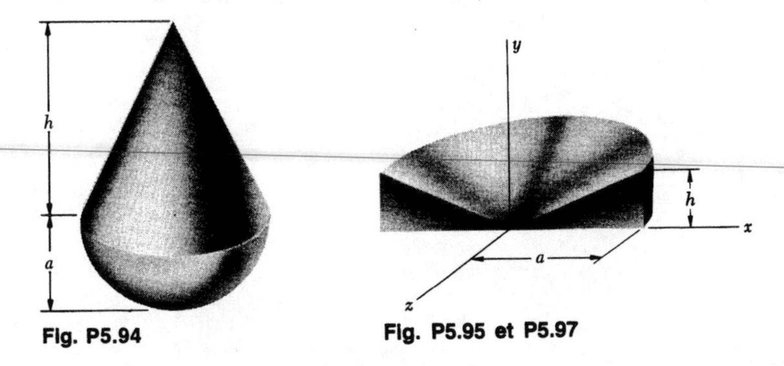

Fig. P5.94 Fig. P5.95 et P5.97

**5.95** Calculez la coordonnée $y$ du centre de gravité (centroïde) du volume illustré à la fig. P5.95.

**5.96** Calculez les coordonnées du centre de gravité (centroïde) du tronc du cône lorsque $r_1$ = 100 mm, $r_2$ = 125 mm, et $h$ = 150 mm.

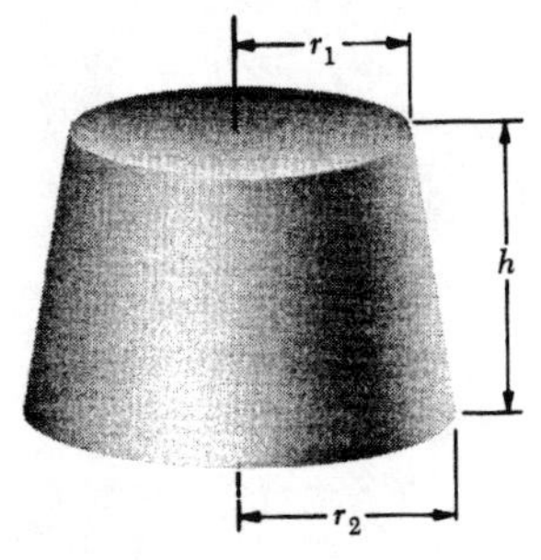

Fig. P5.96

**5.97** Calculez la coordonnée $z$ du solide illustré ci-dessus. (Utilisez le résultat du problème résolu 5.13.)

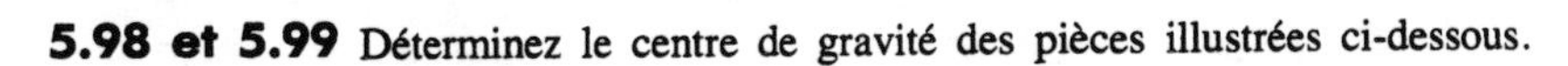

**5.98 et 5.99** Déterminez le centre de gravité des pièces illustrées ci-dessous.

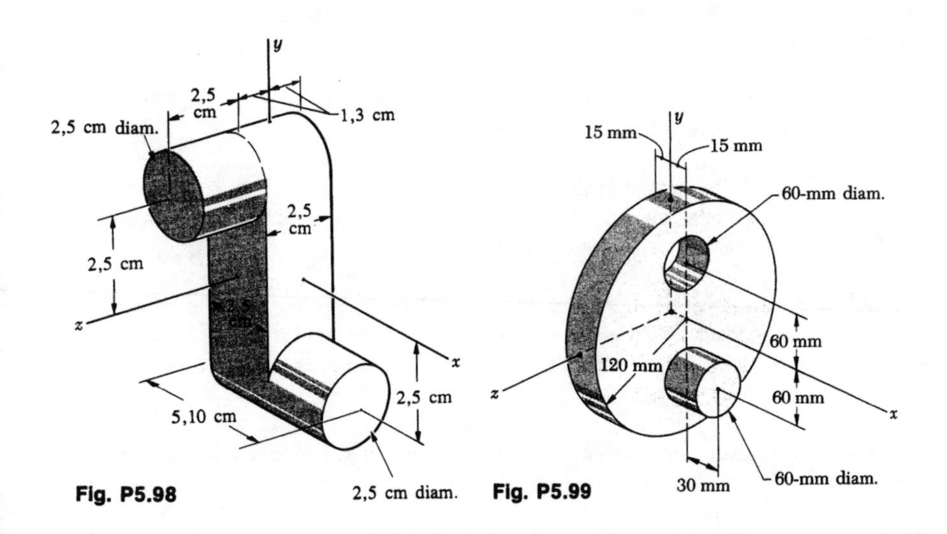

Fig. P5.98 Fig. P5.99

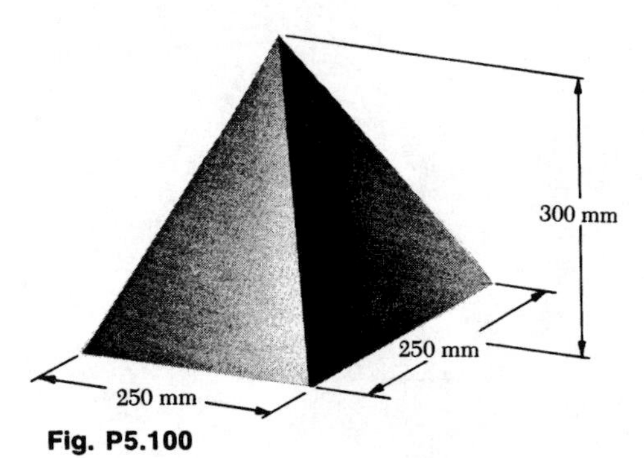


Fig. P5.100

**5.100** Une pyramide régulière en bois de 300 mm de hauteur, de base carrée et de côté 250 mm, possède quatre faces triangulaires couvertes de feuilles d'acier d'une épaisseur de 1 mm. Déterminez le centre de gravité de la pyramide. (Masse volumique : acier = 7850 kg/m$^3$, bois = 500 kg/m$^3$.)

**5.101** Une bague de bronze de longueur 51 mm est emboîtée dans un axe d'aluminium de 152 mm de longueur. Localisez le centre de gravité de l'ensemble. (Masse volumique : bronze = 8479 kg/m$^3$, aluminium = 2751 kg/m$^3$.)

**5.102 et 5.103** Déterminez les centres de gravité des plaques de métal dessinées ci-dessous.

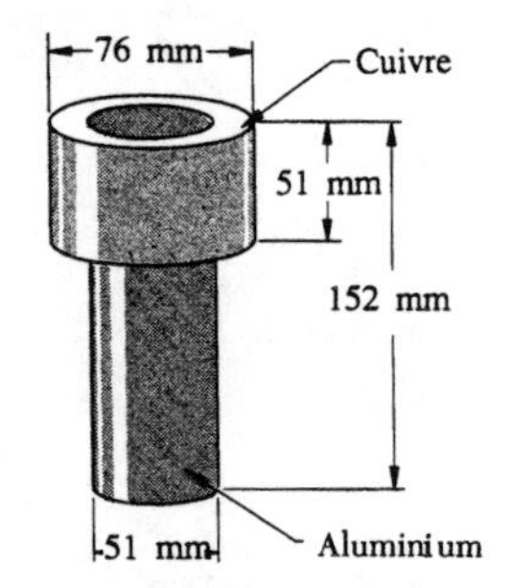


Fig. P5.101

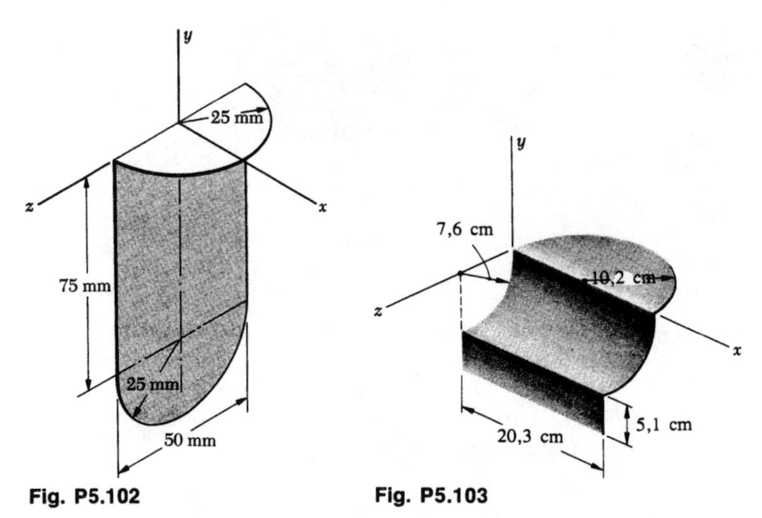


Fig. P5.102

Fig. P5.103

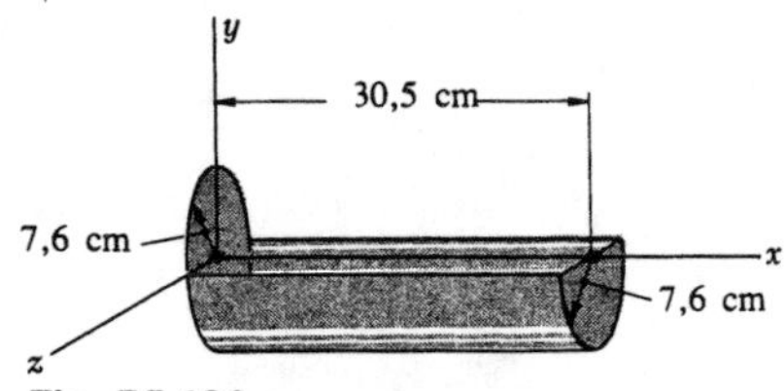


Fig. P5.104

**5.104** Déterminez le centre de gravité du bac, sachant qu'il est fait en métal d'épaisseur uniforme.

**5.105** Déterminez le centre de gravité (centroïde) du tronc de cône du probl. 5.96 et exprimez le résultat en fonction de $r_1$, $r_2$ et $h$.

**5.106** Une feuille de métal d'épaisseur $t$ a été utilisée pour former la pièce creuse de forme semi-conique, telle qu'illustrée. Calculez les coordonnées de son centre de gravité. (Utilisez l'élément de volume indiqué sur la fig. P5.106.)

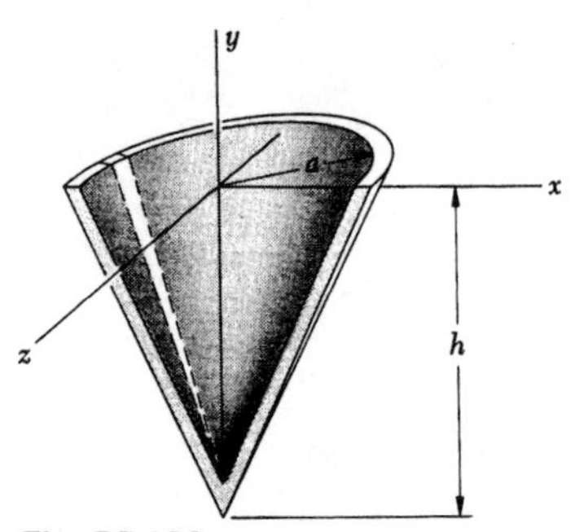


Fig. P5.106

**5.107** Localisez le centre de gravité d'une coquille mince homogène hémisphérique de rayon $r$ et d'épaisseur $t$. (Considérez la coquille comme étant formée en retranchant un hémisphère de rayon $r$ d'un autre de rayon $r + t$; négligez les termes en $t^2$ et $t^3$ en gardant seulement ceux contenant $t$.)

**5.108** Déduisez par simple intégration l'expression donnant $\bar{x}$ dans la fig. 5.22 pour le cas d'un semi-ellipsoïde de révolution.

**5.109** Localisez le centre de gravité (centroïde) du volume obtenu par la révolution de l'aire dessinée à la fig. P5.109 autour de l'axe $x$. L'expression obtenue peut être utilisée pour confirmer les valeurs données par la fig. 5.22 pour le paraboloïde (avec $n = \frac{1}{2}$) et pour le cône (avec $n = 1$).

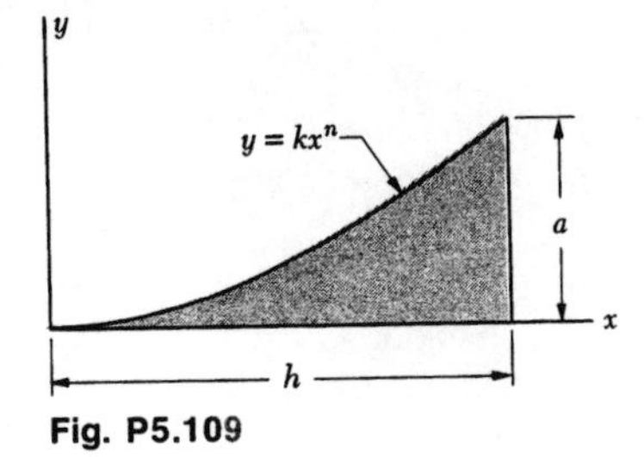

Fig. P5.109

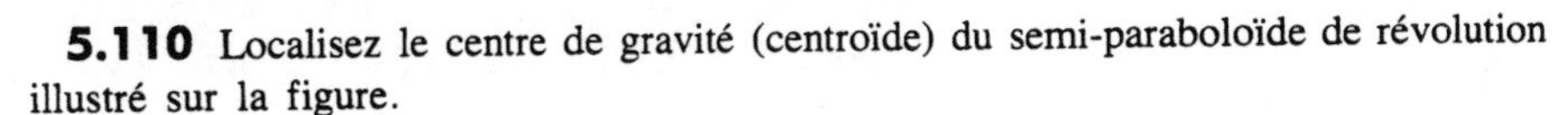

**5.110** Localisez le centre de gravité (centroïde) du semi-paraboloïde de révolution illustré sur la figure.

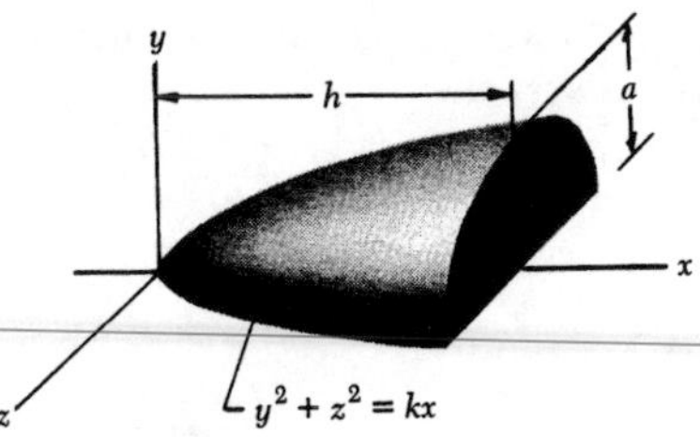

Fig. P5.110

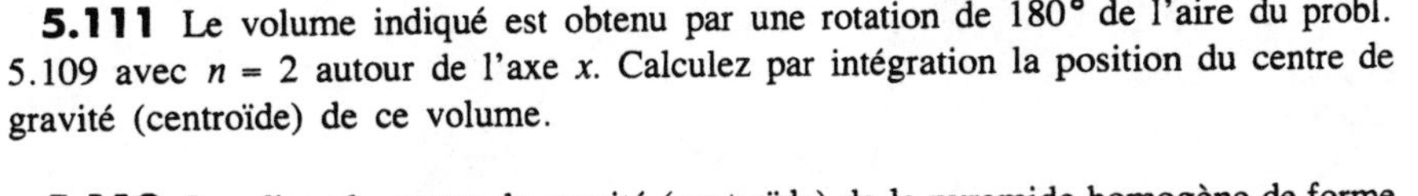

**5.111** Le volume indiqué est obtenu par une rotation de 180° de l'aire du probl. 5.109 avec $n = 2$ autour de l'axe $x$. Calculez par intégration la position du centre de gravité (centroïde) de ce volume.

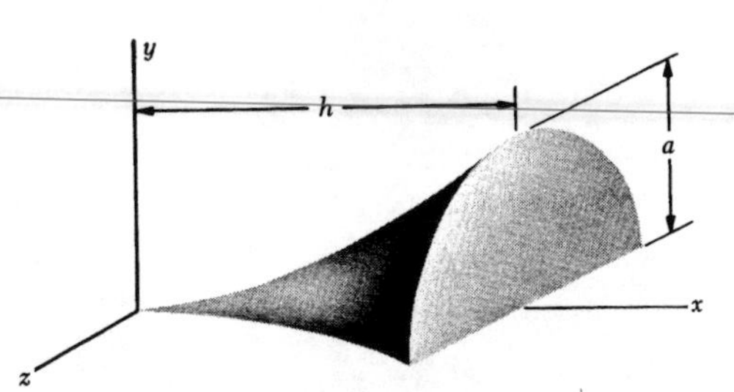

Fig. P5.111

**5.112** Localisez le centre de gravité (centroïde) de la pyramide homogène de forme irrégulière illustrée dans la figure.

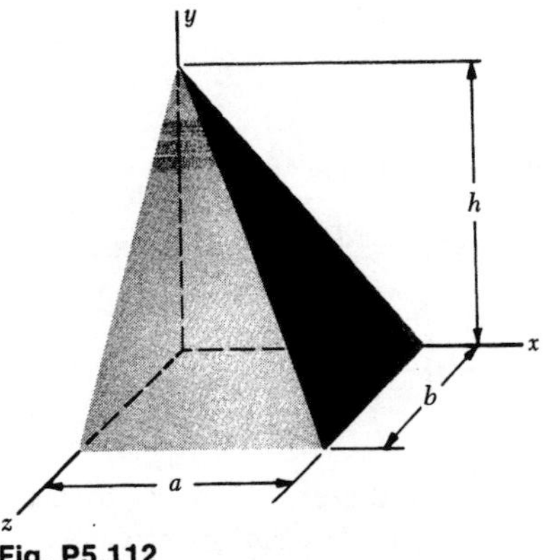

Fig. P5.112

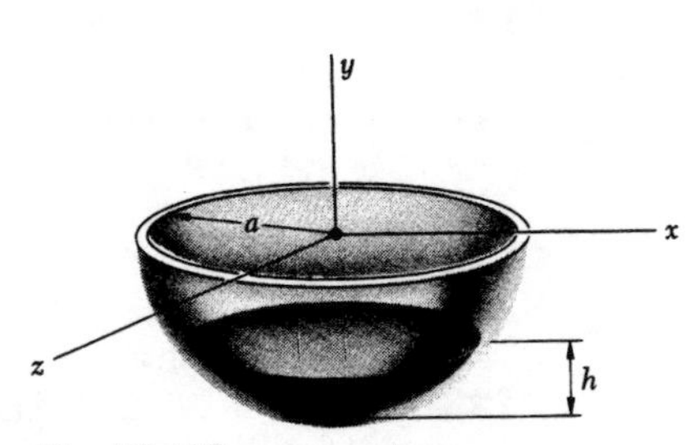

Fig. P5.113

***5.113** Un réservoir hémisphérique de rayon $r$ est rempli d'eau jusqu'à la hauteur $h$. Calculez par intégration la position du centre de gravité du volume occupé par l'eau.

***5.114** Une mince calotte sphérique possède une épaisseur constante $t$. Montrez par intégration que le centre de gravité de la calotte est localisé à une distance $\frac{1}{2}h$ de la base de la calotte.

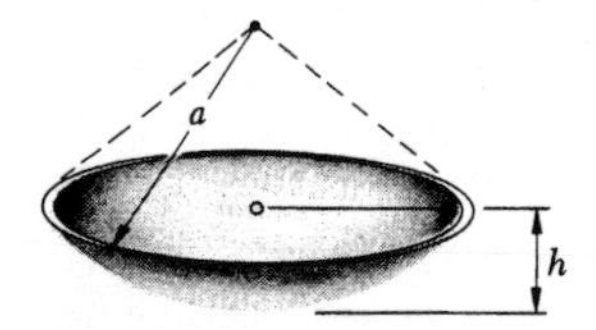

Fig. P5.114

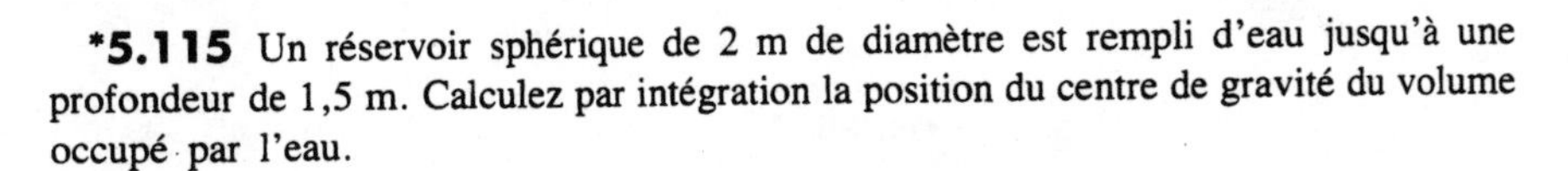

***5.115** Un réservoir sphérique de 2 m de diamètre est rempli d'eau jusqu'à une profondeur de 1,5 m. Calculez par intégration la position du centre de gravité du volume occupé par l'eau.

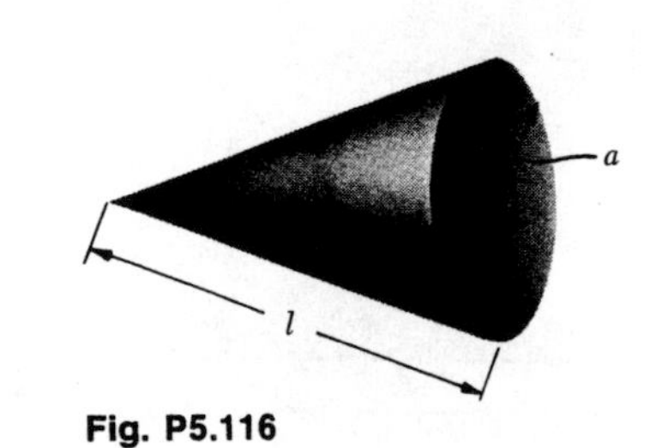


Fig. P5.116

**5.116** Un cône circulaire droit est réalisé en soudant un disque en tôle de rayon $a$, à une enveloppe conique de même épaisseur et dont la génératrice est de longueur $l$. Pour quel rapport $l/a$ le centre de gravité de cette pièce coïncide avec le centre de gravité d'un cône solide de même dimension. (Considérez le cône comme le volume limite d'une pyramide régulière dont le nombre de côtés augmente à l'infini.)

**5.117** Calculez par intégration les coordonnées du centre de gravité (centroïde) du volume compris entre le plan $xy$ et le paraboloïde hyperbolique dessiné.

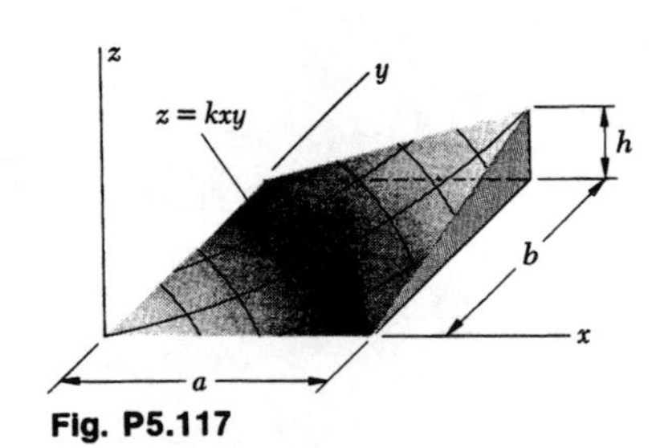


Fig. P5.117

**5.118** Localisez par intégration directe le centre de gravité (centroïde) du volume compris entre le plan $zx$ et la surface d'équation $y = h \sin(\pi x/a) \sin(\pi z/b)$.

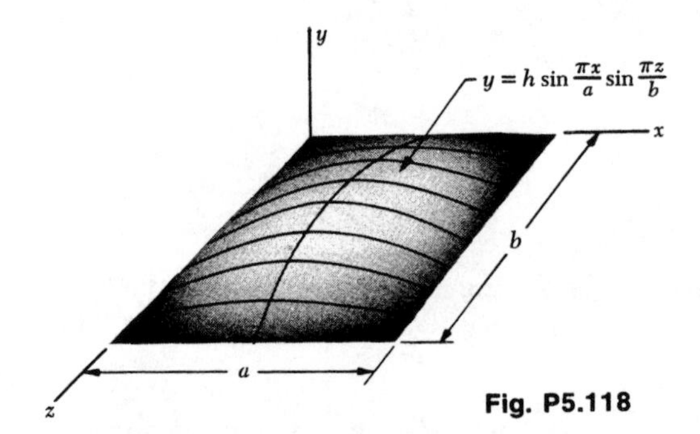


Fig. P5.118

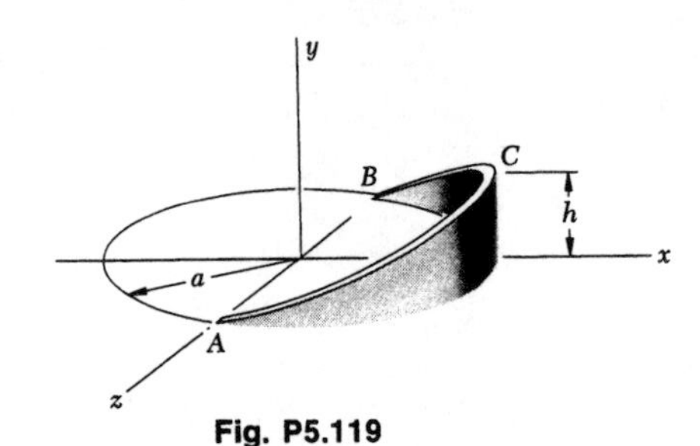


Fig. P5.119

**5.119** Déterminez le centre de gravité (centroïde) de la pièce obtenue par l'intersection d'un tube mince et d'un plan oblique $ABC$.

## PROBLÈMES DE RÉVISION

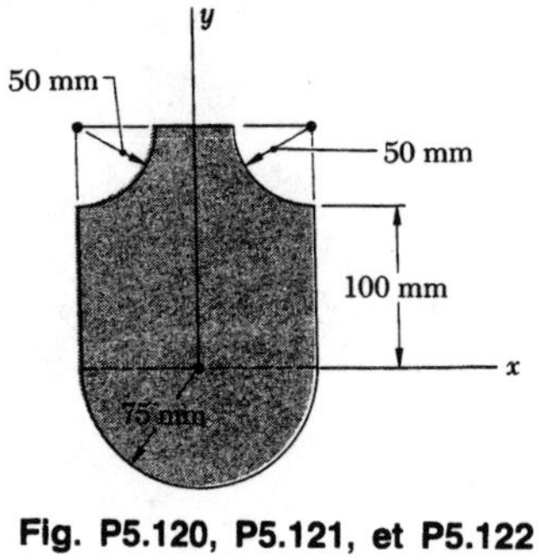

Fig. P5.120, P5.121, et P5.122

**5.120** Déterminez le centre de gravité (centroïde) de la figure illustrée ci-contre.

**5.121** Déterminez le volume du solide engendré par la rotation de l'aire précédente autour de l'axe $y$.

**5.122** Déterminez la surface totale du solide engendré par la rotation de l'aire du probl. 5.120 autour de l'axe $y$.

**5.123** Localisez le centre de gravité de la pièce creuse dessinée ci-contre, formée par une base triangulaire en tôle mince et deux côtés verticaux de forme triangulaire de même épaisseur.

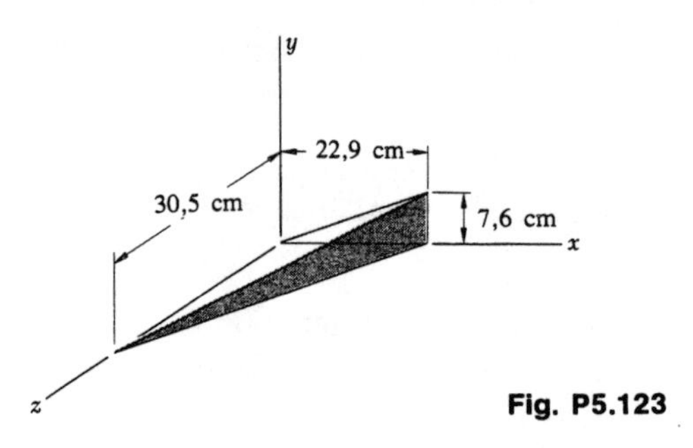


Fig. P5.123

**5.124** Déterminez le centre de gravité (centroïde) de la pyramide irrégulière dessinée ci-contre. (Voir la fig. 5.22.)

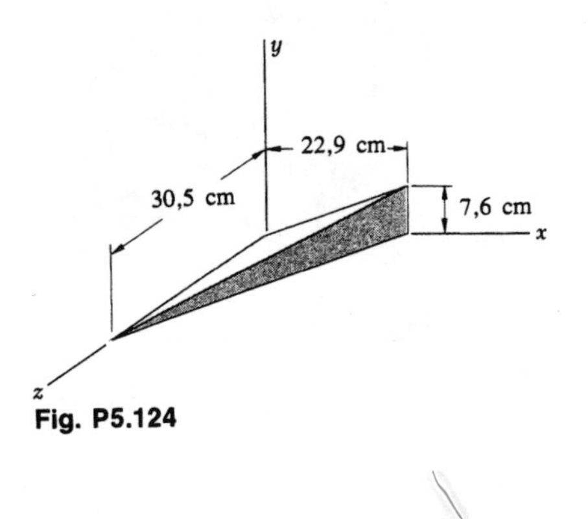

**Fig. P5.124**

**5.125** Une vanne d'écluse est appuyée sur des rotules $A$ et sur un appui à rouleau $B$. Calculez les réactions d'appui dues aux forces hydrostatiques si la vanne mesure 2 m de largeur.

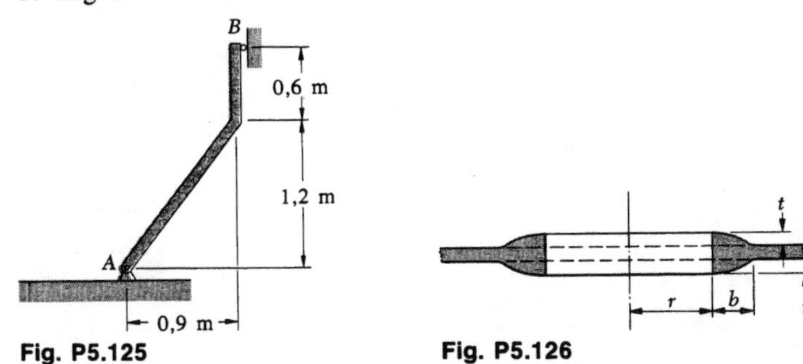

**Fig. P5.125** **Fig. P5.126**

**5.126** Un trou de rayon $r$ a été foré dans une plaque d'épaisseur $t$ et ensuite on a placé un cordon de soudure autour du trou afin d'arrêter la propagation des fissures éventuelles. On admet que le côté extérieur de la section du cordon de soudure est une courbe parabolique. Calculez le rapport $b/r$ pour lequel le volume total utilisé dans la soudure est le même que celui de la plaque sans le trou.

**5.127** Calculez la latitude du parallèle qui divise l'aire de l'hémisphère nord en deux parties égales.

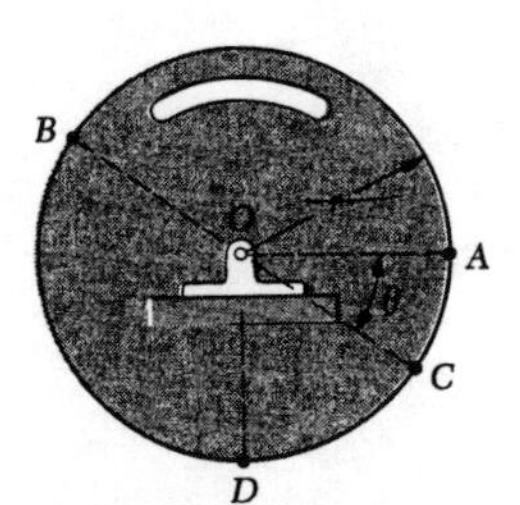

**Fig. P5.128**

***5.128** Une fente en arc de cercle est découpée sur un disque de rayon $r$. Le disque est monté sur un axe sans friction en équilibre à la position indiquée. Si on attache un poids $W_1$ au point $A$, le disque prend une nouvelle position dans laquelle la droite $BOC$ est verticale. À quel point du rebord du disque devons-nous attacher un deuxième poids $W_2$ et quel doit être son poids si nous voulons que le centre de gravité du disque et des deux poids soit localisé au point $O$.

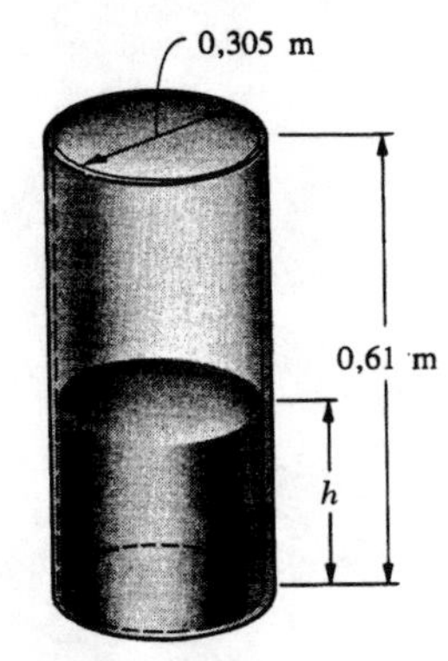

**Fig. P5.129**

**5.129** On rempli de béton un tuyau d'acier de 0,61 m de longueur, 0,305 m de diamètre intérieur et 445 N de poids. Quelle doit être la hauteur du ciment à l'intérieur du tuyau si on veut que le centre de gravité de l'ensemble soit placé le plus bas possible? (Poids volumique du béton = 23 560 kN/m.)

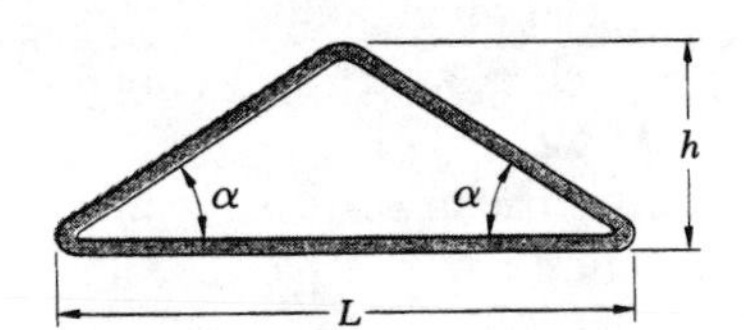

**Fig. P5.130**

**5.130** Un fil métallique homogène est plié pour former un triangle isocèle. Calculez l'angle $\alpha$ pour lequel le centre de gravité du fil métallique coïncide avec le centre de gravité (centroïde) de la surface qu'il délimite.

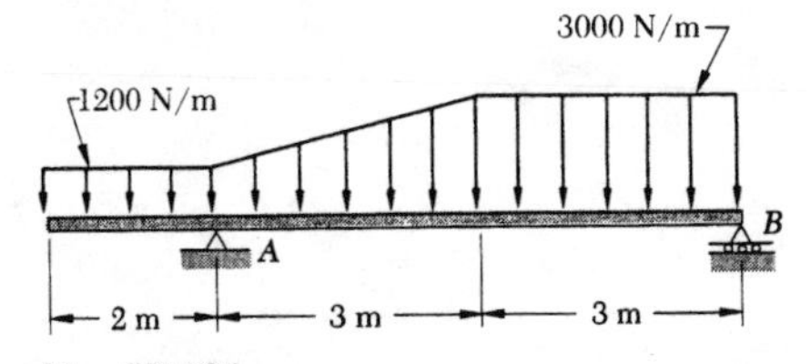

**Fig. P5.131**

**5.131** Calculez les réactions aux appuis $A$ et $B$ pour les conditions de mise en charge illustrées par le dessin.

# CHAPITRE 6 Étude des structures

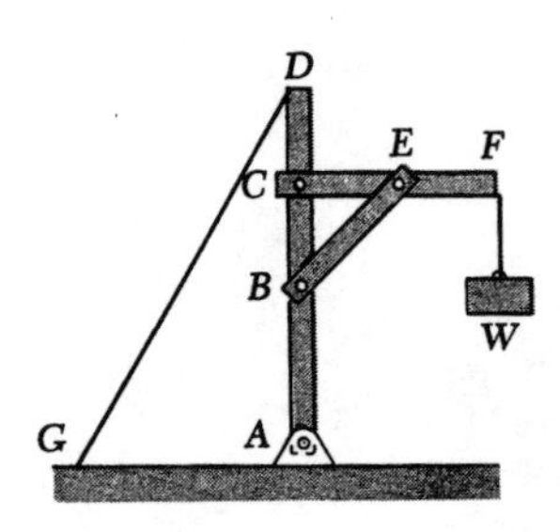


(*a*)

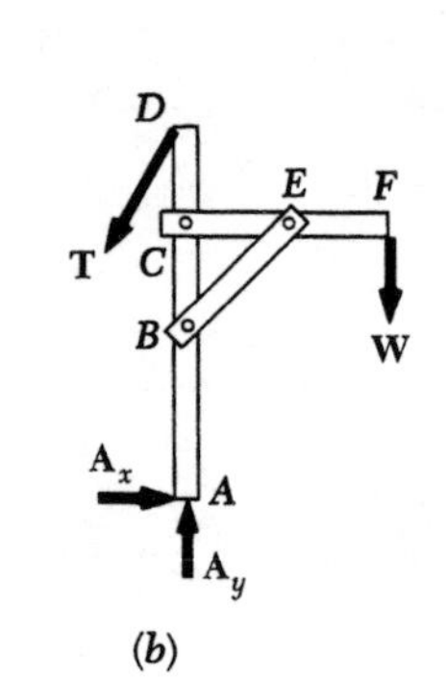


(*b*)

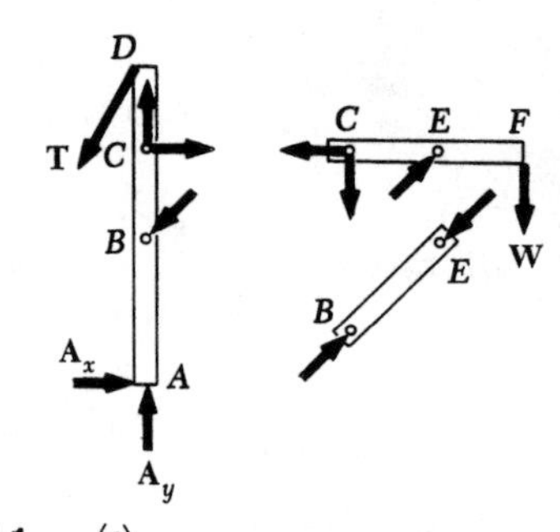


**Fig. 6.1** (*c*)

## 6.1. Forces intérieures. Troisième principe de Newton.

Les problèmes étudiés dans les chapitres précédents traitent de l'équilibre d'un corps rigide soumis uniquement à des forces extérieures. Nous allons maintenant considérer des problèmes qui traitent de l'équilibre de structures formées de différentes parties, dont la résolution demande non seulement la détermination des forces extérieures appliquées à la structure mais aussi celles des *forces intérieures* qui maintiennent ensemble ses différentes parties.

Considérons par exemple la structure de la fig. 6.1*a* qui supporte une charge *W*. La grue est formée de trois poutres *AD*, *CF* et *BE*, liées entre elles par des chevilles sans frottement; l'ensemble est appuyé sur une rotule *A* et soutenu par le câble *DG*. Le schéma de la grue isolée a été dessiné dans la fig. 6.1*b*. Les forces extérieures sont indiquées sur ce schéma et incluent le poids **W** de la grue ainsi que les composantes $\mathbf{A}_x$ et $\mathbf{A}_y$ de la réaction à l'appui *A*, et la force **T** exercée par le câble sur le point *D*. Les forces intérieures qui maintiennent ensemble les différentes parties de la grue ne sont pas indiquées sur le diagramme. Cependant, si la grue est démembrée et si on dessine le schéma pour chaque partie composante, ces forces doivent être indiquées dans chaque schéma puisqu'elles deviennent dans ces nouvelles conditions, des forces extérieures pour chaque élément isolé (Fig. 6.1*c*).

Nous devons noter que l'action exercée par la barre *BE* sur le point *B* de la colonne *AD* est égale et opposée à l'action exercée par la colonne *AD* sur le même point *B* de la barre *BE*.

De la même façon, la force exercée au point *E* de l'élément *CF* par la barre *BE* est égale et opposée à la force exercée par l'élément *CF* sur le même point : et nous pouvons affirmer encore que les composantes de la force appliquée au point $C$ par l'élément $CF$ sont égales et opposées aux composantes de la force appliquée par l'élément $AD$ appliqué au même point. Ceci est bien conforme au troisième principe de Newton qui dit que les forces d'action et de réaction entre corps en contact ont la même grandeur, la même ligne d'action et des sens opposés. Comme il a été noté au chap. 1, ce principe fait partie des six principes fondamentaux de la mécanique élémentaire. La détermination des interactions entre les éléments d'une structure se fait facilement grâce à eux.

## TREILLIS ARTICULÉS

**6.2. Définition d'un treillis articulé.** Le treillis est un des plus importants types de constructions métalliques utilisées en génie. Il constitue une solution, à la fois pratique et économique, à une foule de problèmes qui surviennent lors de la conception et le calcul des ponts, bâtiments et autres structures.

*Le treillis est formé par des barres articulées les unes aux autres situées dans un seul plan appelé le plan de charpente.* La fig. 6.2*a* schématise une poutre en treillis. Les barres sont donc reliées entre elles par les extrémités : ces joints de liaison sont appelés *noeuds.* Nous constatons alors qu'aucune barre ou membrure ne contient jamais de noeud. Dans la poutre de la fig. 6.2*b*, par exemple, il n'existe pas de barre $AB$; il existe par contre deux membrures distinctes $AD$ et $BD$. Les structures que nous allons étudier sont formées par l'assemblage de plusieurs treillis reliés de façon à former un *ensemble rigide de l'espace.* Les ponts, les grues, les pylônes, certaines toitures de bâtiment sont des exemples de tels ensembles.

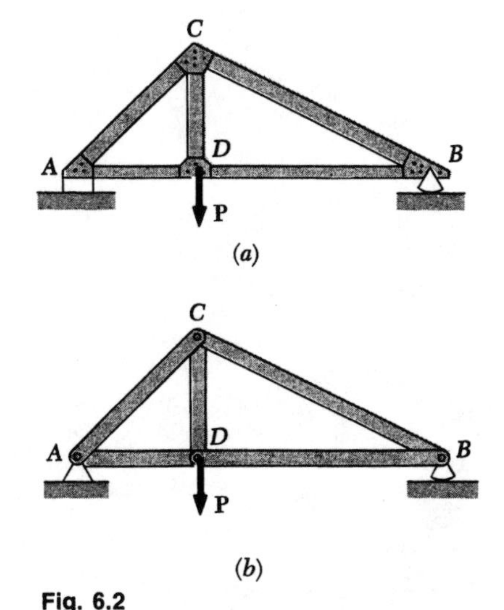


Fig. 6.2

Généralement, les membrures d'un treillis sont élancées et supportent très mal des charges latérales : pour cette raison, les charges doivent être appliquées aux noeuds seulement et non aux membrures elles-mêmes. Lorsqu'une charge concentrée doit être appliquée entre deux noeuds ou qu'une charge répartie doit être supportée par le treillis, comme c'est le cas des ponts, le concepteur doit prévoir un plancher qui, par l'intermédiaire de ses éléments, transmet ces charges directement aux noeuds de la structure (Fig. 6.3).

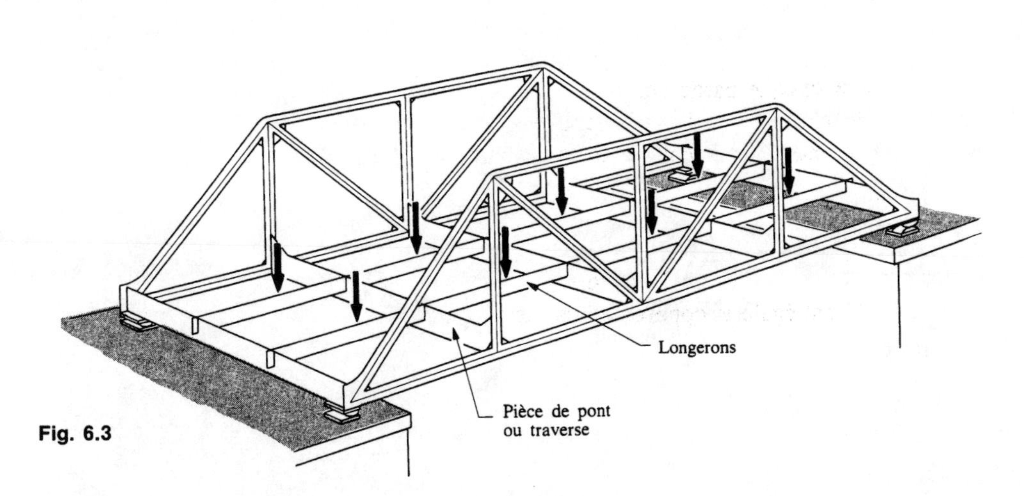


Fig. 6.3

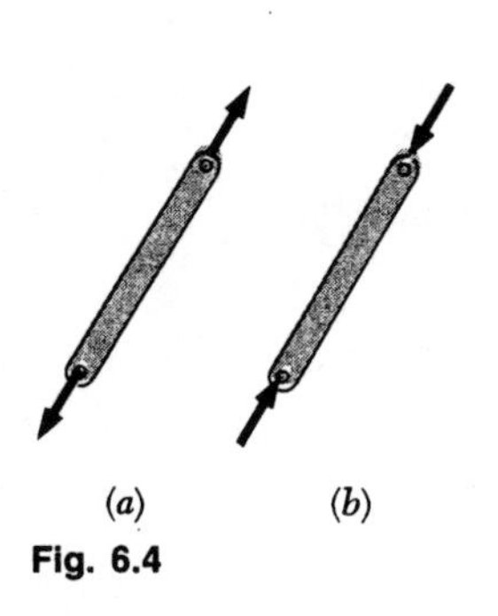

Fig. 6.4

Le poids des membrures du treillis est aussi considéré comme appliqué aux noeuds. Les noeuds sont des assemblages soudés ou rivés : cependant, les axes des membrures aboutissant au noeud doivent se couper en un seul point et ainsi le noeud peut être considéré comme une articulation. L'ensemble des forces qui sont appliquées au noeud se réduira à une résultante unique (couple nul) et les membrures peuvent être calculées comme si elles étaient soumises à des efforts axiaux de traction ou de compression seulement.

Le treillis peut donc être considéré comme un ensemble de noeuds articulés et de membrures soumises à des efforts axiaux seulement. Nous avons représenté une telle membrure à la fig. 6.4. Dans la partie (*a*) de celle-ci, les forces appliquées aux extrémités tirent sur la membrure : celle-ci est tendue. Dans la partie (*b*), cette force pousse sur la barre : celle-ci est comprimée. Nous avons dessiné à la fig. 6.5 différents types de treillis.

Remarquons encore que le plan de charge d'un treillis doit coïncider avec son plan de charpente : dans ces conditions, le treillis peut être considéré comme une structure du plan et son analyse est alors considérablement simplifiée.

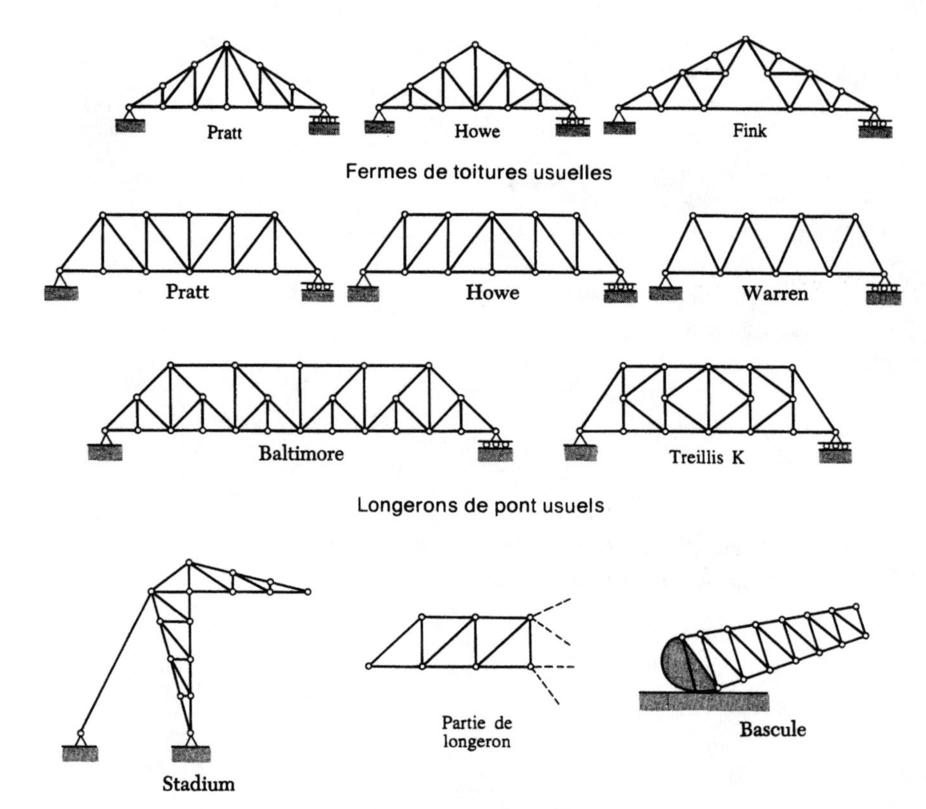

Fig. 6.5

**6.3. Treillis simples.** Considérons le treillis de la fig. 6.6*a* qui est formé de quatre barres assemblées par les noeuds *A*, *B*, *C* et *D*. Si on applique une charge au noeud *B*, le treillis va se déformer de façon importante et perdre complètement sa configuration initiale ; tandis que le treillis articulé de la partie (*b*) qui est formé de trois barres assemblées par les noeuds *A*, *B* et *C* se déformera à peine sous l'action de la même mise en charge. La seule déformation possible d'un tel treillis est celle provoquée par le changement de longueur des membrures. Le treillis de la fig. 6.6*b* est appelé un *treillis rigide*, le mot rigide voulant plutôt indiquer que les déformations du treillis chargé sont petites et ne *provoquent pas son effondrement*.

Comme nous l'avons montré à la fig. 6.6*c* et *d*, nous pouvons augmenter indéfiniment notre treillis en ajoutant chaque fois deux barres et un noeud.† Un treillis construit de cette manière s'appelle *treillis ou triangulation simple*.

Remarquons qu'un treillis simple n'est pas nécessairement formé de triangles. Le treillis de la fig. 6.6*d*, par exemple, est encore un treillis simple et, cependant, la maille *AGFC* est un quadrilatère irrégulier. D'autre part, les treillis rigides ne sont pas toujours des treillis simples, même s'ils semblent constitués par des triangles. Les treillis du type Fink ou du type Baltimore, par exemple, ne sont pas des treillis ou triangulations simples puisqu'ils ne peuvent pas être construits par l'addition à chaque fois d'un noeud et de deux barres. Tous les autres treillis articulés de la fig. 6.5 sont des triangulations simples, comme on peut le vérifier facilement. (Pour le treillis en K commencez par un triangle central.)

Si on revient au treillis articulé de base de la fig. 6.6*b*, nous pouvons constater que ce treillis possède trois barres et trois noeuds. Le treillis de la fig. 6.6*c* possède deux barres et un noeud de plus, c'est-à-dire cinq barres et quatre noeuds. Si nous observons qu'à chaque fois que deux nouvelles barres sont ajoutées au treillis, le nombre de noeuds augmente d'une unité, nous pouvons établir la relation $m = 2n - 3$, où $m$ est le nombre de barres et $n$ le nombre de noeuds. Cette relation est appelée l'*équation des treillis rigides*.

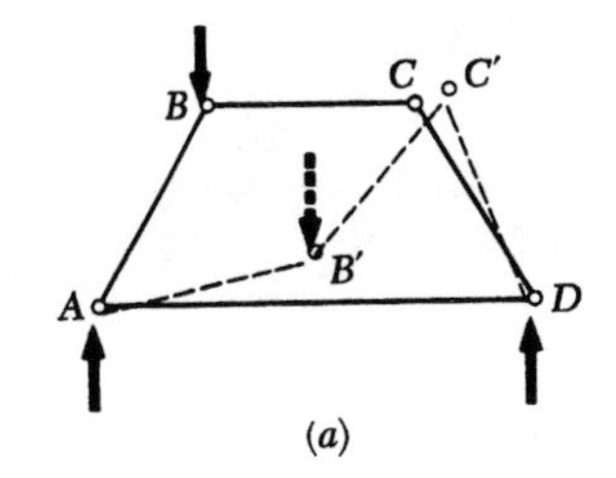


(*a*)

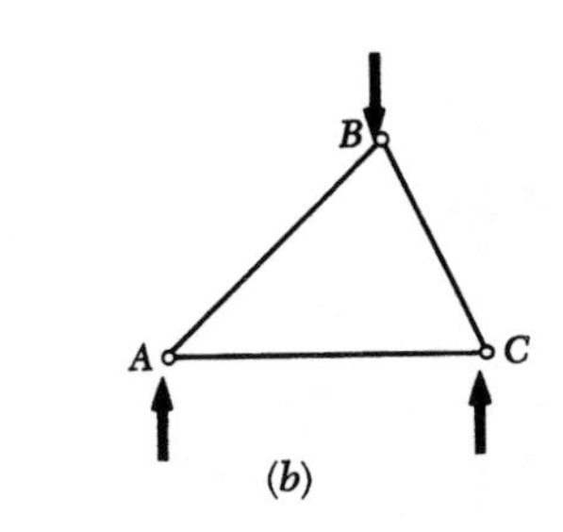


(*b*)

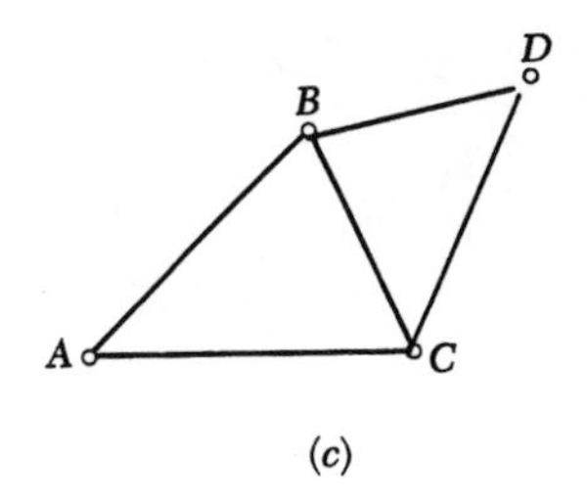


(*c*)

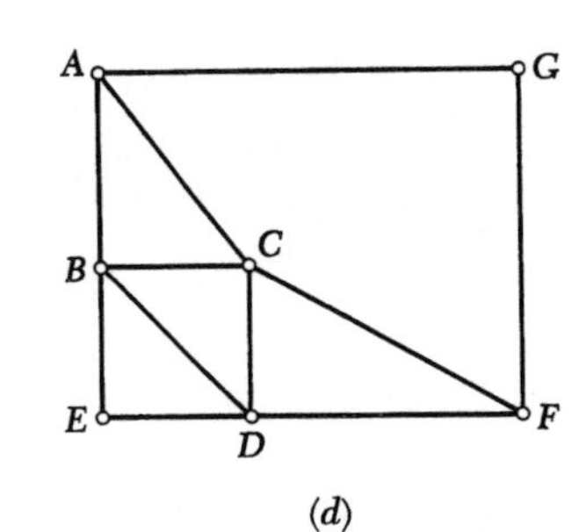


(*d*)

**Fig. 6.6**

**6.4. Analyse des treillis articulés par la méthode des noeuds.** Nous avons vu à la section 6.2 que le treillis peut être considéré comme un ensemble de noeuds articulés et de barres soumises à des efforts axiaux. Le treillis de la fig. 6.2, dont le schéma du corps isolé est dessiné à la fig. 6.7*a*, peut alors être *coupé* en différents éléments et des nouveaux schémas peuvent être dessinés pour chaque noeud et chaque barre (Fig. 6.7*b*). Chaque barre est alors soumise à deux forces à chaque extrémité : ces forces auront la même grandeur, la même ligne d'action, mais elles auront des sens opposés (Section 3.16). De plus, le troisième principe de Newton nous indique que les forces d'action et de réaction entre un noeud et une barre y aboutissant sont égales et opposées. Alors, les forces exercées par la barre sur les deux noeuds d'extrémité doivent être égales et opposées. La grandeur commune de ces deux forces est souvent appelée la *force dans la barre*, même si en réalité il s'agit

† Les trois noeuds ne peuvent pas être en ligne droite.

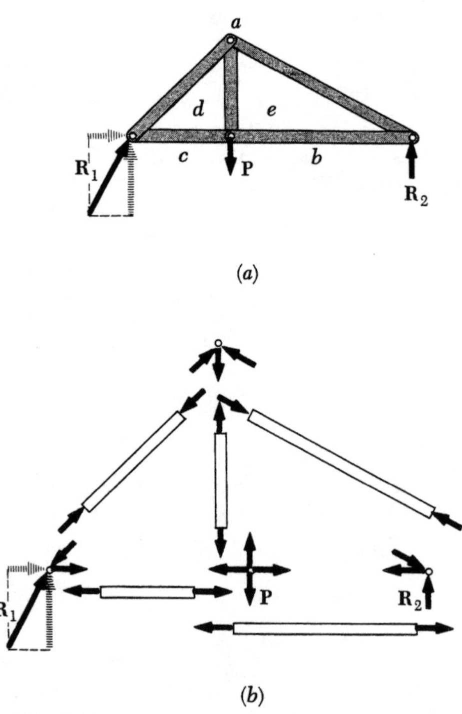


Fig. 6.7

d'une grandeur scalaire. Dans ces conditions, les lignes d'action de toutes les forces intérieures du treillis sont connues et l'analyse de celui-ci se résume à déterminer les efforts dans les barres et leur sens, c'est-à-dire à identifier les barres tendues et les barres comprimées.

Comme le treillis est en équilibre, chaque noeud doit aussi se trouver *parfaitement équilibré*. Cet équilibre peut être mis en évidence par le *schéma du noeud isolé* à partir duquel nous pouvons facilement écrire les équations d'équilibre (Section 2.8). Si le treillis contient $n$ noeuds, il y aura $2n$ équations analytiques disponibles qui permettent de déterminer $2n$ inconnues. Nous avons déjà établi, dans le cas d'un treillis simple, la relation $m = 2n - 3$ qui peut s'écrire sous la forme $2n = m + 3$; le nombre d'inconnues que nous pouvons déterminer à partir des schémas des noeuds isolés est donc de $m + 3$. Ceci signifie que les forces dans toutes les membrures, aussi bien que les composantes des réactions $\mathbf{R}_1$ et $\mathbf{R}_2$, peuvent se calculer à l'aide des schémas des noeuds isolés.

Le fait que le treillis tout entier constitue un corps rigide en équilibre nous permet d'écrire trois autres équations reliant les forces montrées dans le schéma du corps isolé tracé à la fig. 6.7*a*. Mais ces trois relations ne nous apportent pas de nouvelles informations, parce qu'elles ne sont pas indépendantes des relations établies à partir de ces mêmes schémas. Néanmoins, elles peuvent servir pour déterminer rapidement les réactions des appuis ou ses composantes. La disposition géométrique des barres et des noeuds dans un treillis ou triangulation simple doit être telle qu'il existe au moins un noeud dont le schéma présente seulement deux forces inconnues. Ces forces peuvent se calculer à l'aide des méthodes exposées à la section 2.10 et leurs valeurs peuvent être transférées aux noeuds adjacents et être considérées dans l'équilibre de ceux-ci comme des forces connues. Ce calcul pourra alors être répété indéfiniment jusqu'à la détermination totale des efforts dans les barres et les noeuds du treillis.

Afin d'accélérer les calculs et d'éviter des erreurs dans le transfert des efforts d'un noeud vers l'autre, on a recours souvent à une méthode de notation des différents éléments d'un treillis, appelée la *notation de Bow*. Dans cette méthode, on utilise une lettre minuscule pour repérer l'espace compris entre les différentes lignes d'action des charges et des réactions, en prenant soin de repérer ces régions dans l'ordre dans laquelle on les trouve *en tournant autour du treillis dans le sens négatif* (sens des aiguilles d'une montre). Les noeuds, barres, forces, charges et réactions seront identifiés comme suit :

1. *Noeuds*. Un noeud est repéré par les lettres indiquant les aires ou les régions qui l'entourent, écrites dans l'ordre qu'on les rencontre en tournant autour du noeud dans le sens des aiguilles d'une montre. Par exemple, le noeud de l'appui gauche (Fig. 6.7*a*) est le noeud *adc* ou *dca* ou encore *cad*. Cependant, par simplification, on utilisera chaque fois que possible la notation numérique des noeuds.

2. *Barres*. Une barre est repérée par les lettres des deux régions adjacentes. Par exemple, la barre verticale placée au-dessus de la charge **P** (Fig. 6.7*a*) sera la barre *de* ou la barre *ed*.

3. *Charges*. Une charge est repérée par les deux lettres identifiant les régions qui se trouvent d'un côté et de l'autre de sa ligne d'action. Ces lettres seront des majuscules et, pour indiquer le caractère vectoriel des charges, l'ensemble des deux lettres est chapeauté par une tête de flèche (représentation vectorielle). Par exemple, au noeud *debc*, on applique la charge $\overrightarrow{BC}$.
4. *Efforts sur les noeuds*. Comme nous l'avons déjà spécifié, les forces exercées par une membrure sur les noeuds adjacents sont égales et opposées. Si nous considérons l'action de la barre sur un noeud, nous identifions la force qu'il exerce par les lettres indiquant les régions adjacentes à la barre, lues dans le sens des aiguilles d'une montre lorsqu'on tourne autour du noeud. Par exemple, la force exercée par la barre *ad* sur le noeud *adc* est notée $\overrightarrow{AD}$, tandis que la force exercée par la même barre sur le noeud *aed* est notée $\overrightarrow{DA}$. La grandeur commune de ces deux forces, appelée l'*effort dans la barre ad*, peut être notée indifféremment $AD$ ou $DA$.

Nous allons continuer l'analyse du treillis illustré à la fig. 6.7 en considérant successivement l'équilibre de chaque noeud en commençant par le noeud qui contient deux seuls inconnues. Dans le treillis de la fig. 6.7, tous les noeuds sont soumis à trois forces ou plus. Nous devons alors commencer par déterminer les réactions d'appui en considérant la totalité du treillis comme un corps rigide et en écrivant les équations d'équilibre habituelles. C'est ainsi que nous trouvons que $\mathbf{R}_1$ est vertical et que nous déterminons en grandeur et en direction la réaction $\mathbf{R}_1$ et la réaction $\mathbf{R}_2$.

Le nombre de forces inconnues au noeud *adc* est alors réduit à deux : ces forces peuvent se déterminer en exprimant l'équilibre du noeud *adc*. La grandeur et le sens de $\overrightarrow{AD}$ et $\overrightarrow{DC}$ se déduisent facilement du triangle de forces correspondant (Fig. 6.8).

Nous pouvons passer ensuite au noeud *debc*, où restent inconnues les deux forces $\overrightarrow{DE}$ et $\overrightarrow{EB}$. $\overrightarrow{BC}$ est la charge connue $\mathbf{P}$; $\overrightarrow{CD}$ est la force exercée sur le noeud par la barre *cd* et, par conséquent, elle est égale et opposée à la force $\overrightarrow{DC}$ exercée par la même barre sur le noeud *adc*.

Passons ensuite au noeud *aed*: son schéma est dessiné à la fig. 6.8. Remarquons que $\overrightarrow{ED}$ et $\overrightarrow{DA}$ sont connues à partir de l'analyse des noeuds précédents et que la seule inconnue est la force $\overrightarrow{AE}$. Comme le système d'équations d'équilibre de chaque noeud permet de calculer deux inconnues, nous utiliserons ce dernier noeud pour vérifier nos calculs. Pour cela, nous tracerons le triangle de forces qui nous permet de déterminer la direction et la grandeur de la force $\overrightarrow{AE}$. La vérification consiste à retrouver le parallélisme de la ligne d'action de cette force et l'axe de la barre *ae*.

Nous connaissons maintenant toutes les forces appliquées au noeud *eab*. Comme il doit être en équilibre, le triangle de forces *doit se fermer*. Cette condition constitue une nouvelle vérification de nos calculs. Nous pouvons constater dans les différents schémas d'éléments isolés tracés à la fig. 6.8 que certaines forces tirent sur les noeuds tandis que d'autres poussent sur eux. On peut vérifier facilement à l'aide du troisième principe de Newton, que dans le premier cas, les barres sont tendues et que dans le deuxième, elles sont comprimées. Par exemple, au noeud *adc*, on peut tirer du schéma du noeud isolé et du triangle de forces correspondant, que la force $\overrightarrow{AD}$ pousse sur le noeud : alors la barre *ad* pousse sur le noeud aussi et se trouve en état de compression. Si nous considérons maintenant le noeud *acd*, nous pouvons voir que la force $\overrightarrow{DA}$ pousse sur le noeud : on déduit que la barre *ad* pousse aussi sur le noeud et est comprimée.

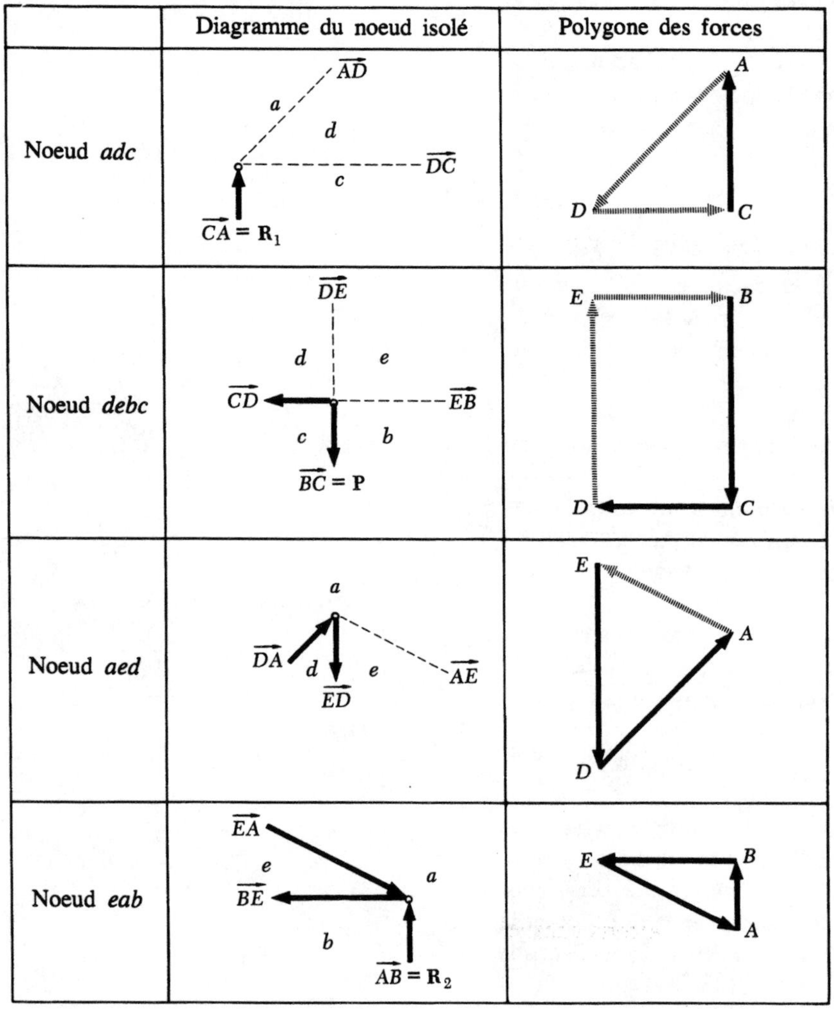

**Fig. 6.8**

| | Diagramme du noeud isolé | Polygone des forces |
|---|---|---|
| Noeud *adc* | $\overrightarrow{AD}$, *a*, *d*, $\overrightarrow{DC}$, *c*, $\overrightarrow{CA} = \mathbf{R}_1$ | *A*, *D*, *C* |
| Noeud *debc* | $\overrightarrow{DE}$, *d*, *e*, $\overrightarrow{CD}$, $\overrightarrow{EB}$, *c*, *b*, $\overrightarrow{BC} = \mathbf{P}$ | E, *B*, *D*, *C* |
| Noeud *aed* | *a*, $\overrightarrow{DA}$, *d*, *e*, $\overrightarrow{AE}$, $\overrightarrow{ED}$ | E, *A*, *D* |
| Noeud *eab* | $\overrightarrow{EA}$, *e*, *a*, $\overrightarrow{BE}$, *b*, $\overrightarrow{AB} = \mathbf{R}_2$ | E, *B*, *A* |

***6.5 Cas particuliers de chargement des noeuds.** Considérons le noeud de la fig. 6.9*a* qui relie quatre barres dont les axes forment deux droites se coupant au noeud. Le schéma du noeud isolé de la fig. 6.9*b* montre que le noeud est soumis à deux paires de forces égales et opposées. Le polygone de forces correspondant sera par conséquent un parallélogramme (Fig. 6.9*c*) et les *barres opposées doivent avoir les mêmes efforts*.

Considérons le noeud représenté à la fig. 6.10 qui relie trois barres et auquel on applique une charge **P**. Deux barres possèdent la même ligne d'action et **P** coïncide avec l'axe de la troisième barre. Le schéma du noeud isolé et le polygone de forces seront encore ceux tracés à la fig. 6.9*b* et *c*. Nous voyons alors que les forces dans les barres opposées doivent être égales et la *force dans la troisième barre doit être égale et opposée à P.* Un cas particulier de grand intérêt est celui montré à la fig. 6.10*b*. Puisque dans ce cas il n'y a pas de forces extérieures appliquées au noeud, nous avons $P = 0$ et l'effort dans la barre *cd* est nul. La barre *cd* est dite *à effort nul.*

Considérons maintenant un noeud reliant seulement deux barres. Nous savons déjà, d'après la section 2.8, qu'un corps soumis à deux forces seules sera en équilibre si ces deux forces sont égales, opposées et de même ligne d'action. Dans le cas du noeud de la fig. 6.11*a*, qui relie deux barres dont les axes appartiennent à la même droite, l'équilibre du noeud exige que les *forces dans les deux barres soient égales*. Dans le cas du noeud de la fig. 6.11*b*, l'équilibre est impossible à moins que les efforts dans les deux barres soient nuls. Des barres reliées de cette façon doivent être des barres *à effort nul.*

Si nous identifions les noeuds qui présentent ces configurations et ces mises en charge spéciales, nous accélérons l'analyse du treillis. Considérons, par exemple, une ferme de toiture du type Howe chargée comme l'indique la fig. 6.12. Toutes les membrures représentées par des lignes en couleur ont été reconnues comme étant des membrures à effort nul. Le noeud 3 relie trois membrures, dont deux se trouvent sur la même droite et il n'est soumis à aucune charge extérieure : la barre *hi* est par conséquent à effort nul. Si nous appliquons le même raisonnement au noeud *11*, nous trouvons que la barre *pq* est aussi à effort nul. Remarquons maintenant que le noeud *10* se trouve dans la même situation que les noeuds *3* ou *11* et, par conséquent, la membrure *po* doit être aussi à effort nul. L'examen attentif des noeuds *3*, *10* et *11* nous montre que les efforts dans les barres *fh* et *if* sont égaux, ainsi que les efforts dans les barres *od* et *dq* et dans les barres *ep* et *qe*. De plus, si nous considérons le noeud *9*, où la charge appliquée de 20 kN et la barre *no* sont colinéaires, nous constatons que l'effort dans la barre *no* est de 20 kN (en tension) et que les forces dans les barres *fn* et *pe* sont égales ainsi que celles agissant dans les barres *ep*, *eq* et *fn*.

Nous mettons les étudiants en garde contre la non-observation des règles qu'on vient d'établir dans cette section. Par exemple, il serait faux de supposer que la force dans la barre *kj* est de 25 kN ou encore que les efforts dans les barres *bj* et *ha* sont égaux. Les conditions discutées ci-haut ne s'appliquent pas aux noeuds *2* et *4*. Les forces dans ces barres et dans les autres pourront être déterminées par l'analyse des noeuds *1*, *2*, *4*, *5*, *6*, *7*, *8* et *12*, en utilisant la

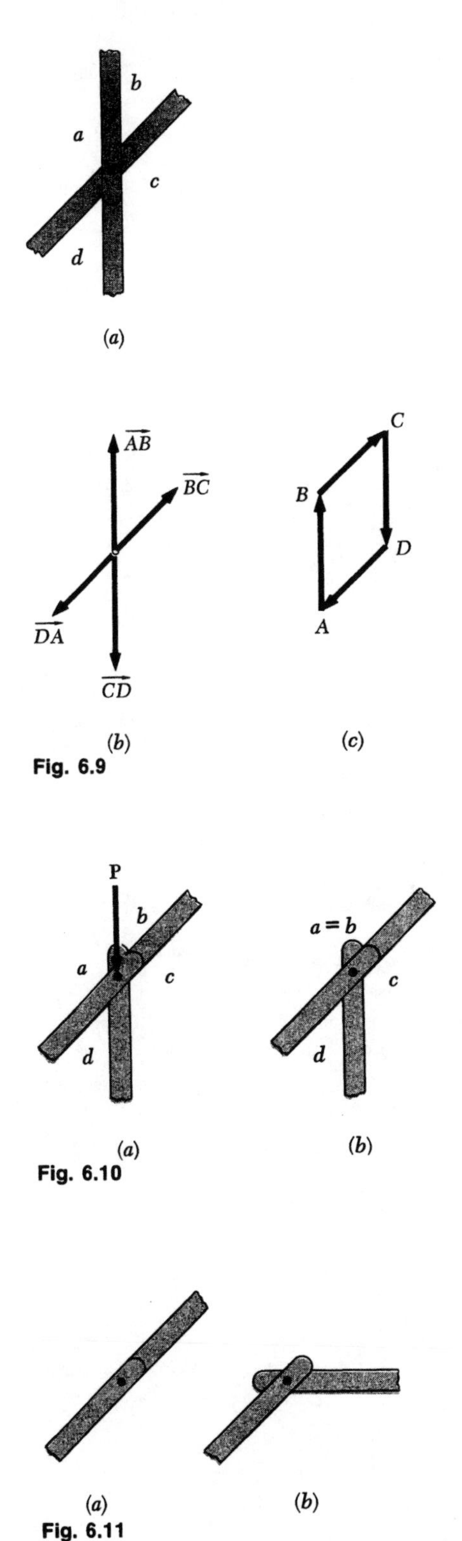

Fig. 6.9
Fig. 6.10
Fig. 6.11

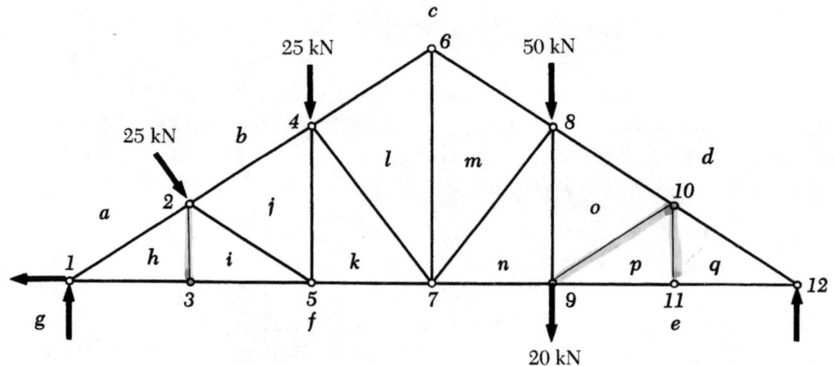


**Fig. 6.12**

méthode habituelle. Jusqu'à ce qu'ils soient familiers avec les conditions d'application des règles établies dans cette section, les étudiants doivent dessiner chaque fois le schéma des noeuds isolés pour tous les noeuds et écrire les équations d'équilibre correspondantes (ou tracer le polygone des forces correspondant), que les noeuds tombent ou non dans les différents types explicités antérieurement.

Une dernière remarque concerne les barres à effort nul. Ces membrures ne sont pas sans utilité, même si elles ne sont pas soumises à des efforts lors de mises en charge particulières. En effet, elles peuvent être sollicitées si les conditions de charge changent et sont nécessaires pour maintenir le treillis dans la forme désirée.

***6.6. Treillis ou triangulations de l'espace.** Lorsque plusieurs barres sont reliées ensemble par leurs extrémités pour former une configuration à trois dimensions, la structure obtenue constitue un *treillis articulé de l'espace.*

Rappelons-nous (Section 6.3) que le treillis rigide bidimensionnel le plus élémentaire est formé de trois barres reliées à leurs extrémités de façon à former un triangle. Si on ajoute deux nouvelles barres à cette configuration de base et si on les relie par un nouveau noeud, nous obtenons un nouveau treillis articulé qui est toujours un *treillis simple.* De la même façon le treillis articulé le plus élémentaire dans l'espace est formé par six barres reliées par leurs extrémités de façon à former un tétraèdre *ABCD,* illustré à la fig. 6.13*a*. Si on ajoute trois nouvelles barres à cette configuration de base, telles que *AE, BE* et *CE,* reliées entre elles par un nouveau noeud, nous obtenons un treillis ou triangulation de l'espace qui est encore un *treillis simple de l'espace*† (Fig. 6.13*b*). Nous pouvons remarquer que le tétraèdre de base possède six barres et quatre noeuds et que chaque fois que le nombre de barres augmente de 3 unités, le nombre de noeuds augmente d'une unité : il est alors facile de conclure que dans un treillis simple de l'espace le nombre total de barres est $m = 3n - 6$, où $n$ est le nombre de noeuds.

Si le treillis de l'espace doit être à liaisons complètes et si les réactions sont statiquement déterminées, les appuis doivent introduire six réactions inconnues (voir la section 4.7). Dans ces conditions, ces six réactions peuvent être rapidement déterminées en résolvant les six équations exprimant l'équilibre du treillis.

Bien que les membrures du treillis soient reliées au moyen de goussets d'assemblage soudés ou rivés, il est important de ne pas perdre de vue que ces liaisons sont considérées comme des rotules. Il résulte que les noeuds ne peuvent pas transmettre des couples et les barres sont finalement soumises à des efforts axiaux seuls. L'équilibre pour chaque noeud sera exprimé par les trois équations $\Sigma F_x = 0$, $\Sigma F_y = 0$ et $\Sigma F_z = 0$. Dans le cas du treillis simple, contenant $n$ noeuds, les conditions d'équilibre appliquées à l'ensemble des noeuds nous donneront $3n$ équations. Puisque $m = 3n - 6$, ces équations suffisent pour déterminer toutes les forces inconnues (les efforts dans les $m$ membrures et les six réactions). Cependant, pour éviter de résoudre un système comportant de nombreuses équations, nous devons choisir des noeuds dont les équations d'équilibre ne possèdent pas plus de trois inconnues.

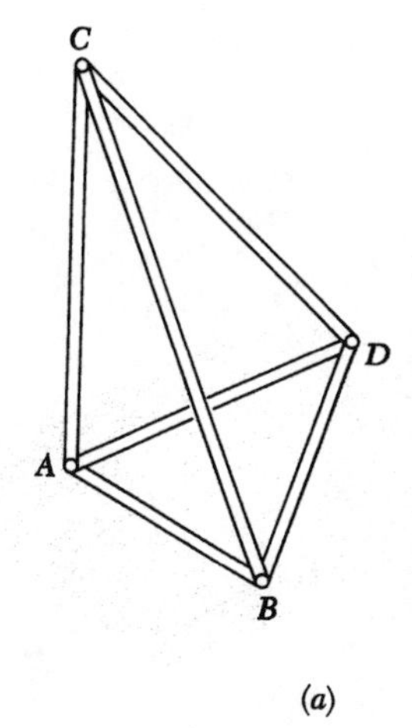


(*a*)

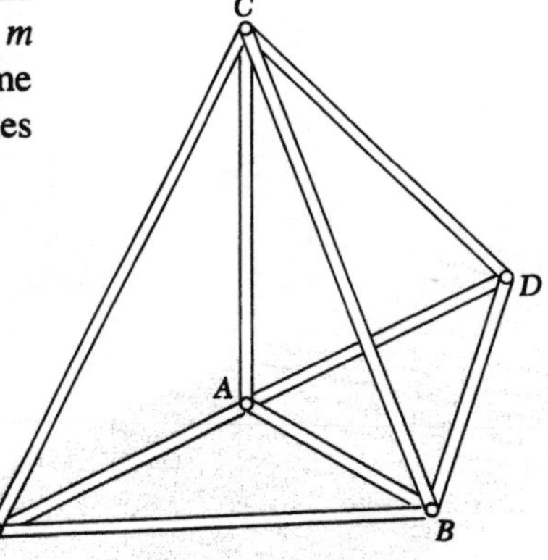


Fig. 6.13 (*b*)

† Les quatre noeuds ne doivent pas appartenir au même plan.

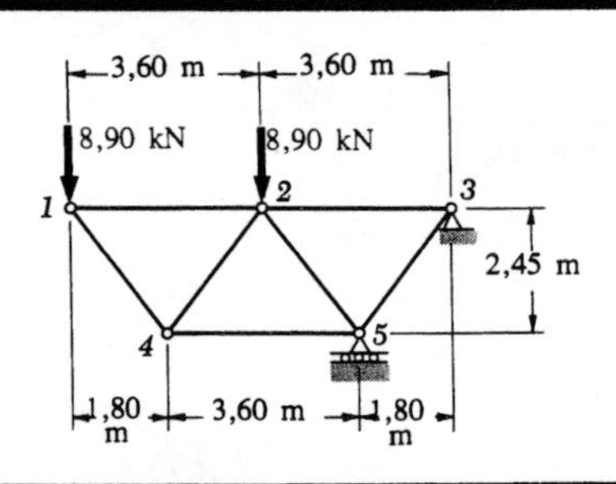


## PROBLÈME RÉSOLU 6.1

Calculez les efforts dans les barres de la structure dessinée à la figure illustrée ci-contre.

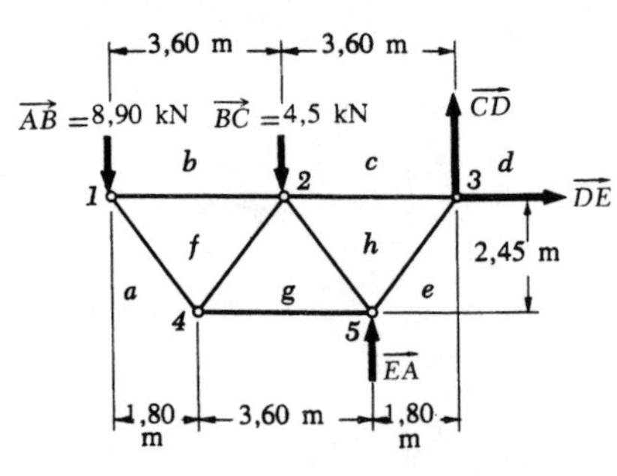


**Solution.** Commençons par dessiner le schéma de la structure isolée : les forces extérieures qui agissent sur elle sont les deux charges et les réactions aux appuis. Nous avons ensuite utilisé la notation de Bow pour identifier les différents éléments de la structure; les charges appliquées seront notées $\overrightarrow{AB}$ et $\overrightarrow{BC}$; les réactions $\overrightarrow{CD}$, $\overrightarrow{DE}$, et $\overrightarrow{EA}$.

***Équilibre général du treillis.***

$+\circlearrowleft \Sigma M_3 = 0$: $\quad (8{,}90 \text{ kN})(7{,}20 \text{ m}) + (4{,}5 \text{ kN})(3{,}60 \text{ m}) - (EA)(1{,}80 \text{ m}) = 0$

$EA = +44{,}6 \text{ kN} \qquad \overrightarrow{EA} = 44{,}6 \text{ kN} \uparrow$

$\xrightarrow{+} \Sigma F_x = 0$: $\qquad \overrightarrow{DE} = 0$

$+\uparrow \Sigma F_y = 0$: $\quad -8{,}90 \text{ kN} - 4{,}50 \text{ kN} + 44{,}6 \text{ kN} + CD = 0$

$CD = -31{,}2 \text{ kN} \qquad \overrightarrow{CD} = 31{,}2 \text{ kN} \downarrow$

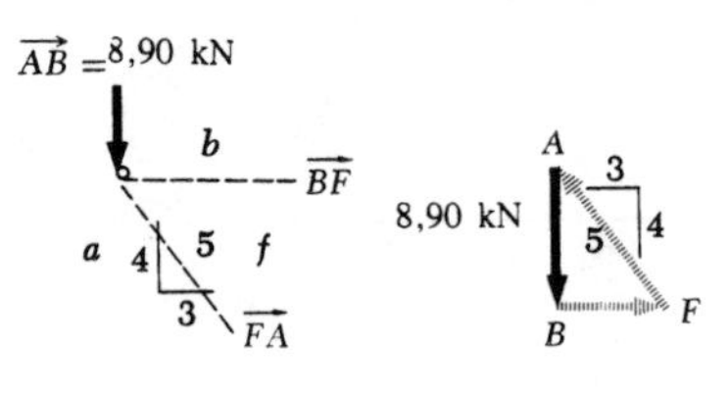


***Noeud 1.*** Ce noeud est soumis à deux forces inconnues qui sont les efforts dans les barres *bf* et *fa*. Nous avons tracé un triangle de forces pour calculer $\overrightarrow{BF}$ et $\overrightarrow{FA}$. Notons que la barre *bf* tire sur le noeud et, par conséquent, elle est en traction et la barre *fa* qui pousse sur le noeud est en compression. Les grandeurs des deux forces seront données par la relation

$$\frac{8{,}90 \text{ kN}}{4} = \frac{BF}{3} = \frac{FA}{5}$$

$BF = 6{,}68 \text{ kN } T$ ◄

$FA = 11{,}1 \text{ kN } C$ ◄

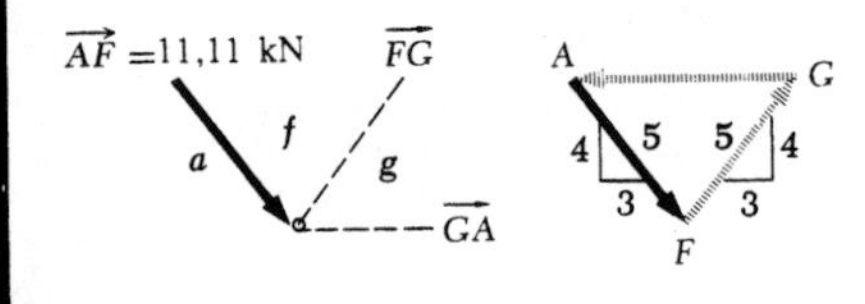


***Noeud 4.*** Puisque la force exercée par la barre *af* est connue, il n'y a que deux inconnues dans le schéma de ce noeud isolé. Nous avons aussi tracé un triangle de forces pour calculer les efforts dans les barres *fg* et *ga*.

$FG = AF \qquad FG = 11{,}1 \text{ kN } T$ ◄

$GA = 2(\tfrac{3}{5})(AF) \qquad GA = 13{,}3 \text{ kN } C$ ◄

**Problème résolu 6.1** *(suite)*

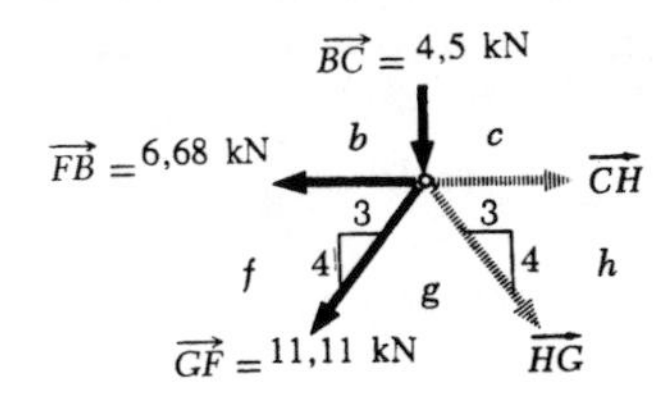


***Noeud 2.*** Puisque plus de trois forces agissent sur le noeud, nous calculerons les deux forces inconnues $\vec{CH}$ et $\vec{HG}$ à l'aide des équations d'équilibre $\Sigma F_x = 0$ et $\Sigma F_y = 0$. Nous donnerons un sens arbitraire à ces forces, en supposant que les barres sont en tension. La valeur positive obtenue pour l'effort *CH* nous indique que notre hypothèse de départ est correcte : la barre *ch* est en tension. La valeur négative de *HG*, par contre, nous indique que notre hypothèse de départ pour cette barre et incorrecte et dès lors la barre *hg* sera en compression.

$+\uparrow\Sigma F_y = 0$: $\quad -4{,}5\text{ kN} - \frac{4}{5}(11{,}1\text{ kN}) - \frac{4}{5}(HG) = 0$

$HG = -16{,}7\text{ kN} \qquad HG = 16{,}7\text{ kN } C$ ◄

$\overset{+}{\rightarrow}\Sigma F_x = 0$: $\quad CH - 6{,}68 - \frac{3}{5}(11{,}1) - \frac{3}{5}(16{,}7) = 0$

$CH = +23{,}4\text{ kN} \qquad CH = 23{,}4\text{ kN } T$ ◄

***Noeud 5.*** La force inconnue $\vec{HE}$ est supposée tirer sur le noeud. La somme des composantes *x* doit s'annuler. Nous avons

$\overset{+}{\rightarrow}\Sigma F_x = 0$: $\quad \frac{3}{5}(HE) + 13{,}3 + \frac{3}{5}(16{,}7) = 0$

$HE = -38{,}9\text{ kN} \qquad HE = 38{,}9\text{ kN } C$ ◄

Comme la somme des composantes *y* doit aussi s'annuler, nous pouvons procéder à une première vérification de nos calculs :

$$+\uparrow\Sigma F_y = 44{,}6 - \tfrac{4}{5}(16{,}7) - \tfrac{4}{5}(38{,}9)$$
$$= 44{,}6 - 13{,}4 - 31{,}1 = 0 \qquad \text{(Vérification)}$$

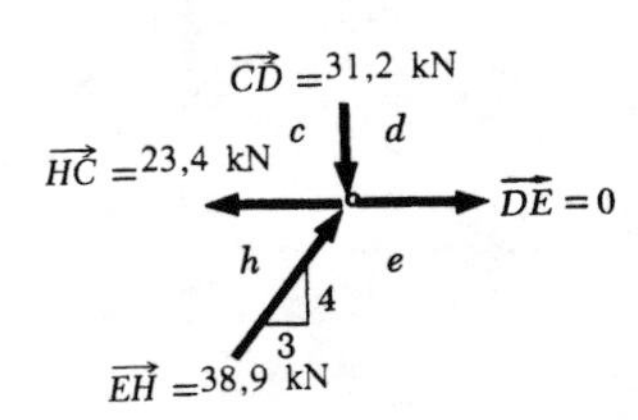


***Noeud 3.*** En utilisant les valeurs connues de $\vec{HC}$ et $\vec{EH}$, nous pouvons déterminer les réactions $\vec{CD}$ et $\vec{DE}$ en écrivant les conditions d'équilibre de ce noeud. Puisque les réactions ont déjà été déterminées à partir des équations d'équilibre écrites pour l'ensemble de la structure, nous disposons de deux vérifications additionnelles de nos calculs. Nous pourrons aussi tout simplement vérifier que sous l'action de toutes les forces que nous venons de calculer et qui agissent sur le noeud (efforts dans les barres et les réactions), celui-ci est en équilibre.

$\overset{+}{\rightarrow}\Sigma F_x = -23{,}4 + \frac{3}{5}(38{,}9) = -23{,}4 + 23{,}3 = 0$ (Vérification)

$+\uparrow\Sigma F_y = -31{,}2 + \frac{4}{5}(38{,}9) = -31{,}2 + 31{,}2 = 0$ (Vérification)

## PROBLÈMES SUPPLÉMENTAIRES

**6.1 à 6.12** Calculez les efforts dans les barres des structures par la méthode des noeuds. Déterminez, pour chaque membrure, s'il s'agit d'une tension ou d'une compression.

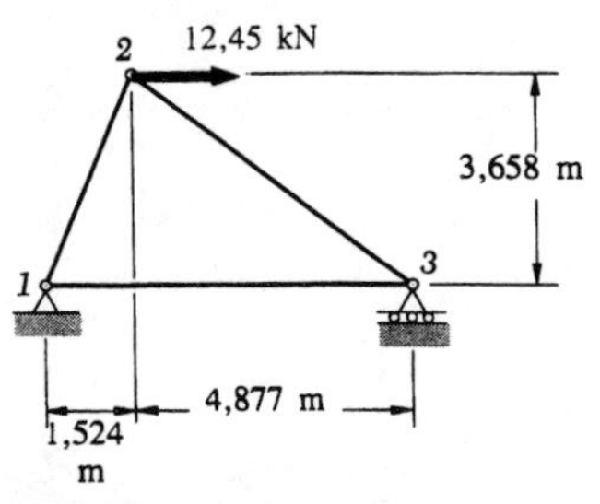


**Fig. P6.1 et P6.21**

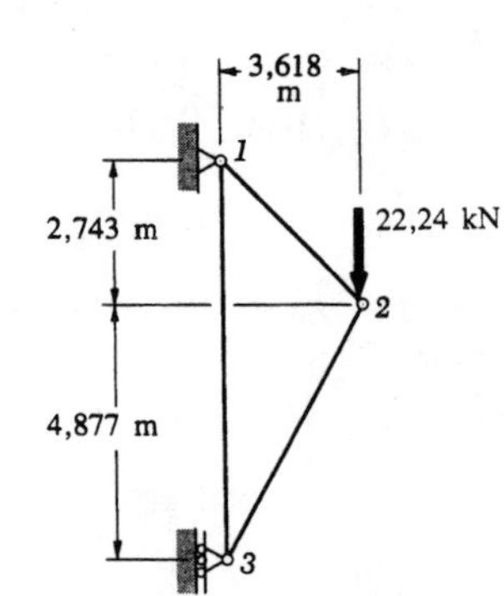


**Fig. P6.2 et P6.22**

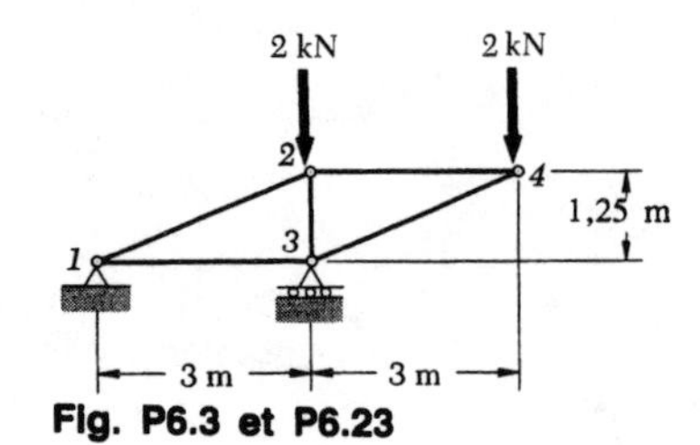


**Fig. P6.3 et P6.23**

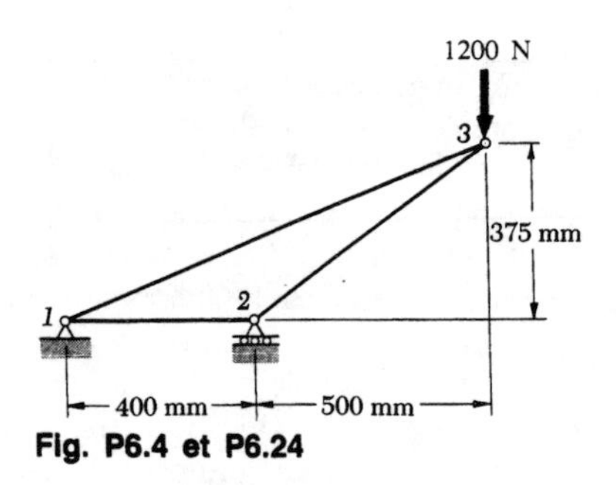


**Fig. P6.4 et P6.24**

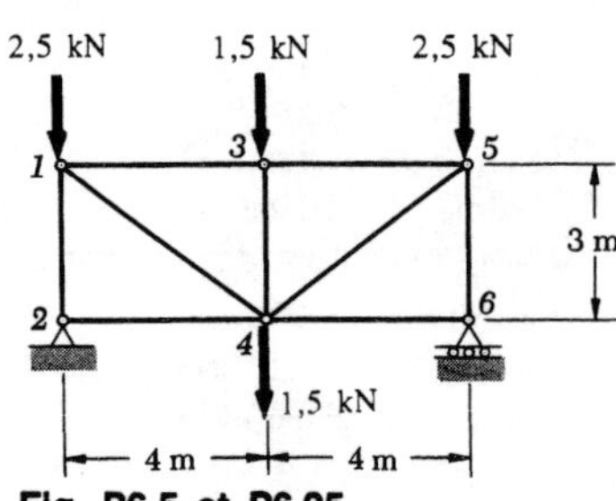


**Fig. P6.5 et P6.25**

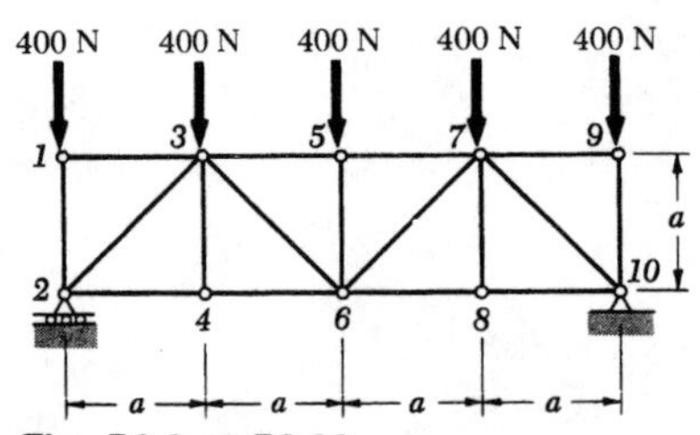


**Fig. P6.6 et P6.26**

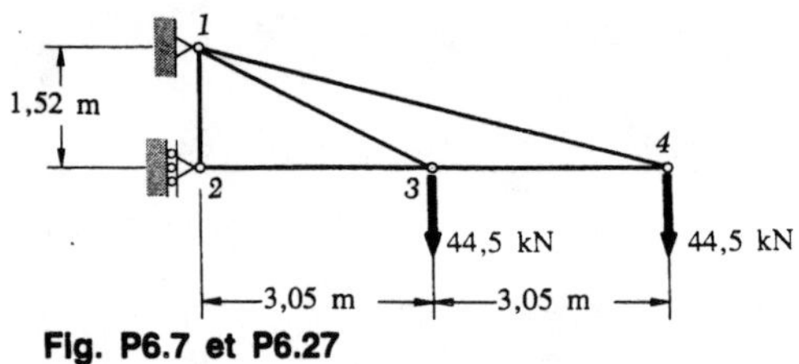


**Fig. P6.7 et P6.27**

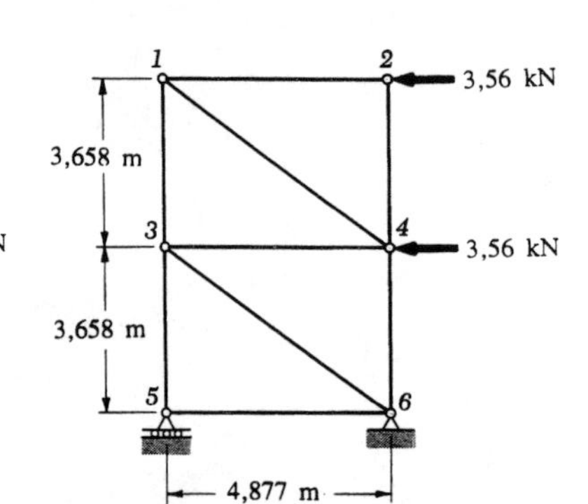


**Fig. P6.8 et P6.28**

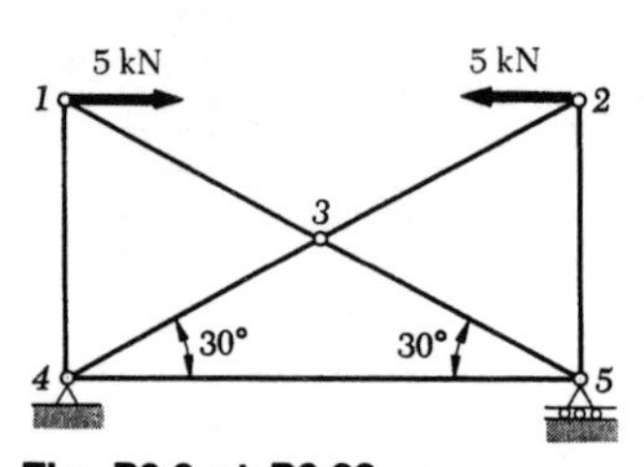


**Fig. P6.9 et P6.29**

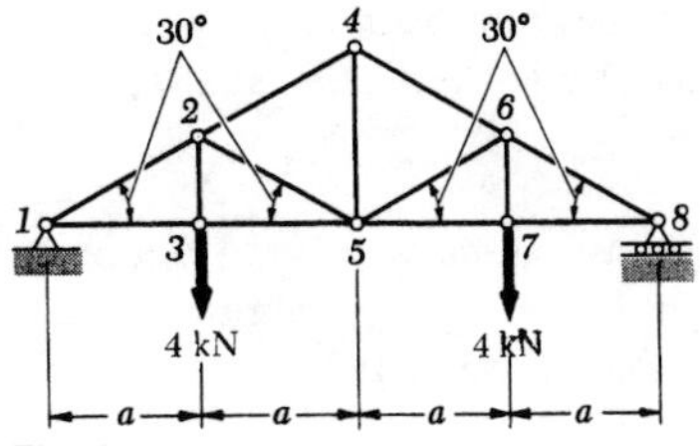

Fig. P6.10 et P6.30

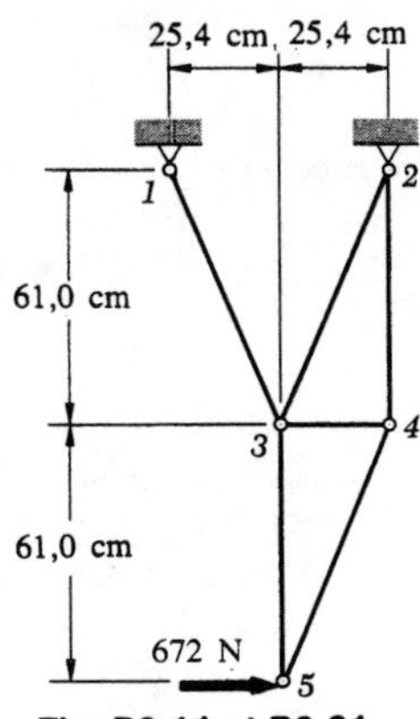

Fig. P6.11 et P6.31

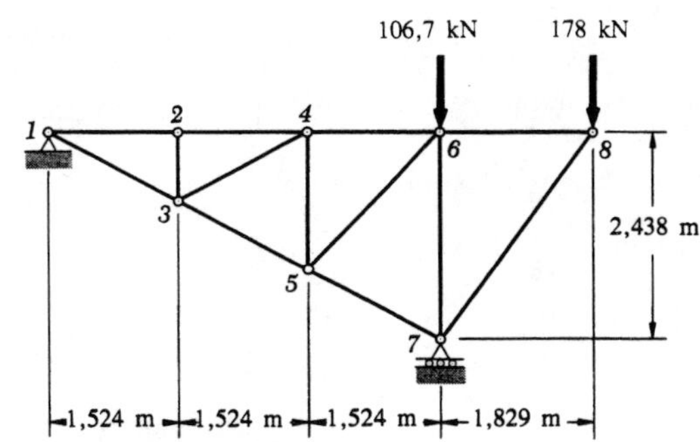

Fig. P6.12 et P6.32

**6.13** Déterminez lesquels des treillis des probl. 6.7, 6.9, 6.14, 6.15 et 6.16 sont des treillis simples.

**6.14 à 6.16** Déterminez les barres à effort nul dans les structures représentées dans les figures ci-contre.

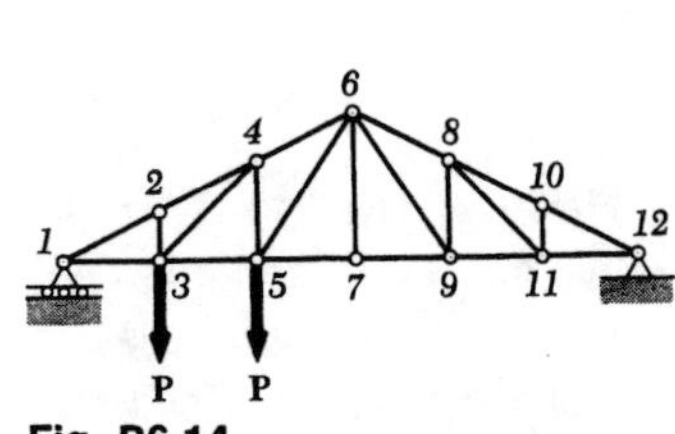

Fig. P6.14

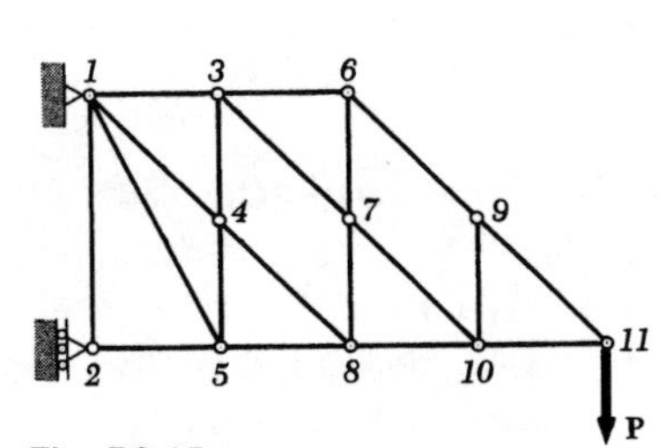

Fig. P6.15

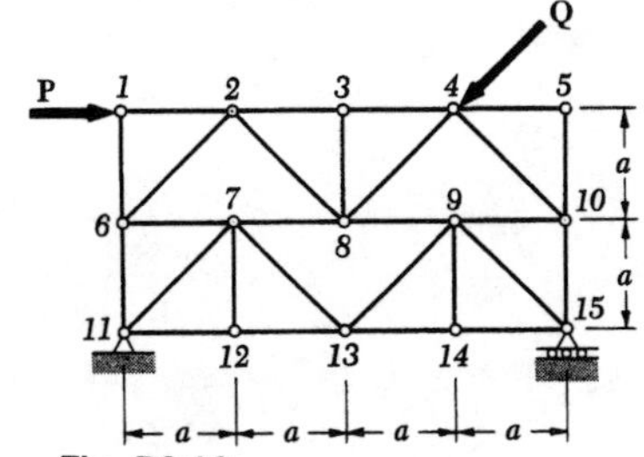

Fig. P6.16

***6.17** Six barres de longueur $L$ sont reliées entre elles pour former un tétraèdre régulier reposant sur une surface horizontale sans frottement. Calculez les efforts dans chaque membrure lorsqu'une charge verticale **P** est appliquée au point $A$.

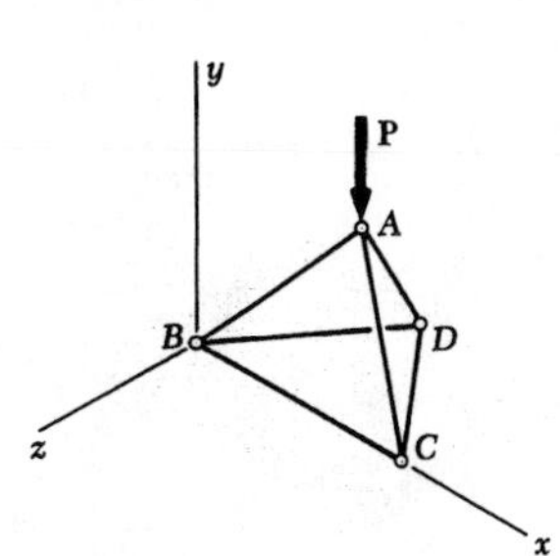

Fig. P6.17

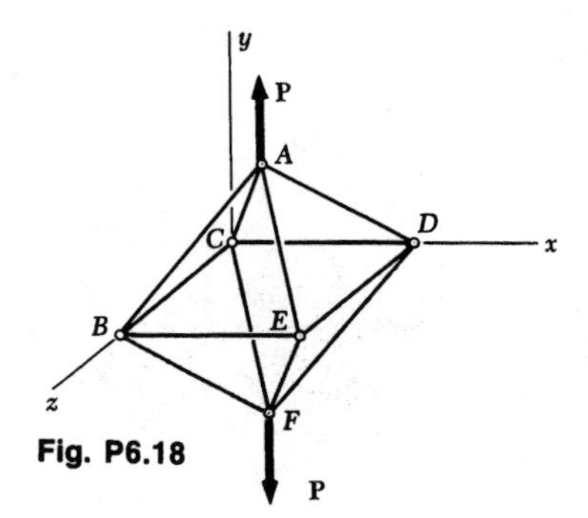

Fig. P6.18

***6.18** Douze barres de longueur $L$ sont reliées entre elles pour former un tétraèdre régulier. Calculez les efforts dans chaque barre si deux charges verticales sont appliquées aux points $A$ et $F$.

***6.19** Le treillis de l'espace représenté ci-contre est soumis aux six réactions d'appui indiquées. Calculez : *a*) les réactions, *b*) l'effort dans chaque membrure. (Une charge de 3560 N est appliquée au point $E$ parallèlement à l'axe $y$.)

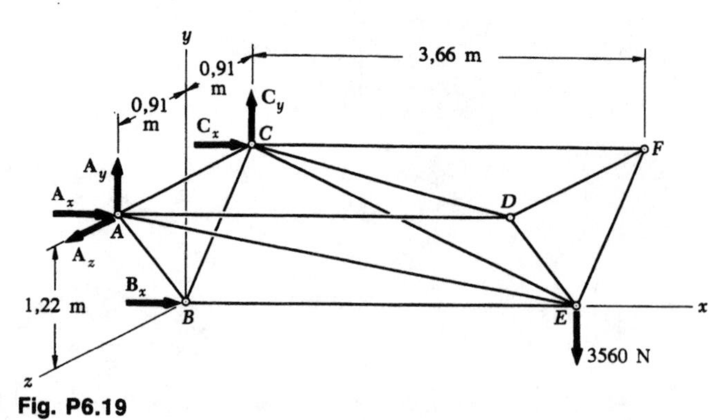

Fig. P6.19

***6.20** Résolvez le probl. 6.19 en supposant que la force de 3560 N est appliquée au point $E$ parallèlement à l'axe des $z$ (avec un sens positif).

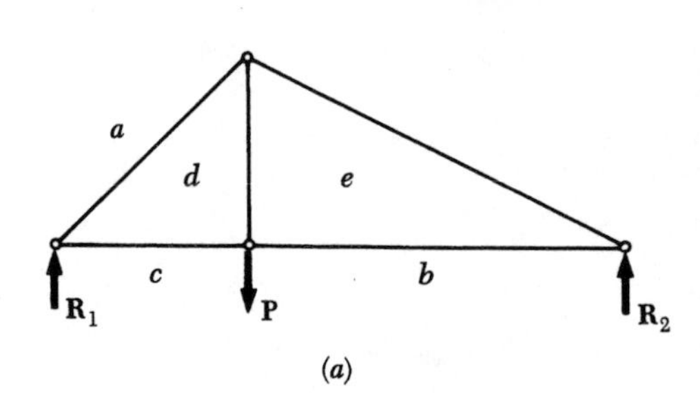

(*a*)

**6.7. Analyse graphique des treillis. Polygone de Maxwell.** La méthode des noeuds peut servir de base à l'analyse graphique des treillis. Nous allons développer cette analyse à l'aide du treillis utilisé à la section 6.4, redessiné dans la fig. 6.14*a*; en 6.14*b*, nous avons tracé à l'échelle un polygone de forces pour chaque noeud. L'effort dans chaque membrure peut s'obtenir à partir de ces polygones par une simple mesure de longueur. Ce tracé peut être grandement simplifié si nous superposons les différents polygones. Le résultat final est indiqué à la fig. 6.14*c* et cette figure est connue sous le nom de *polygone de Maxwell*.

Pour tracer ce polygone directement, nous pouvons procéder comme suit :

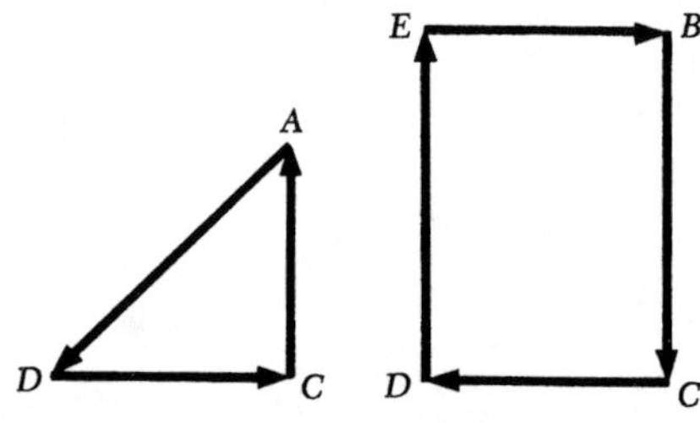


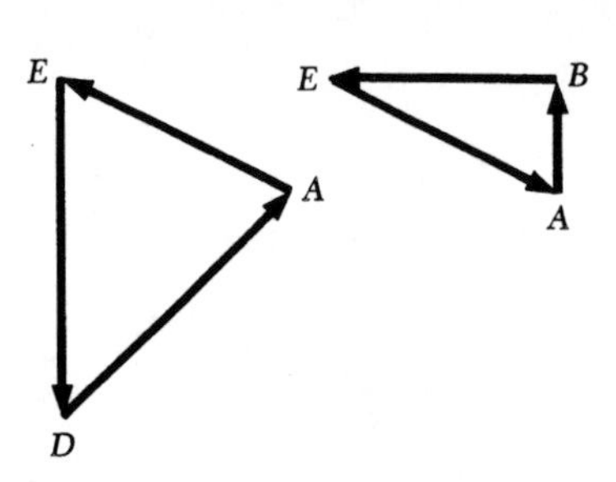


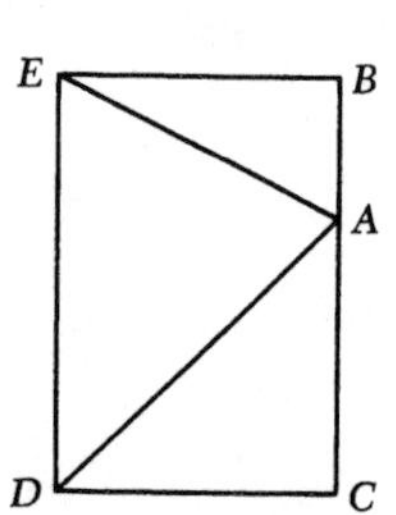

Fig. 6.14 (*b*) (*c*)

1. Chaque région, à l'extérieur et à l'intérieur du treillis, délimitée par les lignes d'action des charges et des réactions ainsi que par les barres est repérée par une lettre minuscule (Fig. 6.14*a*). Ces régions doivent être identifiées en tournant dans le sens des aiguilles d'une montre, d'abord autour de la charpente, ensuite au travers des surfaces intérieures à celle-ci.
2. Les réactions $\mathbf{R}_1$ et $\mathbf{R}_2$ sont calculées à l'aide des équations d'équilibre appliquées au treillis.
3. On obtient le polygone de forces pour le treillis en traçant à l'échelle toutes les forces dans l'ordre rencontré en tournant autour du treillis dans le sens des aiguilles d'une montre (ligne polygonale *ABCA* de la fig. 6.15*a*). Si nous trouvons un noeud soumis à deux forces seulement, les opérations 1 et 2 peuvent être omises ou pour le moins reportées à plus tard.
4. On dessine, ensuite, un polygone de forces pour chaque noeud, en commençant par ceux dans lesquels agissent seulement deux forces inconnues. Toute la construction graphique nécessaire pour traiter un noeud peut être réutilisée pour le noeud adjacent : il suffit d'ajouter deux droites et un noeud pour compléter le nouveau polygone de forces. Par exemple, en partant du noeud *adc*, nous traçons un segment de droite parallèle à *ad* passant par le point *A* et un autre parallèle à *dc* passant par le point *C*; l'intersection de ces deux segments est le point *D*, dont la localisation complète le triangle de forces *ADC*, triangle qui correspond au noeud *adc* (Fig. 6.15*a*). Passons maintenant au noeud *debc* en traçant à partir de *D* une droite parallèle à *de* et à partir de *B* une autre parallèle à *eb* : leur intersection détermine le point *E*, dont la localisation complète le polygone de forces *DEBC*, polygone qui correspond au noeud *debc* (Fig. 6.15*b*). Ensuite nous passons au noeud *aed* et nous traçons à partir du point *A* une droite parallèle à *ae* (Fig. 6.15*c*) : nous pouvons vérifier que cette droite passe par le point *E* que nous venons de trouver. Ceci complète le triangle de forces *AED* correspondant au noeud *aed* et aussi le diagramme de Maxwell. Au noeud *eab*, toutes les forces sont maintenant connues : il nous suffit de vérifier qu'elles forment un triangle fermé *EAB* (Fig. 6.14*d*).
5. L'effort dans chaque barre peut se mesurer sur le diagramme de Maxwell. En effet, l'effort dans la barre *ad* est donné à l'échelle par le segment de droite *AD* du diagramme de Maxwell. Pour savoir si la barre est tendue ou comprimée, il nous suffit de voir si elle tire ou si elle pousse sur les deux noeuds adjacents. Par exemple, considérons la barre *ad* qui relie les noeuds *adc* et *aed*. *a*) Nous sélectionnons un de ces deux noeuds, disons le noeud *adc*. *b*) Nous lisons les noms des régions adjacentes à la barre dans le sens des aiguilles d'une montre autour du noeud de la fig. 6.15*a*, soit *ad*. *c*) La direction de la force qui s'exerce sur le noeud est trouvée en lisant les lettres correspondantes du diagramme de Maxwell dans le même ordre (Fig. 6.14*c*). Puisque la force $\overrightarrow{AD}$ est dirigée vers le bas et vers la gauche, la barre *ad* pousse sur le noeud et doit par conséquent être comprimée. Nous trouverons le même résultat en considérant le noeud *aed*; la barre se lit maintenant *da* et la force correspondante $\overrightarrow{DA}$. Puisque la force $\overrightarrow{DA}$ est dirigée vers le haut et vers la droite, la barre *da* pousse sur le noeud *aed* et elle est encore en compression.

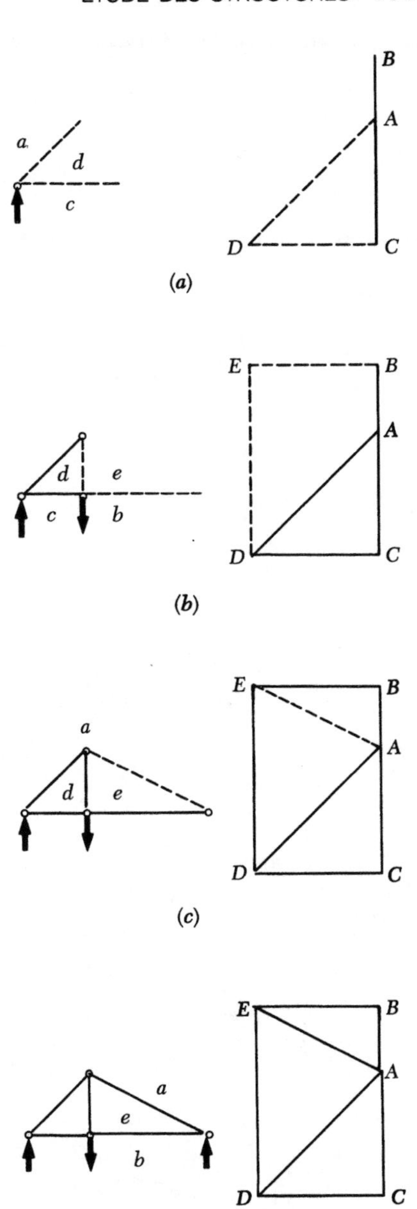


**Fig. 6.15** Construction d'un diagramme de Maxwell

## PROBLÈME RÉSOLU 6.2

Déterminez les efforts dans les membrures du treillis du problème résolu 6.1, à l'aide du polygone de Maxwell.

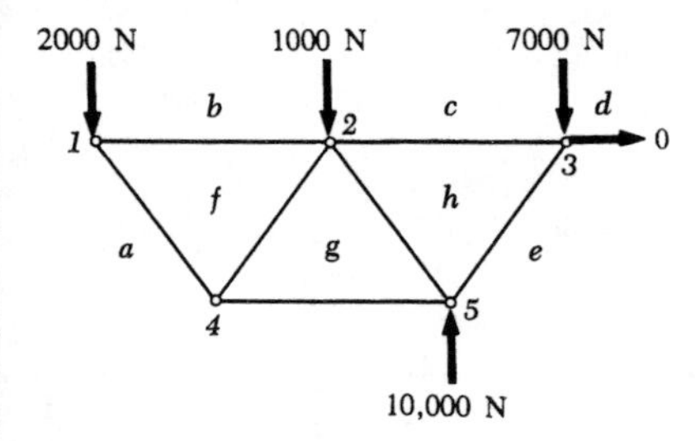


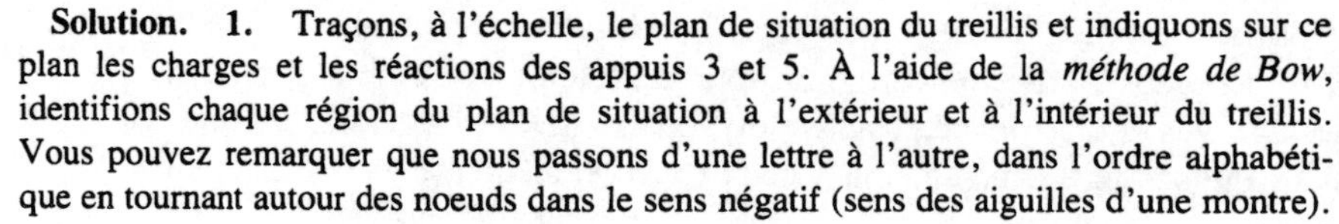

**Solution. 1.** Traçons, à l'échelle, le plan de situation du treillis et indiquons sur ce plan les charges et les réactions des appuis 3 et 5. À l'aide de la *méthode de Bow*, identifions chaque région du plan de situation à l'extérieur et à l'intérieur du treillis. Vous pouvez remarquer que nous passons d'une lettre à l'autre, dans l'ordre alphabétique en tournant autour des noeuds dans le sens négatif (sens des aiguilles d'une montre).

**2.** Calculons les réactions des appuis 3 et 5 à partir des équations d'équilibre du treillis (voir probl. résolu 6.1).

**3.** Plaçons bout à bout et dans l'ordre rencontré en tournant autour du treillis dans le sens positif, toutes les forces extérieures et les réactions appliquées à celui-ci de façon à construire le polygone des forces *ABCDE*. (Une ligne droite, puisque toutes ces forces sont parallèles entre elles.)

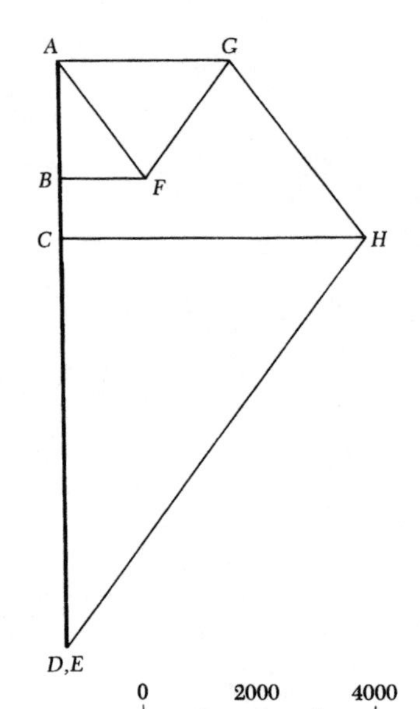


**4.** Commençons à tracer le diagramme de Maxwell à partir du noeud 1, où sont appliquées seulement deux forces inconnues : en traçant les parallèles *BF* et *AF* aux barres *bf* et *fa*, à partir respectivement des points *A* et *B*, nous pouvons localiser le point *F*. Passons au noeud 4, qui possède encore deux forces inconnues : en traçant des parallèles aux barres *fg* et *ga*, nous localisons un nouveau point du diagramme de Maxwell, le point *G*. Le noeud 2 va nous permettre de déterminer un autre point, le point *H*, intersection des parallèles aux barres *ch* et *hg*. Avec ce dernier point connu, nous avons fini le tracé du diagramme de Maxwell. Nous pouvons procéder à une vérification de notre tracé en remarquant que la parallèle *HE* à la barre *he* du plan de situation doit passer par les deux points connus *H* et *E* du diagramme de Maxwell.

**5.** La grandeur et le sens des efforts dans les barres se déterminent à partir du diagramme de Maxwell; la grandeur est mesurée directement et le sens est celui indiqué à la section 6.7. Ces résultats sont donnés dans le tableau ci-dessous.

| Barre | Force N |
|---|---|
| *bf* | 1500 *T* |
| *fa* | 2500 *C* |
| *fg* | 2500 *T* |
| *ga* | 3000 *C* |
| *hg* | 3750 *C* |
| *ch* | 5250 *T* |
| *he* | 8750 *C* |

## PROBLÈMES SUPPLÉMENTAIRES

**6.21 à 6.32** Déterminez les efforts dans chaque barre des treillis illustrés aux pages 196 et 197, en utilisant le diagramme de Maxwell. Indiquez, pour chaque barre, s'il s'agit d'une tension ou d'une compression.

**6.33 à 6.37** Déterminez les efforts dans chaque barre des treillis illustrés ci-contre, en utilisant le diagramme de Maxwell. Indiquez, pour chaque barre, s'il s'agit d'une tension ou d'une compression.

**6.38** Résolvez le probl. 6.35 en supposant que la force de 13 340 N appliquée au noeud 1 est horizontale et est dirigée vers la droite.

**6.39** Résolvez le probl. 6.36 en supposant que la force verticale de 2000 N est appliquée au noeud 5.

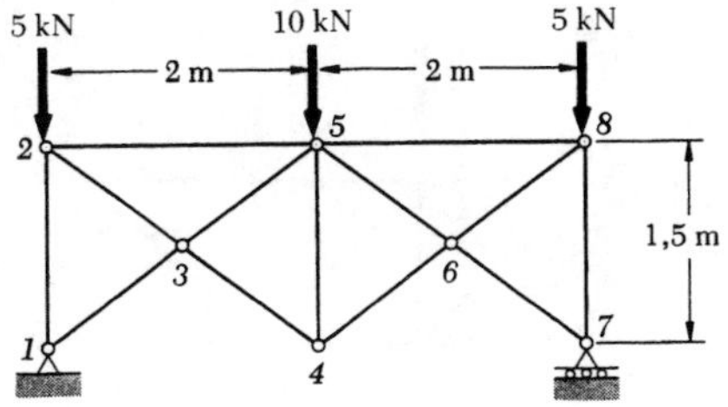

**Fig. P6.33**

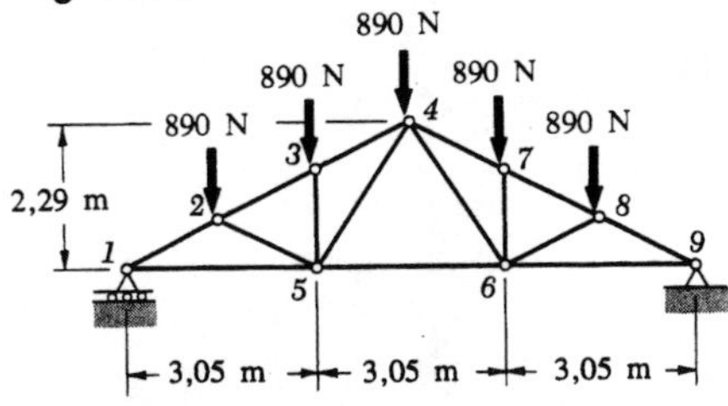


**Fig. P6.34**

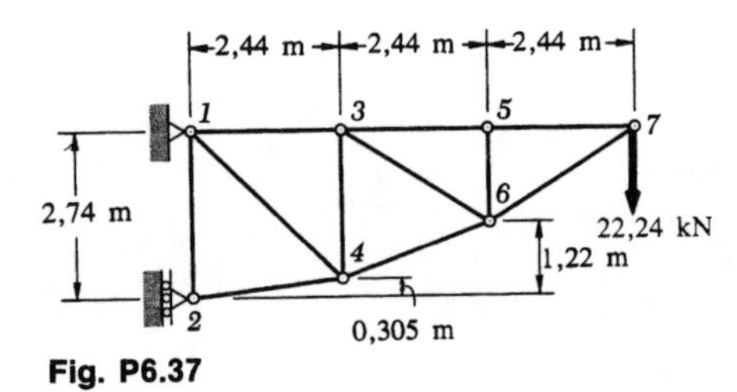


**Fig. P6.37**

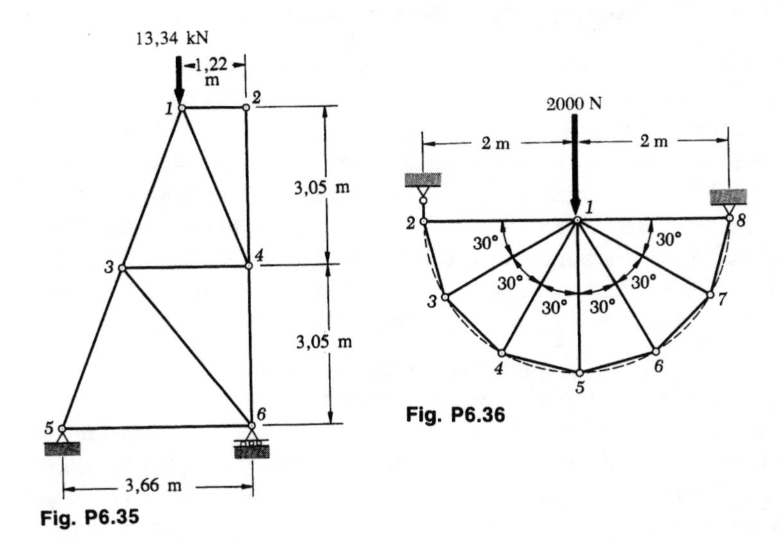


**Fig. P6.35**

**Fig. P6.36**

**6.8. Analyse des treillis à l'aide de la méthode des sections.** La méthode des noeuds et le diagramme réciproque de Maxwell sont des outils très pratiques lorsqu'il s'agit de déterminer les efforts dans toutes les barres et les noeuds du treillis. Cependant, pour déterminer ou vérifier l'effort dans une barre quelconque, une autre méthode, appelée la *méthode des sections*, est plus avantageuse†.

Supposons par exemple que nous voulons déterminer l'effort dans la barre *BD* du treillis de la fig. 6.16*a*. Pour le faire, nous devons connaître la force avec laquelle la barre *BD* agit sur les noeuds d'extrémité *B* ou *D*. Si nous utilisons la méthode des noeuds, nous devons isoler un de ces noeuds pour pouvoir tracer son schéma et ensuite établir les équations d'équilibre respectives. Cependant, nous aurions pu aussi choisir comme corps isolé une grande

† Cette méthode est aussi connue sous le nom de *méthode des coupes de Ritter.* (N.T.)

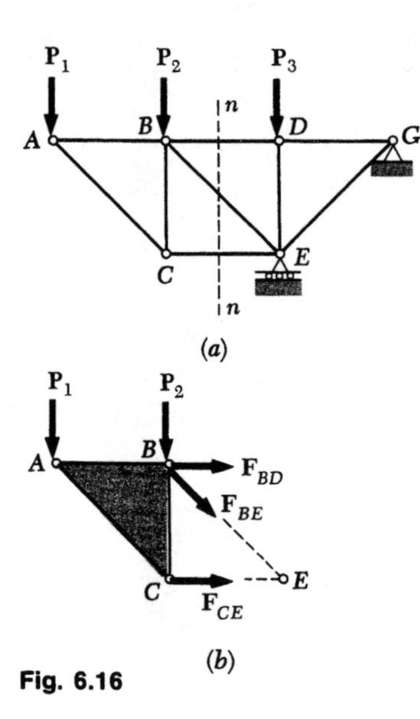

Fig. 6.16

partie du treillis pour autant que la force qu'on désire connaître soit une des forces extérieures agissant sur cette partie. Si cette partie est choisie de telle façon qu'il n'existe que trois forces inconnues agissant sur elle, la force que nous voulons connaître peut se calculer à partir des équations d'équilibre appliquées à cette partie isolée du treillis. Dans la pratique, la partie du treillis à être utilisée est délimitée par une coupe, à travers trois membrures ou moins, qui doit séparer le treillis en deux parties. Une des membrures doit, à fortiori, être celle dont on veut connaître l'effort. Remarquons que chacune des ces deux parties peut être utilisée comme corps isolé†.

Dans la fig. 6.16*a*, la section *nn* passe bien par les membrures *BD*, *BE* et *CE* : la partie *ABC* du treillis a été choisie comme corps isolé (Fig. 6.16*b*). Les forces appliquées au corps isolé sont les charges $\mathbf{P}_1$ et $\mathbf{P}_2$ appliquées aux points *A* et *B* et les trois inconnues $\mathbf{F}_{BD}$, $\mathbf{F}_{BE}$ et $\mathbf{F}_{CE}$. Puisque nous ne connaissons pas le sens des efforts dans les barres, les trois forces doivent être arbitrairement dessinées en tension (tirant sur le corps isolé).

Comme le corps rigide *ABC* est en équilibre, nous pouvons écrire les équations respectives et déterminer les trois forces inconnues. Si nous désirons connaître seulement la force $\mathbf{F}_{BD}$, il nous suffit d'écrire une seule équation, pourvu que cette équation ne contienne pas les autres inconnues. On voit que l'équation d'équilibre des moments $\Sigma M_E = 0$ remplit ces conditions et nous donne immédiatement la grandeur $F_{BD}$ de la force $\mathbf{F}_{BD}$. Une réponse positive nous indique que le sens arbitrairement choisi pour $\mathbf{F}_{BD}$ est correct et que la barre est en tension : une réponse négative, par contre, nous dira que notre hypothèse de départ est mauvaise et que la barre est en réalité en compression.

Si nous désirons connaître la force $\mathbf{F}_{BE}$, l'équation à choisir est $\Sigma F_y = 0$. La barre correspondante sera en tension ou en compression suivant le signe de la réponse. Quand nous déterminons l'effort dans une seule barre du treillis, nous n'avons pas de possibilité de vérifier nos calculs. Cependant, lorsque toutes les forces inconnues appliquées au corps isolé sont connues, les calculs peuvent être vérifiés en écrivant des équations additionnelles. Par exemple, si $\mathbf{F}_{BD}$, $\mathbf{F}_{BE}$ et $\mathbf{F}_{CE}$ sont connues, leurs valeurs peuvent être vérifiées par la relation $\Sigma F_x = 0$.

† Nous pouvons séparer le treillis par une section qui coupe plus de trois barres : l'effort dans une ou même deux barres peut se calculer si on peut écrire des équations d'équilibre respectives ne contenant qu'une inconnue (voir les probl. 6.52 à 6.54).

***6.9. Treillis composés.** Considérons les deux treillis simples *ABC* et *DEF*. S'ils sont reliés par les trois barres *BD*, *BE* et *CE* comme indiqué à la fig. 6.17*a*, ils forment dans l'ensemble un treillis rigide *ABDF*. Les treillis *ABC* et *DEF* peuvent aussi se combiner dans un treillis simple rigide en reliant les noeuds *B* et *D* ensemble et les noeuds *C* et *E* par l'intermédiaire de la barre *CE* (Fig. 6.17*b*). La ferme en treillis ainsi composée est du type Fink. Nous remarquons que les fermes de la fig. 6.17*a* et *b* ne sont pas des treillis simples puisqu'elles ne peuvent pas être construites par triangulation (addition successive d'un noeud et de deux barres) comme il a été défini à la section 6.3. Elles sont néanmoins des treillis rigides comme on peut le voir en comparant les liaisons des treillis simples *ABC* et *DEF* (trois barres pour la fig. 6.17*a*, une rotule *B* et une barre *CE* pour la fig. 6.17*b*) avec les systèmes de liaisons exposés aux sections 3.14 et 3.15. Les treillis formés de deux treillis simples ou plus sont appelés *treillis composés*.

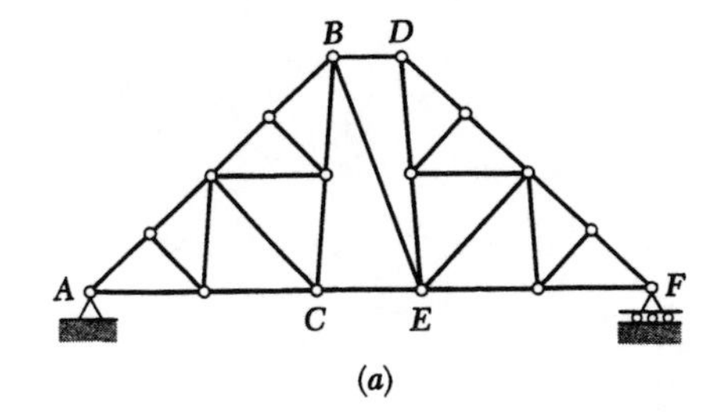

(*a*)

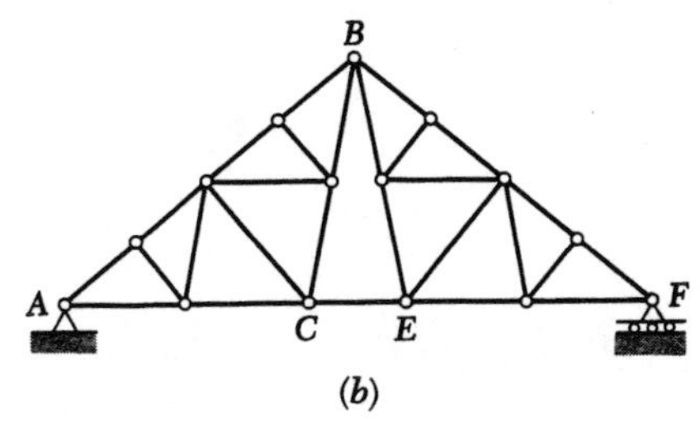

(*b*)

**Fig. 6.17**

Nous pouvons vérifier encore que dans un tel treillis, le nombre de barres $m$ et le nombre de noeuds $n$ sont encore reliés par la relation $m = 2n - 3$. Si un treillis composé est appuyé sur une rotule sans frottement et sur un appui à rouleau (trois réactions inconnues), le nombre total d'inconnues est $m + 3$ et ce nombre est égal à $2n$, où $2n$ est le nombre d'équations que nous obtenons en considérant l'équilibre de $n$ noeuds. Les treillis composés appuyés sur une rotule et sur un rouleau ou sur tout autre ensemble équivalent sont statiquement déterminés, rigides et complètement liés. Ceci veut dire que toutes les réactions inconnues et les efforts dans les barres peuvent se déterminer par les méthodes de la statique et que si toutes les équations d'équilibre sont vérifiées, le treillis ne se déformera pas et ne s'effondrera pas. Les efforts dans les barres ne peuvent pas être calculés par la méthode des noeuds sans passer par un grand nombre d'équations à résoudre simultanément. Dans le cas du treillis composé de la fig. 6.17*a*, par exemple, il serait plus expéditif d'utiliser la méthode des sections en coupant les barres *BD*, *BE* et *CE* si on veut connaître les efforts dans celles-ci.

Supposons maintenant que les treillis simples *ABC* et *DEF* sont reliés par quatre barres *BD*, *BE*, *CD* et *CE* (Fig. 6.18). Le nombre de barres $m$ est maintenant plus grand que $2n - 3$; le treillis est *hyperrigide* et une des quatre barres est *surabondante*. Si le treillis est appuyé sur une rotule plane *A* et un rouleau *F*, le nombre total d'inconnues est $m + 3$. Ce nombre est maintenant supérieur au nombre $2n$ d'équations indépendantes disponibles : le treillis est statiquement indéterminé.

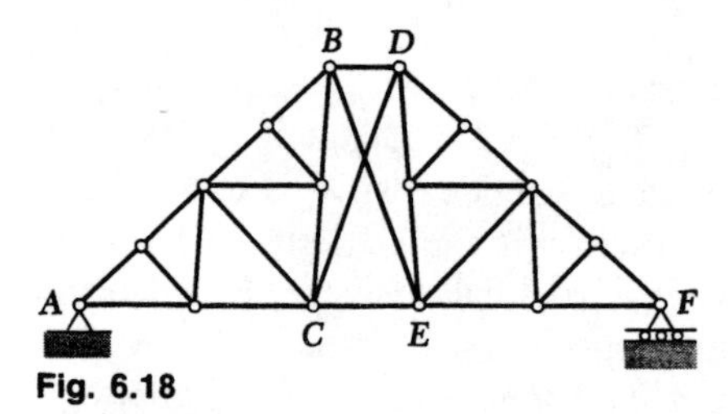

**Fig. 6.18**

Supposons finalement que deux treillis simples *ABC* et *DEF* sont reliés par une seule rotule, comme il est montré à la fig. 6.19*a*. Le nombre de barres $m$ est alors plus petit que $2n - 3$. Si le treillis est appuyé sur une rotule plane *A* et un rouleau simple *F*, le nombre d'inconnues sera $m + 3$. Ce nombre est maintenant plus petit que le nombre $2n$ des équations d'équilibre qui doivent être vérifiées : le treillis est *hyporigide* et il s'effondrera sous l'action de son propre poids. Cependant, si nous utilisons deux rotules planes comme système d'appui, le treillis devient rigide et résistera à l'effondrement (Fig. 6.19). Notons que le nombre total d'inconnues est $m + 4$ et, par conséquent, est égal au nombre d'équations disponibles. Cette condition, même *si elle est nécessaire, n'est pas suffisante pour l'équilibre de la structure* : en effet celle-ci sera hyporigide lorsqu'on la détachera de ses supports (voir la section 6.12).

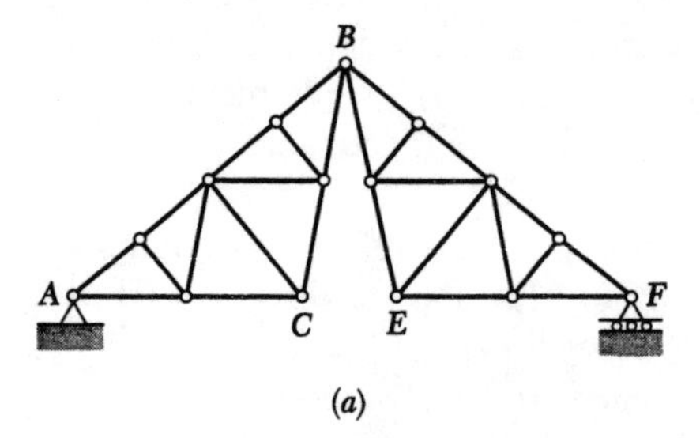

(*a*)

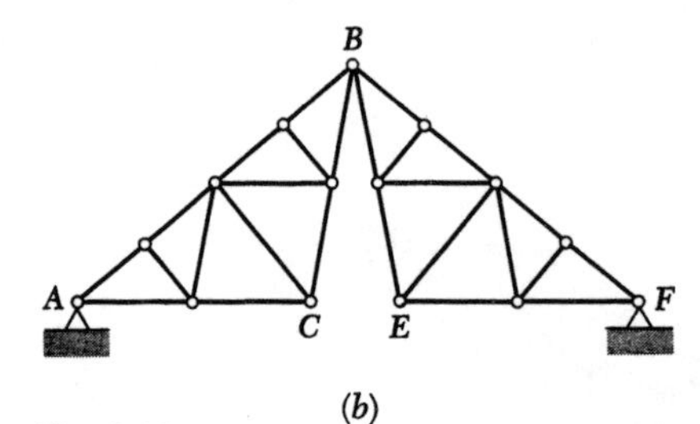

(*b*)

**Fig. 6.19**

## PROBLÈME RÉSOLU 6.3

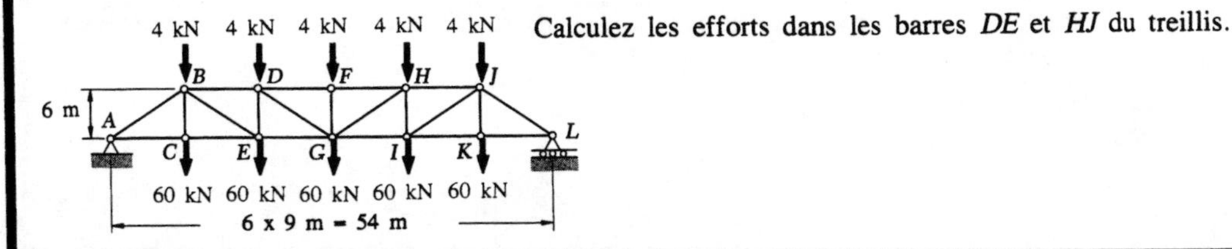


Calculez les efforts dans les barres *DE* et *HJ* du treillis.

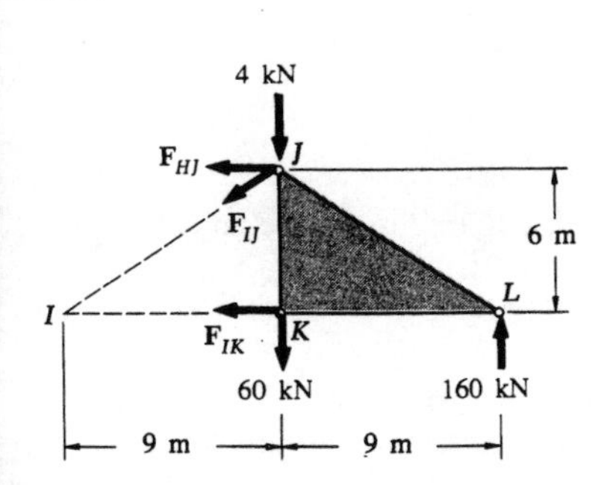


**Solution.** Calculons les réactions *A* et *L* en considérant toute la ferme comme un corps isolé.

$$\mathbf{A} = 160 \text{ kN}\uparrow$$
$$\mathbf{L} = 160 \text{ kN}\uparrow$$

***Force dans la barre HJ.*** Traçons la section *nn*, qui coupe la barre *HJ*, et deux autres barres additionnelles. Choisissons la partie droite comme la partie du treillis à isoler. Nous avons trois forces à considérer. Pour éliminer les deux forces qui passent par le point *I*, écrivons

$$+\circlearrowleft \Sigma M_I = 0:$$
$$(160 \text{ kN})(18 \text{ m}) - (60 \text{ kN})(9 \text{ m}) - (4 \text{ kN})(9 \text{ m}) + F_{HJ}(6 \text{ m}) = 0$$
$$F_{HJ} = -384 \text{ kN}$$

Le sens de $\mathbf{F}_{HJ}$ est choisi de façon telle que la barre correspondante est en tension : le signe négatif de la réponse indique que cette barre est en compression.

$$F_{HJ} = 384 \text{ kN } C \blacktriangleleft$$

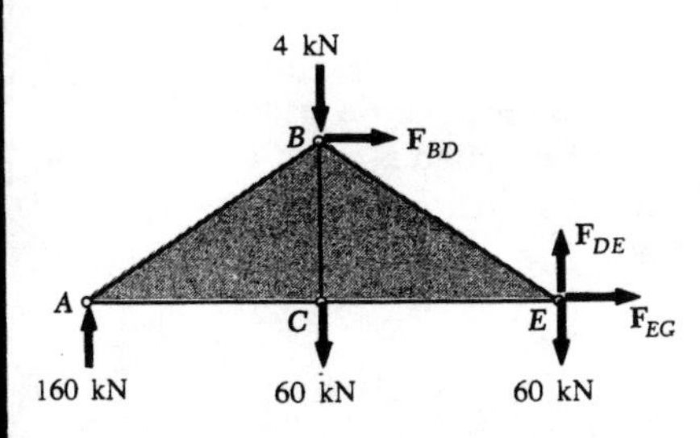


***Force dans la barre DE.*** Traçons la section *mm* à travers le treillis de façon à couper la barre *DE* et deux autres barres additionnelles. Après la coupe, gardons la partie gauche du treillis comme corps isolé. Trois forces inconnues sont encore en jeu : puisque l'équation $\Sigma F_y = 0$ contient seulement $\mathbf{F}_{DE}$ comme inconnue, nous pouvons écrire

$$+\uparrow\Sigma F_y = 0:$$
$$+\ 160 \text{ kN} - 60 \text{ kN} - 4 \text{ kN} - 60 \text{ kN} + F_{DE} = 0$$
$$F_{DE} = -36 \text{ kN}$$

$$F_{DE} = 36 \text{ kN } C \blacktriangleleft$$

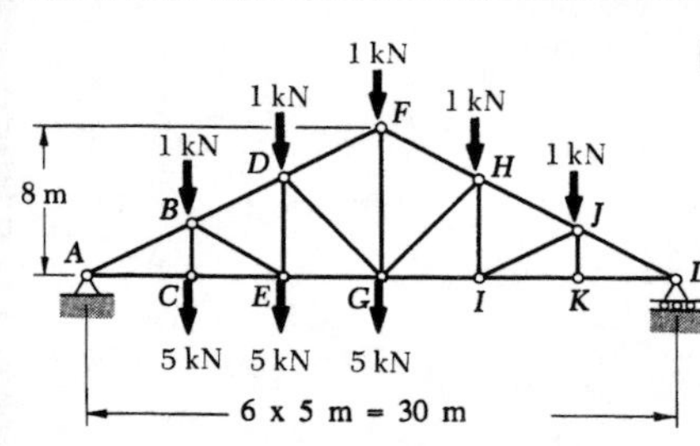


## PROBLÈME RÉSOLU 6.4

Déterminez les efforts dans les barres *FH*, *GH* et *GI* de la ferme de toiture dessinée ci-contre.

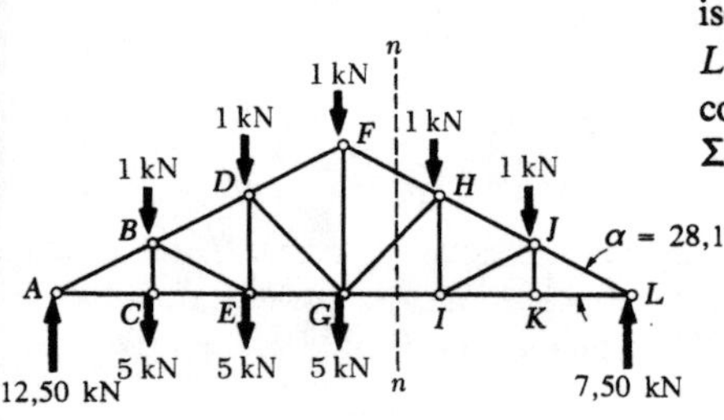


**Solution.** Procédons à une coupe *nn* à travers les trois barres *FH*, *GH* et *GI*. On isole la partie droite et on trace le schéma correspondant. Puisque la réaction de l'appui *L* est appliquée à la partie isolée, la grandeur **L** doit être calculée séparément, en considérant comme corps isolé la totalité de la ferme. L'équilibre des moments $\Sigma M_A = 0$ nous donne $\mathbf{L} = 7{,}50$ kN ↑.

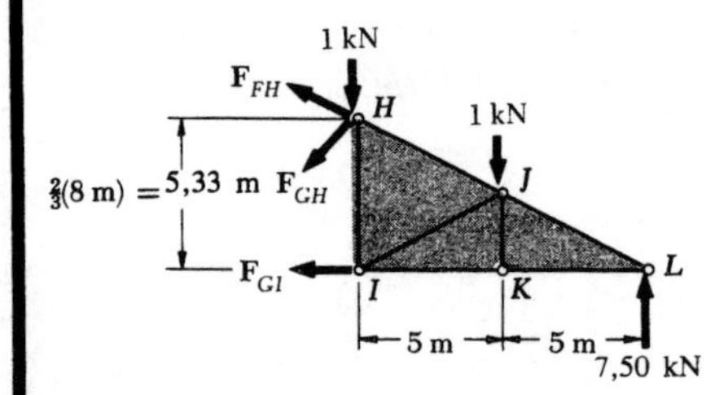


***Force dans la barre GI.*** En utilisant la partie *HLI* du treillis comme un corps isolé, nous obtenons la valeur de $F_{GI}$ en écrivant

$$+\circlearrowleft \Sigma M_H = 0:$$
$$(7{,}50 \text{ kN})(10 \text{ m}) - (1 \text{ kN})(5 \text{ m}) - F_{GI}(5{,}33 \text{ m}) = 0$$
$$F_{GI} = +13{,}13 \text{ kN} \qquad F_{GI} = 13{,}13 \text{ kN } T$$

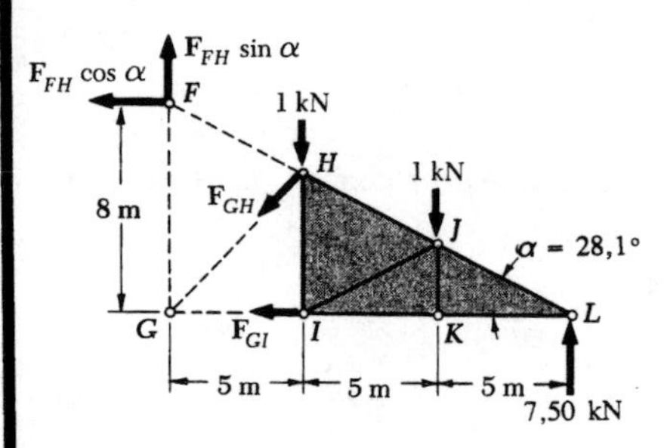


***Force dans la barre FH.*** La valeur de $F_{FH}$ est obtenue de l'équation $\Sigma M_G = 0$. Nous transportons $\mathbf{F}_{FH}$ tout le long de sa ligne d'action jusqu'à ce qu'elle agisse au point *F*, où nous allons la décomposer suivant *x* et *y*. Le moment de $\mathbf{F}_{FH}$ par rapport au point *G* est maintenant égal à $(F_{FH} \cos \alpha)$ (8 m).

$$+\circlearrowleft \Sigma M_G = 0:$$
$$(7{,}50 \text{ kN})(15 \text{ m}) - (1 \text{ kN})(10 \text{ m}) - (1 \text{ kN})(5 \text{ m}) + (F_{FH} \cos \alpha)(8 \text{ m}) = 0$$
$$F_{FH} = -13{,}82 \text{ kN} \qquad F_{FH} = 13{,}82 \text{ kN } C$$

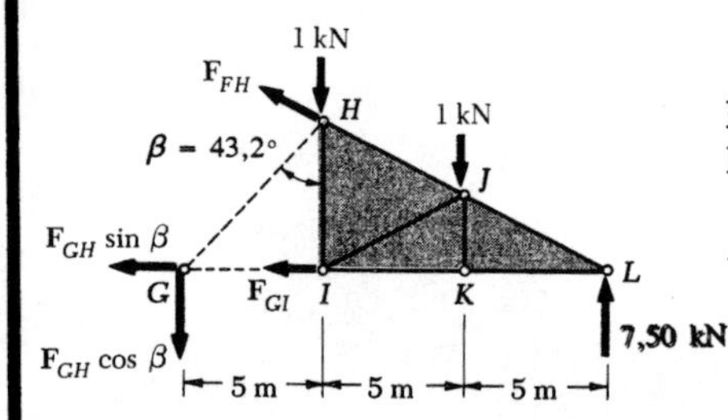


***Force dans la barre GH.*** La valeur de $F_{GH}$ est déterminée en décomposant la force $\mathbf{F}_{GH}$ dans ces composantes *x* et *y* appliquées au point *G* et ensuite en résolvant l'équation $\Sigma M_L = 0$.

$$+\circlearrowleft \Sigma M_L = 0: \qquad (1 \text{ kN})(10 \text{ m}) + (1 \text{ kN})(5 \text{ m}) + (F_{GH} \cos \beta)(15 \text{ m}) = 0$$
$$F_{GH} = -1{,}372 \text{ kN} \qquad F_{GH} = 1{,}372 \text{ kN } C$$

## PROBLÈMES SUPPLÉMENTAIRES

**6.40** Calculez l'effort dans les barres *CE* et *CF* de la ferme illustrée par la figure ci-contre.

**6.41** Calculez l'effort dans les barres *FG* et *FH* de la même ferme.

**6.42** Calculez l'effort dans les barres *DF* et *DE* de la structure illustrée ci-dessous.

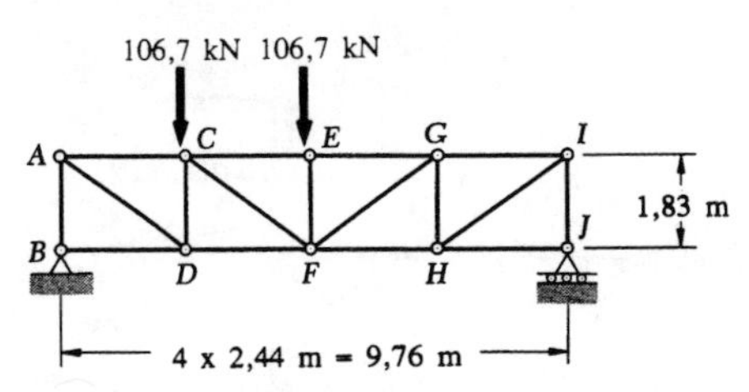


**Fig. P6.40 et P6.41**

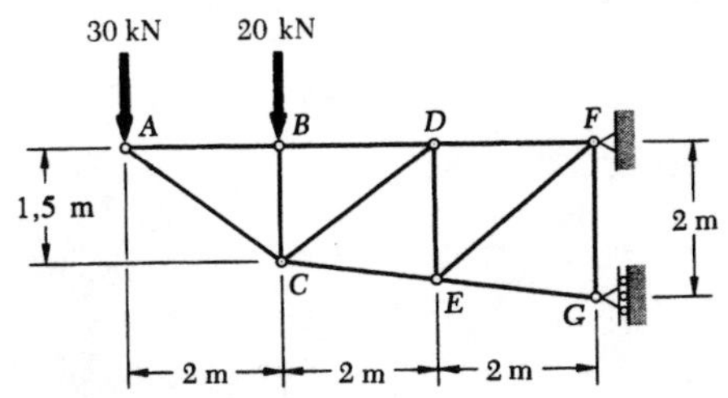


**Fig. P6.42 et P6.43**

**6.43** Calculez l'effort dans les barres *CD* et *CE* de la même structure.

**6.44** Calculez l'effort dans la barre *CD* de la ferme de toiture Fink représentée par la figure ci-contre.

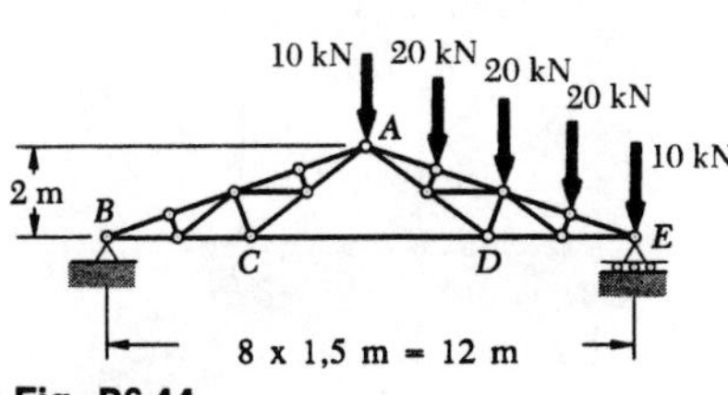


**Fig. P6.44**

**6.45** Calculez l'effort dans les barres *CE*, *CD* et *BD* du treillis illustré ci-contre.

**6.46** Calculez l'effort dans les barres *EG*, *EF* et *DF* du même treillis.

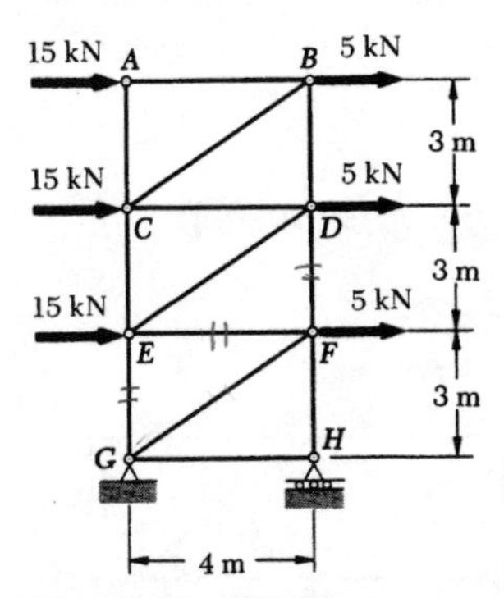


**Fig. P6.45 et P6.46**

**6.47** Calculez l'effort dans les barres *EF*, *FG* et *GI* de la structure représentée ci-dessous.

**6.48** Calculez l'effort dans les barres *CE*, *CD* et *CB* de la même structure.

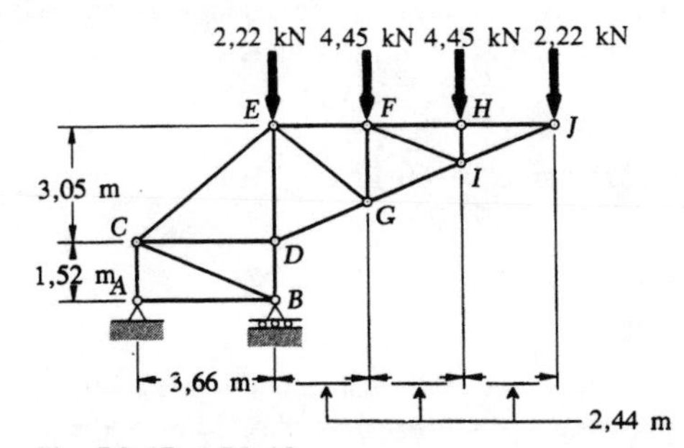


**Fig. P6.47 et P6.48**

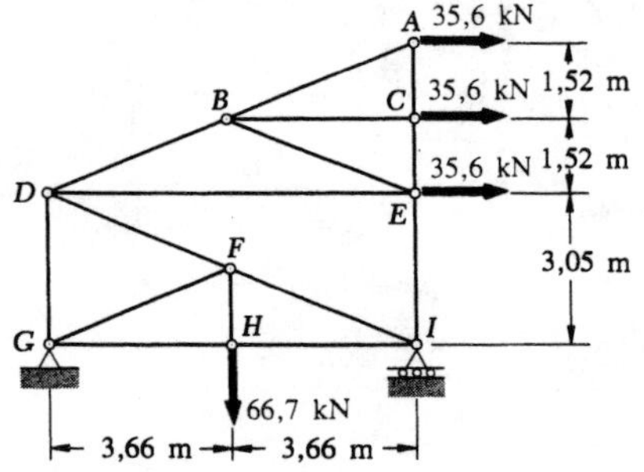

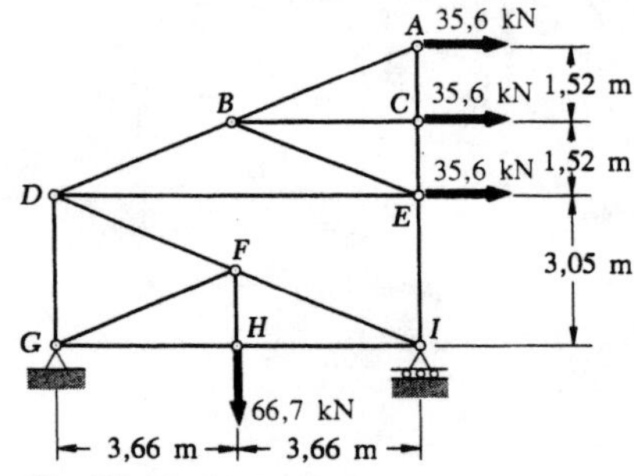
Fig. P6.49, P6.50, et P6.51

**6.49** Calculez l'effort dans les barres *BD* et *DE* du treillis représenté ci-contre.

**6.50** Calculez l'effort dans les barres *DF* et *DG* du même treillis.

**6.51** Calculez l'effort dans les barres *BE* et *DE* du même treillis.

**6.52** Calculez l'effort dans les barres *AB* et *KL* du treillis représenté ci-dessous. (Utilisez la coupe *a-a*.)

**6.53** Résolvez le probl. 6.52 en supposant que **P** = 0 et qu'une charge verticale **Q** est appliquée au noeud *B*.

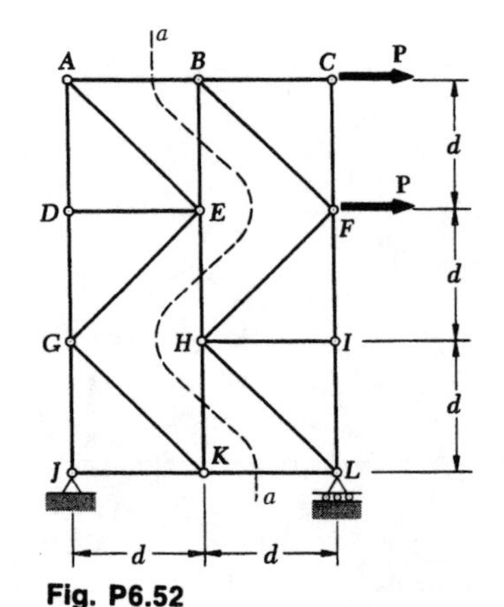

Fig. P6.52

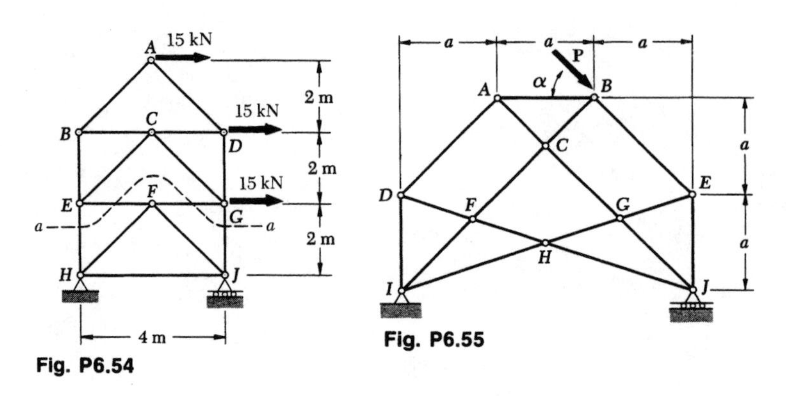

Fig. P6.54

Fig. P6.55

**6.54** Calculez l'effort dans la barre *GJ* du treillis représenté ci-haut. (Utilisez la coupe *a-a*.)

**6.55** Calculez l'effort dans les barres *AB* et *EJ* du treillis représenté ci-haut, si $\alpha = 0°$. (Utilisez la partie *IBE* comme corps isolé et appliquez aux noeuds *C*, *F*, *G* et *H* les résultats obtenus à la section 6.5.)

**6.56** Résolvez le probl. 6.55 en supposant que $\alpha = 90°$.

**6.57** Les barres diagonales du panneau central d'une ferme en treillis sont très élancées et résistent très mal aux efforts de compression†; de telles barres sont appelées *entretoises*. Calculez l'effort dans les barres *BD* et *CE* et la tension dans l'entretoise sollicitée par cette mise en charge.

Fig. P6.57

**6.58** Résolvez le probl. 6.57 si on enlève la charge de 60 kN.

† Les pièces *élancées*, chargées en compression par certaines forces axiales critiques, sont susceptibles d'entrer en *flambage*, phénomène qui consiste en une *flexion subite* de la pièce. Cette question sera traitée dans le cours de mécanique des matériaux. (N.T.)

**6.59** Calculez l'effort dans les barres *BE* et *CG* et dans l'entretoise sollicitée par la mise en charge illustrée par la figure ci-contre.

**6.60** Résolvez le probl. 6.59 en supposant que la charge de 66,7 kN a été enlevée.

***6.61 à 6.64** Classifiez les treillis représentés ci-dessous suivant leurs liaisons en : complètement liées, incomplètement liées ou encore incorrectement liées. Si elles sont complètement liées, identifiez celles qui sont statiquement indéterminées et celles qui sont statiquement déterminées. (Toutes les barres peuvent être comprimées ou tendues.)

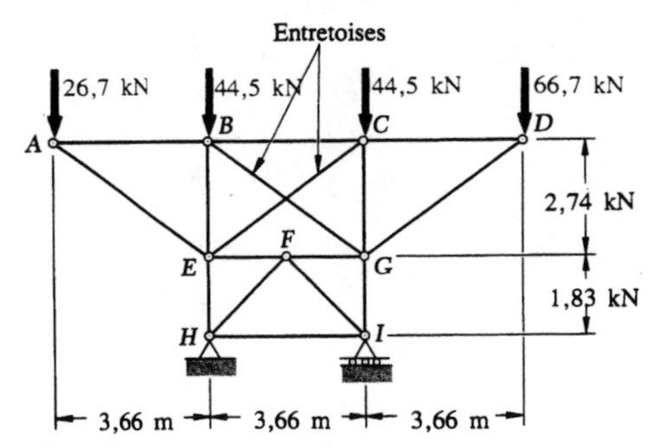

Fig. P6.59

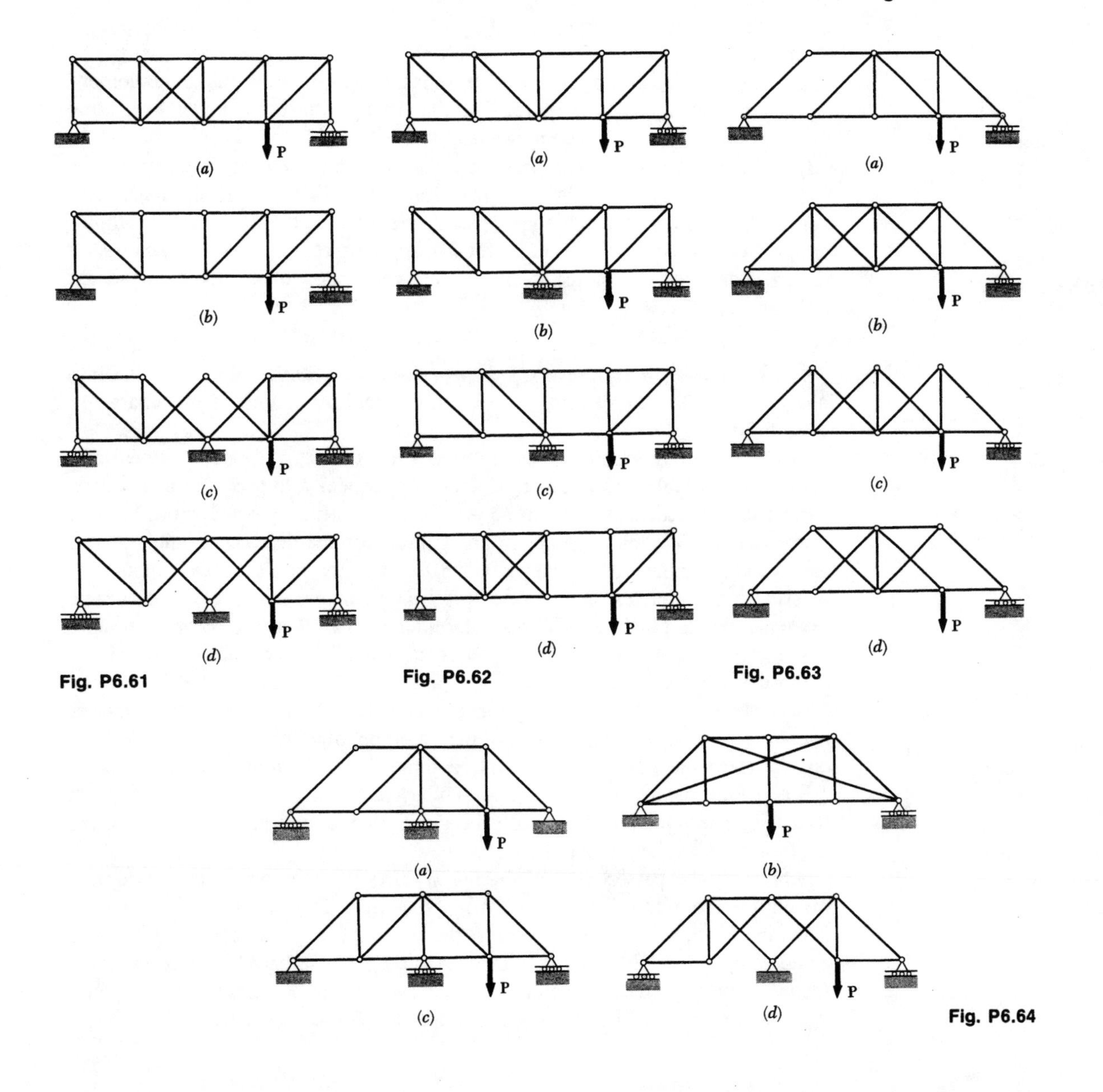

Fig. P6.61

Fig. P6.62

Fig. P6.63

Fig. P6.64

## STRUCTURES ET MÉCANISMES

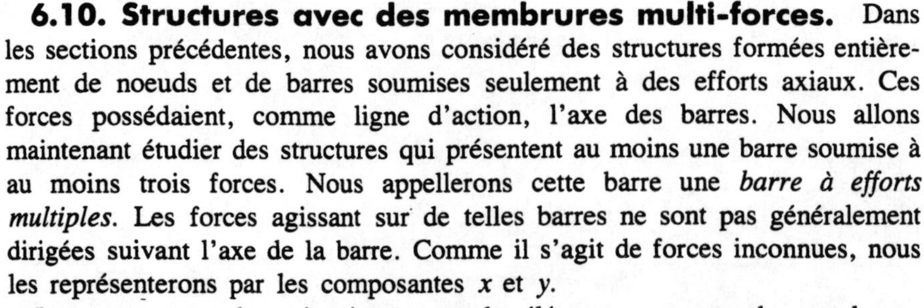

**6.10. Structures avec des membrures multi-forces.** Dans les sections précédentes, nous avons considéré des structures formées entièrement de noeuds et de barres soumises seulement à des efforts axiaux. Ces forces possédaient, comme ligne d'action, l'axe des barres. Nous allons maintenant étudier des structures qui présentent au moins une barre soumise à au moins trois forces. Nous appellerons cette barre une *barre à efforts multiples*. Les forces agissant sur de telles barres ne sont pas généralement dirigées suivant l'axe de la barre. Comme il s'agit de forces inconnues, nous les représenterons par les composantes $x$ et $y$.

Les structures et les mécanismes sont des éléments contenant des membrures à efforts multiples. Les structures (ossatures métalliques, bâtis de machines) conçues pour supporter des charges sont généralement immobiles et complètement liées. Les mécanismes, quant à eux, sont conçus pour transmettre et modifier des forces; qu'ils soient ou non en mouvement, ils contiendront toujours des pièces mobiles.

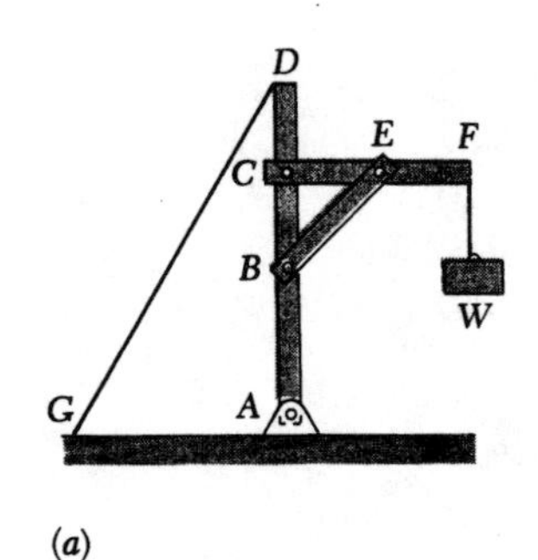


(*a*)

**6.11 Étude d'une ossature.** Comme premier exemple, étudions la structure de la grue décrite à la section 6.1, qui est soumise à une charge $W$ (Fig. 6.20*a*).

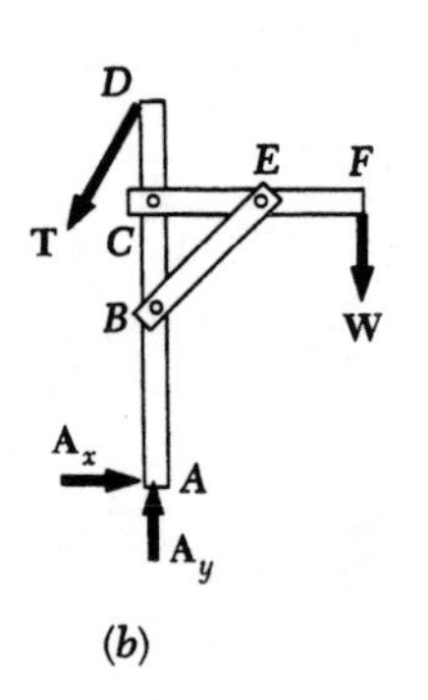


(*b*)

Le schéma de la grue isolée est montré à la fig. 6.20*b*. Ce schéma peut être utilisé pour calculer les forces extérieures appliquées à la grue. En annulant la somme des moments par rapport au point $A$, nous déterminons d'abord la force $\mathbf{T}$ exercée par le câble; ensuite en annulant la somme des composantes $x$ et $y$, nous pouvons connaître les composantes $\mathbf{A}_x$ et $\mathbf{A}_y$ de la réaction à l'appui $A$.

Afin de calculer les forces internes qui maintiennent ensemble les différents éléments de la grue, nous devons commencer par la démembrer et ensuite dessiner les schémas de chaque élément isolé (Fig. 6.20*c*). Considérons d'abord les barres soumises aux efforts axiaux seuls : la membrure $BE$ est une de ces barres. Les forces appliquées à chaque extrémité de cette barre ont par conséquent la même grandeur, la même ligne d'action, mais sont de sens opposé (Section 3.16). Elles auront, comme ligne d'action, l'axe de la barre $BE$ et seront appelées $\mathbf{F}_{BE}$ et $\mathbf{F}'_{BE}$. Nous leur attribuons arbitrairement un sens : celui indiqué à la fig. 6.20*a*. Le signe obtenu lors du calcul de la valeur de $F_{BE}$ nous indiquera son sens réel.

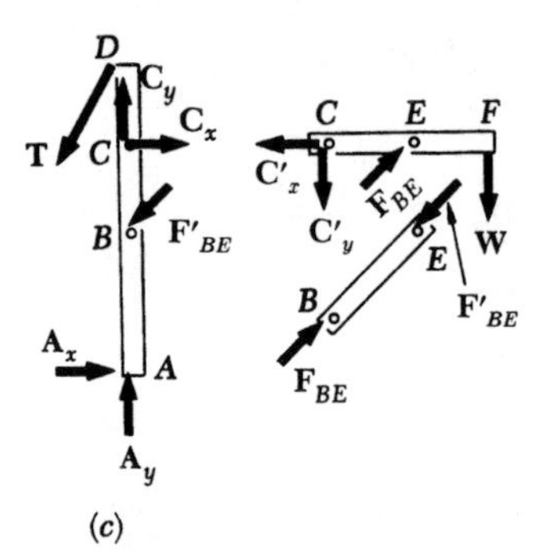


(*c*)

**Fig. 6.20**

Après, nous passerons aux barres à efforts multiples, c'est-à-dire aux membrures soumises à trois forces ou plus. Suivant le troisième principe de Newton, la force exercée au point $B$ de la barre $AD$ par la barre $BE$ doit être égale et opposée à la force $\mathbf{F}_{BE}$ exercée sur $BE$ par la barre $AD$. De la même façon la force exercée au point $E$ de la barre $CF$ par le croisillon $BE$ doit être égale et opposée à la force $\mathbf{F}'_{BE}$ exercée sur $BE$ par la barre $CF$.

Les forces que la barre à effort axial $BE$ exerce sur les barres $AD$ et $CF$ sont donc respectivement égales à $\mathbf{F}'_{BE}$ et $\mathbf{F}_{BE}$; elles ont la même grandeur $F_{BE}$ et des sens opposés et doivent être dirigées comme il est indiqué dans la fig. 6.20*c*.

Passons maintenant aux deux barres à efforts multiples attachées en $C$. Comme dans ce cas on ne connaît ni la grandeur ni la direction des forces agissant en $C$, nous allons les représenter par leurs composantes $x$ et $y$. Les composantes $\mathbf{C}_x$ et $\mathbf{C}_y$ de la force agissant sur la barre $AD$ seront arbitrairement dirigées vers la droite et vers le haut. Puisque, suivant le troisième principe, les forces exercées par la barre $CF$ sur la barre $AD$ et par la barre $AD$ sur la barre $CF$ sont égales et opposées, les composantes $\mathbf{C}'_x$ et $\mathbf{C}'_y$ de la force appliquée sur la barre $CF$ doivent être dirigées vers la gauche et vers le bas. Le sens réel des composantes $\mathbf{C}'_x$et $\mathbf{C}'_y$ sera déterminé plus tard par le signe de leur valeur commune $C_x$: un signe positif indiquant que le sens arbitraire choisi est correct, une signe négatif indiquant le contraire.

Les schémas relatifs aux barres à efforts multiples seront complétés en traçant les forces extérieures appliquées en $A$, $D$ et $F$.†

Les forces internes peuvent maintenant être déterminées par le schéma d'une de ces barres. En choisissant le barre $CF$, par exemple, nous pouvons écrire le système d'équations $\Sigma M_C = 0$, $\Sigma M_E = 0$ et $\Sigma F_x = 0$ dont la solution nous donne les valeurs des grandeurs $F_{BE}$, $C_y$ et $C_x$ que nous cherchons. Ces valeurs peuvent être confirmées en vérifiant l'équilibre de la barre $AD$.

Remarquons que les schémas des noeuds isolés ne sont pas tracés à la fig. 6.20*c* parce que ces noeuds sont maintenant considérés comme appartenant à l'une ou l'autre des barres qu'ils relient. Cette hypothèse peut toujours servir pour simplifier l'étude des structures à barres à efforts multiples. Lorsqu'un noeud relie deux barres à un appui ou lorsqu'une charge est appliquée à un noeud, nous devons indiquer clairement la pièce à laquelle le noeud *est sensé* appartenir. (Dans le cas de la présence de barres à efforts multiples, *c'est à ces barres* que le noeud appartiendra.) Les différentes forces qui s'appliquent à un noeud doivent ensuite être parfaitement identifiées. Ceci est illustré par le problème résolu 6.7.

† L'usage du signe ′(prime) pour distinguer une barre d'une autre et, par conséquent, les forces égales et opposées que ces barres exercent mutuellement l'une sur l'autre, n'est pas strictement nécessaire puisque ces forces appartiennent à des schémas différents et ne peuvent pas être confondues. Dans les problèmes résolus, nous représenterons ces forces par le même symbole.

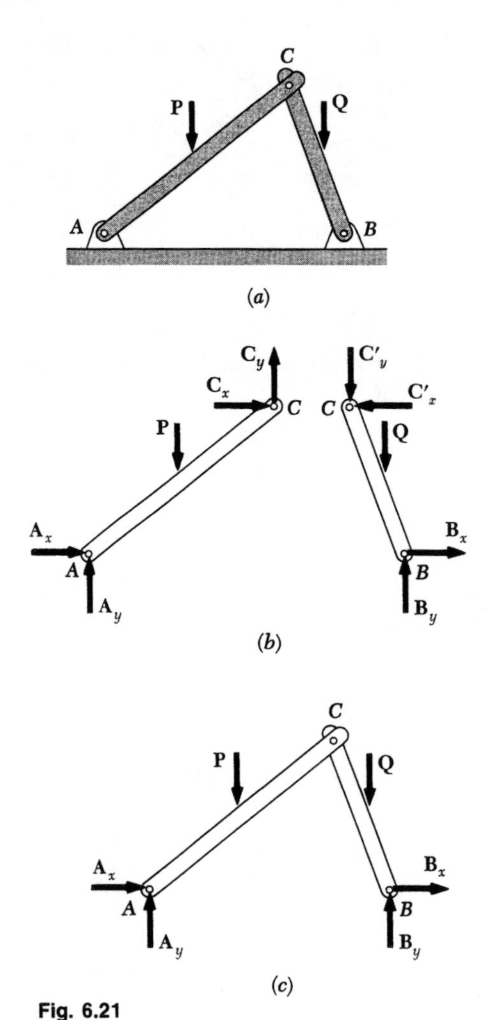


Fig. 6.21

**6.12. Structures qui deviennent hyporigides lorsqu'on les détache de leurs appuis.** La grue étudiée à la section 6.11 était conçue de façon à maintenir sa forme initiale sans l'aide des appuis : nous l'avons définie comme un corps rigide. Beaucoup de structures, cependant, s'effondrent lorsqu'on les détache de leurs appuis; ces structures ne peuvent pas être considérées comme des ensembles rigides. Considérons, par exemple, (Fig. 6.21*a*) la structure formée par deux barres $AC$ et $CB$ chargées par les forces **P** et **Q** en leur point milieu; ces barres sont appuyées sur les rotules $A$ et $B$ et sont reliées entre elles par le noeud $C$. Lorsqu'on détache la structure de ses appuis, elle perd sa forme initiale; cependant elle peut être considérée comme formée de deux parties rigides $AC$ et $CB$.

Les équations $\Sigma F_x = 0$, $\Sigma F_y = 0$, $\Sigma M = 0$ (calculées par rapport à un point donné) expriment les conditions d'équilibre d'un corps rigide (Chap. 3). Nous allons les utiliser, cependant, en relation avec les schémas des éléments isolés, plus spécifiquement ceux en relation avec les barres $AC$ et $CB$ (Fig. 6.21*b*). Comme ces barres sont des barres à efforts multiples et comme les appuis et les liaisons sont des rotules planes, les réactions en $A$ et $B$ ainsi que les forces appliquées au point $C$ seront représentées par leurs composantes $x$ et $y$. En accord avec le troisième principe de Newton, les composantes $\mathbf{C}_x$ et $\mathbf{C}_y$ de la force exercée par la barre $CB$ sur la barre $AC$ et les composantes $\mathbf{C}'_x$ et $\mathbf{C}'_y$ de la force exercée par $AC$ sur la barre $CB$ seront représentées par des vecteurs de même grandeur mais de sens opposés. Nous notons que quatre composantes de forces inconnues agissent sur le corps isolé $AC$, tandis que nous disposons de seulement trois équations indépendantes pour exprimer l'équilibre; de la même façon, quatre inconnues mais seulement trois équations sont associées à la barre $CB$. Cependant, nous avons seulement six inconnues à déterminer ainsi que six équations d'équilibre si nous considérons l'ensemble des deux barres. En écrivant $\Sigma M_A = 0$ pour la barre $AC$ isolée et $\Sigma M_B = 0$ pour la barre $CB$, nous obtenons simultanément deux équations qui peuvent être résolues pour la valeur commune $C_x$ des composantes $\mathbf{C}'_x$ et $\mathbf{C}_x$ et pour la valeur commune $C_y$ des composantes $\mathbf{C}_y$ et $\mathbf{C}'_y$. En écrivant $\Sigma F_x = 0$ et $\Sigma F_y = 0$ pour chacune des deux barres isolées, nous obtenons successivement les grandeurs $A_x$, $A_y$, $B_x$ et $B_y$.

Nous pouvons observer maintenant que les équations d'équilibre $\Sigma F_x = 0$, $\Sigma F_y = 0$ et $\Sigma M = 0$ (par rapport à un point quelconque) sont satisfaites pour les forces appliquées à la barre isolée $AC$ ainsi que pour celles appliquées sur l'autre barre $CB$; alors elles doivent aussi être vérifiées lorsque les forces agissent simultanément sur les deux barres. D'autre part, comme les forces intérieures au point $C$ s'annulent mutuellement, nous constatons que les équations d'équilibre doivent être satisfaites par les forces extérieures tracées dans le schéma de la structure isolée $ACB$ (Fig. 6.21*c*) même si elle n'est pas un corps rigide.

Ces équations peuvent être utilisées pour déterminer certaines composantes des réactions en $A$ et $B$. Nous pouvons noter, cependant, que les *réactions ne peuvent pas être complètement déterminées à partir du schéma du corps isolé de la structure complète*. Il est donc nécessaire de séparer celle-ci en différentes parties et de considérer les schémas pour chacune des parties ainsi isolées (Fig. 6.21*b*), même si nous sommes intéressés seulement à connaître les réactions extérieures. Ceci peut s'expliquer par le fait que les équations d'équilibre obtenues à partir du corps isolé *ACB* sont des *conditions nécessaires* d'équilibre d'une structure non rigide *mais ne sont pas des conditions suffisantes*.

La méthode de solution exposée dans le deuxième paragraphe fait appel à des équations simultanées. Nous allons maintenant exposer une méthode plus simple qui utilise non seulement le corps isolé *ACB*, mais aussi les barres isolées *AC* et *CB*. En écrivant $\Sigma M_A = 0$ et $\Sigma M_B = 0$ pour la structure isolée *ACB*, nous pouvons calculer $B_y$ et $A_y$. En écrivant $\Sigma M_C = 0$ et $\Sigma F_x = 0$ et $\Sigma F_y = 0$ pour la barre isolée *AC*, nous calculons successivement $A_x$, $C_x$ et $C_y$. Finalement en écrivant $\Sigma F_x = 0$ pour la structure *ABC*, nous obtenons $B_x$.

Nous avons dit plus haut que l'étude de l'équilibre de la structure de la fig. 6.21 fait apparaître six composantes de forces inconnues ainsi que six équations indépendantes pour les calculer (les équations d'équilibre écrites pour la structure complète sont obtenues à partir des six équations originales et, par conséquent, ne sont pas indépendantes). Nous pouvons, du reste, vérifier que toutes les inconnues sont déterminées et toutes les équations satisfaites. La structure considérée est *statiquement déterminée et rigide*.† En général, pour déterminer si la structure est statiquement déterminée et rigide, nous allons dessiner un schéma pour chaque élément composant et compter les réactions et les forces mises en jeu. Nous compterons aussi le nombre d'équations d'équilibre indépendantes (en excluant les équations exprimant l'équilibre de la structure complète ou de groupes de composantes déjà étudiées). Si nous avons plus d'inconnues que d'équations, la structure est *statiquement indéterminée*. Si nous avons moins d'inconnues que d'équations, la structure est *hyporigide*. Si nous avons autant d'inconnues que d'équations et si *toutes les inconnues peuvent être déterminées et toutes les équations satisfaites*, sous les conditions de charge données, la structure est alors *statiquement déterminée et rigide*. Si cependant, dû à un *arrangement incorrect* des barres et des appuis, toutes les équations ne sont pas satisfaites, alors la structure est *statiquement indéterminée et hyporigide*.

† Le mot « rigide » est utilisé pour indiquer que la structure maintient sa configuration aussi longtemps qu'elle restera attachée à ses appuis.

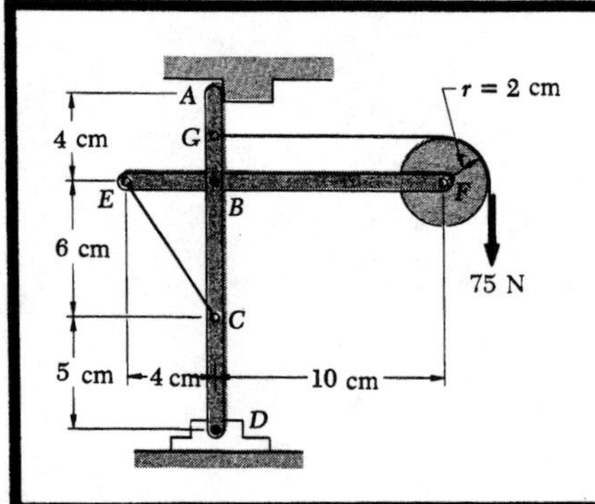


## PROBLÈME RÉSOLU 6.5

Dans la structure dessinée ci-contre, les membrures *EBF* et *ABCD* sont reliées par une rotule au point *B* et par un câble *EC*. Une charge de 75 N est attachée à un deuxième câble qui passe sur une poulie *F* et est fixée ensuite au point *G* de l'élément vertical. Calculez la tension dans le câble *EC* et les composantes de la réaction en *B*.

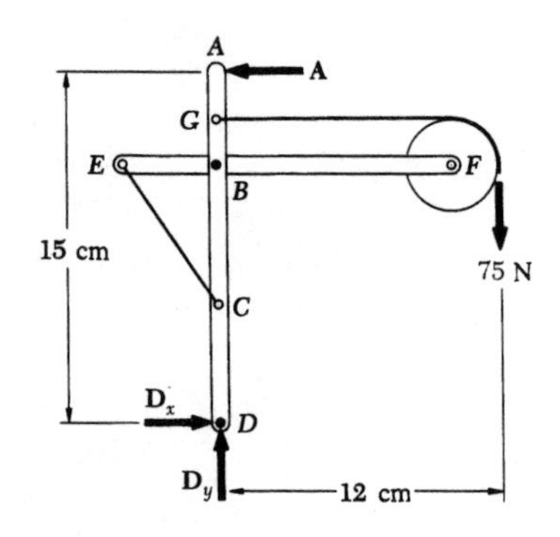


**Structure complète.** Les forces extérieures appliquées à la structure sont au nombre de trois : deux réactions d'appui et la force transmise par le câble. Construisons le schéma de la structure isolée et écrivons les équations d'équilibre.

$+\uparrow \Sigma F_y = 0$: $\quad D_y - 75 \text{ N} = 0$

$D_y = +75 \text{ N} \qquad \mathbf{D}_y = 75 \text{ N} \uparrow$

$+\circlearrowleft \Sigma M_D = 0$: $\quad -(75 \text{ N})(12 \text{ cm}) + A(15 \text{ cm}) = 0$

$A = +60 \text{ N} \qquad \mathbf{A} = 60 \text{ N} \leftarrow$

$\xrightarrow{+} \Sigma F_x = 0$: $\quad -60 \text{ N} + D_x = 0$

$D_x = +60 \text{ N} \qquad \mathbf{D}_x = 60 \text{ N} \rightarrow$

Puisque les valeurs trouvées sont toutes positives, les sens arbitraires des forces du schéma sont les sens réels : $\mathbf{D}_x$ est dirigée vers la droite, $\mathbf{D}_y$ vers le haut et $\mathbf{A}$ vers la gauche.

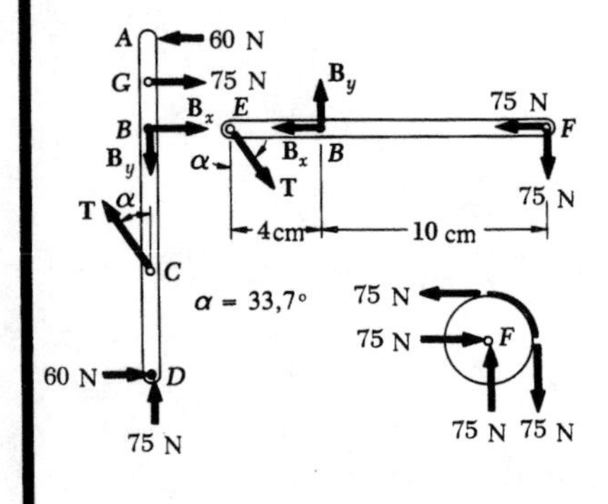


**Membrures.** Séparons les différents éléments de la structure et traçons leurs schémas respectifs. Commençons par le point *B* où seulement deux barres sont attachées; les composantes des forces inconnues agissant sur *EBF* et *ABCD* sont respectivement égales et opposées. Les forces exercées en *E* et *C* par le câble *EC* sont aussi égales et opposées et leur direction est connue (l'axe du câble et la traction). Du schéma de la poulie isolée, nous tirons que la force appliquée au point *F* par la poulie peut se décomposer suivant deux forces de 75 N. Nous voyons encore que le câble exerce une force de 75 N au point *G*.

**Membrure *EBF*.** Le schéma de la membrure isolée nous donne

$+\circlearrowleft \Sigma M_E = 0$: $\quad B_y(4 \text{ cm}) - (75 \text{ N})(14 \text{ cm}) = 0 \qquad B_y = +263 \text{ N}$ ◄

$+\circlearrowleft \Sigma M_B = 0$: $\quad (T \cos \alpha)(4 \text{ cm}) - (75 \text{ N})(10 \text{ cm}) = 0 \qquad T = +225 \text{ N}$ ◄

$\xrightarrow{+} \Sigma F_x = 0$: $\quad +T \sin \alpha - B_x - 75 \text{ N} = 0 \qquad B_x = +50{,}0 \text{ N}$ ◄

Puisque les valeurs obtenues sont positives, le sens des forces arbitrairement choisi pour tracer le schéma est le sens réel : les forces $\mathbf{B}_x$ et $\mathbf{B}_y$, qui agissent sur la membrure *ABCD*, sont dirigées respectivement vers la droite et vers le bas, tandis que les forces $\mathbf{B}_x$ et $\mathbf{B}_y$, égales et opposées aux précédentes, sont à fortiori dirigées respectivement vers la gauche et vers le haut.

**Membrure *ABCD* (Vérification).** Les calculs peuvent être vérifiés à partir du schéma de la membrure isolée. Par exemple,

$$\xrightarrow{+} \Sigma F_x = -60 \text{ N} + 75 \text{ N} + B_x - T \sin \alpha + 60 \text{ N}$$
$$= -60 \text{ N} + 75 \text{ N} + 50 \text{ N} - (225 \text{ N}) \sin 33{,}7° + 60 \text{ N} = 0 \quad \text{(Vérification)}$$

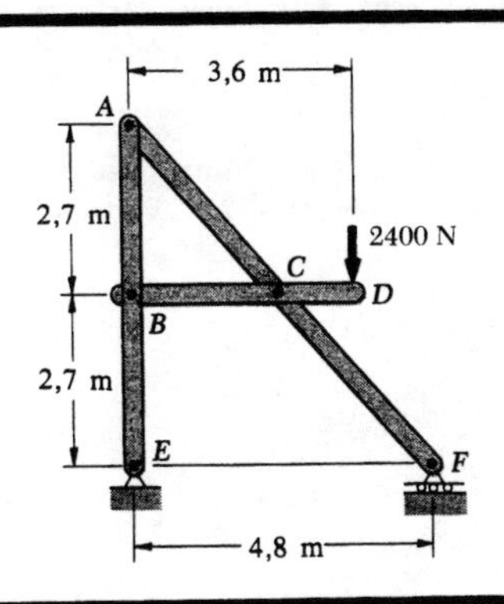


## PROBLÈME RÉSOLU 6.6

Déterminez les composantes des forces appliquées à chaque élément de la structure.

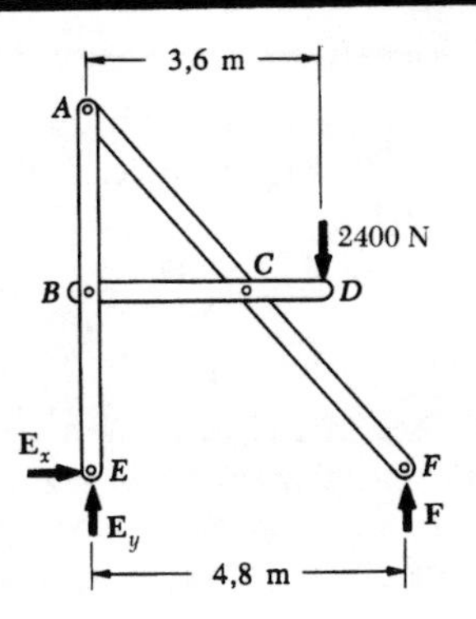


**Structure complète.** Les forces extérieures appliquées à la structure sont au nombre de trois. Pour calculer ces forces inconnues, considérons le schéma de l'armature isolée.

$+\circlearrowleft \Sigma M_E = 0$: $\quad -(2400 \text{ N})(3{,}6 \text{ m}) + F(4{,}8 \text{ m}) = 0$

$F = +\ 1800 \text{ N}$ $\qquad$ $\mathbf{F} = 1800 \text{ N} \uparrow$ ◄

$+\uparrow \Sigma F_y = 0$: $\quad -2400 \text{ N} + 1800 \text{ N} + E_y = 0$

$E_y = +\ 600 \text{ N}$ $\qquad$ $\mathbf{E}_y = 600 \text{ N} \uparrow$ ◄

$\xrightarrow{+} \Sigma F_x = 0$: $\qquad$ $\mathbf{E}_x = 0$ ◄

On sépare les différents éléments de la structure, chaque noeud ne comportant que deux membrures. Les composantes $y$ sont égales et opposées, comme il est indiqué sur les schémas.

**Membrure *BCD***

$+\circlearrowleft \Sigma M_B = 0$: $\quad -(2400 \text{ N})(3{,}6 \text{ m}) + C_y(2{,}4 \text{ m}) = 0$ $\qquad$ $C_y = +3600 \text{ N}$ ◄

$+\circlearrowleft \Sigma M_C = 0$: $\quad -(2400 \text{ N})(1{,}2 \text{ m}) + B_y(2{,}4 \text{ m}) = 0$ $\qquad$ $B_y = +1200 \text{ N}$ ◄

$\xrightarrow{+} \Sigma F_x = 0$: $\quad -B_x + C_x = 0$

Notons que ni $B_x$, ni $C_x$, ne peuvent s'obtenir en considérant l'élément *BCD* seulement. Les valeurs positives obtenues pour $B_y$ et $C_y$ nous indiquent que les composantes $\mathbf{B}_y$ et $\mathbf{C}_y$ ont été considérées avec le sens correct.

**Membrure *ABE***

$+\circlearrowleft \Sigma M_A = 0$: $\quad B_x(2{,}7 \text{ m}) = 0$ $\qquad$ $B_x = 0$ ◄

$\xrightarrow{+} \Sigma F_x = 0$: $\quad +B_x - A_x = 0$ $\qquad$ $A_x = 0$ ◄

$+\uparrow \Sigma F_y = 0$: $\quad -A_y + B_y + 600 \text{ N} = 0$

$-A_y + 1200 \text{ N} + 600 \text{ N} = 0$ $\qquad$ $A_y = +1800 \text{ N}$ ◄

**Membrure *BCD*.** Si on retourne à la membrure *BCD*, nous écrirons

$\xrightarrow{+} \Sigma F_x = 0$: $\quad -B_x + C_x = 0 \qquad 0 + C_x = 0$ $\qquad$ $C_x = 0$ ◄

**Membrure *ACF* (Vérification).** Toutes les composantes inconnues sont maintenant calculées; pour vérifier les résultats, nous écrirons (élément *ACF* en équilibre)

$$+\circlearrowleft \Sigma M_C = (1800 \text{ N})(2{,}4 \text{ m}) - A_y(2{,}4 \text{ m}) - A_x(2{,}7 \text{ m})$$
$$= (1800 \text{ N})(2{,}4 \text{ m}) - (1800 \text{ N})(2{,}4 \text{ m}) - 0 = 0 \qquad \text{(Vérification)}$$

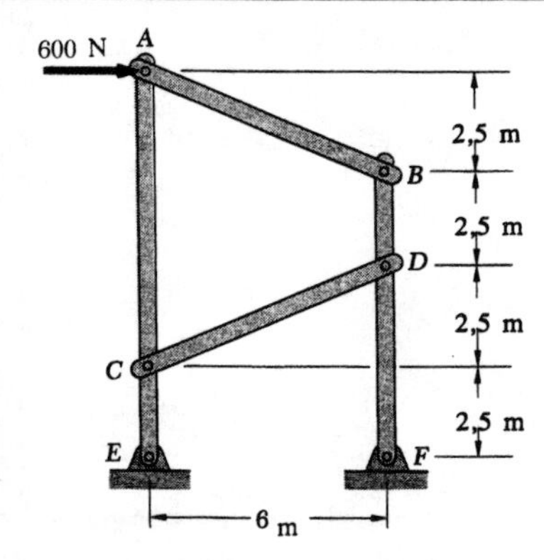


## PROBLÈME RÉSOLU 6.7

Une force horizontale de 600 N est appliquée au noeud $A$ de la structure. Calculez les forces qui agissent sur les membrures verticales de la structure.

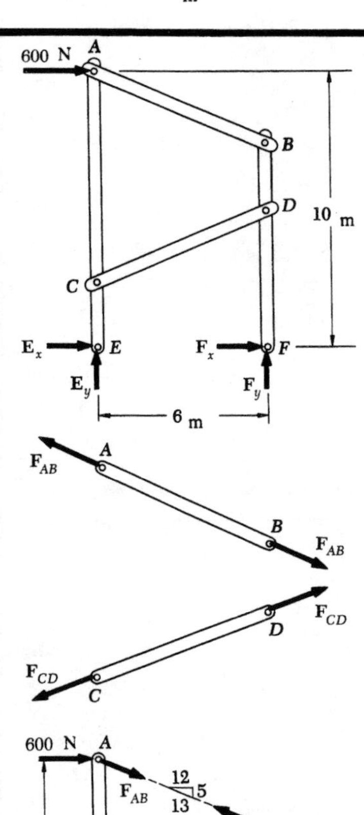


**Structure complète.** Considérons la structure comme un corps isolé et traçons le schéma correspondant. Les inconnues $\mathbf{E}_y$ et $\mathbf{F}_y$ peuvent se déterminer en écrivant

$+\circlearrowleft \Sigma M_E = 0$: $\quad -(600 \text{ N})(10 \text{ m}) + F_y(6 \text{ m}) = 0$

$F_y = +1000 \text{ N}$ $\qquad \mathbf{F}_y = 1000 \text{ N} \uparrow$ ◄

$+\uparrow \Sigma F_y = 0$: $\quad E_y + F_y = 0$

$E_y = -1000 \text{ N}$ $\qquad \mathbf{E}_y = 1000 \text{ N} \downarrow$ ◄

Les équations d'équilibre de la structure complète ne sont pas suffisantes pour calculer $\mathbf{E}_x$ et $\mathbf{F}_x$. L'équilibre des différents membres doit être considéré pour pouvoir finir les calculs. On sépare les éléments de la structure et on suppose que la rotule $A$ appartient à la membrure $ACE$, c'est-à-dire que la force de 600 N est appliquée à cet élément. Notons que les membrures $AB$ et $CD$ sont à efforts axiaux.

**Membrure *ACE***

$+\uparrow \Sigma F_y = 0$: $\quad -\frac{5}{13}F_{AB} + \frac{5}{13}F_{CD} - 1000 \text{ N} = 0$

$+\circlearrowleft \Sigma M_E = 0$: $\quad -(600 \text{ N})(10 \text{ m}) - (\frac{12}{13}F_{AB})(10 \text{ m}) - (\frac{12}{13}F_{CD})(2{,}5 \text{ m}) = 0$

Si on résout ce système d'équations on obtient

$$F_{AB} = -1040 \text{ N} \qquad F_{CD} = +1560 \text{ N}$$ ◄

Les signes obtenus indiquent que le sens arbitraire imposé à $F_{CD}$ est correct, tandis que celui de $F_{AB}$ est incorrect. L'équilibre suivant $x$ nous donne :

$\xrightarrow{+} \Sigma F_x = 0$: $\quad 600 \text{ N} + \frac{12}{13}(-1040 \text{ N}) + \frac{12}{13}(+1560 \text{ N}) + E_x = 0$

$E_x = -1080 \text{ N}$ $\qquad \mathbf{E}_x = 1080 \text{ N} \leftarrow$ ◄

**Structure complète.** Puisque $\mathbf{E}_x$ est maintenant connu, nous pouvons retourner au schéma de la structure isolée et écrire

$\xrightarrow{+} \Sigma F_x = 0$: $\quad 600 \text{ N} - 1080 \text{ N} + F_x = 0$

$F_x = +480 \text{ N}$ $\qquad \mathbf{F}_x = 480 \text{ N} \rightarrow$ ◄

**Membrure *BDF* (Vérification).** Nous pouvons vérifier nos calculs par l'équation $\Sigma M_B = 0$ qui doit être satisfaite par les forces appliquées à la membrure $BDF$.

$$+\circlearrowleft \Sigma M_B = -(\tfrac{12}{13}F_{CD})(2{,}5 \text{ m}) + (F_x)(7{,}5 \text{ m})$$
$$= -\tfrac{12}{13}(1560 \text{ N})(2{,}5 \text{ m}) + (480 \text{ N})(7{,}5 \text{ m})$$
$$= -3600 \text{ N}\cdot\text{m} + 3600 \text{ N}\cdot\text{m} = 0$$

(Vérification)

## PROBLÈMES SUPPLÉMENTAIRES

**6.65 et 6.66** Calculez l'effort appliqué à la barre $BD$ et les composantes de la réaction à l'appui $C$.

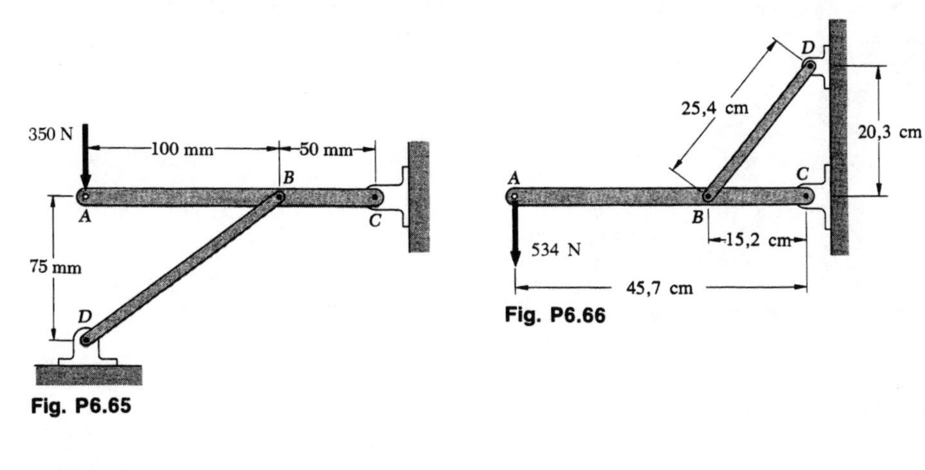


Fig. P6.65

Fig. P6.66

**6.67** Calculez les composantes de toutes les forces appliquées à la membrure $AE$ de la structure.

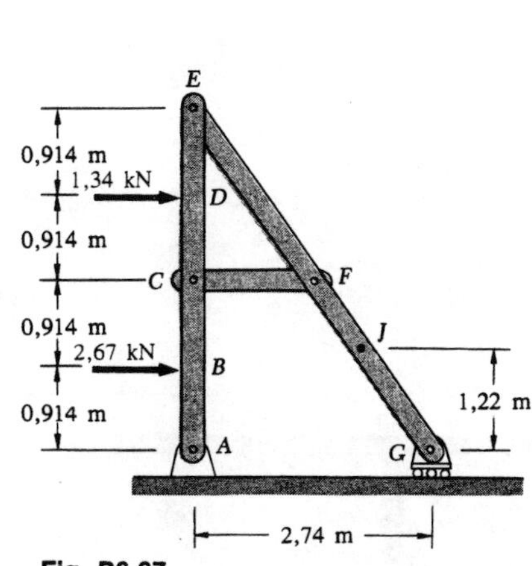


Fig. P6.67

**6.68** Calculez les composantes de toutes les forces appliquées à la membrure $ABCD$ de l'ensemble.

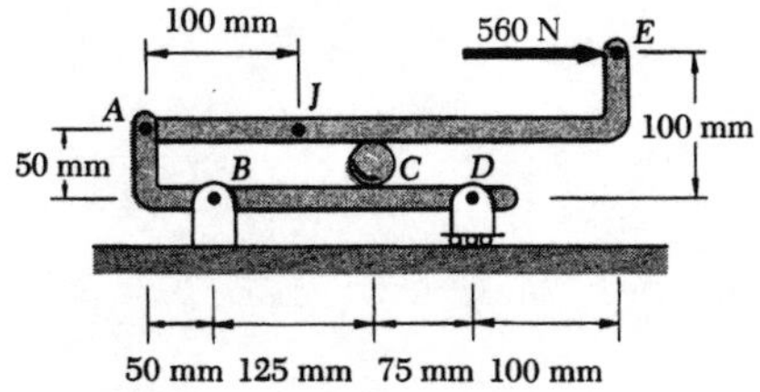


Fig. P6.68

**6.69** Résolvez le probl. 6.68 en supposant que la force de 560 N, appliquée au point $E$, est dirigée verticalement vers le bas.

**6.70** Un homme de 624 N se tient debout au point $C$ d'un escabeau. La moitié du poids de l'homme est transmise à la patte gauche de l'escabeau. Calculez les composantes de la force exercée au point $E$ de la patte $BE$, en supposant que les bases des pattes ne sont pas parallèles au sol et que le contact se fait uniquement aux point $A$ et $B$. Négligez le poids de l'escabeau et supposez que le contact avec le sol se fait sans frottement.

**6.71** Le contact avec le sol, dans le problème précédent, peut se faire de quatre manières : en $A$ et $B$, en $A$ et $B'$, en $A'$ et $B$ et en $A'$ et $B'$. Déterminez : *a*) pour quelle combinaison d'appuis la force dans la barre $FG$ est maximale, *b*) la valeur correspondante de la force agissant sur $FG$.

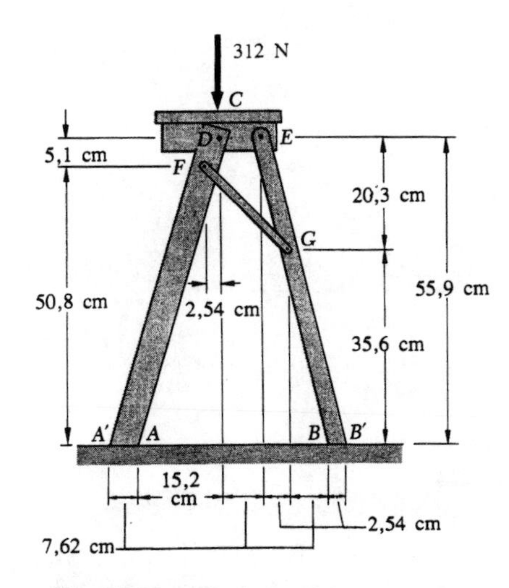


Fig. P6.70

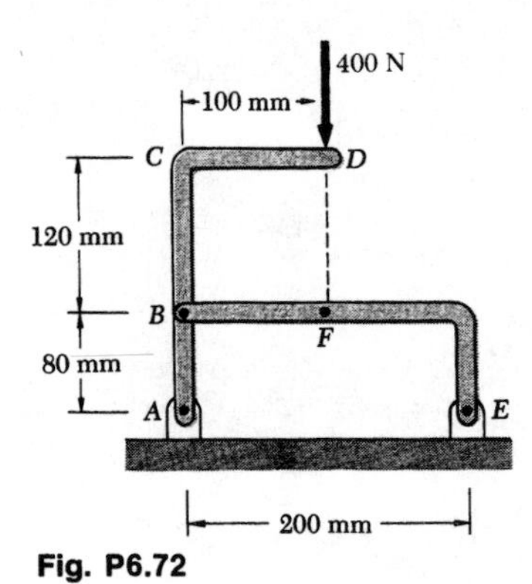

**Fig. P6.72**

**6.72** Calculez les composantes de la force qui s'exerce au point $B$ de la membrure $BE$ : *a*) si une charge de 400 N est appliquée de la façon indiquée, *b*) si la force de 400 N glissant le long de sa ligne d'action est appliquée au point $F$.

**6.73** Calculez les efforts dans la membrure $AB$ si on applique un couple négatif de moment 6 N·m : *a*) au point $D$, *b*) au point $E$. *c*) Déterminez les forces exercées sur la membrure $AB$ si la structure est chargée par des forces verticales, appliquées au point $D$ et $E$, qui sont équivalentes au couple appliqué.

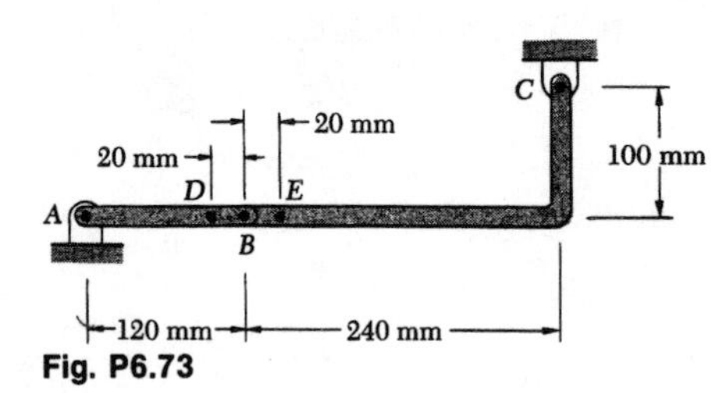

**Fig. P6.73**

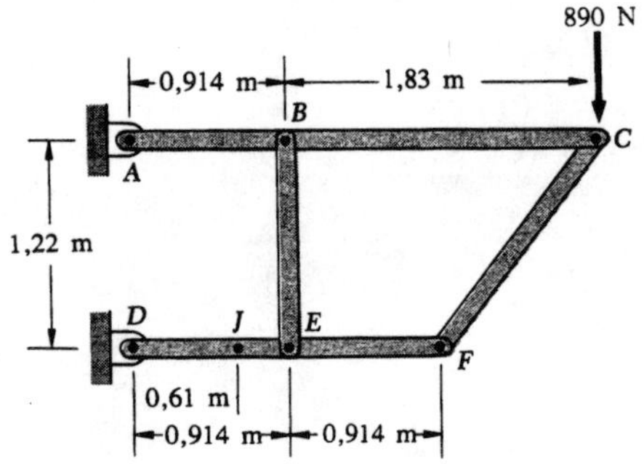

**Fig. P6.74**

**6.74** Calculez les composantes de toutes les forces agissant sur la membrure de la structure.

**6.75** Calculez les réactions aux appuis $E$ et $F$ et la force exercée à la rotule $C$ de la structure.

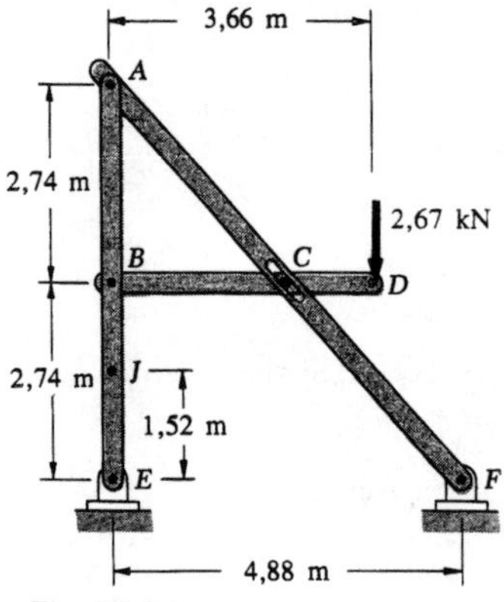

**Fig. P6.75**

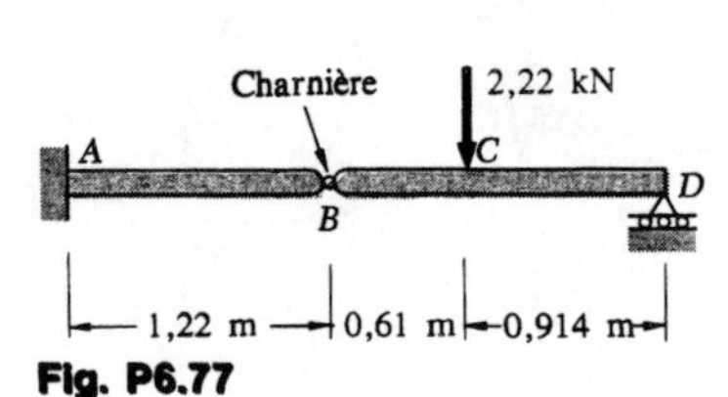

**Fig. P6.77**

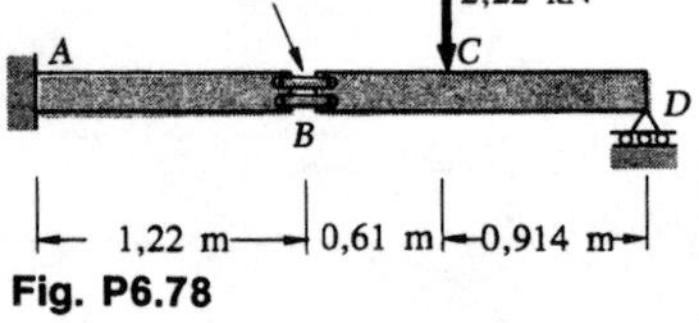

**Fig. P6.78**

**6.76** Calculez les réactions aux appuis $E$ et $F$ et la force exercée sur le pivot $C$ de la structure du probl. 6.75, en supposant qu'il est attaché à la membrure $ACF$ et qu'il peut glisser horizontalement le long d'une glissière faite sur la membrure $BD$.

**6.77 et 6.78** Calculez les réactions aux appuis des poutres dessinées ci-contre.

**6.79** Un cylindre de diamètre 0,91 m et de poids 2224 N est appuyé de la façon indiquée à la figure ci-contre. En supposant que $\alpha = 30°$, calculez toutes les forces qui sont appliquées à la barre $AB$. Les contacts se font sans frottement.

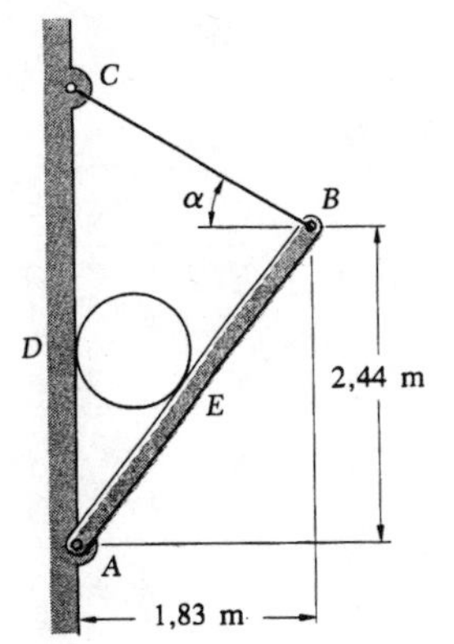


Fig. P6.79

**6.80** Calculez : $a$) l'angle avec lequel le câble du probl. 6.79 doit être attaché de façon à ce que la réaction à l'appui $A$ soit horizontale, $b$) les valeurs des réactions en $A$ et $B$ correspondantes.

**6.81** Calculez les réactions aux appuis $A$ et $F$ de l'ensemble tubulaire dessiné ci-contre si une charge de 360 N est appliquée horizontalement au point $B$.

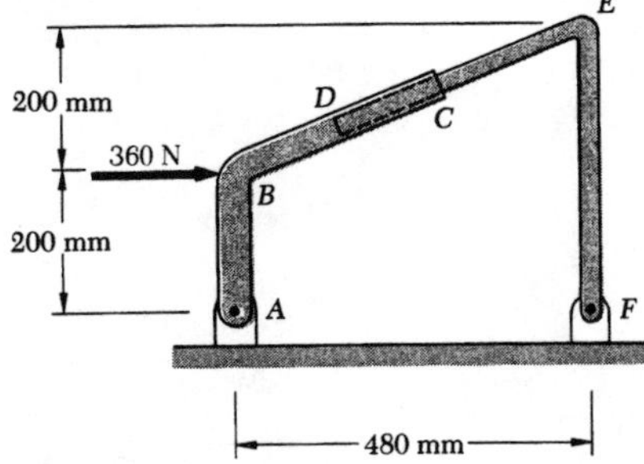


Fig. P6.81

**6.82** Une racleuse est composée d'un tracteur et d'une boîte reliés par un axe vertical placé à 610 mm en arrière de l'axe des roues du tracteur. La hauteur $CD$ de l'axe est de 762 mm. Le centre de gravité du tracteur, qui pèse 71,2 kN, se trouve au point $G_t$. Le poids de la boîte et son chargement est de 373,6 kN et le centre de gravité de l'ensemble se trouve au point $G_s$. Sachant que la racleuse est à l'arrêt, freins relâchés, déterminez : $a$) la réaction à chacune des quatre roues, $b$) les forces qui s'exercent sur le tracteur aux point $C$ et $D$.

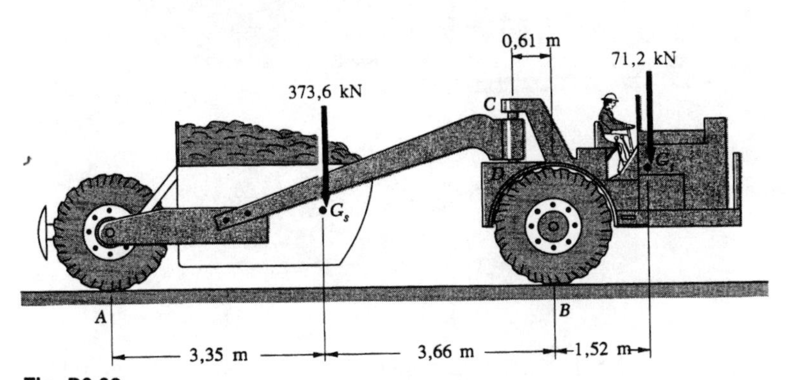


Fig. P6.82

**6.83** Une remorque de 12 240 N est tirée par une voiture de 14 240 N par l'intermédiaire d'une attache $D$ de type à rotule sphérique. Calculez : $a$) les réactions à chacune des six roues lorsque l'ensemble est à l'arrêt, $b$) le poids additionnel, sur chaque roue de l'automobile, introduit par la remorque.

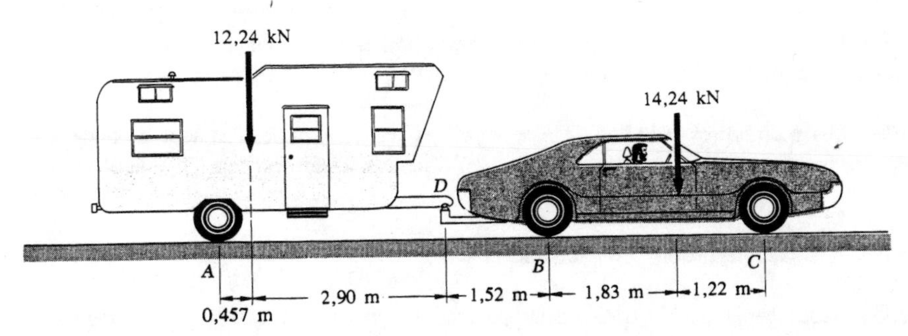


Fig. P6.83

**6.84** Afin d'obtenir une meilleure distribution de la charge sur les quatre roues de l'automobile du problème précédent, on a installé le système d'accrochage dessiné à la figure ci-contre. Ce système est composé de deux barres formant ressort (une seule est représentée) dont l'une des extrémités est reliée rigidement au châssis de l'automobile. Les ressorts sont aussi reliés par des chaînes au châssis de la remorque où des crochets sont conçus de façon à soumettre ces deux chaînes à une tension *T*. Résolvez le probl. 6.83 en supposant que ce système est installé et que la tension *T* dans chaque chaîne est de 1960 N.

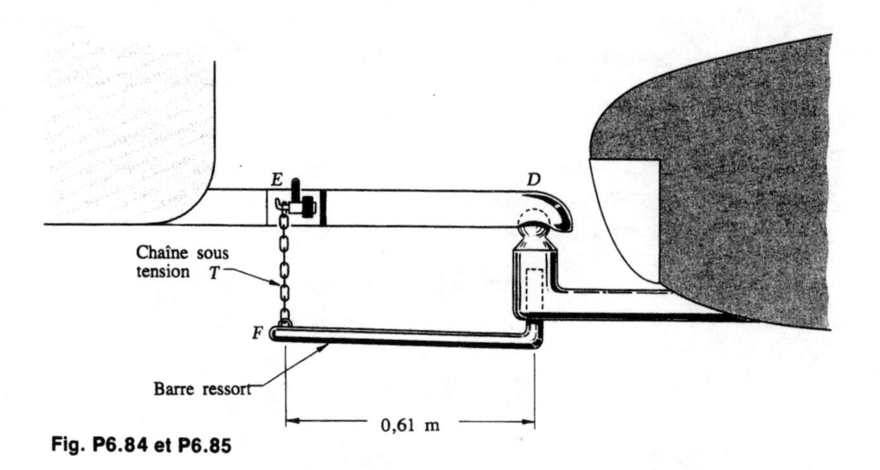


**Fig. P6.84 et P6.85**

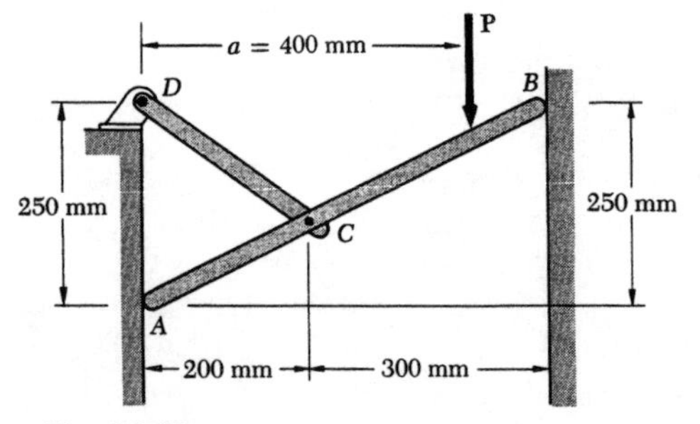


**Fig. P6.86**

**6.85** Dans le probl. 6.84 : *a*) Déterminez la tension *T* dans chaque chaîne si on veut distribuer également aux quatre roues la charge additionnelle introduite par la remorque. *b*) Quelle sera alors la réaction correspondante dans chacune des six roues de l'ensemble automobile-remorque?

**6.86** Une charge verticale **P** de grandeur 600 N est appliquée à la membrure *AB*. Celle-ci est placée entre deux parois sur lesquelles elle s'appuie sans frottement et elle est attachée à la barre *CD* par la rotule plane *C*. Déterminez toutes les forces appliquées à la membrure *AB*.

**6.87** Dans le probl. 6.86, calculez les valeurs limites de *a* pour lesquelles l'ensemble reste en équilibre sous l'action de la charge **P**.

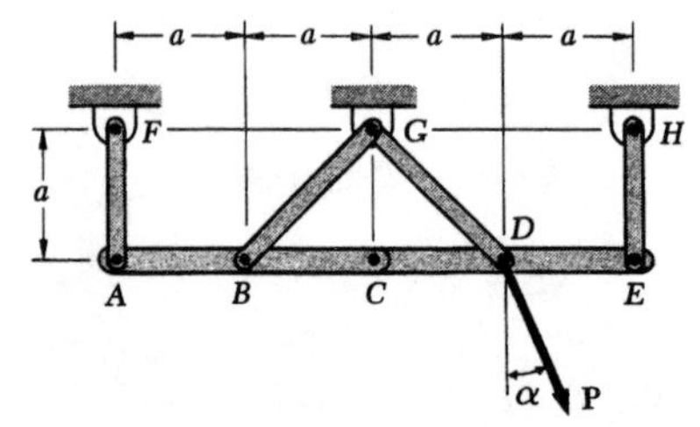


**Fig. P6.88**

**6.88** Les membrures *ABC* et *CDE* sont reliées par une rotule *C* et sont supportées par quatre barres articulées *AF*, *BG*, *GD* et *EH*. Calculez les efforts dans chaque barre si $\alpha = 0°$.

**6.89** Résolvez le probl. 6.88 lorsque $\alpha = 90°$.

**6.90** Résolvez le probl. 6.88 en supposant que la force **P** est remplacée par un couple de moment négatif $M_o$ appliqué à la membrure *CDE* au point *D*.

**6.91** *a*) Montrez que, quand la structure supporte une poulie au point $A$, on peut obtenir une mise en charge équivalente de la structure en enlevant la poulie et en appliquant au point $A$ deux forces égales et parallèles aux efforts dans le câble. *b*) Démontrez aussi que si une extrémité du câble est attachée au point $B$ de la structure, une force de valeur égale à la tension dans le câble doit être appliquée au point $B$.

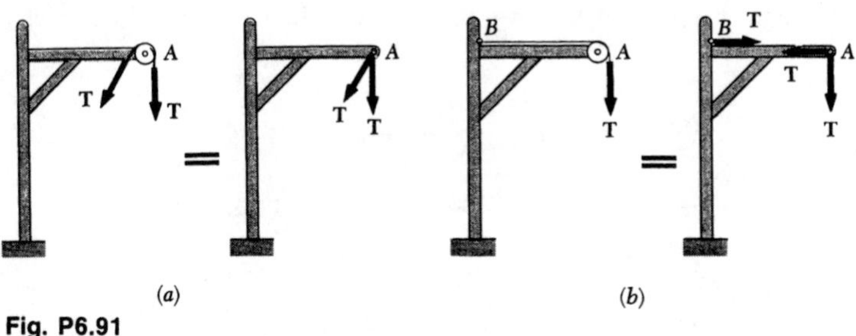


**Fig. P6.91**

**6.92 à 6.94** Déterminez les réactions aux appuis de chacune des structures représentées ci-contre. Indiquez lesquelles de ces structures sont rigides. La hauteur de chaque treillis est de 4 m; la longueur de chaque panneau est de 4 m; et la grandeur de la force **P** est de 40 kN.

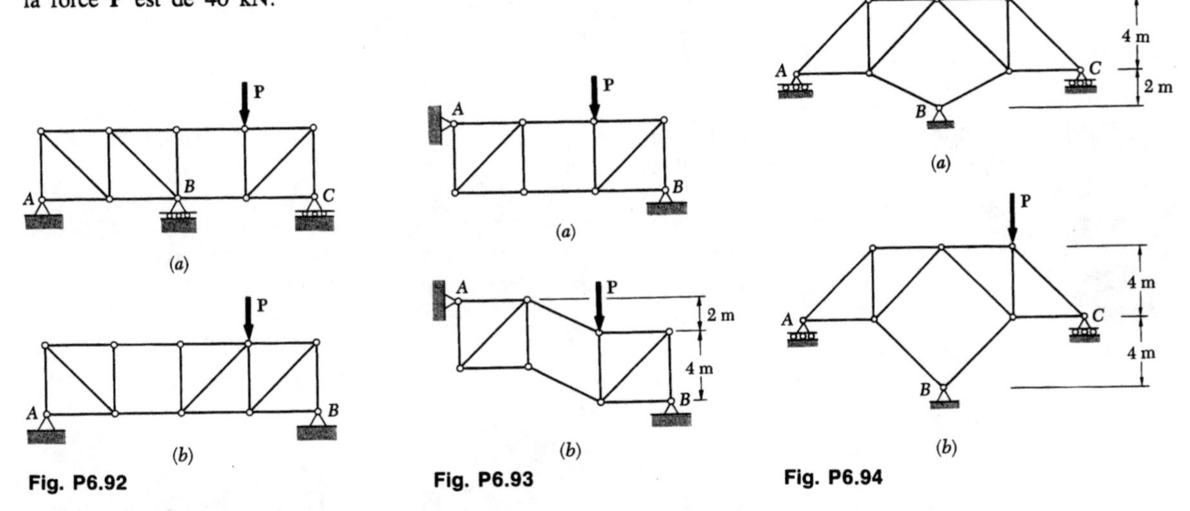


**Fig. P6.92** **Fig. P6.93** **Fig. P6.94**

**6.95** La structure est formée par deux membrures $ABC$ et $DEF$ reliées par deux barres articulées $AE$ et $BF$. Calculez les réactions aux points $C$ et $D$ et l'effort dans les barres articulées $AE$ et $BF$.

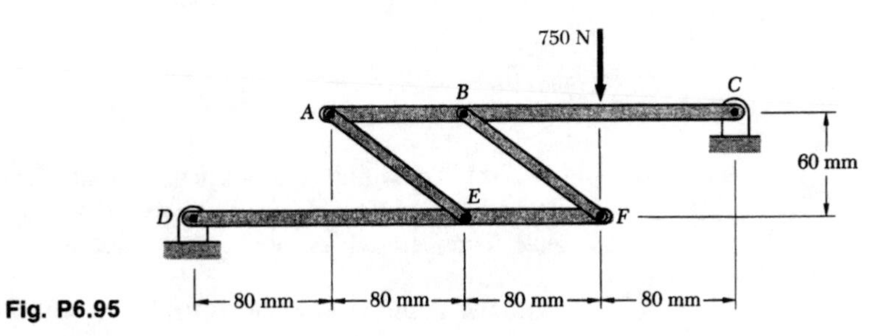


**Fig. P6.95**

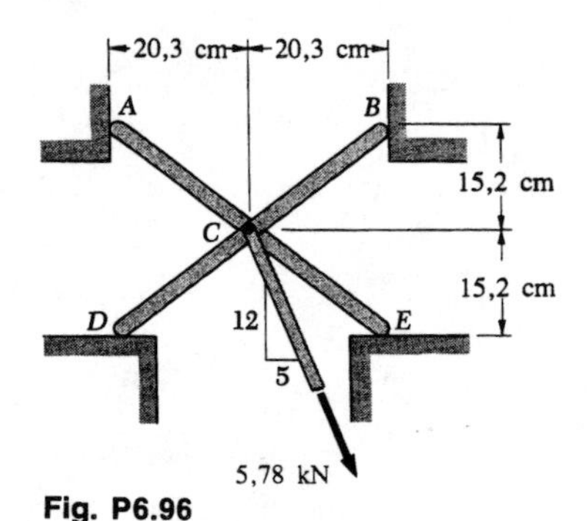

Fig. P6.96

**6.96** Sachant que les appuis $A$, $B$, $D$ et $E$ sont sans frottement, déterminez : *a*) les réactions, *b*) les composantes de la force appliquée en $C$ sur la membrure $ACE$.

**6.97** Résolvez le probl. 6.95 si la force de 750 N est appliquée au point $F$.

**6.98** Déterminez les réactions verticales aux appuis $A$, $B$, $C$ et $D$ du chemin de roulement du pont roulant, si $P = 53{,}4$ kN, $a = 4{,}57$ m, $L = 12{,}20$ m, $b = 3{,}05$ m et $l = 9{,}14$ m.

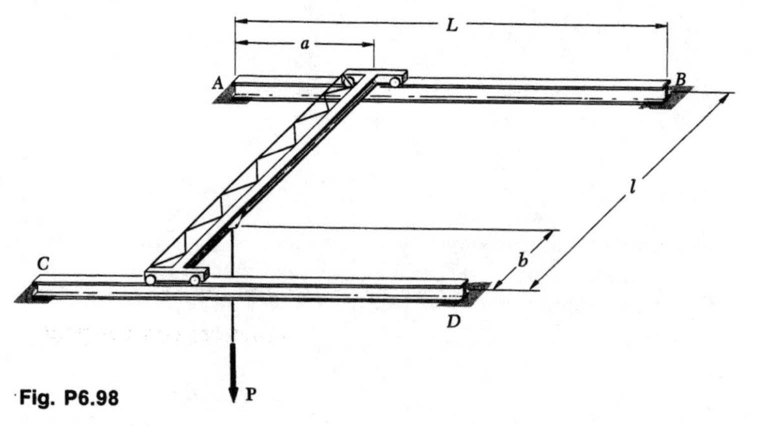

Fig. P6.98

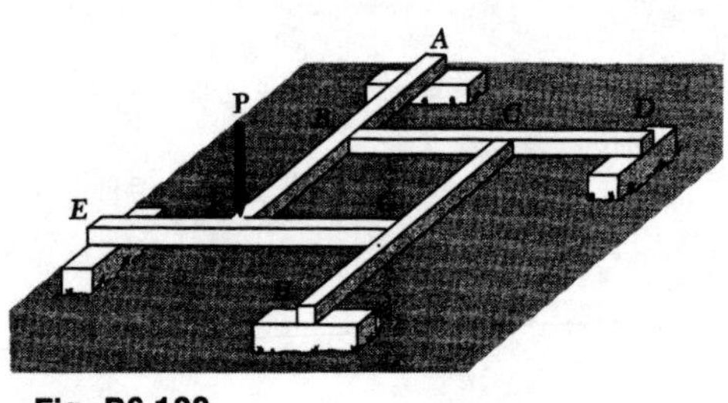

Fig. P6.100

**6.99** Calculez les réactions aux appuis $A$ et $B$ du chemin de roulement du probl. 6.98 en fonction de $P$, $a$, $b$, $l$ et $L$.

**6.100** Quatre poutres de longueur $2a$ sont clouées entre elles à leur point milieu de façon à former un ensemble tel qu'illustré. En supposant que seules les forces verticales sont transmises aux points de jonction, calculez les réactions verticales aux appuis $A$, $D$, $E$, et $H$.

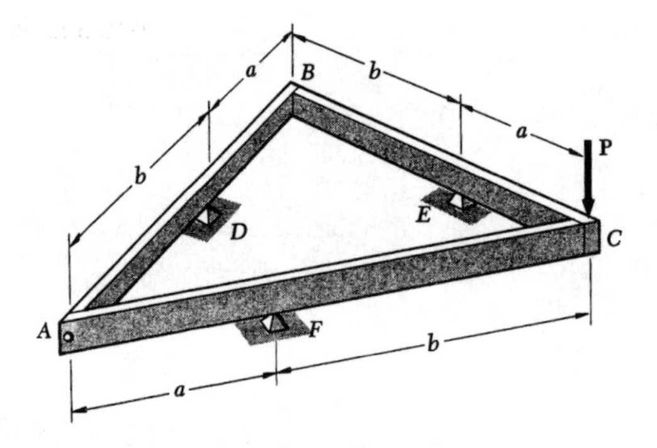

Fig. P6.101

**6.101** Trois poutres de longueur $L$ sont maintenues ensemble par un seul clou aux points $A$, $B$, et $C$. Calculez les réactions aux appuis $D$, $E$, et $F$ en supposant qu'une seule force verticale est appliquée à chaque liaison $A$, $B$ et $C$.

**6.102** Résolvez le probl. 6.101 si : $a = 0{,}6$ m, $b = 1{,}2$ m et $P = 600$ N.

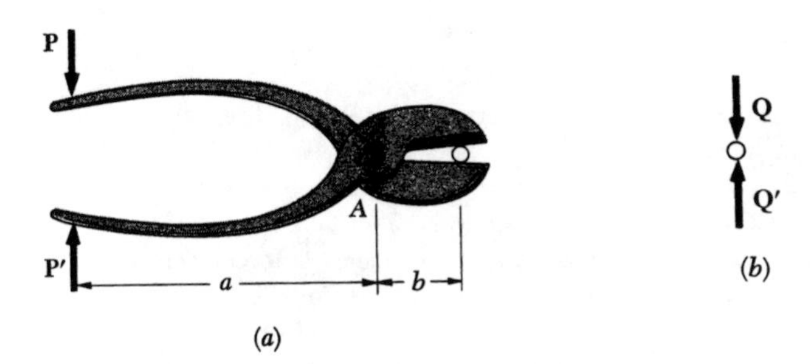


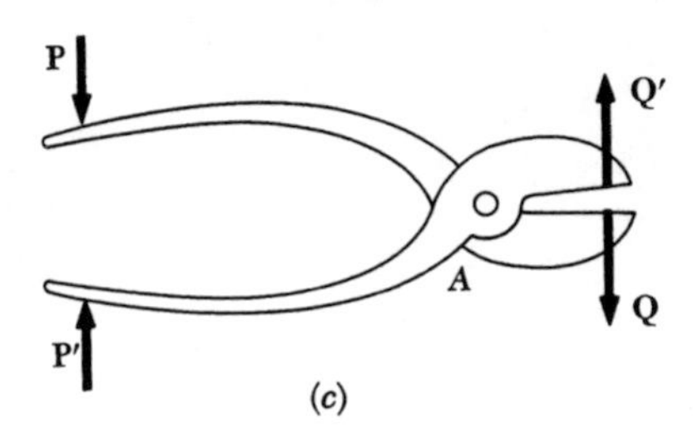


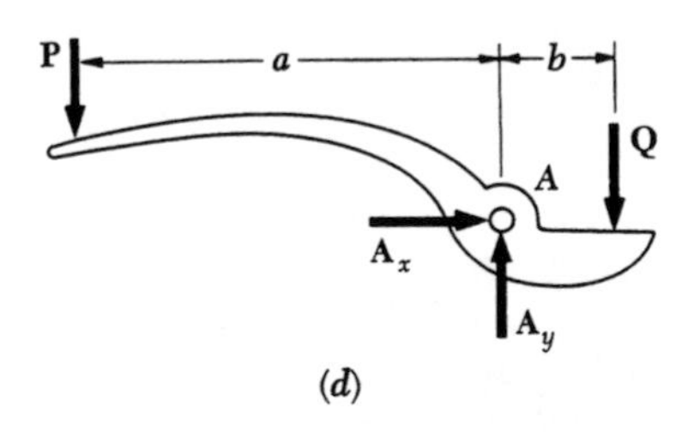


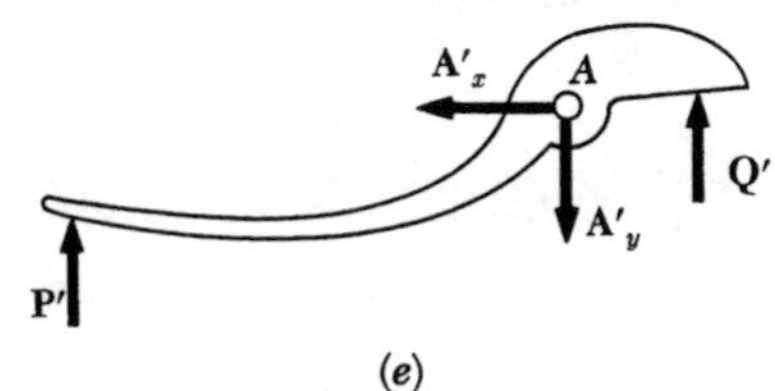


**Fig. 6.22**

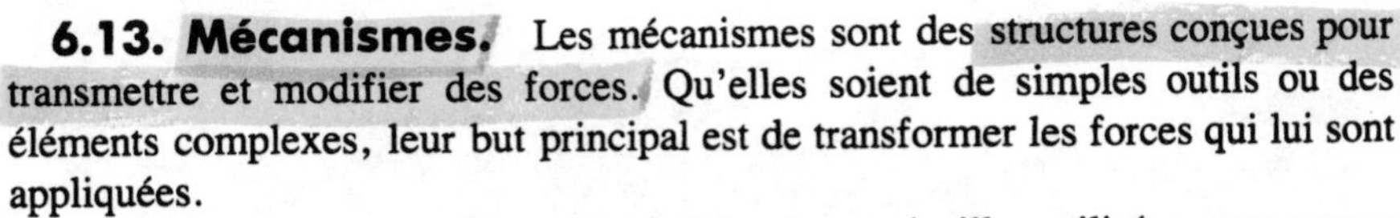

**6.13. Mécanismes.** Les mécanismes sont des structures conçues pour transmettre et modifier des forces. Qu'elles soient de simples outils ou des éléments complexes, leur but principal est de transformer les forces qui lui sont appliquées.

Considérons, par exemple, une paire de pinces-cisailles utilisées pour couper du fil métallique (Fig. 6.22*a*). Si nous appliquons deux forces égales et opposées **P** et **P**′ aux deux manches de la pince, leurs surfaces coupantes vont exercer sur le fil deux forces égales et opposées **Q** et **Q**′ (Fig. 6.22*b*).

Pour calculer la grandeur **Q** des forces développées par la pince lorsqu'on connaît la grandeur des forces fournies à cette dernière (ou d'une façon inverse, calculer $P$ lorsqu'on connaît $Q$), nous traçons d'abord le schéma des deux couteaux seuls montrant les forces fournies **P** et **P**′ et les réactions **Q** et **Q**′ que le fil exerce sur les couteaux (Fig. 6.22*c*). Cependant, puisque la paire de pinces forme une structure hyporigide, nous devons utiliser une des parties composantes comme corps isolé pour pouvoir déterminer les forces inconnues. Considérant la fig. 6.22*d*, par exemple, et prenant les moments par rapport au point $A$, nous obtenons la relation $Pa = Qb$ qui définit la grandeur $Q$ en fonction de $P$ ou $P$ en fonction de $Q$. Le même schéma peut être utilisé pour calculer les composantes de la force intérieure au point $A$ ; nous trouvons $A_x = 0$ et $A_y = P + Q$.

Dans le cas de mécanismes plus compliqués, il sera habituellement nécessaire d'utiliser plusieurs schémas et, possiblement, de résoudre des systèmes d'équations mettant en jeu plusieurs forces intérieures. Les corps isolés doivent être choisis de façon à inclure les forces appliquées et les réactions dues aux forces développées par le mécanisme, mais où le nombre d'inconnues ne dépasse pas le nombre d'équations. Même s'il est recommandable de vérifier si le problème est soluble avant de tenter de le solutionner, il ne sera pas intéressant de discuter de la rigidité du mécanisme puisque celui-ci est composé de pièces mobiles et, par conséquent, est hyporigide.

## PROBLÈME RÉSOLU 6.8

Un élévateur hydraulique est utilisé pour soulever une caisse de 1000 kg. Il est formé par une plate-forme et deux mécanismes identiques sur lesquels deux cylindres hydrauliques appliquent des forces égales. (Le dessin montre un seul mécanisme et un seul cylindre.) Les membrures *EDB* et *CG* ont une longueur $2a$ et la membrure *AD* est fixée par une rotule plane au point *D*, milieu de la membrure *EDB*. Calculez la force exercée par chaque cylindre en soulevant une caisse placée sur la plate-forme de telle façon que la moitié de son poids est soulevée par celui-ci. Admettez que $\theta = 60°$, $a = 0{,}70$ m, et $L = 3{,}20$ m et montrez que le résultat obtenu est indépendant de la distance *d*.

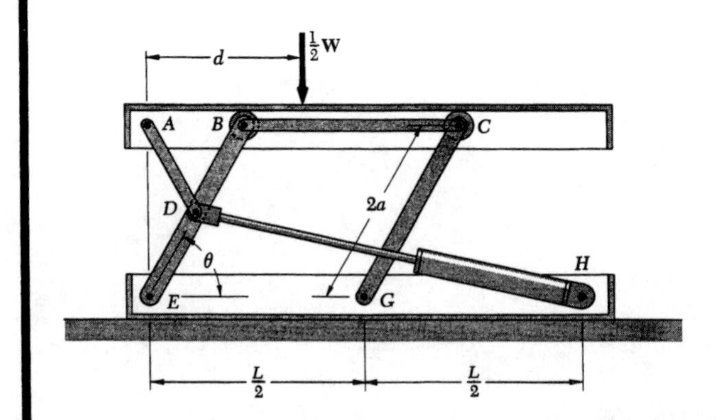


**Solution.** Le mécanisme considéré est formé par une plate-forme et un ensemble de membrures recevant une force $\mathbf{F}_{DH}$ provenant du cylindre et développant une force égale et opposée à $\frac{1}{2}\mathbf{W}$. Puisque nous avons plus de trois inconnues, nous n'utiliserons pas le mécanisme entier comme corps isolé. Nous l'avons démembré et avons tracé le schéma de la plate-forme *ABC*, de la roulette *C* et de la membrure *EDB*.

Puisque *AD*, *BC*, et *CG* sont des membrures à effort axial (deux forces seules appliquées), leurs schémas n'ont pas été tracés et les forces qu'ils exercent sur les autres parties du mécanisme ont été tracées parallèlement à ces membrures.

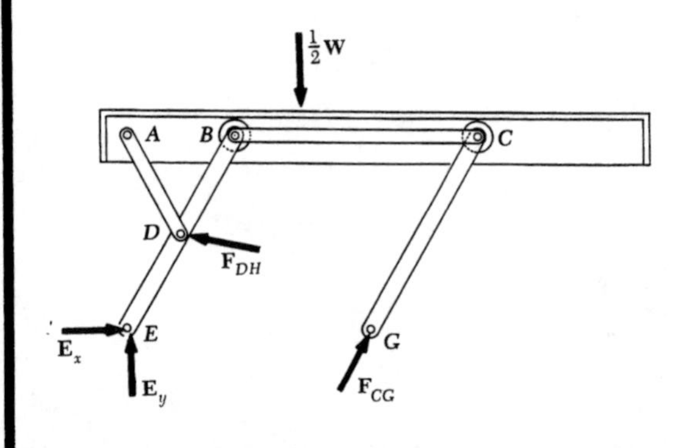

***Plate-forme ABC.***

$$\overset{+}{\rightarrow} \Sigma F_x = 0: \qquad -F_{AD} \cos\theta = 0 \qquad F_{AD} = 0$$

$$+\uparrow \Sigma F_y = 0: \qquad B + C - \tfrac{1}{2}W = 0 \qquad B + C = \tfrac{1}{2}W \tag{1}$$

***Roulette C.*** On trace le triangle de forces et on tire $F_{BC} = C \cot \theta$.

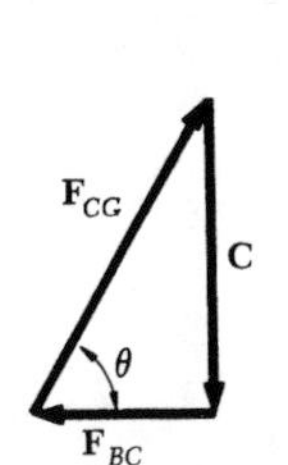


***Membrure EDB.*** En se rappelant que $F_{AD} = 0$,

$$+\circlearrowleft \Sigma M_E = 0: \qquad F_{DH} \cos(\phi - 90°)a - B(2a \cos\theta) - F_{BC}(2a \sin\theta) = 0$$

$$F_{DH} a \sin\phi - B(2a\cos\theta) - (C \cot\theta)(2a \sin\theta) = 0$$

$$F_{DH} \sin\phi - 2(B + C)\cos\theta = 0$$

De l'éq. (1), nous tirons

$$F_{DH} = W\frac{\cos\theta}{\sin\phi} \tag{2}$$

et nous observons que le résultat est indépendant de $d$. ◄

Appliquant la loi des sinus au triangle *EDH*, nous écrivons

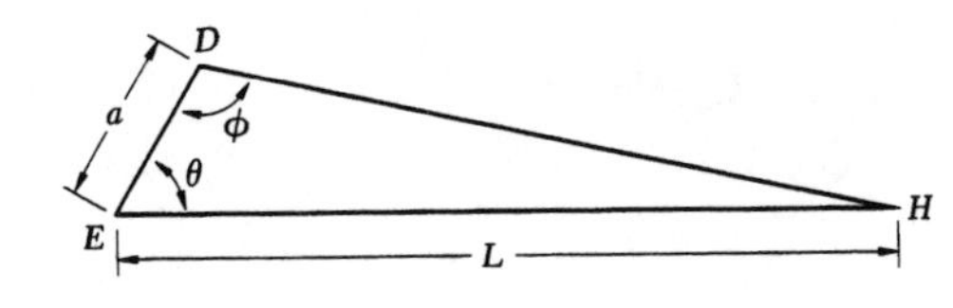


$$\frac{\sin\phi}{EH} = \frac{\sin\theta}{DH} \qquad \sin\phi = \frac{EH}{DH}\sin\theta \tag{3}$$

En utilisant ensuite la loi des cosinus, nous avons

$$(DH)^2 = a^2 + L^2 - 2aL\cos\theta$$

$$= (0,70)^2 + (3,20)^2 - 2(0,70)(3,20)\cos 60°$$

$$(DH)^2 = 8,49 \qquad DH = 2,91 \text{ m}$$

Et nous pouvons aussi écrire

$$W = mg = (1000 \text{ kg})(9,81 \text{ m/s}^2) = 9810 \text{ N} = 9,81 \text{ kN}$$

En substituant dans (2) $\sin\phi$ tiré de (3) et en introduisant les données, nous écrivons

$$F_{DH} = W\frac{DH}{EH}\cot\theta = (9,81 \text{ kN})\frac{2,91 \text{ m}}{3,20 \text{ m}}\cot 60°$$

$$F_{DH} = 5,15 \text{ kN}$$ ◄

## PROBLÈMES SUPPLÉMENTAIRES

**6.103** Une force de 360 N est appliquée au point $C$ d'un levier à pression. Calculez : *a*) la force horizontale exercée sur le bloc de bois, *b*) la force de réaction au point $B$ de la membrure $ABC$.

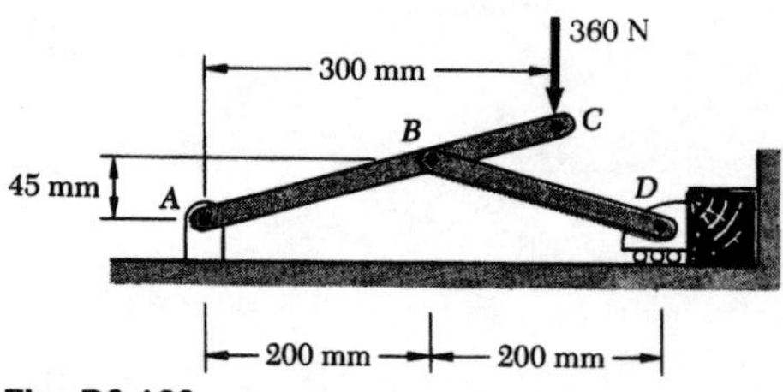


Fig. P6.103

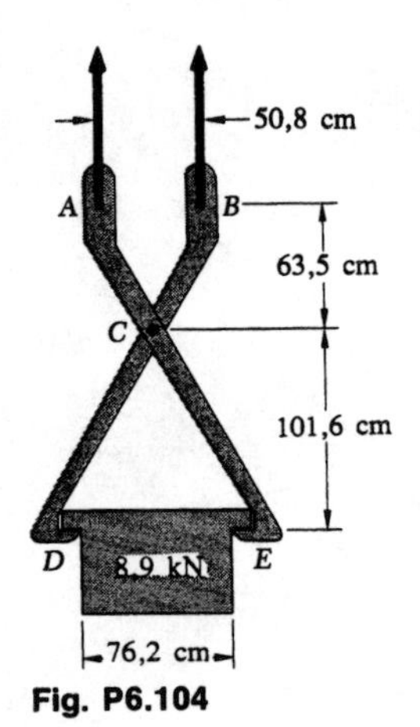


Fig. P6.104

**6.104** Un bloc de métal de 8900 N est soulevé par une paire de tenailles. Calculez les forces exercées aux points $D$ et $C$ de la tenaille $BCD$.

**6.105** Le levier articulé représenté ci-contre est ajouté aux tenailles du probl. 6.104. Calculez les forces exercées aux points $D$ et $C$ de la tenaille $BCD$, si on applique une seule force au point $G$ du levier pour soulever la charge.

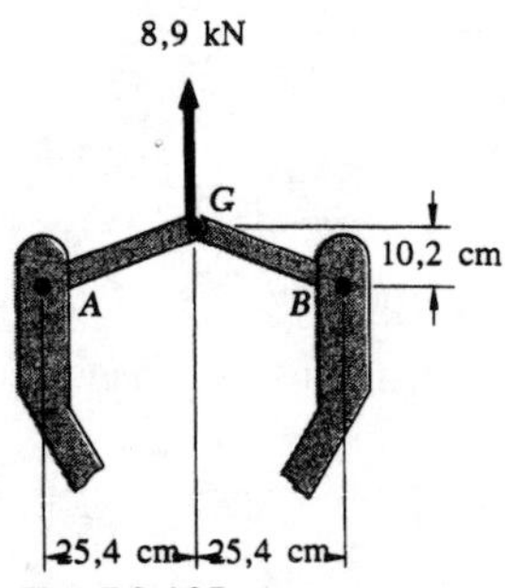


Fig. P6.105

**6.106** Deux forces de 300 N sont appliquées aux poignées de la pince ajustable illustrée ci-contre. Calculez : *a*) la grandeur des forces développées par la pince et appliquées sur le fil, *b*) la force exercée sur le pivot $A$ de la poignée $AB$.

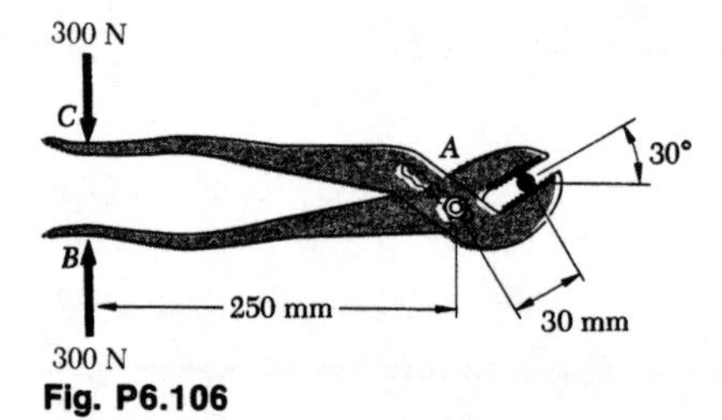


Fig. P6.106

**6.107** Une force **P** de grandeur 9610 N est développée sur la tête de piston représentée. Calculez le couple **M** requis pour maintenir le système en équilibre pour chacune des deux positions indiquées.

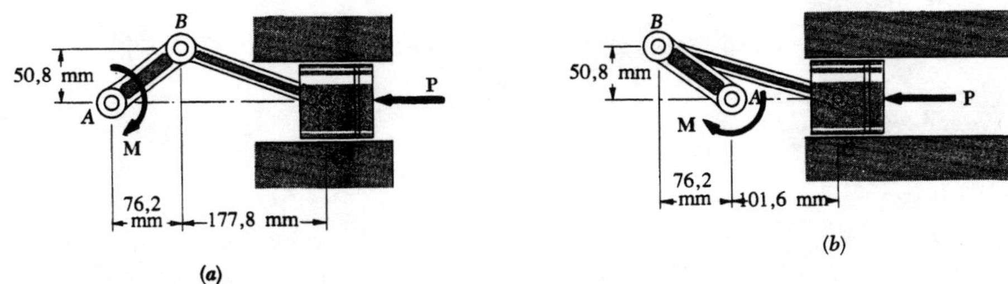


**Fig. P6.107 et P6.108**

**6.108** Un couple **M** de moment 542 N · m est appliqué au bras de la manivelle du moteur de la question précédente. Déterminez la force **P** nécessaire pour maintenir le système en équilibre pour chacune des positions dessinées.

**6.109 et 6.110** Deux tiges sont reliées par un manchon sans frottement $B$. Le moment du couple appliqué $\mathbf{M}_A$ étant de 20 N · m, calculez : $a$) le couple $\mathbf{M}_C$ requis pour maintenir l'équilibre dans la position indiquée, $b$) les composantes correspondantes de la réaction au point $C$.

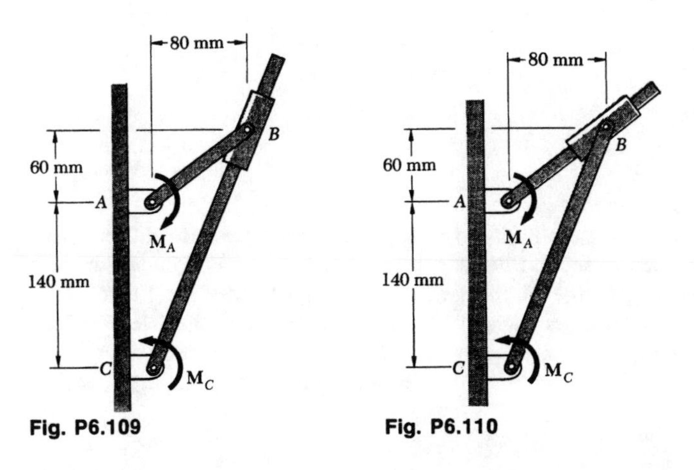


**Fig. P6.109** **Fig. P6.110**

**6.111** Un ouvrier applique une force de 445 N aux poignées d'un coupe-fils. Calculez les forces développées aux couteaux $A$ et $D$.

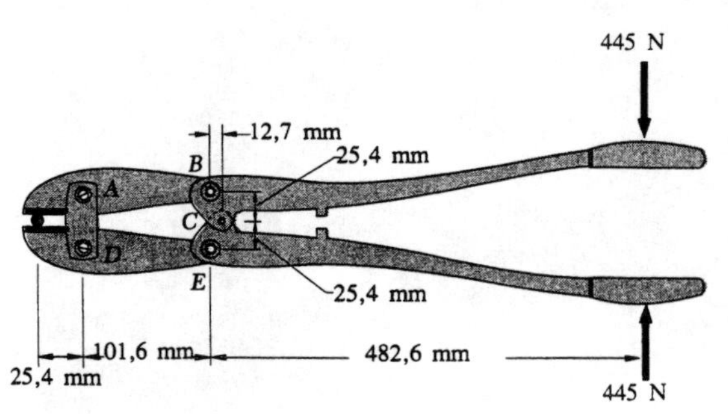


Fig. P6.111

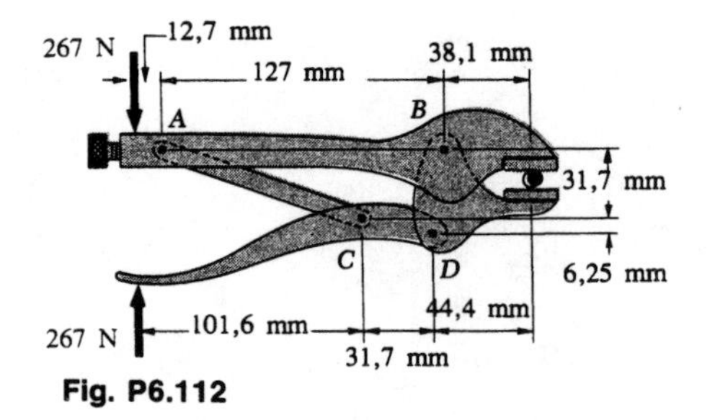


Fig. P6.112

**6.112** Calculez la grandeur des forces de serrage produites par deux forces de 267 N appliquées à la pince-étau dessinée ci-contre.

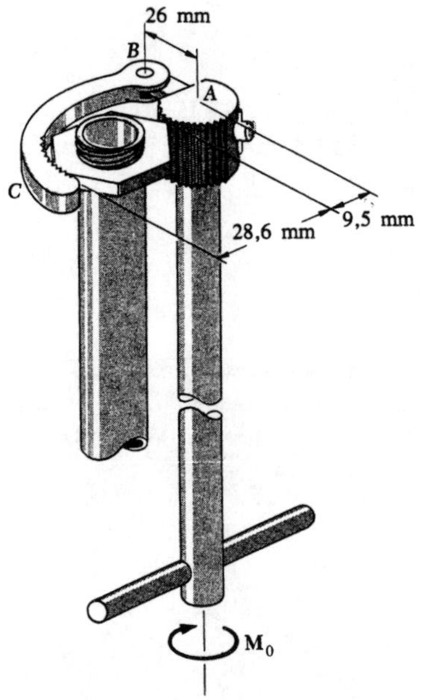

Fig. P6.113

**6.113** La clé serre-tubes est utilisée pour assembler des tuyauteries difficilement accessibles (en-dessous des lavabos). Elle est composée essentiellement d'une mâchoire $BC$ articulée sur une longue tige. Sachant que les forces exercées sur l'écrou sont équivalentes à une couple d'un moment de 15,26 N·m (appliqué dans le sens des aiguilles d'une montre lorsque vue du dessus), calculez : *a*) la grandeur de la force exercée par le pivot $B$ sur la mâchoire $BC$, *b*) le moment du couple $\mathbf{M}_0$ appliqué à la clé.

**6.114** Un tuyau de plomberie d'un diamètre de 6,35 cm est serré par une clé Stillson de la façon illustrée ci-contre. Les parties *AB* et *DE* de la clé sont rigidement attachées l'une à l'autre et la partie *CF* est reliée à la partie *DE* par l'axe *D*. Calculez les composantes des forces exercées sur le tuyau aux points *A* et *C*. On suppose qu'il n'y a pas de glissement relatif entre le tuyau et la clé.

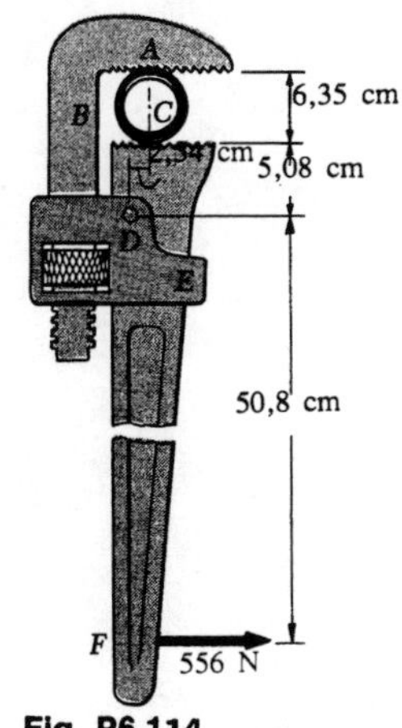

**Fig. P6.114**

**6.115** Une tablette d'une masse de 20 kg est maintenue horizontalement par une moise auto-bloquante formée de deux parties *EDC* et *CDB* articulées au point *C* et s'appuyant l'une sur l'autre au point *D*. Calculez la force **P** nécessaire pour débloquer la moise. (Note : Pour libérer la moise, les forces de contact au point *D* doivent être égales à zéro.)

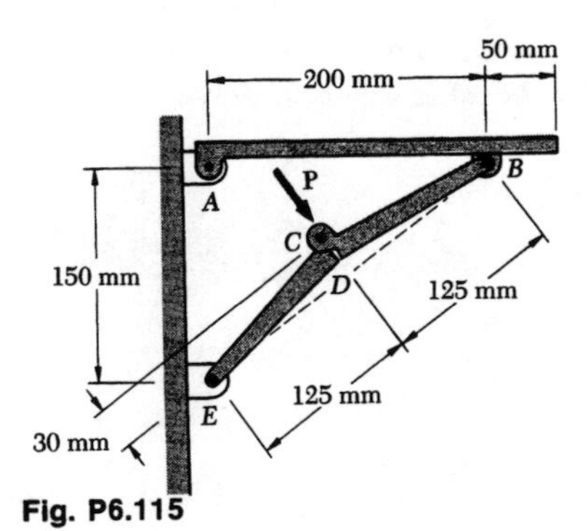

**Fig. P6.115**

**6.116** Puisque le mécanisme représenté ci-dessous doit rester tel quel sous l'action d'une petite force **P**, on a prévu un ressort de sécurité, attaché aux points *D* et *E*, dont la constante est 10 kN/m et la longueur au repos de 140 mm. Déterminez la force **Q** nécessaire pour déclencher le mécanisme si **P** = 4000 N et $l$ = 200 mm.

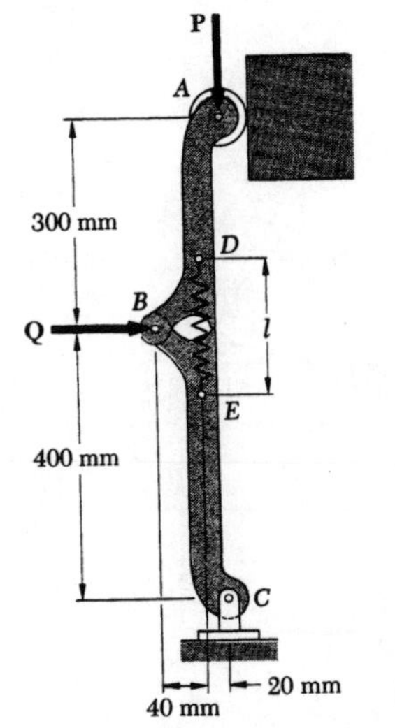

**Fig. P6.116**

**6.117** Le godet d'une pelle hydraulique est commandé par trois cylindres. Calculez la force exercée par chaque cylindre pour supporter une charge de 13 350 N.

**6.118** La plate-forme de travail, installée sur un camion, est utilisée pour réparer ou installer des câbles aériens. Deux bras tubulaires $AB$ et $BC$ de longueur 3,67 m constituent la partie principale de la plate-forme. La position du bras $AB$ est commandée par un cylindre hydraulique $DE$. Deux volants de diamètre 0,61 m sont solidement attachés au point $B$, de l'un et de l'autre côté du bras $BC$. Deux câbles solidement attachés à chaque volant passent par les deux poulies $H$ et sont attachés encore solidement à un bloc commun $F$. La position de ce bloc est commandée par un deuxième cylindre hydraulique $EF$. Calculez la force qui doit être développée par chaque cylindre pour maintenir la plate-forme dans la position indiquée. Supposez que les ouvriers et les plates-formes pèsent 3114 N et que $G$ est le centre de gravité de cet ensemble.

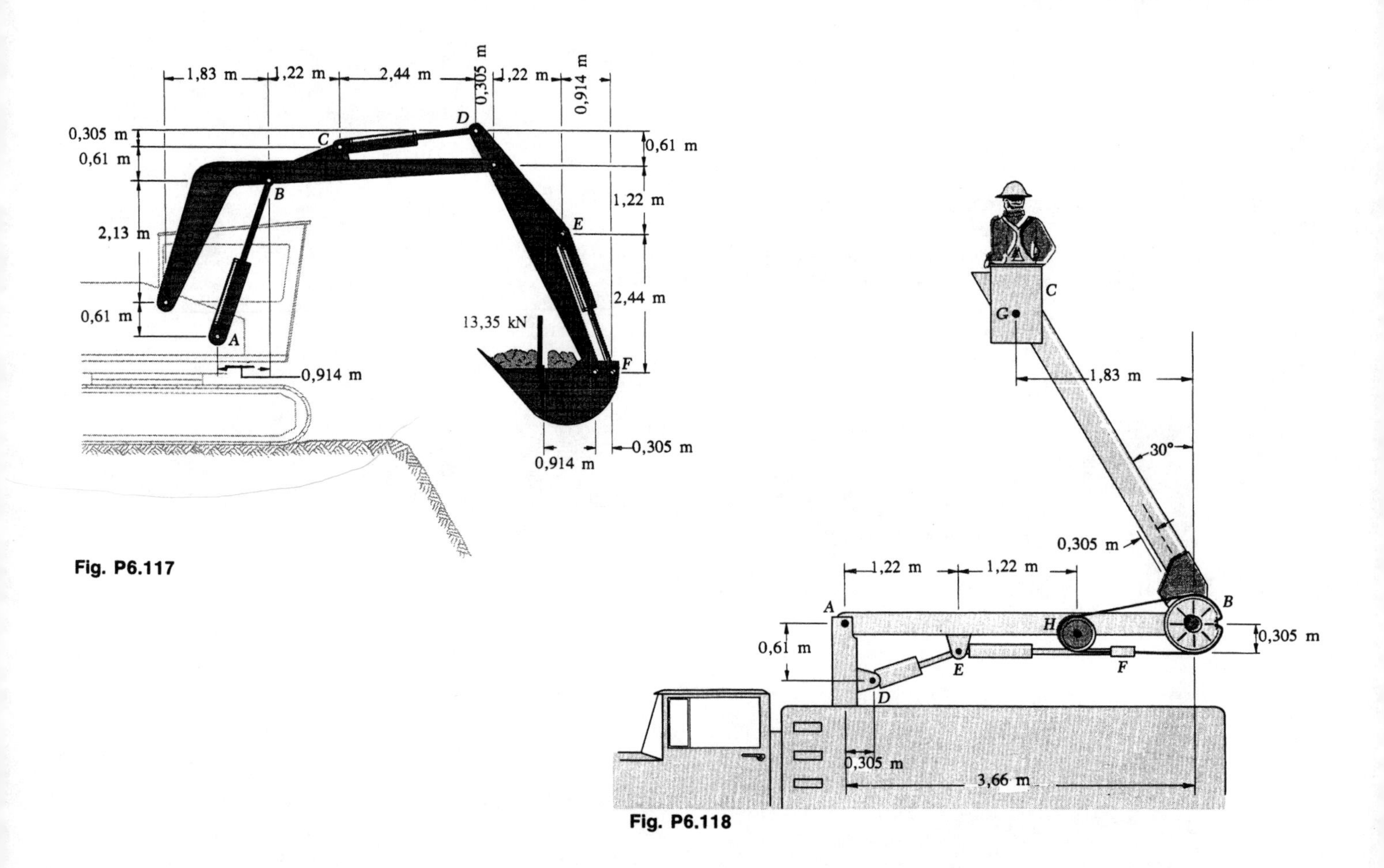


Fig. P6.117

Fig. P6.118

**6.119** On installe une plate-forme hydraulique de travail sur un camion afin d'en augmenter la mobilité. Cette plate-forme *JK* est commandée par deux cylindres identiques. Une charge de 5 kN est appliquée au mécanisme. Calculez : *a*) la force dans l'étrésillon *BE*, *b*) les composantes de la force exercée par le cylindre hydraulique sur l'axe *H*. Supposez que l'axe *C* ne peut transmettre que des forces horizontales.

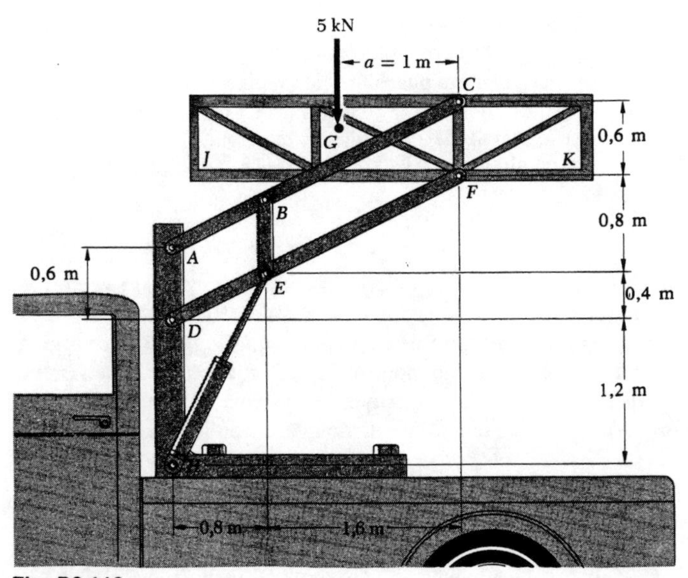

Fig. P6.119

**6.120** Résolvez le probl. 6.119 lorsque $a = 1{,}5$ m.

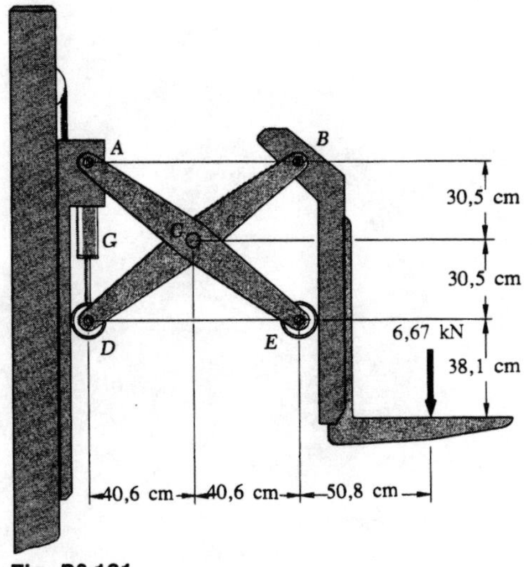

Fig. P6.121

**6.121** Deux systèmes hydrauliques composés d'un cylindre *G* et deux leviers *BD* et *AE* commandent l'élévation de la palette. Calculez : *a*) la force exercée par le cylindre hydraulique au point *D*, *b*) les composantes de la force exercée au point *C* du levier *ACE*. Supposez que la charge appliquée à la moitié de la palette est de 6670 N.

**6.122** Les mâchoires de la pince plieuse restent parallèles quelle que soit l'épaisseur de l'objet à plier. L'effort de serrage à développer est de 2000 N. Calculez la grandeur de la force **P** à appliquer aux manches de la pince. Supposons que les axes *B* et *E* glissent sans frottement dans les rainures découpées dans les mâchoires.

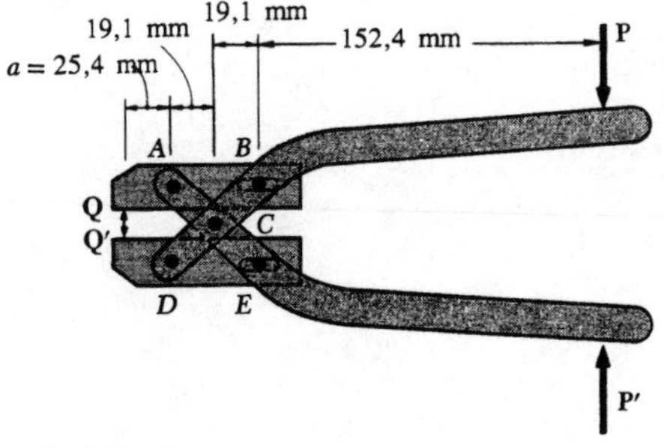

Fig. P6.122

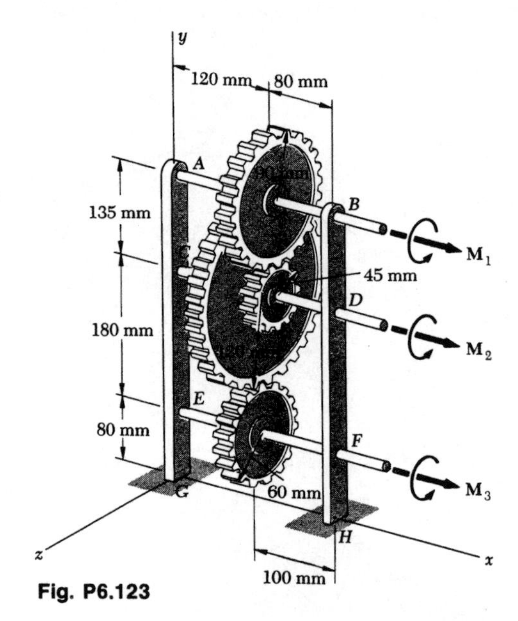


Fig. P6.123

**6.123** Quatre roues dentées sont rigidement attachées à trois arbres supportés par des coussinets sans frottement. Calculez : *a*) le couple $\mathbf{M}_3$ qui doit être appliqué pour maintenir l'équilibre, *b*) les réactions aux appuis *G* et *H*. Supposez que $M_1 = 24$ N · m et $M_2 = 0$.

**6.124** Résolvez le probl. 6.123 en supposant que $M_1 = 48$ N · m et $M_2 = -18$ N · m.

**6.125** Dans le train d'engrenage du type planétaire dessiné ci-contre, la roue centrale possède le rayon *a*, les roues dentées planétaires le rayon *b* et la roue extérieure *E* le rayon $(a + 2b)$. Un couple négatif $\mathbf{M}_A$ est appliqué à la roue *A*. Supposez que $a = b = 40$ mm et calculez : *a*) le couple $\mathbf{M}_S$ à appliquer aux roues planétaires *BCD* pour maintenir l'engrenage en équilibre, *b*) le couple $\mathbf{M}_E$ à appliquer à la roue extérieure.

**6.126** Dans l'engrenage du type planétaire dessiné ci-contre, l'engrenage central *A* possède le rayon *a*, les roues planétaires le rayon *b* et la roue dentée extérieure *E* le rayon $(a + 2b)$. Un couple négatif de moment $M_A$ est appliqué à l'engrenage central *A* en même temps qu'un autre couple positif, de moment $5M_A$, est appliqué à l'ensemble des trois engrenages planétaires *BCD*. Supposez que le système est en équilibre et calculez : *a*) le rapport $b/a$, *b*) le couple $\mathbf{M}_E$ qui doit être appliqué à l'engrenage extérieur *E*.

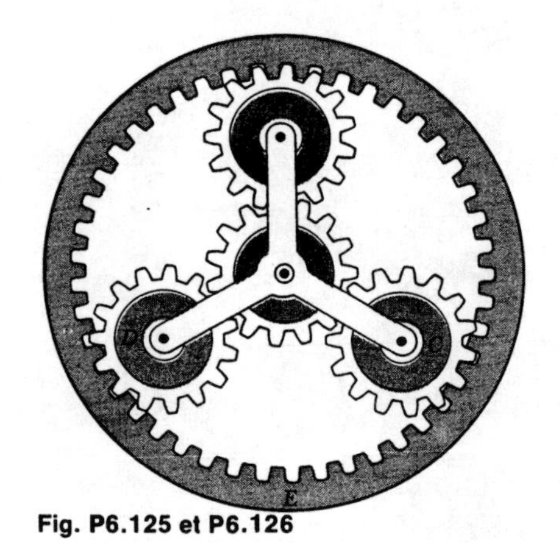


Fig. P6.125 et P6.126

***6.127** Deux arbres *AC* et *CF* appartenant au même plan vertical *xy*, sont reliés par un joint à cardan *C*. Les paliers *B* et *D* ne peuvent pas reprendre des efforts axiaux. Un couple de moment 50 N · m (négatif lorsqu'on le regarde à partir du côté positif de l'axe *x*) est appliqué au point *F* de l'arbre *CF*. Supposez que l'étrier du demi-joint attaché à l'arbre *CF* est horizontal et calculez : *a*) le moment du couple qu'on doit appliquer au point *A* de l'arbre *AC* pour maintenir l'équilibre, *b*) les réactions aux points *B*, *D* et *E*. (Note : la somme des couples appliqués à la pièce centrale du joint doit être nulle.)

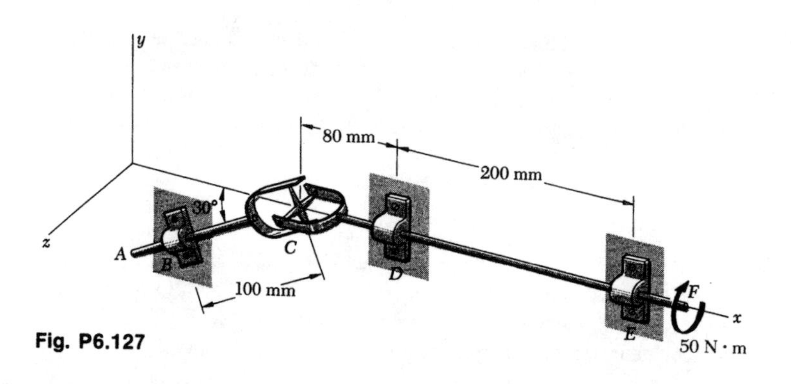


Fig. P6.127

***6.128** Résolvez le probl. 6.127 en supposant que l'étrier attaché à l'arbre *CF* est vertical.

**6.129** Le poids en grammes des lettres placées sur la balance est indiqué sur l'échelle mobile par l'indicateur *P*. L'échelle, le bras *AB* et un contre-poids pèsent 2,78 N et le centre de gravité de l'ensemble se trouve au point *G*. La longueur *AG* est de 3,80 cm et la longueur du bras *AB* et de la barrette *CD* est de 2,54 cm. Quelle doit être la position angulaire $\theta$ du nombre indiquant 0,56 N? (Note : Les poids du plateau, de l'axe *BC* et de la barrette *CD* sont inconnus, mais leurs effets doivent être pris en considération.)

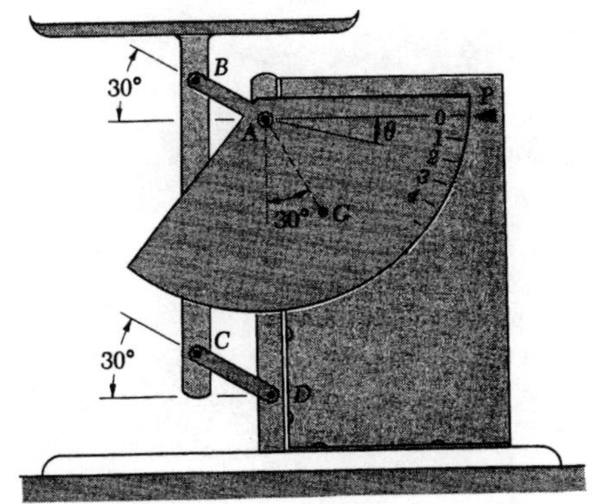

Fig. P6.129

**6.130** Une lettre à peser est placée sur le plateau de la balance. On constate que l'échelle tourne de 45° avant de s'arrêter. Calculez le poids de la lettre. (Voir la notre du probl. 6.129.)

## PROBLÈMES DE RÉVISION

**6.131** La tablette mobile est maintenue dans la position indiquée par deux systèmes à ressort identiques. Une machine de 20 kg est placée sur la tablette, la motié de son poids étant repris par le système illustré. Calculez : *a*) l'effort dans la tige *AB*, *b*) la force élastique développée par le ressort.

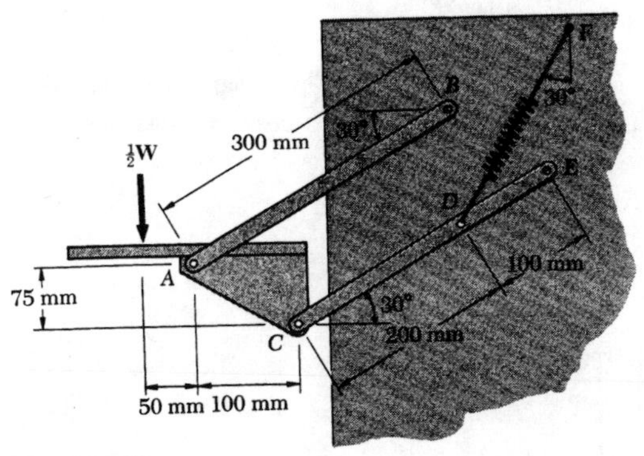

Fig. P6.131

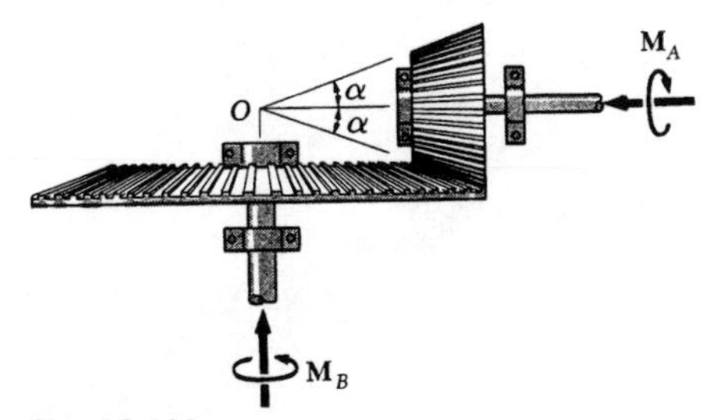

Fig. P6.132

**6.132** Calculez, dans l'engrenage conique, la valeur de $\alpha$ si $M_B/M_A = 3$.

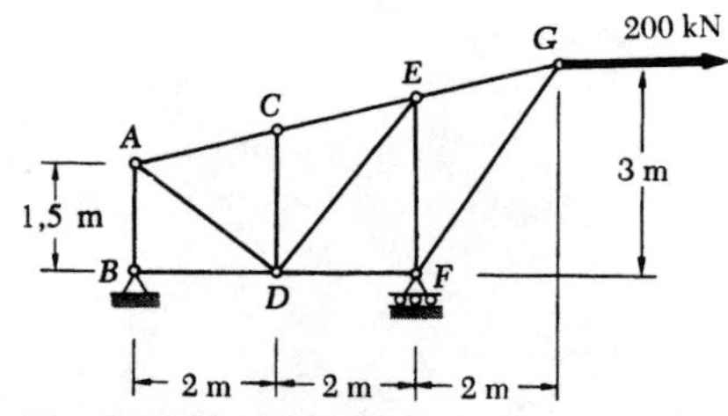

Fig. P6.133 et P6.134

**6.133** Calculez l'effort dans chaque barre verticale du treillis représenté ci-contre.

**6.134** Calculez l'effort dans les barres *DF*, *EF* et *EG* du même treillis.

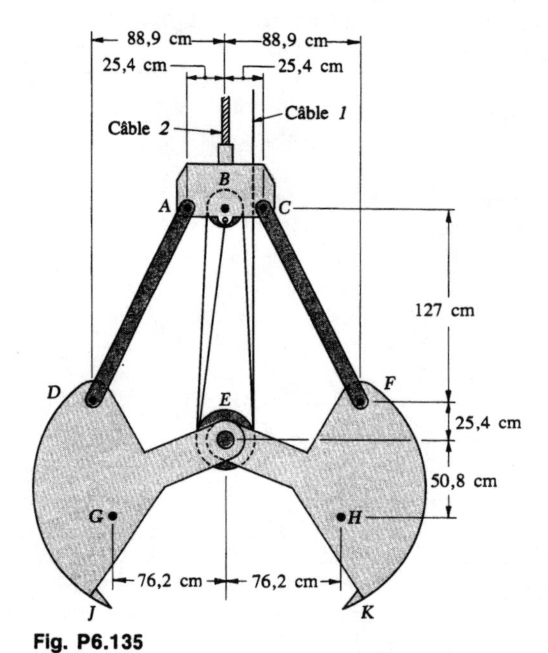

Fig. P6.135

**6.135** Le poids d'une benne d'une capacité de 0,75 m$^3$ est de 20 kN. Les centres de gravité des sections *DEJ* et *EFK*, qui pèsent 8896 N chacune, se trouvent respectivement aux points *G* et *H*. La poulie inférieure *E* et son contre-poids pèsent ensemble 1780 N. Calculez l'effort dans le câble *1* et dans le câble *2* pour la position indiquée. (Négligez l'effet de la distance horizontale entre les câbles.)

**6.136** Le système de suspension avant d'une voiture supporte une charge de 3336 N. Calculez la force exercée par le ressort ainsi que les composantes des forces appliquées aux points *A* et *D* de la pièce *ADF*.

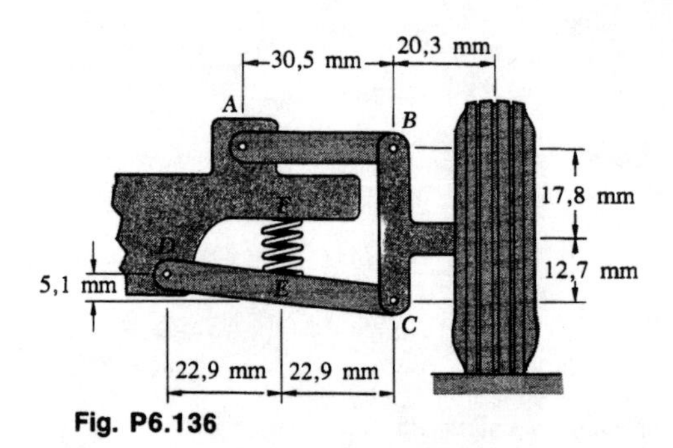

Fig. P6.136

**6.137** La barre rigide *EFG* est supportée par le treillis. Calculez l'effort dans chaque barre.

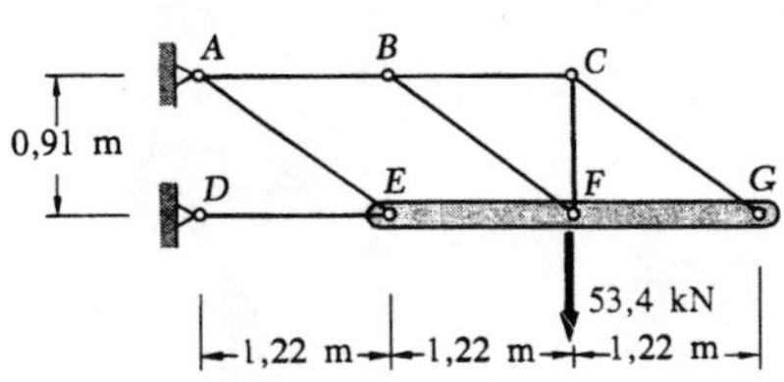


Fig. P6.137

**6.138** Résolvez le probl. 6.137 en supposant que la charge de 5338 N est remplacée par un couple négatif de moment 6509 N·m appliqué au point *F* de la barre *EFG*.

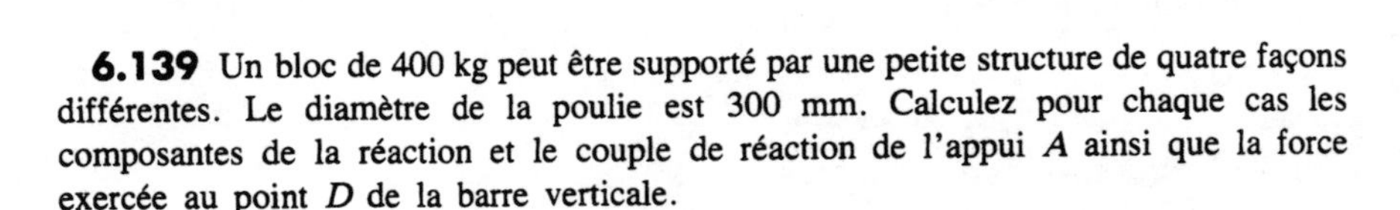

**6.139** Un bloc de 400 kg peut être supporté par une petite structure de quatre façons différentes. Le diamètre de la poulie est 300 mm. Calculez pour chaque cas les composantes de la réaction et le couple de réaction de l'appui *A* ainsi que la force exercée au point *D* de la barre verticale.

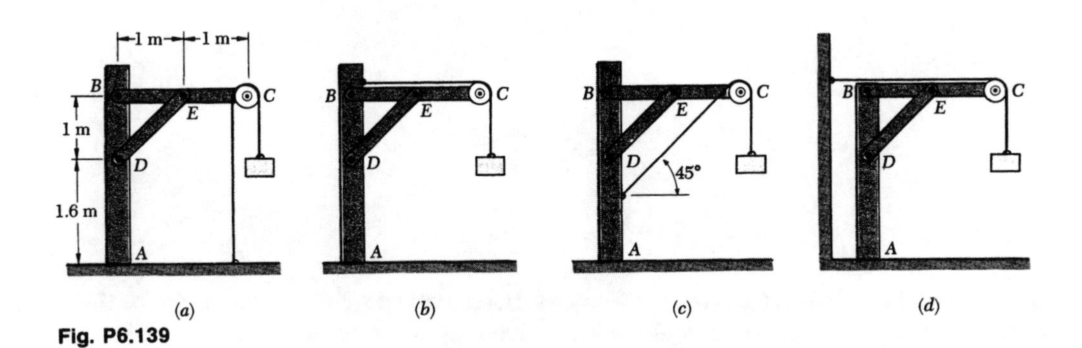


Fig. P6.139

**6.140** Déterminez le couple **M** qui doit être appliqué au levier *CD* pour maintenir le mécanisme en équilibre. Le bloc *D* est fixé par un axe au levier *CD* et peut glisser librement dans un guide découpé dans la barre *AB*.

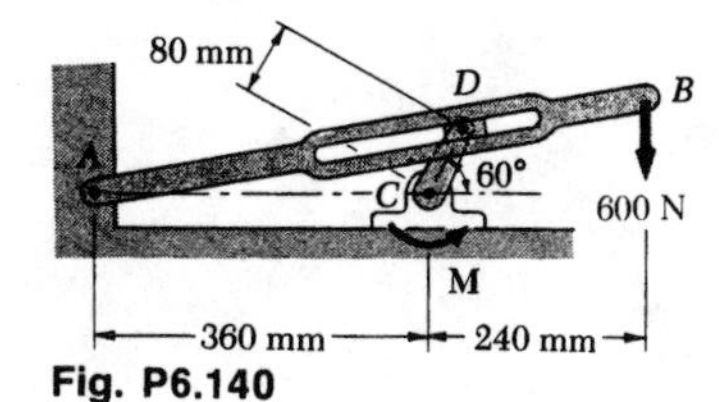


Fig. P6.140

**6.141** Calculez la réaction au point *D* et l'effort dans les barres *BF* et *EC*.

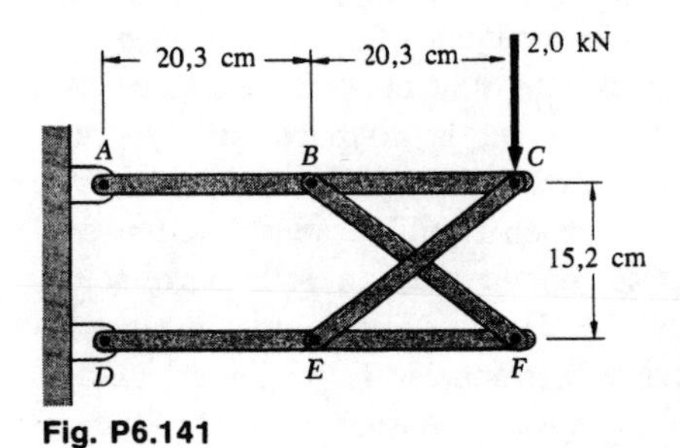


Fig. P6.141

**6.142** Résolvez le probl. 6.141 en supposant que la charge de 2000 N est appliquée au point *F*.

CHAPITRE

# 7 Forces dans les poutres et dans les câbles

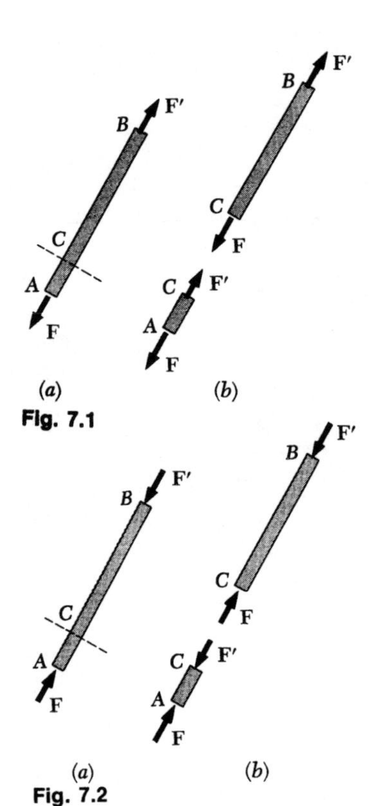

(a) (b)
Fig. 7.1

(a) (b)
Fig. 7.2

***7.1. Introduction. Forces intérieures dans les membrures.** Nous avons étudié dans les chapitres qui précèdent, deux problèmes différents qui se présentent dans la conception des structures : 1) le calcul des forces extérieures qui agissent sur elles (Chap. 3 et 4), et 2) le calcul des forces qui maintiennent ensemble leurs différents éléments (Chap. 6). Nous allons, dans ce chapitre, apprendre à calculer les forces intérieures qui existent au sein de chacun des éléments considérés.

Prenons, pour commencer, la barre $AB$ *en équilibre sous l'action de deux forces* (Fig. 7.1*a*). Nous avons déjà vu à la section 3.16 que les forces $\mathbf{F}$ et $\mathbf{F}'$, appliquées respectivement aux points $A$ et $B$, doivent être orientées suivant $AB$ et avoir le sens opposé et la même grandeur $F$. Si par la pensée, nous coupons la barre au point $C$, nous devons, pour maintenir en équilibre les deux parties résultantes, appliquer à la partie $AC$ une force $\mathbf{F}'$ et à la partie $CB$ une autre force $\mathbf{F}$ égale et opposée à $\mathbf{F}'$ (Fig. 7.1*b*). Ces nouvelles forces sont dirigées suivant $AB$, ont la même grandeur $F$ et leurs sens sont opposés. Puisque les deux parties $AC$ et $CB$ étaient en équilibre avant la coupure, des *forces intérieures* équivalentes à ces forces devaient exister à l'intérieur de la barre. Nous voyons donc que dans le cas d'une barre en équilibre sous l'action de deux forces, les forces intérieures agissant sur chaque section de la barre sont équivalentes à une force axiale. La grandeur $F$ de cette force, qui ne dépend pas de la position de la section $C$ de la barre, est appelée la *force* ou l'*effort* dans la barre $AB$. Dans le cas présent, la barre est en tension et va s'allonger sous l'action de ces forces intérieures. Dans le cas représenté à la fig. 7.2, la barre est en compression et va se contracter sous l'action de ces forces intérieures.

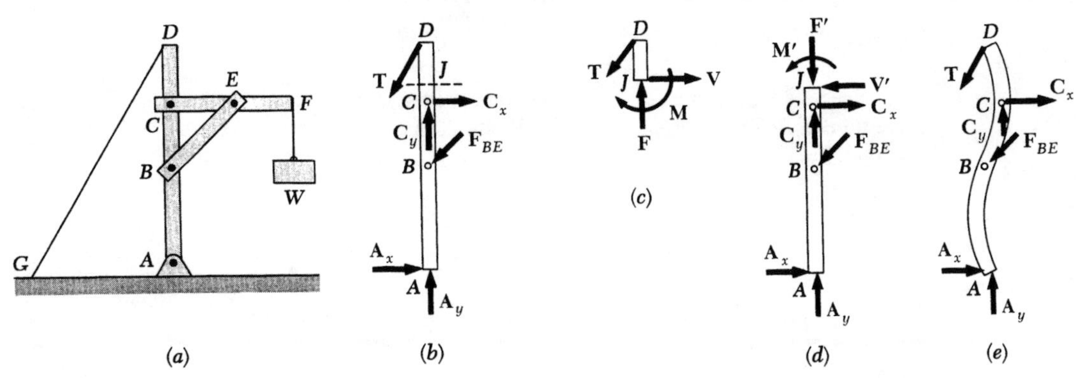


**Fig. 7.3**

Passons maintenant à une *membrure à efforts multiples.* Prenons, par exemple, la membrure *AD* de la grue étudiée à la section 6.11. Cette grue est redessinée à la fig. 7.3*a* et le schéma de la membrure isolée *AD* est tracé à la fig. 7.3*b*. Coupons maintenant la membrure *AD* au point *J* et dessinons le schéma du corps isolé pour chacune des parties *AD* et *AJ* de la membrure (Fig. 7.3*c* et *d*). Si nous considérons le corps isolé *JD*, nous constatons que l'équilibre pourra être maintenu si nous appliquons une force **F** au point *J* pour équilibrer la composante verticale de **T**, une force **V** pour équilibrer la composante horizontale de **T**, et un couple **M** pour équilibrer le moment de **T** par rapport au point *J*. Nous pouvons encore déduire que des forces intérieures doivent exister au point *J* avant que la membrure *AD* ne soit coupée. Les forces intérieures agissant sur la partie *JD* de la membrure *AD* sont équivalentes au système force-couple dessiné à la fig. 7.3*c*. Suivant le troisième principe de Newton, les forces intérieures appliquées sur *AJ* doivent à leur tour être équivalentes à un système force-couple égal et opposé, comme il est indiqué à la fig. 7.3*d*. On voit clairement que l'action des forces intérieures, dans la membrure *AD, ne se limite pas à produire une tension ou une compression*, comme dans le cas de la barre soumise à des efforts axiaux; les forces intérieures produisent aussi des *efforts qui tendent à cisailler (trancher) et à fléchir la poutre.* La force **F** est encore une force axiale ou normale ; la force **V** est appelée l'*effort tranchant* et le moment *M* du couple est appelé le *moment fléchissant au moment de flexion* au point *J*. Nous notons que lorsqu'on calcule les forces intérieures d'une membrure, nous devons indiquer clairement dans quelle partie de la membrure ces forces sont appliquées. La déformation de la membrure *AD* est schématisée à la fig. 7.3*e*. L'étude de ces déformations fait partie de la mécanique des matériaux.

Nous devons encore faire remarquer qu'une *pièce non rectiligne*, sollicitée par des forces égales, opposées et de même ligne d'action, peut être soumise à des forces intérieures qui se réduisent dans chaque section à des forces normales ou axiales, à des efforts tranchants et à des moments de flexion tout comme les membrures à efforts multiples. La fig. 7.4 en est un exemple.

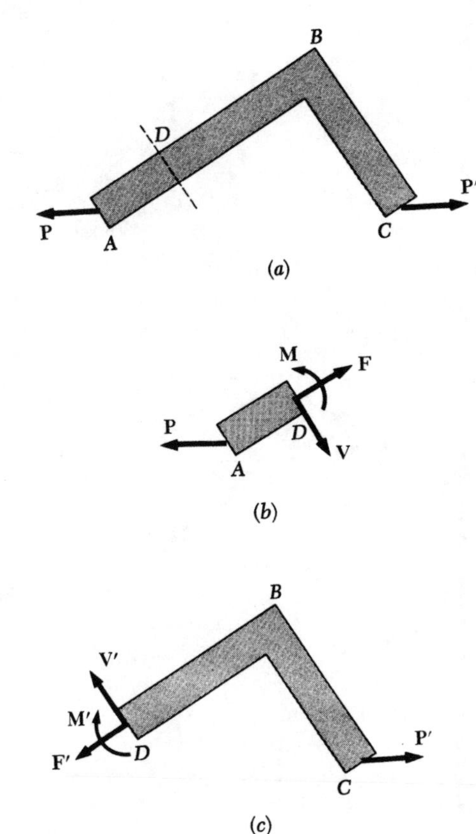


**Fig. 7.4**

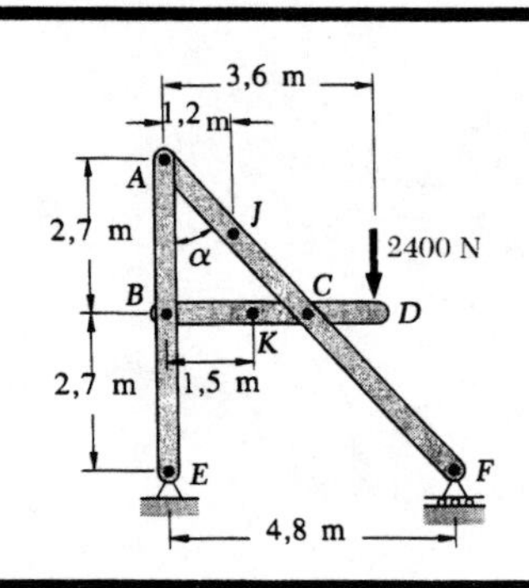


## PROBLÈME RÉSOLU 7.1

Déterminez les forces intérieures : *a*) au point *J* de la membrure *ACF*, *b*) au point *K* de la membrure *BCD*. Cette structure a déjà été étudiée au problème résolu 6.6.

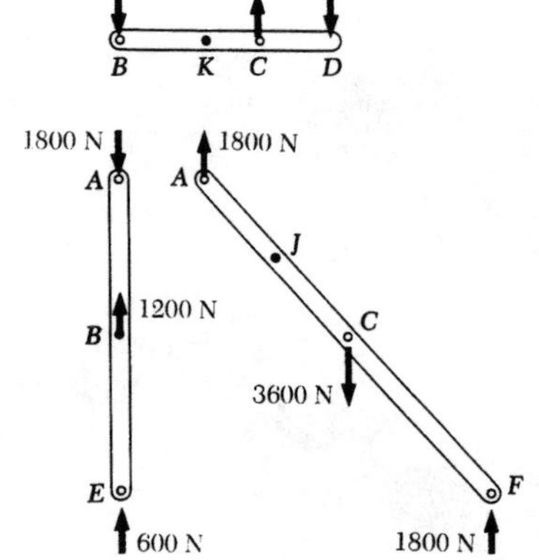


**Solution.** Les forces et les réactions appliquées dans chaque élément de la structure ont été calculées dans le problème résolu 6.6 et le résultat est consigné ici.

***a. Forces intérieures au point J.*** Coupons la membrure *ACF* au point *J*. Les forces intérieures au point *J* sont représentées par un système force-couple équivalent et peuvent être calculées en résolvant le système d'équations d'équilibre écrit pour une des parties résultantes de la coupure. Si on considère le *corps isolé AJ*, nous pouvons écrire

$+\circlearrowleft \Sigma M_J = 0$ : $\quad -(1800\ \text{N})(1{,}2\ \text{m}) + M = 0$
$\quad M = +2160\ \text{N}\cdot\text{m} \qquad \mathbf{M} = 2160\ \text{N}\cdot\text{m}\ \circlearrowleft$ ◄

$+\searrow \Sigma F_x = 0$ : $\quad F - (1800\ \text{N}) \cos 41{,}7° = 0$
$\quad F = 1344\ \text{N} \qquad \mathbf{F} = 1344\ \text{N} \searrow$ ◄

$+\nearrow \Sigma F_y = 0$ : $\quad -V + (1800\ \text{N}) \sin 41{,}7° = 0$
$\quad V = +1197\ \text{N} \qquad \mathbf{V} = 1197\ \text{N} \swarrow$ ◄

Les forces intérieures au point *J* sont équivalentes à un couple **M**, à un effort axial **F** et à un effort tranchant **V**. Le système force-couple intérieur appliqué à la partie *JCF* est égal et opposé.

***b. Forces intérieures au point K.*** Coupons la membrure *BCD* au point *K*. Si nous considérons le *corps isolé BK*, nous pouvons écrire

$+\circlearrowleft \Sigma M_K = 0$ : $\quad (1200\ \text{N})(1{,}5\ \text{m}) + M = 0$
$\quad M = -1800\ \text{N}\cdot\text{m} \qquad \mathbf{M} = 1800\ \text{N}\cdot\text{m}\ \circlearrowright$ ◄

$\overset{+}{\rightarrow} \Sigma F_x = 0$ : $\quad F = 0 \qquad \mathbf{F} = 0$ ◄

$+\uparrow \Sigma F_y = 0$ : $\quad -1200\ \text{N} - V = 0$
$\quad V = -1200\ \text{N} \qquad \mathbf{V} = 1200\ \text{N} \uparrow$ ◄

## PROBLÈMES SUPPLÉMENTAIRES

**7.1 à 7.5** Calculez les forces intérieures (effort axial ou normal, effort tranchant et moment de flexion) au point $J$ des structures indiquées :

**7.1** Structure et mise en charge du probl. 6.67
**7.2** Structure et mise en charge du probl. 6.68
**7.3** Structure et mise en charge du probl. 6.69
**7.4** Structure et mise en charge du probl. 6.74
**7.5** Structure et mise en charge du probl. 6.75

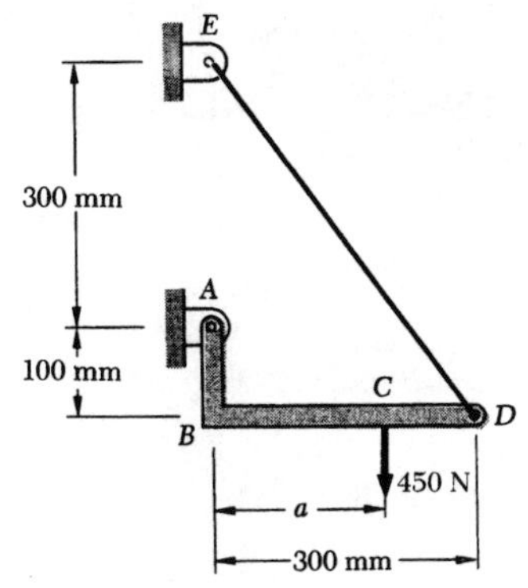

**Fig. P7.6 et P7.7**

**7.6** La console $AD$ est appuyée sur une rotule $A$ et est supportée par un câble $DE$. Calculez les forces intérieures immédiatement à gauche de la charge, si $a$ = 200 mm.

**7.7** La console $AD$ est appuyée sur une rotule $A$ et est supportée par un câble $DE$. Calculez la valeur de $a$ pour laquelle le moment de flexion au point $B$ est égal au moment de flexion au point $C$.

**7.8 et 7.9** Un profilé U forme les côtés d'une échelle d'avion. Calculez les forces intérieures, au point milieu d'un de ses côtés, provoquées par son poids : *a*) en fonction de $w$, $L$, et $\theta$, *b*) si $w$ = 292 N/m, $l$ = 3,66 m et $h$ = 2,74 m et si $w$ est le poids par unité de longueur du profilé.

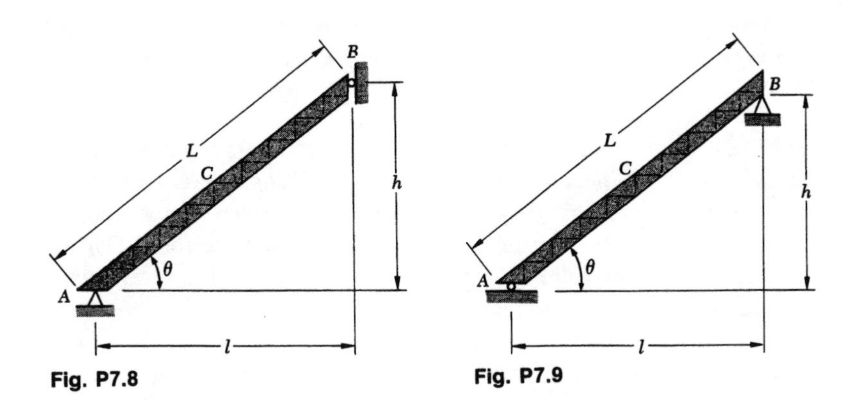

**Fig. P7.8** **Fig. P7.9**

**7.10** L'axe de la membrure courbe $ABC$ est de forme parabolique. Calculez les forces intérieures dans une section à une distance $\frac{1}{4}L$ de l'extrémité gauche, si la tension dans le câble est de 1000 N et la grandeur de **P** est de 500 N. Supposez que $h$ = 80 mm et $L$ = 480 mm.

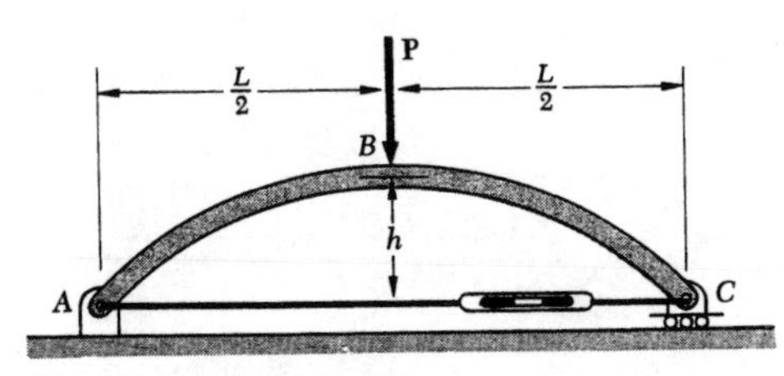

**Fig. P7.10 et P7.11**

**7.11** Si on appelle $T$ la tension du câble $AC$, déterminez : *a*) les forces intérieures immédiatement à gauche du point $B$, *b*) la valeur de $T$ pour laquelle le moment de flexion au point $B$ est nul.

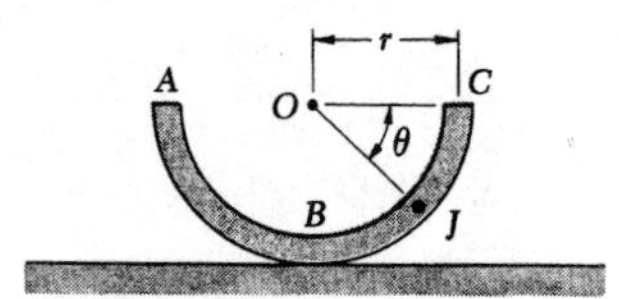

Fig. P7.12 et P7.14

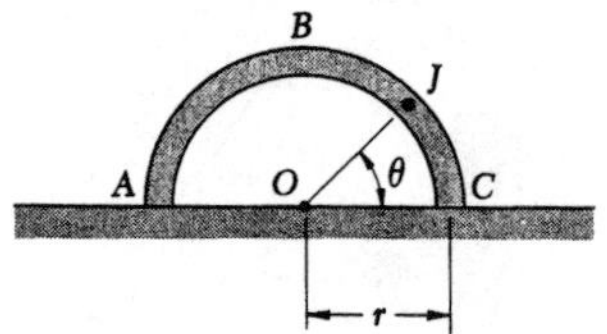

Fig. P7.13 et P7.15

**7.12 et 7.13** La demi-section d'un tuyau de 0,305 m de longueur repose sans frottement sur une surface horizontale. Son poids étant de 133 N et son rayon de 254 mm, calculez le moment de flexion au point $J$ si $\theta = 90°$.

***7.14 et 7.15** La demi-section d'un tuyau de poids $W$ et de longueur unitaire repose sans frottement sur une surface horizontale. Calculez les forces intérieures au point $J$ en fonction de $W$, $r$ et $\theta$.

***7.16** Calculez, dans le probl. 7.15, la grandeur et la position de l'effort tranchant maximal.

## POUTRES

### *7.2. Les différents types d'appuis et de mises en charge.

On appelle *poutre* la membrure d'une structure conçue pour supporter des charges en tout ses points. Dans la plupart des cas les charges sont perpendiculaires à l'axe de la poutre et provoquent seulement dans celle-ci des efforts tranchants et des moments de flexion. Lorsque les charges ne sont pas perpendiculaires à l'axe de la poutre, elles font apparaître aussi des efforts axiaux. Remarquons que les efforts axiaux sont habituellement négligés lors du calcul de la poutre parce qu'ils sont moins critiques que les efforts tranchants ou les moments de flexion.

Les poutres sont habituellement des barres prismatiques et rectilignes. Calculer une poutre consiste essentiellement à lui prévoir un section telle qu'elle pourra résister aux efforts tranchants, aux moments de flexion et éventuellement aux efforts axiaux provoqués par la mise en charge imposée. Le calcul et le dessin de la poutre comporte deux parties. Dans la première, on procède au calcul des forces intérieures provoquées par la mise en charge; dans la deuxième, on sélectionne une section capable de résister à ces efforts. Dans cette section, nous allons résoudre la première partie, c'est-à-dire que nous allons procéder au calcul des efforts tranchants et des moments de flexion qui résultent des conditions de mise en charge et du système d'appuis utilisé. La deuxième partie sera étudiée plus tard, dans le cours de mécanique des matériaux.

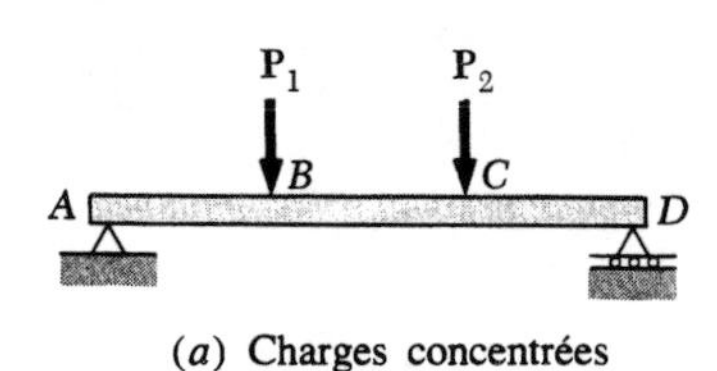

(*a*) Charges concentrées

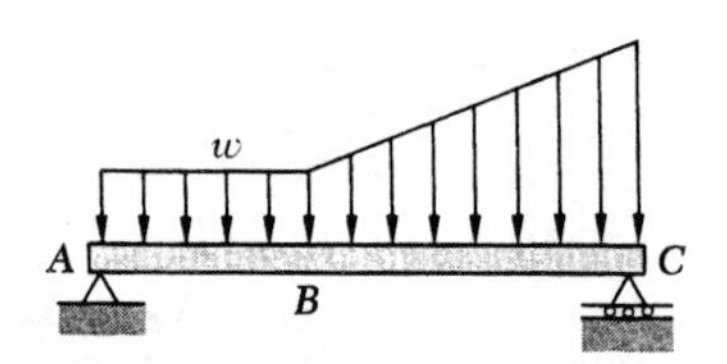

(*b*) Charges réparties.

Fig. 7.5 Différentes mises en charge.

Une poutre peut être soumise aux *charges concentrées* $\mathbf{P}_1$, $\mathbf{P}_2$..., exprimées en newtons (N) ou en kilonewtons (kN) (Fig. 7.5*a*), ou a des *charges réparties* $w_1$, $w_2$..., exprimées en newtons par mètre (N/m) ou en kilonewtons par mètre (kN/m) (Fig. 7.5*b*), ou encore à une combinaison des deux. Lorsqu'une charge $w$ par unité de longueur garde une valeur constante sur une partie de la poutre (comme par exemple entre $A$ et $B$ de la fig. 7.5*b*), la charge est dite *uniformément répartie* sur cette partie de la poutre. Le calcul des réactions aux appuis peut être considérablement simplifié si les charges réparties sont remplacées par une ou plusieurs charges concentrées équivalentes, comme il a été discuté à la section 5.6. Cette substitution cependant ne doit pas être faite, ou alors elle doit être faite avec beaucoup de précaution lorsqu'on veut calculer les forces internes (effort tranchant, effort axial et moment de flexion). (Voir le problème résolu 7.3.)

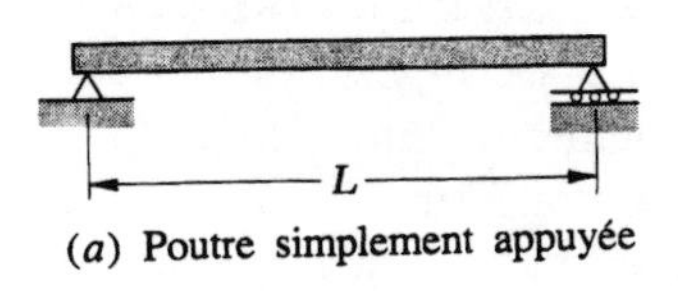


($a$) Poutre simplement appuyée

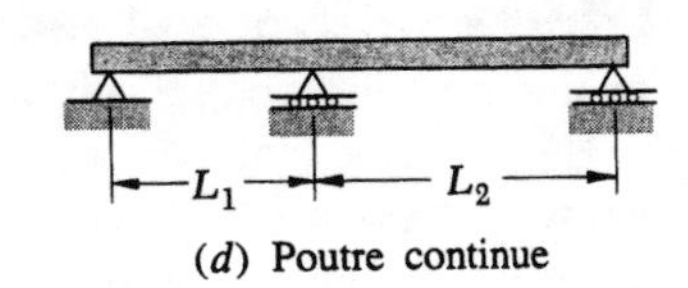


($d$) Poutre continue

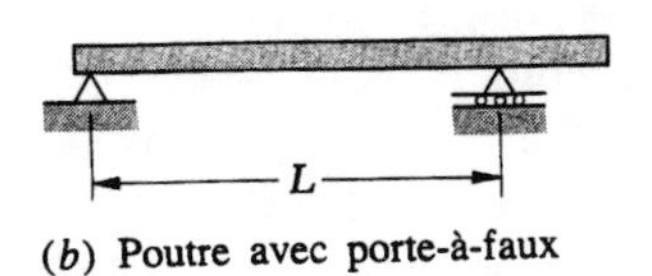


($b$) Poutre avec porte-à-faux

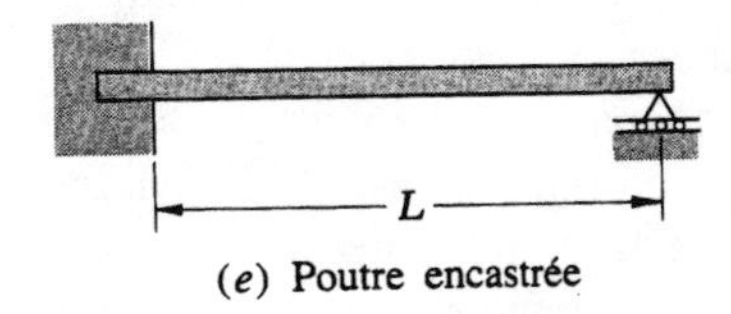


($e$) Poutre encastrée

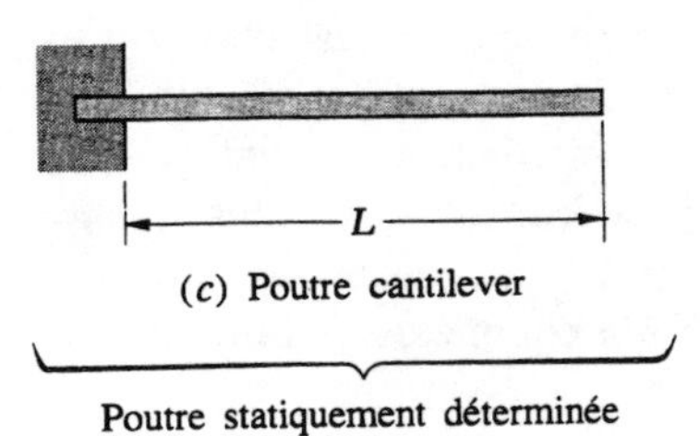


($c$) Poutre cantilever

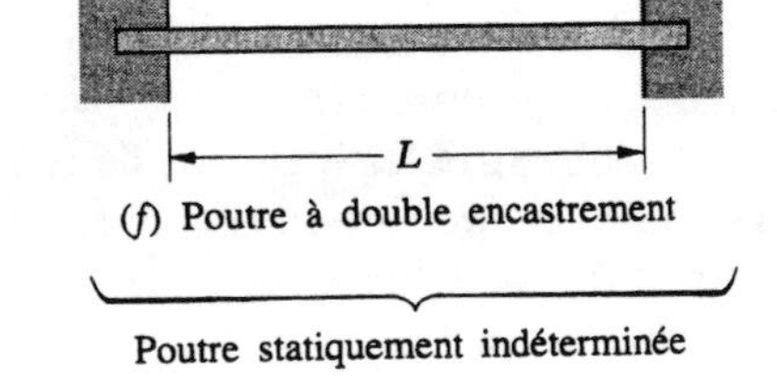


($f$) Poutre à double encastrement

Poutre statiquement déterminée

Poutre statiquement indéterminée

**Fig. 7.6** Différents types de poutres

Les poutres sont classées suivant leurs types d'appuis. Plusieurs types de poutres fréquemment utilisées sont schématisés à la fig. 7.6. La distance $L$ entre les supports est appelée la *portée* de la poutre. Nous devons remarquer que les réactions pourront être calculées si les appuis introduisent *trois* et *seulement trois* réactions inconnues. Les réactions seront statiquement indéterminées dans le cas ou les appuis introduiraient plus que trois inconnues, et alors les méthodes de la statique sont insuffisantes pour les calculer : pour poursuivre leur calcul, on doit faire appel aux propriétés de la poutre relativement à sa résistance aux moments de flexion. Les poutres supportées par deux appuis simples (rouleaux) ne sont pas schématisées; de telles poutres sont à liaisons incomplètes et se déplacent sous certaines conditions de charge.

Parfois, deux poutres ou plus sont reliées par des liaisons à rotule pour former une structure continue. Deux exemples de poutres ainsi reliées sont schématisés à la fig. 7.7. Nous devons faire remarquer que les réactions des appuis introduisent quatre inconnues et ne peuvent pas être déterminées à partir du schéma de l'ensemble. Cependant, elles peuvent être calculées si on coupe la poutre au point de liaison $H$. On trace un schéma pour chaque partie isolée et on peut écrire six équations d'équilibre (incluant les deux composantes à la liaison $H$) qui mettent en jeu six inconnues : celles-ci peuvent alors être calculées.

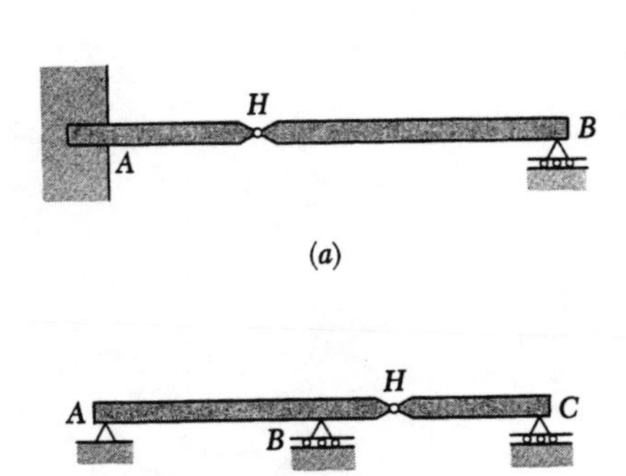


**Fig. 7.7** Poutres articulées

***7.3. Effort tranchant et moment de flexion dans les poutres.** Considérons une poutre $AB$ soumise à plusieurs charges, concentrées ou réparties (Fig. 7.8*a*). Nous nous proposons de calculer les efforts tranchants et les moments de flexion dans chaque point de la poutre. Dans l'exemple que nous allons traiter, la poutre est simplement appuyée, mais la méthode décrite s'applique à toute poutre dont les réactions sont statiquement déterminées.

Considérons d'abord le schéma de la poutre complète (Fig. 7.8*b*) : nous pouvons écrire le système d'équations $\Sigma M_A = 0$ et $\Sigma M_B = 0$ dont la solution nous donne les inconnues $\mathbf{R}_A$ et $\mathbf{R}_B$.

Pour connaître les forces intérieures au point $C$, nous pouvons couper la poutre en ce point et tracer les schémas des parties $AC$ et $CB$ (Fig. 7.8*c*). Le schéma de la partie isolée $AC$ nous permet de calculer l'effort tranchant $V$ en annulant la somme des moments par rapport au point $C$ de toutes les forces et de tous les couples appliqués à la partie $AC$. Nous aurions pu tout aussi bien utiliser le schéma de la partie $CB$ et calculer l'effort tranchant $V$ et le moment de flexion $\mathbf{M}'$ en annulant la somme des composantes verticales et la somme des moments par rapport au point $C$ de toutes les forces et de tous les couples appliqués à la partie $BC$. Cette particularité facilite beaucoup le calcul numérique des efforts tranchants et des moments de flexion : il est néanmoins nécessaire de préciser dans quelle partie les forces intérieures agissent. Si les efforts tranchants et les moments de flexion doivent être calculés en tout point de la poutre et être rapportés convenablement sur un diagramme, il n'est pas nécessaire de spécifier la partie de la poutre utilisée comme corps libre. Nous adoptons cependant la convention suivante :

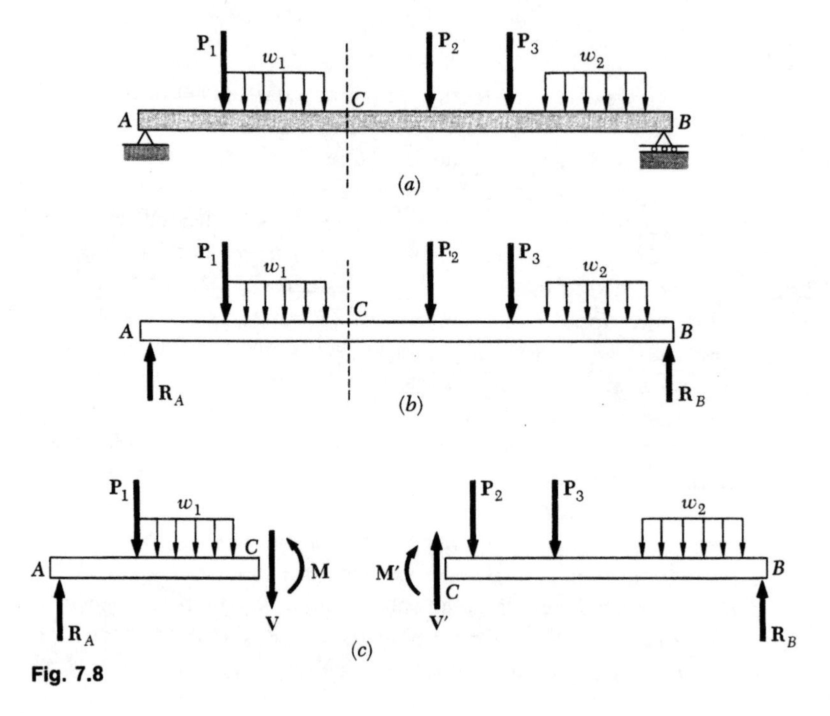


Fig. 7.8

Pour calculer l'effort tranchant dans la poutre, nous *supposerons toujours* que les forces intérieures **V** et **V'** sont dirigées comme il est indiqué à la fig. 7.8*c*. Si on obtient leur valeur commune $V$ avec un signe positif, alors le sens arbitraire imposé aux efforts tranchants est le sens réel. Cette situation est illustrée à la fig. 7.8*c*. Si on obtient leur valeur commune $V$ avec le signe négatif, alors le sens arbitraire imposé aux efforts tranchants est incorrect et opposé au sens réel. Par conséquent, la connaissance de la grandeur commune $V$, précédée d'un signe positif ou négatif, est nécessaire pour pouvoir définir complètement les efforts tranchants agissant à un point donné de la poutre. De la même manière, nous *supposerons toujours* que les couples intérieurs **M** et **M'** sont positifs s'ils sont orientés comme l'indique la fig. 7.8*c*. Si une valeur positive affecte le calcul de leur grandeur commune, appelée le moment de flexion, alors cette orientation arbitraire coïncide avec l'orientation réelle. Cette situation est illustrée à la fig. 7.8*c*. Si une valeur négative affecte la valeur de $M$, alors l'orientation arbitraire est incorrecte : elle est opposée à l'orientation réelle. En résumé, nous pouvons écrire : l'*effort tranchant V et le moment de flexion M, en un point donné d'une poutre, sont positifs lorsque les forces intérieures et les couples agissant sur chaque partie de la poutre divisée par le point ont les sens indiqués à la fig. 7.9a.*

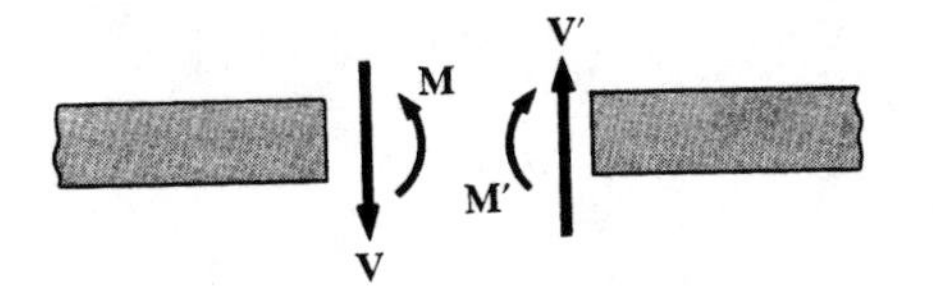


En fonction des forces extérieures, cette convention peut s'écrire :

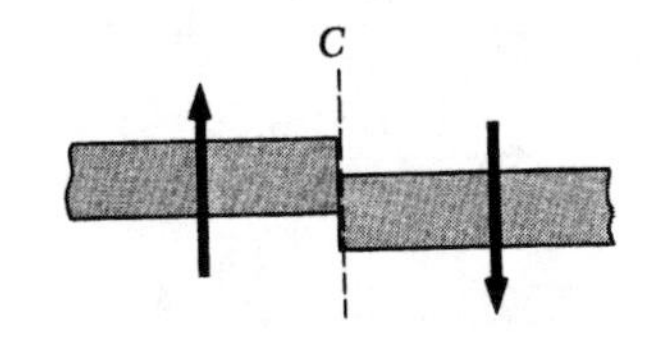


1. *L'effort tranchant au point C est positif quand les forces extérieures (charges et réactions) appliquées à la poutre tendent à cisailler la poutre au point C, tel qu'indiqué à la fig. 7.9b.*

2. *Le moment de flexion au point C est positif lorsque les forces extérieures agissant sur la poutre au point C tendent à plier la poutre, tel qu'indiqué à la fig. 7.9c.*

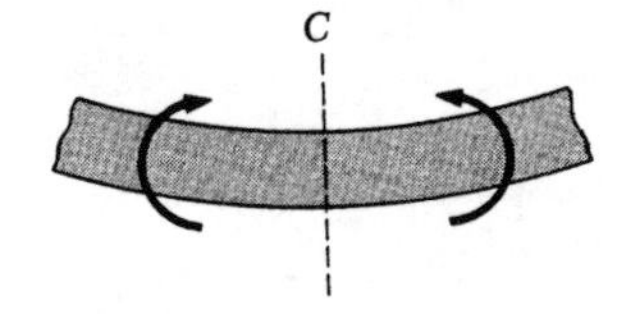


**Fig. 7.9**

Nous devons faire remarquer aussi que la situation décrite à la fig. 7.9 correspondant aux valeurs positives de l'effort tranchant et du moment de flexion, est précisement la situation qu'on retrouve dans la moitié gauche d'une poutre simplement appuyée et chargée en son point milieu par une charge concentrée. Ce cas sera détaillé à la section suivante.

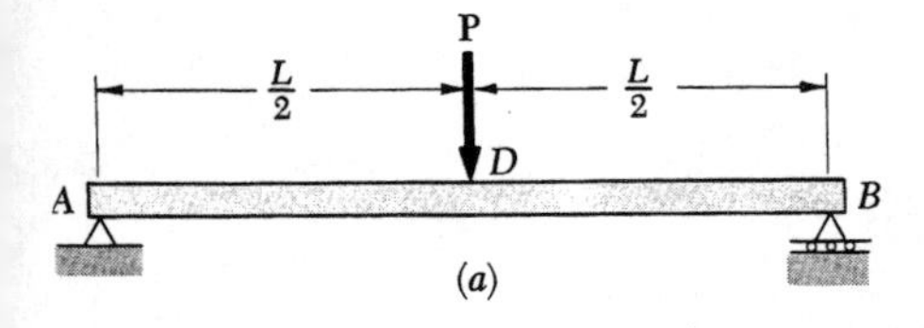


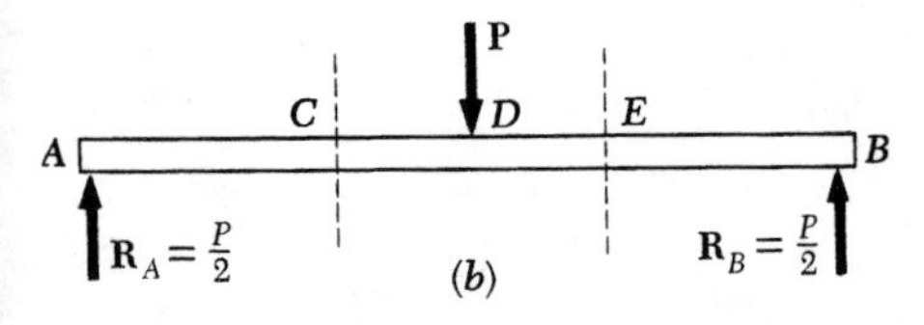


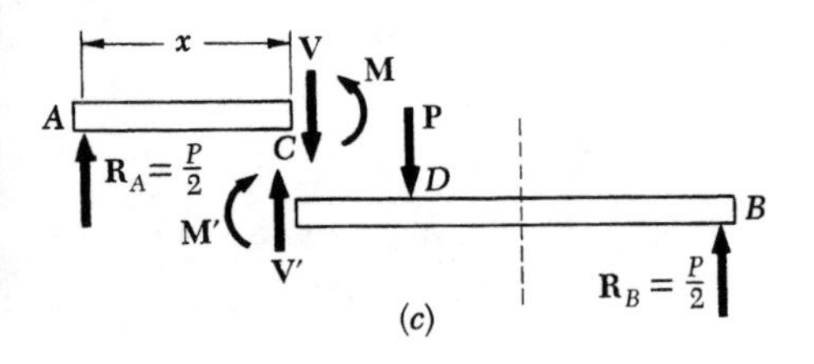


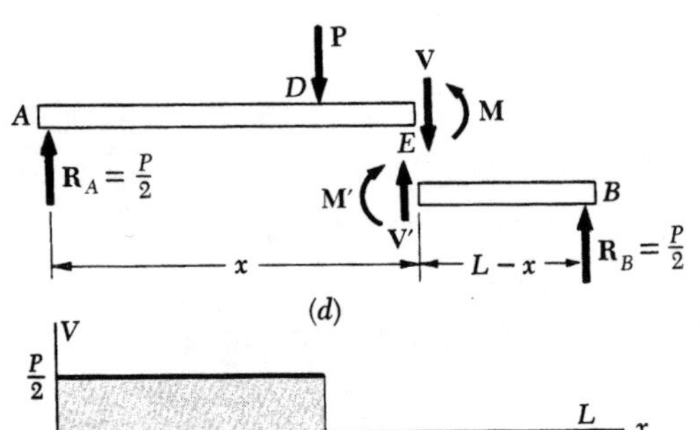


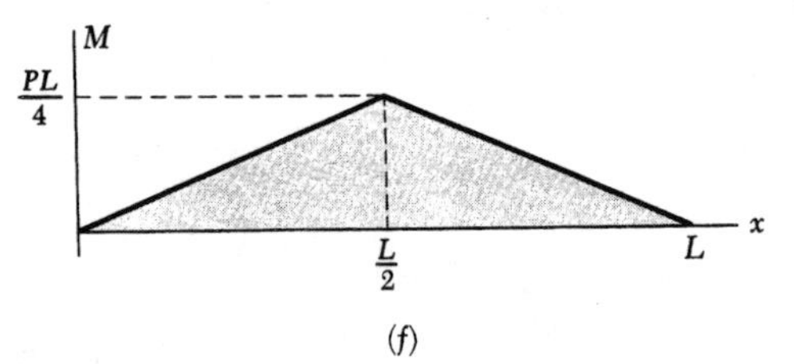


**Fig. 7.10**

***7.4. Diagramme des efforts tranchants et des moments fléchissants.** Puisque maintenant nous sommes en mesure de déterminer la grandeur et le sens des efforts tranchants et des moments fléchissants, nous pouvons les rapporter sur un graphique en fonction de la variable $x$, distance mesurée à partir d'une des extrémités de la poutre. Ces graphiques sont appelés respectivement le *diagramme des efforts tranchants* et le *diagramme des moments fléchissants*. À titre d'exemple, considérons une poutre $AB$ simplement appuyée, de portée $L$, et soumise en son point milieu $D$ à une charge concentrée $\mathbf{P}$ (Fig. 7.10*a*). Commençons par calculer les réactions à l'aide du schéma de la poutre isolée représentée à la fig. 7.10*b*. Nous trouvons que ces réactions sont égales et de grandeur $P/2$.

Coupons ensuite au point $C$, la poutre située entre $A$ et $D$ et traçons les schémas des parties $AC$ et $CB$ (Fig. 7.10*c*). *En supposant que l'effort tranchant $V$ et le moment fléchissant $M$ sont positifs*, nous allons orienter les forces intérieures $\mathbf{V}$ et $\mathbf{V}'$ et les couples intérieurs $\mathbf{M}$ et $\mathbf{M}'$ suivant les sens donnés à la fig. 7.9*a*. Si maintenant nous annulons la somme des composantes verticales et la somme des moments par rapport au point $C$ des forces appliquées sur la partie isolée, nous trouvons, après avoir résolu le système ainsi obtenu, que $V = +P/2$ et $M = +Px/2$. Tous deux sont donc positifs; nous pouvons vérifier cela si on observe que la réaction au point $A$ tend à cisailler et à plier la poutre au point $C$, comme il est indiqué à la fig. 7.9*b* et *c*. Nous pouvons rapporter sur le diagramme les valeurs de $V$ et $M$ prises entre $A$ et $D$ (Fig. 7.10*e* et *f*); l'effort tranchant a une valeur constante $V = P/2$ tandis que le moment fléchissant croît linéairement de $M = 0$ au point $x = 0$ à $M = PL/4$ au point $x = L/2$.

Si maintenant nous procédons à une coupure de la poutre au point $E$, compris entre $D$ et $B$, et que nous annulons la somme des composantes verticales et la somme des moments par rapport au point $E$ de toutes les forces appliquées à la partie isolée $EB$ (Fig. 7.10*d*), nous trouvons, après avoir résolu le système ainsi obtenu, que $V = -P/2$ et $M = P(L-x)/2$. L'effort tranchant est maintenant négatif et le moment fléchissant positif; ceci peut être vérifié si on observe que la réaction à l'appui $B$ plie la poutre au point $E$, comme il est indiqué à la fig. 7.9*c*, mais a tendance à la cisailler d'une façon inverse à celle de la fig. 7.9*b*. Nous pouvons compléter maintenant les diagrammes des efforts tranchants et des moments fléchissants illustrés à la fig. 7.10*e* et *f*; l'effort tranchant possède une valeur constante $V = -P/2$, entre les points $D$ et $B$, tandis que le moment fléchissant décroît linéairement de $M = PL/4$ pour $x = L/2$ à $M = 0$ pour $x = L$.

Nous devons remarquer que lorsque la poutre est soumise uniquement à des charges concentrées, l'effort tranchant aura une valeur constante entre les charges, tandis que le moment y variera linéairement. D'autre part, lorsque la poutre est soumise à des charges réparties, l'effort tranchant et le moment fléchissant varient d'une manière différente (voir le problème résolu 7.3).

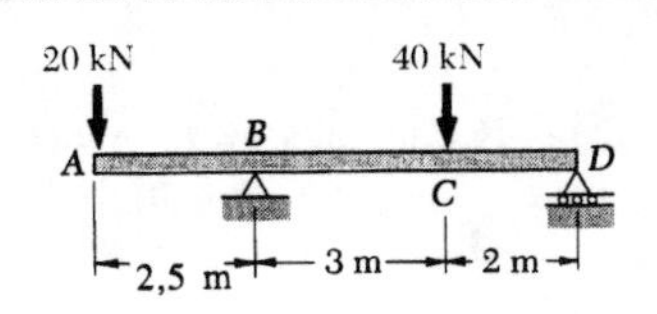


## PROBLÈME RÉSOLU 7.2

Dessinez les diagrammes des efforts tranchants et des moments fléchissants de la poutre chargée illustrée ci-contre.

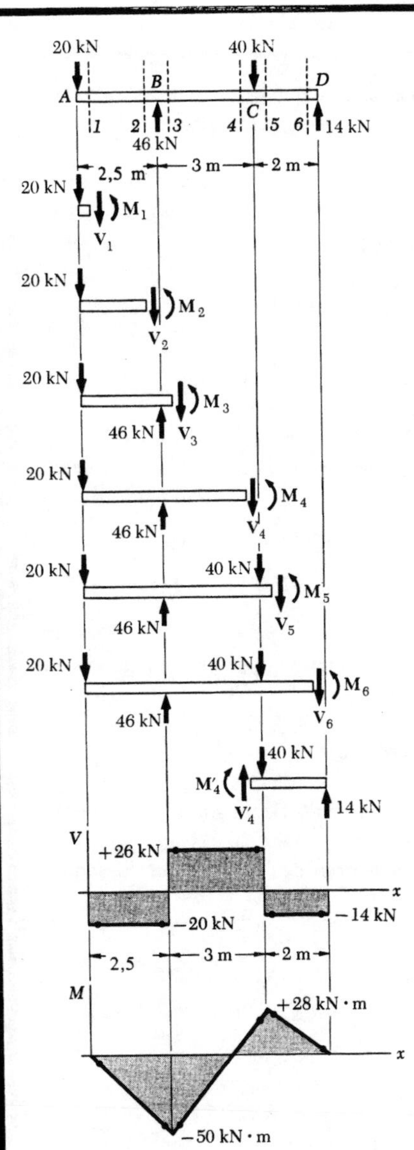


**Solution.** Les réactions sont déterminées en considérant la poutre comme un corps isolé; elles sont

$$\mathbf{R}_B = 46\ \text{kN}\uparrow \qquad \mathbf{R}_D = 14\ \text{kN}\uparrow$$

Commençons par calculer les forces intérieures juste à droite de la charge de 20 kN appliquée au point $A$. Isolons le bout de la poutre à gauche de la section *1* et supposons que l'effort tranchant $V$ et le moment fléchissant $M$ sont positifs (convention); nous écrivons

$$+\uparrow\Sigma F_y = 0: \qquad -20\ \text{kN} - V_1 = 0 \qquad V_1 = -20\ \text{kN}$$

$$+\circlearrowleft\Sigma M_1 = 0: \qquad (20\ \text{kN})(0\ \text{m}) + M_1 = 0 \qquad M_1 = 0$$

Prenons maintenant comme corps isolé la partie de la poutre à gauche de la section *2*, nous écrivons

$$+\uparrow\Sigma F_y = 0: \qquad -20\ \text{kN} - V_2 = 0 \qquad V_2 = -20\ \text{kN}$$

$$+\circlearrowleft\Sigma M_2 = 0: \qquad (20\ \text{kN})(2{,}5\ \text{m}) + M_2 = 0 \qquad M_2 = -50\ \text{kN}\cdot\text{m}$$

Les efforts tranchants et les moments de flexion aux sections *3*, *4*, *5* et *6* sont calculés de la même façon à partir des schémas indiqués. Nous obtenons

$$V_3 = +26\ \text{kN} \qquad M_3 = -50\ \text{kN}\cdot\text{m}$$

$$V_4 = +26\ \text{kN} \qquad M_4 = +28\ \text{kN}\cdot\text{m}$$

$$V_5 = -14\ \text{kN} \qquad M_5 = +28\ \text{kN}\cdot\text{m}$$

$$V_6 = -14\ \text{kN} \qquad M_6 = 0$$

Pour les dernières sections, les résultats peuvent s'obtenir plus facilement en considérant comme corps isolé, la partie de la poutre à droite de la section. Par exemple, si on considère la partie de la poutre à droite de la section *4*, nous écrivons

$$+\uparrow\Sigma F_y = 0: \qquad V_4 - 40\ \text{kN} + 14\ \text{kN} = 0 \qquad V_4 = +26\ \text{kN}$$

$$+\circlearrowleft\Sigma M_4 = 0: \qquad -M_4 + (14\ \text{kN})(2\ \text{m}) = 0 \qquad M_4 = +28\ \text{kN}\cdot\text{m}$$

Nous pouvons maintenant rapporter les six points tracés sur les diagrammes des efforts tranchants et des moments fléchissants. Comme il est indiqué à la section 7.4, l'effort tranchant est constant entre les charges concentrées, tandis que le moment fléchissant y varie linéairement; finalement, nous obtenons les diagrammes tracés ci-contre.

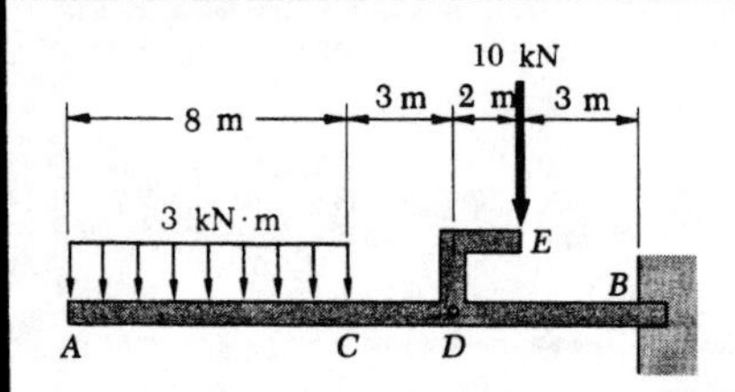


## PROBLÈME RÉSOLU 7.3

Tracez les diagrammes des efforts tranchants et des moments fléchissants de la poutre cantilever $AB$. La charge répartie de 3 kN/m s'applique sur une longueur de 8 m de la poutre et la charge de 10 kN est appliquée au point $E$.

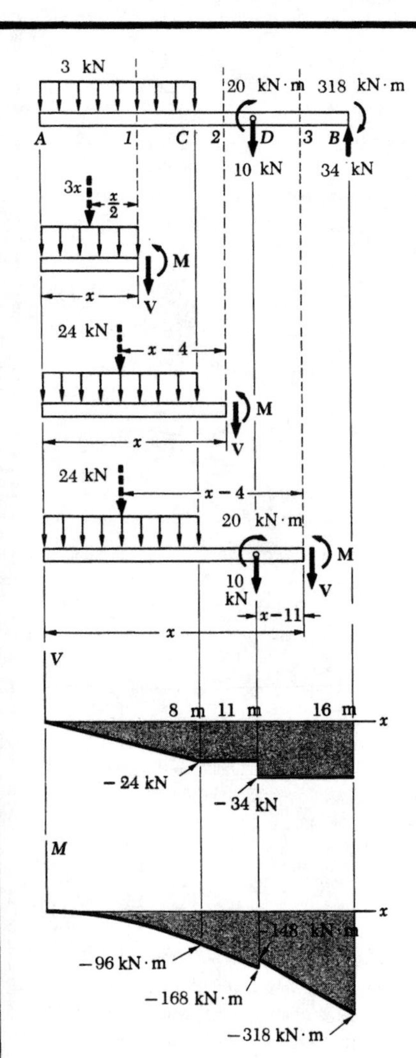


**Solution.** La charge de 10 kN est remplacée par un système force-couple équivalent appliqué au point $D$ de la poutre. La réaction à l'appui $B$ peut se calculer à partir du schéma de la poutre isolée.

***De A jusqu'à C.*** Calculons les forces intérieures à la distances $x$ du point $A$, en considérant la partie de la poutre à gauche de la section *1*. Cette portion de charge répartie est remplacée par sa résultante; et ainsi nous pouvons écrire

$$+\uparrow \Sigma F_y = 0: \qquad -3x - V = 0 \qquad\qquad V = -3x \text{ kN}$$

$$+\circlearrowleft \Sigma M_1 = 0: \qquad 3x(\tfrac{1}{2}x) + M = 0 \qquad\qquad M = -1{,}5x^2 \text{ kN}\cdot\text{m}$$

Puisque le schéma tracé peut être utilisé pour toutes les valeurs de $x$ plus petites que 8 mètres, les expressions obtenues pour $V$ et $M$ sont valides pour $0 < x < 8$ m.

***De C à D.*** Considérons maintenant la partie de la poutre à gauche de la section *2* et remplaçons la charge répartie appliquée sur cette partie par sa résultante; nous pouvons écrire

$$+\uparrow \Sigma F_y = 0: \qquad -24 - V = 0 \qquad\qquad V = -24 \text{ kN}$$

$$+\circlearrowleft \Sigma M_2 = 0: \qquad 24(x - 4) + M = 0 \qquad\qquad M = 96 - 24x \text{ kN}\cdot\text{m}$$

Ces expressions sont valables pour $8 \text{ m} < x < 11$ m.

***De D à B.*** En considérant finalement la partie de la poutre qui se trouve à gauche de la section *3*, nous obtenons pour la région comprise entre $11 \text{ m} < x < 16$ m

$$V = -34 \text{ kN} \qquad\qquad M = 226 - 34x \text{ kN}\cdot\text{m}$$

Les diagrammes des efforts tranchants et des moments fléchissants de la poutre peuvent être tracés maintenant. Notons que le couple de moment 20 kN·m appliqué au point $D$ introduit une discontinuité dans la courbe-enveloppe des moments fléchissants.

## PROBLÈMES SUPPLÉMENTAIRES

**7.17 à 7.22** Tracez les diagrammes des efforts tranchants et des moments fléchissants pour les poutres et les charges indiquées à la figure ci-contre.

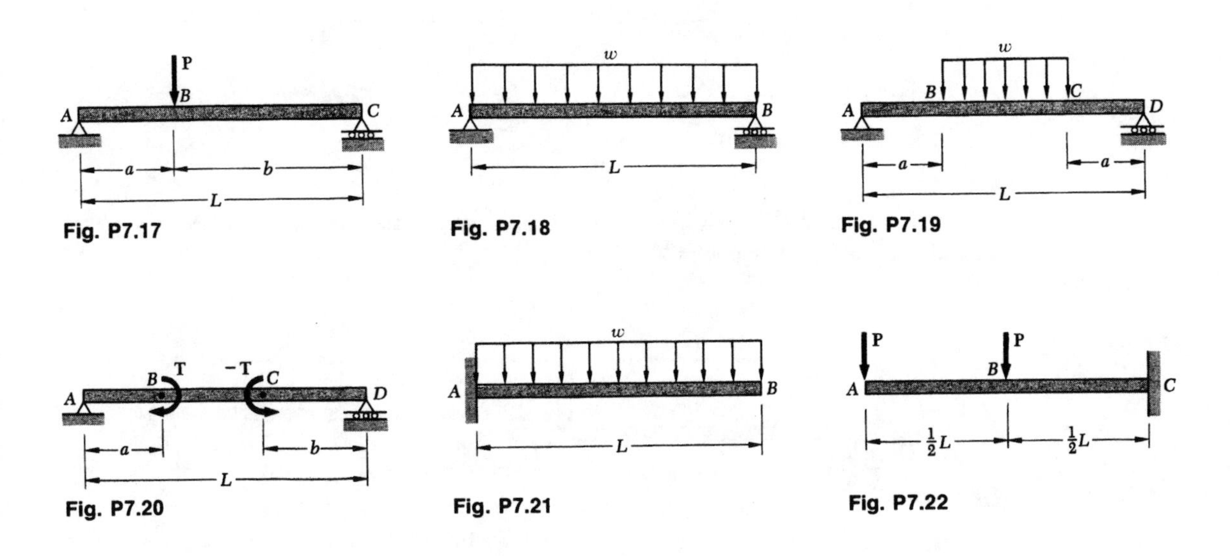

Fig. P7.17
Fig. P7.18
Fig. P7.19
Fig. P7.20
Fig. P7.21
Fig. P7.22

**7.23 et 7.24** Tracez le diagramme des efforts tranchants et le diagramme des moments fléchissants pour la poutre *AB*.

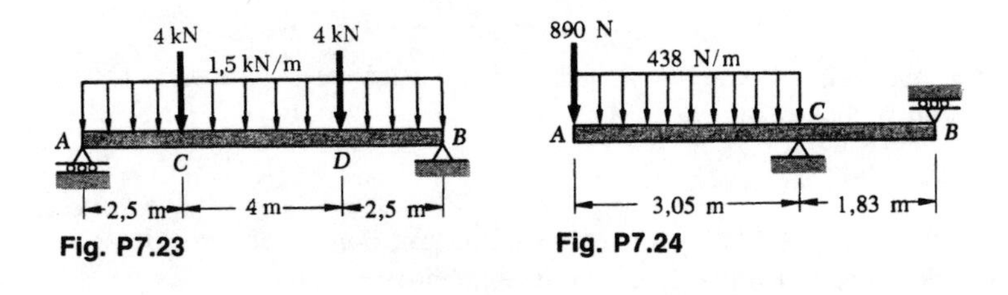

Fig. P7.23
Fig. P7.24

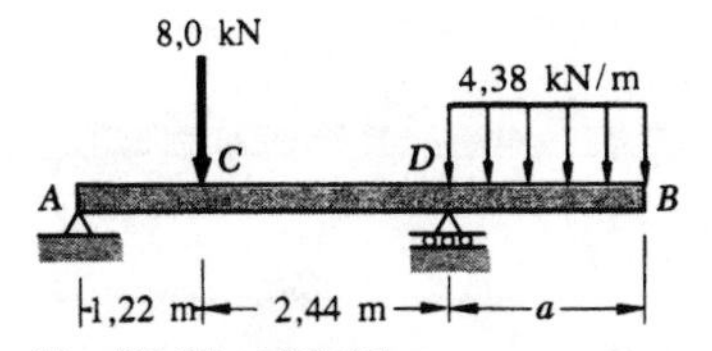

Fig. P7.25 et P7.27

**7.25** Tracez le diagramme des efforts tranchants et des moments fléchissants de la poutre *AB*, si $a = 1{,}83$ m

**7.26** Tracez les diagrammes des efforts tranchants et des moments fléchissants de la poutre *AB*, si la grandeur de la force **P** est de 4 kN.

***7.27** Calculez la distance *a* pour laquelle la valeur maximale absolue du moment fléchissant dans la poutre est la plus petite possible.

***7.28** Calculez la grandeur de la force **P** pour laquelle la valeur maximale absolue du moment fléchissant dans la poutre est la plus petite possible

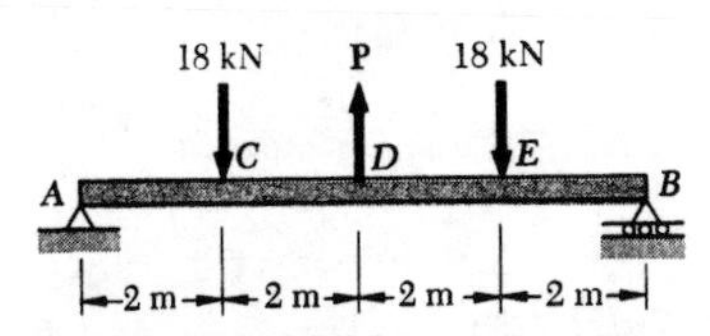

Fig. P7.26 et P7.28

**7.29 et 7.30** On suppose que la réaction du sol est uniformément répartie. Tracez le diagramme des efforts tranchants et des moments fléchissants pour la poutre $AB$.

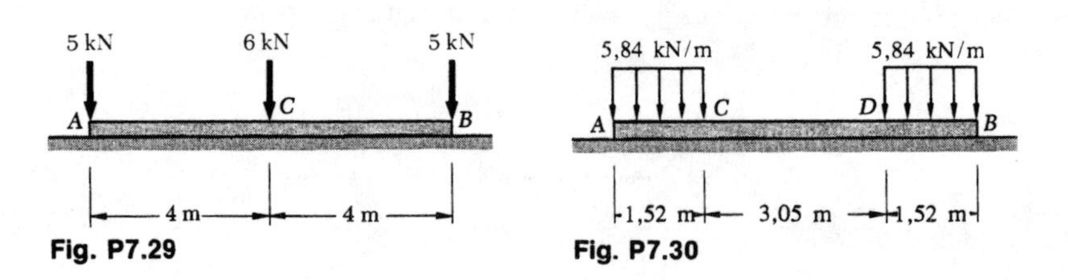


Fig. P7.29

Fig. P7.30

**7.31 et 7.32** Dessinez les diagrammes des efforts tranchants et des moments fléchissants pour la poutre $AB$.

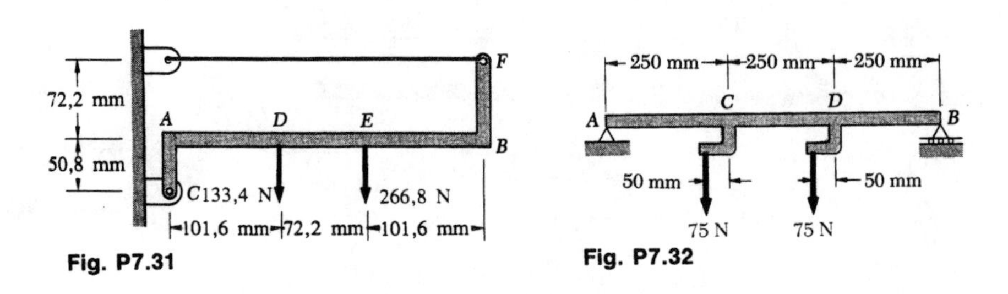


Fig. P7.31

Fig. P7.32

**7.33** Dessinez les diagrammes des efforts tranchants et des moments fléchissants pour la poutre chargée du probl. 6.77.

**7.34** Tracez les diagrammes des efforts tranchants et des moments fléchissants pour la poutre chargée du probl. 6.78.

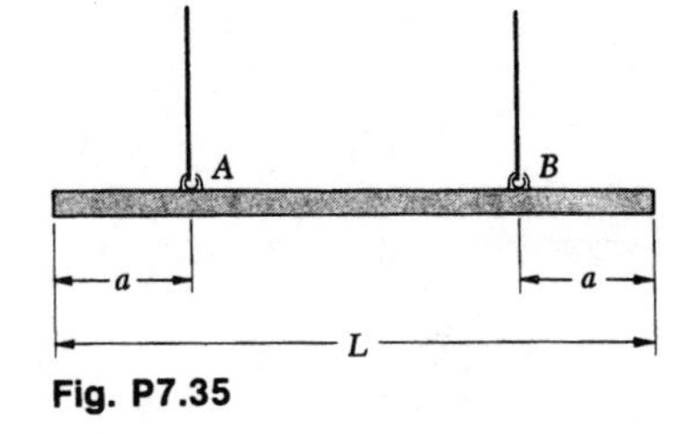


Fig. P7.35

***7.35** Une poutre uniforme doit être soulevée par une grue dont les câbles de levage sont fixés en $A$ et $B$. Calculez la distance $a$ entre les extrémités de la poutre et les points d'attache de ces câbles pour que le moment fléchissant maximal dans la poutre soit le plus petit possible. (Suggestion : dessinez le diagramme des moments fléchissants en fonction de $a$, $L$ et le poids $w$ par unité de longueur, et ensuite égalez les moments fléchissants maximaux positifs et négatifs obtenus.)

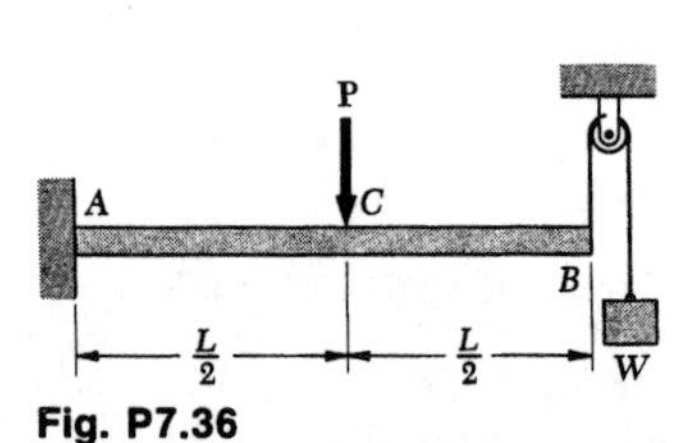


Fig. P7.36

***7.36** Pour réduire le moment de flexion dans la poutre cantilever $AB$, on attache d'une façon permanente un système de contrepoids et une poulie à une de ses extrémités. Calculez la grandeur du contrepoids pour lequel la valeur maximale absolue du moment fléchissant est la plus petite possible. $a$) Considérez seulement le cas de la force $\mathbf{P}$ appliquée au point $C$. $b$) Considérez le cas le plus général où la force $\mathbf{P}$ peut être appliquée au point $C$ ou alors être enlevée complètement.

***7.5. Relations entre les charges, les efforts tranchants et les moments fléchissants.** Lorsqu'une poutre est soumise à plusieurs charges concentrées ou à des charges réparties quelconques, le calcul des forces intérieures par la méthode exposée à la section 7.4 peut devenir peu pratique. Le tracé du diagramme des efforts tranchants et spécialement celui des moments fléchissants seront plus simples si nous utilisons les relations existants entre les différentes forces intérieures et les charges appliquées à la structure.

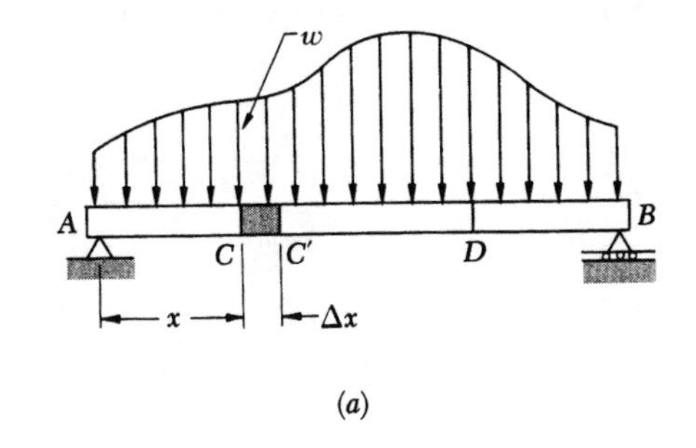

(a)

Considérons une poutre $AB$ simplement appuyée et sollicitée par une charge répartie $w$ N/m (Fig. 7.11*a*) et $C$ et $C'$, deux points de la poutre distancés de $\Delta x$. L'effort tranchant et le moment fléchissant au point $C$ sont respectivement appelés $V$ et $M$ et sont supposés être positifs; l'effort tranchant et le moment fléchissant au point $C'$ sont appelés $V + \Delta V$ et $M + \Delta M$.

Isolons l'élément $CC'$ de la poutre et traçons son schéma (Fig. 7.11*b*). Les forces appliquées sur cet élément isolé comprennent la charge de grandeur $w\Delta x$ et les forces et les couples intérieurs appliqués aux points $C$ et $C'$.

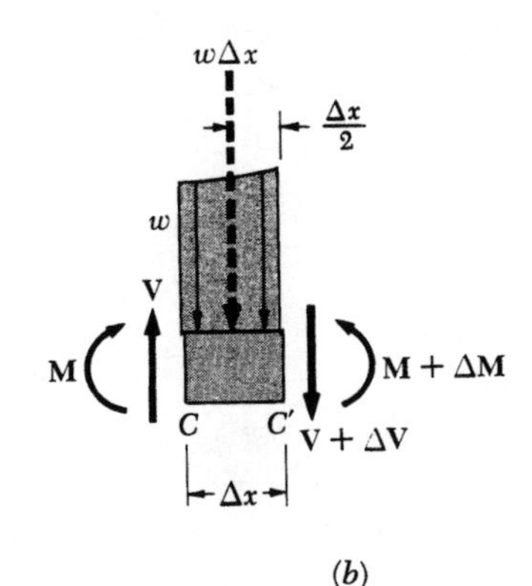

(b)

Fig. 7.11

Puisque nous avons supposé ces forces et ces couples intérieurs comme étant positifs, les efforts tranchants et les moments fléchissants auront le sens indiqué dans la figure.

***Relations entre la charge et les efforts tranchants.*** Si nous utilisons l'équation d'équilibre horizontale de toutes les forces appliquées à l'élément, nous avons

$$V - (V + \Delta V) - w\,\Delta x = 0$$
$$\Delta V = -w\,\Delta x$$

Divisons les deux membres de l'équation par $\Delta x$ et prenons leurs valeurs limites lorsque $\Delta x$ tend vers zéro. Nous obtenons

$$\frac{dV}{dx} = -w \tag{7.1}$$

Cette formule (7.1) nous indique que lorsqu'une poutre est chargée dans les conditions de la fig. 7.11*a*, la pente $dV/dx$ de la courbe des efforts tranchants est négative; la valeur numérique de cette pente à chaque point de la courbe est donnée par la valeur de la charge répartie en ce point.

Si nous intégrons l'expression (7.1) entre les points $C$ et $D$, nous obtenons

$$V_D - V_C = -\int_{x_C}^{x_D} w\,dx \tag{7.2}$$

$V_D - V_C = -$ (Surface sous la courbe des charges, comprise entre $C$ et $D$) (7.2′)

Notons que ce résultat peut aussi s'obtenir en partant de l'équation d'équilibre de la partie $CD$ de la poutre, puisque l'aire sous la courbe représente la charge totale appliquée entre $C$ et $D$.

La formule (7.1) *n'est pas valable* au point où une charge concentrée est appliquée; la courbe des efforts tranchants présente en effet à ce point une discontinuité comme nous l'avons vu à la section 7.4. De la même façon, les relations (7.2) et (7.2′) perdent leur validité lorsque des charges concentrées sont appliquées entre $C$ et $D$, puisqu'elles ne tiennent pas compte du changement instantané de l'effort tranchant provoqué par la présence d'une charge concentrée.

***Relations entre les efforts tranchants et les moments fléchissants.*** Reprenons notre élément isolé de la fig. 7.11$b$ et utilisons l'équation d'équilibre des moments par rapport au point $C'$. Nous obtenons

$$(M + \Delta M) - M - V\,\Delta x + w\,\Delta x \frac{\Delta x}{2} = 0$$

$$\Delta M = V\,\Delta x - \tfrac{1}{2} w (\Delta x)^2$$

Si nous divisons les deux membres de l'équation par $\Delta x$ et prenons leurs limites en faisant tendre $\Delta x$ vers zéro, nous obtenons

$$\frac{dM}{dx} = V \qquad (7.3)$$

Cette formule nous indique que la pente $dM/dx$ de la courbe des moments fléchissants est égale à la valeur de l'effort tranchant. Ceci est vrai pour chaque point de la poutre où l'effort tranchant a une valeur bien définie, c'est-à-dire dans tous les points où n'agit pas une charge concentrée. La formule (7.3) nous montre aussi que l'effort tranchant est nul en tout point où le moment fléchissant est maximal. Cette propriété nous facilite la détermination des points où la poutre pourra éventuellement céder sous l'action de moments fléchissants trop forts.

L'intégration de la relation (7.3) définie entre les points $C$ et $D$, nous donne

$$M_D - M_C = \int_{x_C}^{x_D} V dx \qquad (7.4)$$

$M_D - M_C =$ – (Surface sous la courbe des efforts tranchants comprise entre $C$ et $D$) (7.4′)

Notons que l'aire sous la courbe des efforts tranchants est positive lorsque l'effort tranchant est positif et elle sera négative lorsque l'effort tranchant sera négatif. Les relations (7.4) et (7.4′) seront valables même si des charges concentrées sont appliquées entre $C$ et $D$, en autant que la courbe ait été bien tracée. Elles cessent d'être valables lorsqu'un *couple* est appliqué aux points $C$ et $D$, puisqu'elles ne tiennent pas compte du changement subit du moment fléchissant causé par un couple. (Voir le problème résolu 7.7.)

***Exemple.*** Considérons une poutre $AB$ simplement appuyée, de portée $L$ et sollicitée par une charge répartie uniforme $w$ (Fig. 7.12*a*). Calculons, à partir du schéma de la poutre isolée, les réactions d'appui; nous obtenons $R_A = R_B = wL/2$ (Fig. 7.12*b*). Dessinons ensuite le diagramme des efforts tranchants. Au point $A$ de la poutre, l'effort tranchant est égal à la réaction et vaut $wL/2$, comme nous pouvons le voir en isolant un élément de la poutre et en traçant son schéma. La formule 7.2 nous permet de calculer l'effort tranchant $V$ à une distance $x$ du point $A$; nous pouvons écrire

$$V - V_A = -\int_0^x w\,dx = -wx$$

$$V = V_A - wx = \frac{wL}{2} - wx = w\left(\frac{L}{2} - x\right)$$

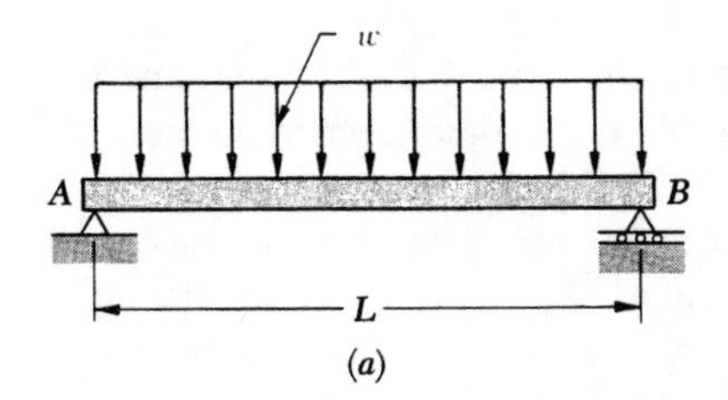


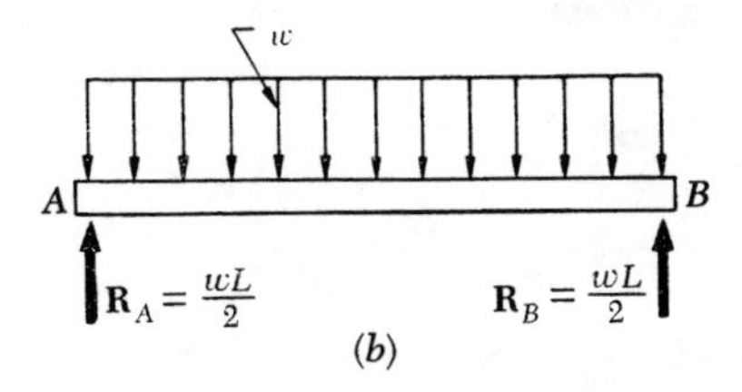


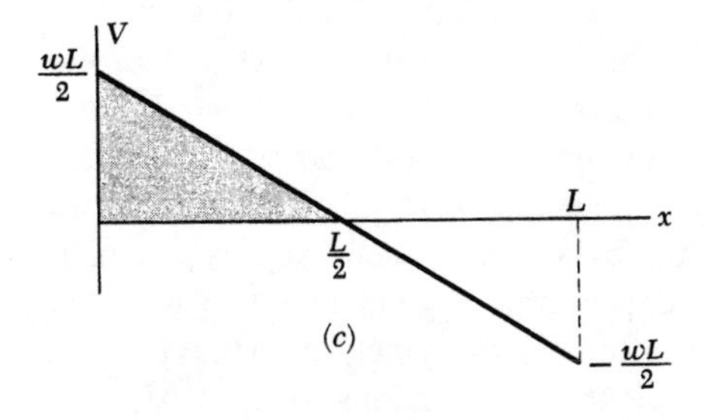


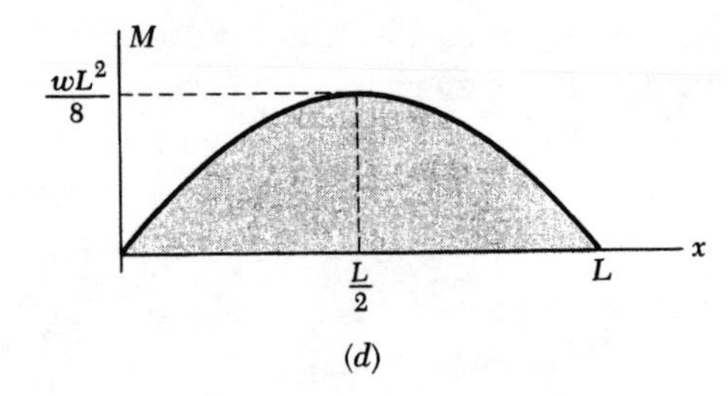


**Fig. 7.12**

La courbe des efforts tranchants est une droite inclinée qui croise l'axe $x$ au point $x = L/2$ (Fig. 7.12$c$). Si nous considérons maintenant les moments fléchissants, nous voyons de prime abord que $M_A = 0$. La valeur $M$ du moment fléchissant à une distance $x$ du point $A$ peut s'obtenir à partir de la relation (7.4); nous avons

$$M - M_A = \int_0^x V\,dx$$

$$M = \int_0^x w\left(\frac{L}{2} - x\right)dx = \frac{w}{2}(Lx - x^2)$$

La courbe du moment fléchissant est une parabole. La valeur maximale de ce moment a lieu pour $x = L/2$ puisque $V$ (et par conséquent $dM/dx$) est nul pour cette valeur de $x$. En substituant $x = L/2$ dans la dernière équation, nous obtenons $M_{max} = wL^2/8$.

Dans les applications pratiques, souvent il suffit de connaître la valeur du moment fléchissant à quelques points précis. Une fois que le diagramme des efforts tranchants a été tracé et après que $M$ a été déterminé pour une des extrémités de la poutre, la valeur du moment fléchissant dans les autres points peut se déduire à partir de l'aire en dessous de la courbe des efforts tranchants et de la formule (7.4′). Par exemple, puisque $M_A = 0$ dans la poutre de la fig. 7.12$a$, la valeur maximale des moments fléchissants dans cette poutre s'obtient simplement en mesurant l'aire du triangle sombre dans le diagramme des efforts tranchants de la fig. 7.12$c$. Nous avons alors

$$M_{\max} = \frac{1}{2}\frac{L}{2}\frac{wL}{2} = \frac{wL^2}{8}$$

Notons, dans cet exemple, que la courbe-enveloppe du diagramme des charges est une droite horizontale, celle du diagramme des efforts tranchants est une droite oblique et celle du diagramme des moments fléchissants est une parabole. Si la courbe-enveloppe du diagramme des charges était une droite oblique (premier degré), la courbe-enveloppe des efforts tranchants serait alors une parabole (deuxième degré) et celle du diagramme des moments serait une courbe cubique (troisième degré). Les courbes des efforts tranchants et des moments fléchissants seront donc respectivement d'un et deux degrés plus haut que la courbe de charge. Si on ne perd pas cette conclusion de vue, nous pouvons tracer les diagrammes des efforts tranchants et des moments fléchissants sans avoir besoin de connaître les valeurs des fonctions $V(x)$ et $M(x)$, à part quelques valeurs particulières de ces mêmes fonctions. Les diagrammes seront d'autre part plus précis si nous utilisons le fait que, à chaque point où la courbe est continue, la pente de la courbe des efforts tranchants est égale à $-w$ et la pente de la courbe des moments fléchissants vaut $V$.

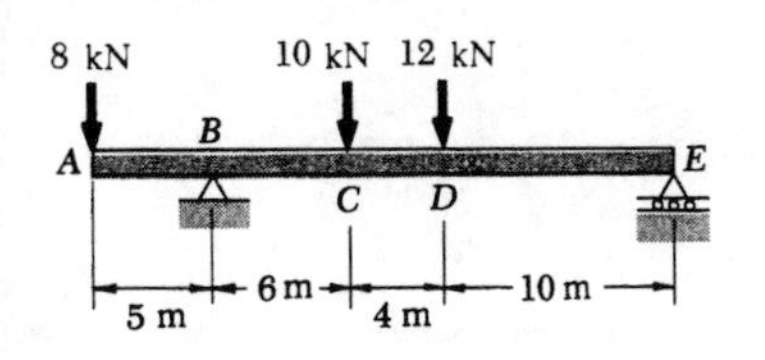


## PROBLÈME RÉSOLU 7.4

Tracez les diagrammes des efforts tranchants et des moments fléchissants le long de la poutre chargée dessinée ci-contre.

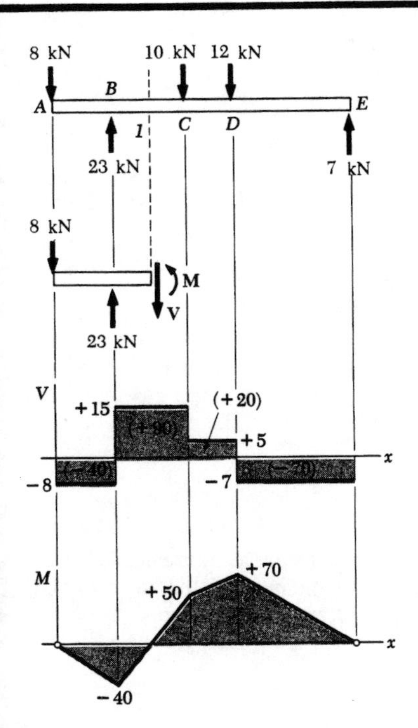


**Solution.** Du schéma de la poutre isolée, nous pouvons tirer

$$\mathbf{R}_B = 23 \text{ kN}\uparrow \qquad \mathbf{R}_E = 7 \text{ kN}\uparrow$$

Remarquons tout de suite que les moments fléchissants en $A$ et $E$ sont nuls ; nous pouvons les rapporter sur le diagramme des moments.

***Diagramme des efforts tranchants.*** On sait que $dV/dx = -w$; nous allons voir que, entre deux charges concentrées, la pente de la courbe des efforts tranchants est nulle (effort tranchant constant). Nous calculons l'effort tranchant en un point, en divisant la poutre en deux parties et en considérant une de ces parties comme corps isolé. Par exemple, si on utilise la partie de la poutre à gauche de la section *1*, nous avons

$$+\uparrow \Sigma F_y = 0: \qquad -8 + 23 - V = 0 \qquad V = +15 \text{ kN}$$

***Diagramme des moments fléchissants.*** Nous savons que l'aire sous la courbe des efforts tranchants prise entre deux points est égale à la variation des moments fléchissants entre ces deux points. Par commodité, l'aire de chaque élément du diagramme des efforts tranchants est calculée et le résultat est inscrit sur le diagramme. Maintenant, puisqu'on sait que le moment fléchissant $M_A$ est nul aux extrémités, nous pouvons écrire

$$\begin{aligned} M_B - M_A &= -40 \qquad & M_B &= -40 \text{ kN}\cdot\text{m} \\ M_C - M_B &= +90 & M_C &= +50 \text{ kN}\cdot\text{m} \\ M_D - M_C &= +20 & M_D &= +70 \text{ kN}\cdot\text{m} \\ M_E - M_D &= -70 & M_E &= 0 \end{aligned}$$

Remarquons que nous avons obtenu $M_E = 0$; ce résultat confirme l'exactitude de nos calculs.

Comme l'effort tranchant est constant entre deux charges consécutives, la pente $dM/dx$ est constante et le diagramme des moments fléchissants peut s'obtenir directement en joignant les points connus par des segments de droite. On peut voir que $V_{max} = 15$ kN et $M_{max} = 70$ N·m.

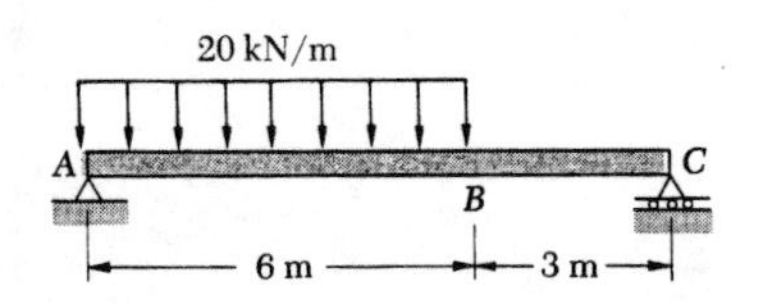


## PROBLÈME RÉSOLU 7.5

Tracez les diagrammes des efforts tranchants et des moments fléchissants pour la poutre chargée dessinée ci-contre.

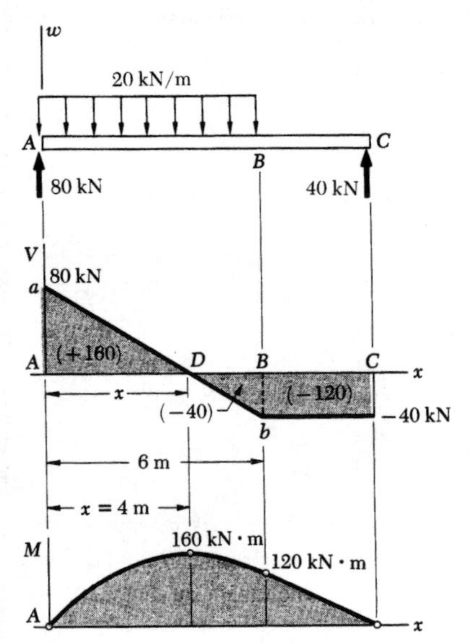


**Solution.** Les réactions se calculent rapidement à partir du schéma de la poutre isolée.

$$\mathbf{R}_A = 80\text{ kN}\uparrow \qquad \mathbf{R}_C = 40\text{ kN}\uparrow$$

***Diagramme de l'effort tranchant.*** L'effort tranchant juste à droite de $A$ est $V_A = +\ 80$ kN. Puisque la variation de l'effort tranchant entre deux points est égale et de signe contraire à l'aire sous la courbe des charges comprise entre les mêmes points, nous calculons $V_B$ à partir des équations.

$$V_B - V_A = -(20\text{ kN/m})(6\text{ m}) = -120\text{ kN}$$
$$V_B = -120 + V_A = -120 + 80 = -40\text{ kN}$$

La pente de la courbe des efforts tranchants $dV/dx = -w$ étant constante entre $A$ et $B$, le diagramme des efforts tranchants entre ces deux points est représenté par une ligne droite. L'aire sous la courbe de charge est nulle entre $B$ et $C$; alors

$$V_C - V_B = 0 \qquad V_C = V_B = -40\text{ kN}$$

et l'effort tranchant est constant entre $B$ et $C$.

***Diagramme des moments fléchissants.*** Nous remarquons que le moment fléchissant à chaque extrémité de la poutre est nul. Pour calculer le moment fléchissant maximal, nous commençons par localiser le point $D$ de la poutre où $V = 0$. Si on considère le diagramme des efforts tranchants compris entre $A$ et $B$, nous pouvons voir que les triangles $DAa$ et $DBb$ sont semblables; alors

$$\frac{x}{80\text{ kN}} = \frac{6 - x}{40\text{ kN}} \qquad x = 4\text{ m}$$

Le moment de flexion maximal a lieu au point $D$, là où nous avons $dM/dx = V = 0$. Les aires des différentes parties du diagramme des efforts tranchants ont été calculées et inscrites sur le diagramme. Comme l'aire sous la courbe des efforts tranchants comprise entre deux points est égale à la variation du moment fléchissant entre ces mêmes points, nous écrivons

$$M_D - M_A = +160\text{ kN}\cdot\text{m} \qquad M_D = +160\text{ kN}\cdot\text{m}$$
$$M_B - M_D = -\ \ 40\text{ kN}\cdot\text{m} \qquad M_B = +120\text{ kN}\cdot\text{m}$$
$$M_C - M_B = -120\text{ kN}\cdot\text{m} \qquad M_C = 0$$

Le diagramme des moments fléchissants est formé d'un arc de parabole suivi d'un segment droit; la pente de la parabole au point $A$ est égale à la valeur de $V$ à ce même point.

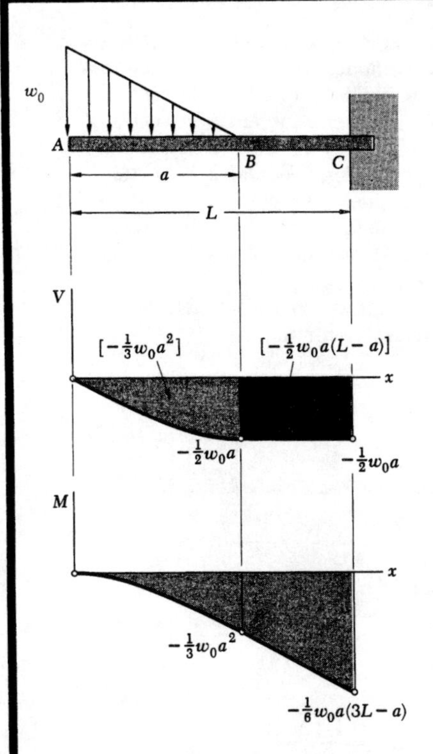


## PROBLÈME RÉSOLU 7.6

Tracez les diagrammes des efforts tranchants et des moments fléchissants le long de la poutre cantilever, pour la mise en charge indiquée.

**Solution.** ***Diagramme des efforts tranchants.*** À l'extrémité libre de la poutre, nous avons dans ce cas $V_A = 0$. Entre $A$ et $B$, l'aire sous la courbe de charge est $\frac{1}{2}w_o a$; nous trouverons $V_B$ en écrivant

$$V_B - V_A = -\tfrac{1}{2}w_0a \qquad V_B = -\tfrac{1}{2}w_0a$$

Entre $B$ et $C$, la poutre n'est pas chargée; alors $V_C = V_B$. Au point $A$, nous avons $w = w_o$ et en accord avec l'éq. (7.1), la pente de la courbe des efforts tranchants est $-w_o = dV/dx$, tandis qu'au point $B$, elle est nulle ($dV/dx = 0$). Entre $A$ et $B$, la charge diminue linéairement et le diagramme des efforts tranchants est parabolique. Entre $B$ et $C$, $w = 0$ et la courbe des efforts tranchants devient une droite.

***Diagramme des efforts fléchissants.*** Le moment de flexion $M_A$ à l'extrémité libre de la poutre est nul. Calculant l'aire sur la courbe des efforts tranchants, on a

$$M_B - M_A = -\tfrac{1}{3}w_0a^2 \qquad M_B = -\tfrac{1}{3}w_0a^2$$
$$M_C - M_B = -\tfrac{1}{2}w_0a(L-a)$$
$$M_C = -\tfrac{1}{6}w_0a(3L-a)$$

Le diagramme des moments fléchissants se complète si on se rappelle que $dM/dx = V$. Nous voyons qu'entre $A$ et $B$, le diagramme est défini par une cubique de pente nulle au point $A$ et qu'entre $B$ et $C$ il l'est par un segment de droite.

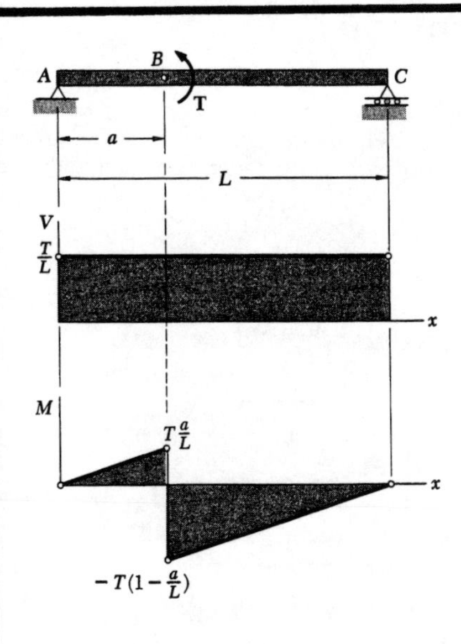


## PROBLÈME RÉSOLU 7.7

La poutre $AC$ simplement appuyée (une rotule et un rouleau) est chargée par un couple de moment $T$ appliqué au point $B$. Tracez les diagrammes des efforts tranchants et des moments fléchissants le long de cette poutre.

**Solution.** Du schéma de la poutre isolée, nous tirons

$$\mathbf{R}_A = \frac{T}{L}\uparrow \qquad \mathbf{R}_C = \frac{T}{L}\downarrow$$

L'effort tranchant de chaque section est constant et il vaut $T/L$. Comme le couple est appliqué au point $B$, le diagramme des moments présente une discontinuité au point $B$; le moment de flexion décroît subitement d'une valeur égale à $T$.

## PROBLÈMES SUPPLÉMENTAIRES

**7.37** Résolvez le probl. 7.17 à l'aide des méthodes exposées à la section 7.5.
**7.38** Résolvez le probl. 7.18 à l'aide des méthodes exposées à la section 7.5.
**7.39** Résolvez le probl. 7.19 à l'aide des méthodes exposées à la section 7.5.
**7.40** Résolvez le probl. 7.22 à l'aide des méthodes exposées à la section 7.5.
**7.41** Résolvez le probl. 7.23 à l'aide des méthodes exposées à la section 7.5.
**7.42** Résolvez le probl. 7.26 à l'aide des méthodes exposées à la section 7.5.
**7.43** Résolvez le probl. 7.25 à l'aide des méthodes exposées à la section 7.5.
**7.44** Résolvez le probl. 7.30 à l'aide des méthodes exposées à la section 7.5.
**7.45** Résolvez le probl. 7.29 à l'aide des méthodes exposées à la section 7.5.

**7.46 à 7.49** Tracez les diagrammes des efforts tranchants et des moments fléchissants le long des poutres chargées dessinées ci-contre.

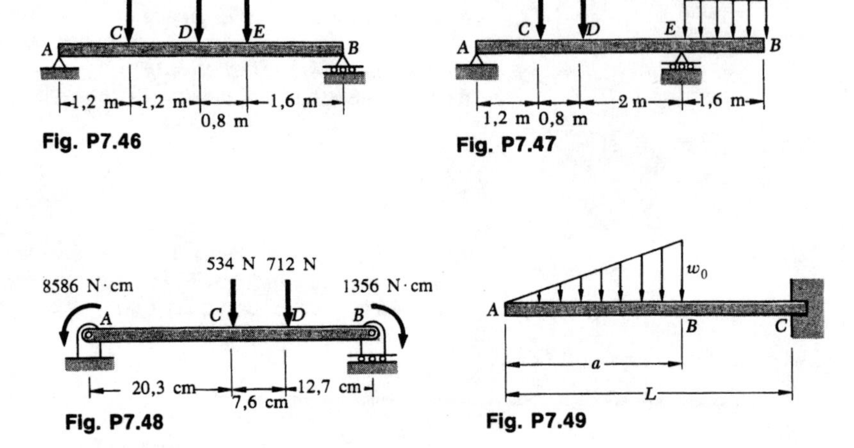


Fig. P7.46

Fig. P7.47

Fig. P7.48

Fig. P7.49

**7.50 à 7.53** Tracez les diagrammes des efforts tranchants et des moments fléchissants le long des poutres chargées dessinées ci-dessous. Déterminez la grandeur et l'emplacement du moment fléchissant maximal.

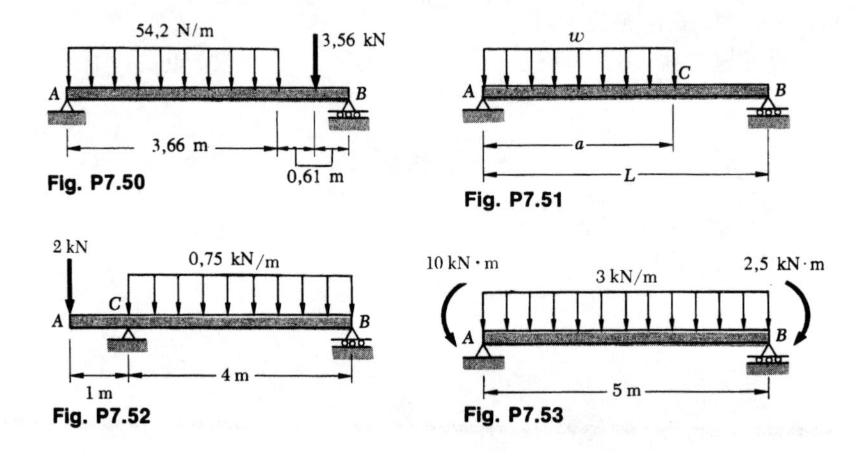


Fig. P7.50

Fig. P7.51

Fig. P7.52

Fig. P7.53

**7.54** Écrivez les équations de l'effort tranchant et du moment fléchissant de la poutre chargée du probl. 7.18. (Placez l'origine au point $A$.)

**7.55** Écrivez les équations de l'effort tranchant et du moment fléchissant de la poutre chargée du probl. 7.21. (Placez l'origine au point $A$.)

**7.56 et 7.57** Écrivez les équations de l'effort tranchant et du moment fléchissant des poutres dessinées ci-dessous. Déterminez aussi la grandeur et la position du moment fléchissant maximal de la poutre.

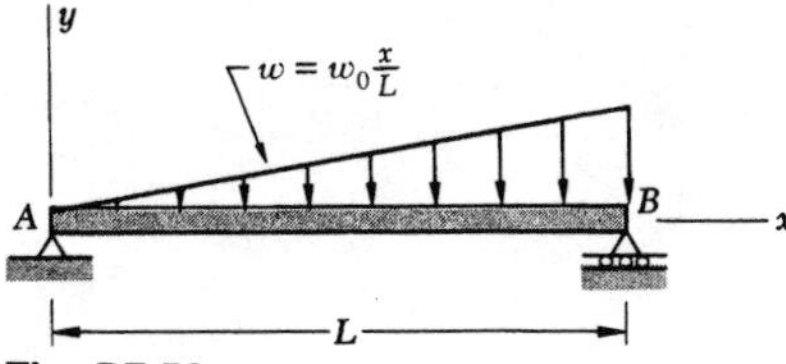

Fig. P7.56

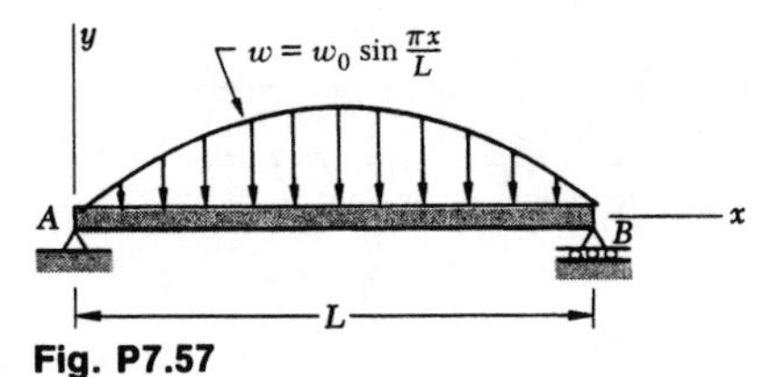

Fig. P7.57

**7.58** La barre $AB$ est attachée au pivot $A$ et libre à son extrémité $B$. Calculez : $a$) le rapport $w_2/w_1$ pour lequel la barre est en équilibre, $b$) les équations de l'effort tranchant et du moment fléchissant développées dans la barre, $c$) la grandeur et la position du moment fléchissant maximal.

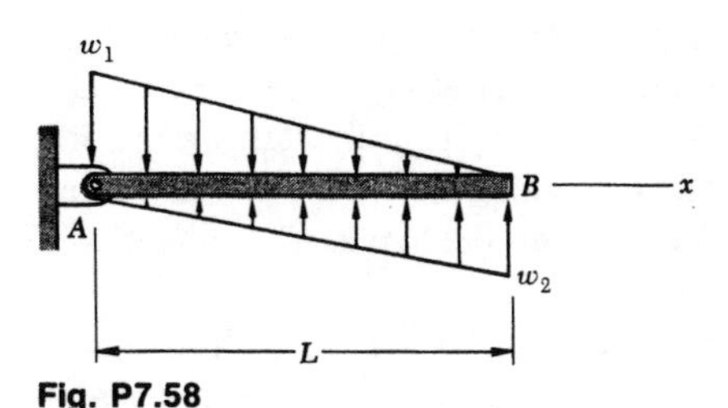

Fig. P7.58

***7.59** La poutre $AB$ est sollicitée par une charge uniformément répartie de 1460 N/m et deux forces concentrées **P** et **Q**. On connaît le moment de flexion au point $D$ et au point $E$, qui sont respectivement +542 N·m et +203 N·m. Tracez les diagrammes des efforts tranchants et des moments fléchissants dans la poutre.

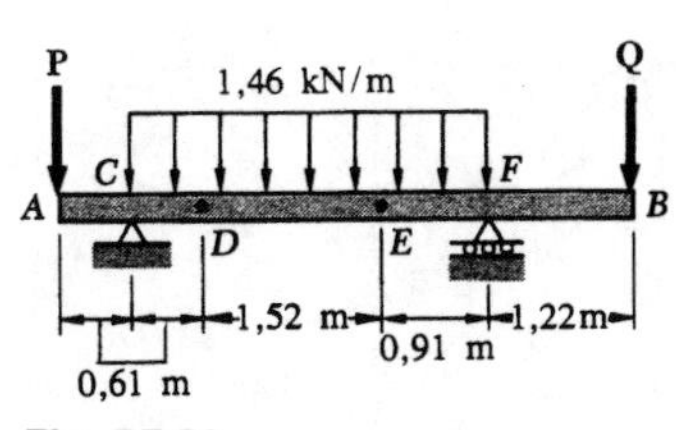

Fig. P7.59

***7.60** La poutre $AB$ supporte une charge uniformément répartie de 17,50 N/cm et deux charges concentrées **P** et **Q**. Le moment de flexion est de −200 N·m au point $A$ et de −105 N·m au point $C$. Tracez les diagrammes des efforts tranchants et des moments fléchissants le long de la poutre.

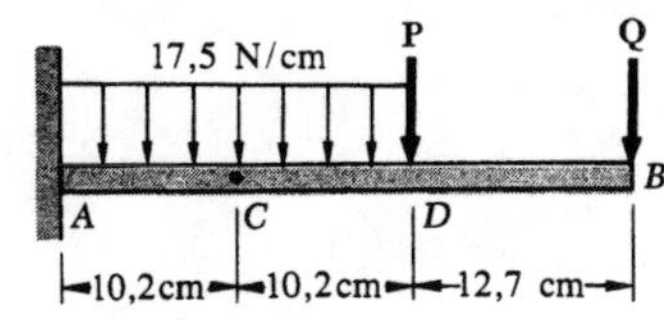

Fig. P7.60

***7.61** Une poutre $AB$ est chargée par une série de couples appliqués à intervalles réguliers le long de la poutre. En supposant que ces couples peuvent être représentés par un diagramme de couples uniformément répartis de $m$ N·m/m, tracez les diagrammes des efforts tranchants et des moments fléchissants de la poutre appuyée : $a$) comme indiqué sur la figure, $b$) comme une poutre cantilever, c'est-à-dire encastrée en $A$ et ayant l'extrémité $B$ complètement libre.

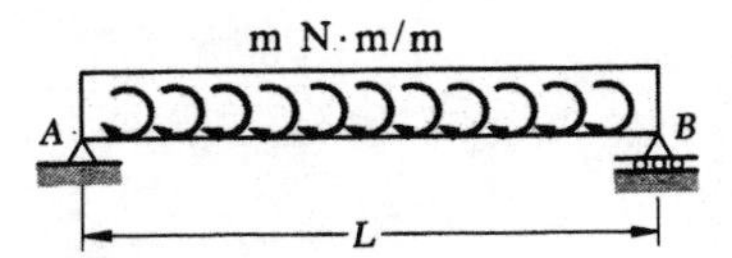

Fig. P7.61

## CÂBLES

***7.6. Câbles soumis à des charges concentrées.** Les câbles sont largement utilisés dans les constructions telles que ponts suspendus, lignes de transmission, haubans pour tours métalliques, etc. Les câbles peuvent se diviser suivant leur mise en charge en deux catégories : 1) câbles supportant des charges concentrées, 2) câbles supportant des charges réparties. Dans cette section, nous étudierons seulement la première catégorie.

Considérons un câble, attaché à deux point fixes $A$ et $B$, et sollicité par $n$ charges verticales concentrées $\mathbf{P}_1$, $\mathbf{P}_2$ ..., $\mathbf{P}_n$ (Fig. 7.13*a*). Nous supposons que le câble est *flexible*, c'est-à-dire que sa résistance au pliage est faible et *peut être négligée*. Nous supposons en plus que le *poids du câble est négligeable* en comparaison avec les charges qu'il supporte.

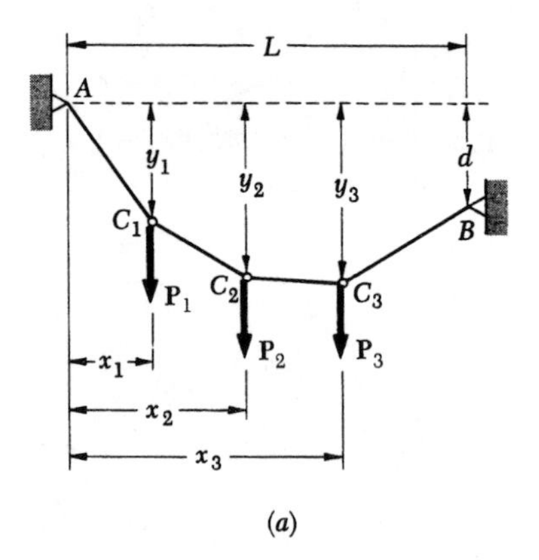

(*a*)

Ainsi, la partie du câble placé entre deux charges consécutives peut être considérée comme étant soumise à un ensemble de deux forces et les forces intérieures se réduisent à un *effort de tension dirigé suivant l'axe du câble.* Nous supposons encore que les charges appliquées au câble sont des charges verticales, et que la distance horizontale $x$ entre $A$ et chaque charge est connue; nous supposerons encore que les distances verticales et horizontales entre les appuis sont connues. Nous nous proposons de déterminer la forme du câble, c'est-à-dire la distance verticale $L$ entre $A$ et chacun des points $C_1$, $C_2$ ... $C_n$, ainsi que la tension $T$ dans chaque section du câble.

Nous traçons d'abord le schéma du câble isolé (Fig. 7.13*b*). Comme les angles aux appuis ne sont pas connus, nous devons représenter les réactions aux appuis $A$ et $B$ par leur deux composantes. Nous avons par conséquent quatre inconnues et trois équations qui les relient, ce qui est insuffisant pour les déterminer†. Nous pouvons cependant trouver une équation additionnelle en considérant l'équilibre d'une partie du câble. Ceci est possible si nous connaissons les coordonnées $x$ et $y$ d'un point $D$ du câble. En traçant le schéma de la partie $AD$ (Fig. 7.14*a*) et en utilisant l'équation d'équilibre des moments appliqués au point $D$, $\Sigma M_D = 0$, nous obtenons la relation additionnelle cherchée entre les composantes scalaires $A_x$ et $A_y$; nous pouvons calculer les réactions en $A$ et $B$. Le problème resterait indéterminé cependant si on ne connaissait pas les coordonnées du point $D$. Le câble peut être suspendu de beaucoup de manières comme il est indiqué par les traits interrompus de la fig. 7.13*b*.

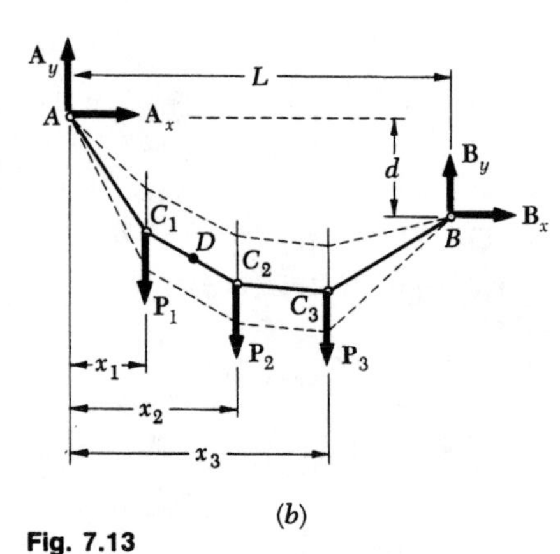

(*b*)

**Fig. 7.13**

Une fois $A_x$ et $A_y$ connus, la distance verticale du point $A$ à un point quelconque du câble peut être facilement trouvé. Considérons le point $C_2$, par exemple, et traçons le schéma de la partie isolée $AC_2$ (Fig. 7.14*b*). La condition d'équilibre $\Sigma M_{C_2} = 0$ nous donne une équation qui peut être résolue par rapport à $y_2$. Des deux autres conditions $\Sigma F_x = 0$ et $\Sigma F_y = 0$, nous obtenons les composantes de la force $\mathbf{T}$ qui représente la tension dans la partie

† Le câble n'est pas évidemment un corps rigide; les équations d'équilibre représentent par conséquent des conditions nécessaires mais non suffisantes. (Voir la section 6.12.)

du câble à droite du point $C_2$. Nous constatons que $T\cos\theta = -A_x$; *la composante horizontale de la force de tension dans le câble est constante en tout point.* Nous déduisons que la tension $T$ est maximale lorsque $\cos\theta$ est minimal, c'est-à-dire lorsqu'il est situé dans la partie du câble qui a le plus grand angle d'inclinaison $\theta$. Cette condition se réalise au voisinage des deux supports du câble.

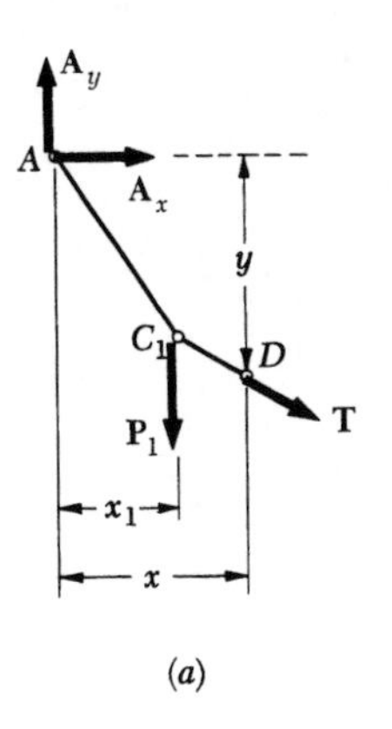

(a)

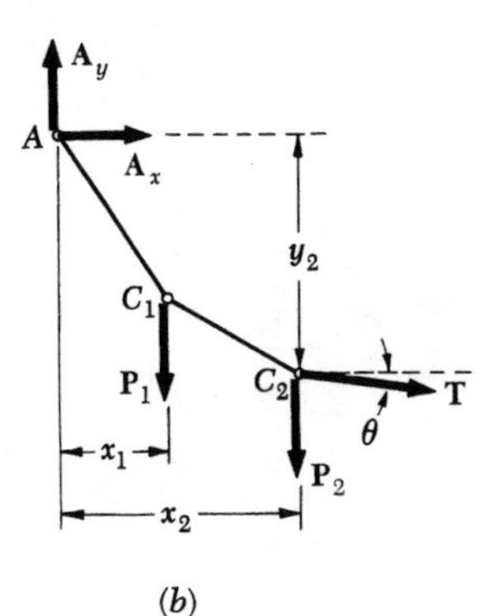

(b)

Fig. 7.14

***7.7. Câbles sollicités par des charges réparties.** Considérons maintenant un câble attaché à deux points fixes $A$ et $B$ et sollicité par une *charge répartie* (Fig. 7.15*a*). Nous avons vu dans la section précédente que pour un câble sollicité par des charges concentrées, la seule force intérieure différente de zéro est l'effort de tension dans le câble. Dans le cas présent, où les charges sont réparties, le câble en suspension prend la forme d'une courbe et la force intérieure au point $D$, qui est la force de tension $\mathbf{T}$, est *tangente à cette courbe.* Dans cette section, nous nous proposons de calculer la tension dans un point du câble soumis à une charge répartie quelconque. Nous verrons aussi, dans les sections suivantes, comment la forme du câble peut être déterminée pour deux cas particuliers de charges réparties.

Considérons pour commencer le cas le plus général de charges réparties et traçons le schéma de la partie de câble comprise entre le point le plus bas du câble $C$ et un point quelconque $D$ (Fig. 7.15*b*).

Les forces appliquées à la partie isolée sont la force de tension $\mathbf{T}_0$ au point $C$ qui est horizontale, la force de tension $\mathbf{T}$ au point $D$ dirigée suivant la tangente au câble au point $D$ et la résultante $\mathbf{W}$ des charges réparties supportées par la partie de câble $CD$. À l'aide du triangle de forces (Fig. 7.15*c*), nous pouvons écrire

$$T\cos\theta = T_0 \qquad T\sin\theta = W \tag{7.5}$$

$$T = \sqrt{T_0^2 + W^2} \qquad \tan\theta = \frac{W}{T_0} \tag{7.6}$$

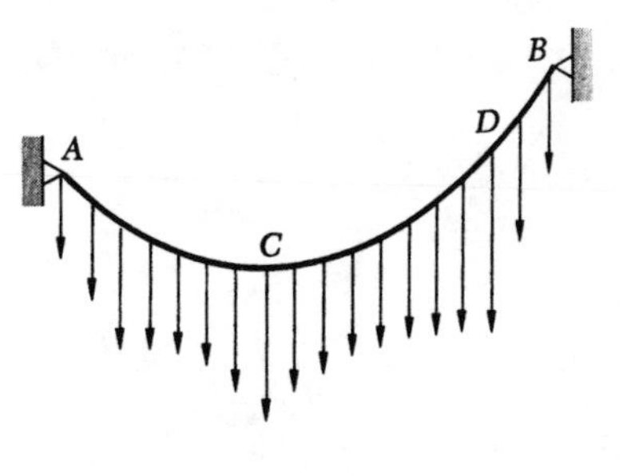


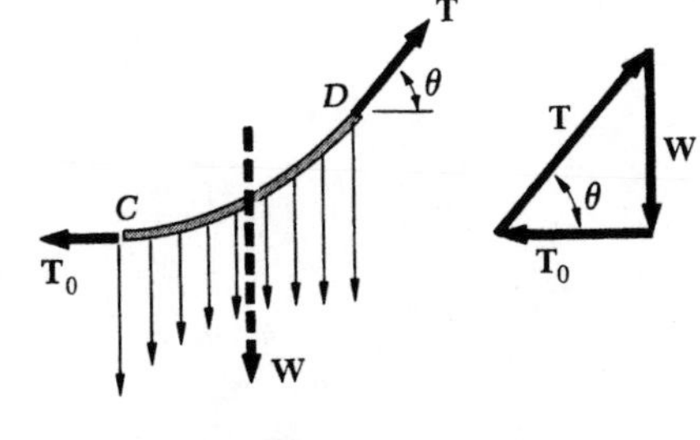


Fig. 7.15 (a) (b) (c)

Des relations (7.5), nous pouvons conclure que la composante horizontale de la tension **T** est la même en tout point du câble et que la grandeur de la composante verticale de **T** est égale à la grandeur $W$ de la charge répartie mesurée à partir du point le plus bas. Les équations (7.6) montrent que la tension $T$ est minimale au point le plus bas et maximale à un des supports.

***7.8. Câble parabolique.** Supposons, pour simplifier, que le câble $AB$ supporte une *charge uniformément répartie suivant l'horizontale* (Fig. 7.16*a*). Ce type de mise en charge est identique à celui des câbles des ponts suspendus puisque le poids du câble est négligeable par rapport au poids du tablier du pont. Nous appelons $w$ la charge par unité de longueur (*mesurée horizontalement*) que nous exprimons en N/m. Choisissons des axes de

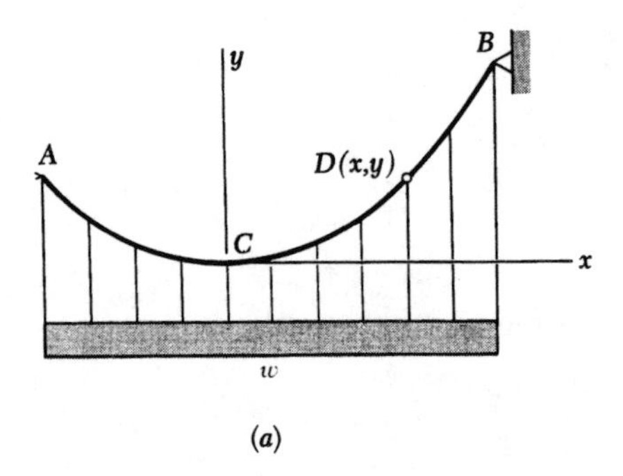

(*a*)

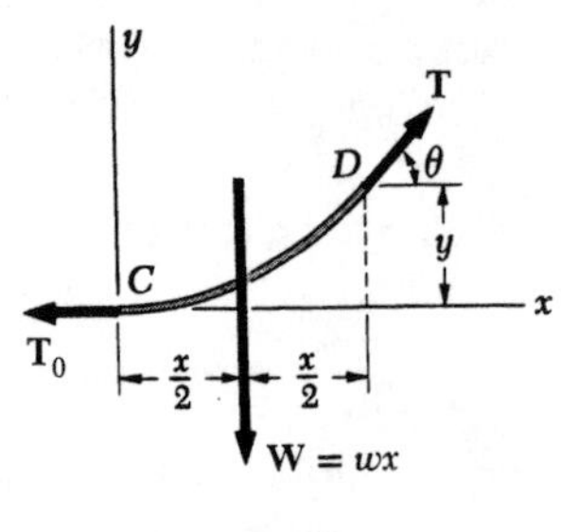

(*b*)

**Fig. 7.16**

référence centrés sur le point le plus bas du câble, le point $C$, et calculons la grandeur $W$ de la charge totale appliquée à la portion de câble comprise entre le point $C$ et le point $D$ de coordonnées $x$ et $y$; nous avons $W$ = wx. Les relations (7.6), qui définissent la grandeur et la direction de la force de tension au point $D$, vont maintenant s'écrire

$$T = \sqrt{T_0^2 + w^2x^2} \qquad \tan\theta = \frac{wx}{T_0} \tag{7.7}$$

De plus, la distance entre $D$ et la ligne d'action de la résultante **W** est égale à la moitié de la distance horizontale entre $C$ et $D$ (Fig. 7.16*b*). Si on additionne tous les moments pris par rapport au point $D$, nous avons

$$+\circlearrowleft \Sigma M_D = 0: \qquad wx\frac{x}{2} - T_0 y = 0$$

$$y = \frac{wx^2}{2T_0} \tag{7.8}$$

Cette équation représente une *parabole* dont le sommet coïncide avec l'origine de référence. On l'appelle la *déformée du câble*. La déformée d'un câble, soumise à une charge horizontale uniformément répartie, est donc une parabole.†

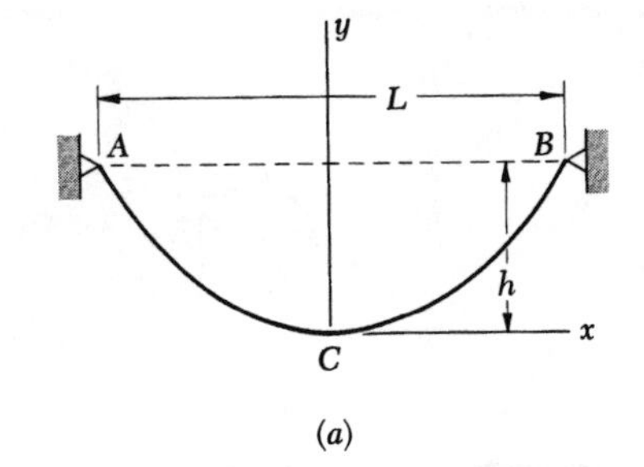


Lorsque les appuis $A$ et $B$ du câble sont de même niveau, leur distance $L$ est appelée la *portée* et la distance verticale $h$, entre le niveau des appuis et celui du point le plus bas du câble, est appelée *flèche* (Fig. 7.17$a$). Si la portée et la flèche du câble sont connues et si la charge verticale par unité de longueur est donnée, la valeur minimale de la tension dans le câble $T_o$ peut se calculer en substituant $x = L/2$ et $y = h$ dans la formule (7.8). Les formules (7.7) et (7.8) nous donnent respectivement la tension et la déformée du câble chargé.

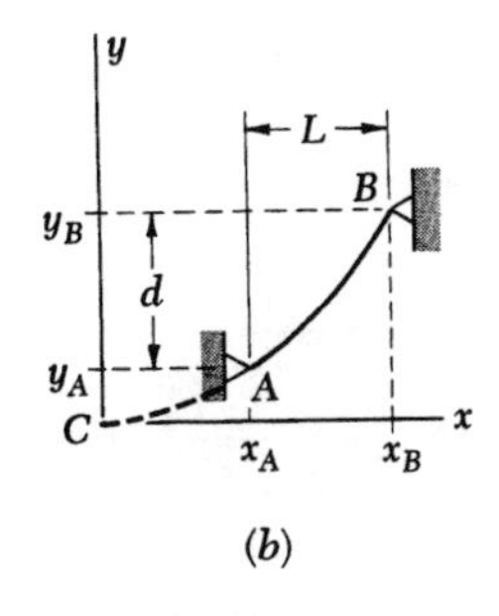


Lorsque les appuis ne sont pas au même niveau, la position du point le plus bas du câble n'est pas connue et les coordonnées $x_A$, $y_A$ et $x_B$, $y_B$ des appuis doivent être déterminées. À cet effet, nous allons exprimer que ces coordonnées doivent satisfaire à l'éq. (7.8) d'une part et d'autre part que $x_B - x_A = L$, $y_B - y_A = d$, où $L$ et $d$ sont respectivement la distance horizontale et verticale entre les deux supports (Fig. 7.17$b$ et $c$).

La longueur du câble de son point le plus bas $C$ à son support $B$ peut se déduire de la formule

$$s_B = \int_0^{x_B} \sqrt{1 + \left(\frac{dy}{dx}\right)^2}\, dx \tag{7.9}$$

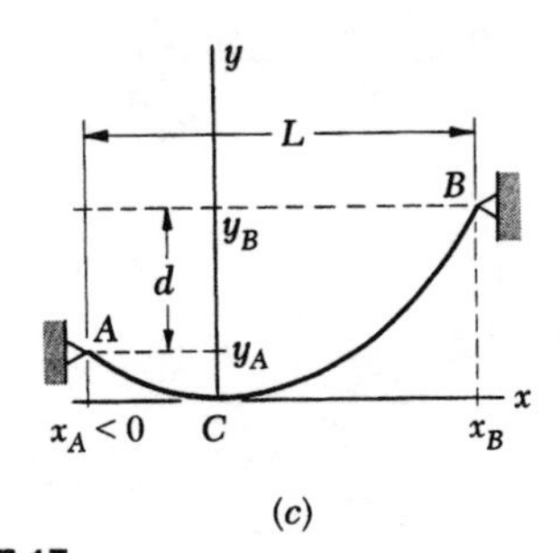


**Fig. 7.17**

Si on développe l'éq. (7.8), nous obtenons $dy/dx = wx/T_0$ qui, remplacé dans l'éq. (7.9), nous donne, après développement en série binomiale (binôme de Newton)

$$\begin{aligned} s_B &= \int_0^{x_B} \sqrt{1 + \frac{w^2x^2}{T_0^2}}\, dx \\ &= \int_0^{x_B} \left(1 + \frac{w^2x^2}{2T_0^2} - \frac{w^4x^4}{8T_0^4} + \cdots\right) dx \\ &= x_B\left(1 + \frac{w^2x_B^2}{6T_0^2} - \frac{w^4x_B^4}{40T_0^4} + \cdots\right) \end{aligned}$$

et puisque $wx_B^2/2T_0 = y_B$,

$$s_B = x_B\left[1 + \frac{2}{3}\left(\frac{y_B}{x_B}\right)^2 - \frac{2}{5}\left(\frac{y_B}{x_B}\right)^4 + \cdots\right] \tag{7.10}$$

La série est convergente pour des valeurs du rapport $y_B/x_B$ plus petit que 0,5; dans la plupart des cas ce rapport est plus petit que cette valeur et on peut négliger tous les termes du développement en binôme de Newton à l'exception des deux premiers.

† Les câbles soumis à leur poids mort ne sont pas chargés uniformément suivant l'axe horizontal; leur déformée n'est donc pas parabolique. Cependant l'erreur commise en le supposant dans le cas des câbles tendus est négligeable. Une étude détaillée de ce problème se fera à la section suivante.

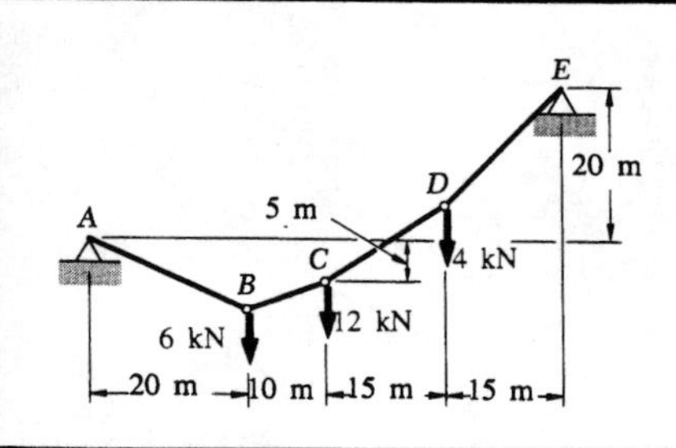


## PROBLÈME RÉSOLU 7.8

Le câble $AE$ supporte trois charges verticales. Sachant que le point $C$ se trouve à 5 m en dessous de l'appui de gauche, déterminez : *a*) la hauteur à laquelle se situeront les points $B$ et $D$ par rapport au point $A$, *b*) la pente maximale du câble ainsi que la tension maximale.

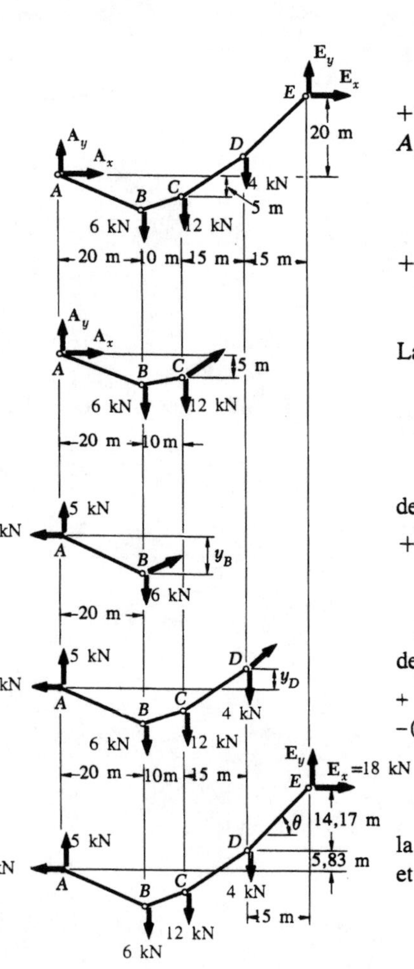


**Solution.** Les réactions $\mathbf{A}_x$ et $\mathbf{A}_y$ sont calculées comme suit :

*Câble isolé* :

$+\circlearrowleft \Sigma M_E = 0$ :

$$A_x (20 \text{ m}) - A_y (60 \text{ m}) (6\text{kN})(40 \text{ m}) + (12\text{kN})(30 \text{ m}) + (4\text{kN})(15 \text{ m}) = 0$$

$$20A_x - 60A_y + 660 = 0$$

*Partie isolée ABC* :

$$+\circlearrowleft \Sigma M_B = 0 : \quad -A_x (5 \text{ m}) - A_y (30 \text{ m}) + (6\text{kN})(10 \text{ m}) = 0$$

$$-5A_x - 30A_y + 60 = 0$$

La solution de ce système nous donne

$$A_x = -18\text{kN} \qquad \mathbf{A}_x = 18\text{kN} \leftarrow$$

$$A_y = 5\text{kN} \qquad \mathbf{A}_y = 5\text{kN} \uparrow$$

***a. Hauteur du point B.*** Si nous isolons la partie $AB$ du câble, nous pouvons tirer de son schéma

$$+\circlearrowleft \Sigma M_C = 0 : \quad (18\text{kN})y_B - (5\text{kN})(20 \text{ m}) = 0$$

$y_B = 5{,}56$ m en dessous de A ◄

***Hauteur du point D.*** Si nous isolons la partie $ABCD$ du câble, nous pouvons tirer de son schéma

$+\circlearrowleft \Sigma M_D = 0$ :

$$-(18\text{kN})y_D - (5\text{kN})(45 \text{ m}) + (6\text{kN})(25 \text{ m}) + (12\text{kN})(15 \text{ m}) = 0$$

$y_D = 5{,}83$ m au-dessus de A ◄

***b. Pente et tension maximales.*** Nous constatons que la pente maximale a lieu dans la partie $DE$ de la poutre. Puisque la composante horizontale de la tension est constante et vaut 18 kN, nous pouvons écrire

$$\tan \theta = \frac{14{,}17 \text{ m}}{15 \text{ m}} \qquad \theta = 43{,}4° \blacktriangleleft$$

$$T_{\max} = \frac{18\text{kN}}{\cos \theta} \qquad T_{\max} = 24{,}8\text{kN} \blacktriangleleft$$

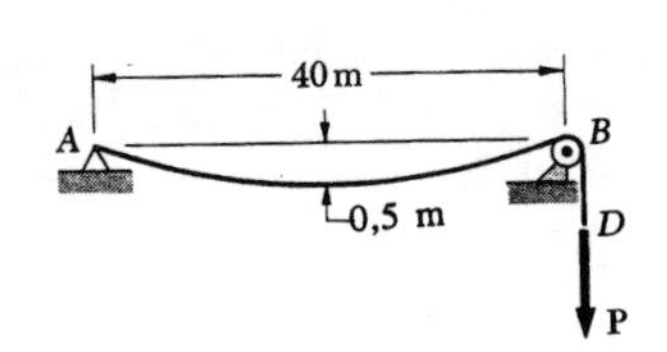


## PROBLÈME RÉSOLU 7.9

Un câble léger attaché à un support $A$ et passant sur une petite poulie en $B$, supporte une charge axiale **P**. La flèche de sa déformée mesure 0,5 m et sa masse par unité de longueur est 0,75 kg/m. Calculez : *a*) la grandeur de la charge **P**, *b*) l'angle d'appui de la déformée au point $B$, et *c*) la longueur de la déformée $AB$ du câble. Puisque le rapport flèche/portée est faible (câble tendu), on peut supposer que la déformée est parabolique. Négligez le poids de la partie $BD$ du câble.

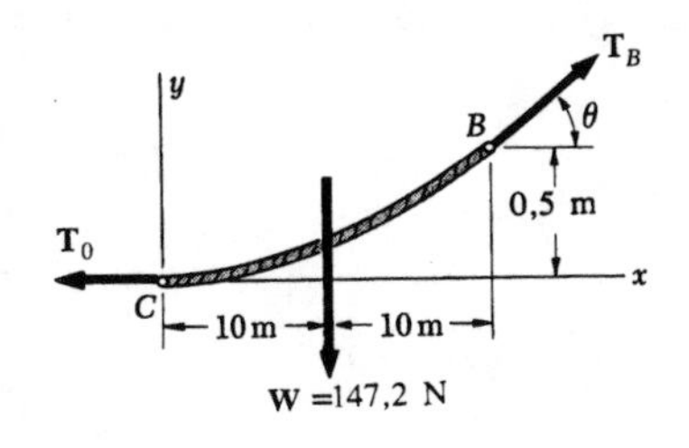


***a.* Charge P.** Appelons $C$ le point le plus bas du câble et traçons le schéma de la partie isolée $CB$. Puisque la charge (poids mort) est uniformément répartie, nous pouvons écrire

$$w = (0,75 \text{ kg/m})(9,81 \text{ m}/s^2) = 7,36 \text{ N/m}$$

La charge totale dans la partie $CB$ du câble est

$$W = wx_B = (7,36 \text{ N/m})(20 \text{ m}) = 147,2 \text{ N}$$

appliquée à mi-chemin entre $B$ et $C$. La somme des moments par rapport à $B$ nous donne

$$+\circlearrowleft \Sigma M_B = 0: \qquad (147,2 \text{ N})(10 \text{ m}) - T_0\,(0,5 \text{ m}) = 0 \qquad T_0\ 2944 \text{ N}$$

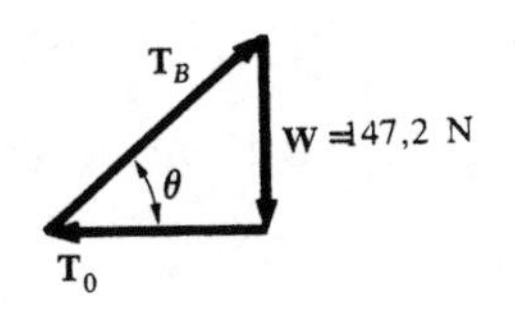


Du triangle de forces, on tire

$$T_B = \sqrt{T_0^2 + W^2}$$
$$= \sqrt{(2944 \text{ N})^2 + (147,2 \text{ N})^2} = 2948 \text{ N}$$

Et puisque la tension de chaque côté de la poulie (frottement nul) est la même, nous obtenons

$$P = T_B = 2948 \text{ N} \quad ◄$$

***b.* Angle d'appui de la déformée au point B.** Nous obtenons à partir du triangle de forces

$$\tan \theta = \frac{W}{T_0} = \frac{147,2 \text{ N}}{2944 \text{ N}} = 0,05$$

$$\theta = 2,9° \quad ◄$$

***c.* Longueur du câble.** Appliquant l'éq. (7.10) entre $C$ et $B$, nous pouvons écrire

$$s_B = x_B\left[1 + \frac{2}{3}\left(\frac{y_B}{x_B}\right)^2 + \cdots\right]$$
$$= (20 \text{ m})\left[1 + \frac{2}{3}\left(\frac{0,5 \text{ m}}{20 \text{ m}}\right)^2 + \cdots\right] = 20,00833 \text{ m}$$

La longueur totale du câble entre $A$ et $B$ est deux fois cette valeur,

$$\text{Longueur} = 2s_B = 40,0167 \text{ m} \quad ◄$$

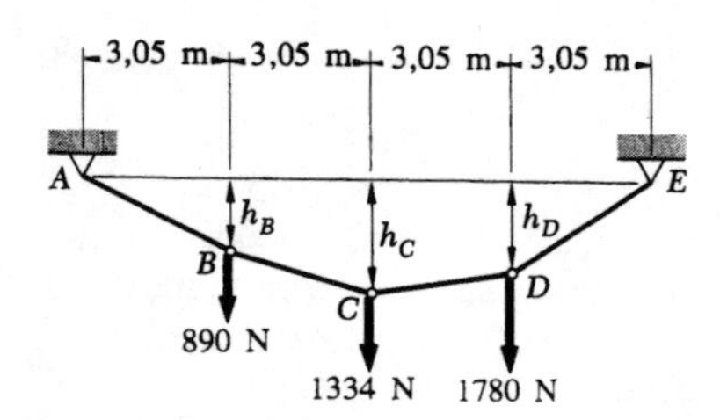

Fig. P7.62 et P7.63

## PROBLÈMES SUPPLÉMENTAIRES

**7.62** Un câble dont les appuis sont au même niveau est soumis à trois charges concentrées. Sachant que la flèche $h_c$ de la déformée mesure 2,49 m, calculez : *a*) la réaction à l'appui *E*, *b*) la tension maximale dans le câble.

**7.63** Calculez la flèche au point *C* si la tension maximale dans le câble précédent est de 5780 N.

**7.64** Calculez les composantes de la réaction d'appui *E* du câble illustré ci-contre si $a$ = 2 m et $b$ = 2,25 m.

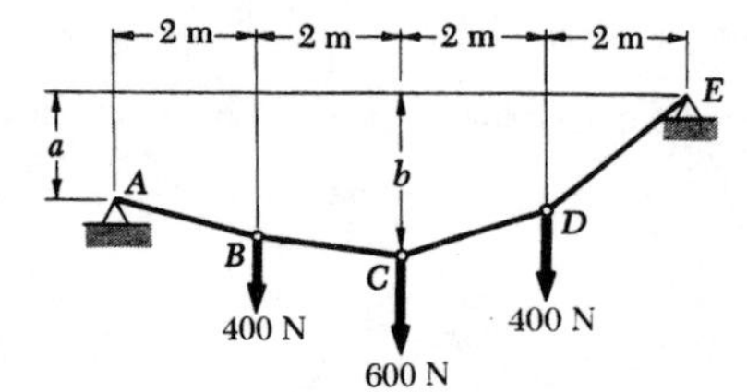

Fig. P7.64, P7.65, et P7.66

**7.65** Calculez les composantes de la réaction d'appui *E* et la tension maximale du câble précédent si $a = b$ = 1,25 m.

**7.66** Calculez la distance *a* pour que la partie *BC* soit horizontale et la tension maximale de 2600 N.

**7.67** La travée centrale du pont George Washington se composait à l'origine d'un tablier supporté par quatre câbles. La charge verticale uniforme supportée par chaque câble était de $w$ = 142,3 kN/m. Sachant que la travée *L* est de 1066,80 m et que la flèche de la déformée est de 96,32 m, calculez la tension maximale et minimale dans chaque câble.

**7.68** Calculez la longueur de chaque câble utilisé dans la travée centrale du pont précédent.

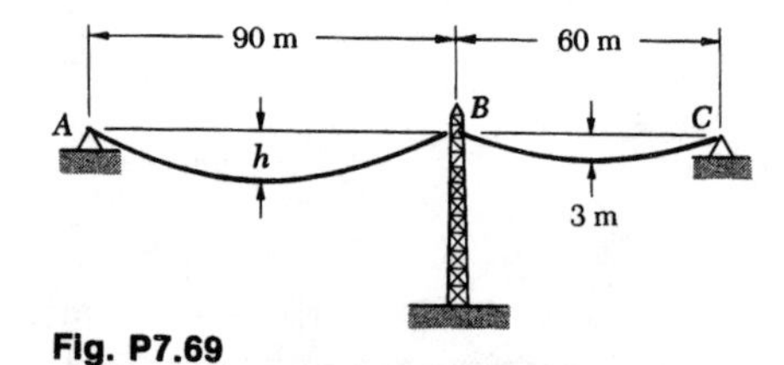

Fig. P7.69

**7.69** Deux câbles de même diamètre sont attachés à une tour métallique *B*. On veut que la composante horizontale de la résultante des forces exercées par les câbles au point *B* soit nulle. Calculez la flèche *h* du câble *AB*, en supposant que les déformées des deux câbles sont paraboliques.

**7.70** Un câble électrique de masse linéaire 0,3 kg/m est tendu entre deux isolateurs au même niveau et à la distance de 30 m. Déterminez la valeur minimale de la flèche si la tension du câble est limitée à 400 N. (Supposez une déformée parabolique.)

**7.71** Un câble long de 51 m est utilisé pour relier deux points séparés de 50 m. Calculez approximativement la flèche de la déformée en supposant qu'elle est parabolique. (Utilisez les deux premiers termes de l'éq. (7.10).)

**7.72** Un câble de longueur $L + \Delta L$ est suspendu à deux points de même niveau et séparés par une distance $L$. Calculez approximativement la flèche de la déformée : *a*) en fonction de $L$ et $\Delta L$ si on suppose que celle-ci est parabolique et que $\Delta L$ est petit par rapport à $L$, *b*) si $L = 30{,}5$ m et $\Delta L = 1{,}22$ m. Utilisez seulement les deux premiers termes de l'éq. (7.10).

**7.73** Avant d'alimenter la presse à imprimer placée à droite du point $D$, une feuille de papier pesant 2,92 N/m passe à travers les rouleaux de guidage $A$ et $B$. Calculez la tension dans la feuille et la position du point le plus bas de sa déformée si on suppose que celle-ci est une parabole.

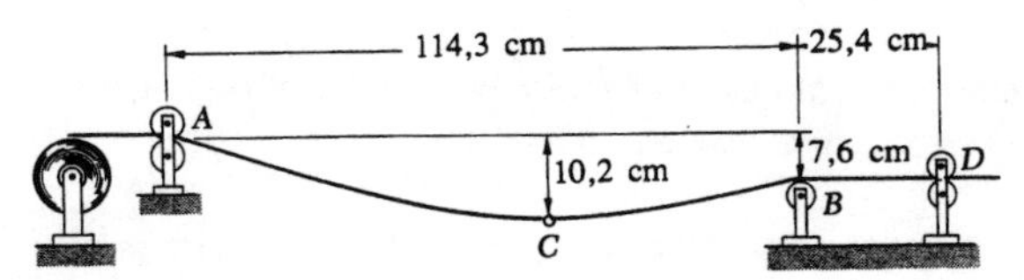

**Fig. P7.73**

**7.74** Une conduite de vapeur possède une masse linéaire de 70 kg/m. Elle passe entre deux bâtiments séparés de 20 m et est supportée par un système de câbles tel qu'illustré à la figure ci-dessous. En supposant que le système introduit une charge équivalente à celle d'un câble uniforme de masse linéaire de 5 kg/m, calculez la position du point le plus bas $C$ du câble ainsi que sa tension maximale.

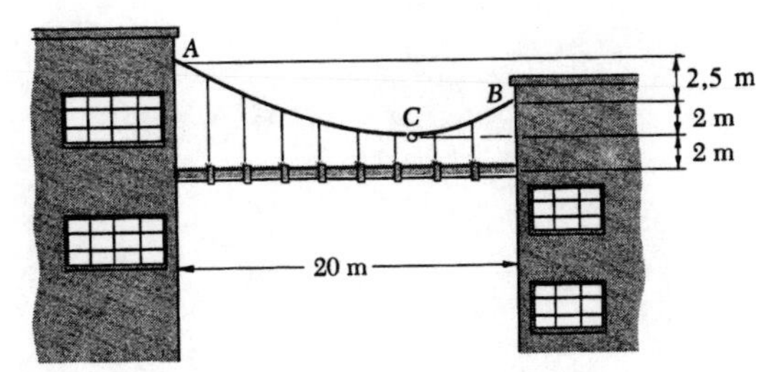

**Fig. P7.74**

***7.75** Le poids total d'un câble $AC$ est de 267 N. Calculez la flèche $h$ et la pente de la déformée aux points $A$ et $C$ si on sait que la charge est verticale et uniformément répartie.

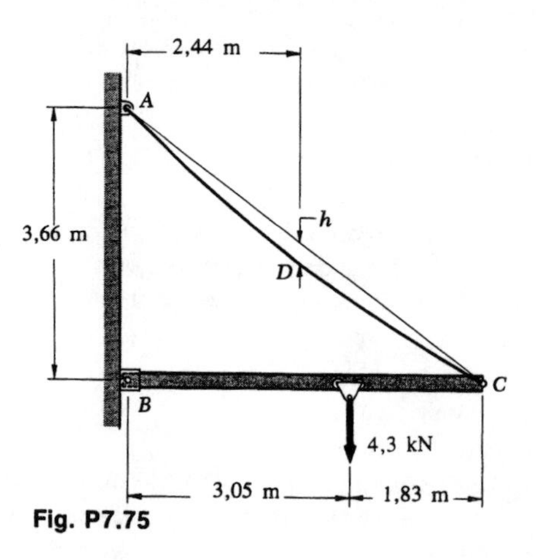


Fig. P7.75

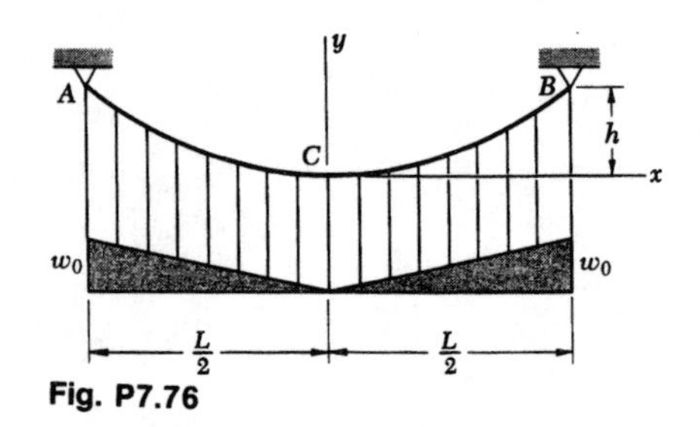


Fig. P7.76

**7.76** La charge répartie appliquée à un câble varie linéairement entre la valeur nulle au point le plus bas de la déformée jusqu'à la valeur $w_o$ prise à chaque appui. Écrivez l'équation de la déformée dans chaque partie du câble et calculez la tension au point de flèche maximal.

**7.77** Résolvez le probl. 7.76 en supposant que la charge répartie varie linéairement entre la valeur nulle aux appuis et la valeur maximale $w_o$ au point milieu.

**7.78** Un câble de portée $L$ et une poutre simplement appuyée $A'B'$ de même portée sont soumis à des charges verticales identiques, telles qu'illustrées à la figure ci-dessous. Montrez que la grandeur du moment de flexion au point $C'$ de la poutre est égale au produit $T_o h$, où $T_o$ est la grandeur de la composante horizontale de la force dans le câble et $h$ est la distance verticale entre le point $C$ du câble et la corde joignant les appuis $A$ et $B$.

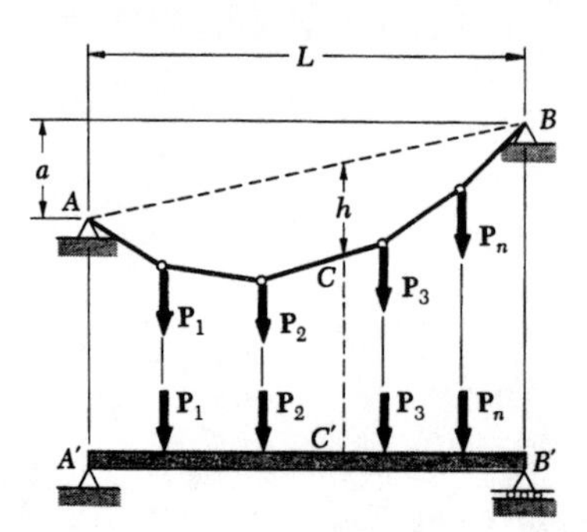


Fig. P7.78

***7.79** Montrez que la déformée d'un câble sollicité par une charge répartie $w(x)$ est définie par l'équation $d^2y/dx^2 = w(x)/T_o$, où $T_o$ est la tension au point le plus bas du câble.

***7.80** En utilisant la propriété indiquée dans le probl. 7.79, calculez la déformée d'un câble de portée $L$ et de flèche $h$ sollicité par une charge répartie $w = w_o \cos (\pi x/L)$, où $x$ est mesuré à partir du milieu de la portée. Calculez ensuite les valeurs maximales et minimales de la tension.

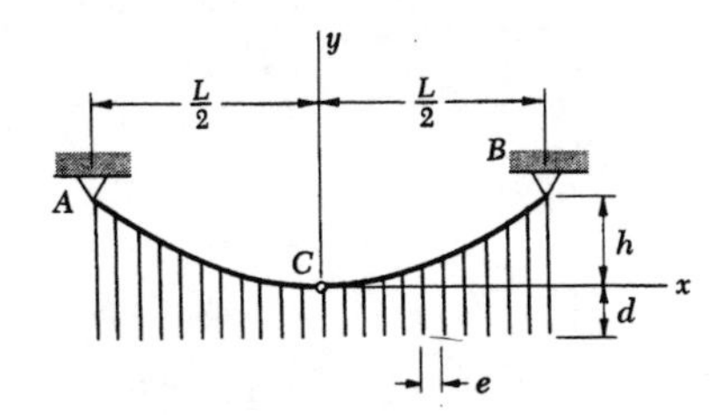


***7.81** Un grand nombre de cordes sont attachées à un fil léger suspendu entre deux points $A$ et $B$ de même niveau. Montrez que si les cordes ont une longueur telle que leurs extrémités inférieures se trouvent au même niveau et si elles sont régulièrement espacées, l'équation de la déformée du fil $ABC$ est

$$y + d = d \cosh \left(\frac{w_r}{T_0 e}\right)^{1/2} x$$

où $w_r$ est le poids linéaire de la corde, $d$ est la longueur de la corde la plus petite et $e$ l'espacement des cordes. (Utilisez la propriété mise en évidence au probl. 7.79.)

***7.82** Si le poids linéaire du câble $AB$ est $w_o/\cos^2 \theta$, montrez que la déformée est un arc de cercle.

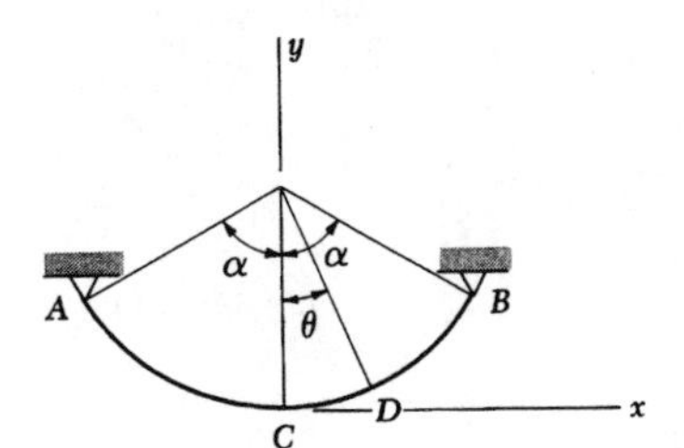


**Fig. P7.82**

***7.9 Chaînette.** Nous allons considérer maintenant le câble $AB$ sollicité par une *charge uniformément répartie le long du câble lui-même* (Fig. 7.18*a*). Les câbles supportant leur propre poids sont chargés de cette façon. Nous appellerons $w$ la charge par unité de longueur (*mesurée le long du câble*) et exprimée en N/m. La grandeur $W$ de la charge totale appliquée à une partie du câble de longueur $s$ prise entre le point le plus bas $C$ et le point $D$, est donc $W = ws$. En entrant cette valeur de $W$ dans la formule (7.6), nous obtenons la tension au point $D$,

$$T = \sqrt{T_0^2 + w^2 s^2}$$

Afin de simplifier les calculs nous allons poser $C = T_o/w$. Nous avons

$$T_0 = wc \qquad W = ws \qquad T = w\sqrt{c^2 + s^2} \qquad (7.11)$$

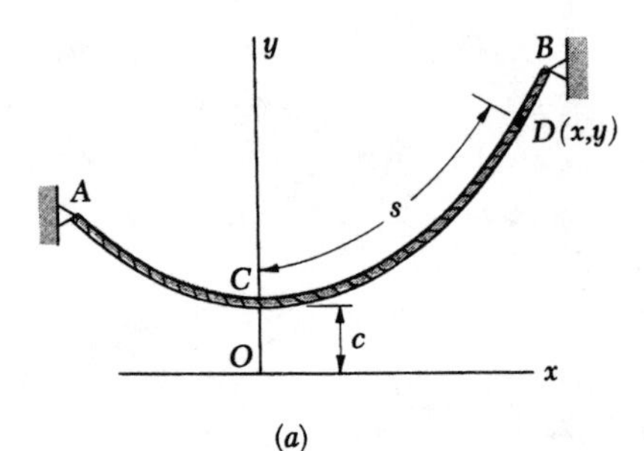

(a)

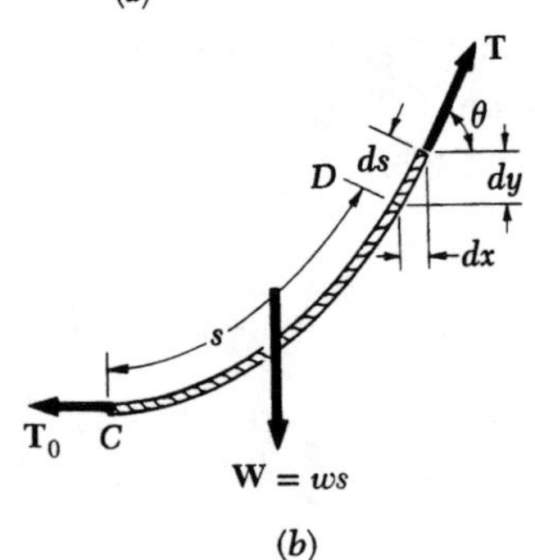

(b)

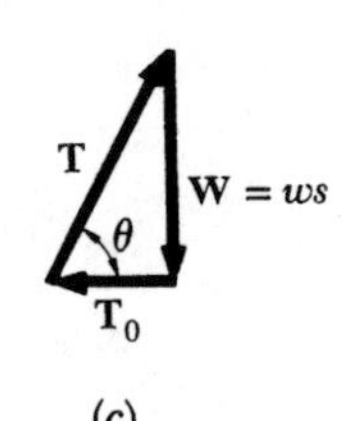

(c)

**Fig. 7.18**

Le schéma de la partie isolée *CD* est montré à la fig. 7.18*b*. Ce diagramme, cependant, ne peut pas être utilisé pour déterminer l'équation de la déformée du câble puisque nous ne connaissons pas la distance entre *D* et la ligne d'action de la résultante **W** de la charge. Pour obtenir cette équation, nous exprimons d'abord que la projection horizontale d'un petit élément du câble de longueur $dx$ est $dx = ds \cos \theta$. Ensuite, remarquant que, (Fig. 7.18*c*), $\cos \theta = T_o/T$ et utilisant l'éq. (7.11), nous écrirons

$$dx = ds \cos \theta = \frac{T_0}{T} ds = \frac{wc\, ds}{w\sqrt{c^2 + s^2}} = \frac{ds}{\sqrt{1 + s^2/c^2}}$$

Posons l'origine des coordonnées à une distance *C* directement en dessous du point *C* (Fig. 7.18*a*) et intégrons l'expression ci-dessus entre les points $C(0,c)$ et $D(x,y)$; nous obtenons †

$$x = \int_0^s \frac{ds}{\sqrt{1 + s^2/c^2}} = c\left[\sinh^{-1}\frac{s}{c}\right]_0^s = c \sinh^{-1}\frac{s}{c}$$

Cette équation qui relie la longueur $s$ du cable *CD* et la distance horizontale $x$, peut s'écrire sous la forme

$$s = c \sinh \frac{x}{c} \tag{7.15}$$

La relation entre les coordonnées $x$ et $y$ peut maintenant s'obtenir en posant $dy = dx \tan \theta$. De la fig. 7.18*c*, on tire que $\tan \theta = W/T_o$ et d'après (7.11) et (7.15), nous pouvons écrire

$$dy = dx \tan \theta = \frac{W}{T_0} dx = \frac{s}{c} dx = \sinh \frac{x}{c} dx$$

Si on intègre de $C(0,c)$ à $D(x,y)$ et on utilise (7.12) et (7.13), nous obtenons

† Cette intégrale peut être trouvée dans une table d'intégration. La fonction

$$z = \sinh^{-1} u$$

(lire arcsinus hyperbolique) est la fonction *inverse* de $u = \sinh z$ (lire sinus hyperbolique). Cette fonction et la fonction $v = \cosh z$ sont définies comme suit :

$$u = \sinh z = \tfrac{1}{2}(e^z - e^{-z}) \qquad v = \cosh z = \tfrac{1}{2}(e^z + e^{-z})$$

Les valeurs numériques des fonctions hyperboliques peuvent être trouvées dans les tables des fonctions hyperboliques. Elles peuvent encore être calculées à l'aide de la plupart des calculatrices ou encore déduites des définitions précédentes. Nous conseillons au lecteur de consulter un texte sur cette matière. Dans ce livre, nous utiliserons les propriétés suivantes qui peuvent être facilement déduites des définitions précédentes :

$$\frac{d \sinh z}{dz} = \cosh z \qquad \frac{d \cosh z}{dz} = \sinh z \tag{7.12}$$

$$\sinh 0 = 0 \qquad \cosh 0 = 1 \tag{7.13}$$

$$\cosh^2 z - \sinh^2 z = 1 \tag{7.14}$$

$$y - c = \int_0^x \sinh \frac{x}{c}\, dx = c\left[\cosh \frac{x}{c}\right]_0^x = c\left(\cosh \frac{x}{c} - 1\right)$$

$$y = c \cosh \frac{x}{c} \qquad (7.16)$$

C'est l'équation d'une *chaînette à axe verticale.* L'ordonnée $c$ du point le plus bas $C$ est appelée le *paramètre.* En élevant au carré les deux membres des éq. (7.15) et (7.16), en les soustrayant l'une de l'autre et en utilisant la relation (7.14), nous obtenons la relation

$$y^2 - s^2 = c^2 \qquad (7.17)$$

En tirant la valeur de $s^2$ de cette relation et en l'introduisant dans les relations (7.11), nous pouvons les écrire comme suit :

$$T_0 = wc \qquad W = ws \qquad T = wy \qquad (7.18)$$

La dernière relation nous indique que la tension à un point $D$ du câble est proportionnelle à la distance verticale entre le point $D$ et l'axe $x$.

Lorsque les appuis $A$ et $B$ du câble sont de même niveau, la distance horizontale $L$ entre les appuis est appelée la *portée* du câble et la distance verticale $h$ entre le niveau des appuis et le niveau le plus bas du câble est appelée la *flèche.* Ces définitions sont les mêmes que celles données dans le cas des câbles à déformée parabolique mais nous devons noter ici que, suite à notre choix de l'origine de référence, la flèche $h$ est donnée par

$$h = y_A - c \qquad (7.19)$$

Nous devons aussi observer que certains de ces problèmes mettent en jeu des équations transcendantes qui ne peuvent être résolues que par des approximations successives. Lorsqu'un câble est tendu, cependant, la charge peut être assimilée à une charge verticale uniformément répartie et la chaînette remplacée par une parabole. La solution du problème est ainsi simplifiée.

Lorsque les appuis $A$ et $B$ ne sont pas de même niveau, la position du point le plus bas du câble est inconnue. Le problème doit être résolu de manière similaire à celle des câbles paraboliques en exprimant que le câble doit passer par les supports et que $x_B - x_A = L$ et $y_B - y_A = d$ où $L$ et $d$ sont respectivement la distance horizontale et verticale entre les deux appuis.

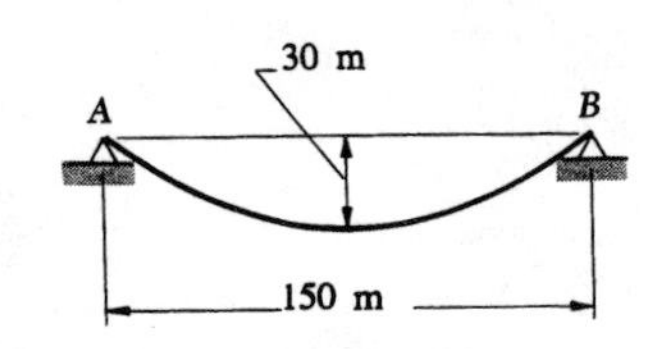


## PROBLÈME RÉSOLU 7.10

Un câble de section constante et de poids linéaire de 43,8 N/m est suspendu entre deux points $A$ et $B$. Calculez : *a*) les tensions maximales et minimales dans le câble, *b*) la longueur du câble.

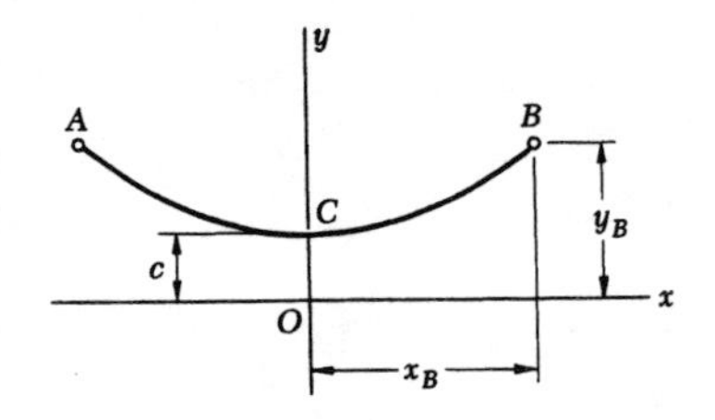


**Solution.** ***Équation du câble.*** Choisissons le point $O$ comme origine du système de référence. L'équation du câble est donnée par l'éq. (7.16) :

$$y = c \cosh \frac{x}{c}$$

Les coordonnées du point $B$ sont

$$x_B = 75 \text{ m} \qquad y_B = 30 + c$$

Si on introduit ces valeurs dans l'équation du câble, on obtient

$$30 + c = c \cosh \frac{75}{c}$$

$$\frac{30}{c} + 1 = \cosh \frac{75}{c}$$

La valeur de $C$ est trouvée par tâtonnement (voir le tableau ci-dessous) :

| $c$ | $\frac{75}{c}$ | $\frac{30}{c}$ | $\frac{30}{c} + 1$ | $\cosh \frac{75}{c}$ |
|---|---|---|---|---|
| 90 | 0,833 | 0,333 | 1,333 | 1,367 |
| 105 | 0,714 | 0,286 | 1,286 | 1,266 |
| 99 | 0,758 | 0,303 | 1,303 | 1,301 |
| 98,4 | 0,762 | 0,305 | 1,305 | 1,305 |

Si on prend $c = 98{,}4$ m, nous obtenons

$$y_B = 30 + c = 128{,}4 \text{ m}$$

***a. Valeurs maximales et minimales de la tension.*** Les éq. (7.18) nous donnent

$$T_{min} = T_0 = wc = (43{,}8 \text{ N/m})(98{,}4 \text{ m}) \qquad T_{min} = 4{,}31 \text{ kN} \blacktriangleleft$$
$$T_{max} = T_B = wy_B = (43{,}8 \text{ N/m})(128{,}4) \qquad T_{max} = 5{,}62 \text{ kN} \blacktriangleleft$$

***b. Longueur du câble.*** La demi-longueur du câble est donnée par l'éq. (7.7)

$$y_B^2 - s_{CB}^2 = c^2 \qquad s_{CB}^2 = y_B^2 - c^2 = (128{,}4)^2 - (98{,}4)^2 \qquad s_{CB} = 82{,}49 \text{ m}$$

La longueur totale du câble est donc

$$s_{AB} = 2s_{CB} = 2(82{,}49 \text{ m}) \qquad s_{AB} = 164{,}98 \text{ m} \blacktriangleleft$$

## PROBLÈMES SUPPLÉMENTAIRES

**7.83** Un câble aérien de tramway de longueur 200 m et de masse 1000 kg est suspendu entre deux points de même niveau. Sachant que la flèche est de 50 m, calculez la distance entre les supports et la tension maximale du câble.

**7.84** Une corde de 30,5 m est tendue entre les toits de deux édifices de 9,14 m de hauteur. La tension maximale est de 222,4 N et le point le plus bas de la corde se trouve 3,05 m au-dessus du sol. Calculez le poids de la corde et la distance entre les deux points d'attache.

**7.85** Un ruban d'arpenteur en acier de 61 m de longueur pèse 17,8 N. Le ruban est tendu entre deux points au même niveau jusqu'à développer une force de tension de 71,2 N à chaque extrémité. Calculez la distance horizontale entre ces extrémités. (Négligez l'allongement du ruban.)

**7.86** Un câble de transmission électrique en cuivre possède une masse de 0,75 kg/m et est attaché à deux isolateurs qui se trouvent à la même hauteur et qui sont éloignés de 100 m. On veut limiter la valeur de la composante horizontale de l'effort dans le câble à 900 N, pour éviter la déformation des isolateurs. Calculez : *a*) la longueur du câble nécessaire, *b*) la flèche résultante, *c*) la tension maximale dans le câble.

**7.87** Un câble électrique pèse 49,6 N/m et est suspendu au-dessus d'un canyon; il est attaché à deux supports de même hauteur qui sont séparés l'un de l'autre de 182,9 m. Sachant que la flèche est de 24,4 m, calculez la longueur totale du câble et la tension maximale.

**7.88** Un contre-poids de masse 200 kg est attaché à un câble qui passe sur une petite poulie *A* et qui est attaché au point *B*. Calculez : *a*) la longueur du câble entre *A* et *B*, *b*) la masse par unité de longueur du câble. (Négligez la masse du câble entre *A* et *D*.) La flèche du câble est de 3 m.

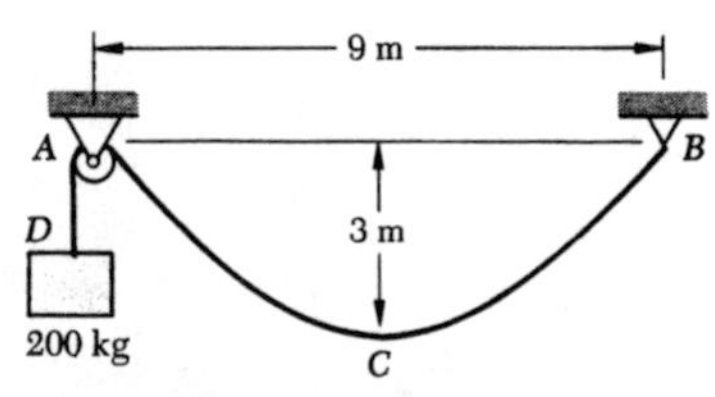

Fig. P7.88

**7.89** Une chaîne longue de 10 m et de masse 20 kg est suspendue entre deux points au même niveau qui sont séparés de 5 m. Déterminez la tension et la flèche de la chaîne.

**7.90** Un câble de 45,72 m de long est suspendu entre deux points de même niveau et séparés l'un de l'autre de 30,48 m. Calculez la flèche et le poids du câble si l'effort maximal de tension dans celui-ci est de 133,4 N.

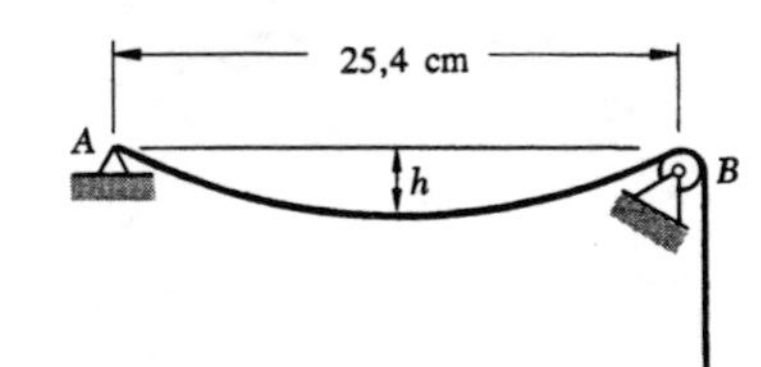

Fig. P7.91

**7.91** Une corde uniforme de 76,2 cm de long passe sur une poulie sans frottement *B* et est attachée à un point fixe *A*. Déterminez la plus petite des valeurs de *h* pour laquelle la corde est en équilibre.

***7.92** Le câble *AB* de longueur 3,048 m pèse 89 N et est attaché à deux manchons *A* et *B* qui peuvent glisser sans frottement le long de deux tiges, tel qu'illustré. Calculez : *a*) la grandeur de la force horizontale **F** pour que $h = a$, *b*) la valeur correspondante de *h* et *a*, *c*) l'effort dans le câble. (Négligez le poids des manchons.)

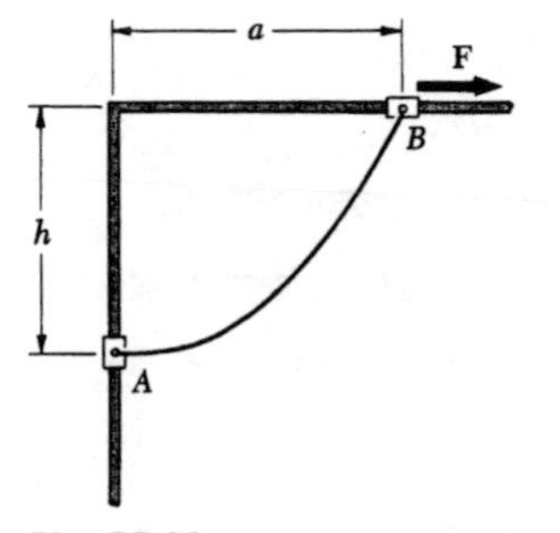

Fig. P7.92

**7.93** Si $\theta$ est l'angle entre l'horizontale et la tangente à la déformée d'un câble de section constante, montrez qu'à chaque point de celui-ci, on a $y = c/\cos\theta$.

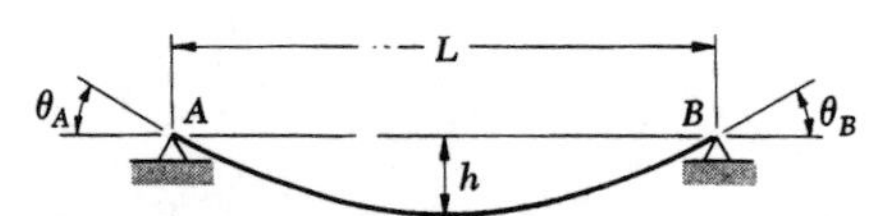

Fig. P7.95, P7.96, et P7.97

***7.94** *a*) Calculez la portée maximale admissible pour un câble uniforme de poids $w$ par unité de longueur si l'effort dans le câble doit rester inférieur à $T_m$. *b*) Utilisant les résultats de (*a*), trouvez la portée maximale d'un câble de remorquage en acier, de poids linéaire $w = 2{,}92$ N/m et dont l'effort maximal admissible est 26,7 kN.

***7.95** Une chaîne de masse 6 kg/m est supportée de la façon indiquée à la figure ci-contre. Calculez les deux valeurs de la flèche pour lesquelles la tension maximale est de 750 N si on pose $L = 8$ m.

***7.96** Déterminez le rapport flèche-portée pour lequel l'effort maximal dans le câble est égal à son poids.

***7.97** Un câble de poids $w$ par unité de longueur est suspendu entre deux points de même niveau séparés par une longueur $L$. Calculez le rapport flèche-portée pour lequel la tension maximale est aussi petite que possible. Quelles sont alors les valeurs de $\theta_B$ et $T_m$?

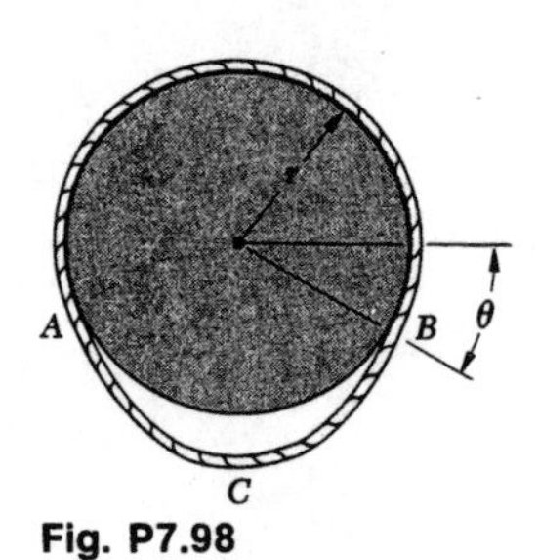

Fig. P7.98

***7.98** Un câble de poids linéaire $w$ est enroulé autour d'un cylindre et est en contact avec celui-ci entre les points $A$ et $B$. Calculez : *a*) la longueur du câble, *b*) l'effort dans le câble. Posez $\theta = 30°$. (Utilisez la propriété indiquée au probl. 7.93.)

## PROBLÈMES DE RÉVISION

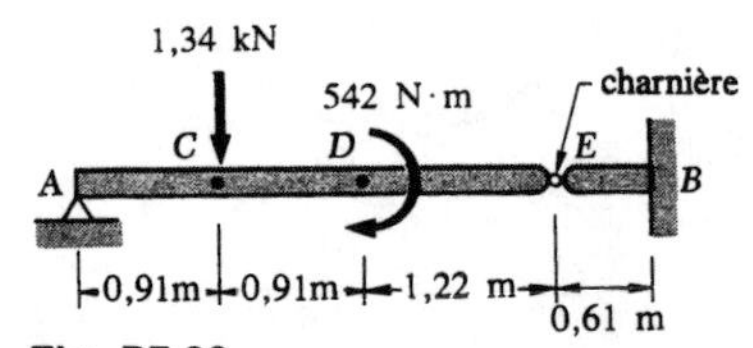

Fig. P7.99

**7.99** Tracez les diagrammes des efforts tranchants et des moments fléchissants de la poutre chargée illustrée ci-contre.

**7.100** Tracez les diagrammes des efforts tranchants et des moments fléchissants de la poutre chargée du probl. 7.99, si on remplace le couple négatif de 542,3 N·m par un couple identique mais positif.

**7.101** Un câble d'acier de 19 mm de diamètre et d'un poids 13,73 N/m est suspendu à deux tours de même hauteur et distantes de 91,44 m. Calculez : *a*) la longueur totale du câble, *b*) l'effort maximal de tension. On sait que la flèche mesure 22,86 m.

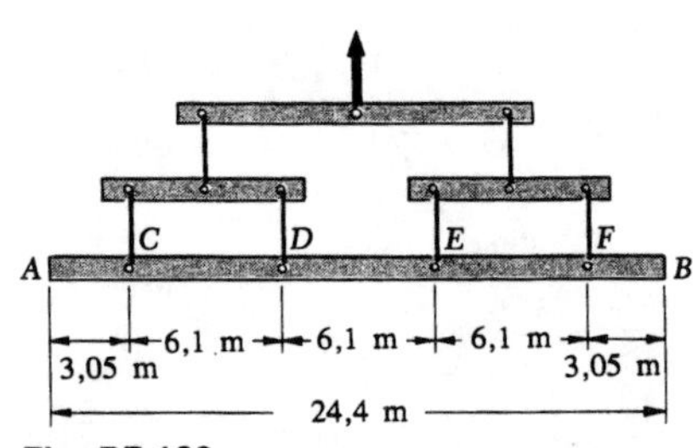

Fig. P7.102

**7.102** Les pieux en béton sont conçus essentiellement pour résister aux efforts axiaux, leur résistance aux moments fléchissants étant presque nulle. Afin d'éviter leur cassure, ils sont attachés en plusieurs points lors des manutentions. En utilisant la configuration illustrée ci-contre, le pieu $AB$ est soulevé par quatre forces appliquées aux points $C$, $D$, $E$ et $F$. Tracez les diagrammes des efforts tranchants et des moments fléchissants du pieu, sachant que son poids total est de 88,96 kN et qu'il est uniformément réparti.

**7.103** La partie centrale du câble $AB$ est appuyée sur une surface horizontale, sans frottement. Calculez la grandeur de la charge **P** lorsque $a = 8$ m. On suppose que la masse linéaire est de 3 kg/m et que la déformée du câble est une parabole.

**7.104** Résolvez le probl. 7.103 lorsque : $a$) $a = 6$ m, $b$) $a = 12$ m.

**7.105** Le câble $ABC$ supporte deux charges. Calculez : $a$) la grandeur de la force **P**, $b$) la distance correspondante $a$.

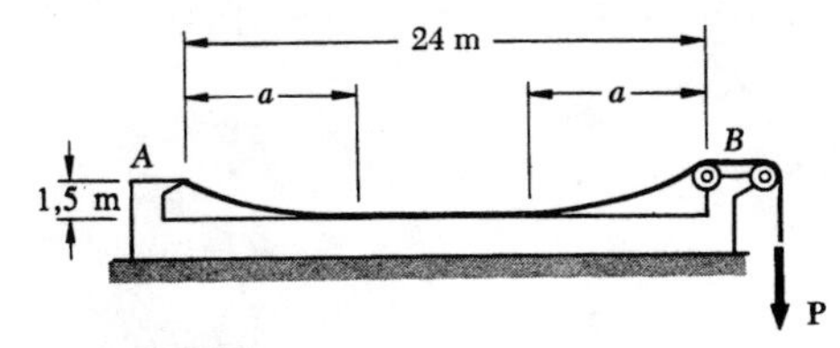

Fig. P7.103

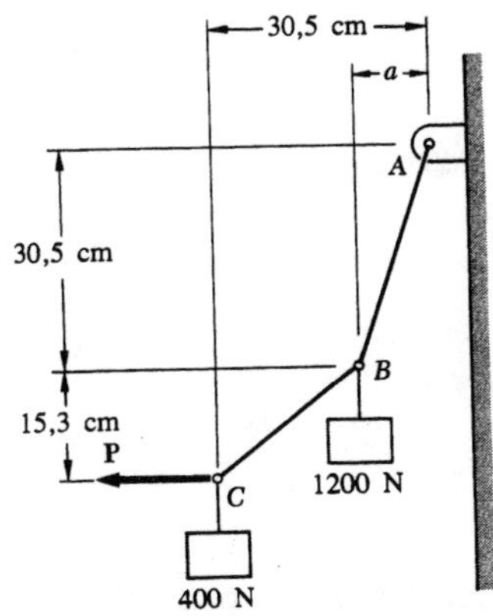

Fig. P7.105

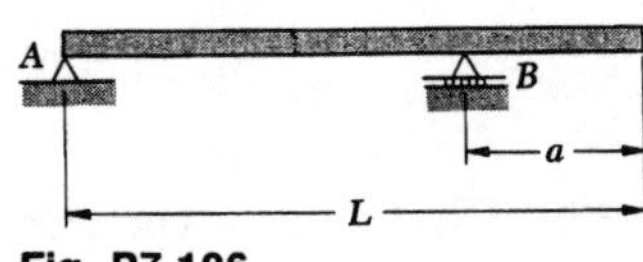

Fig. P7.106

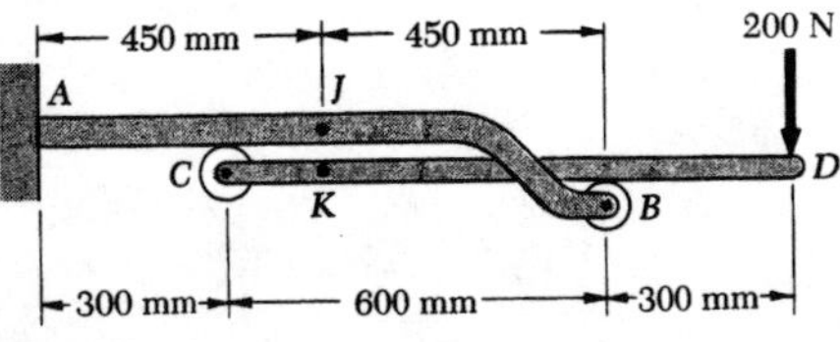

Fig. P7.107

***7.106** Une poutre uniforme de poids $w$ par unité de longueur est simplement appuyée. Calculez la distance $a$ pour que le maximum absolu des moments fléchissants soit le plus petit possible. (Voir la note du probl. 7.35.)

**7.107** Calculez les forces intérieures aux points $J$ et $k$ du support ajustable illustré ci-dessus.

**7.108** L'axe neutre de la poutre $AB$ a la forme d'une parabole avec son sommet au point $A$. Calculez les forces internes à la section $J$ lorsque $h = 225$ mm, $L = 750$ mm et $a = 500$ mm. Supposons que la charge verticale appliquée au point $A$ vaut 3 kN.

**7.109** Calculez dans le probl. 7.108 : $a$) la grandeur et la position du moment fléchissant maximal. $b$) Si on remarque que la poutre $AB$ est soumise uniquement à des efforts axiaux, calculez la valeur maximale de la perpendiculaire abaissée de la corde $AB$ à l'axe neutre de la poutre.

**7.110** Une tige de forme demi-circulaire et de poids $w$ est attachée à un axe $A$ et est appuyée sans frottement sur la paroi $B$. Calculez : $a$) le moment fléchissant au point $J$ lorsque $\theta = 90°$, $b$) la grandeur et la position du moment fléchissant maximal.

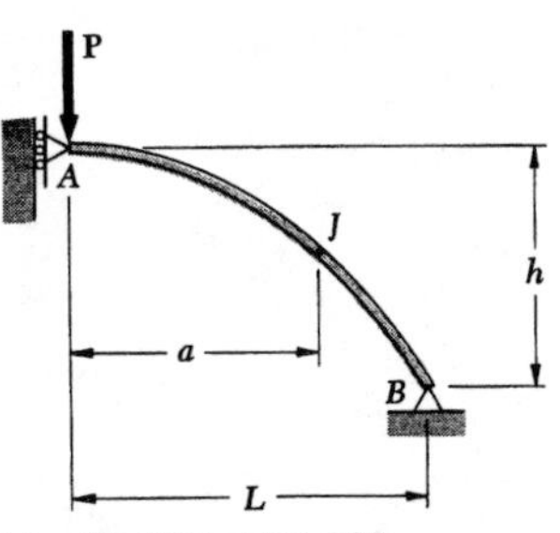

Fig. P7.108 et P7.109

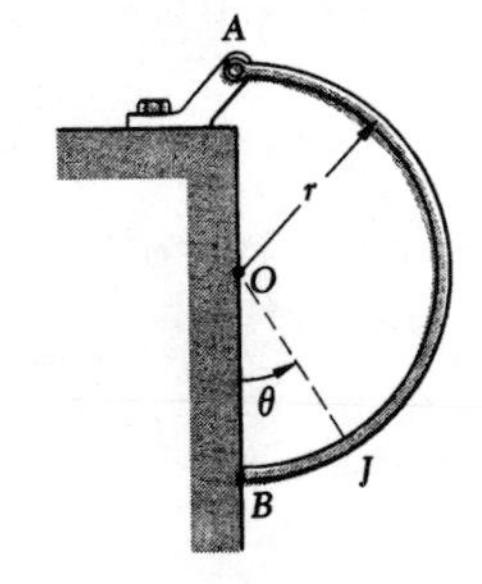

Fig. P7.110

CHAPITRE

# 8 Frottement

**8.1. Introduction.** Dans les chapitres précédents, nous avons admis sans discussion que le contact entre deux surfaces pouvait se faire avec ou sans frottement. Si ce contact se fait sans frottement, les deux surfaces sont libres de se déplacer l'une par rapport à l'autre et leur interaction peut se représenter par deux forces opposées dont la ligne d'action est perpendiculaire au plan commun des deux surfaces. Si le contact se fait avec frottement, ce qui est notamment le cas des surfaces rugueuses, celles-ci ne sont plus libres de glisser l'une sur l'autre à cause des forces tangentielles qui naissent entre elles et leur interaction n'est plus perpendiculaire à leur plan commun.

Cette façon de voir est très simpliste. En effet, il n'existe aucun contact qui se fasse sans frottement. On constate toujours la présence de forces tangentielles, appelées *forces de frottement*, qui empêchent plus ou moins le glissement relatif des surfaces en contact. Ces forces de frottement ont une limite supérieure; elles ne peuvent pas empêcher le glissement si les surfaces sont sollicitées par des forces suffisantes. Une distinction entre les différents types de contact est donc très relative. Ceci sera mis en évidence dans ce chapitre qui traite du frottement et de ses applications dans les problèmes d'ingénierie.

Nous avons, d'une manière tout à fait générale, deux types de frottement : le *frottement sec*, aussi appelé le *frottement de Coulomb* et le *frottement fluide*. Le frottement fluide est celui développé entre des filets fluides en mouvement relatif. Ce type de frottement prend une très grande importance lorsqu'on étudie des fluides en circuit fermé, ou encore lorsqu'on étudie le comportement des corps immergés dans un fluide en mouvement. Il est aussi très important dans l'étude du mouvement des *mécanismes lubrifiés*. Ajoutons que ces problèmes particuliers sont traités dans le cours de la mécanique des fluides. Nous nous limitons ici à l'étude du frottement sec, c'est-à-dire aux problèmes mettant en jeu des corps rigides en contact par l'intermédiaire des surfaces *non lubrifiées.*

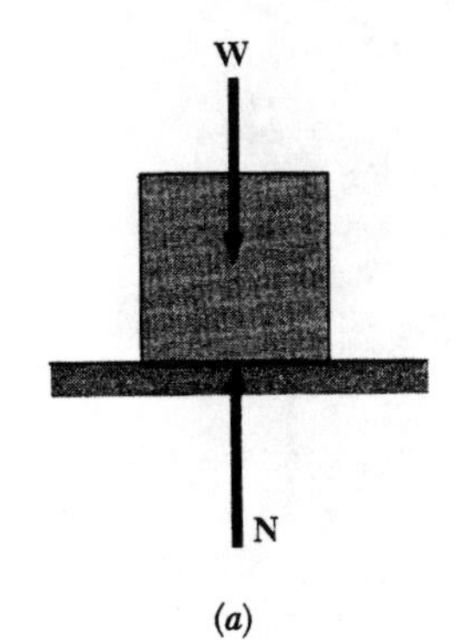


(*a*)

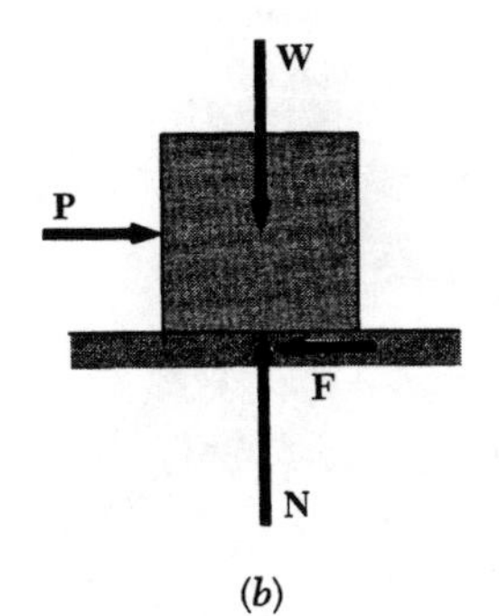


(*b*)

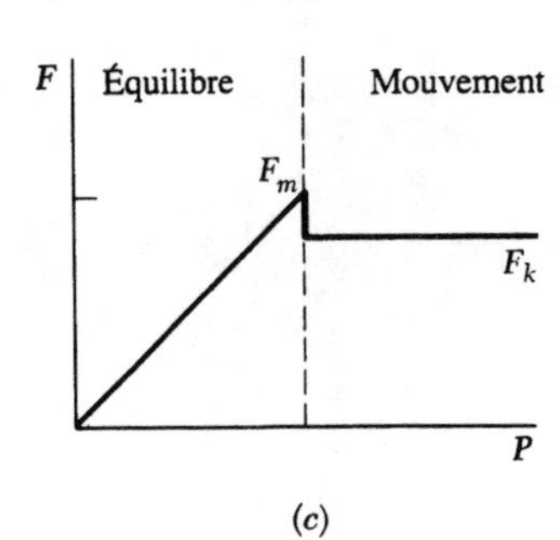


(*c*)

**Fig. 8.1**

**8.2. Les lois du frottement sec. Coefficients de frottement.** Nous pourrons comprendre les lois du frottement sec d'une façon plus claire si nous procédons à partir de l'expérience suivante : un bloc d'acier de poids **W** est placé sur une surface plane et horizontale. Nous savons déjà à partir des chapitres précédents que la réaction d'appui doit être normale au plan contenant les deux surfaces en contact. On la représente par **N** (Fig. 8.1*a*). Supposons maintenant que la force horizontale **P** est appliquée au bloc (Fig. 8.1*b*). Si **P** est petite, le bloc restera immobile; il doit donc exister une autre force horizontale qui équilibre **P**. Cette autre force est la *force de frottement statique* **F**, qui est en réalité la résultante d'un grand nombre de forces appliquées à la surface de contact du bloc. La nature de ces forces n'est pas parfaitement connue mais en général, on suppose que ces forces sont dues aux irrégularités de surface et, en moindre importance, à l'attraction moléculaire. Si la force **P** augmente, la force de frottement augmentera aussi de façon à équilibrer **P** jusqu'à une certaine *valeur maximale* $F_m$ (Fig. 8.1*c*). Si, à ce moment, **P** augmente encore, la force de frottement ne peut plus l'équilibrer et le bloc commence à glisser. Lorsque le bloc est mis en mouvement, la grandeur de la force de frottement tombe de la valeur $F_m$ à une valeur inférieure $F_k$. Cette chute de la force de frottement est due à une diminution de l'interpénétration cristalline des surfaces en contact lorsque celle-ci sont en mouvement l'une par rapport à l'autre. Le bloc va donc glisser rapidement parce que, en première approximation, cette force $F_k$, appelée *force de frottement cinétique*, reste constante.

L'expérience nous montre que la valeur maximale $F_m$ de la force de frottement statique est proportionnelle à la composante normale $N$ de la réaction de la surface. Nous avons

$$F_m = \mu_s N \tag{8.1}$$

où $\mu_s$ est une constante appelée le *coefficient de frottement statique.* De la même manière la grandeur $F_k$ de la force de frottement cinétique est donnée par la relation

$$F_k = \mu_k N \tag{8.2}$$

où $\mu_k$ est une autre constante appelée le *coefficient de frottement cinétique.*

*Les coefficients de frottement* $\mu_s$ et $\mu_k$ sont indépendants de la grandeur de la surface de contact. Les deux coefficients, cependant, dépendent fortement de la *nature* des surfaces en contact ainsi que de leur *fini*. Pour ces raisons, leur valeur ne peut pas être connue avec exactitude et une variation de ±5% de leur valeur nominale est tout à fait normale. Nous avons mis ci-dessous, sous forme de tableau, les coefficients de frottement statique des différentes surfaces sèches. Les valeurs correspondantes du coefficient de frottement cinétique seront environ 25% plus petites.

**Tableau 8.1.** Valeurs approximatives du coefficient de frottement statique pour des surfaces non lubrifiées.

| | |
|---|---|
| Métal sur métal | 0,15-0,60 |
| Métal sur bois | 0,20-0,60 |
| Métal sur pierre | 0,30-0,70 |
| Métal sur cuir | 0,30-0,60 |
| Bois sur bois | 0,25-0,50 |
| Bois sur cuir | 0,25-0,50 |
| Pierre sur pierre | 0,40-0,70 |
| Terre sur terre | 0,20-1,00 |
| Caoutchouc sur béton | 0,60-0,90 |

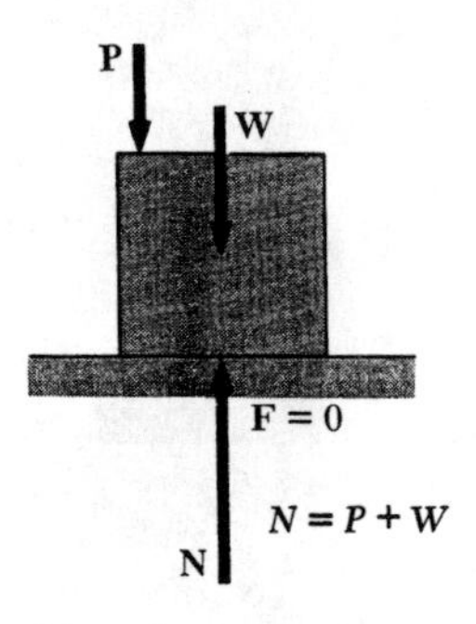


(*a*) Sans frottement ($P_x = 0$)

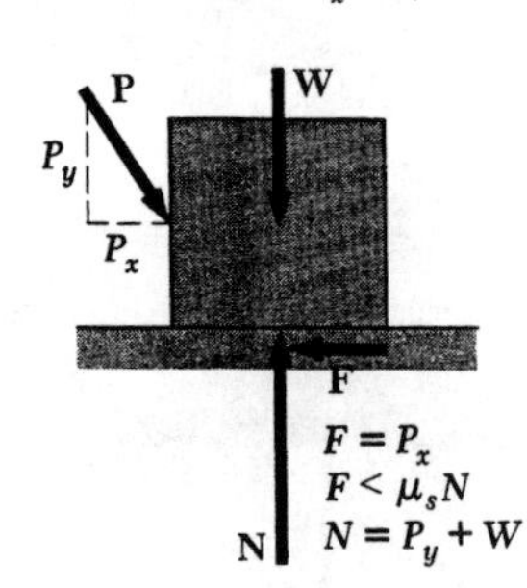


(*b*) Au repos ($P_x < F_m$)

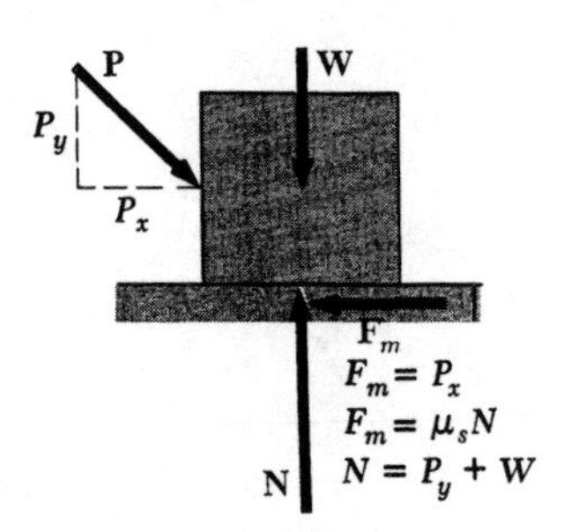


(*c*) Mouvement imminent← ($P_x = F_m$)

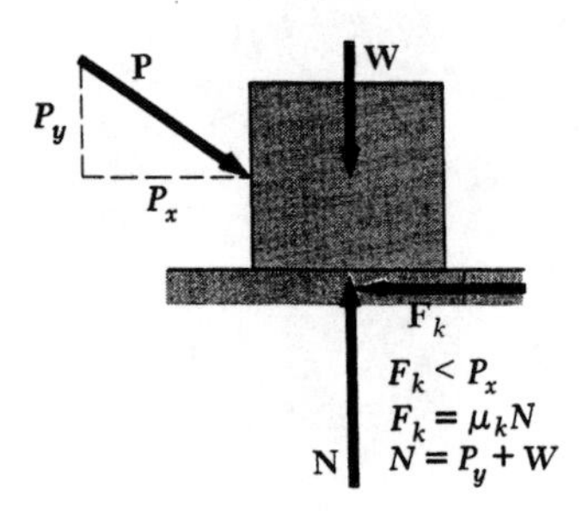


(*d*) Mouvement ← ($P_x > F_m$)

**Fig. 8.2**

Lorsqu'un corps rigide est en contact avec une surface horizontale, nous pouvons distinguer quatre situations possibles :

1. Les forces appliquées au corps possèdent une résultante nulle; celui-ci ne tend pas à se mettre en mouvement et la force de frottement est nulle (Fig. 8.2*a*).
2. Les forces appliquées au corps possèdent une résultante non nulle mais de petite grandeur; celui-ci a maintenant une tendance à se mettre en mouvement le long de la surface, mais la résultante n'est pas suffisamment grande pour le faire. La force de frottement **F**, qui s'est développée entre les surfaces, peut se calculer en résolvant le système d'équations d'équilibre appliqué au corps. Cependant, comme nous ne savons pas si la valeur maximale de la force de frottement statique a été atteinte, l'équation $F_m = \mu_s N$ *ne peut pas être utilisée* pour déterminer cette force (Fig. 8.2*b*).

3. Les forces appliquées sont telles que le corps est dans l'imminence du glissement. Nous disons que le *mouvement est imminent.* Dans ce cas, la force de frottement **F** atteint sa valeur maximale $F_m$ et, de concert avec la composante normale **N** de la réaction, équilibre les forces appliquées. Les équations d'équilibre et l'équation expérimentale $F_m = \mu_s N$ *peuvent être utilisées*. Notons aussi que la force de frottement a le sens opposé au sens du mouvement imminent (Fig. 8.2*c*).
4. Le corps se met en mouvement uniforme sous l'action des forces appliquées; dans ces conditions, les équations d'équilibre s'appliquent encore, la force **F** est égale à la force de frottement cinétique $\mathbf{F}_k$ et la relation $F_k = \mu_k N$ *peut être utilisée*. Le sens de $\mathbf{F}_k$ est opposé au sens du mouvement (Fig. 8.2 *d*).

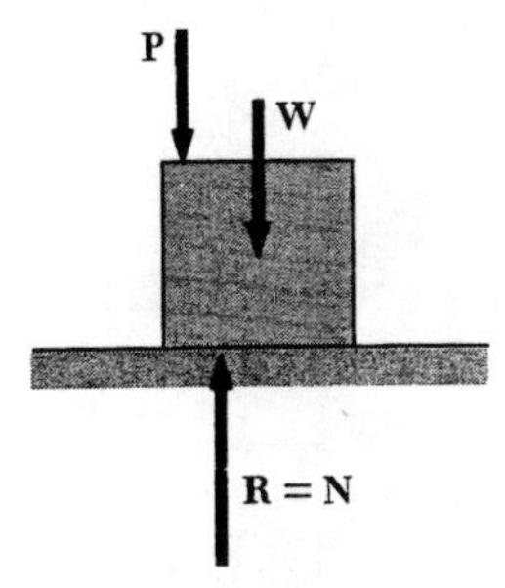

(*a*) Sans frottement

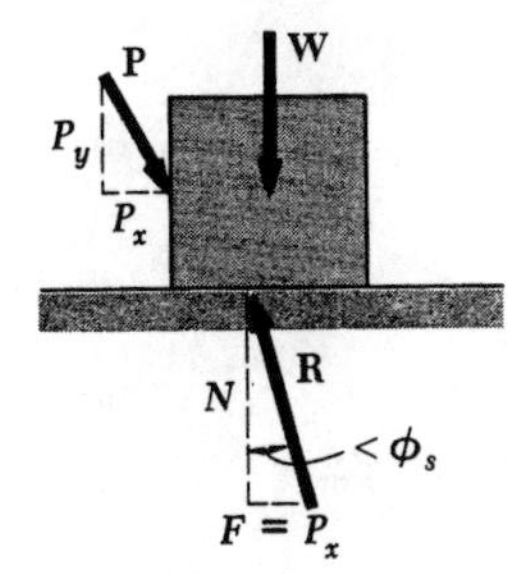

(*b*) Au repos

## 8.3. Angles de frottement.

Il est parfois commode de remplacer la force normale **N** et la force de frottement **F** par leur résultante **R**. Considérons de nouveau le bloc de poids **W** au repos sur une suface horizontale. Si aucune force horizontale est appliquée au bloc, la résultante se réduit à sa composante normale **N** (Fig. 8.3*a*). Cependant, si la force appliquée **P** possède une composante horizontale $\mathbf{P}_x$ qui tend à mettre le bloc en mouvement, la force **R** aura aussi une composante horizontale **F** et, par conséquent, fera un certain angle avec l'axe vertical (Fig. 8.3*b*). Si $\mathbf{P}_x$ augmente jusqu'à ce que le mouvement soit imminent, l'angle entre **R** et la verticale augmente aussi et atteint une valeur maximale (Fig. 8.3*c*). Cette valeur est appelée l'*angle de frottement statique* et est notée $\phi_s$. De la fig. 8.3*c*, on peut tirer les relations

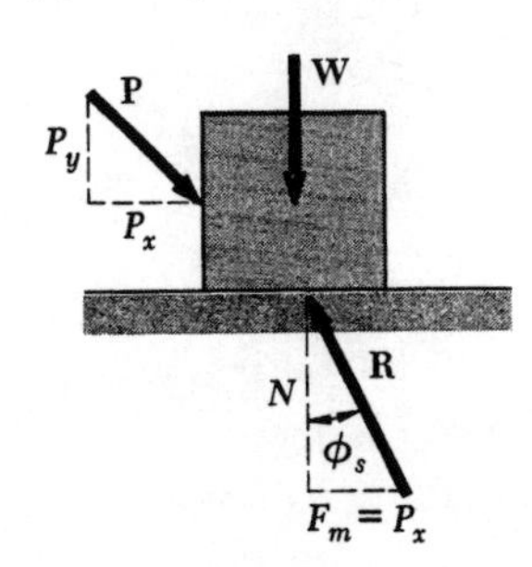

(*c*) Mouvement imminent ⟶

$$\tan \phi_s = \frac{F_m}{N} = \frac{\mu_s N}{N}$$

$$\tan \phi_s = \mu_s \tag{8.3}$$

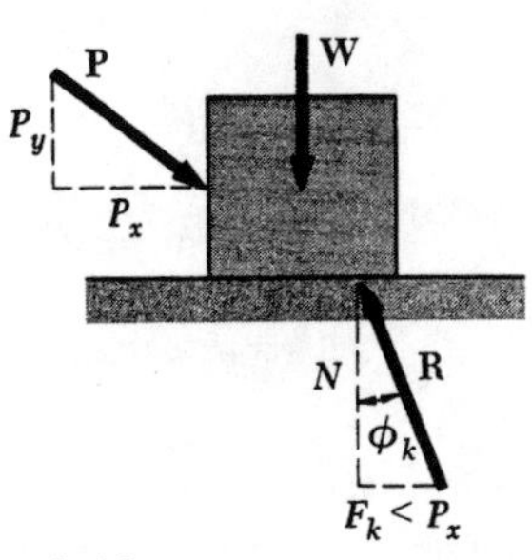

(*d*) Mouvement ⟶

**Fig. 8.3**

Si maintenant le bloc se met en mouvement, la grandeur du frottement tombe à $\mathbf{F}_k$ et d'une façon identique, l'angle entre **R** et **N** tombe à une plus petite valeur $\phi_k$, appelée l'*angle de frottement cinétique* (Fig. 8.3*d*). De la fig. 8.3*d*, nous tirons

$$\tan \phi_k = \frac{F_k}{N} = \frac{\mu_k N}{N}$$

$$\tan \phi_k = \mu_k \tag{8.4}$$

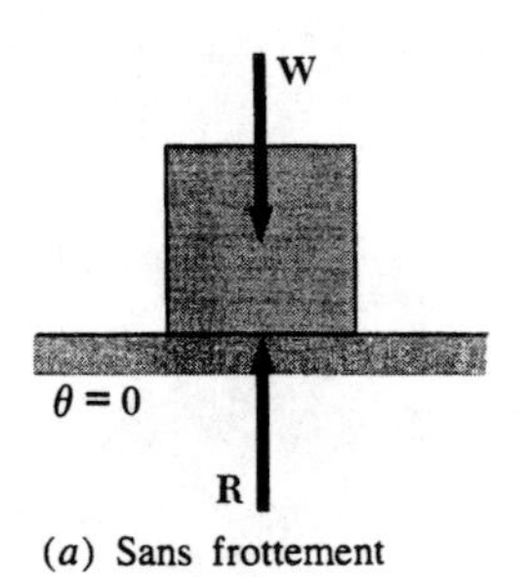

($a$) Sans frottement

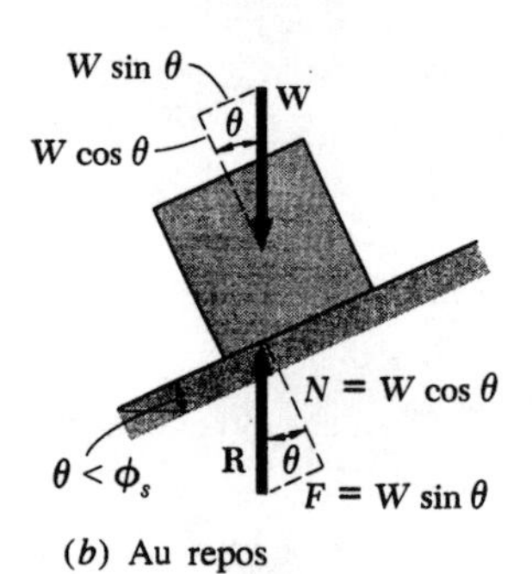

($b$) Au repos

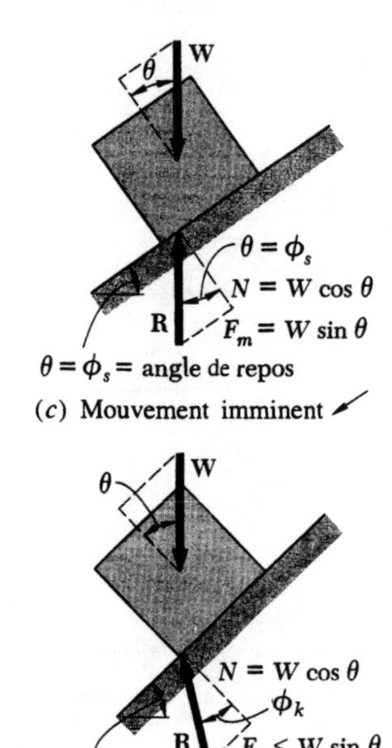

($c$) Mouvement imminent

($d$) Mouvement

**Fig. 8.4**

Un autre exemple nous montre comment l'angle de frottement peut être avantageusement utilisé dans l'analyse de certains types de problèmes. Considérons un bloc au repos sur une table inclinable; le bloc est donc soumis à son poids **W** et à la réaction de la table **R**. Si la table est horizontale, la force **R** exercée par la table sur le bloc est perpendiculaire à la surface de contact et équilibre le poids **W** (Fig. 8.4$a$). Si on incline la table d'un petit angle $\theta$, la ligne d'action de **R** tournera du même angle $\theta$ par rapport à la perpendiculaire au plan et continuera à s'opposer à **W** (Fig. 8.4$b$); elle aura donc une composante normale **N** de grandeur $N = W\cos\theta$ et une composante tangentielle **F** de grandeur $F = W\sin\theta$.

Si nous continuons à augmenter l'angle d'inclinaison de la table, le mouvement du bloc va devenir imminent. À cet instant, l'angle entre **R** et la perpendiculaire à la surface de contact prend sa valeur maximale $\phi_s$ (Fig. 8.4$c$). La valeur de l'angle d'inclinaison correspondant au mouvement imminent est appelée l'*angle d'éboulement*. On voit donc que l'angle d'éboulement est égal à l'angle de frottement statique $\phi_s$. Si l'angle d'inclinaison $\theta$ augmente encore, le mouvement se déclenche et l'angle entre la réaction **R** et la normale au plan tombe à la valeur $\phi_k$ (Fig. 8.4$d$). La réaction **R** n'est donc plus verticale et le bloc n'est plus en équilibre.

**8.4. Problèmes causés par le frottement sec.** On rencontre souvent ce type de problèmes dans les applications pratiques. Certains de ces problèmes concernent des situations simples comme celle du bloc et de la table. D'autres traitent de situations plus complexes, comme celle du problème résolu 8.3; d'autres analysent la stabilité des corps rigides en mouvement accéléré et seront traités en dynamique. Un grand nombre de machines et de mécanismes courants se calculent à l'aide des lois du frottement. Dans cette catégorie se classent les coins, vis, paliers, coussinets, courroies de transmission; nous les étudierons dans les sections suivantes.

Nous utiliserons, pour résoudre ces problèmes, les méthodes exposées dans les sections précédentes. Si un problème met seulement en jeu un mouvement de translation sans rotation possible, le corps à étudier peut être assimilé à un point et les méthodes du chap. 2 peuvent être utilisées. Si par contre une rotation est à prévoir dans le mouvement, le corps ne peut plus être assimilé à un point et nous devons utiliser les méthodes du chap. 3. Si la structure étudiée est composée des différents éléments, nous devons utiliser le troisième principe et avoir recours aux méthodes développées au chap. 6.

Si le corps étudié est soumis à plus de trois forces (la réaction incluse), la réaction de chaque surface sera représentée par ses composantes **N** et **F** et le problème sera résolu à l'aide des équations d'équilibre. Si seulement trois forces sont appliquées sur le corps étudié, il pourrait être plus commode de représenter chaque réaction par une simple force **R** et de résoudre le problème à l'aide du triangle des forces.

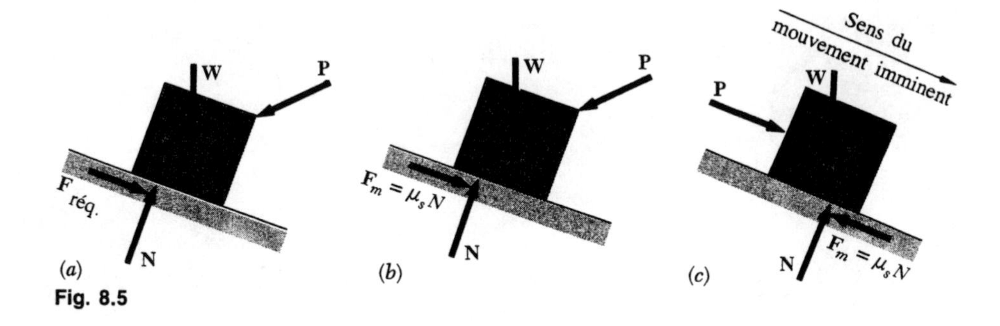

**Fig. 8.5**

La majorité des problèmes mettant en jeu le frottement appartiennent à *un des trois groupes suivants.* Dans le *premier groupe,* on donne toutes les forces appliquées et les coefficients de frottement; nous devons déterminer si le corps reste au repos ou s'il se met en mouvement. La force de frottement **F** *requise pour maintenir l'équilibre* n'est pas connue (sa grandeur *nest pas égale* à $\mu_s N$) et doit être déterminée ainsi que la normale **N** à l'aide du schéma du corps isolé et des *équations d'équilibre* (Fig. 8.5*a*). La valeur trouvée pour la grandeur $F$ de la force de frottement est alors comparée avec la valeur maximale $F_m = \mu_s N$. Si $F$ est plus petite ou est égale à $F_m$, le corps reste au repos. Si la valeur trouvée pour $F$ est plus grande que $F_m$, l'équilibre est rompu et le mouvement a lieu; la grandeur de la force de frottement est alors $F_k = \mu_k N$.

Dans les problèmes du *second groupe,* on connaît toutes les forces appliquées au corps et on sait que le mouvement est imminent; nous devons alors déterminer la valeur du coefficient de frottement. Ici encore, nous déterminerons la force de frottement et la composante normale *à l'aide du schéma du corps isolé et des équations d'équilibre* (Fig. 8.5*b*). Comme nous savons que la valeur trouvée pour **F** est la valeur maximale $F_m$, on peut trouver le coefficient de frottement à l'aide de la formule expérimentale $F_m = \mu_s N$.

Dans les problème du *troisième groupe,* le coefficient de frottement statique est connu et on sait que le mouvement est imminent dans une direction déterminée; nous devons calculer la grandeur et la diretion d'une des forces appliquées. La force de frottement doit être représentée dans le schéma du corps isolé *avec le sens opposé à celui du mouvement imminent* et avec la grandeur $F_m = \mu_s N$ (Fig. 8.5*c*). Les équations d'équilibre pourront alors être écrites et la force inconnue peut être calculée.

Comme nous l'avons indiqué plus haut, il pourrait être plus commode, lorsque le corps est soumis à trois forces, de représenter la réaction de la surface par une force unique **R** et de résoudre le problème en dessinant un triangle de forces. Une telle méthode a été utilisée dans le problème résolu 8.2.

Lorsque deux corps $A$ et $B$ sont en contact (Fig. 8.6*a*), les forces de frottement exercées par $A$ sur $B$ et par $B$ sur $A$ *sont égales et opposées* (troisième principe de Newton). Il est important, en dessinant le schéma du

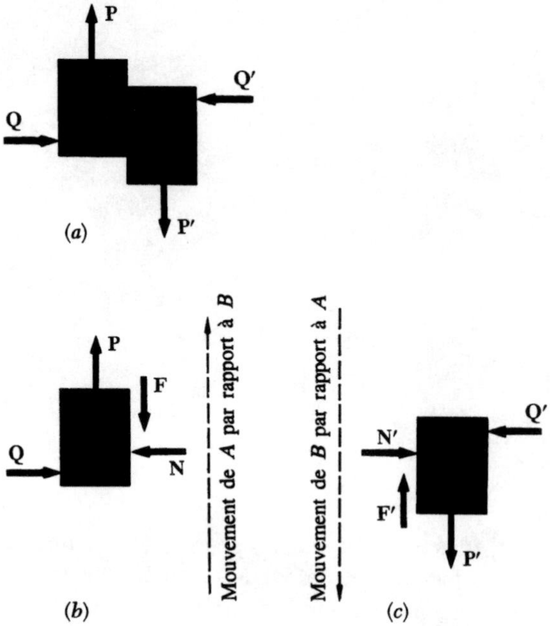

(a)

(b)

(c)

**Fig. 8.6**

corps isolé pour une des parties, d'inclure la force de frottement avec le sens correct. La règle suivante doit donc être suivie : *le sens de la force de frottement agissant sur A est contraire au sens du mouvement (ou du mouvement imminent) de A, vu de B* (Fig. 8.6*b*)†. Le sens de la force de frottement agissant sur *B* se détermine de la même manière (Fig. 8.6*c*). Remarquez que le mouvement *A* vu de *B* est un mouvement relatif. Le corps *A* peut être fixe mais il aura encore un mouvement relatif par rapport au corps *B* si ce dernier est en mouvement. Et le corps *A* peut se trouver en mouvement vers le bas et être vu de *B* comme s'il montait, si *B* descend avec une vitesse plus petite que *A*.

† Donc *le même que celui du mouvement de B vu de A.*

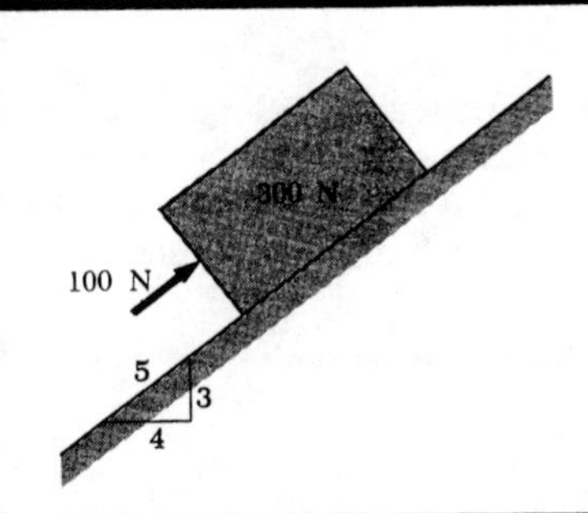


## PROBLÈME RÉSOLU 8.1

On applique une force de 100 N sur un bloc de 300 N placé sur un plan incliné. Les coefficients de frottement statique et cinétique entre la table et le plan sont respectivement $\mu_s = 0{,}25$ et $\mu_k = 0{,}20$. Vérifiez l'équilibre du bloc et calculez la force de frottement.

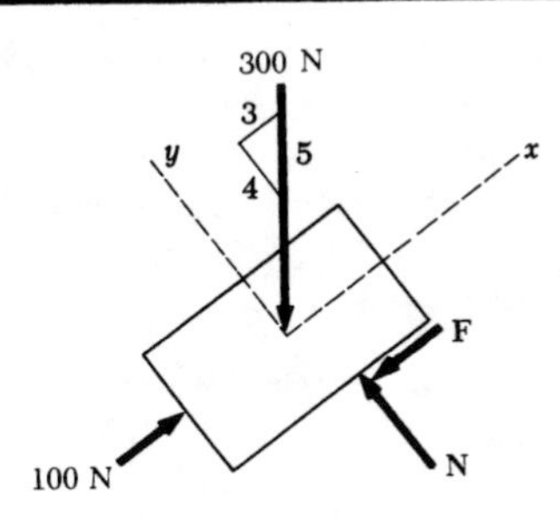


**Force de frottement à l'équilibre.** Commençons par calculer la valeur de la force de frottement *capable de maintenir le bloc en équilibre*. En supposant que **F** est dirigée vers le bas et vers la gauche, nous pouvons tracer le schéma du bloc isolé et écrire les équations d'équilibre

$$+\nearrow \Sigma F_x = 0: \qquad 100\ \text{N} - \tfrac{3}{5}(300\ \text{N}) - F = 0$$
$$F = -80\ \text{N} \qquad \mathbf{F} = 80\ \text{N} \nearrow$$

$$+\nwarrow \Sigma F_y = 0: \qquad N - \tfrac{4}{5}(300\ \text{N}) = 0$$
$$N = +240\ \text{N} \qquad \mathbf{N} = 240\ \text{N} \nwarrow$$

La force **F** requise pour maintenir l'équilibre est une force de 80 N dirigée vers le haut et vers la droite; *le bloc a donc tendance à descendre le plan incliné.*

**Force de frottement maximale.** La grandeur de la force de frottement maximale est donnée par

$$F_{max} = \mu_s N \qquad F_{max} = 0{,}25(240\ \text{N}) = 60\ \text{N}$$

Comme la valeur de la force requise pour maintenir l'équilibre (80 N) est plus grande que la valeur maximale possible (60 N), l'équilibre ne pourra pas être maintenu et le *bloc descendra le plan incliné.*

**Valeur réelle de la force de frottement.** La grandeur de la force de frottement développée sur le bloc s'obtient à partir de

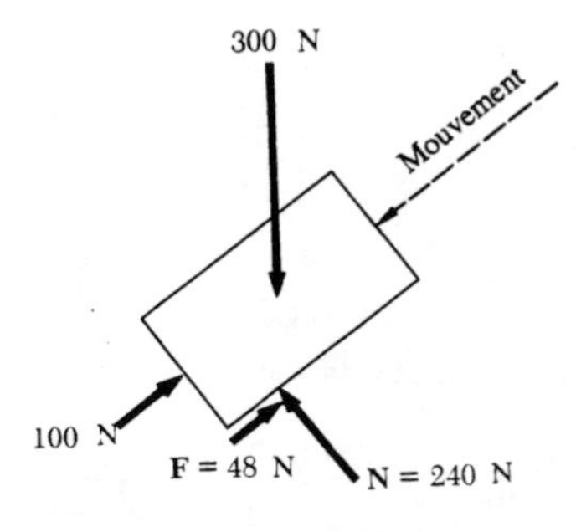


$$F_{réel} = F_k = \mu_k N$$
$$= 0{,}20(240\ \text{N}) = 48\ \text{N}$$

Le sens de cette force est opposé au sens du mouvement; la force est donc dirigée vers le haut et vers la droite.

$$\mathbf{F}_{réel} = 48\ \text{N} \nearrow \blacktriangleleft$$

Nous devons faire remarquer que les forces agissant sur le bloc ne sont pas équilibrées; leur résultante est

$$\tfrac{3}{5}(300\ \text{N}) - 100\ \text{N} - 48\ \text{N} = 32\ \text{N} \swarrow$$

## PROBLÈME RÉSOLU 8.2

Un traîneau en bois transportant un bloc de pierre doit monter le long d'un plan incliné de 15°. La masse de l'ensemble est de 750 kg et les coefficients de frottement entre les patins du traîneau et le plan incliné sont $\mu_s = 0{,}40$ et $\mu_k = 0{,}30$. Calculez la force **P** requise : *a*) pour faire démarrer le traîneau, *b*) pour le faire monter à vitesse constante, *c*) pour le faire descendre à vitesse constante.

**Solution.** Le poids de l'ensemble est donné par

$$W = mg = (750 \text{ kg})(9{,}81 \text{ m}/s^2) = 7360 \text{ N} = 7{,}36 \text{ kN}$$

Si on remarque que $\mathbf{R}_A$ et $\mathbf{R}_B$ ont la même direction (le même angle de frottement $\phi$), nous pouvons dessiner un triangle de forces à l'aide de **W**, **P** et de la résultante $\mathbf{R} = \mathbf{R}_A + \mathbf{R}_B$. La direction de **R** doit être redéterminée pour chaque partie du problème. La relation des sinus est utilisée pour calculer la grandeur de **P** dans chaque cas. Si nécessaire, nous pourrons déterminer les réactions individuelles $\mathbf{R}_A$ et $\mathbf{R}_B$ en additionnant respectivement les moments par rapport aux points *B* et *A*.

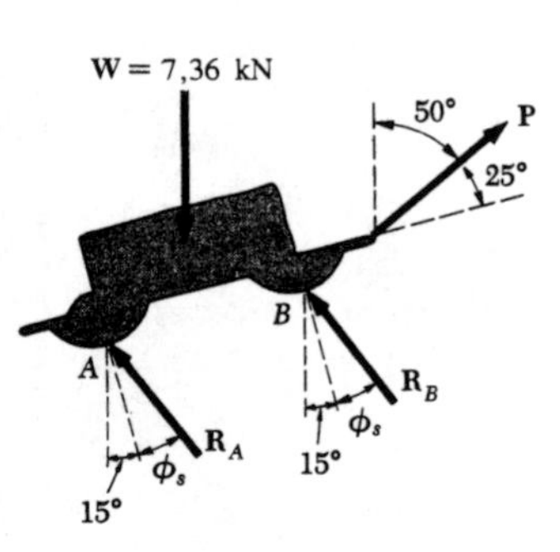


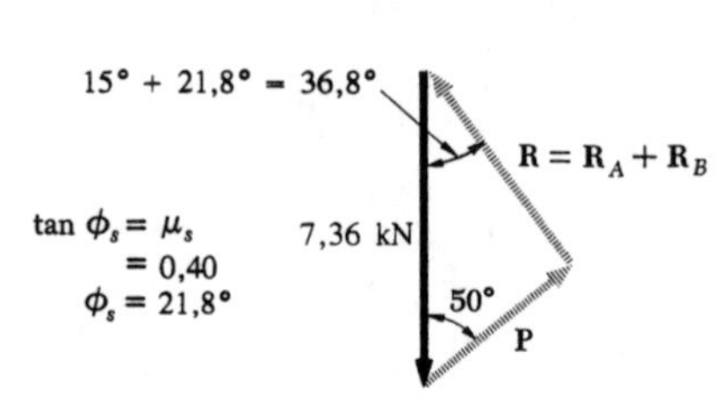


***a.* Force P nécessaire pour faire démarrer le bloc vers le haut.**

$$\frac{P}{\sin 36{,}8°} = \frac{7{,}36 \text{ kN}}{\sin [180° - (50° + 36{,}8°)]}$$

$$P = 4{,}42 \text{ kN} \nearrow$$ ◄

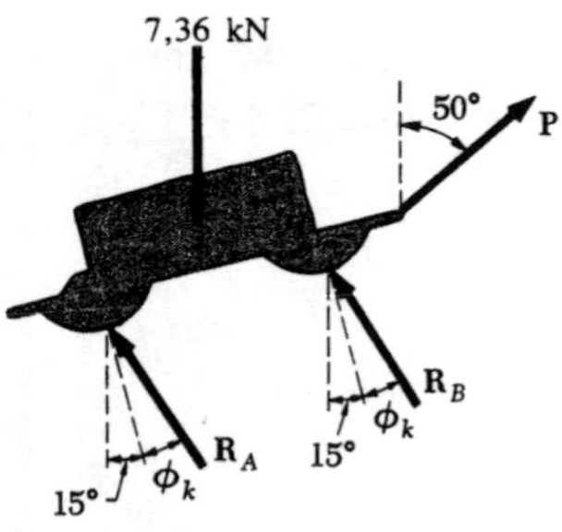


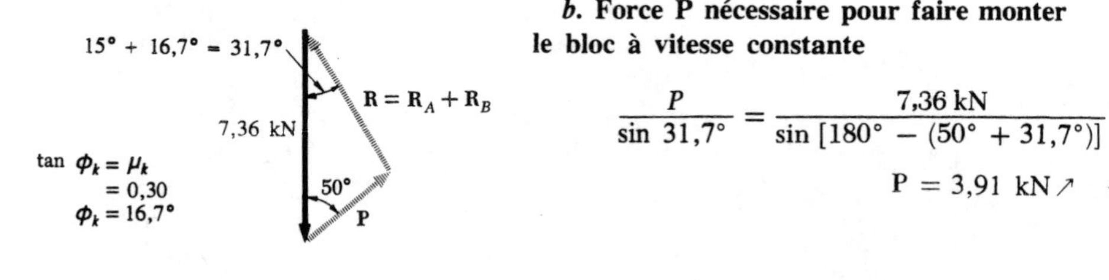


***b.* Force P nécessaire pour faire monter le bloc à vitesse constante**

$$\frac{P}{\sin 31{,}7°} = \frac{7{,}36 \text{ kN}}{\sin [180° - (50° + 31{,}7°)]}$$

$$P = 3{,}91 \text{ kN} \nearrow$$ ◄

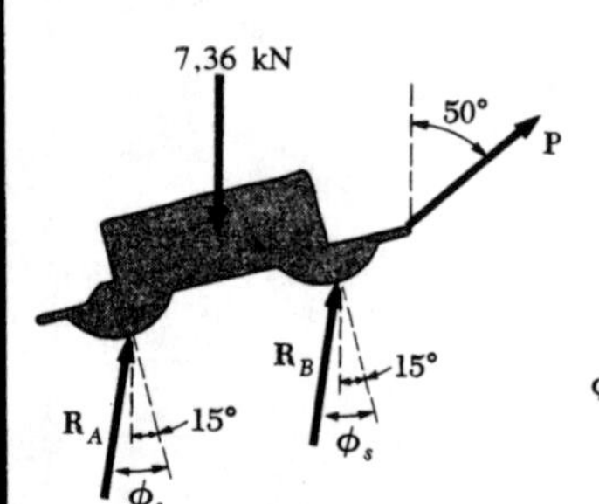


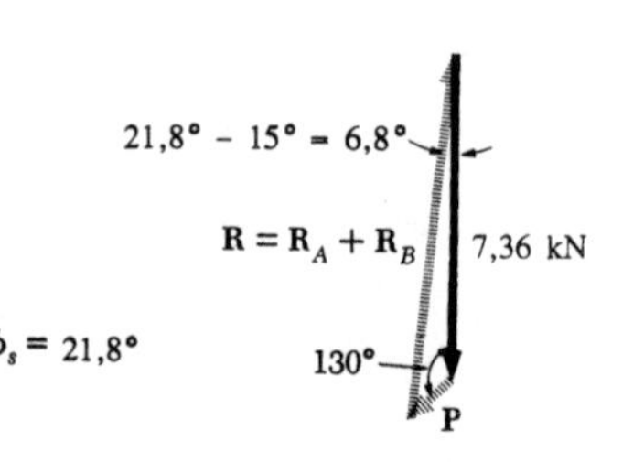


***c.* Force P nécessaire pour faire descendre le bloc à vitesse constante**

$$\frac{P}{\sin 6{,}8°} = \frac{7{,}36 \text{ kN}}{\sin [180° - (130° + 6{,}8°)]}$$

$$P = 1{,}273 \text{ kN} \swarrow$$ ◄

Puisque **P** est dirigée vers le bas, le traîneau ne descendra pas le plan sous l'action seule de son propre poids.

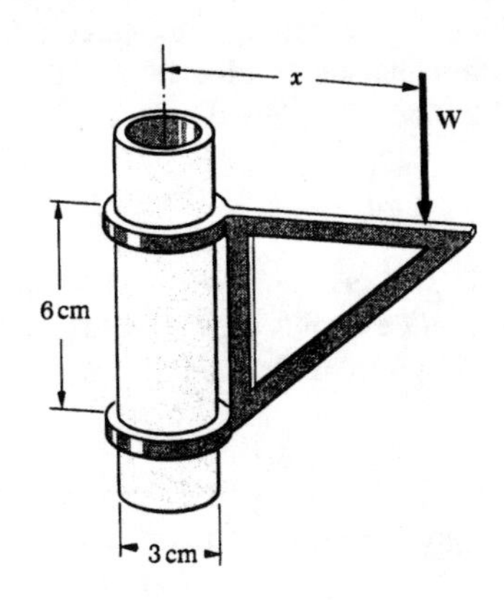


## PROBLÈME RÉSOLU 8.3

La console mobile est installée sur un tuyau de 3 cm de diamètre. Si le coefficient de frottement statique entre la console et le tuyau est de 0,25, calculez la distance $x$ minimale pour laquelle la charge **W** peut être supportée. Négligez le poids de la console.

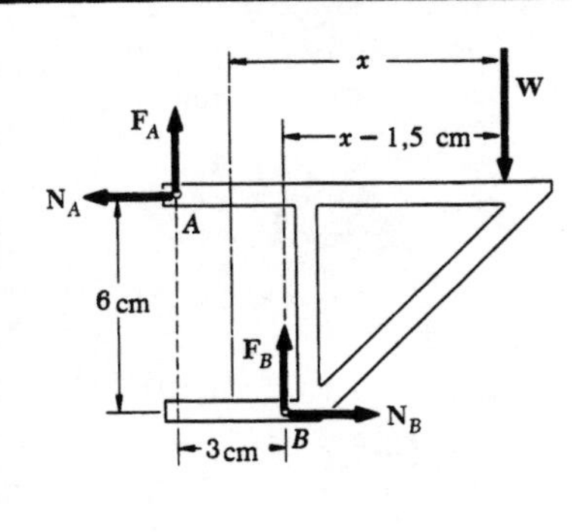


**Solution.** Traçons d'abord le schéma de la console isolée. Quand la force **W** est placée à la distance minimale, la console doit être dans l'imminence du mouvement et les forces de frottement appliquées en $A$ et $B$ auront comme valeurs :

$$F_A = \mu N_A = 0{,}25 N_A$$
$$F_B = \mu N_B = 0{,}25 N_B$$

***Les équations d'équilibre***

$\overset{+}{\rightarrow} \Sigma F_x = 0:$ $\quad N_B - N_A = 0$

$$N_B = N_A$$

$+\uparrow \Sigma F_y = 0:$ $\quad F_A + F_B - W = 0$

$$0{,}25 N_A + 0{,}25 N_B = W$$

Et, comme $N_B$ est égale à $N_A$,

$$0{,}50 N_A = W$$
$$N_A = 2W$$

$+\circlearrowleft \Sigma M_B = 0:$ $\quad N_A(6 \text{ cm}) - F_A(3 \text{ cm}) - W(x - 1{,}5 \text{ cm}) = 0$

$$6N_A - 3(0{,}25 N_A) - Wx + 1{,}5W = 0$$
$$6(2W) - 0{,}75(2W) - Wx + 1{,}5W = 0$$

En divisant par $W$ et en résolvant, on trouve

$$x = 12 \text{ cm}$$ ◄

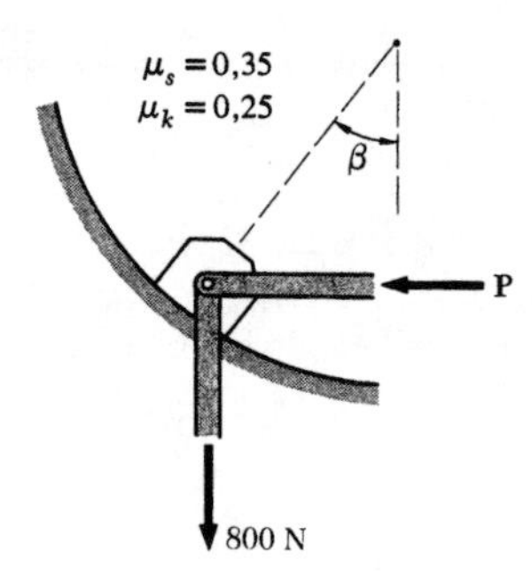

Fig. P8.1 et P8.2

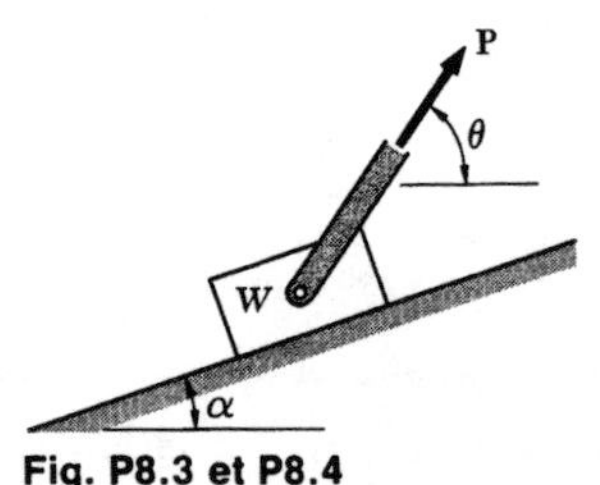

Fig. P8.3 et P8.4

## PROBLÈMES SUPPLÉMENTAIRES

**8.1** Un bloc reposant sur une surface cylindrique est soumis à deux forces. Si $\beta$ = 25°, calculez : a) la force **P** nécessaire pour faire monter le bloc le long de la surface, *b*) la plus petite force **P** qui empêche le bloc de descendre.

**8.2** Résolvez le probl. 8.1 lorsque $\beta$ = 30°.

**8.3** Le bloc de poids $W$ = 445 N repose sur une surface rugueuse. Sachant que $\alpha$ = 25° et $\mu_s$ = 0,20, calculez la grandeur et la direction de la plus petite force requise pour : *a*) faire démarrer le bloc vers le haut du plan, *b*) empêcher le bloc de descendre le plan.

**8.4** Si on appelle $\phi_s$ l'angle de frottement entre le bloc et le plan, calculez la grandeur et la direction de la plus petite force **P** que provoquera la montée du bloc le long du plan.

**8.5** Deux caisses *A* et *B* de 111 N sont attachées à un levier à l'aide de deux barres articulées. Le coefficient de frottement entre toutes les surfaces est de 0,30. Calculez la grandeur de la force **P** requise pour déplacer le levier si : *a*) on utilise la barre *EF* seule, *b*) si on utilise la barre *CD* seule, *c*) si on utilise les deux barres en même temps.

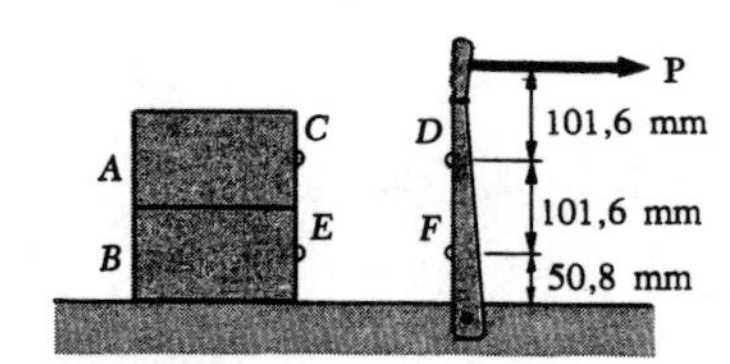

Fig. P8.5

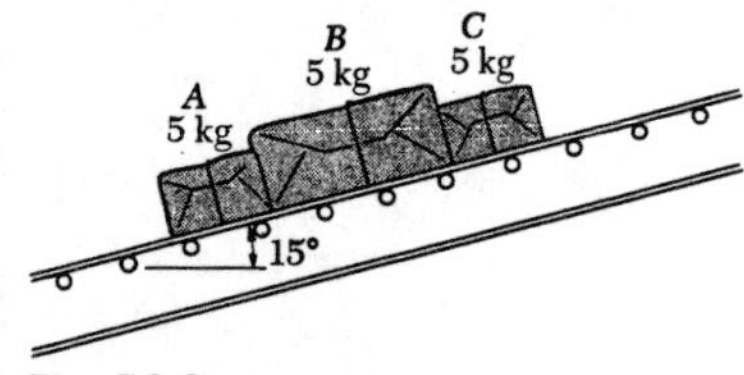

Fig. P8.6

**8.6** Trois caisses *A*, *B* et *C* d'une masse de 5 kg sont placées sur une bande transporteuse au repos. Les coefficients de frottement entre la courroie et les caisses *A* et *C* sont respectivement $\mu_s$ = 0,30 et $\mu_k$ = 0,20; ceux entre la courroie et la caisse *B* sont respectivement $\mu_s$ = 0,10 et $\mu_k$ = 0,08. Les caisses sont placées sur la courroie de telle façon qu'elles sont au repos et en contact entre elles. Dites si les caisses resteront au repos et calculez les forces de frottement agissant sur elles.

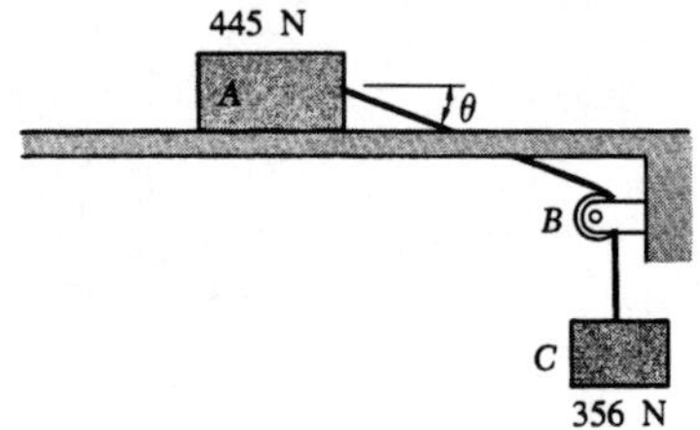

Fig. P8.8

**8.7** Résolvez le probl. 8.6 en supposant que la caisse *B* est placée à droite des deux autres.

**8.8** Deux blocs sont reliés par un câble. Sachant que le coefficient de frottement statique entre le bloc *A* et la surface horizontale est 0,05, calculez les limites des valeurs $\theta$ pour lesquelles le bloc reste au repos.

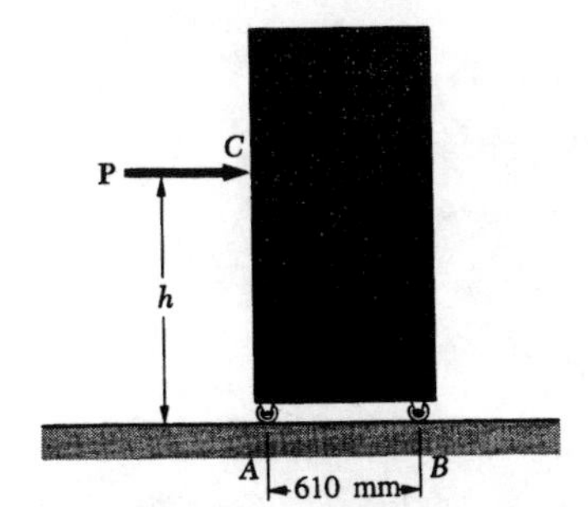

Fig. P8.9 et P8.10

**8.9** Une armoire de 534 N est montée sur des roulettes munies d'un dispositif de freinage et possédant un coefficient de frottement de 0,30. Calculez, pour $h = 813$ mm, la grandeur de la force **P** nécessaire pour déplacer l'armoire vers la droite : *a*) si toutes les roulettes sont bloquées, *b*) si les deux roulettes *B* sont bloquées et les roulettes *A* sont libres de tourner, *c*) si les roulettes *A* sont bloquées et les roulettes *B* sont libres de tourner.

**8.10** Si, dans le problème précédent, nous supposons que les roulettes *A* et *B* sont bloquées, calculez : *a*) la force **P** requise pour déplacer l'armoire vers la droite, *b*) la plus grande valeur qu'on peut donner à *h* sans que l'armoire bascule.

**8.11** Une demi-section d'une conduite circulaire d'une masse de 100 kg est tirée par un câble. Le coefficient de frottement entre la conduite et le plancher est de 0,40. Déterminez pour $\alpha = 30°$ : *a*) l'effort de tension *T* requis pour déplacer la conduite, *b*) si la conduite aura tendance à basculer ou non.

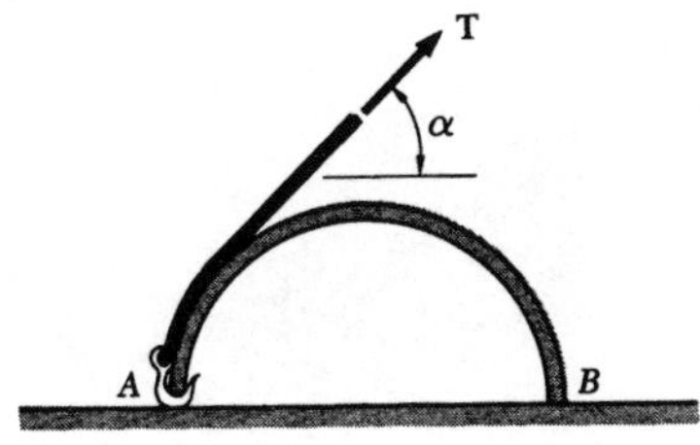

Fig. P8.11 et P8.12

**8.12** La conduite du problème précédent doit être déplacée vers la droite sans basculer. Déterminez, si on admet que le coefficient de frottement entre la conduite et le plancher est de 0,40 : *a*) la plus grande valeur possible de $\alpha$, *b*) la tension correspondante *T*.

**8.13** Une porte glissante de 800 N est suspendue à un rail. Les coefficients de frottement statique entre le rail et la porte aux points *A* et *B* sont respectivement de 0,20 et 0,30. Déterminez la force horizontale qui doit être appliquée à la poignée de la porte *C* de façon à la déplacer vers la gauche.

**8.14** Résolvez le probl. 8.13 en supposant que la porte doit être déplacée vers la droite.

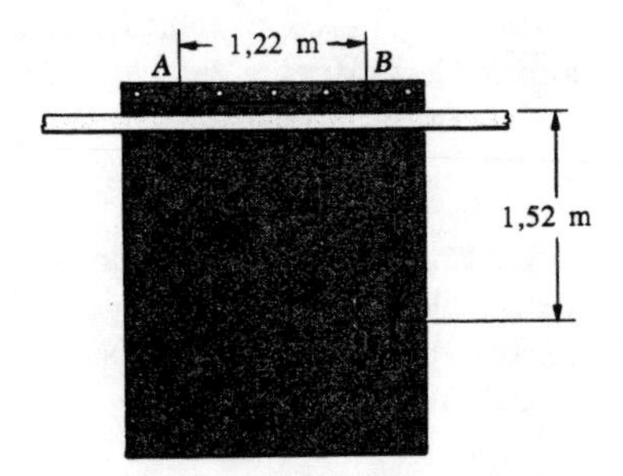

Fig. P8.13

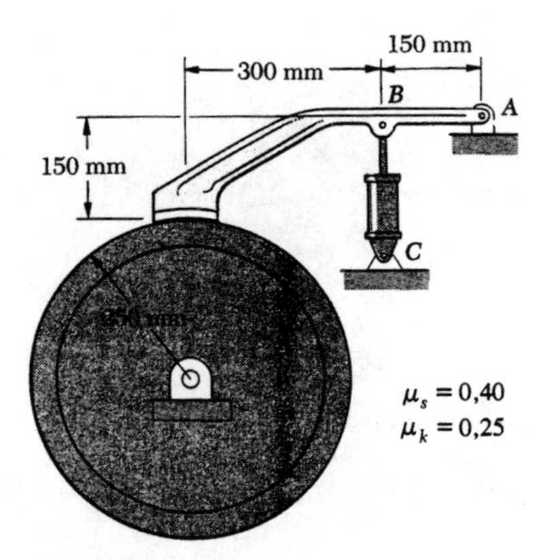


Fig. P8.15 et P8.16

**8.15** Un couple d'un moment de 90 N · m est appliqué au tambour. Calculez la plus petite force qui doit être exercée par le cylindre hydraulique pour empêcher le tambour de tourner lorsque le couple est : *a*) négatif, *b*) positif.

**8.16** Le cylindre hydraulique exerce au point *B* une force verticale de 2400 N dirigée vers le bas. Calculez le moment de la force de frottement par rapport à l'axe du tambour lorsque celui-ci tourne : *a*) dans le sens négatif, *b*) dans le sens positif.

**8.17** Une poutre de section uniforme de poids *W* et de longueur *L* est initialement dans la position *AB*. Si le câble attaché à l'extrémité *B* passe sur la poulie *C*, la poutre commence par glisser sur le plancher et ensuite elle est soulevée, son extrémité *A* continuant de glisser. Calculez la distance *x* parcourue par la poutre avant de commencer à se soulever. Appelez $\mu$ le coefficient de frottement entre la poutre et le plancher.

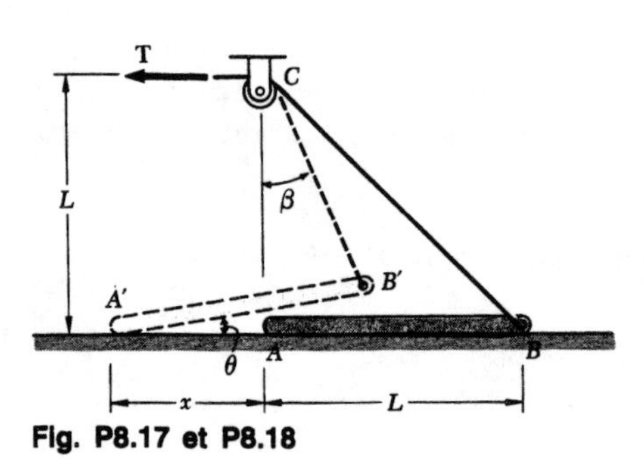


Fig. P8.17 et P8.18

**8.18** Le coefficient de frottement entre la poutre et le plancher est 0,40. La poutre est soulevée lentement vers la position *A'B'*, où $\theta = 30°$. Déterminez la valeur correspondante de $\beta$.

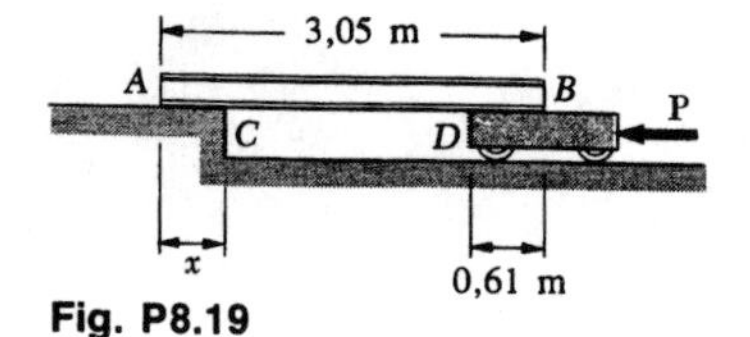


Fig. P8.19

**8.19** Une poutre de 3,05 m, pesant 5340 N doit être déplacée vers la gauche de la plate-forme. Une force horizontale **P** est appliquée au chariot monté sur des roues sans frottement. Le coefficient de frottement est partout de 0,30. Sachant que la surface horizontale supérieure du chariot est légèrement plus haute que la plate-forme, calculez la grandeur de **P** requise pour déplacer la poutre. (La poutre est appuyée en *A* et *D*.)

**8.20** *a*) Montrez que la poutre du probl. 8.19 ne peut pas se déplacer si la surface horizontale du chariot est légèrement plus basse que celle de la plate-forme. *b*) De combien la poutre peut se déplacer vers la gauche si deux hommes de 778 N se tiennent debout au point *B*?

**8.21** Deux barres de poids négligeable sont reliées entre elles et à deux blocs $A$ et $C$ par des goujons sans frottement. Le coefficient de frottement est de 0,25 pour les deux blocs. Calculez la grandeur de la plus grande force **P** à appliquer au point $B$ pour que le système soit en équilibre.

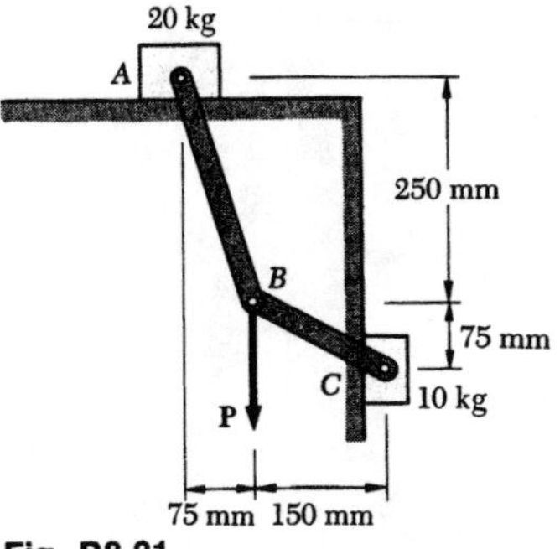

Fig. P8.21

**8.22** Calculez, dans le probl. 8.21, la grandeur de la plus petite force **P** à appliquer au point $B$ pour que le système soit en équilibre.

**8.23** Deux manchons de poids $W$ sont reliés par une corde qui passe sur une poulie $C$ sans frottement. Calculez la plus petite valeur du coefficient de frottement entre les manchons et les tiges verticales pour laquelle le système reste en équilibre dans la position indiquée.

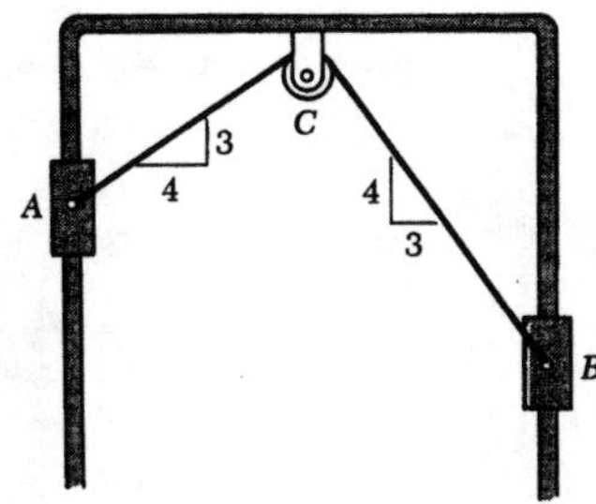

Fig. P8.23

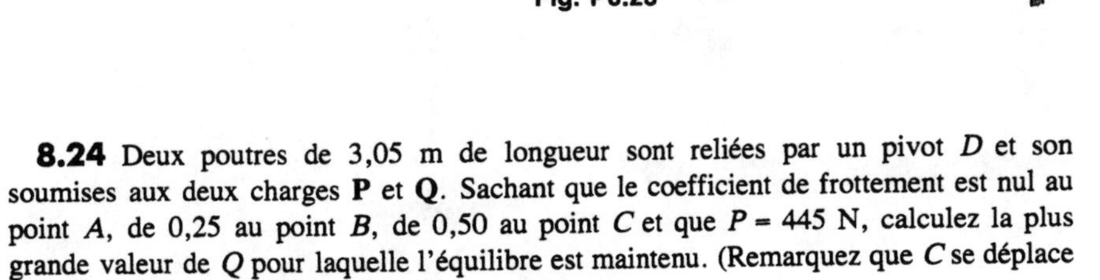

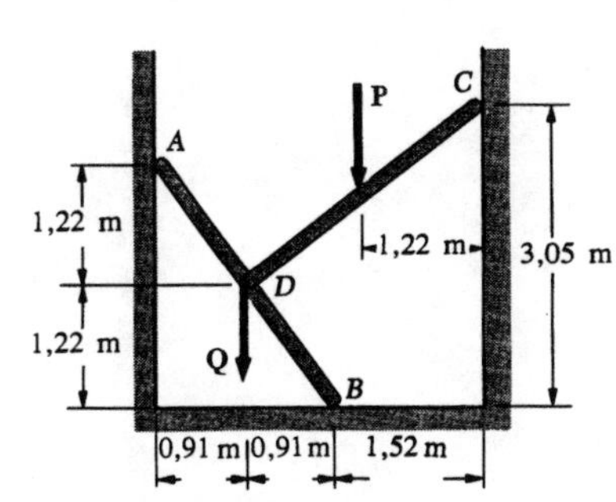

Fig. P8.24

**8.24** Deux poutres de 3,05 m de longueur sont reliées par un pivot $D$ et son soumises aux deux charges **P** et **Q**. Sachant que le coefficient de frottement est nul au point $A$, de 0,25 au point $B$, de 0,50 au point $C$ et que $P = 445$ N, calculez la plus grande valeur de $Q$ pour laquelle l'équilibre est maintenu. (Remarquez que $C$ se déplace vers le haut quand $B$ se déplace vers la droite.)

**8.25** Une tige $AB$ appuie son extrémité $A$ sur une surface horizontale et son extrémité $B$ sur un mur incliné de 60°. Calculez la valeur maximale de $\alpha$ pour laquelle la tige est en équilibre si on admet que le coefficient de frottement aux deux appuis est de 0,25. Négligez le poids de la tige.

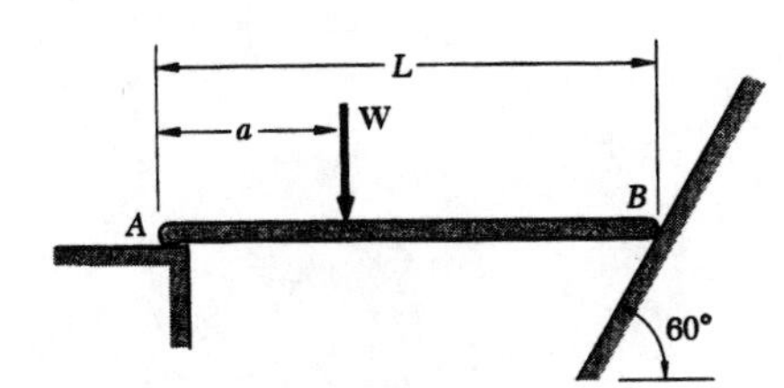

Fig. P8.25

**8.26** Deux gros cylindres de rayon 600 mm tournent dans des sens contraires et forment la partie principale d'un concasseur industriel. La distance $d$ est choisie égale à la dimension désirée des roches concassées. Calculez la dimension $s$ des plus grandes pierres entraînées entre les deux cylindres par l'action seule du frottement si $d = 25$ mm et $\mu = 0{,}35$.

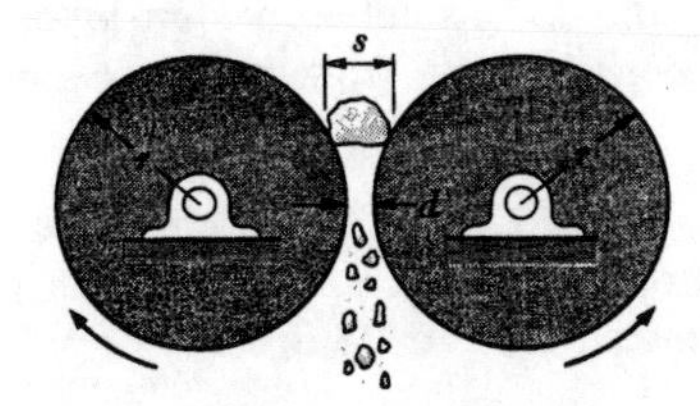

Fig. P8.26

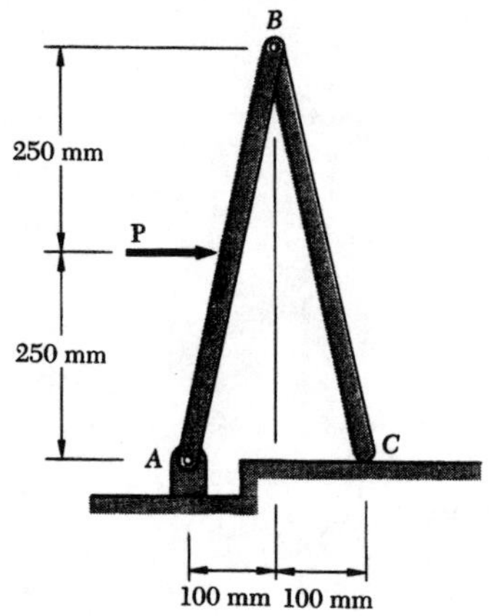

Fig. P8.27

**8.27** Deux tiges de section uniforme et de masse 5 kg chacune sont assemblées par des pivots $A$ et $B$ sans frottement. On constate que l'ensemble s'effondre lorsqu'on lui applique une force **P** supérieure à 120 N. Calculez le coefficient de frottement au point $C$.

**8.28** Le châssis d'une fenêtre d'une masse de 6 kg est parfaitement équilibré par deux contrepoids de 3 kg. On constate cependant que la fenêtre reste en position ouverte lorsqu'un contrepoids est enlevé. Quelle est la valeur la plus petite possible de son coefficient de frottement statique ? (Supposez que le châssis est légèrement inférieur à l'encadrement et touche celui-ci aux points $A$ et $D$.)

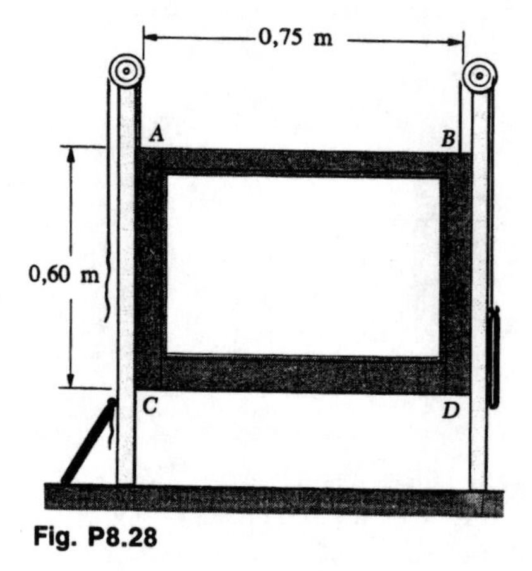

Fig. P8.28

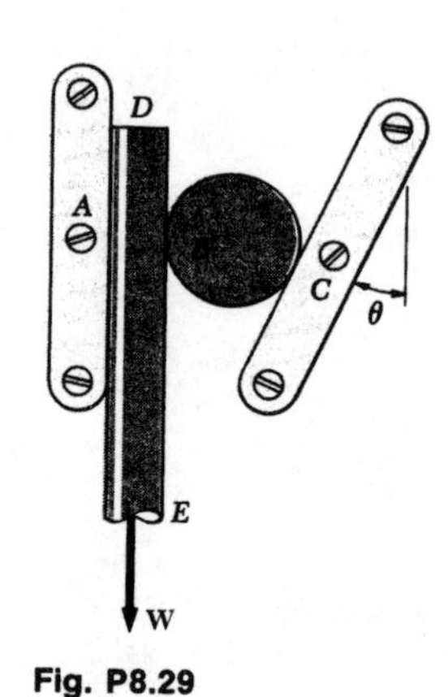

Fig. P8.29

**8.29** Une tige $DE$ et un petit cylindre $B$ sont placés entre les deux guides. La tige ne doit pas glisser vers le bas quelle que soit la force $W$; c'est un montage en *autoserrage*. Calculez les plus petits coefficients de frottement aux points $A$, $B$ et $C$.

**8.30** Un tube de 63,5 mm de diamètre est serré entre les mâchoires d'une clef anglaise. Les parties $AB$ et $DE$ de la clef sont rigidement attachées l'une à l'autre et la partie $CF$ est reliée par un pivot à l'ajusteur $D$. Calculez les valeurs minimales des coefficients de frottement aux points $A$ et $C$ pour que la clef soit autoserrante.

**8.31** Calculez, dans le probl. 6.113, les valeurs minimales des coefficients de frottement qui empêchent la clef de glisser, entre : *a*) l'écrou et la mâchoire $BC$, *b*) entre l'écrou et la tige $A$.

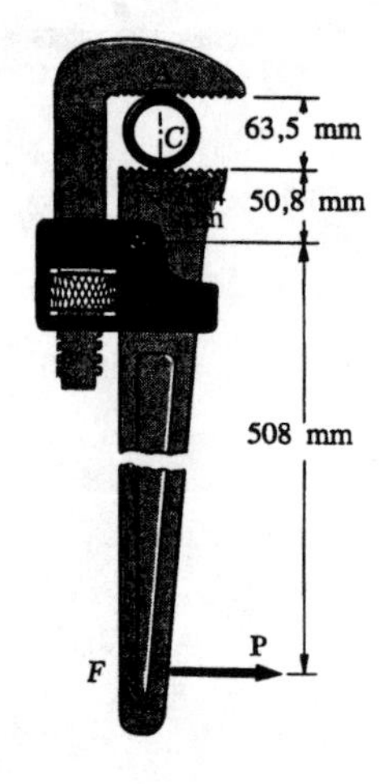

Fig. P8.30

**8.32** Une planche de section uniforme et de poids $W = 400$ N s'appuie sur deux poutrelles. Le coefficient de frottement entre les poutrelles et la planche est de $\mu = 0{,}30$. Calculez la grandeur de la force **P** requise pour déplacer la planche lorsque : *a*) $a = 2{,}74$ m, *b*) $a = 3{,}05$ m.

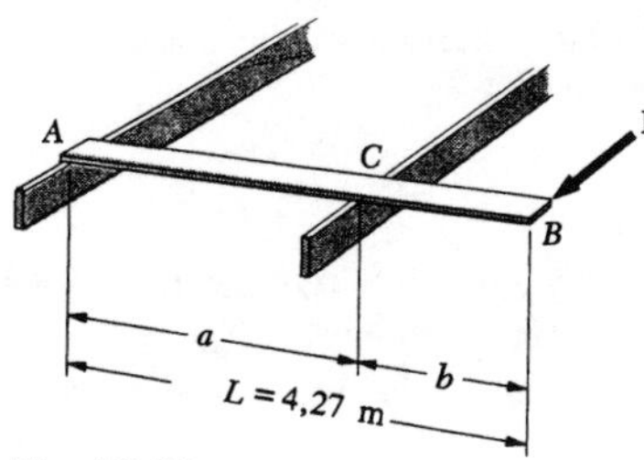

**Fig. P8.32**

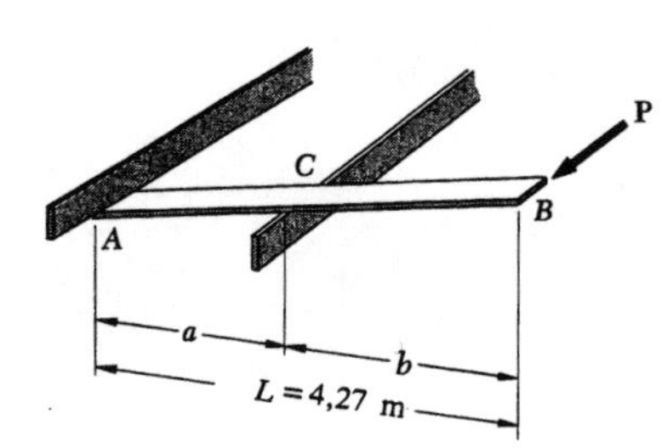

**Fig. P8.33**

**8.33** Calculez, avec les mêmes données que dans le problème précédent, la force horizontale **P** nécessaire pour déplacer la planche lorsque : *a*) $a = 1{,}52$ m, *b*) $a = 0{,}91$ m. (Négligez l'angle que la planche forme avec l'horizontale.)

**8.34** *a*) Calculez, dans le probl. 8.32, la plus petite distance *a* pour laquelle la planche se mettra à glisser au point *C*. *b*) Montrez, dans le probl. 8.33, que lorsque la valeur de *a* s'approche de zéro, la grandeur de **P** s'approche de $\frac{1}{2}\mu W$.

**8.35** Le modèle mathématique représenté dans la figure ci-contre a été conçu lors de l'étude d'une structure. Il est formé de blocs de 4,45 N assemblés en série au moyen de ressorts dont la constante est de $k = 35$ N/m. Le coefficient de frottement entre la table et chaque bloc est de 0,40. Sachant que la tension initiale dans chaque ressort est nulle, tracez le graphique de la force **P** en fonction de la position du bloc *A* lorsque *P* augmente de 0 à 445 N et ensuite revient à zéro.

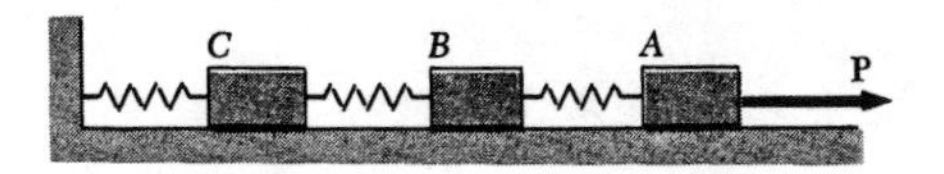

**Fig. P8.35**

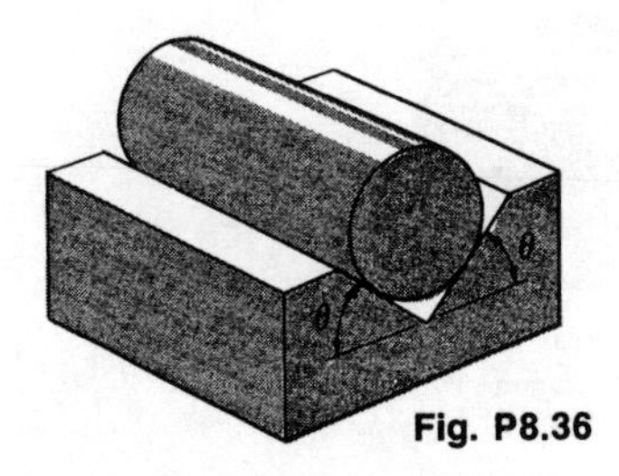

**Fig. P8.36**

**8.36** Un cylindre de poids *W* est placé dans une rainure en *V*. Si nous appelons $\phi$ l'angle de frottement entre le cylindre et le bloc en *V* et en supposant $\phi < \theta$, calculez : *a*) la force axiale **P** nécessaire pour faire déplacer le cylindre, *b*) le couple **M** appliqué dans le plan de la section du cylindre nécessaire pour le faire tourner.

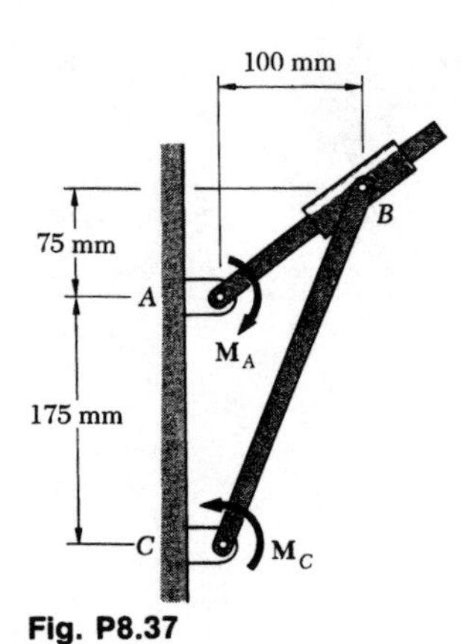

**Fig. P8.37**

**8.37** Deux tiges sont assemblées par un manchon en $B$; un couple $\mathbf{M}_A$ d'un moment de 40 N·m est appliqué à la tige $AB$. Calculez le couple maximal $\mathbf{M}_C$ nécessaire pour réaliser l'équilibre si le coefficient de frottement entre le manchon et la tige $AB$ est de $\mu$ = 0,30.

**8.38** Déterminez, dans le probl. précédent, le couple minimal $\mathbf{M}_C$ pour réaliser l'équilibre.

**8.39** Une tige $AB$ de 10 kg est coincée entre un mur et un bloc mobile. Le coefficient de frottement statique en $A$ et $B$ est de 0,25. Calculez l'angle $\theta$ au moment de la chute de la tige si une force de 500 N est appliquée au bloc.

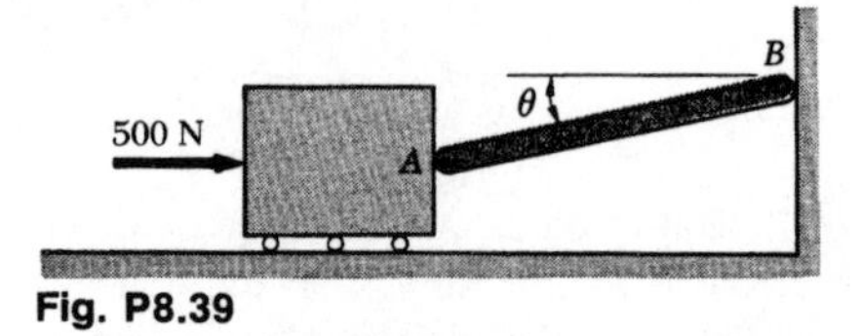

**Fig. P8.39**

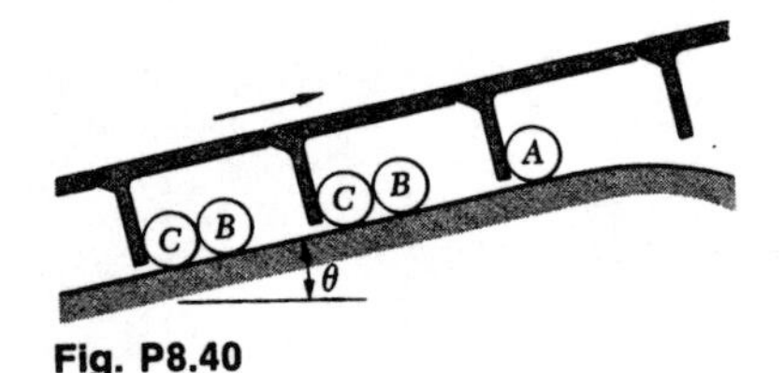

**Fig. P8.40**

**8.40** Des boîtes cylindriques identiques de poids $W$ sont déplacées vers le haut d'un plan incliné par une chaîne à poussoir. Chaque bras peut entraîner une ou deux boîtes. Le coefficient de frottement entre toutes les surfaces est de 0,20. Calculez la force exercée parallèlement au plan incliné par un bras de la chaîne sur la boîte $A$ pour la déplacer, si on sait que $W$ = 8,9 N et $\theta$ = 12°. La boîte va-t-elle glisser ou rouler?

***8.41** Résolvez le probl. 8.40 par rapport à la boîte $C$.

**8.42** Déterminez dans le probl. 8.40, les valeurs limites de $\theta$ pour lesquelles la boîte $A$ se mettra à rouler.

***8.43** Déterminez, dans le probl. 8.40, les valeurs limites de $\theta$ pour lesquelles la boîte $C$ se mettra à rouler.

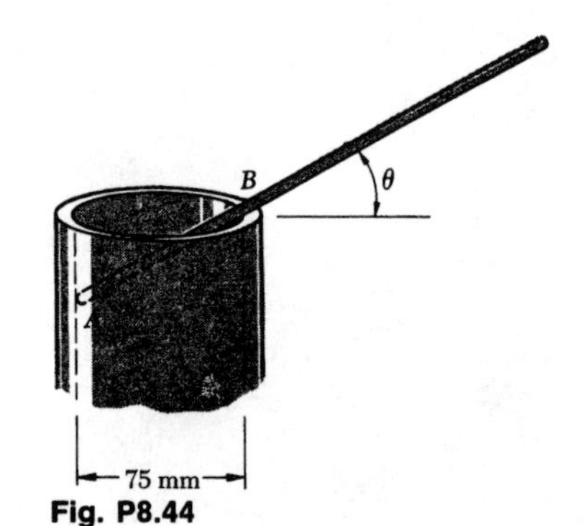

**Fig. P8.44**

***8.44** Une petite tige d'acier d'une longueur de 500 mm est placée à l'intérieur d'un tube. Le coefficient de frottement statique entre la tige et le tube est de 0,20. Calculez la plus grande valeur de $\theta$ pour laquelle la tige ne tombera pas à l'intérieur du tube.

***8.45** Calculez, dans le probl. 8.44, la plus petite valeur de $\theta$ pour laquelle la tige ne tombera pas à l'extérieur du tube.

**8.5. Coins.** Les coins sont des dispositifs qui permettent de soulever des objets très lourds à l'aide d'une force généralement beaucoup plus petite que le poids des objets à soulever. Les coins présentent une particularité très intéressante : en effet, s'ils possèdent un angle de taille suffisamment petit, ils resteront en place lorsqu'on les introduit en dessous de la charge à soulever. Cette propriété les rend très utiles pour réaliser l'ajustement des pièces de machinerie lourde.

Considérons le bloc $A$ de la fig. 8.7$a$. Ce bloc s'appuie sur la paroi verticale $B$ et doit être soulevé par un coin $C$ introduit entre le bloc et un deuxième coin $D$. Nous voulons calculer la valeur minimale de la force $\mathbf{P}$ qui doit être appliquée au coin $C$ pour déplacer le bloc. Nous supposerons connu le poids $\mathbf{W}$ du bloc.

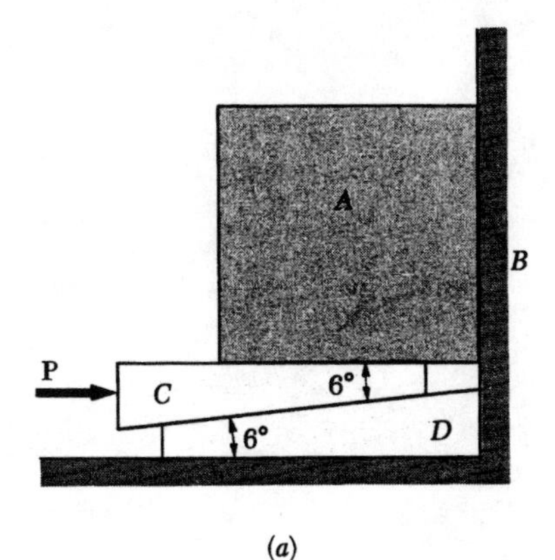

($a$)

Les schémas du bloc $A$ et du coin $C$ respectivement isolés ont été tracés dans les fig. 8.7 $b$ et $c$. Les forces appliquées au bloc sont le poids $W$ et les réactions du mur et du coin $D$, réactions qui se composent d'une force normale et d'une force de frottement. Les grandeurs des forces de frottement $\mathbf{F}_1$ et $\mathbf{F}_2$ sont données respectivement par $\mu_s N_1$ et $\mu_s N_2$ avant que le mouvement se déclenche. Il est très important de représenter dans les schémas les forces de frottement avec leur sens correctement déterminé. Puisque le bloc a tendance à se déplacer vers le haut, la force $\mathbf{F}_1$ exercée par le mur sur le bloc est orientée vers le bas. D'autre part, puisque le coin se déplace vers la droite, le mouvement relatif de $A$ par rapport à $C$ est vers la gauche et, par conséquent, la force $\mathbf{F}_2$ exercée par le coin $C$ sur le bloc $A$ doit être dirigée vers la droite.

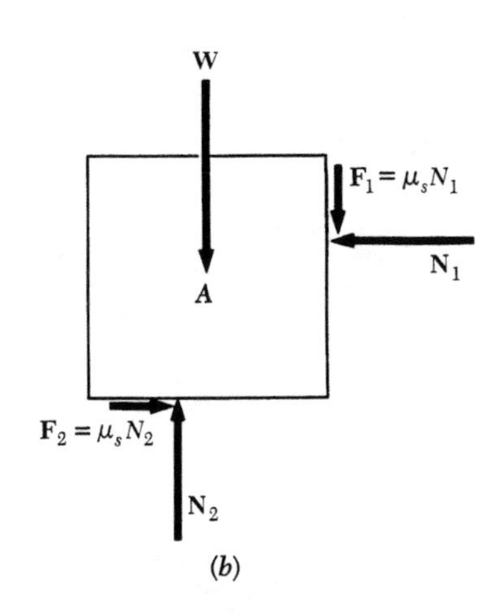

($b$)

Si nous considérons maintenant le coin isolé $C$ dans la fig. 8.7$c$, nous pouvons noter que les forces agissant sur $C$ incluent la force $\mathbf{P}$ et les réactions aux surfaces de contact $A$ et $D$. Le poids du coin est petit comparé avec ces forces et peut être négligé. Les forces $\mathbf{N}_2'$ et $\mathbf{F}_2'$ appliquées sur $C$ sont égales et opposées aux forces $\mathbf{N}_2$ et $\mathbf{F}_2$ agissant sur $A$; la force de friction $\mathbf{F}_2'$ doit être dirigée vers la gauche. Nous vérifions encore que la force $\mathbf{F}_3$ est aussi dirigée vers la gauche.

Le nombre total d'inconnues dans les deux schémas peut être réduit à quatre si on exprime les forces de frottement en fonction des composantes normales des réactions du mur et du coin. Les équations d'équilibre du bloc $A$ et du coin $C$ sont alors en nombre suffisant pour déterminer $\mathbf{P}$ et les trois autres grandeurs inconnues. Remarquons que dans cet exemple, il serait plus avantageux de conserver les réactions sous la forme d'une seule force telle que $\mathbf{R}_1 = \mathbf{N}_1 + \mathbf{F}_1$ et $\mathbf{R}_2 = \mathbf{N}_2 + \mathbf{F}_2$, puisqu'alors le bloc $A$ et le coin $C$ sont soumis à trois forces chacun et le problème peut se résoudre rapidement par la méthode graphique en traçant les triangles de forces correspondants. (Voir le probl. résolu 8.4.)

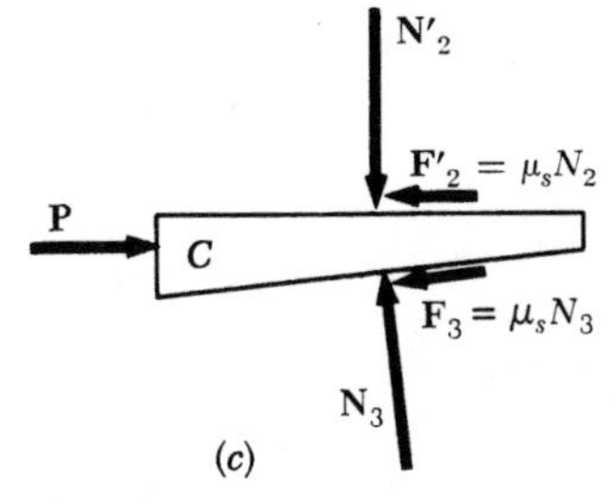

($c$)

**Fig. 8.7**

**8.6. Vis à filetage carré.** Ce type de filet est très utilisé dans les vérins mécaniques pour presses et autres mécanismes lorsqu'ils doivent transmettre lentement des efforts importants. L'étude de ce type de filet se fait d'une façon identique à celui du plan incliné.

Considérons le vérin de la fig. 8.8. La vis du vérin doit supporter la charge **W** : elle s'appuie sur la base de celui-ci par l'intermédiaire du filet. En appliquant une force **P** à la tête de la vis dans le sens convenable, on fait tourner la vis et on soulève la charge **W**.

Le filet de la base du vérin a été développé en ligne droite, tel qu'indiqué à la figure 8.9*a*. La pente exacte s'obtient en portant en horizontale le produit 2 $\pi r$ ($r$ est le rayon moyen du filet) et en verticale le *pas* de la vis $L$. Le pas de la vis† représente la distance axiale de la vis pour une rotation d'un tour. L'angle $\theta$ que forme la ligne droite ainsi définie et l'horizontale, s'appelle l'*angle d'hélice*† : il est défini par la relation

$$\theta = \tan^{-1} \frac{L}{2\pi r}$$

Comme la force de frottement est indépendante de la grandeur des surfaces de contact des deux corps, on peut représenter celle-ci schématiquement par la surface d'un côté du bloc tel qu'on a fait à la fig. 8.9*a*. Par souci de simplification, nous négligeons le frottement entre la butée de la vis et la vis proprement dite.

Le schéma du bloc comprend la charge **W**, la réaction **R** du filet et la force horizontale **Q** qui provoque le même effet que la force **P** appliquée à la tête de la vis. Pour cela elle doit, entre autres, avoir le même moment que **P** par rapport à l'axe de la vis; sa grandeur sera donc $Q = Pa/r$. La force **Q** et, par conséquent, la force **P** qu'on doit appliquer pour soulever la charge **W** est facilement calculée à partir du schéma du bloc (Fig. 8.9*a*). L'angle de frottement sera l'angle $\phi_s$ puisque probablement la charge **W** sera soulevée par une série de petits déplacements de la vis. Dans les mécanismes à rotation continue, il est important de faire la différence entre la force **Q** nécessaire pour *déclencher* le mouvement (angle de frottement $\phi_s$) et celle nécessaire pour le *maintenir* (angle de frottement $\phi_r$).

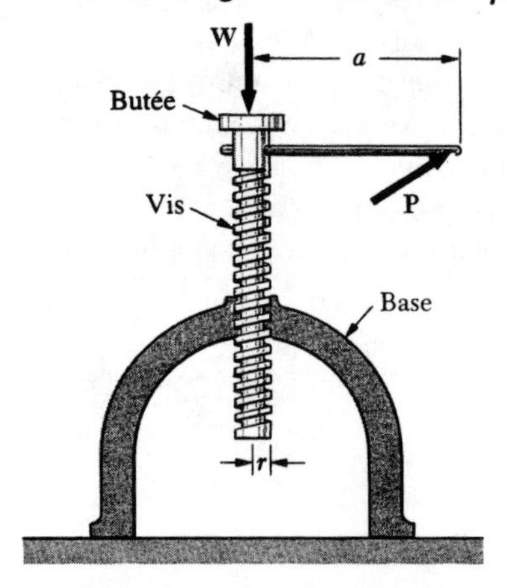


**Fig. 8.8**

† Dans la littérature anglo-saxonne, le *pas* de la vis se traduit par *lead* et l'*angle d'hélice* par *lead angle*. (N.T.)

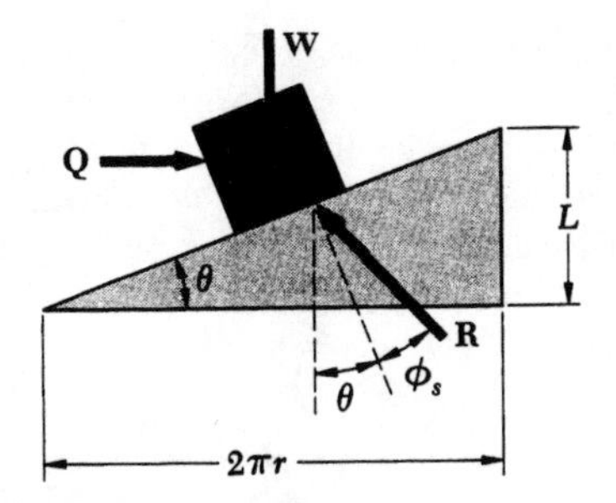


(*a*) Mouvement imminent vers le haut

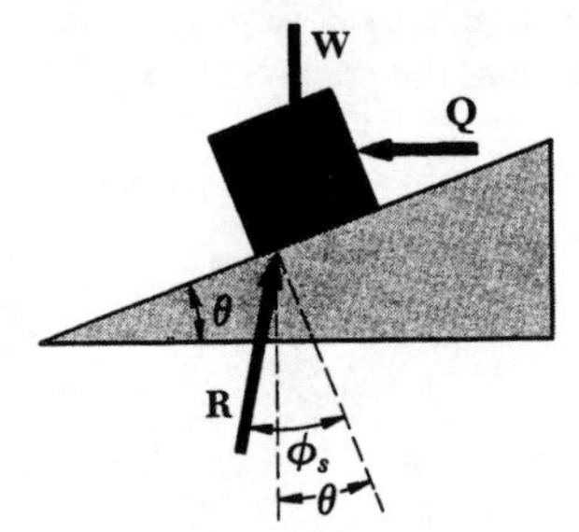


(*b*) Mouvement imminent vers le bas $\phi_s > \theta$

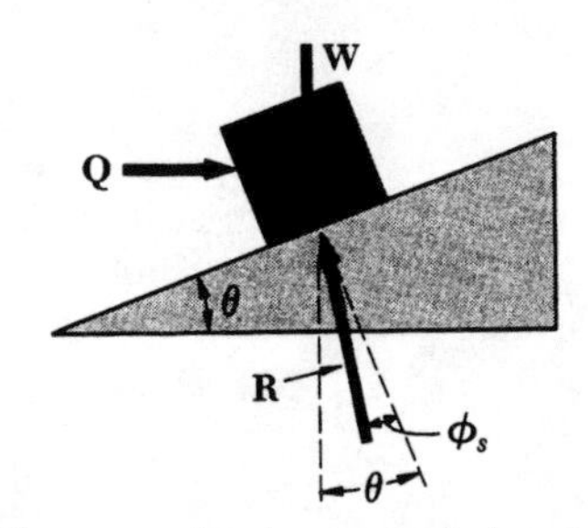


(*c*) Mouvement imminent vers le bas $\phi_s < \theta$

**Fig. 8.9** Frottement dans une vis

Si l'angle de frottement $\phi_s$ est plus grand que l'angle d'hélice $\theta$, la vis est *autobloquante*, elle restera immobile sous l'action de la charge **W**. Pour descendre la charge **W**, il faudra appliquer une force **Q**, comme il est indiqué sur la fig. 8.9*b*. Si l'angle $\phi_s$ est inférieur à $\theta$, la vis va se mettre en rotation sous l'action de la charge **W**; il sera nécessaire de lui appliquer la force **Q** indiquée à la fig. 8.9*c* pour maintenir l'équilibre.

Le pas d'une vis ne doit pas être confondu avec le pas du filet. Rappelons que le pas d'une vis est le déplacement axial de la vis par suite d'un tour complet de celle-ci. Dans le cas d'un filet simple, ces deux valeurs sont égales : elles sont différentes dans le cas des filets multiples. On peut vérifier facilement que dans le cas des filets doubles, le pas est le double de la distance entre deux filets consécutifs.

## PROBLÈME RÉSOLU 8.4

Un coin $A$ de poids négligeable doit être introduit entre deux plaques $B$ et $C$, pesant 445 N chacune. Le coefficient de frottement statique entre les surfaces de contact est de 0,35. Calculez la grandeur de la force **P** nécessaire pour déclencher le mouvement du coin : *a*) si les plaques sont libres de se déplacer, *b*) si la plaque $C$ est boulonnée sur la surface.

***a.*** **Les deux plaques sont libres de se déplacer.** Nous avons tracé les schémas du coin $A$ et de la plaque $B$ isolément, ainsi que les triangles de forces correspondants. À cause de la symétrie du problème, il nous suffit d'étudier une seule plaque.

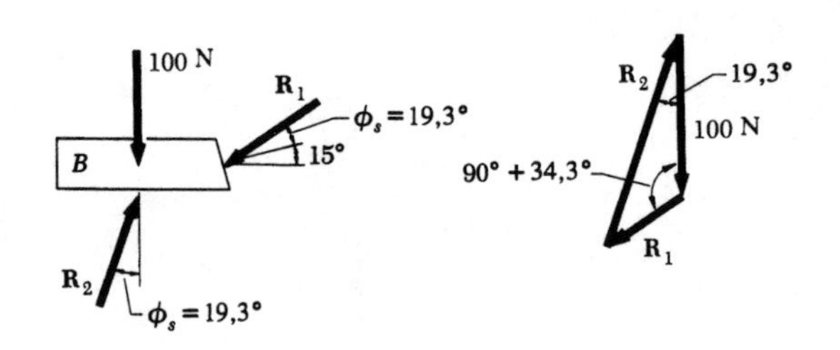


***Schéma de la plaque isolée B.***

$$\phi_s = \tan^{-1} 0{,}35 = 19{,}3°$$

$$\frac{R_1}{\sin 19{,}3°} = \frac{100 \text{ N}}{\sin [180° - (90° + 34{,}3°) - 19{,}3°]}$$

$$\frac{R_1}{\sin 19{,}3°} = \frac{100\text{N}}{\sin 36{,}4°}$$

$$R_1 = 55{,}7 \text{ N}$$

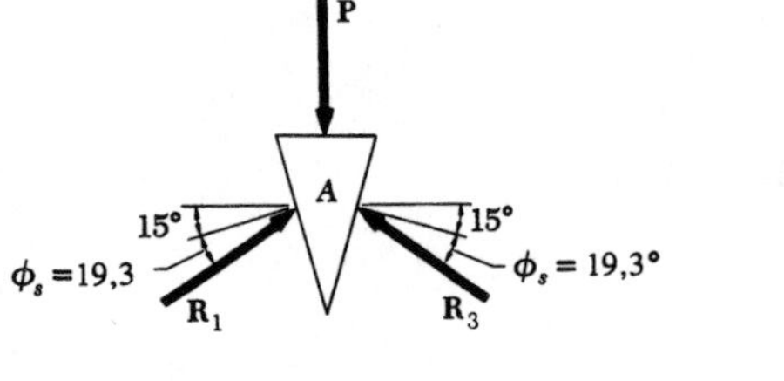


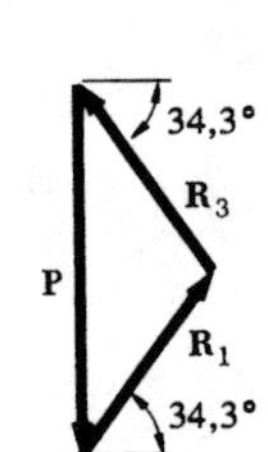


***Schéma du coin isolé A.*** Si nous remanquons que le triangle de forces est un triangle isocèle, nous pouvons écrire

$$R_3 = R_1 = 55{,}7 \text{ N}$$

$$P = 2R_1 \sin 34{,}3°$$

$$= 2(55{,}7 \text{ N}) \sin 34{,}3°$$

$$\mathbf{P} = 62{,}8 \text{ N} \downarrow$$ ◄

***b.*** **Plaque $C$ boulonnée à la surface.** Les schémas de la plaque $B$ et du coin $A$ restent les mêmes ainsi que les triangles de forces. La valeur de **P** est donc la même

$$\mathbf{P} = 62{,}8 \text{ N} \downarrow$$ ◄

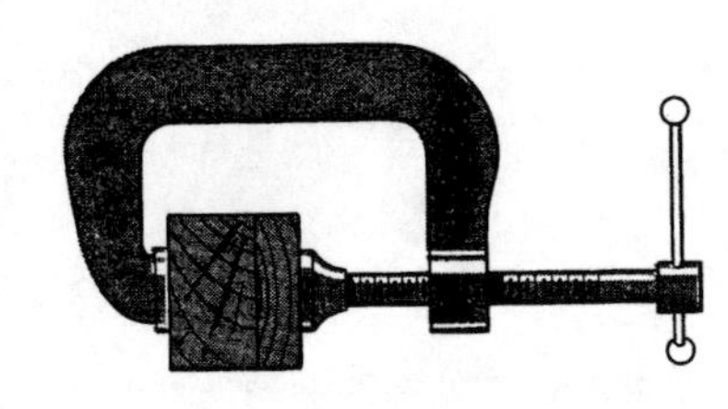

## PROBLÈME RÉSOLU 8.5

Un serre-joint est utilisé pour ajuster deux pièces de bois. Le serre-joint possède une vis à double filetage carré de diamètre moyen 10 mm. Le pas du filet est de 2 mm. Le coefficient de frottement entre les filets est de $\mu = 0{,}30$. Si on sait que pour serrer la vis on applique un couple de 40 N · m, calculez : *a*) la force exercée sur la pièce en bois, *b*) le couple qu'on doit appliquer pour desserrer le serre-joint.

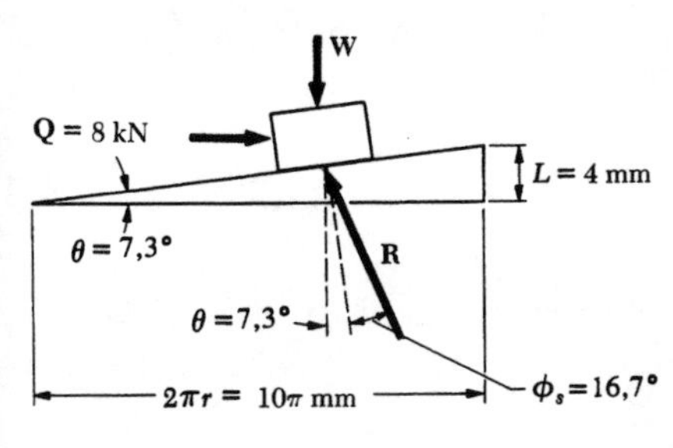


***a.* Force exercée par le serre-joint.** Le rayon moyen du filet est de 5 mm. Comme la vis est a double filet, le pas de la vis $L$ est le double du pas du filet : $L = 2(2\text{mm}) = 4$ mm. L'angle d'hélice $\theta$ et l'angle de frottement s'obtiennent à partir de

$$\tan \theta = \frac{L}{2\pi r} = \frac{4 \text{ mm}}{10\pi \text{ mm}} = 0{,}1273 \qquad \theta = 7{,}3°$$

$$\tan \phi_s = \mu_s = 0{,}30 \qquad \phi_s = 16{,}7°$$

La force **Q** qu'on doit appliquer au bloc qui représente la vis s'obtient en exprimant que le moment $Qr$ par rapport à l'axe de la vis est égal au couple appliqué.

$$Q(5 \text{ mm}) = 40 \text{ N} \cdot \text{m}$$

$$Q = \frac{40 \text{ N} \cdot \text{m}}{5 \text{ mm}} = \frac{40 \text{ N} \cdot \text{m}}{5 \times 10^{-3} \text{ m}} = 8000 \text{ N} = 8 \text{ kN}$$

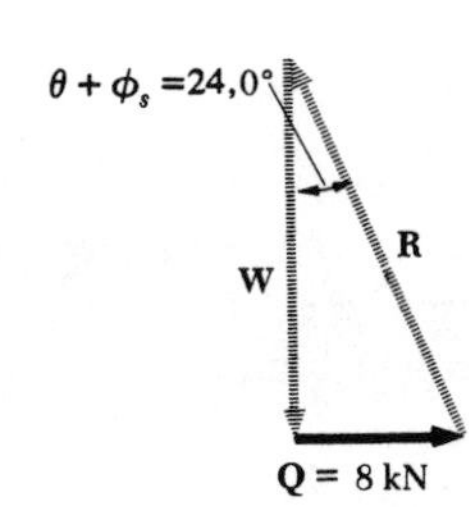


Le schéma du bloc isolé et son triangle de forces peuvent être tracés maintenant; la grandeur de la force **W** qu'on exerce sur les pièces en bois s'obtient à partir du triangle.

$$W = \frac{Q}{\tan (\theta + \phi_s)} = \frac{8 \text{ kN}}{\tan 24{,}0°}$$

$$W = 17{,}97 \text{ kN} \blacktriangleleft$$

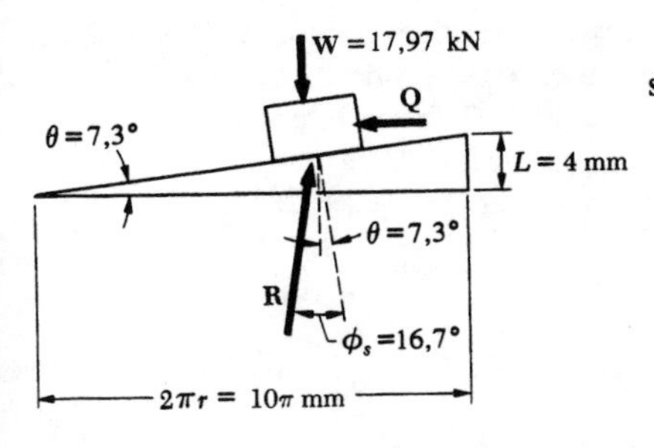


***b.* Couple nécessaire pour desserrer le serre-joint.** Cette force **Q** s'obtient du schéma et du triangle de forces.

$$Q = W \tan (\phi_s - \theta) = (17{,}97 \text{ kN}) \tan 9{,}4°$$
$$= 2{,}975 \text{ kN}$$

$$\text{Couple} = Qr = (2{,}975 \text{ kN})(5 \text{ mm})$$
$$= (2{,}975 \times 10^3 \text{ N})(5 \times 10^{-3} \text{ m}) = 14{,}87 \text{ N} \cdot \text{m}$$

$$\text{Couple} = 14{,}87 \text{ N} \cdot \text{m} \blacktriangleleft$$

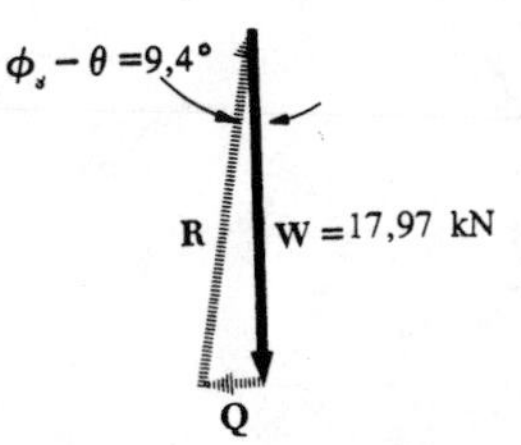

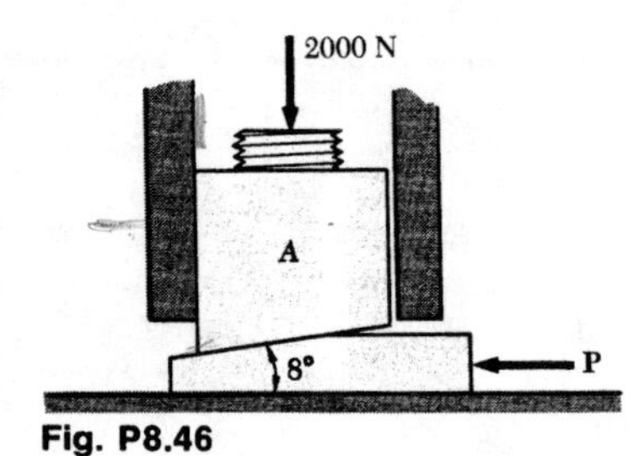

Fig. P8.46

## PROBLÈMES SUPPLÉMENTAIRES

**8.46** La mise à niveau d'une machine-outil se fait à l'aide du pied ajustable *A* et d'un coin. Calculez la force **P** nécessaire pour soulever la machine si le coefficient de frottement entre les surfaces de contact est de 0,25.

**8.47** Calculez, dans le probl. 8.46, la force **P** nécessaire pour descendre le bloc *A*.

**8.48 et 8.49** Calculez la valeur minimale de **P** qui doit être appliquée au coin afin de déplacer le bloc de 8,9 kN. Le coefficient de frottement dans toutes les surfaces de contact est de 0,30.

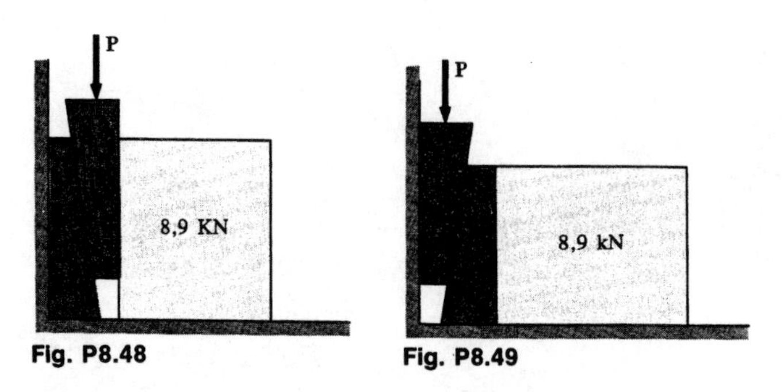

Fig. P8.48 Fig. P8.49

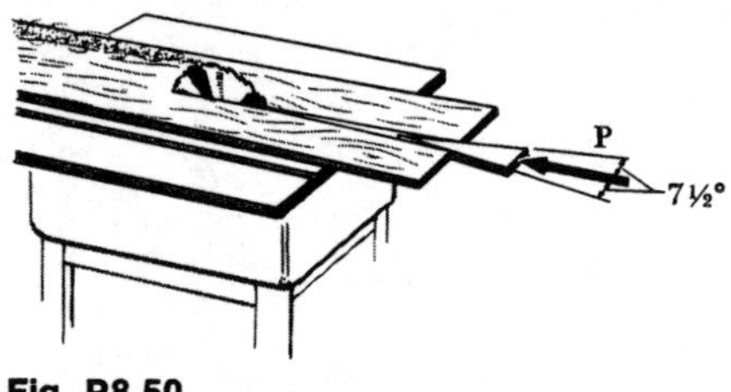

Fig. P8.50

**8.50** Un coin d'angle de 15° est introduit dans la rainure de la coupe d'une scie circulaire afin d'éviter le coinçage de la lame. Le coefficient de frottement entre le coin et la planche de bois est de 0,25. Calculez la grandeur des forces appliquées à la planche par le coin, après son insertion, si on sait que pour l'introduire nous devons appliquer une force horizontale de 150 N.

**8.51** Le ressort d'une serrure de sécurité, dont la constante est de 262,5 N/m, exerce sur la languette de celle-ci et dans la position illustrée, une force de 2,22 N. Le coefficient de frottement entre la languette et son encoche est de 0,40; toutes les autres surfaces sont lubrifiées et considérées sans frottement. Calculez la grandeur de la force **P** nécessaire pour déclencher le mouvement de fermeture de la porte.

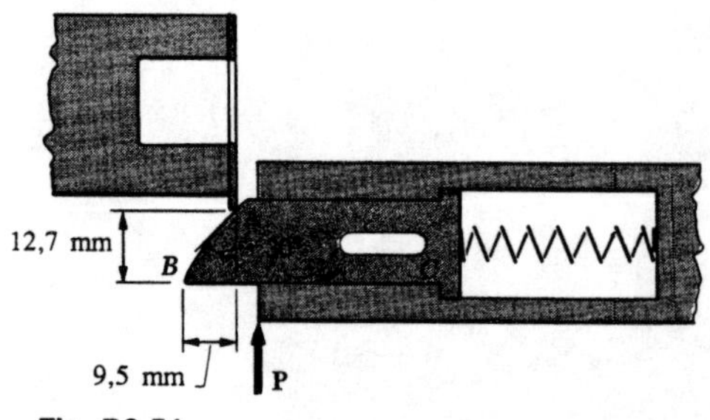

Fig. P8.51

**8.52** Calculez, dans le probl. 8.51, l'angle de la languette au point *B* (angle entre *BC* et *BA*) si on veut que la force **P** soit la même pour la position de la languette telle qu'illustrée et pour la position où *B* touche la plaque *E*.

**8.53** On utilise les coins *E* et *F* pour la mise en place d'une poutre de plancher en profilé *I*. Une plaque d'acier *CD* a été soudée à la semelle inférieure du profilé. La réaction de la poutre est de 100 kN. Le coefficient de frottement entre les surfaces de contact en acier est de 0,30 et celui entre l'acier et le béton est de 0,60. Calculez : *a*) la force **P** nécessaire pour soulever la poutre, *b*) la force correspondante **Q** qu'il faut appliquer horizontalement pour empêcher le déplacement latéral de la poutre.

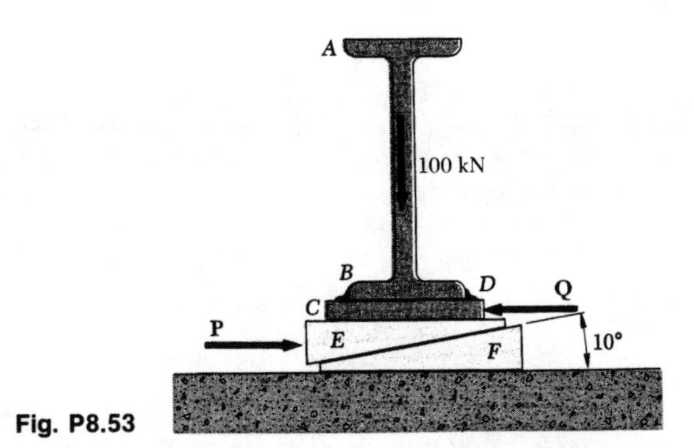


**Fig. P8.53**

**8.54** Résolvez le probl. 8.53 en supposant que l'extrémité de la poutre doit se déplacer vers le bas.

**8.55** Un coin d'un angle de 5° doit être introduit sous la base de la machine *AB*. Sachant que $\mu$ = 0,15 pour toutes les surfaces en contact : *a*) calculez la force **P** nécessaire pour déplacer le coin, *b*) dite si la machine se met en mouvement horizontal.

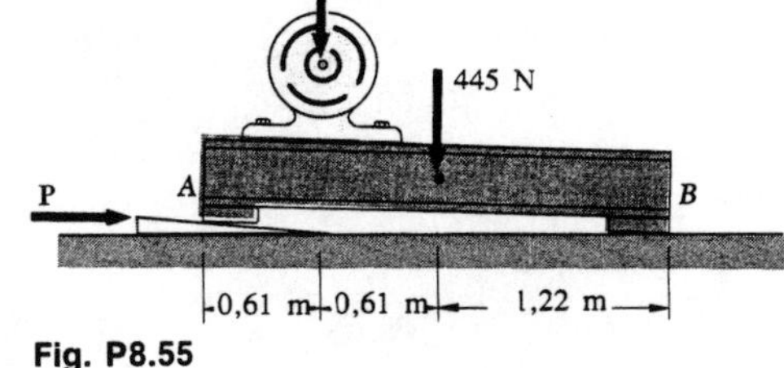


**Fig. P8.55**

**8.56** Résolvez le probl. 8.55 en supposant que le coin doit être introduit sous le bâti de la machine au point *B* au lieu du point *A*.

**8.57** Un coin de forme conique est placé entre deux plaques horizontales qui, ensuite, se déplacent lentement l'une vers l'autre. Décrivez ce qui se passe si : *a*) $\mu$ = 0,5, *b*) $\mu$ = 0,25.

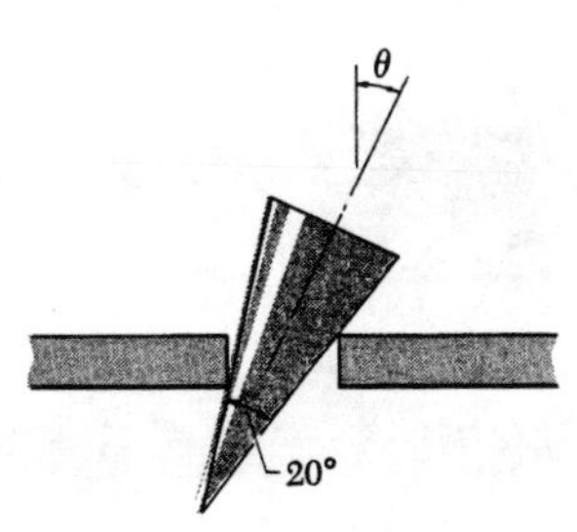


**Fig. P8.57**

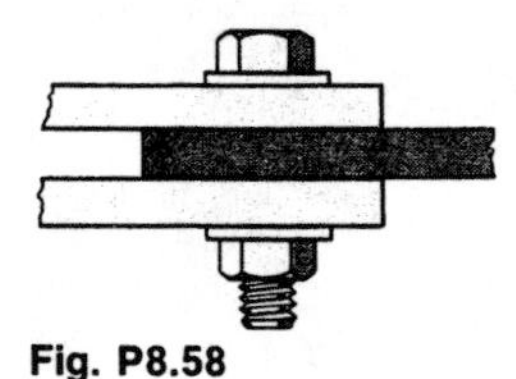
Fig. P8.58

**8.58** Des boulons en acier à haute résistance sont très souvent utilisés dans les structures d'acier. Pour un boulon de diamètre nominal de 2,54 cm, la tension minimale admissible dans ce type de boulon est de 210,2 kN. Calculez le couple qu'on doit appliquer à l'écrou pour développer cette tension dans le boulon si le coefficient de frottement entre les surfaces en contact est de 0,40. Le diamètre moyen du filet est de 2,39 cm et le pas de la vis est de 0,32 cm. Négligez le frottement entre l'écrou et la rondelle et supposez qu'il s'agit d'un filetage carré.

**8.59** Déduisez les formules suivantes qui relient la charge $W$ et la force **P** appliquée sur la tête du vérin dont on a parlé à la section 8.6 : *a*) $P = (Wr/a)\tan(\theta + \phi_s)$, pour soulever la charge, *b*) $P = (Wr/a)\tan(\phi_s - \theta)$, pour descendre la charge si ce filet est *autobloquant*, *c*) $P = (Wr/a)\tan(\theta - \phi_s)$, pour équilibrer la charge si le filetage n'est pas *autobloquant*.

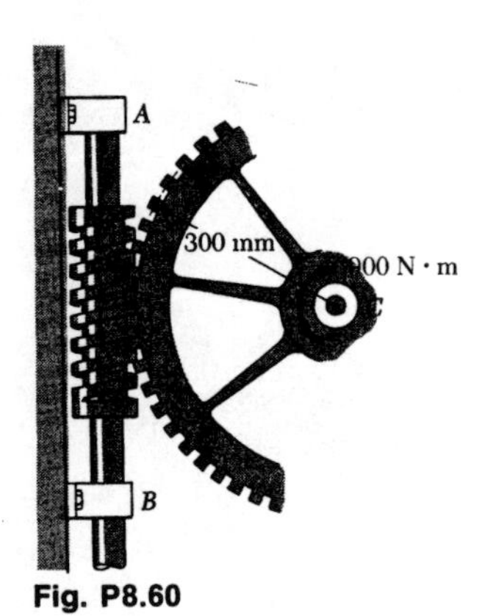

Fig. P8.60

**8.60** La vis *AB* à filetage carré illustrée ci-contre possède un rayon moyen de 40 mm et un pas de 10 mm. La roue dentée est soumise à un couple constant de 900 N · m appliqué dans le sens des aiguilles d'une montre. Calculez le couple qui doit être appliqué à la vis *AB* pour faire tourner la roue dentée dans le sens contraire au sens des aiguilles d'une montre. Le coefficient de frottement de l'engrenage est de 0,10. On néglige le frottement dans les paliers *A*, *B* et *C*.

**8.61** Calculez le couple qu'on doit appliquer à la vis *AB* pour faire tourner la roue dentée du probl. 8.60 dans le sens des aiguilles d'une montre.

**8.62** Dans la grue illustrée ci-contre, le mouvement d'élévation de la flèche est réalisé à l'aide du tendeur à vis *ABC*. Les distances *AD* et *CD* sont de 7,62 m. Le tendeur est muni d'un filet simple à chaque extrémité (filetage à droite en *A* et à gauche en *C*). Le pas des filets est de 32 mm et le diamètre moyen de 203 mm. Déterminez, pour $\mu = 0{,}08$, le moment du couple qui doit être appliqué à la vis : *a*) pour lever la flèche, *b*) pour abaisser la flèche.

Fig. P8.62

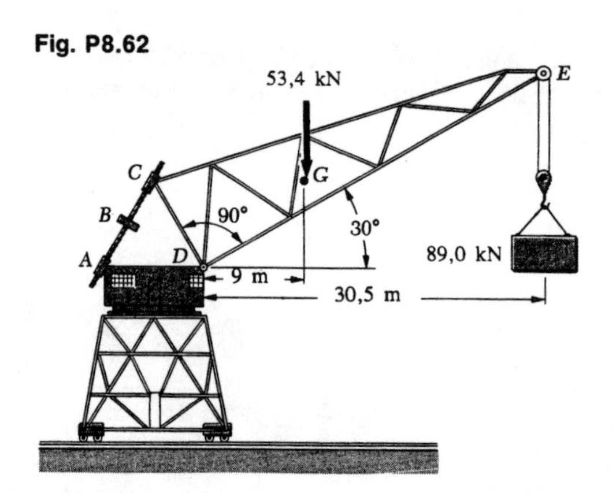

**8.63** Les extrémités de deux tiges fixes $A$ et $B$ ont un filetage simple de rayon moyen 6 mm et de pas 2 mm. Elles se vissent des deux côtés d'un manchon fileté de façon à former un tendeur. Le coefficient de frottement entre les différents éléments est de 0,15. Calculez le couple à appliquer au manchon pour mettre en contact les extrémités des deux tiges. La tige $A$ possède un filetage à droite et la tige $B$ un filetage à gauche.

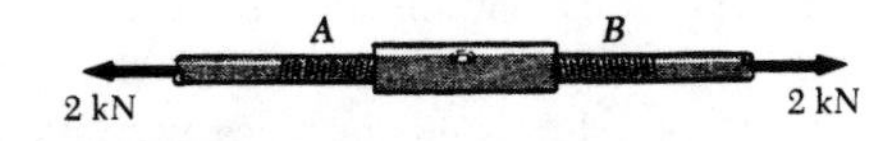


**Fig. P8.63**

**8.64** Calculez, pour le probl. 8.63, le couple à appliquer au manchon pour le faire tourner si les deux tiges possèdent un filetage à droite.

**8.65** Dans l'étau d'établi, la mâchoire ajustable $D$ est solidement attachée au bras $AB$ qui glisse librement à l'intérieur du guide percé dans la partie centrale de l'étau. L'écrou de serrage est fileté directement dans cette partie centrale avec un rayon moyen de 12,7 mm et un pas de 5,08 mm. Le coefficient de frottement des parties en mouvement est de 0,25. Calculez le couple qui doit être appliqué à la tête de la vis de façon à développer entre les mâchoires une force de compression de 3560 N. Négligez le frottement dans le coussinet de la vis.

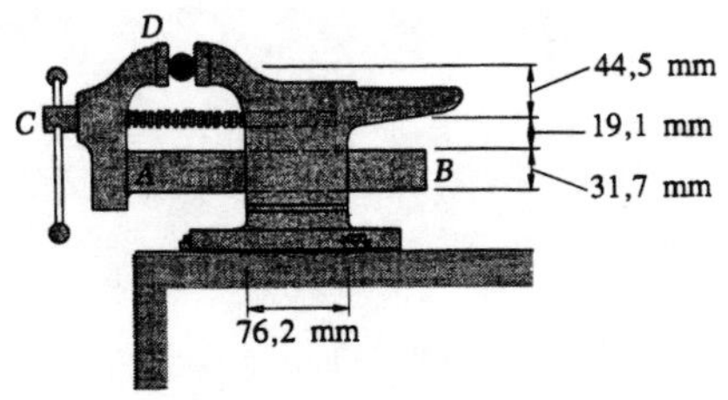


**Fig. P8.65**

**8.66** Calculez, dans le probl. 8.65, le couple à appliquer à la vis pour desserrer l'étau lorsque les mâchoires sont soumises à une compression de 3560 N.

**8.67** Le serre-joint est formé de deux bras reliés par deux vis ajustables à filetage double d'un rayon moyen de 5 mm et d'un pas de filet de 1 mm. Le bras inférieur est taraudé en $A$ et $B$ ($\mu_s = 0{,}25$). Nous voulons développer entre les mâchoires deux forces égales et opposées de 500 N. *a*) Quelle vis doit d'abord être ajustée? *b*) Quel est le couple maximal qu'on applique à la deuxième vis?

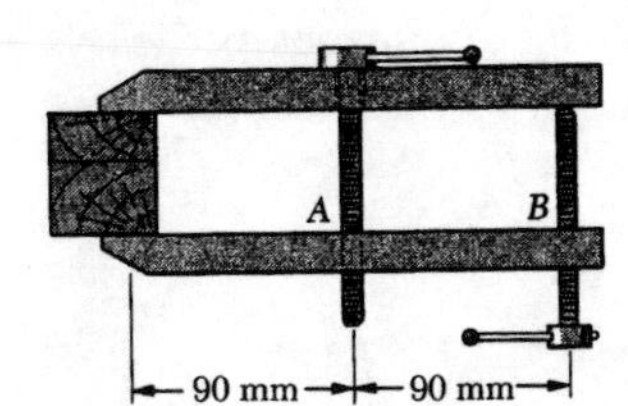


**Fig. P8.67**

***8.7. Paliers. Frottement d'axe.** Les paliers sont utilisés comme appuis d'arbres ou axes de rotation. Ils peuvent : *a*) empêcher des déplacements perpendiculaires à l'axe de rotation et alors ils sont appelés paliers radiaux, *b*) empêcher aussi les déplacements axiaux et alors ils sont appelés paliers à butée ou butée. Si le palier est lubrifié, la résistance de frottement va dépendre de la vitesse de rotation, du jeu existant entre l'axe et le coussinet et de la viscosité du lubrifiant. Comme nous l'avons dit à la section 8.1, des problèmes de lubrification seront étudiés plus tard dans la mécanique des fluides. Les méthodes de calcul que nous allons développer dans ce chapitre ne tiennent pas compte de la viscosité et sont valables seulement pour les paliers non lubrifiés ou alors partiellement lubrifiés. Nous admettons aussi l'hypothèse que l'axe de rotation et le coussinet du palier sont en contact suivant un segment de droite.

Considérons deux roues de poids **W** fixées rigidement sur un axe appuyé sur deux paliers radiaux (Fig. 8.10 *a*). L'expérience nous montre que si nous voulons maintenir l'axe et les roues en rotation à vitesse constante, nous devons leur appliquer un couple constant. Étudions ce qui se passe au palier *A*, dont le schéma a été tracé à la fig. 8.10 *c*. Ce schéma représente la moitié de l'ensemble en rotation. Les forces qui agissent sur le demi-arbre isolé sont le poids **W** d'une roue, le couple **M** nécessaire pour maintenir l'arbre en rotation constante et la réaction **R** du palier. Cette réaction est verticale, égale et opposée à **W** mais ne passe pas par le centre *O* de l'arbre; elle est appliquée à droite de *O* et à une distance telle que son moment par rapport au point *O* équilibre le moment **M** du couple moteur. Le contact entre l'arbre en rotation et le coussinet ne se fait pas au point le plus bas de l'arbre, mais à un point *B* (Fig. 8.10 *b*), ou plutôt le long d'une ligne droite qui rencontre le plan de la figure au point *B*. Physiquement, cela s'explique par le fait que lorsque l'arbre se met en rotation, il grimpe le long du coussinet avant de commencer à patiner. Ce comportement est dû à la présence de forces de frottement entre l'axe et le coussinet du palier. Après avoir glissé légèrement vers le bas, l'arbre se stabilise aux environs de la position indiquée. Cette position est telle que l'angle entre la réaction **R** et la normale à la surface du coussinet, est égal à l'angle de frottement cinétique $\phi_k$. La distance du point *O* à la ligne d'action de **R** est alors $r \sin \phi_k$, où $r$ est le rayon de l'arbre. Si nous posons $\Sigma M_O = 0$ pour toutes les forces appliquées au corps isolé que nous avons choisi au commencement, nous obtenons le moment $M$ du couple nécessaire pour vaincre la résistance de frottement du palier :

$$M = Rr \sin \phi_k \tag{8.5}$$

Vu que pour des petites valeurs de l'angle $\phi_k$, on peut remplacer $\sin \phi_k$ par $\tan \phi_k$ et celle-ci par $\mu_k$, nous pouvons écrire approximativement

$$M \approx Rr\,\mu_k \tag{8.6}$$

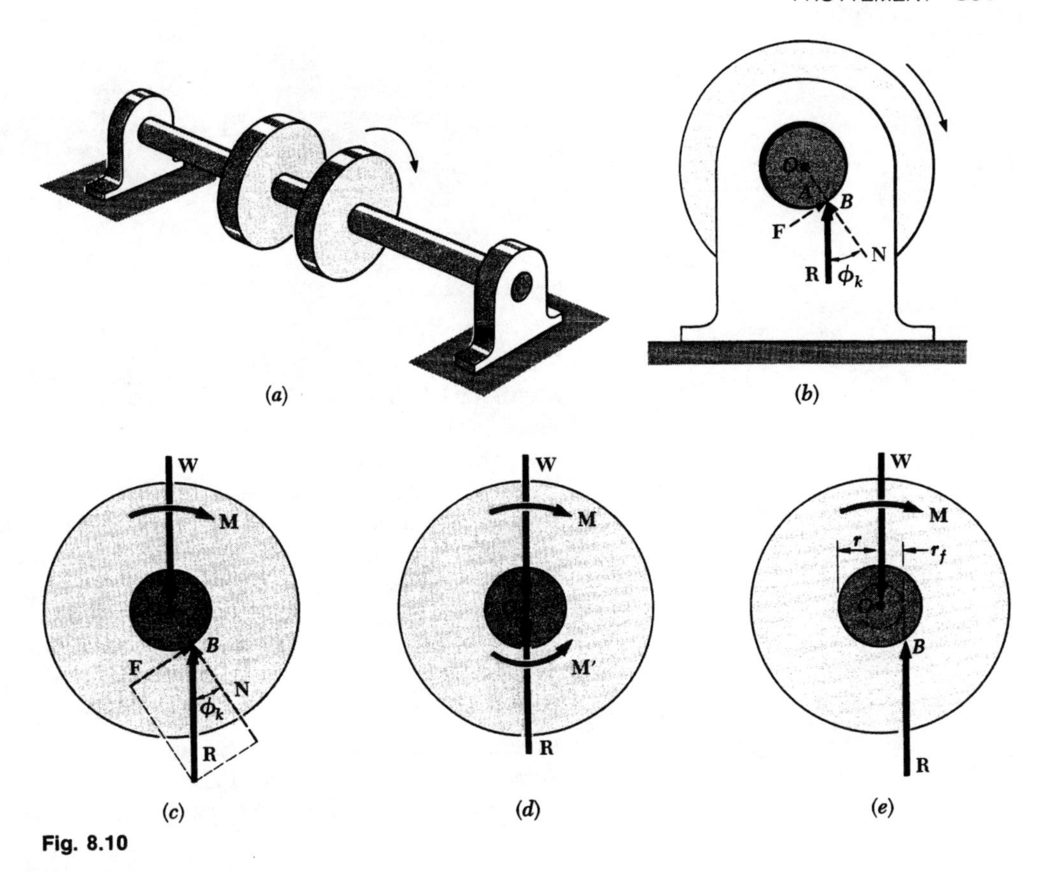


Fig. 8.10

Dans la solution de certains problèmes, il pourra être plus commode de considérer que la ligne d'action de **R** passe par le point $O$, comme c'est le cas lorsque l'arbre n'est pas en rotation. Le couple **M'**, de même moment $M$ que le couple **M** mais de sens opposé, doit alors être ajouté à la réaction **R** (Fig. 8.10*d*). Ce couple représente la résistance de frottement du coussinet.

Si on cherche à utiliser la solution graphique, la ligne d'action de **R** peut être rapidement dessinée (Fig. 8.10*c*) si nous notons qu'elle doit être tangente à un cercle de centre $O$ et de rayon

$$r_f = r \sin \phi_k \approx r \mu_k \tag{8.7}$$

Ce cercle est appelé le *cercle de frottement de l'axe et du coussinet* et est indépendant des conditions de mise en charge de l'arbre.

***8.8. Butées. Frottement de disque.** Les butées sont utilisées pour empêcher les déplacements axiaux des arbres en rotation. Ils sont de deux types : 1) *d'extrémité* et 2) *à collet* (Fig. 8.11). Dans ce dernier type, les forces de frottement se développent entre deux surfaces en contact qui ont la forme de couronnes circulaires. Dans le cas des butées d'extrémité, les forces de frottement se développent sur toute une surface circulaire s'il s'agit d'un arbre

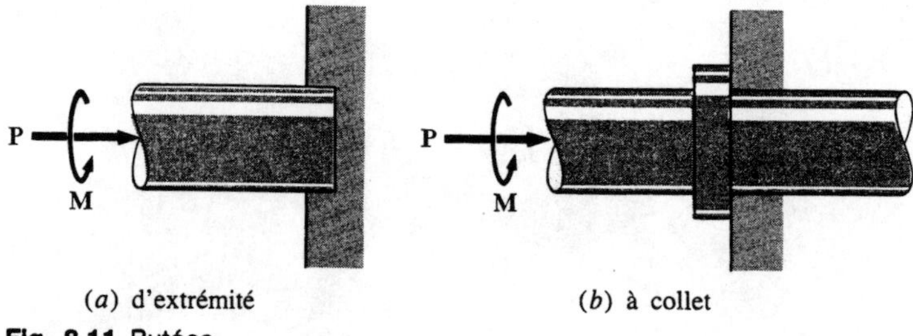

($a$) d'extrémité ($b$) à collet

**Fig. 8.11** Butées

massif ou alors sur une surface en couronne circulaire s'il s'agit d'un *arbre évidé*. On rencontre souvent ce type de frottement, notamment dans les *embrayages à disques*.

Afin de généraliser facilement les résultats de l'étude que nous allons faire, considérons un arbre de rotation, évidé, sur lequel on applique un couple **M** pour le maintenir en rotation à vitesse constante et une force **P** pour le maintenir en contact avec l'appui fixe (Fig. 8.12). Comme l'arbre est évidé, la surface de contact a la forme d'une couronne circulaire de rayon $R_1$ et $R_2$. Si on suppose que la pression entre les deux surfaces de contact est uniforme, on voit que la grandeur de la force normale $\Delta\mathbf{N}$ qui s'exerce sur une surface élémentaire $\Delta A$ est $\Delta N = P\,\Delta A/A$, où $A = \pi(R_2^2 - R_1^2)$, et que la force de frottement $\Delta\mathbf{F}$ qui s'exerce sur la surface élémentaire $\Delta A$ est $\Delta F = \mu_k\,\Delta N$. Appelant $r$ la distance entre l'axe de rotation et la surface élémentaire $\Delta A$, le moment $\Delta M$ de la force $\Delta\mathbf{F}$ par rapport à l'axe de rotation est

$$\Delta M = r\,\Delta F = \frac{r\,\mu_k P\,\Delta A}{\pi(R_2^2 - R_1^2)}$$

L'équilibre de l'arbre demande que le moment $M$ du couple appliqué à l'arbre soit égal en grandeur à la somme des moments de toutes les forces de frottement $\Delta\mathbf{F}$. En exprimant l'élément de surface $\Delta A$ en coordonnées polaires, nous aurons $da = r\,d\theta\,dr$ et en intégrant sur toute la surface de contact, nous

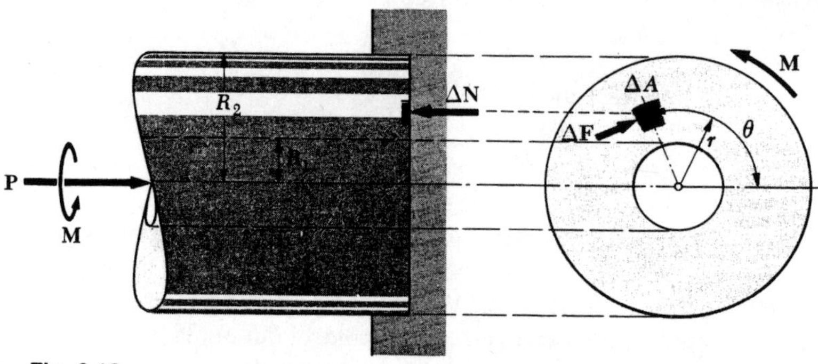


**Fig. 8.12**

obtenons finalement l'expression du moment $M$ du couple nécessaire pour vaincre la résistance de frottement du palier :

$$M = \frac{\mu_k P}{\pi(R_2^2 - R_1^2)} \int_0^{2\pi} \int_{R_1}^{R_2} r^2 \, dr \, d\theta$$

$$= \frac{\mu_k P}{\pi(R_2^2 - R_1^2)} \int_0^{2\pi} \tfrac{1}{3}(R_2^3 - R_1^3) \, d\theta$$

$$M = \tfrac{2}{3} \mu_k P \frac{R_2^3 - R_1^3}{R_2^2 - R_1^2} \tag{8.8}$$

L'éq. (8.8) se simplifie dans le cas d'un arbre massif où le contact se fait suivant un cercle de rayon $R$; elle devient

$$M = \tfrac{2}{3} \mu_k PR \tag{8.9}$$

La valeur de $M$ est donc la même que celle qu'on aurait si le contact entre l'arbre et le coussinet se faisait par un simple point de contact localisé à la distance $2R/3$ de l'axe de rotation.

Le couple le plus grand qui peut être transmis par un disque d'embrayage sans provoquer de patinage est donné par une formule similaire à la formule (8.9) où $\mu_k$ sera remplacé par le coefficient de frottement statique $\mu_s$.

***8.9. Résistance au roulement.** La roue est une des plus grandes inventions de notre civilisation. Elle permet de déplacer de grandes charges avec un effort relativement petit. Puisque le point de contact de la roue avec le sol n'est pas en mouvement par rapport à celui-ci, la roue élimine la résistance du frottement par glissement direct de la charge sur le sol. Dans la pratique, cependant, la roue n'est pas parfaite et il se manifeste toujours une résistance au mouvement. Cette résistance a deux causes distinctes qui sont : 1) l'effet combiné du frottement de palier dans l'essieu et du frottement dans la jante, et 2) l'effet de la déformation de la roue et du sol, déformation qui évidemment crée une résistance à l'avancement. Pour mieux comprendre la première cause de résistance au mouvement, nous allons considérer une voiture de chemin de fer supportée par huit roues montées sur des essieux et des paliers. Nous supposons que la voiture se déplace vers la droite avec une vitesse constante sur des rails horizontaux. Le schéma de l'une des roues isolée comprend la charge **W** supportée par la roue et la réaction du rail **N**. Puisque **W** passe par le point $O$, intersection de l'axe de rotation et du plan de la figure, la résistance de frottement du coussinet de palier doit être représentée par un couple positif **M** (voir la section 8.7). Pour maintenir l'équilibre de la roue isolée, nous devons ajouter deux forces égales et opposées **P** et **F** formant un couple négatif de moment $M$. La force **F** est la force de frottement exercée par le rail sur la roue et **P** représente la force qui doit être appliquée à la roue pour la maintenir en mouvement à vitesse constante. Remarquez que **P** et **F** n'existeraient pas s'il

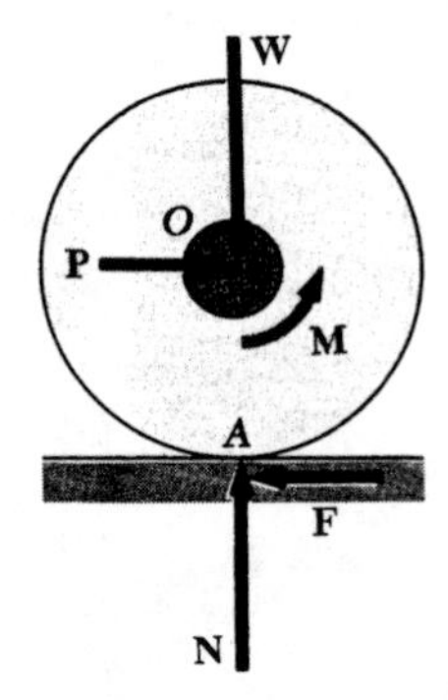

($a$) Frottement d'axe

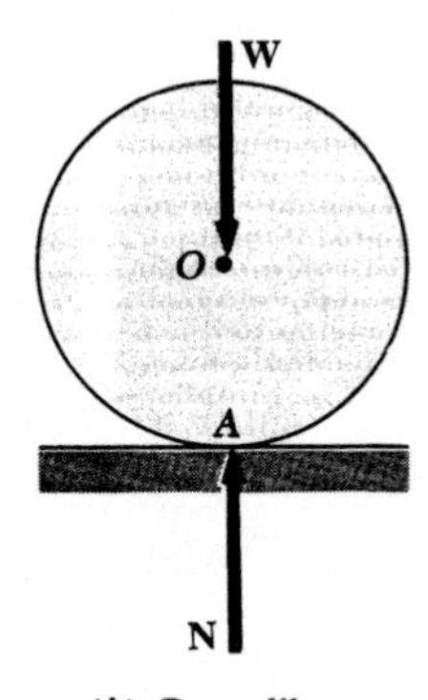

($b$) Roue libre

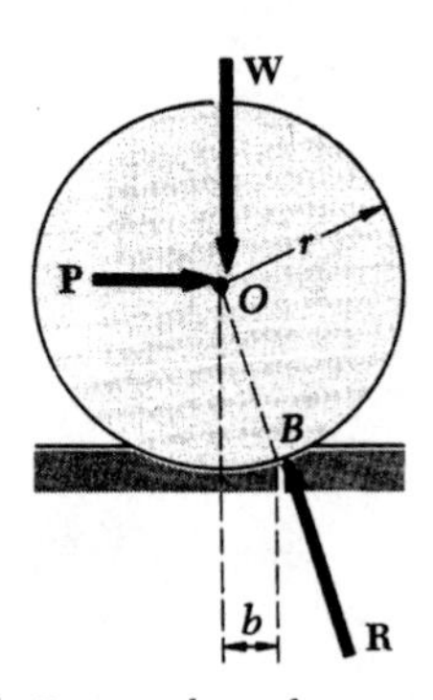

($c$) Frottement de roulement

**Fig. 8.13**

n'y avait pas ce frottement entre la roue et le rail. Le couple **M** qui représente le frottement de l'arbre serait alors nul et la roue glisserait sur le rail sans tourner dans le coussinet.

Le couple **M** et les forces **P** et **F** s'annulent encore lorsqu'il n'existe pas de frottement dans l'essieu.

Par exemple, une roue qui n'est pas appuyée sur des paliers et qui roule librement sur le sol à vitesse constante (Fig. 8.13$c$) sera soumise à deux forces : son propre poids **W** et la réaction normale du sol **N**. Aucune force de frottement n'agit sur la roue quel que soit le coefficient de frottement entre la roue et le sol. On déduit qu'une roue roulant sur elle-même, sur un plan horizontal, restera indéfiniment en mouvement.

L'expérience, cependant, nous montre qu'elle va ralentir et finalement s'arrêter. Ce ralentissement est dû à un deuxième type de frottement appelé *frottement de roulement*. En effet, sous l'action du poids **W**, le sol et la roue se déforment plus ou moins suivant leur élasticité; le contact se fera alors suivant une certaine surface. L'expérience nous montre que la résultante **R** des forces de réaction du sol passe par un point $B$ qui n'est pas situé sur la verticale de $O$ mais légèrement en avant de celle-ci et dans le sens du mouvement (Fig. 8.13$c$). Pour équilibrer le moment de **W** par rapport au point $B$, c'est-à-dire pour maintenir la roue dans son mouvement de rotation à vitesse constante, il faut appliquer une force horizontale **P** au centre $O$ de la roue. En posant $\Sigma M_B = 0$, nous obtenons

$$Pr = Wb \tag{8.10}$$

où $r$ = le rayon de la roue
$b$ = la distance horizontale entre $O$ et $B$

La distance $b$ est généralement appelée *coefficient de frottement de roulement* ou, plus simplement, *coefficient de roulement*. Remarquons que $b$ n'est pas un coefficient sans dimension; en effet, il représente une longueur et doit être exprimé en unités de longueur. Généralement, on l'exprime en centimètres ou en millimètres. La valeur de $b$ dépend de différents paramètres dont les relations n'ont pas encore été clairement établies. Ces valeurs varient entre 0,25 mm, coefficient de frottement d'une roue en acier roulant sur un rail en acier, et 125 mm, coefficient de frottement valable pour la même roue roulant sur un sol mou.

## PROBLÈME RÉSOLU 8.6

Une poulie de 4 cm de diamètre peut tourner autour d'un axe de 2 cm de diamètre. Les coefficients de frottement statique et cinétique entre la poulie et l'axe sont égaux à 0,20. Calculez : *a*) la plus petite force verticale **P** capable de soulever une charge de 500 N, *b*) la plus petite force verticale **P** capable d'équilibrer cette charge, *c*) la plus petite force horizontale **P** capable de soulever la même charge.

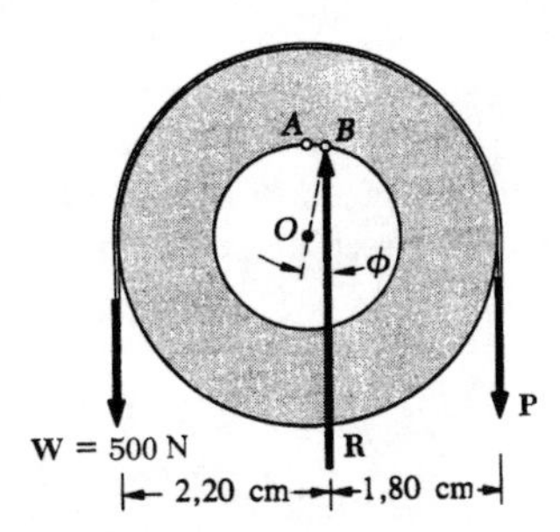


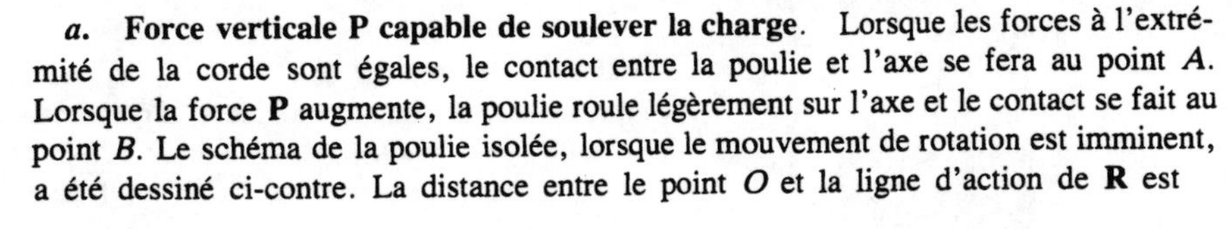

***a.*** **Force verticale P capable de soulever la charge**. Lorsque les forces à l'extrémité de la corde sont égales, le contact entre la poulie et l'axe se fera au point *A*. Lorsque la force **P** augmente, la poulie roule légèrement sur l'axe et le contact se fait au point *B*. Le schéma de la poulie isolée, lorsque le mouvement de rotation est imminent, a été dessiné ci-contre. La distance entre le point *O* et la ligne d'action de **R** est

$$r_f = r \sin \phi \approx r\mu \qquad r_f \approx (1 \text{ cm})0{,}20 = 0{,}20 \text{ cm}$$

En annulant la somme des moments par rapport au point *B*, nous pouvons écrire

$+\circlearrowleft \Sigma M_B = 0 :$ $\quad (2{,}20 \text{ cm})(500 \text{ N}) - (1{,}80 \text{ cm})P = 0$

$P = 611$ N $\qquad$ **P** = 611 N ↓ ◄

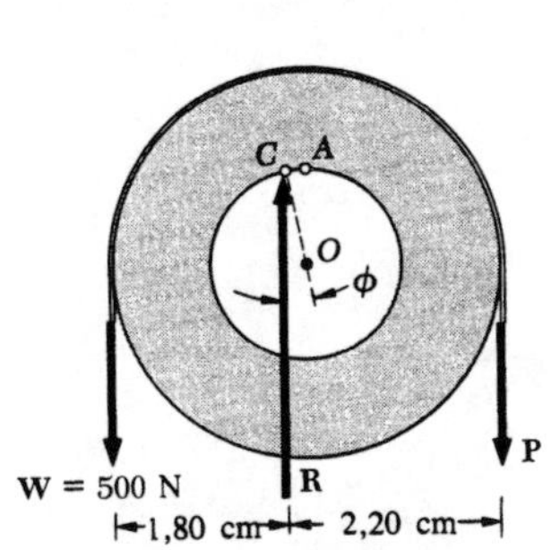


***b.*** **Force verticale équilibrant la charge.** Comme la force **P** diminue, la poulie tourne autour de l'axe et le contact entre eux se fait au point *C*; nous pouvons écrire

$+\circlearrowleft \Sigma M_C = 0 :$ $\quad (1{,}80 \text{ cm})(500 \text{ N}) - (2{,}20 \text{ cm})P = 0$

$P = 409$ N $\qquad$ **P** = 409 N ↓ ◄

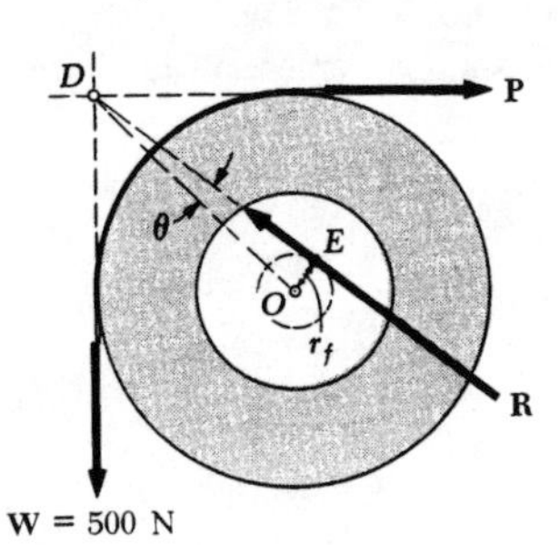


***c.*** **Force horizontale capable de soulever la charge.** Comme les trois forces **W**, **P** et **R** ne sont pas parallèles, elles doivent être concourantes. La direction de **R** est alors déterminée par le fait que sa ligne d'action doit passer par le point *D*, intersection de **W** et **P**, et doit être tangente au cercle de frottement. En se rappelant que le rayon de celui-ci est $r_f = 0{,}20$ cm, nous pouvons écrire

$$\sin \theta = \frac{OE}{OD} = \frac{0{,}20 \text{ cm}}{(2 \text{ cm})\sqrt{2}} = 0{,}0707 \qquad \theta = 4{,}1°$$

Du triangle de forces, nous obtenons finalement

$$P = W \cot (45° - \theta) = (500 \text{ N}) \cot 40{,}9°$$
$$= 577 \text{ N}$$

**P** = 577 N → ◄

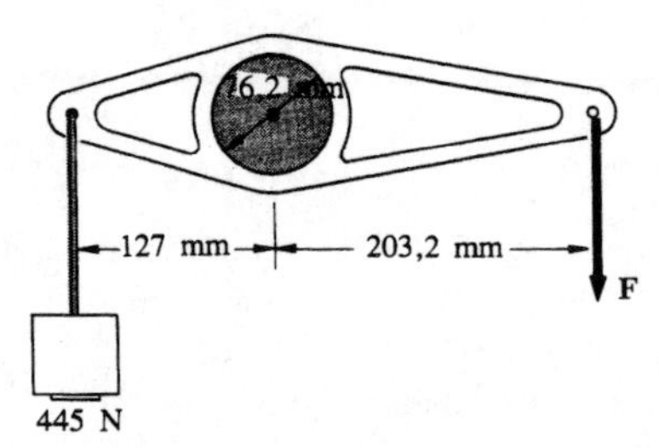

**Fig. P8.68**

## PROBLÈMES SUPPLÉMENTAIRES

**8.68** Un levier de poids négligeable tourne librement sur un axe fixe d'un diamètre de 7,62 cm. On constate qu'il faut appliquer une force **F** de 311,4 N pour déclencher la rotation du levier dans le sens des aiguilles d'une montre. Calculez : *a*) le coefficient de frottement entre l'axe et le levier, *b*) la plus petite force **F** qui ne déclenche pas la rotation du levier dans le sens positif (contrairement au sens des aiguilles d'une montre).

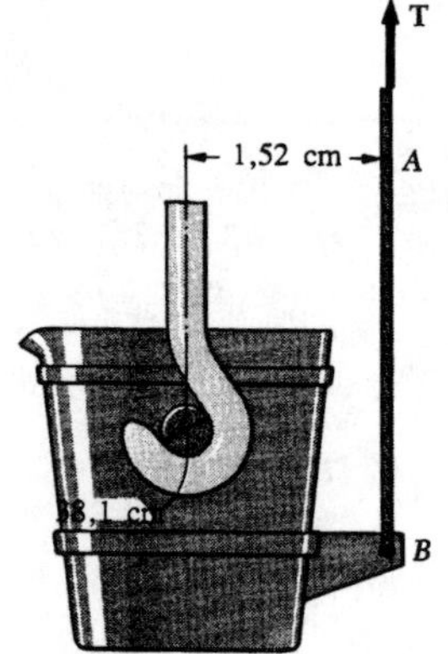

**Fig. P8.69**

**8.69** Une poche de coulée, chargée, pèse 54,43 tonnes. Sachant que le coefficient de frottement entre les crochets de levage et les tourillons est de 0,30, calculez l'effort de tension dans le câble *AB* capable de provoquer le déversement de la poche.

**8.70** Une douille de 75 mm de diamètre extérieur tourne librement sur un axe horizontal de 50 mm de diamètre. On constate qu'il faut appliquer une force horizontale de 550 N pour soulever la charge de 500 N appliquée verticalement à l'autre extrémité de la corde. Calculez le coefficient de frottement entre l'axe et la douille en supposant que la corde ne glisse pas sur celle-ci.

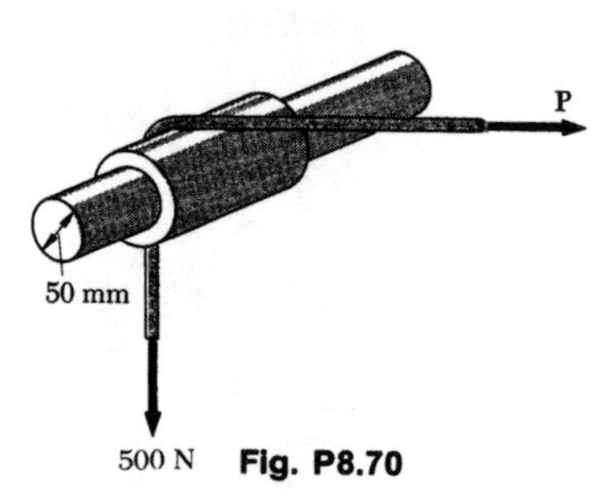

**Fig. P8.70**

**8.71** On veut soulever une charge de 600 N à l'aide d'un palan. Chacune des poulies de 60 mm de diamètre tourne sur un axe de 10 mm de diamètre. Calculez l'effort de tension dans chaque brin du câble, si on soulève lentement la charge et si on admet que $\mu = 0,20$.

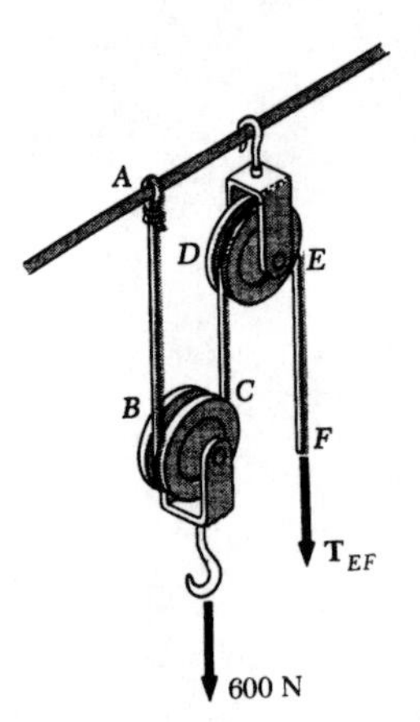

**Fig. P8.71**

**8.72** Calculez, dans le probl. 8.71, l'effort de tension dans chaque brin de câble si on descend lentement la charge.

**8.73** Un wagon de chemin de fer possède huit roues d'acier de 81,3 cm de diamètre montées sur des arbres de 12,7 cm de diamètre. Calculez la force horizontale, par tonne de charge, nécessaire pour déplacer le wagon à vitesse constante si on admet que $\mu$ = 0,015.

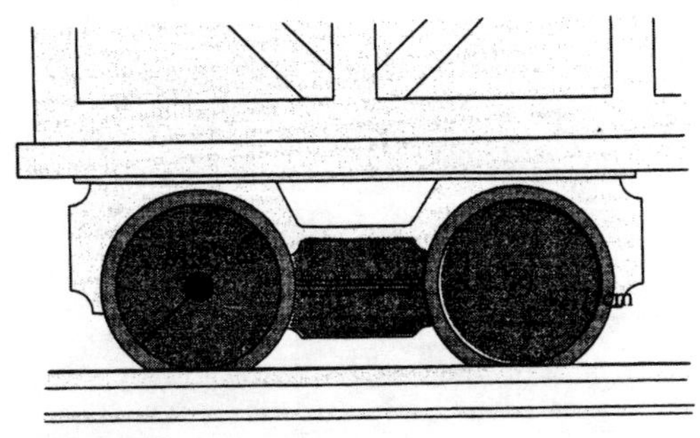

**Fig. P8.73**

**8.74** Une trottinette descend une pente de 2% avec une vitesse constante. Calculez le diamètre des roues en admettant que le coefficient de frottement cinétique entre les coussinets des roues et les axes de 2,54 cm de diamètre est de $\mu$ = 0,10. Négligez le coefficient de frottement de roulement.

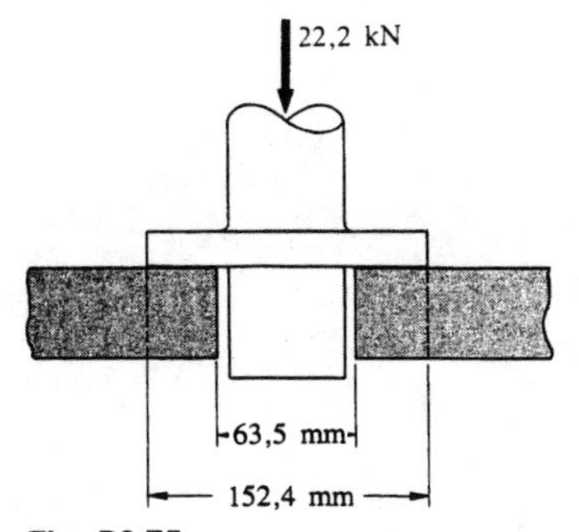


**Fig. P8.75**

**8.75** Il faut appliquer un couple d'un moment de 203,4 N · m pour faire démarrer le mouvement de rotation de l'arbre vertical s'appuyant sur une butée à collet, tel qu'indiqué. Calculez le coefficient de frottement statique.

**8.76** Une polisseuse pesant 222,4 N est utilisée pour polir un plancher. Calculez la valeur des forces horizontales **Q** qu'il faut appliquer pour empêcher la rotation de la polisseuse, en supposant que la force verticale par unité de surface entre le disque et le plancher est constante et que le coefficient de frottement vaut 0,25.

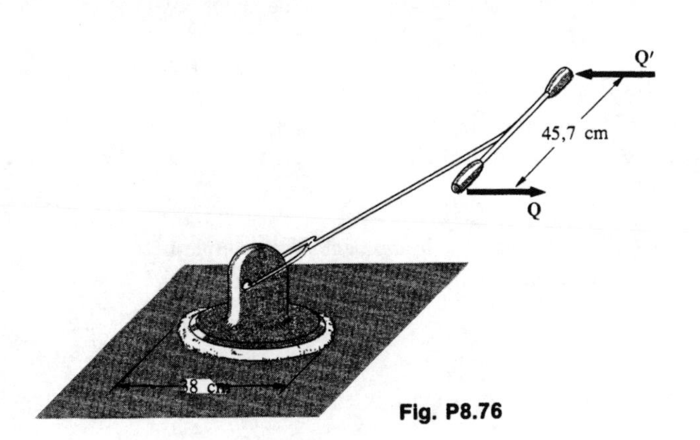


**Fig. P8.76**

**8.77** Quatre ressorts, dont la constante est 6 kN/m, sont nécessaires pour presser la plaque $AB$ contre l'extrémité de la tige verticale. Dans la position indiquée à la fig. P8.77, chaque ressort se trouve comprimé de 50 mm. La plaque $AB$ est libre de se déplacer verticalement mais est empêchée de tourner par des boulons qui passent à travers et qui sont fixés sur une deuxième plaque. Calculez le moment du couple **M** capable de faire tourner la tige verticale si on admet que $\mu$ = 0,30 et **P** = 0.

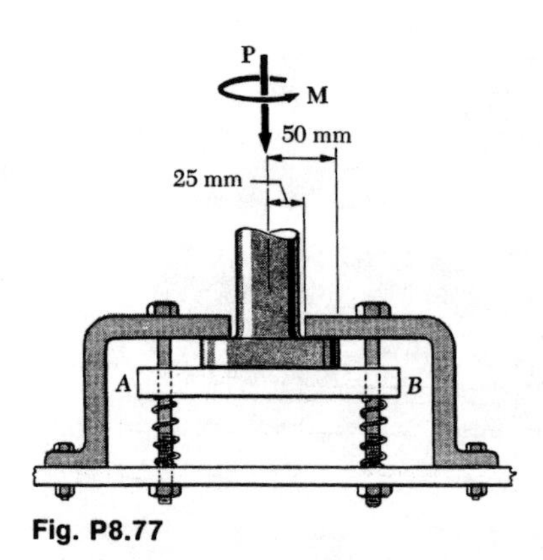

Fig. P8.77

**8.78** Calculez, dans le probl. 8.77, la grandeur de la force **P** pour que la tige commence à tourner sous l'action d'un couple de 20 N · m. Quelle valeur de **P** demande le moment maximal pour provoquer la rotation de la pièce?

***8.79** Comme les surfaces en contact d'un axe et d'un coussinet s'usent, la force de frottement entre ces deux pièces va en diminuant. On admet généralement que l'usure est directement proportionnelle à la distance parcourue par un point donné de l'arbre en rotation et, par conséquent, à la distance $r$ entre le point et l'axe de rotation de l'arbre. En supposant que la force normale par unité de surface est inversement proportionnelle à $r$, montrez que le moment $M$ du couple nécessaire pour vaincre le couple de frottement d'un palier d'extrémité avec usure (les deux surfaces sont parfaitement en contact) est égal à 75 pour cent d'un palier sans usure, et ce en utilisant la formule (8.9).

***8.80** Montrez, dans le probl. 8.79, que le couple $M$ nécessaire pour vaincre le couple de frottement dans un palier de butée avec usure est

$$M = \tfrac{1}{2}\mu_k P(R_1 + R_2)$$

où $P$ = la grandeur de la force axiale
$R_1$, $R_2$ = les rayons intérieurs et extérieurs du coussinet. (Se référer à la fig. 8.12 de la section 8.)

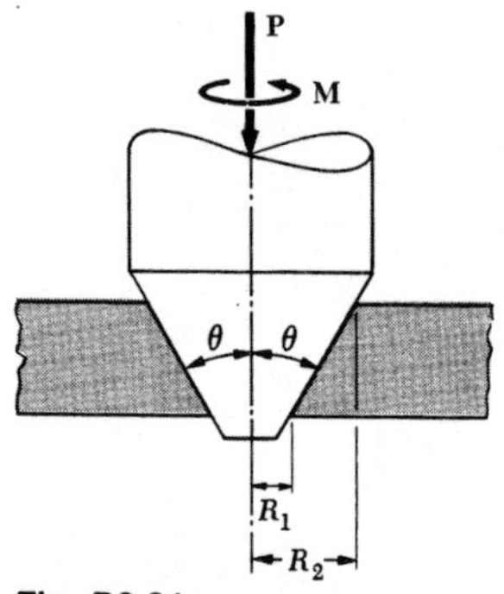

Fig. P8.81

***8.81** Montrez que le moment $M$ du couple nécessaire pour vaincre la résistance de frottement dans un palier conique est

$$M = \frac{2}{3}\frac{\mu_k P}{\sin\theta}\frac{R_2^3 - R_1^3}{R_2^2 - R_1^2}$$

Supposez que la pression entre les surfaces en contact est uniforme.

**8.82** Résolvez le probl. 8.76 en supposant que, entre le disque et la surface, la force normale par unité de surface varie uniformément d'un maximum au centre du disque de polissage jusqu'à la valeur zéro, au bord du même disque.

**8.83** Un disque circulaire de diamètre 200 mm roule à vitesse constante le long d'une pente de 2 pour cent. Calculez son coefficient de roulement.

**8.84** Calculez la force horizontale nécessaire pour déplacer une automobile de 1200 kg sur une route horizontale à vitesse constante. Considérez simplement le frottement de roulement dont le coefficient est supposé égal à 1,5 mm. Le diamètre de chaque pneu est de 600 mm.

**8.85** Résolvez le probl. 8.73 en ajoutant un frottement de roulement de 0,508 mm.

**8.86** Résolvez le probl. 8.74 en ajoutant un frottement de roulement de 1,778 mm.

## 8.10. Frottement de courroie.

Considérons une courroie plate enroulée sur un tambour cylindrique fixe (Fig. 8.14*a*). Nous nous proposons de déterminer la relation entre les efforts de tension $T_1$ et $T_2$ dans les deux parties de la courroie lorsque celle-ci est dans l'imminence du glissement vers la droite.

Coupons un élément de courroie infiniment petit compris entre les sections $P$ et $P_1$, sous-tendues par l'angle $\Delta\theta$. Appelons $T$ l'effort de tension dans la section $P$ et $T + \Delta T$ celui de la section $P'$, et dessinons le schéma de l'élément isolé tel qu'il est indiqué à la fig. 8.14*b*. Nous voyons qu'en plus de ces deux forces, l'élément est encore soumis à la composante normale $\Delta\mathbf{N}$, réaction du tambour et de la force de frottement $\Delta\mathbf{F}$. Comme nous supposons que le mouvement est imminent, nous pouvons écrire $\Delta F = \mu_s \Delta N$. Remarquons que si nous faisons tendre $\Delta\theta$ vers zéro, les valeurs $\Delta N$, $\Delta F$, et la *différence* $\Delta T$ entre les forces transmises par la courroie tendront aussi vers zéro; la valeur de l'effort de tension $T$ restera cependant constante. Cette remarque nous aide à comprendre le choix des notations.

Si nous utilisons les coordonnées indiquées à la fig. 8.14*b*, nous pouvons écrire les équations d'équilibre de l'élément $PP'$ :

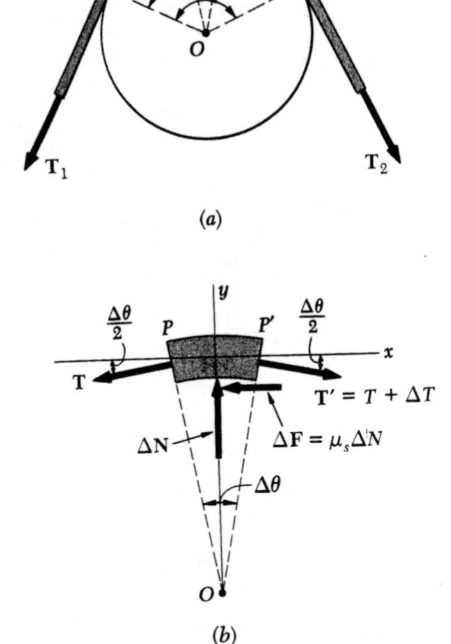


Fig. 8.14

Si nous introduisons la valeur de $\Delta N$ donnée par la formule (8.12) dans l'équation (8.11), nous obtenons

$$\Delta T \cos \frac{\Delta\theta}{2} - \mu_s(2T + \Delta T) \sin \frac{\Delta\theta}{2} = 0$$

Divisons les deux membres par $\Delta\theta$; pour le premier terme, cela se fait en divisant $\Delta T$ par $\Delta\theta$. Pour le deuxième, nous devons diviser le terme entre parenthèses par 2 et le sinus par $\Delta\theta/2$.

$$\frac{\Delta T}{\Delta\theta} \cos \frac{\Delta\theta}{2} - \mu_s\left(T + \frac{\Delta T}{2}\right) \frac{\sin (\Delta\theta/2)}{\Delta\theta/2} = 0$$

Si nous faisons tendre $\Delta\theta$ vers zéro, le cosinus va tendre vers 1 et $\Delta T/2$ va tendre vers zéro comme nous l'avons déjà vu. D'autre part, le quotient de sin $(\Delta\theta/2)$ par $\Delta\theta/2$ tend alors vers l'unité. Or, puisque la limite de $\Delta T/\Delta\theta$ est par définition la dérivée $dT/d\theta$, nous écrirons

$$\frac{dT}{d\theta} - \mu_s T = 0 \qquad \frac{dT}{T} = \mu_s\, d\theta$$

Intégrons maintenant les deux membres de la dernière équation entre $P_1$ et $P_2$ (Fig. 8.14*a*). Au point $P_1$, nous avons $\theta = 0$ et $T = T_1$; au point $P_2$ nous avons $\theta = \beta$ et $T = T_2$. Si on intègre entre ces limites, nous avons

$$\int_{T_1}^{T_2} \frac{dT}{T} = \int_0^{\beta} \mu_s\, d\theta$$

$$\ln T_2 - \ln T_1 = \mu_s \beta$$

$$\ln \frac{T_2}{T_1} = \mu_s \beta \tag{8.13}$$

relation qui peut aussi écrire

$$\frac{T_2}{T_1} = e^{\mu_s \beta} \tag{8.14}$$

Ces formules sont aussi employées pour le calcul des cordes enroulées autour des piliers ou des cabestans. Elles peuvent aussi être utilisées pour calculer les freins à bande. Remarquons que dans ce dernier cas, le tambour du frein tourne tandis que la bande reste fixe. Les courroies de transmission peuvent aussi être calculées à l'aide de ces formules. Dans ce cas, la poulie et la courroie sont en rotation et nous devons déterminer si la courroie glisse ou non sur la poulie puisque c'est ce glissement qu'il nous faut éviter.

Les formules (8.13) et (8.14) ne peuvent être utilisées que lorsque la courroie, la corde ou le frein sont dans l'*imminence du glissement.* La formule (8.14) sera utilisée si on désire connaître $T_1$ ou $T_2$; la formule (8.13) sera utilisée de préférence si on cherche à connaître $\mu_s$ ou l'angle $\beta$. Notons cependant que $T_2$ est toujours supérieur à $T_1$ : $T_2$ représente la tension dans la partie de la courroie *qui tire*, tandis que $T_1$ représente la tension dans la partie de la courroie *qui résiste.*

Insistons sur le fait que l'*angle de contact* $\beta$ doit être exprimé en *radians.* Il peut être plus grand que 2 $\pi$ *radians* : par exemple, si une corde est enroulée $n$ fois autour d'un cabestan, alors $\beta$ est égal à $2\pi n$ *radians.*

Si la courroie, corde ou bande de frein est en glissement, nous pouvons utiliser les formules (8.13) et (8.14) après avoir remplacé le coefficient de frottement statique $\mu_s$ par le coefficient de frottement cinétique $\mu_k$. Cependant, si la courroie, corde ou bande de frein ne doit jamais pouvoir glisser sur la surface de contact, nous ne pouvons pas utiliser ces formules.

Les courroies de transmission ont souvent une section trapézoïdale. Elles sont alors appelées *courroies en V.* La coupe transversale d'une telle courroie est représentée à la fig. 8.15*a* et *b*. On peut voir que le contact entre la courroie et la roue de transmission se fait par l'intermédiaire des surfaces latérales de la gorge de celle-ci. La relation qui existe entre les valeurs $T_1$ et $T_2$ des forces de tension de l'un et de l'autre côté d'une section de la courroie, lorsque celle-ci est dans l'imminence du glissement, peut encore s'obtenir en dessinant le schéma de cette section isolée (Fig. 8.15*b* et *c*). Nous pouvons alors déduire des équations similaires aux équations (8.11) et (8.12), en nous rappelant que la force de frottement appliquée à l'élément est de $2\Delta F$, et que la somme des composantes $y$ des forces normales est $2\ \Delta N \sin(\alpha/2)$. En procédant comme tout à l'heure nous obtenons

$$\frac{T_2}{T_1} = e^{\mu_s \beta / \sin(\alpha/2)} \tag{8.15}$$

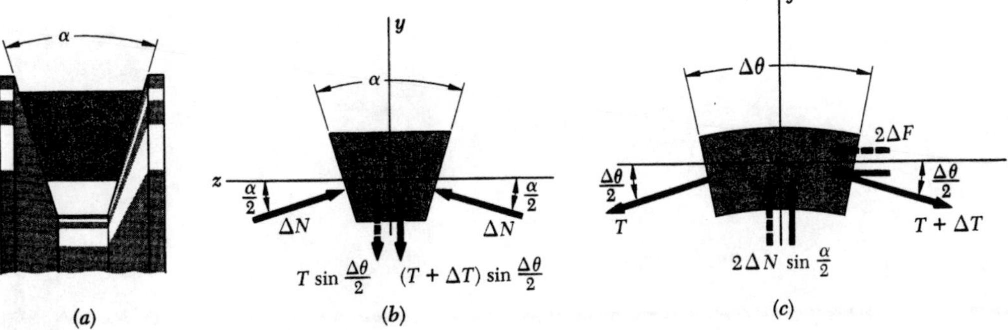

**Fig. 8.15**

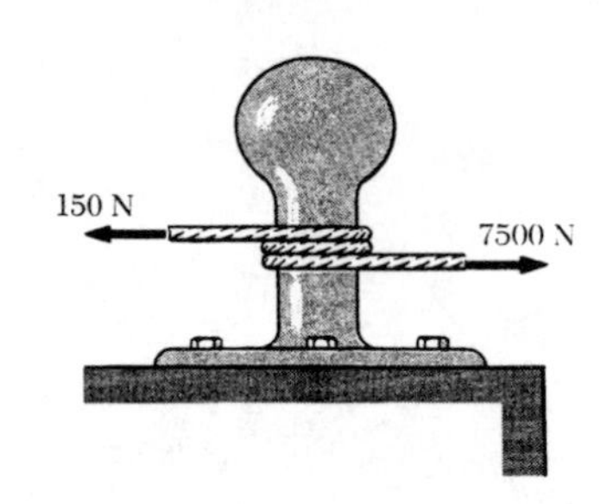


## PROBLÈME RÉSOLU 8.7

Une haussière lancée par un navire à quai est enroulée deux fois autour d'un cabestan. L'effort de tension appliqué par le navire sur la haussière est de 7500 N. En exerçant un effort de 150 N au bout libre, un débardeur peut tout juste empêcher la haussière de glisser. En supposant que le glissement est imminent, déterminez : *a*) le coefficient de frottement entre la haussière et le cabestan, *b*) l'effort de tension que la haussière est capable de développer si on l'avait enroulée trois fois autour du cabestan.

***a.* Coefficient de frottement.** Puisque le glissement est imminent, nous pouvons utiliser l'équation (8.13).

$$\ln \frac{T_2}{T_1} = \mu_s \beta$$

Comme la haussière fait deux tours complets autour du cabestan, nous avons

$$\beta = 2(2\pi \text{ rad}) = 12{,}6 \text{ rad}$$
$$T_1 = 150 \text{ N} \qquad T_2 = 7500 \text{ N}$$

ou encore

$$\mu_s \beta = \ln \frac{T_2}{T_1}$$

$$\mu_s (12{,}6 \text{ rad}) = \ln \frac{7500 \text{ N}}{150 \text{ N}} = \ln 50 = 3{,}91$$

$$\mu_s = 0{,}31 \blacktriangleleft$$

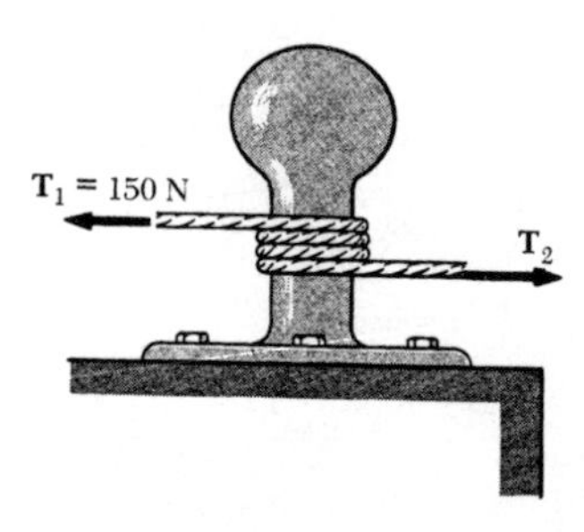


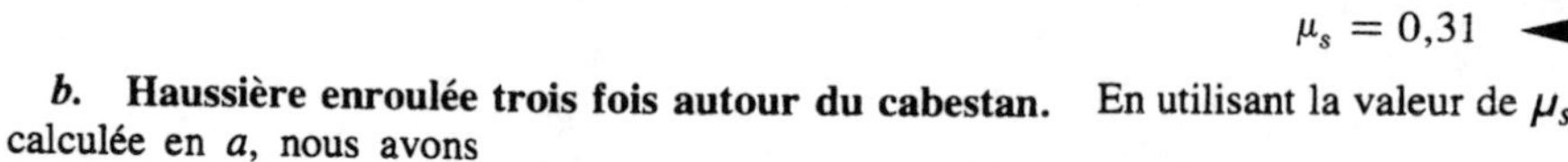

***b.* Haussière enroulée trois fois autour du cabestan.** En utilisant la valeur de $\mu_s$ calculée en *a*, nous avons

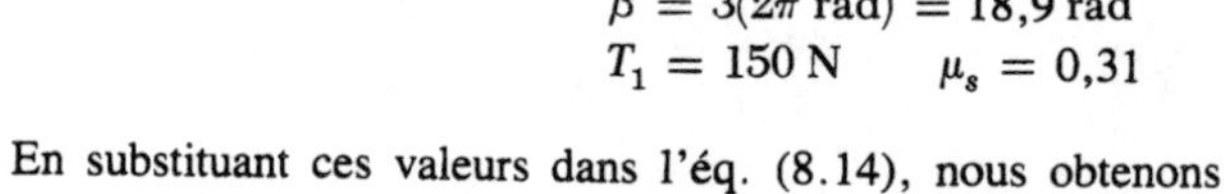

$$\beta = 3(2\pi \text{ rad}) = 18{,}9 \text{ rad}$$
$$T_1 = 150 \text{ N} \qquad \mu_s = 0{,}31$$

En substituant ces valeurs dans l'éq. (8.14), nous obtenons

$$\frac{T_2}{T_1} = e^{\mu_s \beta}$$

$$\frac{T_2}{150 \text{ N}} = e^{(0{,}31)(18{,}9)} = e^{5{,}86} = 350$$

$$T_2 = 52\,500 \text{ N} \qquad T_2 = 52{,}5 \text{ kN} \blacktriangleleft$$

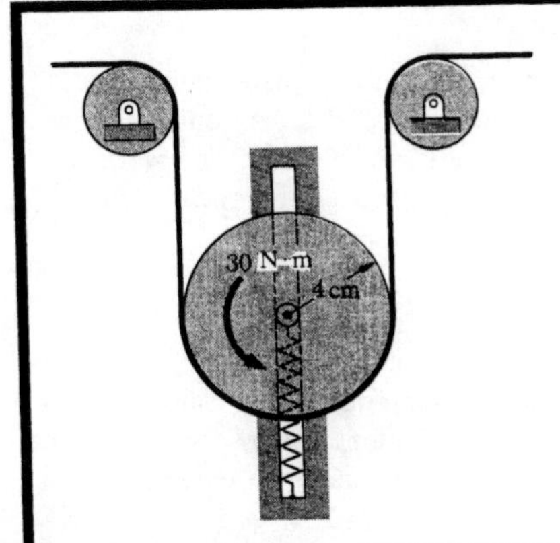


## PROBLÈME RÉSOLU 8.8

Une courroie plate passe sur deux poulies folles et un tambour de 8 cm de diamètre animé d'un mouvement de rotation. L'axe du tambour peut se déplacer le long d'une rainure verticale, mais il est soumis à la tension d'un ressort qui maintient le tambour en contact avec la courroie. Quel est la force minimale développée par le ressort si on veut éviter le glissement de la courroie lorsqu'un couple de 30 N · m est appliqué au tambour? Le coefficient de frottement statique entre la courroie et le tambour est de 0,30.

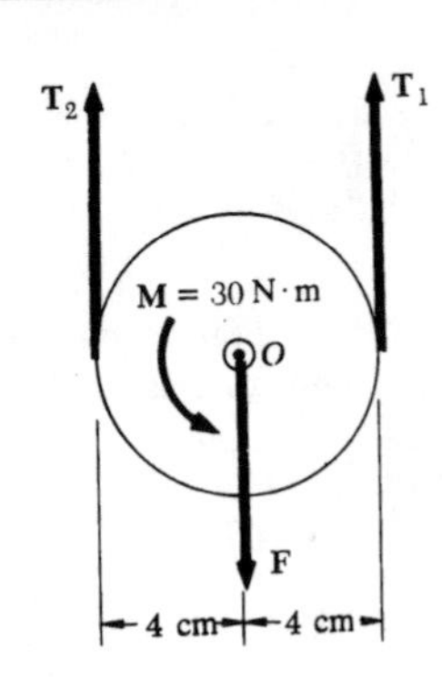


**Solution.** Nous avons dessiné ci-contre le schéma du tambour isolé. Les forces exercées sur le tambour par le ressort et par chaque extrémité de la courroie sont respectivement **F**, $\mathbf{T}_1$ et $\mathbf{T}_2$. La force $\mathbf{T}_2$ se trouve du côté gauche et, par conséquent, si le glissement a lieu, la courroie se déplacera par rapport au tambour dans le sens des aiguilles d'une montre.

$$+\circlearrowleft \Sigma M_O = 0: \qquad T_1 \text{ (4 cm)} - T_2 \text{ (4 cm)} + 30 \text{ N}\cdot\text{m} = 0$$
$$(T_2 - T_1)(4 \text{ cm}) = 360 \text{ N}\cdot\text{M}$$
$$T_2 - T_1 = 90 \text{ N} \qquad (1)$$

L'angle de contact entre la courroie et le tambour est de

$$\beta = 180° = 3{,}14 \text{ rad}$$

Puisque les valeurs de $T_1$ et $T_2$ correspondent à un glissement imminent, nous utilisons l'éq. (8.14)

$$\frac{T_2}{T_1} = e^{\mu_s \beta}$$
$$= e^{(0{,}30)(3{,}14)} = 2{,}57$$
$$T_2 = 2.57\ T_1 \qquad (2)$$

En introduisant $T_2$ tiré de l'éq. (2) dans l'éq. (1), nous obtenons

$$2{,}57T_1 - T_1 = 90 \text{ N}$$
$$1{,}57T_1 = 90 \text{ N}$$
$$T_1 = 57{,}3 \text{ N}$$
$$T_2 = 2{,}57(57{,}3 \text{ N}) = 147{,}3 \text{ N}$$

En exprimant que la somme des composantes verticales est nulle, nous tirons

$$+\uparrow \Sigma F_y = 0: \qquad T_1 + T_2 - F = 0$$
$$F = T_1 + T_2 = 57{,}3 \text{ N} + 147{,}3 \text{ N} = 204{,}6 \text{ N}$$

$$\mathbf{F} = 205 \text{ N} \downarrow \blacktriangleleft$$

## PROBLÈMES SUPPLÉMENTAIRES

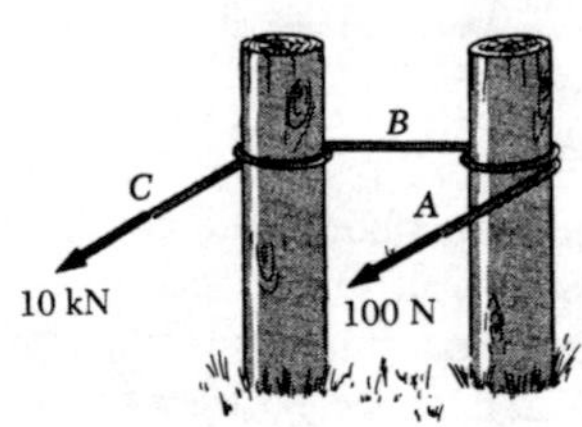

Fig. P8.87

**8.87** Une corde est enroulée autour de deux poteaux de la manière indiquée à la figure représentée ci-contre. On doit appliquer une force de 100 N à l'extrémité *A* pour résister à une force de 10 kN appliquée à l'autre extrémité *C*. Calculez : *a*) le coefficient de frottement statique entre la corde et les poteaux, *b*) l'effort correspondant dans la partie *B* de la corde.

**8.88** Une haussière est enroulée deux fois autour d'un cabestan. Un marin peut soutenir un effort de tension de 44,5 kN appliqué à l'extrémité de la haussière, en développant un effort de 712 N à l'autre extrémité. Calculez : *a*) le coefficient de frottement, *b*) le nombre de tours que la haussière doit faire autour du cabestan si on veut équilibrer une force de 178 kN par le même effort de 712 N.

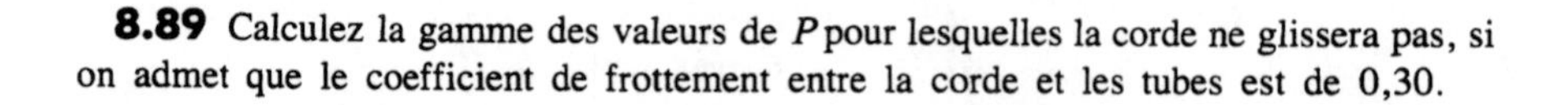
**8.89** Calculez la gamme des valeurs de *P* pour lesquelles la corde ne glissera pas, si on admet que le coefficient de frottement entre la corde et les tubes est de 0,30.

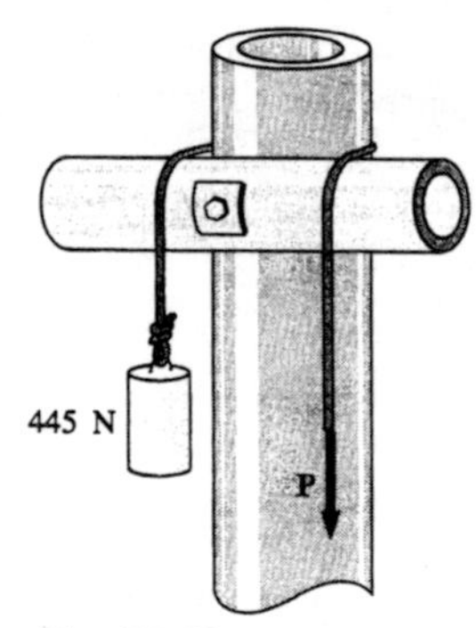

Fig. P8.89

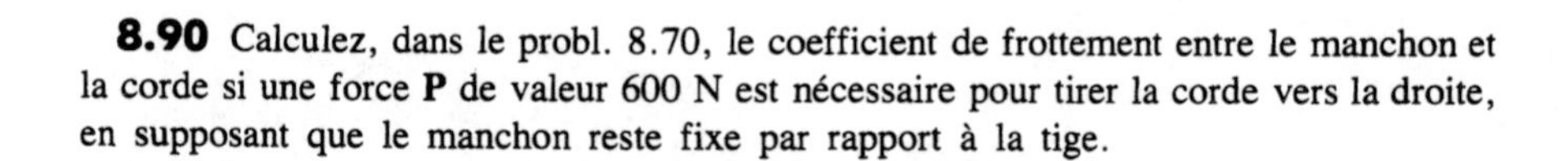
**8.90** Calculez, dans le probl. 8.70, le coefficient de frottement entre le manchon et la corde si une force **P** de valeur 600 N est nécessaire pour tirer la corde vers la droite, en supposant que le manchon reste fixe par rapport à la tige.

**8.91** Une courroie plate est utilisée pour transmettre un couple à la poulie *A*. Calculez le plus grand couple qu'on peut transmettre, si on limite à 3 kN l'effort de tension maximal dans la courroie. Dites si le glissement a lieu sur la poulie *A* ou sur la poulie *B*, lorsque le couple dépasse la valeur maximale.

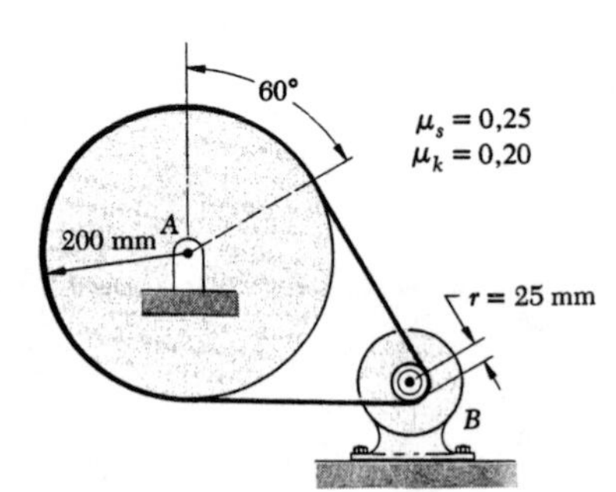

Fig. P8.91

**8.92** Une bande de frein est utilisée pour régler la vitesse d'un volant, suivant le montage dessiné à la figure représentée ci-contre. Quelle est la valeur du couple à appliquer au volant pour le maintenir en rotation à vitesse constante, lorsque $P$ = 35,6 N? Le volant tourne dans le sens des aiguilles d'une montre.

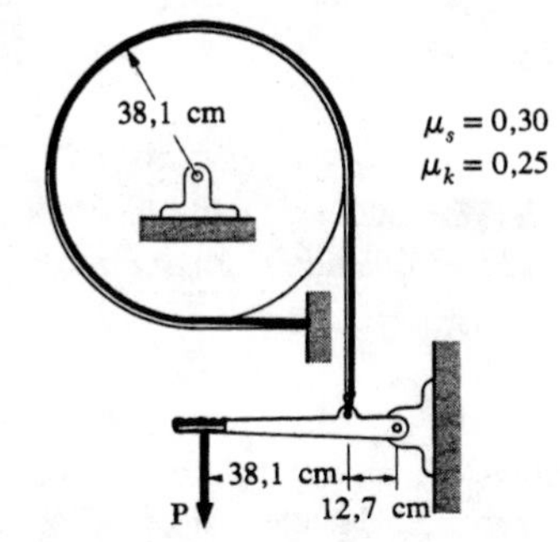

Fig. P8.92

**8.93** Résolvez le probl. 8.92 en supposant que le volant tourne dans le sens contraire aux aiguilles d'une montre.

**8.94** Un tambour de frein de rayon $r$ = 150 mm tourne dans le sens des aiguilles d'une montre lorsqu'on applique au point $D$ une force **P** de grandeur 75 N. Calculez le moment par rapport au point $O$ de toutes les forces de frottement appliquées au tambour lorsque $a$ = 75 mm et $b$ = 40 mm, si on admet que $\mu$ = 0,25.

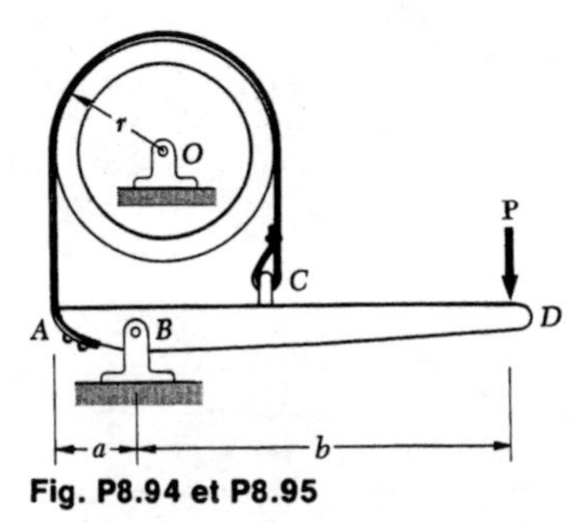

Fig. P8.94 et P8.95

**8.95** Calculez la valeur maximale de $\mu$ pour laquelle le frein n'est pas autobloquant, si on admet que $r$ = 150 mm et $a$ = 75 mm. Le tambour de frein tourne dans le sens des aiguilles d'une montre.

**8.96** Une corde passe autour de deux cylindres de 75 mm de diamètre. Calculez la plus grande masse $m$ qui peut être soulevée si le cylindre $B$ tourne lentement et le cylindre $A$ est fixe, sachant que $\mu$ = 0,25.

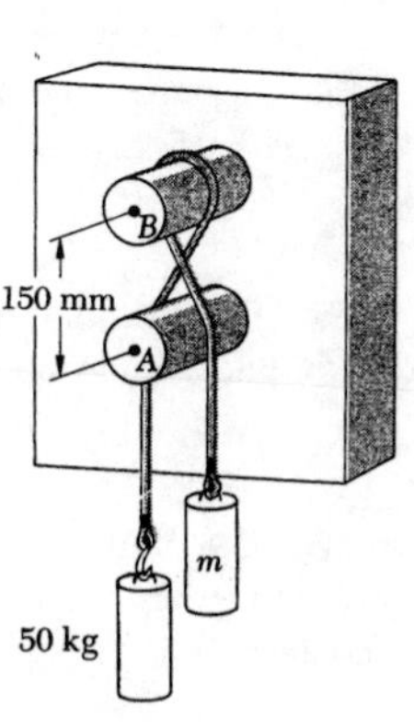

Fig. P8.96

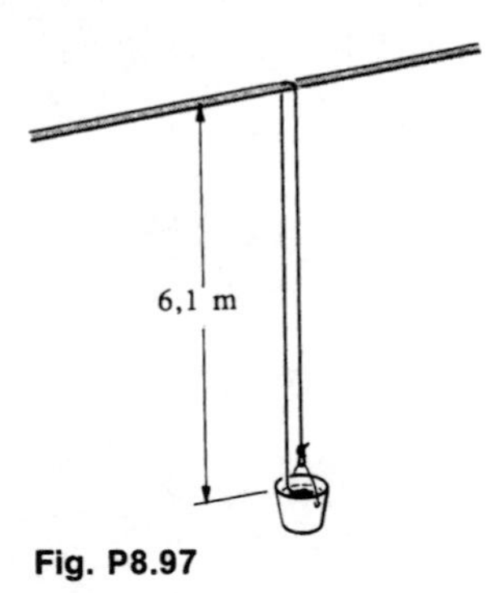


Fig. P8.97

**8.97** Une corde longue de 15,3 m passe sur un axe horizontal de petit diamètre. À l'une de ses extrémités, on a attaché un seau de poids 22,2 N; l'autre extrémité est enroulée à l'intérieur du seau. Le coefficient de frottement statique entre la corde et l'axe est de 0,30 et la corde a un poids de 7,3 N/m.
*a*) Montrez que le système est en équilibre si l'axe est maintenu fixe.
*b*) À quelle hauteur montera le seau avant que la corde ne commence à glisser, si l'axe tourne lentement? (Négligez le diamètre de l'axe.)

**8.98** Calculez, dans le probl. 8.97, jusqu'où le seau peut descendre avant que la corde commence à glisser sur l'axe.

**8.99** Un câble est tendu entre trois tuyaux de diamètre extérieur 100 mm, placés dans le même plan horizontal. Deux de ces tuyaux sont fixes; le troisième tourne lentement. Calculez, si on admet un $\mu = 0{,}30$ pour chaque tuyau, la plus grande masse $m$ qui peut être soulevée : *a*) si seulement le tuyau $A$ tourne, *b*) si seulement le tuyau $B$ tourne, *c*) si seulement le tuyau $C$ tourne.

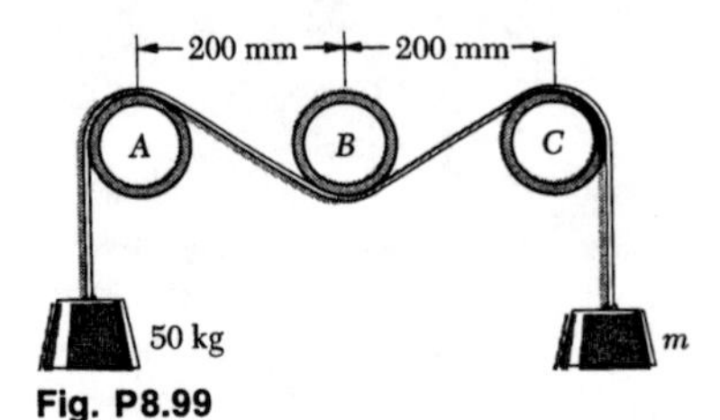


Fig. P8.99

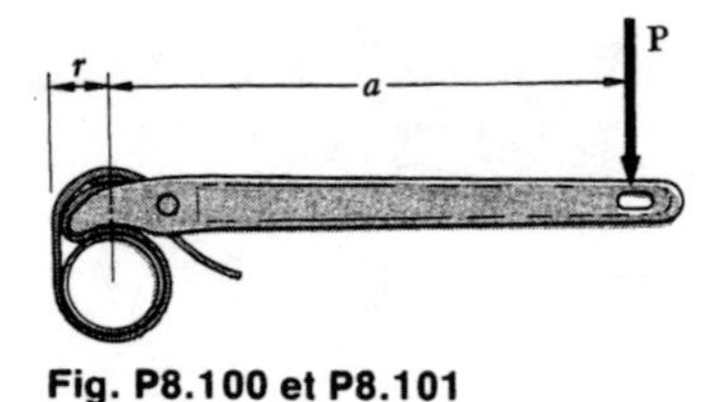


Fig. P8.100 et P8.101

**8.100** La clef à tubes serre fermement un tuyau sans abîmer sa surface extérieure. Calculez le coefficient de frottement minimal pour lequel la clef sera autobloquante, si on admet que $a = 254$ mm et $r = 50{,}8$ mm.

**8.101** Calculez la plus petite valeur du rapport $r/a$ pour laquelle la clef sera autobloquante, si on appelle $\mu$ le coefficient de frottement entre la bande de serrage et le tuyau.

**8.102** Résolvez le probl. 8.91 sachant que la courroie plate et la poulie sont remplacées par une poulie et une courroie en V avec $\alpha = 28°$. (L'angle $\alpha$ est indiqué à la fig. 8.15 *a*.)

**8.103** Démontrer l'éq. (8.15) qui établit une relation entre les efforts appliqués aux extrémités d'une courroie en V.

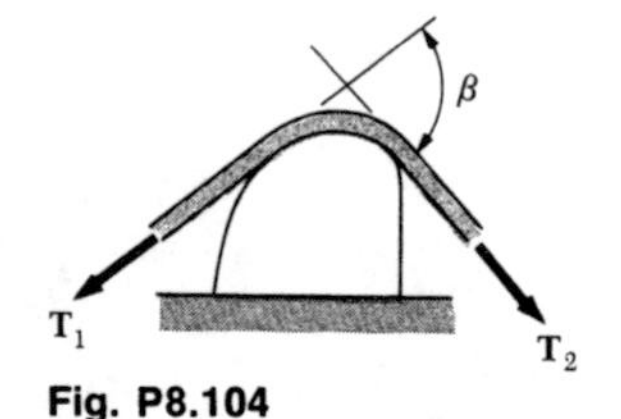


Fig. P8.104

**8.104** Démontrez que les éq. (8.13) et (8.14) sont valables pour toute forme de surface pourvu que le coefficient de frottement reste le même en tous les points de contact de cette surface.

## PROBLÈMES DE RÉVISION

**8.105** Deux tiges uniformes de poids $W$ sont attachées sans frottement par les deux axes $A$ et $B$. On constate que si $\theta$ dépasse 10°, les tiges ne sont plus en équilibre. Calculez le coefficient de frottement au point $C$.

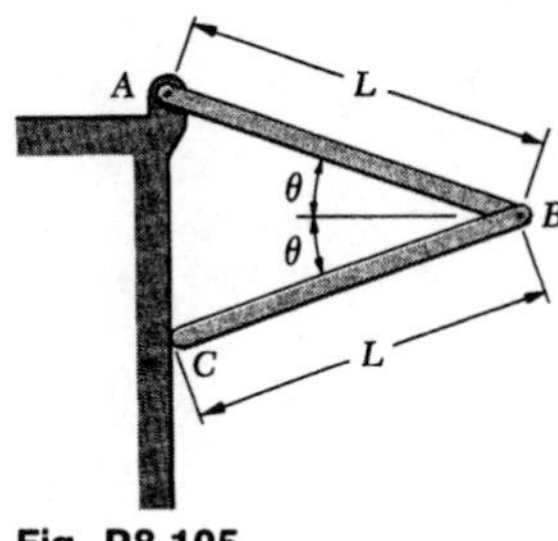

Fig. P8.105

**8.106** Calculez la plus petite valeur du coefficient de frottement pour laquelle trois cylindres identiques peuvent être placés tel qu'indiqué.

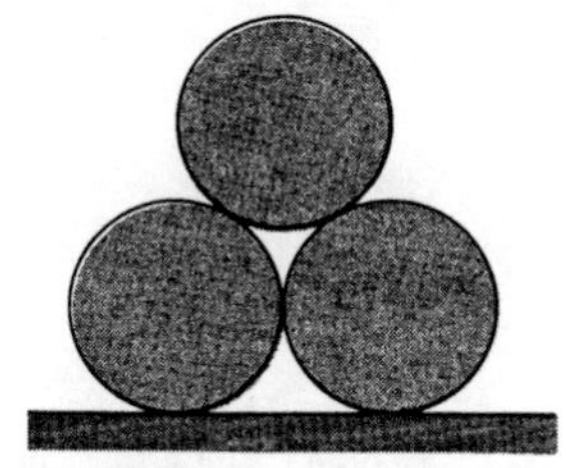
Fig. P8.106

**8.107** Une corde $ABCD$ passe sur deux cylindres. Calculez : $a$) le plus petit poids $W$ pour lequel l'équilibre est possible, $b$) l'angle $\theta$ pour lequel la force correspondante dans la partie $BC$ de la corde est de 222,5 N. On sait que $\mu = 0{,}30$.

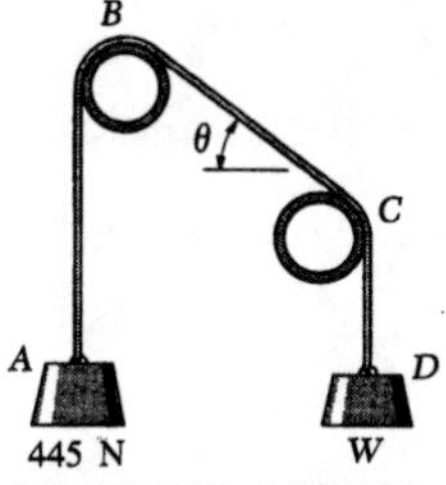

Fig. P8.107 et P8.108

**8.108** Une corde passe sur deux tuyaux. Le tuyau $C$ est fixe; le tuyau $B$ tourne lentement dans le sens contraire aux aiguilles d'une montre. Calculez : $a$) le plus grand poids $W$ qui peut être soulevé, $b$) la force correspondante développée dans la partie $BC$ de la corde. On admet que $\mu = 0{,}30$ et $\theta = 45°$.

**8.109** Le volant du mécanisme de transmission est en mouvement de rotation lente dans le sens contraire aux aiguilles d'une montre, sous l'action du couple **M**. Une force constante **P** est appliquée à la tige $BC$ qui glisse sans frottement dans les paliers $D$ et $E$. Calculez le moment du couple **M** en fonction de $P$, $r$, $\mu$ et $\theta$, si $\mu$ est le coefficient de frottement entre l'axe $A$ et la boutonnière.

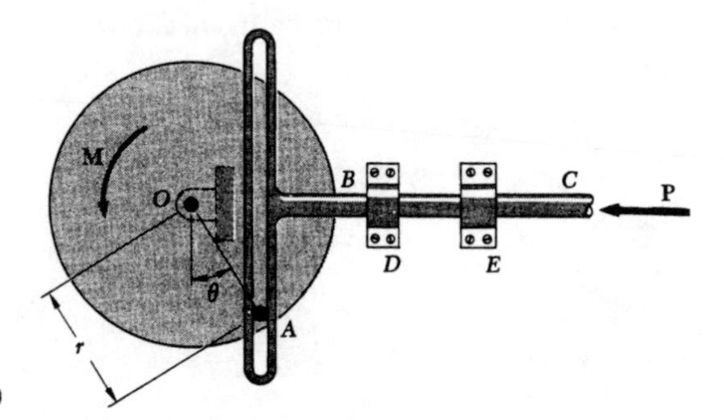

Fig. P8.109

**8.110** Un treuil d'un diamètre de 150 mm est utilisé pour soulever une charge de 40 kg. Il est supporté par deux axes et tourne dans deux coussinets d'un diamètre de 50 mm faiblement lubrifiés ($\mu$ = 0,40). Calculez la valeur de la force **P** requise pour soulever la charge, pour les deux positions indiquées à la fig. P8.110.

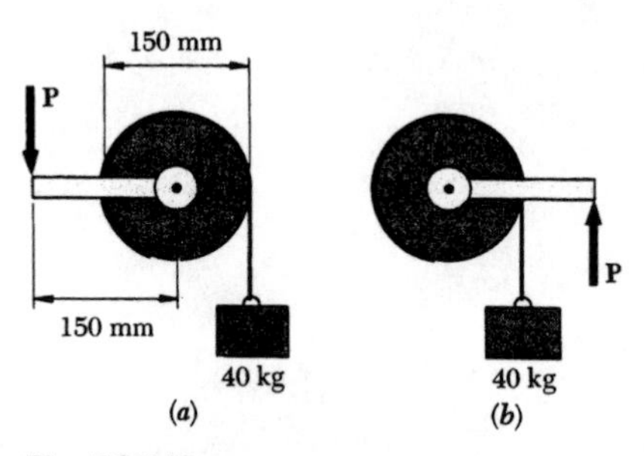


**Fig. P8.110**

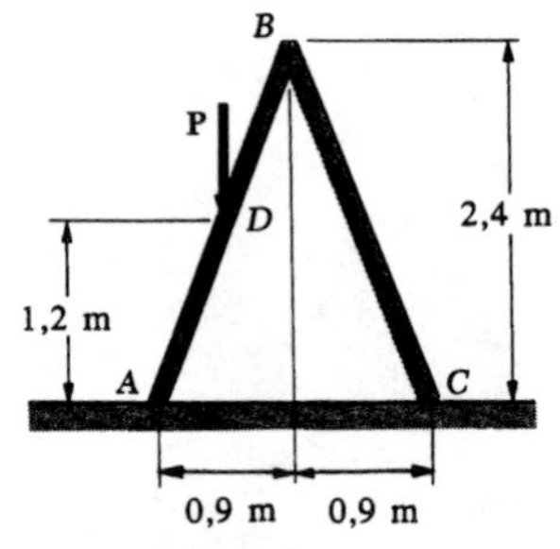


**Fig. P8.111**

**8.111** Deux planches uniformes de masse 20 kg chacune s'appuient l'une sur l'autre. Calculez : *a*) la plus grande valeur de la force **P** pour laquelle l'équilibre est maintenu, *b*) la grandeur de la surface de contact pour que le glissement des planches, l'une sur l'autre, soit imminent. On admet que le coefficient de frottement entre toutes les surfaces est de 0,40.

**8.112** Résolvez le probl. 8.111 en supposant que la force **P** est appliquée horizontalement au point *D* et orientée de gauche à droite.

**8.113** Calculez la grandeur de la force **P** nécessaire pour déplacer vers la gauche la plaque *B* qui a une masse de 20 kg. (Négligez le frottement des coussinets de la poulie.)

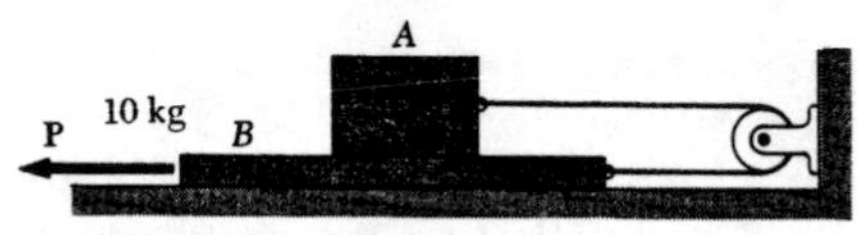


**Fig. P8.113**

**8.114** Un couple $\mathbf{M}_0$ de moment 203,4 N·m doit être appliqué à la poulie motrice *B* de façon à maintenir constante la vitesse de la courroie transporteuse. Calculez la tension minimale dans la partie inférieure de la courroie, si le glissement est imminent en admettant que $\mu$ = 0,20.

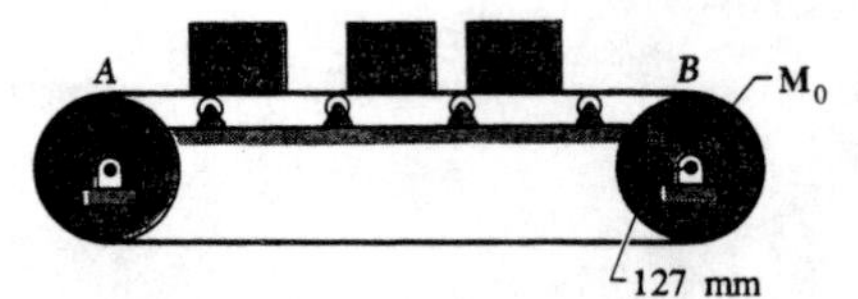


**Fig. P8.114**

**8.115** Un bloc de poids $W$ est au repos sur un plan incliné qui forme un angle $\theta$ avec le plan horizontal : on lui applique une force horizontale **P** parallèlement au plan incliné. Calculez : *a*) la grandeur de la force **P** requise pour déplacer le bloc, *b*) la direction dans laquelle le bloc va se déplacer. *c*) Calculez numériquement les valeurs en (*a*) et (*b*) lorsque $\theta = 15$, $\mu = 0{,}30$ et $W = 222{,}5$ N.

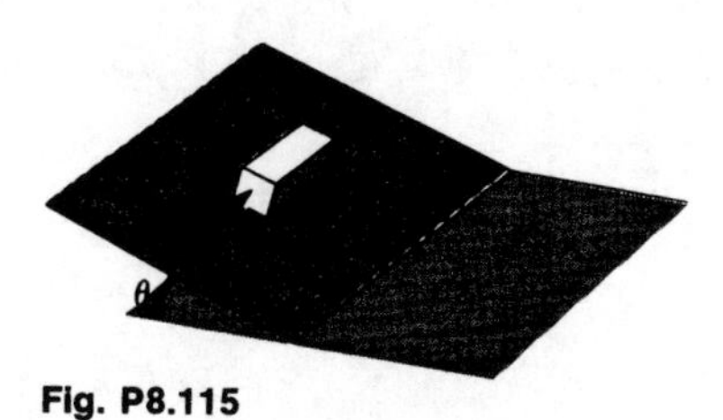

**Fig. P8.115**

**8.116** Une tige mince de section uniforme est attachée à un manchon $B$ et repose sur un cylindre de section circulaire de rayon $r$. Le manchon peut glisser sans frottement le long d'une tige verticale. Montrez que les plus grandes et les plus petites valeurs de $\theta$ correspondant à l'équilibre doivent satisfaire à l'équation

$$\tan\theta + \tan^2\theta \tan(\theta \pm \phi) = 1$$

où $\phi$ représente l'angle de frottement entre la tige et la surface cylindrique.

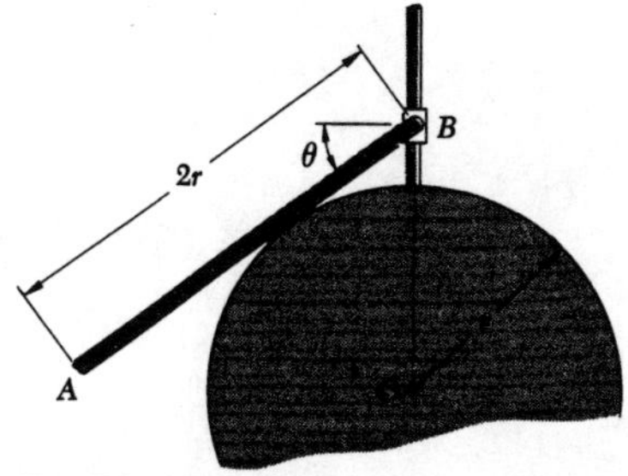

**Fig. P8.116**

CHAPITRE

# 9 Forces réparties : moments d'inertie

## MOMENTS D'INERTIE DES SURFACES

**9.1. Moment d'inertie d'une surface.** Nous avons étudié, au chap. 5, différents systèmes de forces réparties sur une surface. Les deux types les plus importants que nous avons analysés sont : 1) le poids des plaques homogènes d'épaisseur constante (de la section 5.2 à la section 5.4) et 2) les charges réparties sur une poutre ainsi que les forces hydrostatiques (sections 5.6 et 5.7). Dans le cas des plaques homogènes, la valeur $\Delta W$ du poids d'un élément de plaque était proportionnelle à la surface $\Delta A$ de cet élément. Dans le cas des charges réparties sur une poutre, la grandeur $\Delta W$ de chaque poids élémentaire était représentée par un élément de surface $\Delta A = \Delta W$ prise en dessous de la courbe de charge; dans le cas des forces hydrostatiques agissant sur des surfaces rectangulaires immergées dans un liquide, on avait encore suivi une procédure analogue. Par conséquent, dans tous les cas considérés au chap. 5, les forces réparties étaient proportionnelles aux surfaces élémentaires associées. La résultante de ces forces, cependant, pourrait s'obtenir en additionnant les surfaces correspondantes et le moment de la résultante par rapport à un axe quelconque pourrait être déterminé en calculant les moments statiques des surfaces par rapport au même axe.

Dans ce chapitre, nous considérons des forces réparties $\Delta\mathbf{F}$ dont la grandeur dépend non seulement de l'aire élémentaire $\Delta A$ sur laquelle elles agissent mais aussi de la distance de cette aire $\Delta A$ à un axe donné. D'une manière générale, la grandeur de la force par unité de surface $\Delta F/\Delta A$ variera linéairement avec sa distance à l'axe donné.

Considérons, par exemple, une poutre de section constante soumise à deux couples d'extrémité égaux et opposés. Un telle poutre est dite en *flexion pure*,

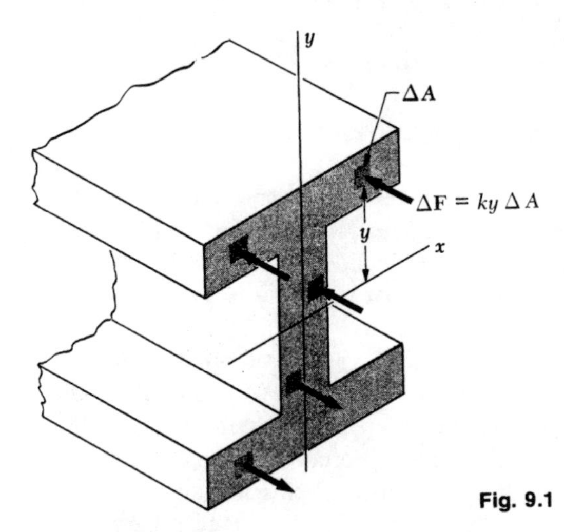


Fig. 9.1

et il sera démontré au cours de mécanique des matériaux que les forces internes appliquées à chaque section de la poutre sont des forces réparties dont la grandeur $\Delta F = ky\ \Delta A$ varie linéairement avec la distance $y$, mesurée à partir d'un axe qui passe par le centre de gravité (centroïde) de la section. Cet axe, représenté par $x$ dans la fig. 9.7, est appelé l'*axe neutre* de la section. Une section quelconque d'une poutre en flexion pure est donc divisée en deux parties par l'axe neutre : une partie est soumise à des efforts de compression (moitié supérieure) tandis que dans l'autre partie agissent des efforts de traction (moitié inférieure de la section représentée à la fig. 9.1). Le long de l'axe neutre les efforts sont nuls.

La grandeur de la résultante **R** des forces élémentaires $\Delta\mathbf{F}$ appliquées sur toute la surface est

$$R = \int ky\, dA = k\int y\, dA$$

Le dernier membre de cette équation est le moment statique de la section par rapport à l'axe des $x$; il est égal à $\bar{y}A$ et s'annule puisque le centre de gravité (centroïde) de la section se trouve sur l'axe $x$. Le système de forces $\Delta\mathbf{F}$ se réduit alors à un couple. Le moment $M$ de ce couple (moment de flexion) doit être égal à la somme des moments $\Delta M_x = y\ \Delta F = ky^2\ \Delta A$ des forces élémentaires. En intégrant le long de la section nous obtenons

$$M = \int ky^2\, dA = k\int y^2\, dA$$

La dernière intégrale est appelée le *moment d'inertie*† de la section de la poutre par rapport à l'axe $x$ et est notée $I_x$. On l'obtient en multipliant chaque élément

† En Amérique du Nord, on utilise souvent l'expression *deuxième moment* pour désigner le *moment d'inertie* des surfaces, afin de le distinguer du moment d'inertie des masses. En ingénierie, cependant, on utilise dans les deux cas l'expression *moment d'inertie*.

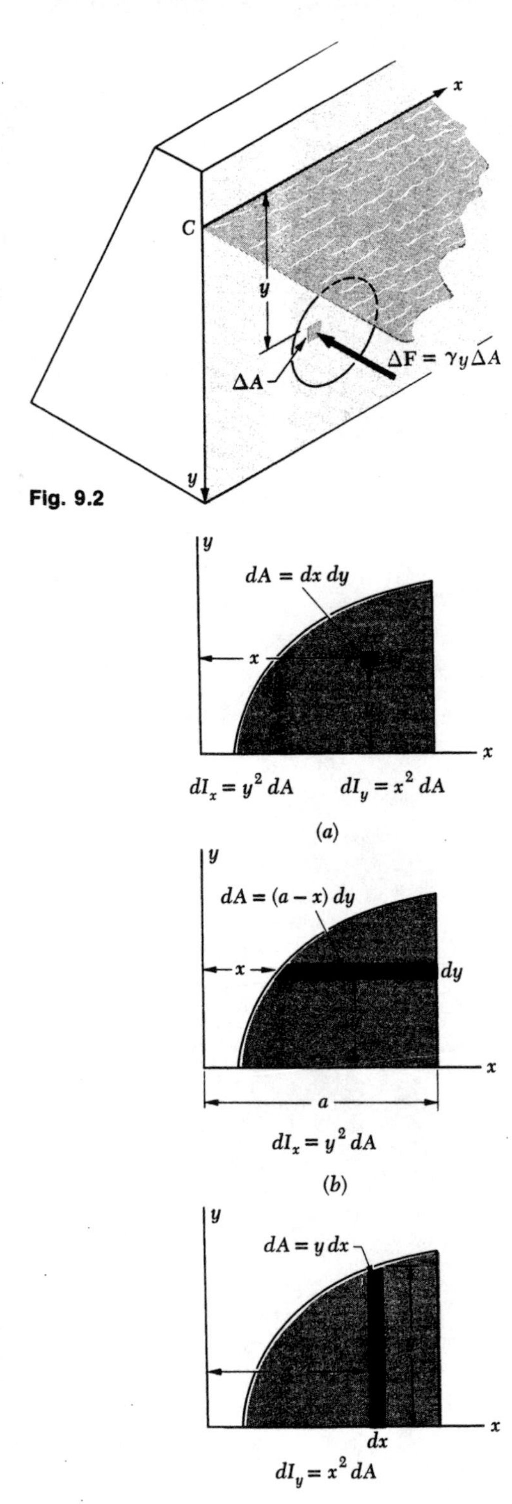

Fig. 9.2

(a)

(b)

Fig. 9.3 (c)

de surface $dA$ par le *carré de la distance* de l'élément à l'axe $x$ et en intégrant le long de la section. Puisque chaque produit $y^2 dA$ est toujours positif, quel que soit le signe de $y$ (ou encore nul si $y = 0$), l'intégrale $I_x$ sera toujours positive ou nulle.

Un autre exemple de moment d'inertie de surface est fourni par le problème suivant :

Une vanne circulaire verticale, utilisée pour fermer la sortie d'un grand réservoir, est soumise à des pressions hydrostatiques représentées à la fig. 9.2. Quelle est la résultante des forces exercées par le liquide sur la porte et quel est le moment de la résultante de ces forces calculé par rapport à la trace du plan de la vanne sur le plan de la surface du liquide (axe $x$)?

Si la vanne était rectangulaire, la résultante des forces de pression aurait pu être calculée à partir de la courbe des pressions, comme nous avons fait à la section 5.7. Mais comme la vanne est circulaire, cependant, nous devons avoir recours à une méthode plus générale. Appelons $y$ la profondeur d'un élément de surface $\Delta A$ et $\gamma$ le poids volumique de l'eau; alors la pression agissant sur l'élément $\Delta A$ est $p = \gamma y$ et la grandeur de la force élémentaire résultante est $\Delta F = p\ \Delta A = \gamma\ y\ \Delta A$. La résultante de toutes les forces élémentaires s'obtiendra par intégration sur toute la surface et sera

$$R = \int \gamma y\, dA = \gamma \int y\, dA$$

Comme on le voit, elle est déterminée en calculant le moment statique de la surface de la vanne par rapport à l'axe des $x$. Le moment $M_x$ de cette résultante doit être égal à la somme des moments $\Delta M_x = y\ \Delta F = \gamma y^2\ \Delta A$ des forces élémentaires. Si on intègre sur toute la surface de la vanne, nous avons

$$M_x = \int \gamma y^2\, dA = \gamma \int y^2\, dA$$

Ici encore, l'intégrale obtenue représente le moment d'inertie $I_x$, calculé par rapport à l'axe des $x$.

**9.2. Calcul du moment d'inertie d'une surface, par intégration.** Nous avons défini, dans la section précédente, le moment d'inertie d'une surface par rapport à l'axe $x$; en considérant l'axe de référence $y$, nous pouvons définir d'une manière identique le moment d'inertie de la surface par rapport à cet axe, et écrire (Fig. 9.3*a*)

$$I_x = \int y^2\, dA \qquad I_y = \int x^2\, dA \tag{9.1}$$

Ces deux intégrales, appelées *moments d'inertie orthogonaux* de la surface $A$, pourront être facilement calculées si nous choisissons une bande mince élémentaire, parallèle à l'un des axes de référence. Pour calculer $I_x$, la bande choisie doit être parallèle à l'axe $x$, de telle façon que tous les points composant la bande soient à la même distance $y$ de l'axe $x$ (Fig. 9.3*b*); le moment d'inertie $dI_x$ de la bande élémentaire est alors obtenu en multipliant la surface élémentaire $dA$ de la bande par $y^2$. Pour calculer $I_y$, la bande choisie doit être parallèle à l'axe $y$ et être telle que tous ses points sont à égale distance $x$ de l'axe $y$ (Fig. 9.3$c$); le moment d'inertie $dI_y$ de la bande élémentaire est $x^2\,dA$.

*Moment d'inertie d'une surface rectangulaire.* Nous allons calculer, à titre d'exemple, le moment d'inertie d'un rectangle par rapport à sa base (Fig. 9.4). Si nous divisons le rectangle en bandes élémentaires parallèles à l'axe $x$, nous obtenons

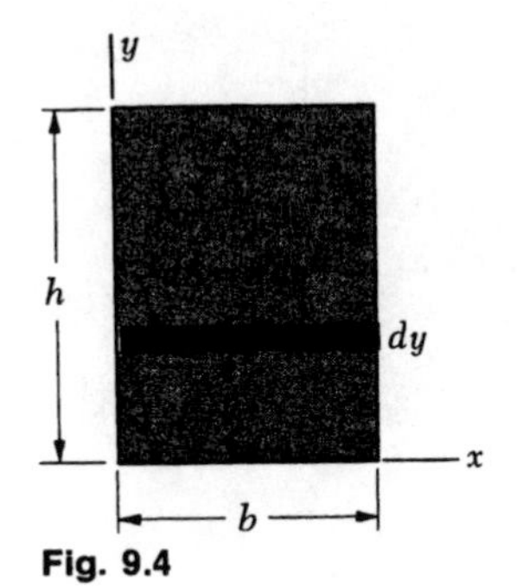

Fig. 9.4

$$dA = b\,dy \qquad dI_x = y^2 b\,dy \qquad I_x = \int_0^h by^2\,dy = \tfrac{1}{3}bh^3 \tag{9.2}$$

*Calcul de $I_x$ et $I_y$ à partir des mêmes bandes élémentaires.* La formule que nous venons de déduire peut être utilisée pour calculer le moment d'inertie $dI_x$ par rapport à l'axe $x$ d'une bande élémentaire rectangulaire parallèle à l'axe des $y$, comme celle indiquée à la fig. 9.3$c$. Si on pose $b = dx$ et $h = y$ dans l'éq. (9.2), nous aurons

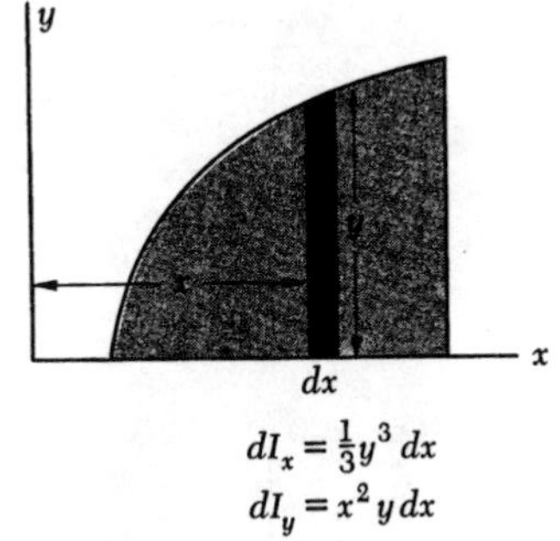

Fig. 9.5

$$dI_x = \tfrac{1}{3}y^3\,dx$$

D'autre part, nous avons

$$dI_y = x^2\,dA = x^2 y\,dx$$

Le même élément peut alors être utilisé pour calculer les moments d'inertie $I_x$ et $I_y$ d'une surface donnée (Fig. 9.5).

## 9.3. Moment d'inertie polaire.

Une intégrale de grande importance dans les problèmes traitant de la torsion des axes de transmission, ou encore de la rotation des plaques ou des volants d'inertie, est

$$J_O = \int r^2\,dA \tag{9.3}$$

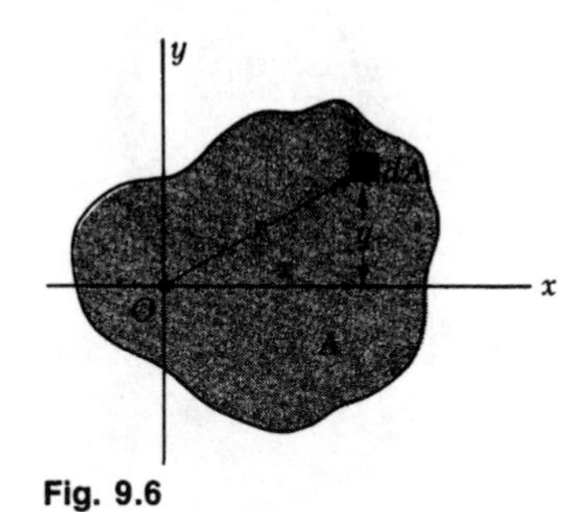

Fig. 9.6

où $r$ est la distance de l'élément de surface $dA$ au point $O$, appelé pôle (Fig. 9.6). Cette intégrale est le *moment d'inertie polaire* de la surface $A$ par rapport au point $O$.

Ce moment d'inertie polaire peut aussi se calculer à partir des moments $I_x$ et $I_y$. En effet, si on remarque $r^2 = x^2 + y^2$, nous avons

$$J_O = \int r^2\,dA = \int (x^2 + y^2)\,dA = \int y^2\,dA + \int x^2\,dA$$

c'est-à-dire

$$J_O = I_x + I_y \tag{9.4}$$

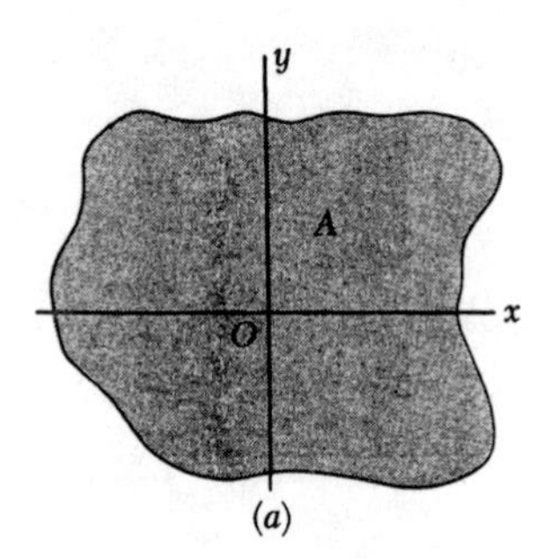

(a)

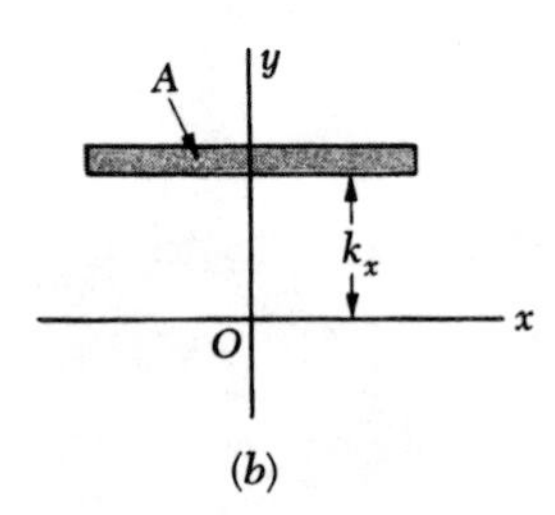

(b)

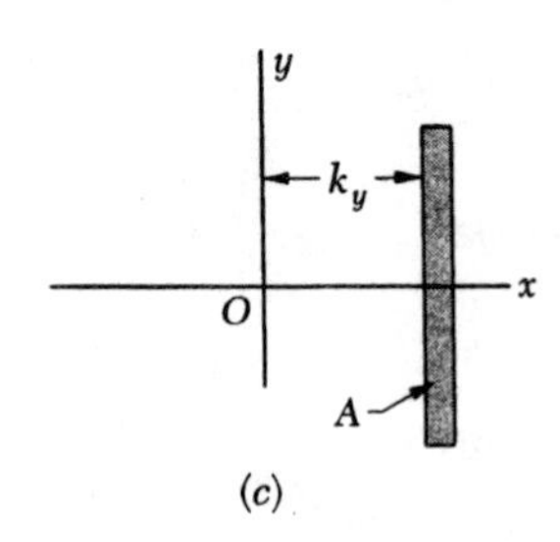

(c)

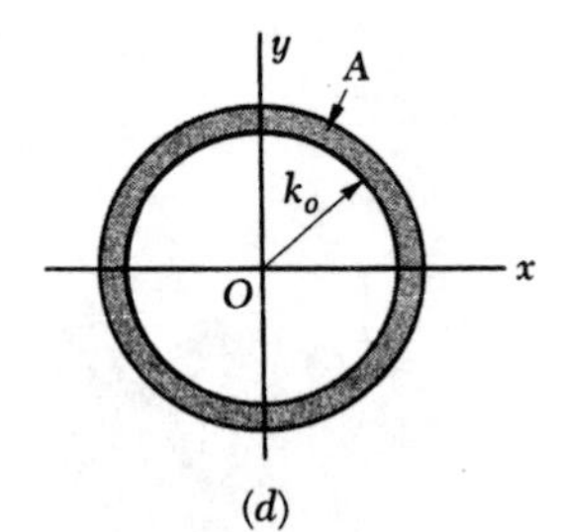

(d)

Fig. 9.7

**9.4. Rayon de giration des surfaces.** Considérons une surface $A$ et, par exemple, $I_x$, son moment d'inertie par rapport à l'axe $x$ (Fig. 9.7 *a*). Supposons que toute la surface $A$ est concentrée sur une bande de largeur infiniment petite et de longueur infinie parallèle à l'axe des $x$ (Fig. 9.7*b*). Pour que la surface $A$, ainsi tranformée, présente le même moment d'inertie $I_x$, cette bande doit se trouver à la distance $k_x$ de l'axe $x$ défini par la relation

$$I_x = k_x^2 A$$

soit

$$k_x = \sqrt{\frac{I_x}{A}} \tag{9.5}$$

Cette distance $k_x$ est appelée le *rayon de giration* de la surface $A$ par rapport à l'axe des $x$. Nous pouvons aussi définir de façon identique le rayon de giration $k_y$ et le rayon de giration polaire $k_O$; nous écrivons

$$I_y = k_y^2 A \qquad k_y = \sqrt{\frac{I_y}{A}} \tag{9.6}$$

$$J_O = k_O^2 A \qquad k_O = \sqrt{\frac{J_O}{A}} \tag{9.7}$$

Si on remplace $I_x$, $I_y$ et $J_O$ en fonction des rayons de giration dans l'éq. (9.4), nous aurons

$$k_O^2 = k_x^2 + k_y^2 \tag{9.8}$$

*Exemple.* Calculons, comme exemple, le rayon de giration $k_x$ du rectangle de la fig. 9.4. En utilisant les formules (9.5) et (9.2), nous écrivons

$$k_x^2 = \frac{I_x}{A} = \frac{\frac{1}{3}bh^3}{bh} = \frac{h^2}{3} \qquad k_x = \frac{h}{\sqrt{3}}$$

Le rayon de giration $k_x$ du rectangle est schématisé à la fig. 9.8. Il ne doit pas être confondu avec l'ordonnée $\bar{y} = h/2$ du centre de gravité (centroïde) de la surface. Tandis que $k_x$ dépend du *moment d'inertie de la surface*, l'ordonnée $\bar{y}$ dépend, elle, du *moment statique* de cette même surface.

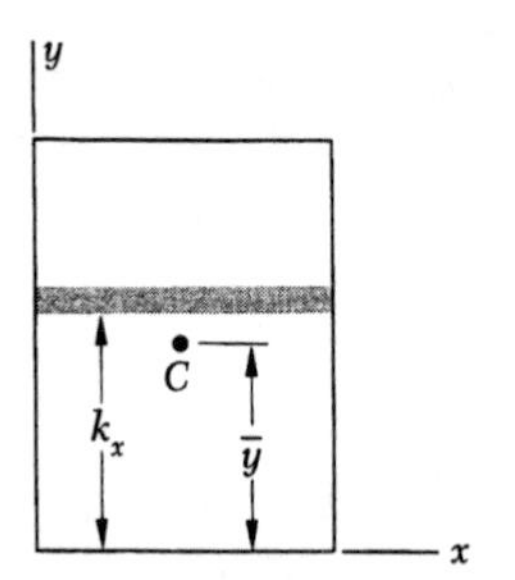

Fig. 9.8

## PROBLÈME RÉSOLU 9.1

Déterminez le moment d'inertie du triangle, reproduit ci-contre, par rapport à sa base.

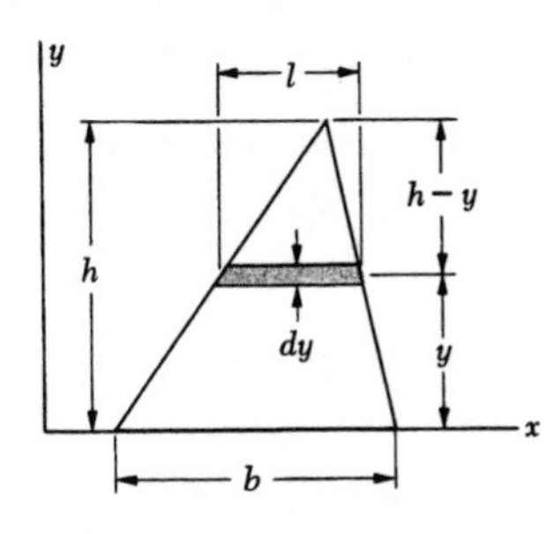


**Solution.** Soit un triangle de base $b$ et de hauteur $h$, l'axe $x$ coïncidant avec la base $b$. Choisissons une bande élémentaire parallèle à l'axe $x$. Comme tous les points de la bande élémentaire choisie sont par définition à égale distance de l'axe $x$, nous pouvons écrire

$$dI_x = y^2\,dA \qquad dA = l\,dy$$

Du théorème des triangles semblables, nous tirons

$$\frac{l}{b} = \frac{h-y}{h} \qquad l = b\frac{h-y}{h} \qquad dA = b\frac{h-y}{h}\,dy$$

En intégrant par rapport à $dI_x$ entre $y = 0$ et $y = h$, nous avons finalement

$$I_x = \int y^2\,dA = \int_0^h y^2 b\frac{h-y}{h}\,dy = \frac{b}{h}\int_0^h (hy^2 - y^3)\,dy$$

$$= \frac{b}{h}\left[h\frac{y^3}{3} - \frac{y^4}{4}\right]_0^h \qquad I_x = \frac{bh^3}{12} \blacktriangleleft$$

## PROBLÈME RÉSOLU 9.2

*a*) Calculez le moment d'inertie polaire d'une surface circulaire par rapport à son centre de gravité (centroïde). Procédez par intégration. *b*) En utilisant les résultats de l'alinéa (*a*), calculez le moment d'inertie de la même surface par rapport à son diamètre.

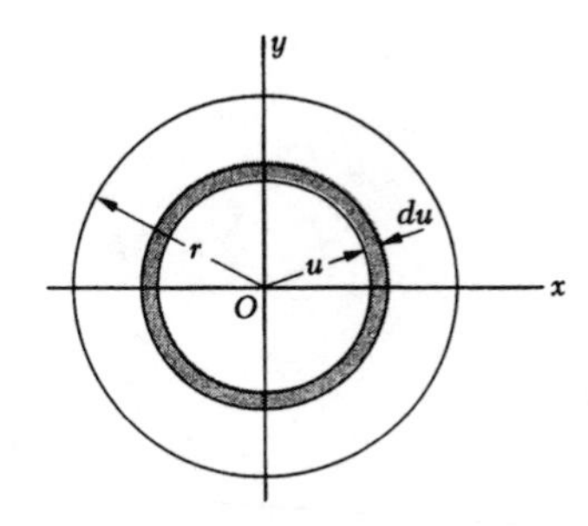


***a.* Moment d'inertie polaire** Choisissons un élément de surface annulaire. Puisque tous les points de cet élément sont à égale distance de l'origine, nous pouvons écrire

$$dJ_0 = u^2\,dA \qquad dA = 2\pi u\,du$$

$$J_0 = \int dJ_0 = \int_0^r u^2(2\pi u\,du) = 2\pi\int_0^r u^3\,du$$

$$J_0 = \frac{\pi}{2}r^4 \blacktriangleleft$$

***b.* Moment d'inertie.** À cause de la symétrie de l'aire circulaire, nous avons $I_x = I_y$. Nous avons alors

$$J_0 = I_x + I_y = 2I_x \qquad \frac{\pi}{2}r^4 = 2I_x \qquad I_{diamètre} = I_x = \frac{\pi}{4}r^4 \blacktriangleleft$$

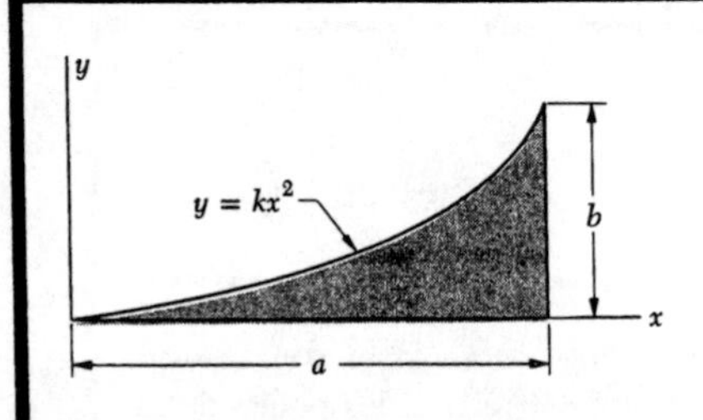


## PROBLÈME RÉSOLU 9.3

*a*) Calculez le moment d'inertie de la surface ombrée dessinée ci-contre par rapport aux deux axes de référence. Cette surface a déjà été traitée dans le problème résolu 5.4. *b*) À l'aide des résultats obtenus à l'alinéa (*a*), calculez le rayon de giration de la même surface par rapport à chacun des axes de référence.

**Solution.** En se rapportant au problème résolu 5.4, nous obtenons l'équation de la courbe $y$ et celle de la surface $A$.

$$y = \frac{b}{a^2}x^2 \qquad A = \tfrac{1}{3}ab$$

***Moment d'inertie $I_x$.*** Choisissons comme surface élémentaire une bande verticale, parallèle à l'axe $y$. Puisque tous les points de cette bande élémentaire *ne sont plus* à même distance de l'axe $x$, nous devons l'assimiler à un rectangle mince. Son moment d'inertie par rapport à $x$ est donc :

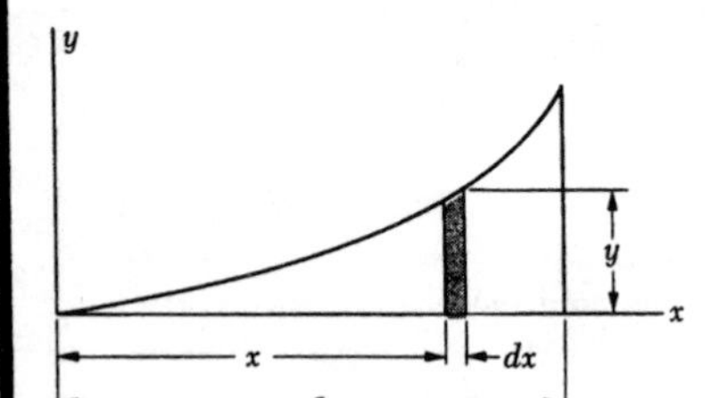


$$dI_x = \tfrac{1}{3}y^3\,dx = \frac{1}{3}\left(\frac{b}{a^2}x^2\right)^3 dx = \frac{1}{3}\frac{b^3}{a^6}x^6\,dx$$

$$I_x = \int dI_x = \int_0^a \frac{1}{3}\frac{b^3}{a^6}x^6\,dx = \left[\frac{1}{3}\frac{b^3}{a^6}\frac{x^7}{7}\right]_0^a$$

$$I_x = \frac{ab^3}{21} \quad ◄$$

***Moment d'inertie $I_y$.*** Nous utiliserons la même surface élémentaire. Puisque maintenant tous les points de cette bande sont à même distance de l'axe $y$, nous aurons :

$$dI_y = x^2\,dA = x^2(y\,dx) = x^2\left(\frac{b}{a^2}x^2\right)dx = \frac{b}{a^2}x^4\,dx$$

$$I_y = \int dI_y = \int_0^a \frac{b}{a^2}x^4\,dx = \left[\frac{b}{a^2}\frac{x^5}{5}\right]_0^a$$

$$I_y = \frac{a^3b}{5} \quad ◄$$

***Rayons de giration $k_x$ et $k_y$.***

$$k_x^2 = \frac{I_x}{A} = \frac{ab^3/21}{ab/3} = \frac{b^2}{7} \qquad k_x = \sqrt{\tfrac{1}{7}}\,b \quad ◄$$

$$k_y^2 = \frac{I_y}{A} = \frac{a^3b/5}{ab/3} = \tfrac{3}{5}a^2 \qquad k_y = \sqrt{\tfrac{3}{5}}\,a \quad ◄$$

## PROBLÈMES SUPPLÉMENTAIRES

**9.1 à 9.4** Calculez, par intégration, le moment d'inertie $I_y$ des surfaces ombrées dessinées ci-dessous.

**9.5 à 9.8** Calculez, par intégration, le moment d'inertie $I_x$ des surfaces ombrées dessinées ci-dessous.

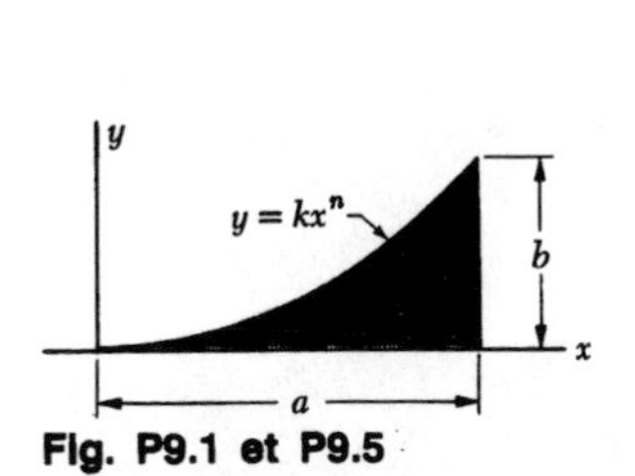


**Fig. P9.1 et P9.5**

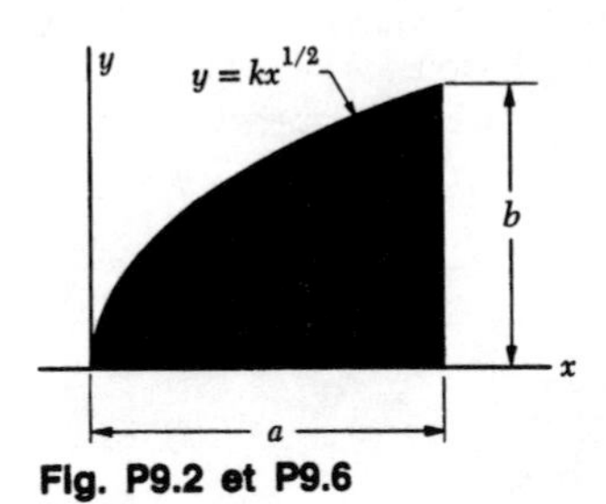


**Fig. P9.2 et P9.6**

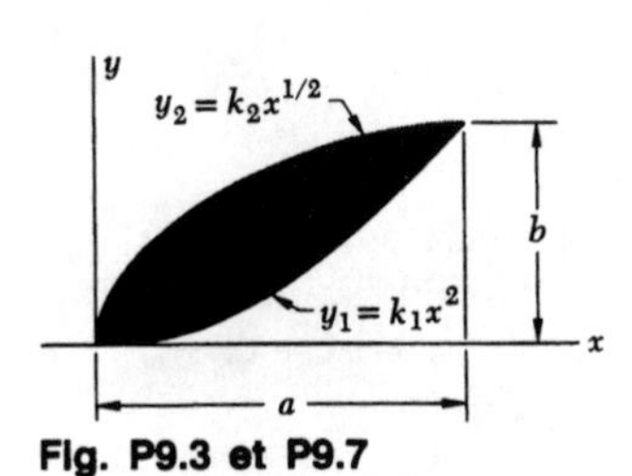


**Fig. P9.3 et P9.7**

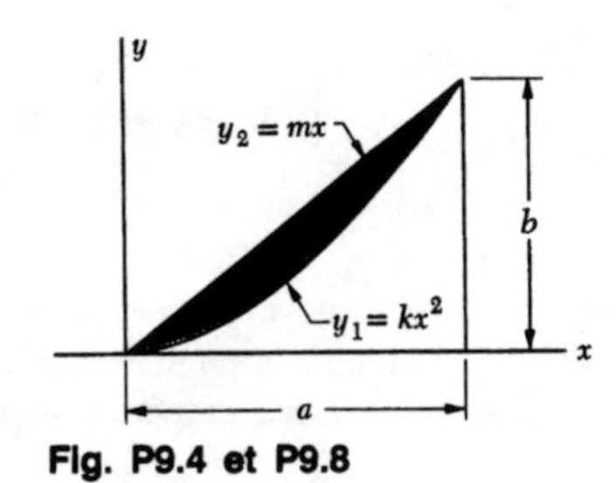


**Fig. P9.4 et P9.8**

**9.9 et 9.10** Calculez le moment d'inertie $I_x$ et le rayon de giration $k_x$ des surfaces ombrées sur les figures représentées ci-dessous.

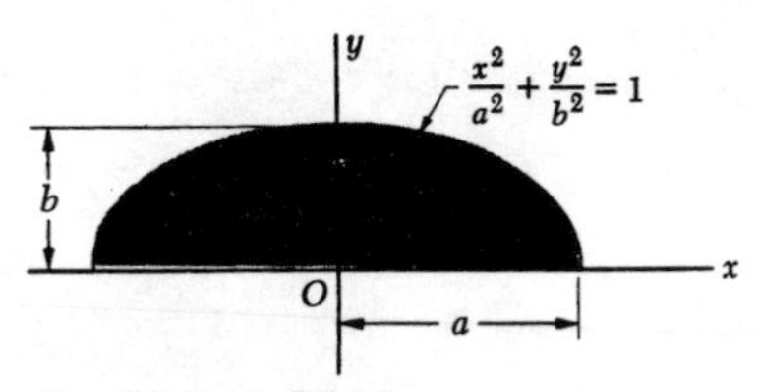


**Fig. P9.9 et P9.11**

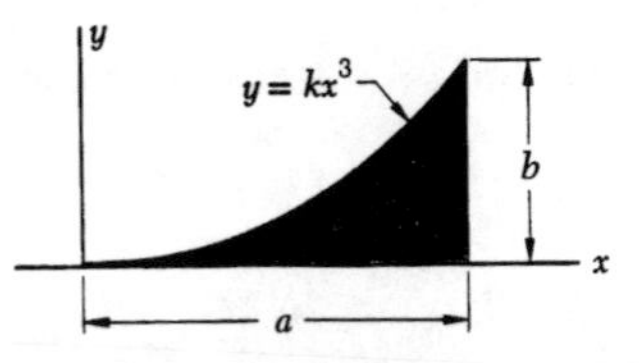


**Fig. P9.10 et P9.12**

**9.11 et 9.12** Calculez le moment d'inertie $I_y$ et le rayon de giration $k_y$ des surfaces ombrées sur les figures représentées ci-dessus.

**9.13** Calculez le moment d'inertie polaire et le rayon de giration polaire d'un carré de côté $a$, par rapport au point milieu d'un de ses côtés.

**9.14** Calculez le moment d'inertie polaire et le rayon de giration polaire d'un carré de côté $a$, par rapport à un de ses sommets.

**9.15** *a*) Calculez, par intégration, le moment d'inertie polaire $J_o$ de la surface annulaire représentée ci-dessous. *b*) Utilisant le résultat précédent, calculez le moment d'inertie de la même surface par rapport à l'axe $x$.

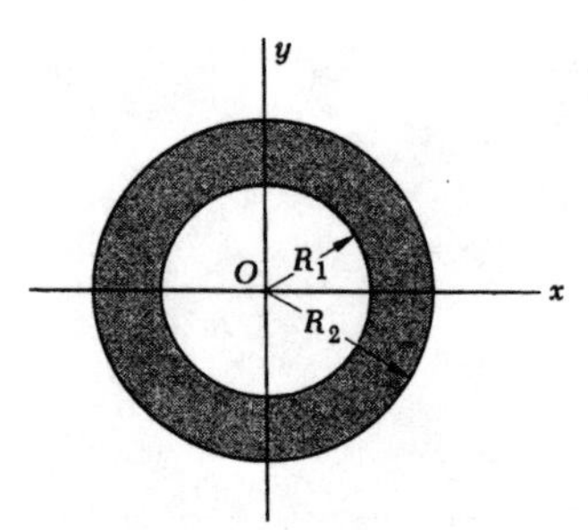


**Fig. P9.15 et P9.16**

**9.16** *a)* Montrez que le rayon de giration $k_o$ de la surface annulaire précédente est approximativement égal au rayon moyen $R_m = (R_1 + R_2)/2$ pour des petites valeurs de l'épaisseur $t = R_2 - R_1$. *b*) Calculez le pourcentage d'erreur résultant de l'usage de $R_m$ au lieu de $k_o$ pour des valeurs de $t/R_m$ respectivement égales à 1, $\frac{1}{2}$ et $\frac{1}{10}$ .

***9.17** Démontrez que le moment d'inertie polaire par rapport au centre de gravité d'une figure quelconque $A$, ne peut pas être plus petit que $A^2/2\pi$. (Méthode : comparez le moment d'inertie d'une surface quelconque avec le moment d'inertie d'une surface circulaire de même aire et de même centre de gravité.)

***9.18** Calculez le moment d'inertie $I_x$ de la surface ombrée illustrée ci-dessous.

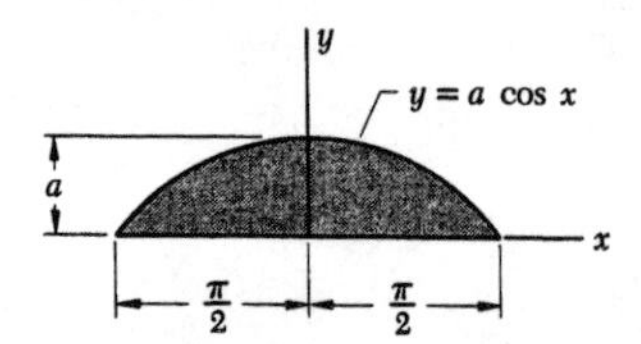


**Fig. P9.18 et P9.19**

**9.19** Calculez le moment d'inertie $I_y$ de la surface ombrée représentée ci-dessus.

**9.5. Théorème des axes parallèles.** Considérons le moment d'inertie $I$ d'une surface donnée, calculé par rapport à l'axe $AA'$ (Fig. 9.9). Appelons $y$ la distance de l'élément $dA$ à l'axe $AA'$ : nous pouvons écrire

$$I = \int y^2 \, dA$$

Traçons parallèlement à $AA'$ un deuxième axe $BB'$ passant par le centre de gravité (centroïde) $C$ de la surface : cet axe est appelé *axe central.* Si on

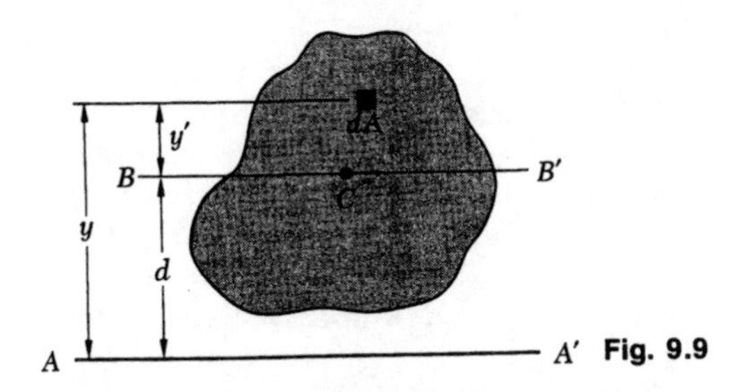

**Fig. 9.9**

appelle $y'$ la distance de l'élément de surface $dA$ au nouvel axe $BB'$, nous pouvons écrire $y = y' + d$, où $d$ est la distance entre $AA'$ et $BB'$. En remplaçant $y$ dans l'équation du moment $I$, nous aurons

$$\begin{aligned} I &= \int y^2 \, dA = \int (y' + d)^2 \, dA \\ &= \int y'^2 \, dA + 2d \int y' \, dA + d^2 \int dA \end{aligned}$$

La première intégrale représente le moment d'inertie $\bar{I}$ de la surface par rapport à l'axe central $BB'$. La seconde représente le moment statique de la surface par rapport à l'axe $BB'$ : et comme cet axe contient le centre de gravité (centroïde), ce moment statique est nul. Finalement, nous constatons que la dernière intégrale $\int dA$ représente la surface $A$. Nous aurons

$$I = \bar{I} + Ad^2 \tag{9.9}$$

Cette équation nous montre que le moment d'inertie d'une surface par rapport à un axe donné $AA'$ est égal au moment d'inertie $\bar{I}$ de la surface par rapport à un axe $BB'$ passant par le centre de gravité (centroïde) de la figure et parallèle à $AA'$, plus le produit de la surface par le carré de la distance entre les deux axes. Ce théorème, connu sous le nom de *théorème des axes parallèles,* peut aussi s'exprimer en fonction des rayons de giration, en remplaçant $I$ par $k^2A$ et $\bar{I}$ par $\bar{k}^2A$

$$k^2 = \bar{k}^2 + d^2 \tag{9.10}$$

De la même façon, nous pourrions établir un théorème relatif au moment d'inertie polaire $J_o$ de la surface par rapport au point $O$ et au moment d'inertie polaire $\bar{J}_C$ de la même surface, calculé par rapport à son centre de gravité (centroïde) $C$ et écrire

$$J_O = \bar{J}_C + Ad^2 \qquad \text{ou} \qquad k_O^2 = \bar{k}_C^2 + d^2 \tag{9.11}$$

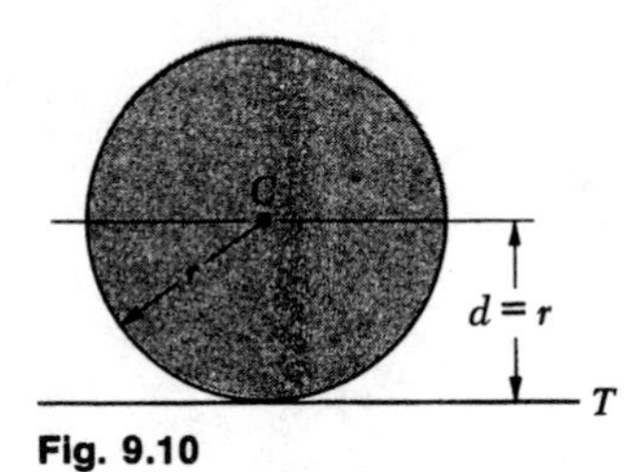

Fig. 9.10

*Exemple 1.* Comme application du théorème des axes parallèles, nous allons déterminer le moment d'inertie $I_T$ d'une surface circulaire par rapport à un axe tangent au cercle (Fig. 9.10). Nous avons trouvé dans le problème résolu 9.2 que le moment d'inertie de la surface circulaire par rapport au centre de gravité (centroïde) est $\bar{I} = \frac{1}{4}\pi r^4$. Nous écrirons alors

$$I_T = \bar{I} + Ad^2 = \tfrac{1}{4}\pi r^4 + \pi r^2 r^2 = \tfrac{5}{4}\pi r^4$$

*Exemple 2.* Le théorème des axes parallèles peut aussi être utilisé pour déterminer le moment d'inertie par rapport à un axe central $BB'$, c'est-à-dire passant par le centre de gravité (centroïde) d'une surface, lorsqu'on connaît le moment d'inertie de cet surface par rapport à un axe parallèle $AA'$. En effet, considérons par exemple la surface triangulaire de la fig. 9.11. Nous avons vu dans le problème résolu 9.1 que le moment d'inertie du triangle par rapport à sa base $AA'$ vaut $\frac{1}{2}\, bh^3$. Utilisant le théorème des axes parallèles, nous avons alors

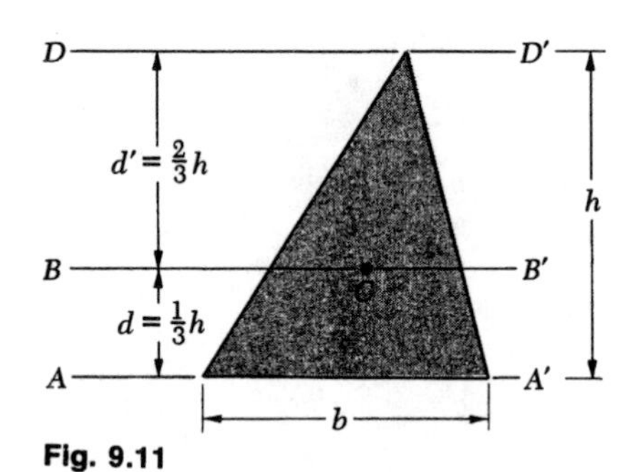

Fig. 9.11

$$I_{AA'} = \bar{I}_{BB'} + Ad^2$$
$$\bar{I}_{BB'} = I_{AA'} - Ad^2 = \tfrac{1}{12}bh^3 - \tfrac{1}{2}bh(\tfrac{1}{3}h)^2 = \tfrac{1}{36}bh^3$$

Remarquons que le produit $Ad^2$ est soustrait du moment d'inertie donné de façon à obtenir le moment central d'inertie : le moment central d'inertie est donc toujours plus petit que le moment d'inertie par rapport à un axe parallèle.

Si nous retournons à la fig. 9.11, nous pouvons voir que le moment d'inertie du triangle par rapport à l'axe $DD'$ passant par un sommet s'écrit

$$I_{DD'} = \bar{I}_{BB'} + Ad'^2 = \tfrac{1}{36}bh^3 + \tfrac{1}{2}bh(\tfrac{2}{3}h)^2 = \tfrac{1}{4}bh^3$$

Notons encore que $I_{DD'}$ *ne pourra pas* se calculer à partir de $I_{AA'}$ : le théorème ne s'applique que si un des deux axes passe par le centre de gravité (centroïde) de la surface.

**9.6. Moments d'inertie des surfaces composées.** Considérons une surface composée $A$, formée de plusieurs surfaces $A_1$, $A_2$, etc. Puisque l'intégrale représentant le moment d'inertie de la surface $A$ par rapport à un axe quelconque peut se décomposer dans une série d'intégrales calculées sur $A_1$, $A_2$, etc., le moment d'inertie de la surface $A$ par rapport à un axe donné peut s'obtenir en additionnant les moments d'inertie des différents éléments $A_1$, $A_2$, etc. par rapport à ce même axe. Le moment d'inertie d'une surface composée peut se calculer en additionnant les moments d'inertie des éléments composants. Mais avant d'additionner les moments d'inertie des éléments composants, nous devons cependant utiliser le théorème des axes parallèles pour connaître chaque moment d'inertie par rapport aux axes donnés. Ceci est mis en évidence aux probl. résolus 9.4 et 9.5.

| | | |
|---|---|---|
| Rectangle | 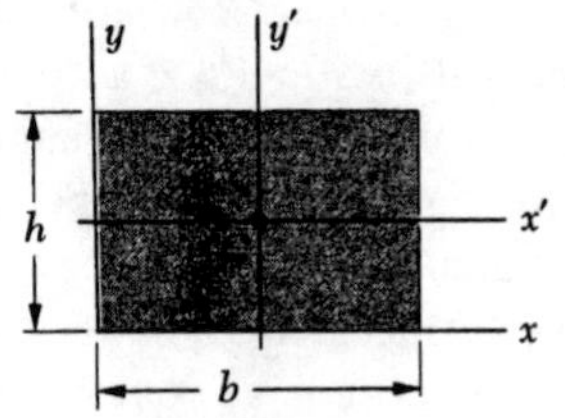 | $\bar{I}_{x'} = \frac{1}{12}bh^3$<br>$\bar{I}_{y'} = \frac{1}{12}b^3h$<br>$I_x = \frac{1}{3}bh^3$<br>$I_y = \frac{1}{3}b^3h$<br>$J_C = \frac{1}{12}bh(b^2 + h^2)$ |
| Triangle | 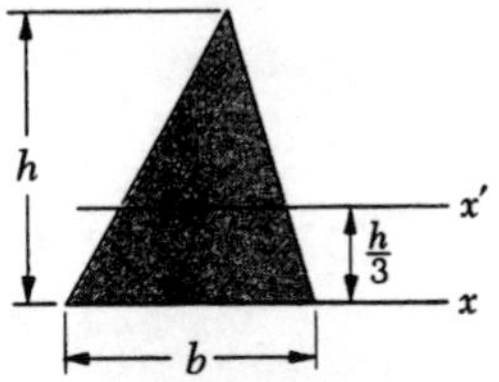 | $\bar{I}_{x'} = \frac{1}{36}bh^3$<br>$I_x = \frac{1}{12}bh^3$ |
| Cercle | 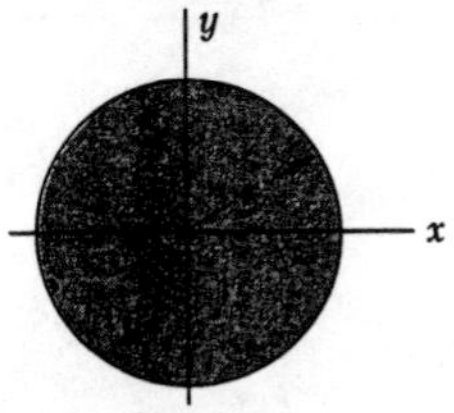 | $\bar{I}_x = \bar{I}_y = \frac{1}{4}\pi r^4$<br>$J_O = \frac{1}{2}\pi r^4$ |
| Demi-cercle | 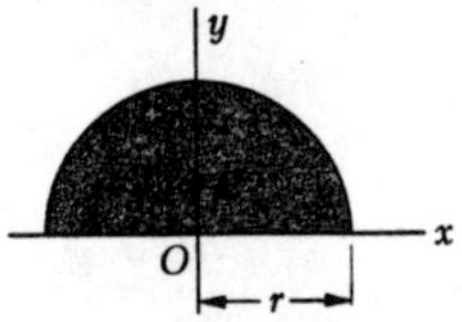 | $I_x = I_y = \frac{1}{8}\pi r^4$<br>$J_O = \frac{1}{4}\pi r^4$ |
| Quart de cercle | 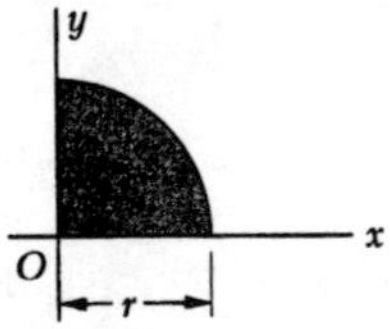 | $I_x = I_y = \frac{1}{16}\pi r^4$<br>$J_O = \frac{1}{8}\pi r^4$ |
| Ellipse | 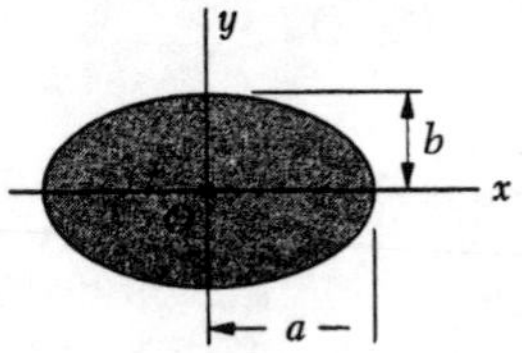 | $\bar{I}_x = \frac{1}{4}\pi ab^3$<br>$\bar{I}_y = \frac{1}{4}\pi a^3b$<br>$J_O = \frac{1}{4}\pi ab(a^2 + b^2)$ |

**Fig. 9.12** Moments d'inertie des figures géométriques usuelles

Les caractéristiques des sections des différentes poutrelles d'acier de dimensions les plus courantes sont indiquées au tableau 9.13. Comme nous l'avons fait remarquer à la section 9.1, le moment d'inertie d'une section de poutre par rapport à son axe neutre est relié aux forces internes agissant sur chaque section de la poutre. La connaissance des moments d'inertie est par conséquent un préalable essentiel dans l'analyse et le calcul des structures portantes. Remarquons enfin que le rayon de giration des surfaces composées *n'est pas* égal à la somme des rayons de giration des aires composantes. Pour pouvoir déterminer le rayon de giration de la surface composée, il est nécessaire de calculer le moment d'inertie de celle-ci.

**Fig. 9.13** Caractéristiques de certains profilés en acier laminé

| **Profilé** | | **Désignation** | **Largeur po (cm)** |
|---|---|---|---|
| I à ailes larges | 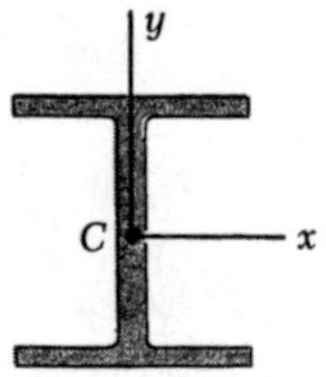 $y$, $C$, $x$ | W16 × 64†<br>W14 × 43<br>W8 × 31 | $8\frac{1}{2}$ (21,59)<br>8 (20,32)<br>8 (20,32) |
| American Standard I | 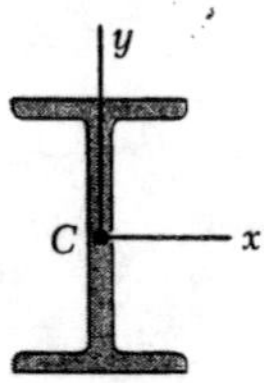 $y$, $C$, $x$ | S18 × 70†<br>S12 × 35<br>S6 × 12,5 | $6\frac{1}{4}$ (15,88)<br>$5\frac{1}{8}$ (13,02)<br>$3\frac{3}{8}$ (8,57) |
| American Standard U | 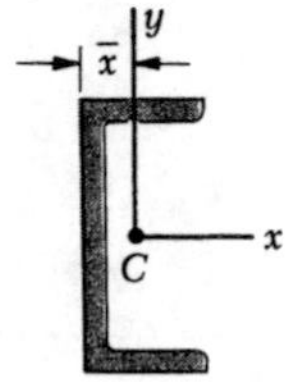 $y$, $\bar{x}$, $C$, $x$ | C10 × 25†<br>C8 × 11,5<br>C6 × 8,2 | $2\frac{7}{8}$ (7,30)<br>$2\frac{1}{4}$ (5,72)<br>$1\frac{7}{8}$ (4,76) |
| Cornières | 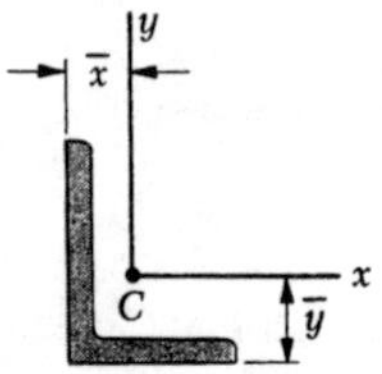 $y$, $\bar{x}$, $C$, $x$, $\bar{y}$ | L6 × 6 × 1‡<br>L4 × 4 × $\frac{1}{2}$<br>L8 × 6 × 1<br>L5 × $3\frac{1}{2}$ × $\frac{1}{2}$ | |

† La hauteur de l'âme est donnée en pouces et le poids linéaire en lb/pi.

‡ Les dimensions sont données en pouces.

| Surface po² (cm²) | $\bar{I}_x$, po⁴ (X 10³ cm⁴) | $\bar{k}_x$, po (cm) | $\bar{y}$, po (cm) | $\bar{I}_y$, po⁴ (X 10³ cm⁴) | $\bar{k}_y$, po (cm) | $\bar{x}$, po (cm) |
|---|---|---|---|---|---|---|
| 18.80 (121,3)<br>12.60 (81,3)<br>9.12 (58,8) | 836 (34,8)<br>429 (17,8)<br>110 (4,58) | 6.66 (16,92)<br>5.82 (14,78)<br>3.47 (8,814) | . . .<br>. . .<br>. . . | 73.3 (3,05)<br>45.1 (1,88)<br>37.0 (1,54) | 1.97 (5,0)<br>1.89 (4,80)<br>2.01 (5,10) | |
| 20.6 (132,9)<br>10.3 (66,4)<br>3.67 (23,7) | 926 (38,5)<br>229 (9,53)<br>21.1 (0,878) | 6.71 (17,04)<br>4.72 (11,99)<br>2.45 (6,22) | . . .<br>. . .<br>. . . | 24.1 (1,0)<br>9.87 (0,410)<br>1.8 (0,075) | 1.08 (2,74)<br>0.98 (2,49)<br>0.71 (1,80) | |
| 7.35 (47,4)<br>3.38 (21,8)<br>2.40 (15,5) | 91.2 (3,8)<br>32.6 (1,36)<br>13.1 (0,545) | 3.52 (8,94)<br>3.11 (7,90)<br>2.34 (5,94) | . . .<br>. . .<br>. . . | 3.4 (0,141)<br>1.3 (0,054)<br>0.7 (0,029) | 0.68 (1,73)<br>0.63 (1,60)<br>0.54 (1,37) | 0.62 (1,571)<br>0.57 (1,45)<br>0.51 (1,30) |
| 11.00 (71,0)<br>3.75 (24,2)<br>13.00 (83,9)<br>4.00 (25,8) | 35.5 (1,48)<br>5.6 (0,233)<br>80.8 (3,36)<br>9.99 (0,416) | 1.80 (4,57)<br>1.22 (3,10)<br>2.49 (6,32)<br>1.58 (4,01) | 1.86 (4,72)<br>1.18 (3,0)<br>2.65 (6,73)<br>1.66 (4,22) | 35.5 (1,48)<br>5.6 (0,233)<br>38.8 (1,61)<br>4.1 (0,170) | 1.80 (4,57)<br>1.22 (3,10)<br>1.73 (4,40)<br>1.01 (2,56) | 1.86 (4,72)<br>1.18 (2,80)<br>1.65 (4,19)<br>0.91 (2,31) |

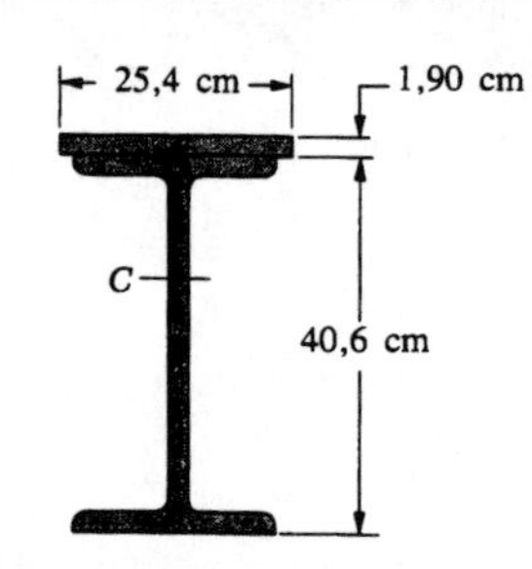


**PROBLÈME RÉSOLU 9.4**

Un profilé $I$ à ailes larges, dont l'âme mesure 40,64 cm et dont le poids linéaire est de 934 N/m, a été renforcé par la soudure d'une plaque de section 25,4 x 1,90 cm, à la semelle supérieure. Calculez le moment d'inertie et le rayon de giration de la section de la poutre composée, par rapport à un axe passant par le centre de gravité (centroïde) de la section et parallèle à la plaque soudée.

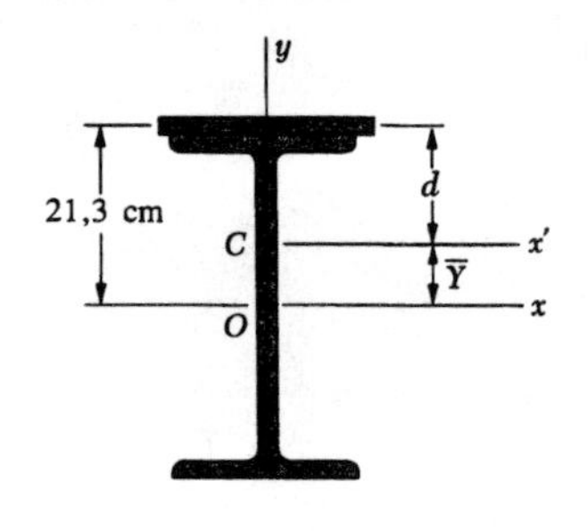


**Solution.** Choisissons comme origine des coordonnées le point $O$, centre de gravité (centroïde) de la section du profilé $I$ et calculons par les méthodes exposées au chap. 5, la coordonnée $\overline{Y}$ du centre de gravité (centroïde) de la section composée. La fig. 9.13 nous donnera l'aire de la section du profilé $I$.

| Section | Surface, cm$^2$ | $\bar{y}$, cm | $\bar{y}A$, cm$^3$ |
|---|---|---|---|
| Plaque | 48,3 | 21,3 | 1029 |
| Profilé | 121,3 | 0 | 0 |
| | 168,4 | ... | 1029 |

$$\overline{Y}\Sigma A = \Sigma \bar{y}A \qquad \overline{Y}(168,4) = 1029 \qquad \overline{Y} = 6,11 \text{ cm}$$

***Moment d'inertie.*** Le théorème des axes parallèles nous permet de calculer le moment d'inertie de la section composée par rapport à l'axe $x'$; cet axe est un axe central de la section composée, mais il ne l'est pas pour chaque élément composant. La valeur de $\overline{I}_x$ pour la section simple s'obtient à partir de la fig. 9.13.

Pour la section du profilé, nous avons

$$I_{x'} = \overline{I}_x + A\overline{Y}^2 = 34,8 \times 10^3 + (121,3)(6,11)^2 = 39,33 \times 10^3 \text{ cm}^4$$

Pour la plaque

$$I_{x'} = \overline{I}_x + Ad^2 = (\tfrac{1}{12})\ (-25,4)(1,90)^3 + (48,26)(21,3 - 6,11)^2 = 11,15 \times 10^3 \text{ cm}^4$$

Pour la section composée

$$I_{x'} = (39,33 + 11,15) \times 10^3 \text{ cm}^4$$

$$I_x = 50,5 \times 10^3 \text{ cm}^4 \blacktriangleleft$$

***Rayon de giration***

$$k_{x'}^2 = \frac{I_{x'}}{A} = \frac{50,5 \times 10^3 \text{ cm}^4}{168,4 \text{ cm}^2}$$

$$k_{x'} = 17,31 \text{ cm} \blacktriangleleft$$

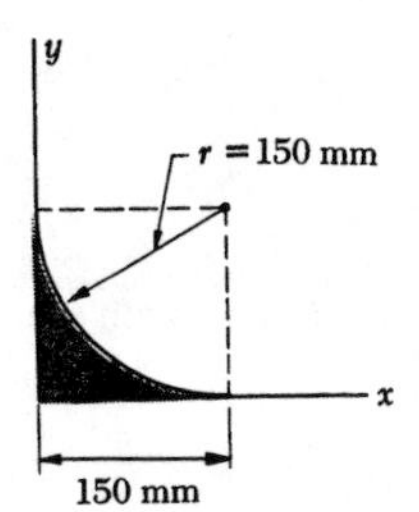


## PROBLÈME RÉSOLU 9.5

Calculez le moment d'inertie de la surface ombrée par rapport à l'axe $x$.

**Solution.** La surface donnée peut s'obtenir en soustrayant un quart de cercle d'un carré circonscrit. Les moments d'inertie du carré et de l'arc de cercle sont calculés en centimètres afin de simplifier l'écriture numérique.

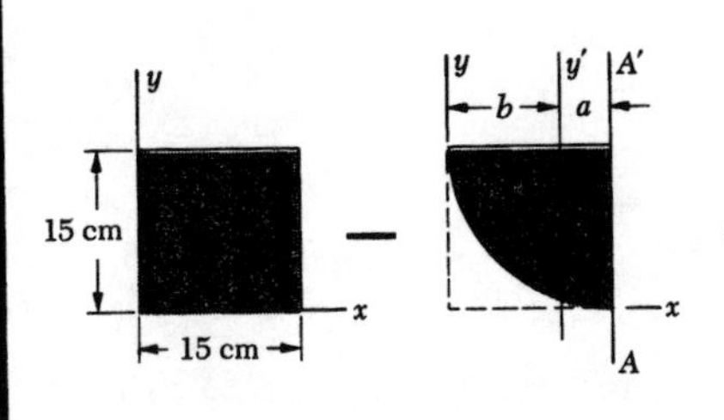


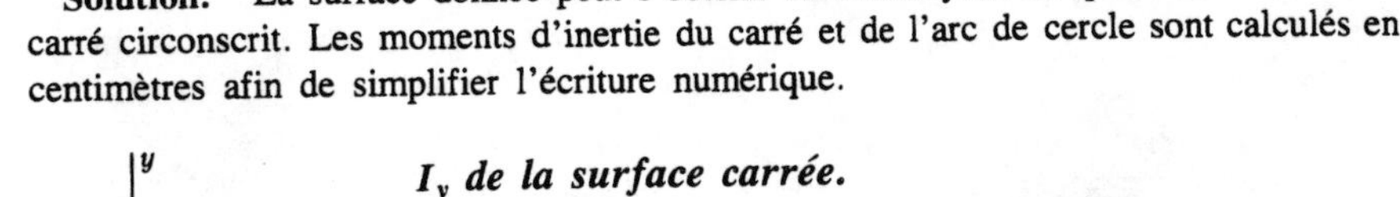

***$I_y$ de la surface carrée.***
En se rapportant à la fig. 9.12, nous obtenons

$$I_y = \tfrac{1}{3}b^3h = \tfrac{1}{3}(15\text{ cm})^3(15\text{ cm}) = 16\,875\text{ cm}^4$$

**$I_y$ de la surface circulaire.** En se rapportant à la fig. 5.8, nous pouvons calculer la distance entre le centre de gravité (centroïde) du quart de cercle et l'axe $AA'$.

$$a = \frac{4r}{3\pi} = \frac{4(15\text{ cm})}{3\pi} = 6{,}366\text{ cm}$$

La distance $b$ du centre de gravité (centroïde) à l'axe $y$ est

$$b = 15\text{ cm} - a = 15\text{ cm} - 6{,}366\text{ cm} = 8{,}634\text{ cm}$$

En nous rapportant maintenant à la fig. 9.12, nous pouvons calculer le moment d'inertie du quart de cercle par rapport à l'axe $AA'$ et ensuite son aire.

$$I_{AA'} = \frac{1}{16}\pi r^4 = \frac{1}{16}\pi(15\text{ cm})^4 = 9940\text{ cm}^4$$

$$A = \frac{1}{4}\pi r^2 = \frac{1}{4}\pi r^2(15\text{ cm})^2 = 176{,}7\text{ cm}^2$$

En nous servant du théorème des axes parallèles, nous calculons la valeur de $\bar{I}_y$

$$I_{AA'} = \bar{I}_{y'} + Aa^2$$

$$\bar{I}_{y'} = I_{AA'} - Aa^2$$

$$= 9940\text{ cm}^4 - (176{,}7\text{ cm}^2)(6{,}366\text{ cm})^2 = 2779\text{ cm}^4$$

et ensuite la valeur $I_y$

$$I_y = \bar{I}_y + Ab^2 = 2779\text{ cm}^4 + (176{,}7\text{ cm}^2)(8{,}634\text{ cm})^2 = 15\,950\text{ cm}^4$$

***$I_y$ de la surface donnée.*** Par soustraction des moments des deux surfaces composantes, nous obtenons

$$I_y = 16\,875\text{ cm}^4 - 15\,950\text{ cm}^4 = 925\text{ cm}^4$$

ou encore, puisque $1\text{ cm}^4 = (10\text{ mm})^4 = 10^4\text{ mm}^4$,

$$I_y = 925 \times 10^4\text{ mm}^4 \qquad I_y = 9{,}25 \times 10^6\text{ mm}^4 \blacktriangleleft$$

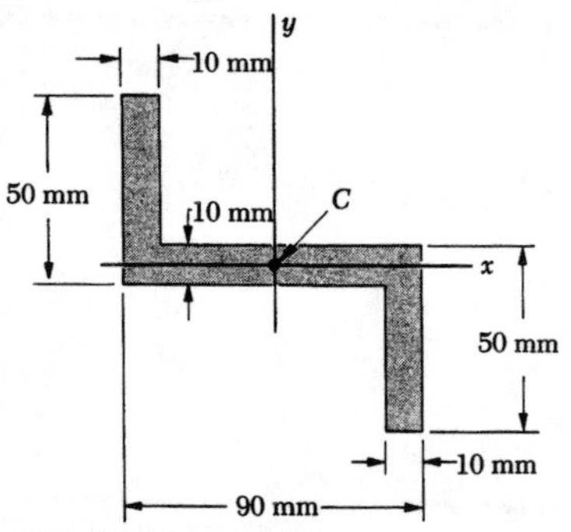

Fig. P9.20 et P9.21

## PROBLÈMES SUPPLÉMENTAIRES

**9.20 et 9.22** Calculez le moment d'inertie $I_x$ et le rayon de giration $k_x$ des surfaces ombrées représentées ci-dessous.

**9.21 et 9.23** Calculez le moment d'inertie $I_y$ et le rayon de giration $k_y$ des surfaces ombrées représentées ci-dessous.

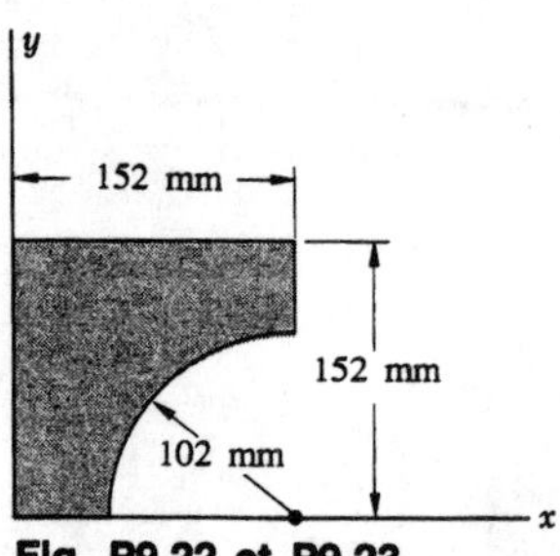

Fig. P9.22 et P9.23

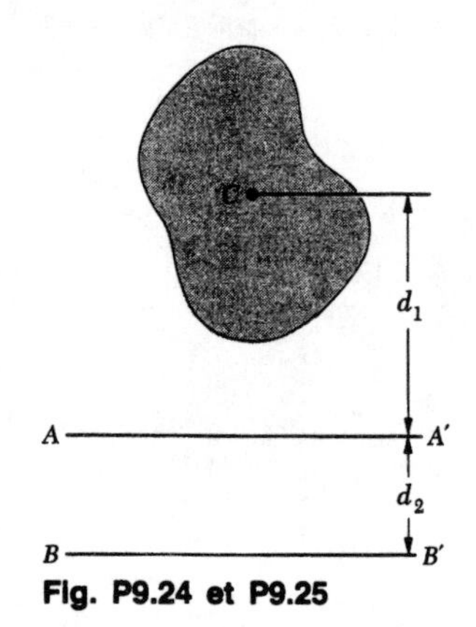

Fig. P9.24 et P9.25

**9.24** La surface ombrée mesure 12,9 x $10^3$ mm$^2$. Calculez la distance $d_1$ et le moment d'inertie par rapport à un axe passant par le centre de gravité (centroïde) de la figure et parallèle à l'axe $AA'$. Sachant que $I_{AA'}$ = 374, 6 x $10^6$ mm$^4$, $I_{BB'}$ = 749,2 x $10^6$ mm$^4$ et $d^2$ = 76 mm.

**9.25** La surface ombrée mesure 9678 mm$^2$ et son moment d'inertie par rapport à l'axe $BB'$ est de 166,5 x $10^6$ mm$^4$. Calculez le moment d'inertie par rapport à l'axe $AA'$ si $d_1$ = 76 mm et $d_2$ = 51 mm.

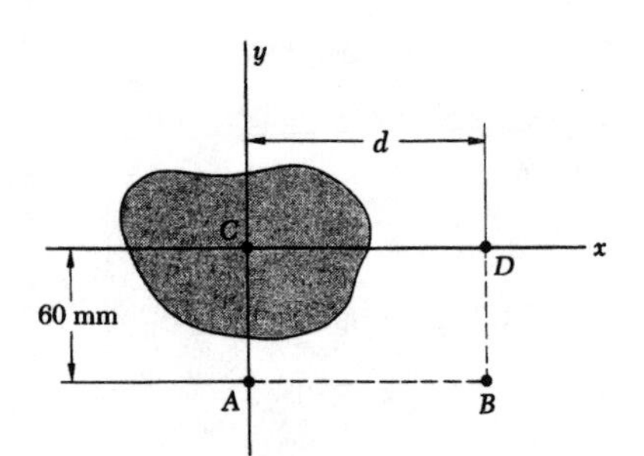

Fig. P9.26 et P9.27

**9.26** La surface ombrée mesure 5000 mm$^2$. Calculez les moments d'inertie $\overline{I}_x$ et $\overline{I}_y$, sachant que $2\overline{I}_x = \overline{I}_y$ et que le moment d'inertie polaire de la surface par rapport au point $A$ est $J_A$ = 22,5 x $10^6$ mm$^4$. Les axes $x$ et $y$ passent par le centre de gravité (centroïde) de la surface.

**9.27** Les moments d'inertie polaire de la surface, calculés par rapport aux points $A$, $B$ et $D$ sont respectivement $J_A$ = 28,8 x $10^6$ mm$^4$, $J_B$ = 67,2 x $10^6$ mm$^4$ et $J_D$ = 45,6 x $10^6$ mm$^4$. Calculez la surface, le moment d'inertie polaire par rapport à son centre de gravité (centroïde) $\overline{J}_C$, et la distance $d$ entre $C$ et $D$.

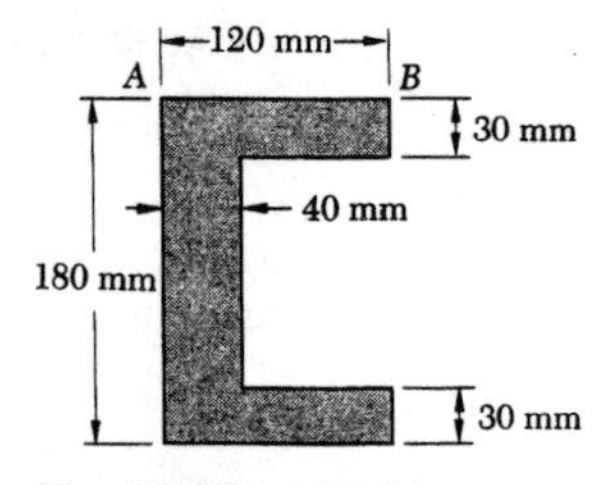

Fig. P9.28 et P9.29

**9.28** Calculez le moment d'inertie polaire par rapport au centre de gravité (centroïde) de la figure illustrée ci-contre.

**9.29** Calculez les moments d'inertie $\overline{I}_x$ et $\overline{I}_y$ de la surface, par rapport à deux axes orthogonaux passant par son centre de gravité (centroïde) mais parallèles et perpendiculaires au côté $AB$.

**9.30** Calculez les moments d'inertie $\overline{I}_x$ et $\overline{I}_y$ de la surface par rapport à deux axes orthogonaux passant par son centre de gravité (centroïde), mais parallèles et perpendiculaires au côté $AB$.

**9.31** Calculez le moment d'inertie polaire de la surface par rapport : *a*) au point $O$, *b*) à son centre de gravité (centroïde).

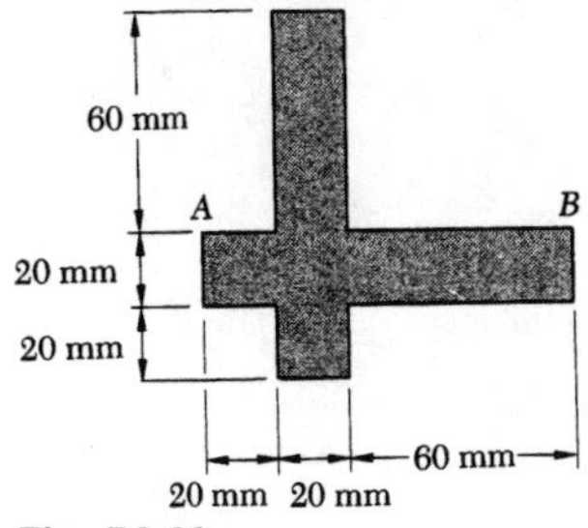


Fig. P9.30

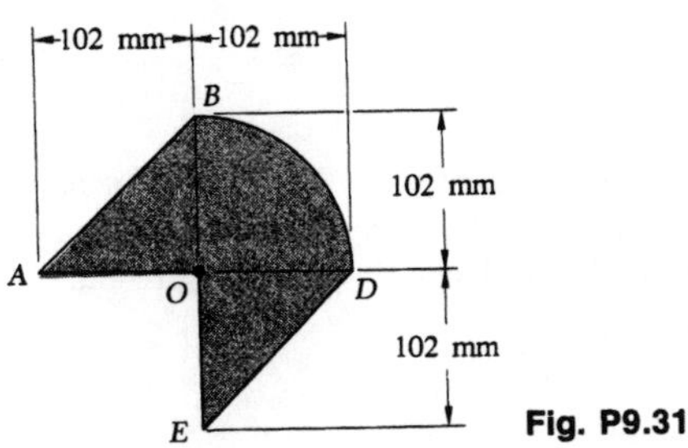


Fig. P9.31

**9.32** Deux profilés U, standard, de 254 mm de hauteur d'âme et 364,8 N/m de poids linéaire, et une plaque de 356 mm de largeur et 13 mm d'épaisseur, sont assemblés pour constituer une colonne, dont une section est dessinée à la fig. P9.32. Calculez les moments d'inertie et les rayons de giration par rapport aux axes $x$ et $y$ passant par le centre de gravité (centroïde) $C$ de la section, si on mesure $b$ = 178 mm.

**9.33** Déterminez, dans le probl. 9.32, la distance $b$ pour que les moments d'inertie $\overline{I}_x$ et $\overline{I}_y$ de la section soient égaux.

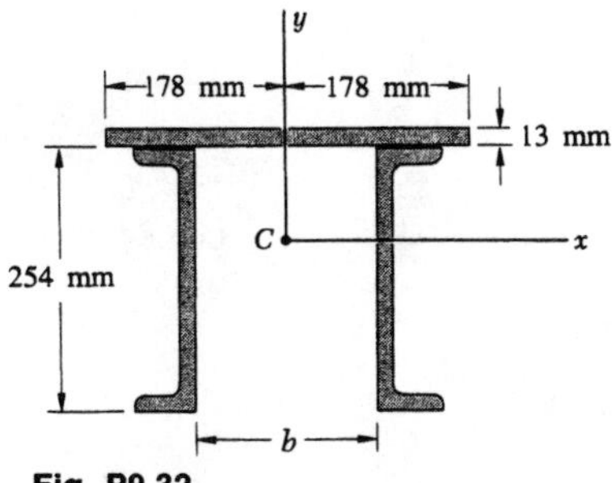


Fig. P9.32

**9.34** Trois plaques d'acier de section 25 x 457 mm sont assemblées à l'aide de rivets à quatre cornières symétriques de 152 mm de côté et 25 mm d'épaisseur, afin de constituer une colonne dont une section est représentée à la fig. P9.34. Calculez les moments d'inertie et les rayons de giration de la section par rapport à deux axes principaux parallèle et perpendiculaire aux ailes de la section.

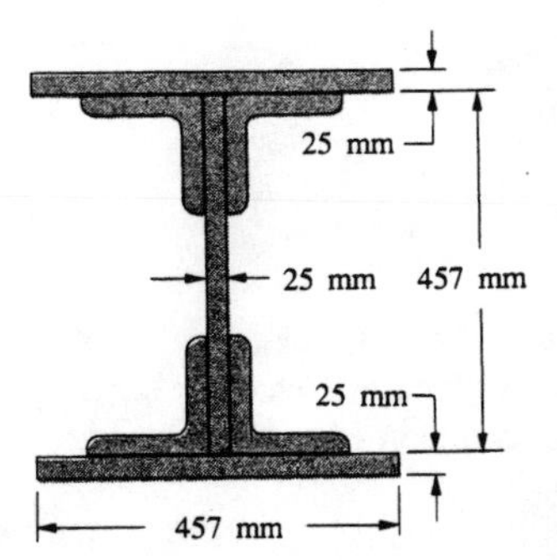


Fig. P9.34

**9.35** Deux cornières symétriques de 102 mm de côté et 13 mm d'épaisseur sont assemblées par soudure à une plaque d'acier de 254 mm de largeur et de même épaisseur, comme il est dessiné à la fig. P9.35. Calculez les moments d'inertie et les rayons de giration de la section de l'ensemble par rapport à deux axes orthogonaux principaux parallèle et perpendiculaire à la plaque.

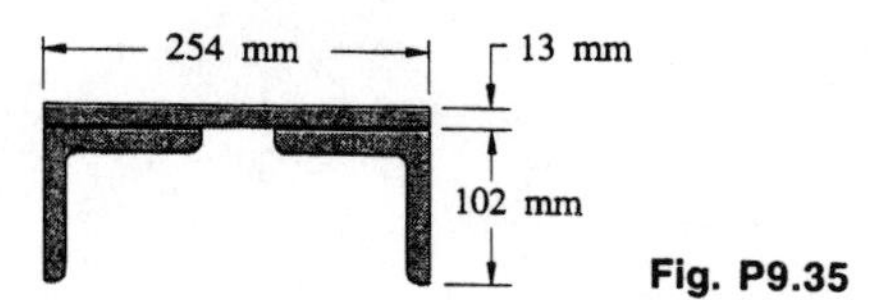


Fig. P9.35

**9.36 à 9.38** Les figures dessinées ci-dessous représentent un des panneaux de trois différentes auges, remplies d'eau jusqu'au niveau $AA'$. En vous rapportant à la section 9.7, calculez la profondeur du point d'application de la résultante des forces hydrostatiques agissant sur chaque panneau (centre de pression).

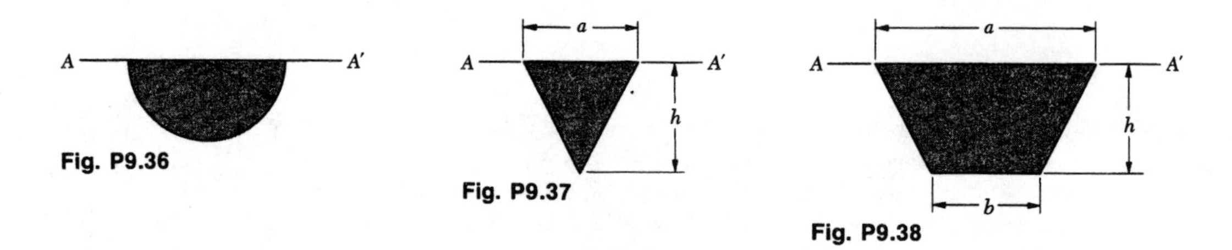


Fig. P9.36 Fig. P9.37 Fig. P9.38

***9.39** Calculez la coordonnée $x$ du centre de gravité (centroïde) du volume représenté ci-dessous : ce volume est déterminé en coupant un cylindre de révolution par un plan oblique par rapport à son axe. (Méthode. La hauteur du volume est proportionnelle à la coordonnée $x$; établissez une analogie entre cette hauteur et la pression de l'eau agissant sur les surfaces immergées.)

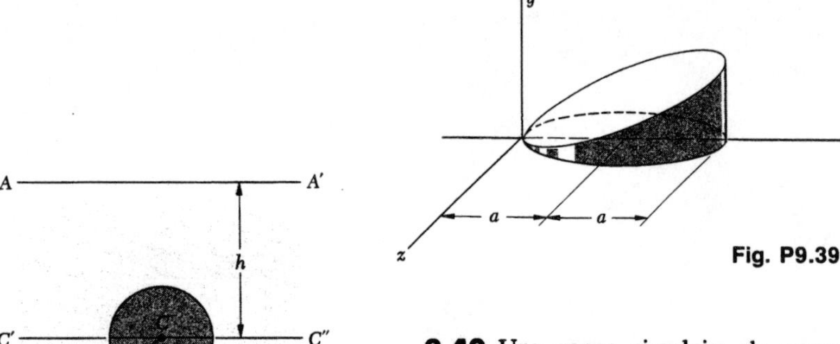


Fig. P9.39

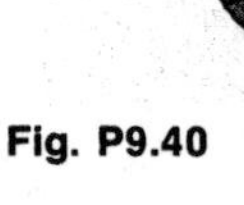

Fig. P9.40

**9.40** Une vanne circulaire de rayon $r$ bascule autour d'un axe diamétral $C'C''$ supporté par deux charnières d'extrémité. Déterminez : $a$) la réaction à chaque charnière, $b$) le moment du couple à appliquer à la vanne pour la maintenir en position fermée. Appelez $\gamma$ le poids volumique de l'eau.

**9.41** Le centre d'une vanne circulaire de 2 m de diamètre est placé à 3 m de la surface de l'eau. La vanne est boulonnée en trois points également espacés. Calculez la force agissant sur chaque boulon.

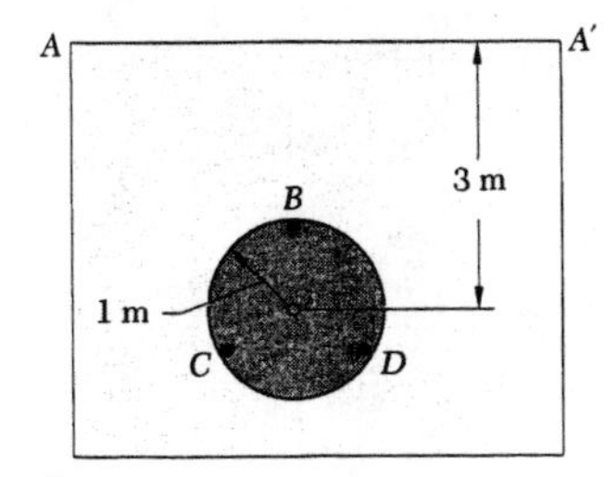


**Fig. P9.41**

***9.42** Montrez que le système de forces hydrostatiques agissant sur une plaque immergée, de surface $A$, peut être réduit à la force **P** appliquée au centre de gravité (centroïde) $C$ de la surface et à deux couples. La force **P** est perpendiculaire à la surface et vaut $P = \gamma A\bar{y} \sin\theta$, où $\gamma$ est le poids volumique du liquide; les couples sont représentés par des vecteurs orientés comme l'indique la figure illustrée ci-dessous et de grandeur $M_{x'} = \gamma \bar{I}_{x'} \sin\theta$ et $M_{y'} = \gamma \bar{P}_{x'y'} \sin\theta$, où $\bar{P}_{x'y'} = \int x' y' \, dA$ (voir la section 9.7). Remarquons que les couples sont indépendants de la profondeur à laquelle se trouve la surface immergée.

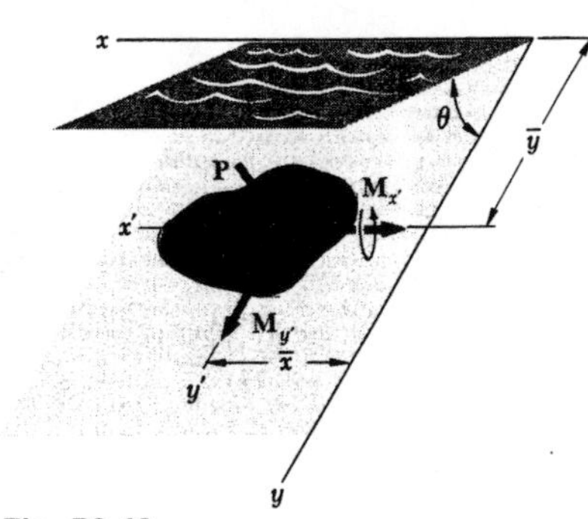


**Fig. P9.42**

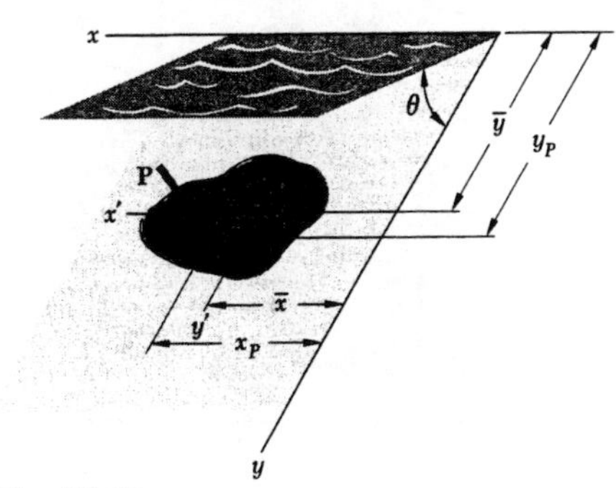


**Fig. P9.43**

***9.43** Montrez que la résultante des forces hydrostatiques appliquées sur une surface immergée $A$ est une force **P** perpendiculaire à la surface et de grandeur $P = \gamma A\bar{y} \sin\theta = \bar{p}A$, où $\gamma$ est le poids volumique du liquide et $\bar{p}$ la pression appliquée au centre de gravité (centroïde) $C$ de la surface. Montrez que **P** est appliquée au point $C_p$, appelé centre des pressions de coordonnées $x_p = P_{xy}/A\bar{y}$ et $y_p = I_x/A\bar{y}$, où $P_{xy} = \int xy \, dA$ (voir la section 9.7). Montrez aussi que la différence d'ordonnées vaut $y_p - \bar{y} = \bar{k}^2_{x'}/\bar{y}$ et que, par conséquent, elle dépend de la profondeur à laquelle la plaque se trouve.

## *9.7. Produit d'inertie.

L'intégrale

$$P_{xy} = \int xy \, dA \tag{9.12}$$

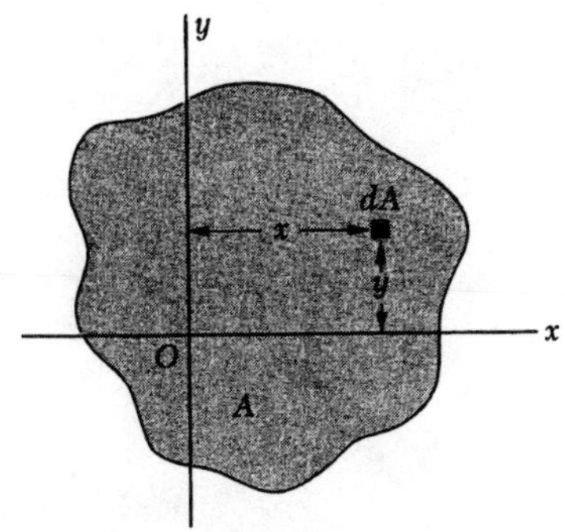


**Fig. 9.14**

obtenue en multipliant chaque élément de surface $dA$ par ses coordonnées $x$ et $y$ et en intégrant le long de la surface $A$ (Fig. 9.14), est appelée le *produit d'inertie* de l'aire $A$ par rapport aux axes $x$ et $y$. Contrairement aux moments d'inertie $I_x$ et $I_y$, le produit d'inertie $P_{xy}$ peut être positif ou négatif.

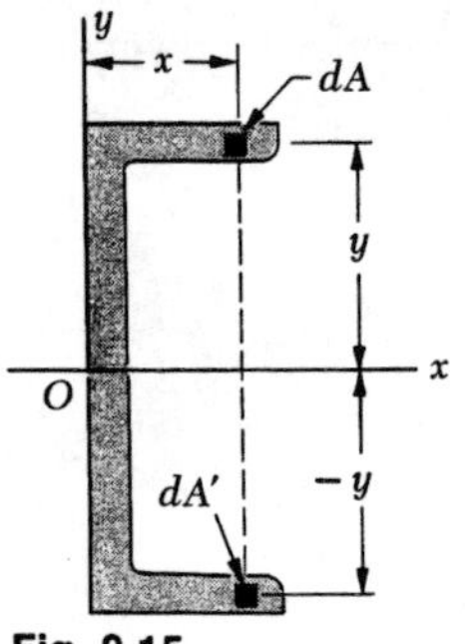

Fig. 9.15

Lorsqu'un ou les deux axes $x$ et $y$ sont des axes de symétrie de la surface $A$, le produit d'inertie $P_{xy}$ est nul. Considérons par exemple le profilé **U** dont la section est montrée à la fig. 9.15. Puisque cette section est symétrique par rapport à l'axe $x$, nous pouvons associer à chaque élément $dA$ de coordonnées $x$ et $y$, un autre élément $dA'$ de coordonnées $x$ et $-y$. En conséquence, chaque paire d'éléments ainsi associés s'annule et l'intégrale (9.12) se réduit à zéro.

Un nouveau théorème d'axes parallèles, identique à celui établie à la section 9.5 pour les moments d'inertie, peut être établi pour les produits d'inertie. Considérons la surface $A$ et un système d'axes orthogonaux $x$ et $y$ (Fig. 9.16). Traçons, par le centre de gravité (centroïde) $C$ de la surface de coordonnées $\bar{x}$ et $\bar{y}$, deux axes $x'$ *et* $y'$ respectivement parallèles aux axes $x$ et

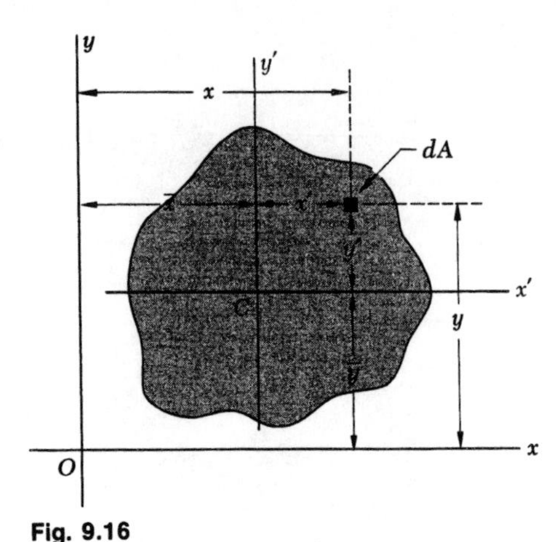

Fig. 9.16

$y$. Nous appelons $x$ et $y$ les coordonnées de la surface élémentaire $dA$ dans le système d'axes original, et $x'$ et $y'$ les coordonnées du même élément de surface dans le système d'axes central. Posons $x = x' + \bar{x}$ et $y = y' + \bar{y}$. L'éq. (9.12) va alors nous donner pour le produit d'inertie :

$$\begin{aligned} P_{xy} &= \int xy\,dA = \int (x' + \bar{x})(y' + \bar{y})\,dA \\ &= \int x'y'\,dA + \bar{y}\int x'\,dA + \bar{x}\int y'\,dA + \bar{x}\bar{y}\int dA \end{aligned}$$

La première intégrale représente le produit d'inertie $\bar{P}_{x'y'}$ de la surface $A$ par rapport aux axes $x'$ et $y'$. Les deux intégrales suivantes représentent les moments statiques de la surface par rapport à ces mêmes axes; elles se réduisent à zéro puisque le centre de gravité (centroïde) $C$ est placé sur ces deux axes. Finalement, nous constatons que la dernière intégrale nous donne la surface $A$. Nous écrivons alors,

$$P_{xy} = \bar{P}_{x'y'} + \bar{x}\bar{y}A \qquad (9.13)$$

***9.8. Axes principaux d'inertie et moments principaux d'inertie.** Considérons la surface $A$ et les axes coordonnés $x$ et $y$ (Fig. 9.17). Nous supposons que les produits d'inertie

$$I_x = \int y^2\, dA \qquad I_y = \int x^2\, dA \qquad P_{xy} = \int xy\, dA \tag{9.14}$$

de la surface $A$ sont connus et nous nous proposons de déterminer les moments et les produits d'inertie $I_u$, $I_v$ et $P_{uv}$ de la surface $A$ par rapport à deux

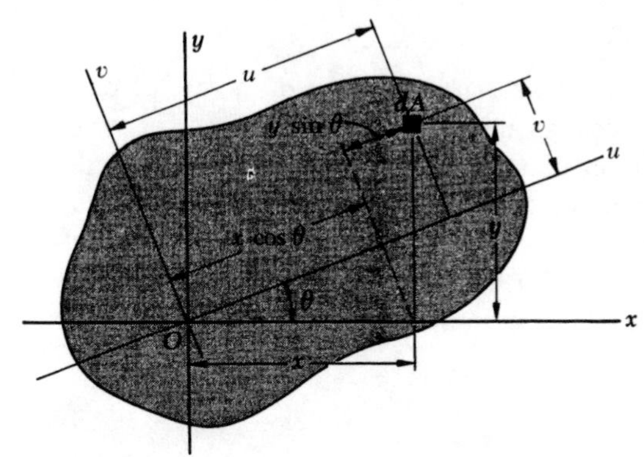


**Fig. 9.17**

nouveaux axes de référence $u$ et $v$, obtenus en faisant tourner le système original de coordonnées d'un angle $\theta$.

Notons d'abord qu'entre les coordonnés $u$, $v$ et $x$, $y$ de la surface élémentaire $dA$, on peut établir facilement les expressions suivantes :

$$u = x \cos\theta + y \sin\theta \qquad v = y \cos\theta - x \sin\theta$$

En substituant la valeur de $v$ dans l'expression de $I_u$, nous obtenons

$$\begin{aligned} I_u &= \int v^2\, dA = \int (y \cos\theta - x \sin\theta)^2\, dA \\ &= \cos^2\theta \int y^2\, dA - 2 \sin\theta \cos\theta \int xy\, dA + \sin^2\theta \int x^2\, dA \end{aligned}$$

Si on se rapporte aux relations (9.14), nous pouvons écrire

$$I_u = I_x \cos^2\theta - 2P_{xy} \sin\theta \cos\theta + I_y \sin^2\theta \tag{9.15}$$

D'une manière identique, nous obtenons pour $I_v$ et $P_{uv}$ les expressions

$$I_v = I_x \sin^2\theta + 2P_{xy} \sin\theta \cos\theta + I_y \cos^2\theta \tag{9.16}$$
$$P_{uv} = I_x \sin\theta \cos\theta + P_{xy} (\cos^2\theta - \sin^2\theta) - I_y \sin\theta \cos\theta \tag{9.17}$$

Nous pouvons vérifier, en additionnant (9.15) et (9.16) membre à membre, que

$$I_u + I_v = I_x + I_y \tag{9.18}$$

Ce résultat était à prévoir puisque les deux membres de l'éq. 9.18 sont égaux au moment d'inertie polaire $J_o$.

Comme $\sin 2\theta = 2\sin\theta\cos\theta$ et $\cos 2\theta = \cos^2\theta - \sin^2\theta$, nous pouvons récrire les éq. (9.15), (9.16) et (9.17) de la façon suivante

$$I_u = \frac{I_x + I_y}{2} + \frac{I_x - I_y}{2}\cos 2\theta - P_{xy}\sin 2\theta \tag{9.19}$$

$$I_v = \frac{I_x + I_y}{2} - \frac{I_x - I_y}{2}\cos 2\theta + P_{xy}\sin 2\theta \tag{9.20}$$

$$P_{uv} = \frac{I_x - I_y}{2}\sin 2\theta + P_{xy}\cos 2\theta \tag{9.21}$$

Les éq. (9.19) et (9.21) sont les équations paramétriques d'un cercle. Ceci veut dire que si nous choisissons un système d'axes orthogonaux et nous rapportons un point $M$ d'abscisse $I_u$ et d'ordonnée $P_{uv}$ pour n'importe quelle valeur du paramètre $\theta$, nous obtenons un cercle. Pour établir cette propriété, nous devons éliminer $\theta$ des éq. (9.19) et (9.21); ceci se fait en transportant $(I_x + I_y)/2$ dans l'éq. (9.19), en élevant au carré les deux membres des éq. (9.19) et (9.21) et en les additionnant. Nous aurons

$$\left(I_u - \frac{I_x + I_y}{2}\right)^2 + P_{uv}^2 = \left(\frac{I_x - I_y}{2}\right)^2 + P_{xy}^2 \tag{9.22}$$

En posant

$$I_{av} = \frac{I_x + I_y}{2} \qquad \text{et} \qquad R = \sqrt{\left(\frac{I_x - I_y}{2}\right)^2 + P_{xy}^2} \tag{9.23}$$

l'éq. (9.22) peut s'écrire

$$(I_u - I_{av})^2 + P_{uv}^2 = R^2 \tag{9.24}$$

qui est l'équation d'un cercle de rayon $R$ et de centre $C$ de coordonnées $I_{av}$ et 0 (Fig. 9.18).

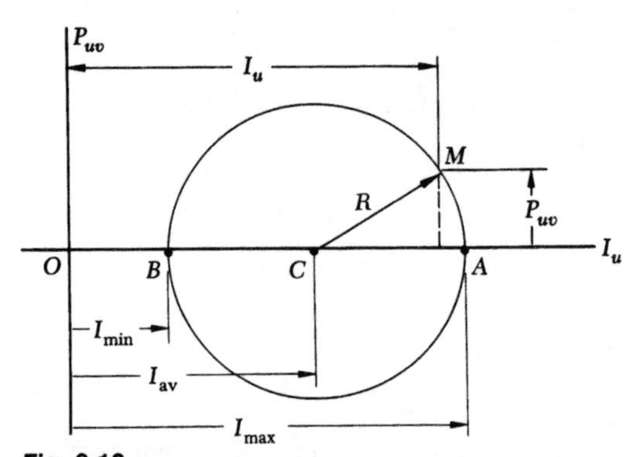


Fig. 9.18

Les deux points $A$ et $B$, intersections du cercle obtenu et de l'axe des abscisses, sont d'une grande importance : le point $A$ correspond à la valeur *maximale* de l'inertie $I_u$, tandis que le point $B$ correspond à sa valeur *minimale*.

D'autre part, les deux points correspondent à la valeur zéro du produit d'inertie $P_{uv}$. Par conséquent, les valeurs $\theta_m$ du paramètre $\theta$ qui correspondent aux points $A$ et $B$ peuvent s'obtenir en posant $P_{uv} = 0$ dans l'éq. (9.21). Nous obtenons†

$$\tan 2\theta_m = -\frac{2P_{xy}}{I_x - I_y} \tag{9.25}$$

Cette équation nous donne deux valeurs $2\theta_m$ séparées de 180° et, par conséquent, deux valeurs $\theta_m$ qui sont séparées de 90°. Une des deux valeurs correspondant au point $A$ dans la fig. 9.18 nous donne le *moment d'inertie maximal* de la surface par rapport à un axe passant par $O$ (Fig. 9.17), et l'autre nous donne le *moment d'inertie minimal* de la surface par rapport à *un autre* axe passant encore par le même point $O$. Les deux axes ainsi définis, perpendiculaires entre eux, sont appelés les *axes principaux* de la surface par rapport au point $O$ et les valeurs correspondantes $I_{max}$ et $I_{min}$ des moments d'inertie sont appelées les *moments principaux d'inertie* de la surface par rapport au point $O$. Nous vérifions que (Fig. 9.18)

$$I_{\text{max}} = I_{\text{av}} + R \qquad \text{et} \qquad I_{\text{min}} = I_{\text{av}} - R \tag{9.26}$$

Substituant $I_{av}$ et $R$ tirés de l'éq. (9.23), nous avons

$$I_{\text{max,min}} = \frac{I_x + I_y}{2} \pm \sqrt{\left(\frac{I_x - I_y}{2}\right)^2 + P_{xy}^2} \tag{9.27}$$

Puisque les deux valeurs $\theta_m$ définies par l'éq. (9.25) s'obtiennent en posant $P_{uv} = 0$ dans l'éq. (9.21), il est évident que le produit d'inertie de la surface donnée par rapport aux axes principaux est nul. En se rapportant à la section 9.7, nous constatons que si la surface possède un axe de symétrie passant par le point $O$, cet axe doit être principal par rapport au point $O$. D'autre part, un axe principal n'est pas nécessairement un axe de symétrie; que la surface possède ou non des axes de symétrie, elle aura toujours deux axes principaux d'inertie par rapport au point $O$.

Les propriétés que nous venons d'établir restent valables quelle que soit la position du point $O$ : à l'intérieur ou à l'extérieur de la surface. Si le point $O$ coïncide avec le centre de gravité (centroïde) de la surface, l'axe passant par $O$ est appelé l'axe central. Si cet axe est un axe principal, il s'appellera *axe central principal d'inertie* de la surface.

† Cette relation peut s'obtenir par dérivation de $I_u$ dans l'éq. (9.19) et en posant $dI_u/d\theta = 0$.

***9.9. Cercle de Mohr.** Le diagramme circulaire, utilisé dans la section précédente pour représenter les relations existant entre les moments et les produits d'inertie de la surface par rapport aux axes passant par un point donné $O$, a été introduit pour la première fois par l'ingénieur allemand Otto Mohr (1835-1918) et est connu sous le nom de *cercle de Mohr*. Nous verrons que si les moments et le produit d'inertie d'une surface $A$ par rapport à deux axes orthogonaux $x$ et $y$ passant par le point $O$ sont connus, le cercle de Mohr peut être utilisé pour déterminer graphiquement : *a*) les axes principaux et les moments principaux d'inertie de la surface par rapport au point $O$, ou *b*) les moments et le produit d'inertie de la surface par rapport à n'importe quelle autre paire d'axes orthogonaux $u$ et $v$ passant par le point $O$.

Considérons une surface donnée $A$ et deux axes orthogonaux de coordonnées $x$ et $y$ (Fig. 9.19*a*). Nous supposerons que les moments d'inertie $I_x$ et $I_y$ ainsi que le produit d'inertie $P_{xy}$ sont déjà connus : nous pouvons les représenter dans le cercle-diagramme en rapportant le point $X$ de cordonnées $I_x$ et $P_{xy}$ et le point $Y$ de coordonnées $I_y$ et $-P_{xy}$ (Fig. 9.19*b*). Nous pouvons maintenant joindre $X$ et $Y$ par un segment de droite, définir le point $C$, intersection de ce segment et de l'axe $I$, et finalement tracer le cercle de centre $C$ et de diamètre $XY$. Si nous remarquons que l'abscisse de $C$ et le rayon du cercle sont respectivement égaux aux quantités $I_{av}$ et $R$ définies par les formules (9.23), nous pouvons conclure que le cercle obtenu est bien le cercle de Mohr tracé pour le point $O$ de la surface donnée. On peut conclure que les abscisses des points $A$ et $B$, où le cercle de Mohr intercepte l'axe $I$, représentent respectivement les moments principaux d'inertie $I_{max}$ et $I_{min}$ de la surface par rapport au point $O$.

Nous pouvons encore remarquer que, puisque $\tan (XCA) = 2P_{xy}/(I_x - I_y)$, l'angle $XCA$ est égal en grandeur à un des angles $2\theta_m$ qui satisfont l'éq. (9.25); alors l'angle $\theta_m$, qui définit dans la fig. 9.19*a* l'axe principal $Oa$ correspondant au point $A$ de la fig. 9.19*b*, peut s'obtenir en prenant la moitié de l'angle $XCA$ mesuré sur le cercle de Mohr.

Nous observons encore que si $I_x > I_y$ et $P_{xy} > 0$, comme c'est le cas ici, on ramène $CX$ sur $CA$ par une rotation négative, c'est-à-dire dans le sens des aiguilles d'une montre. Mais, dans ce cas, l'angle $\theta_m$ donné par l'éq. (9.25) et définissant l'axe principal d'inertie $Oa$ de la fig. 9.19*a* est négatif. La rotation qui ramène $Ox$ sur $Oa$ dans la fig. 9.19 est aussi négative (sens des aiguilles d'une montre).

Nous pouvons conclure que le sens de la rotation dans les deux parties de la fig. 9.19 est le même : si une rotation positive de $2\theta_m$ est nécessaire pour ramener $CX$ sur $CA$ dans le cercle de Mohr, une rotation positive $\theta_m$ ramènera $Ox$ sur l'axe principal correspondant $Oa$ de la fig. 9.19*a*.

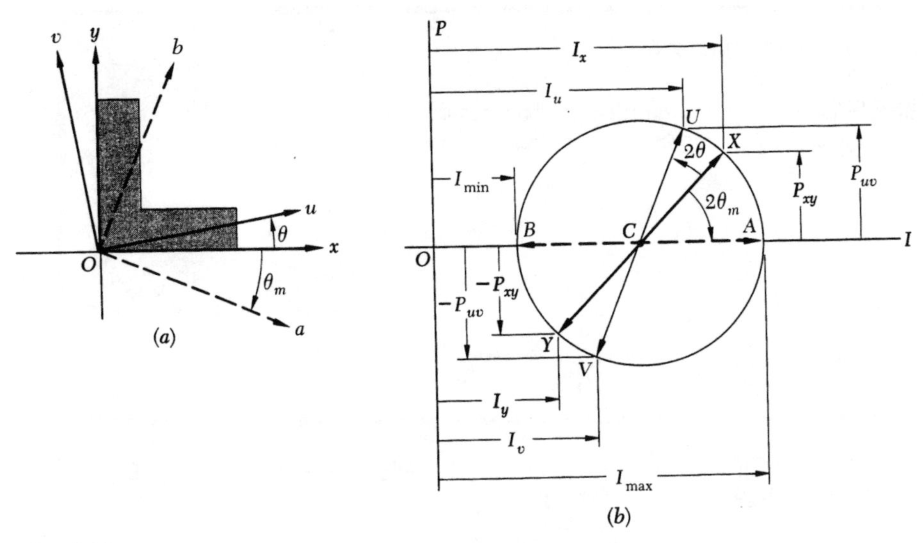


**Fig. 9.19**

Le cercle de Mohr pourra s'obtenir encore en considérant les moments et le produit d'inertie de la surface *A* par rapport aux axes orthogonaux *u* et *v* (Fig. 9.19*a*). Le point *U*, de coordonnées $I_u$ et $P_{uv}$ et le point *V*, de coordonnées $I_v$ et $-P_{uv}$, sont localisés sur le cercle de Mohr et l'angle *UCA* de la fig. 9.19*b* doit être égal au double de l'angle *uOa* de la fig. 9.19*a*. Puisque, comme nous l'avons dit plus tôt, l'angle *XCA* vaut le double de l'angle *xOa* et, par conséquent, l'angle *XCU* de la fig. 9.19*b* est égal au double de l'angle *xOu* de la fig. 9.19*a*. Alors le diamètre *UV*, qui définit les moments et le produit d'inertie $I_u$, $I_v$ et $P_{uv}$ de la surface donnée par rapport aux axes orthogonaux *u* et *v* formant un angle $\theta$ avec les axes *x* et *y*, peut s'obtenir par une simple rotation $2\theta$ du diamètre *XY* correspondant aux moments $I_x$ et $I_y$ et au produit d'inertie $P_{xy}$.

Notons que la rotation qui ramène le diamètre *XY* sur le diamètre *UV* de la fig. 9.19*b* a le même sens que la rotation qui ramène les axes *xy* sur les axes *uv* de la fig. 9.19*a*.

Ajoutons encore que l'usage du cercle de Mohr ne se limite pas simplement à simplifier la méthode de solution graphique, c'est-à-dire à faciliter les solutions basées sur le traçage rigoureux des différents paramètres en jeu. En fait, il permet aussi par l'usage de la trigonométrie, d'établir facilement des relations entre les différents paramètres nécessaires pour résoudre numériquement le problème. Des calculs types ont été faits dans le problème résolu 9.8.

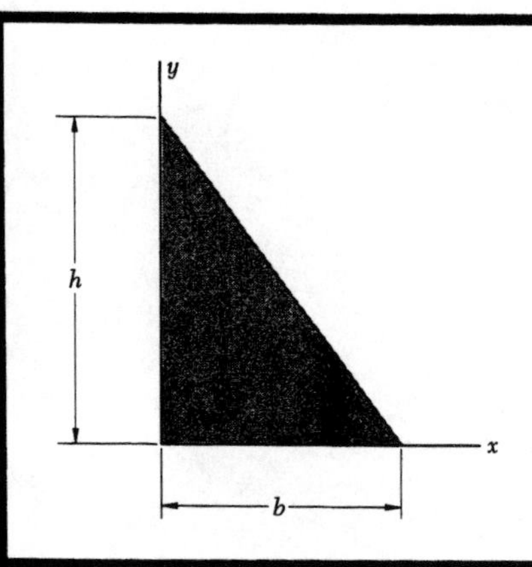


## PROBLÈME RÉSOLU 9.6

Calculez le produit d'inertie du triangle rectangle dessiné ci-contre; *a*) par rapport aux axes $x$ et $y$, et *b*) par rapport aux axes centraux parallèles aux axes $x$ et $y$.

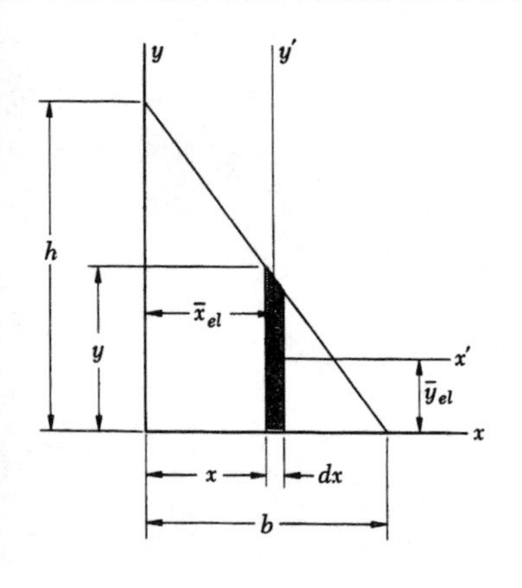


***a.* Produit d'inertie $P_{xy}$.** Traçons une bande élémentaire verticale. Le théorème des axes parallèles nous donne

$$dP_{xy} = dP_{x'y'} + \bar{x}_{el}\bar{y}_{el}\, dA$$

Puisque l'élément est symétrique par rapport aux axes $x'$ et $y'$, nous déduisons que $dP_{x'y'} = 0$. De la géométrie du triangle, nous avons

$$y = h\left(1 - \frac{x}{b}\right) \qquad dA = y\,dx = h\left(1 - \frac{x}{b}\right)dx$$

$$\bar{x}_{el} = x \qquad \bar{y}_{el} = \tfrac{1}{2}y = \tfrac{1}{2}h\left(1 - \frac{x}{b}\right)$$

Intégrant $dP_{xy}$ entre $x = 0$ et $x = b$, nous obtenons

$$P_{xy} = \int dP_{xy} = \int \bar{x}_{el}\bar{y}_{el}\,dA = \int_0^b x(\tfrac{1}{2})h^2\left(1 - \frac{x}{b}\right)^2 dx$$

$$= h^2\int_0^b \left(\frac{x}{2} - \frac{x^2}{b} + \frac{x^3}{2b^2}\right)dx = h^2\left[\frac{x^2}{4} - \frac{x^3}{3b} + \frac{x^4}{8b^2}\right]_0^b$$

$$P_{xy} = \tfrac{1}{24}b^2h^2 \quad ◄$$

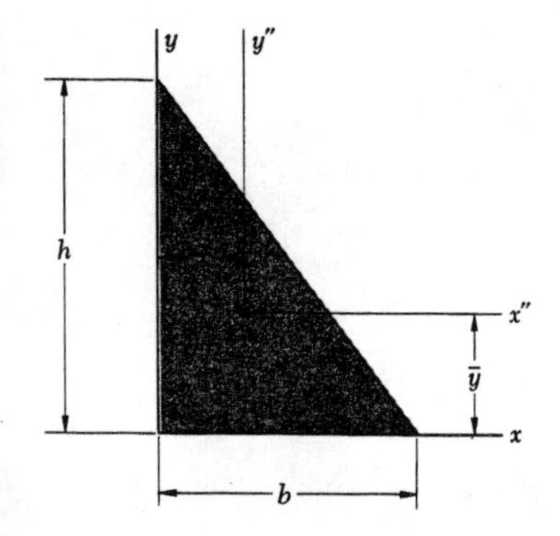


***b.* Produit d'inertie $\bar{P}_{x''y''}$.** Les coordonnées du centre de gravité (centroïde) du triangle sont

$$\bar{x} = \tfrac{1}{3}b \qquad \bar{y} = \tfrac{1}{3}h$$

En utilisant l'expression de $P_{xy}$ déduite de l'alinéa (a) et en appliquant le théorème des axes parallèles, nous avons

$$P_{xy} = \bar{P}_{x''y''} + \bar{x}\bar{y}A$$

$$\tfrac{1}{24}b^2h^2 = \bar{P}_{x''y''} + (\tfrac{1}{3}b)(\tfrac{1}{3}h)(\tfrac{1}{2}bh)$$

$$\bar{P}_{x''y''} = \tfrac{1}{24}b^2h^2 - \tfrac{1}{18}b^2h^2$$

$$\bar{P}_{x''y''} = -\tfrac{1}{72}b^2h^2 \quad ◄$$

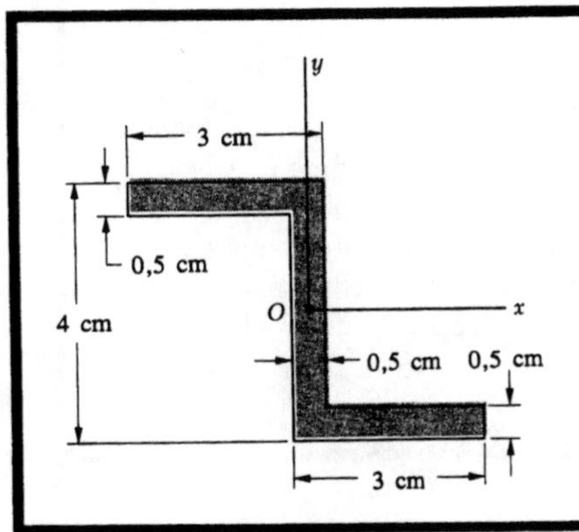


## PROBLÈME RÉSOLU 9.7

Les moments d'inertie de la section illustrée ci-contre valent respectivement

$$I_x = 10{,}38 \text{ cm}^4 \qquad I_y = 6{,}97 \text{ cm}^4$$

Déterminez : *a*) les axes principaux de la section par rapport au point *O*, *b*) les valeurs des moments principaux d'inertie de la surface par rapport au point *O*.

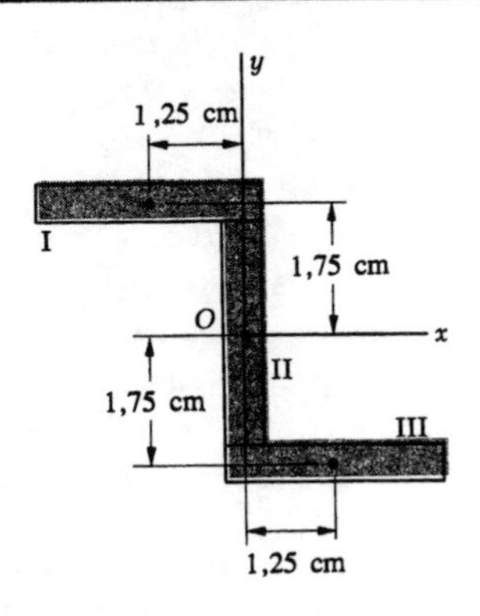


**Solution.** Calculons d'abord le produit d'inertie par rapport à $x$ et $y$. La surface est divisée en trois rectangles comme il est dessiné à la figure. Rappelons que pour chaque rectangle le produit d'inertie $\bar{P}_{x'y'}$ par rapport aux axes centraux parallèles à $x$ et à $y$ est nul. Utilisant le théorème des axes parallèles qui nous donne $P_{xy} = \bar{P}_{x'y'} + \bar{x}\bar{y}A$, nous pouvons vérifier que pour chaque rectangle, $P_{xy}$ se réduit à $\bar{x}\bar{y}A$.

| Rectangle | Aire cm$^2$ | $\bar{x}$, cm | $\bar{y}$, cm | $\bar{x}\bar{y}A$, cm$^4$ |
|---|---|---|---|---|
| I | 1,5 | −1,25 | +1,75 | −3,28 |
| II | 1,5 | 0 | 0 | 0 |
| III | 1,5 | +1,25 | −1,75 | −3,28 |
| | | | | −6,56 |

$$P_{xy} = \Sigma\bar{x}\bar{y}A = -6{,}56 \text{ cm}^4$$

***a. Axes principaux.*** Puisque les grandeurs de $I_x$, $I_y$ et $P_{xy}$ sont connues, l'éq. (9.25) peut être utilisée pour calculer les valeurs de $\theta_m$,

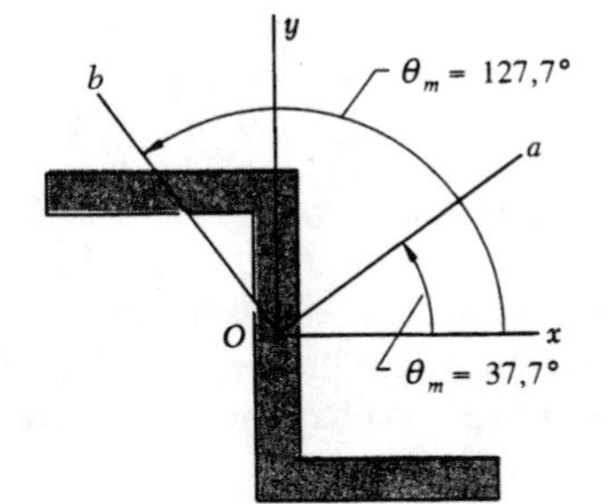


$$\tan 2\theta_m = -\frac{2P_{xy}}{I_x - I_y} = -\frac{2(-6{,}56)}{10{,}38 - 6{,}97} = +3{,}85$$

$$2\theta_m = 75{,}4° \text{ et } 255{,}4°$$

$$\theta_m = 37{,}7° \qquad \text{et} \qquad \theta_m = 127{,}7° \blacktriangleleft$$

***b. Moments principaux d'inertie.*** Utilisant l'éq. (9.27), nous pouvons écrire

$$I_{\text{max,min}} = \frac{I_x + I_y}{2} \pm \sqrt{\left(\frac{I_x - I_y}{2}\right)^2 + P_{xy}^2}$$

$$= \frac{10{,}38 + 6{,}97}{2} \pm \sqrt{\left(\frac{10{,}38 - 6{,}97}{2}\right)^2 + (-6{,}56)^2}$$

$$I_{max} = 15{,}45 \text{ cm}^4 \qquad I_{\text{min}} = 1{,}897 \text{ cm}^4 \blacktriangleleft$$

Puisque l'aire de la section est plus éloignée de l'axe *a* que de l'axe *b*, nous pouvons conclure que $I_a = I_{max} = 15{,}45$ cm$^4$ et $I_b = I_{min} = 1{,}897$ cm$^4$. Cette conclusion peut être vérifiée en posant $\theta = 37{,}7°$ dans les éq. (9.19) et (9.20).

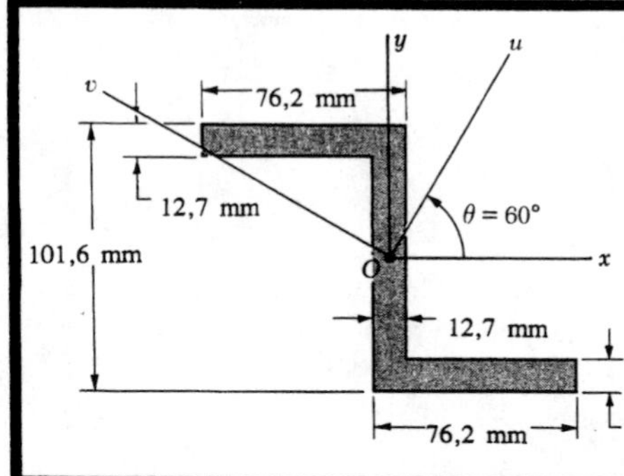


## PROBLÈME RÉSOLU 9.8

Les moments et le produit d'inertie de la section illustrée ci-contre valent respectivement $I_x = 4{,}32 \times 10^6$ mm$^4$, $I_y = 2{,}90 \times 10^6$ mm$^4$, $P_{xy} = -2{,}73 \times 10^6$ mm$^4$. Calculez à l'aide du cercle de Mohr : *a*) les axes principaux de la section par rapport au point *O*, *b*) les valeurs des moments principaux d'inertie de la section par rapport au point *O*, *c*) les moments et le produit d'inertie de la section par rapport aux axes *u* et *v* formant un angle de 60° avec les axes *x* et *y*. (Note : cette section est identique à celle du problème résolu 9.7.)

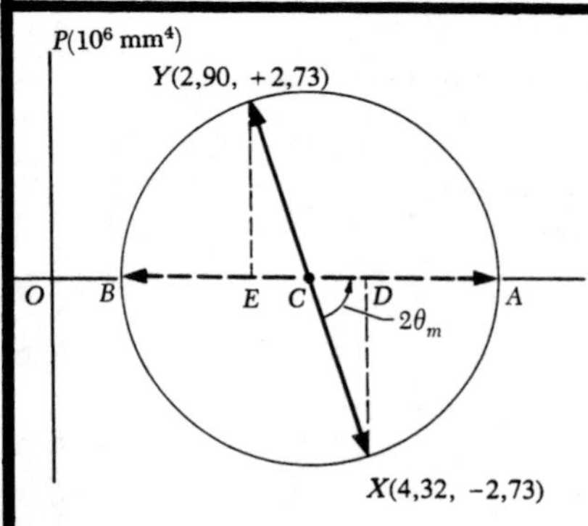


**Solution.** Plaçons le point $X$ de coordonnées $I_x = 4{,}32$, $P_{xy} = -2{,}73$ et le point $Y$ de coordonnées $I_y = 2{,}90, -P_{xy} = 2{,}73$. En traçant le segment $XY$, nous trouvons le point $C$, centre du cercle de Mohr. L'abscisse de $C$, qui représente $I_{av}$, et le rayon $R$ du cercle peuvent être mesurés directement ou alors être calculés comme suit :

$$I_{av} = OC = \tfrac{1}{2}(I_x + I_y) = \tfrac{1}{2}(4{,}32 \times 10^6 \text{ mm}^4 + 2{,}90 \times 10^6 \text{ mm}^4)$$
$$= 3{,}61 \times 10^6 \text{ mm}^4$$
$$R = \sqrt{(CD)^2 + (DX)^2} = \sqrt{(0{,}71 \times 16^6 \text{ mm}^4)^2 + (2{,}73 \times 10^6 \text{ mm}^4)^2}$$
$$= 2{,}82 \times 10^6 \text{ mm}^4$$

***a. Axes Principaux.*** Les axes principaux de la section correspondent aux points $A$ et $B$ du cercle de Mohr et l'angle qu'on doit faire décrire à $CX$ pour le ramener sur $CA$ représente $2\theta_m$. Nous avons alors,

$$\tan 2\theta_m = \frac{DX}{CD} = \frac{2{,}73}{0{,}71} = 3{,}85 \qquad 2\theta_m = 75{,}4° \circlearrowleft \qquad \theta_m = 37{,}7° \circlearrowleft \blacktriangleleft$$

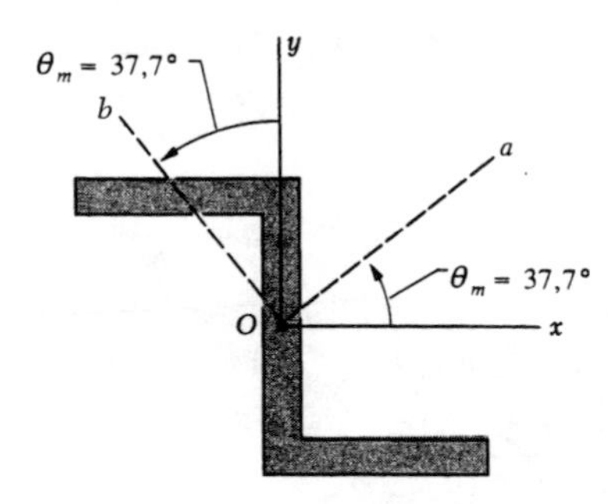


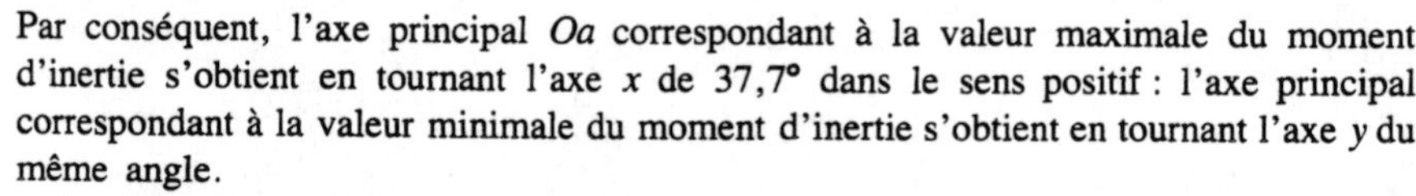

Par conséquent, l'axe principal $Oa$ correspondant à la valeur maximale du moment d'inertie s'obtient en tournant l'axe $x$ de 37,7° dans le sens positif : l'axe principal correspondant à la valeur minimale du moment d'inertie s'obtient en tournant l'axe $y$ du même angle.

***b. Moments principaux d'inertie.*** Les moments principaux d'inertie sont représentés par les abscisses des points $A$ et $B$. Nous avons

$$I_{max} = OA = OC + CA = I_{av} + R = (3{,}61 + 2{,}82)10^6 \text{ mm}^4$$
$$I_{max} = 6{,}43 \times 10^6 \text{ mm}^4 \blacktriangleleft$$
$$I_{min} = OB = OC - BC = I_{av} - R = (3{,}61 - 2{,}82)10^6 \text{ mm}^4$$
$$I_{min} = 0{,}79 \times 10^6 \text{ mm}^4 \blacktriangleleft$$

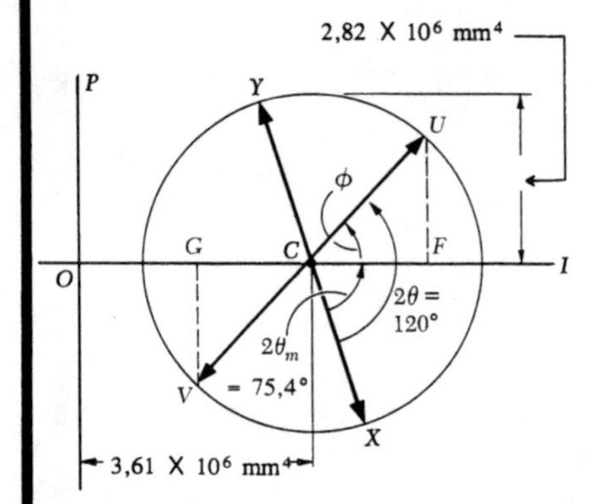


***c. Moments et produit d'inertie par rapport aux axes uv.*** Les points $U$ et $V$ du cercle de Mohr correspondant aux axes $u$ et $v$ s'obtiennent en faisant tourner $CX$ et $CY$ d'un angle positif $2\theta = 2(60°) = 120°$. Les coordonnées de $U$ et $V$ sont les valeurs cherchées des moments et du produit d'inertie. Remarquons que l'angle que $CU$ forme avec l'axe des $I$ est $\phi = 120° - 75{,}4° = 44{,}6°$, et que, par conséquent, nous pouvons écrire

$$I_u = OF = OC + CF = 3{,}61 \times 10^6 \text{ mm}^4 + (2{,}82 \times 10^6 \text{ mm}^4)\cos 44{,}6°$$
$$I_u = 5{,}62 \times 10^6 \text{ mm}^4 \blacktriangleleft$$
$$I_v = OG = OC - GC = 3{,}61 \times 10^6 \text{ mm}^4 - (2{,}82 \times 10^6 \text{ mm}^4)\cos 44{,}6°$$
$$I_v = 1{,}60 \times 10^6 \text{ mm}^4 \blacktriangleleft$$
$$P_{uv} = FU = (2{,}82 \times 10^6 \text{ mm}^4)\sin 44{,}6°$$
$$P_{uv} = +1{,}98 \times 10^6 \text{ mm}^4 \blacktriangleleft$$

## PROBLÈMES SUPPLÉMENTAIRES

**9.44 à 9.47** Calculez, par intégration, le produit d'inertie $P_{xy}$ des figures illustrées ci-dessous.

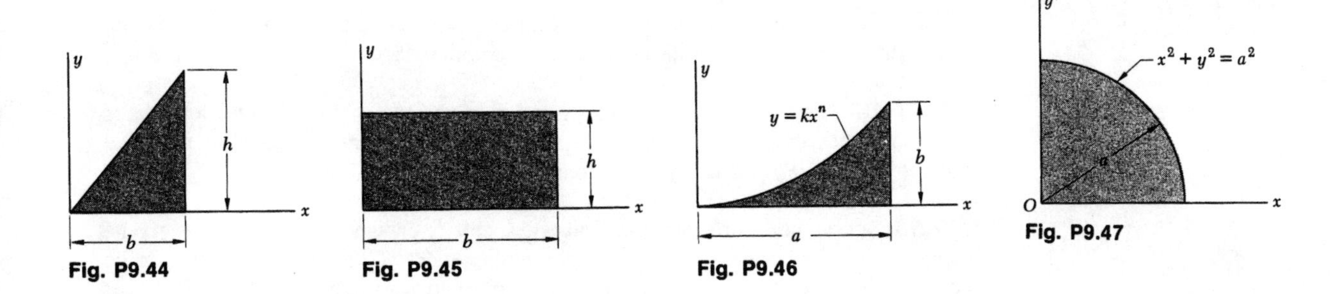


Fig. P9.44 Fig. P9.45 Fig. P9.46 Fig. P9.47

**9.48 à 9.51** Calculez, à l'aide du théorème des axes parallèles, le produit central d'inertie des figures représentées ci-dessous

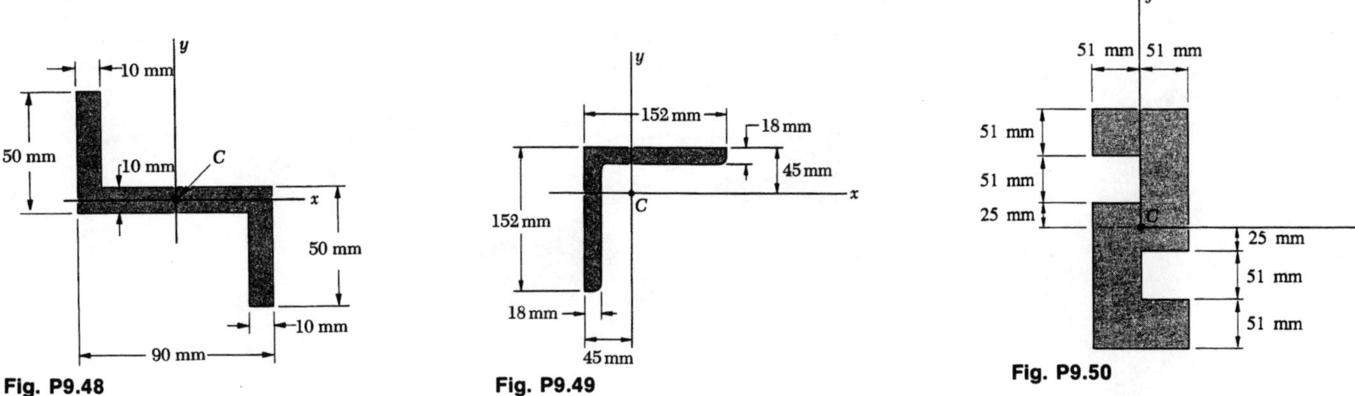


Fig. P9.48 Fig. P9.49

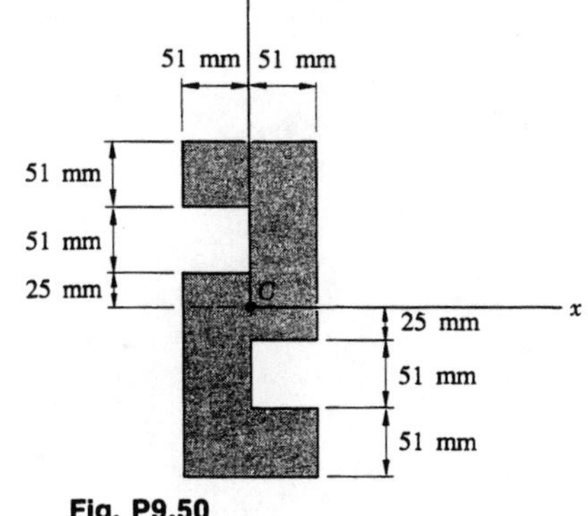


Fig. P9.50

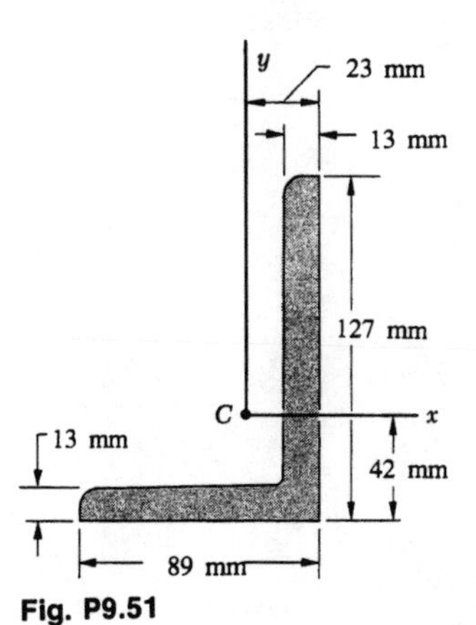


Fig. P9.51

**9.52** Calculez les moments d'inertie et le produit d'inertie de la surface du probl. 9.48 par rapport à deux nouveaux axes centraux obtenus par une rotation positive de 30° des axes $x$ et $y$. (Sens contraire aux aiguilles d'une montre.)

**9.53** Calculez les moments et le produit d'inertie du quart de cercle du probl. 9.47 par rapport aux nouveaux axes obtenus en faisant tourner les axes $x$ et $y$ autour du point $O$: $a$) d'un angle positif de 30°, $b$) d'un angle positif de 45°

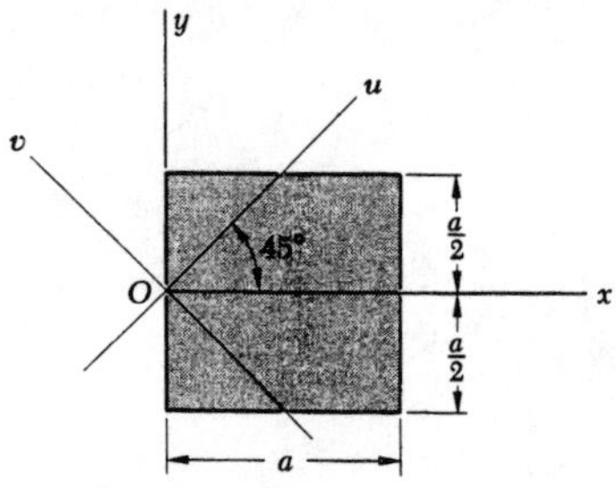

Fig. P9.54

**9.54** Calculez les moments d'inertie et le produit d'inertie du carré dessiné ci-contre par rapport aux axes $u$ et $v$.

**9.55** Calculez les moments d'inertie et le produit d'inertie de la section de cornière du probl. 9.51 par rapport aux nouveaux axes centraux obtenus par la rotation des axes $x$ et $y$ d'un angle de −45°. (Les moments d'inertie $\bar{I}_x$ et $\bar{I}_y$ sont donnés à la fig. 9.13.)

**9.56** Calculez l'orientation des axes centraux principaux et les valeurs correspondantes du moment d'inertie de la surface du probl. 9.48.

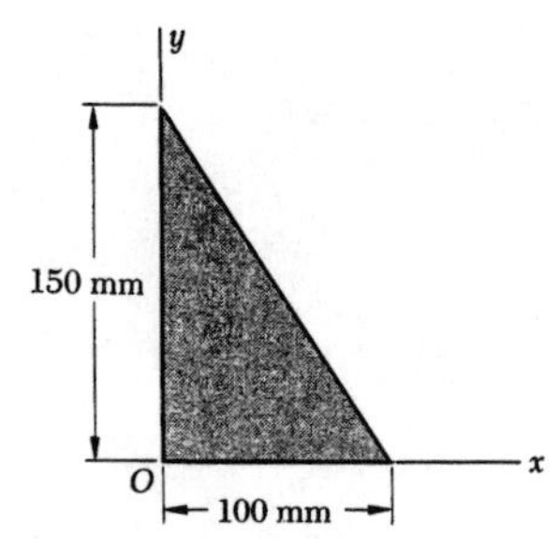

Fig. P9.57

**9.57** Calculez l'orientation des axes principaux passant par le point $O$ et les valeurs correspondantes du moment d'inertie de la surface triangulaire dessinée ci-contre. (Le produit d'inertie $P_{xy}$ du triangle est donné au probl. résolu 9.6.)

**9.58** Déterminez l'orientation des axes principaux passant par le centre de gravité (centroïde) et les valeurs correspondantes des moments d'inertie pour la section de cornière dessinée ci-dessous. Négligez les coins arrondis dans le calcul $\bar{P}_{xy}$. (Les moments d'inertie $\bar{I}_x$ et $\bar{I}_y$ de la section sont donnés dans la fig. 9.13.)

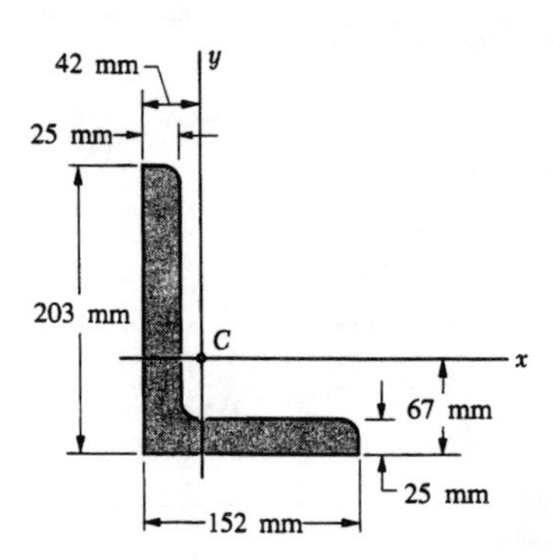

Fig. P9.58

**9.59** Déterminez l'orientation des axes principaux centraux d'inertie et les valeurs correspondantes des moments d'inertie de la cornière du Prob. 9.51. (Les moments d'inertie $\bar{I}_x$ et $\bar{I}_y$ de la section sont donnés à la Fig. 9.13).

**9.60** Résolvez le probl. 9.54 à l'aide du cercle de Mohr.

**9.61** Calculez, à l'aide du cercle de Mohr, les moments et le produit d'inertie de la cornière du probl. 9.51 par rapport à de nouveaux axes centraux obtenus par rotation négative des axes $x$ et $y$ de 45°. (Voir la fig. 9.13 pour les valeurs de $\bar{I}_x$ et $\bar{I}_y$.)

**9.62** Calculez, à l'aide du cercle de Mohr, les moments et le produit d'inertie de la surface du probl. 9.48 par rapport aux nouveaux axes centraux obtenus par rotation des axes $x$ et $y$ d'un angle de 30° dans le sens positif.

**9.63** Calculez, à l'aide du cercle de Mohr, les moments et le produit d'inertie de la surface ombrée de la figure du probl. 9.47 par rapport à des nouveaux axes obtenus par rotation des axes $x$ et $y$ autour du point $O$ : *a*) d'un angle de 30° dans le sens positif, *b*) d'un angle de 45° dans le sens positif.

**9.64** Résolvez le probl. 9.58 à l'aide du cercle de Mohr.

**9.65** Calculez, à l'aide du cercle de Mohr, l'orientation des axes centraux principaux d'inertie pour la section de la cornière du probl. 9.51. (Les moments d'inertie $\overline{I}_x$ et $\overline{I}_y$ se trouvent dans la fig. 9.13.)

**9.66** Calculez, à l'aide du cercle de Mohr, l'orientation des axes centraux principaux et les valeurs des moments correspondants pour la section du probl. 9.48.

**9.67** Résolvez le probl. 9.57 à l'aide du cercle de Mohr.

**9.68** Démontrez, à l'aide du cercle de Mohr, que dans un polygone régulier (tel un pentagone) : *a*) le moment d'inertie par rapport à chaque axe central reste constant, *b*) le produit d'inertie par rapport à n'importe quelle paire d'axes orthogonaux centraux est nul.

**9.69** Les moments et le produit d'inertie d'une surface donnée par rapport aux deux axes orthogonaux $x$ et $y$ centrés sur $O$ sont respectivement $I_x = 14{,}4 \times 10^6$ mm$^4$, $I_y = 8 \times 10^6$ mm$^4$ et $P_{xy} > O$, tandis que la valeur minimale du moment d'inertie de la surface par rapport à un des axes passant par le point $O$ est $I_{min} = 7{,}2 \times 10^6$ mm$^4$. Calculez à l'aide du cercle de Mohr : *a*) le produit d'inertie $P_{xy}$ de la surface, *b*) l'orientation des axes principaux, *c*) la valeur de $I_{max}$.

***9.70** Prouvez que l'expression $I_u I_v - P_{uv}^2$ où $I_u$, $I_v$ et $P_{uv}$ représentent les moments d'inertie et le produit d'inertie d'une surface donnée par rapport aux deux axes orthogonaux $u$ et $v$ centrés sur $O$, est indépendante de l'orientation des axes $u$ et $v$. Si on considère le cas particulier où $u$ et $v$ correspondent à la valeur maximale de $P_{uv}$, montrez que l'expression donnée représente le carré de la tangente passant par l'origine des coordonnées du cercle de Mohr.

***9.71** Utilisant les résultats du probl. 9.70, donnez l'expression du produit d'inertie $P_{xy}$ de la surface $A$ par rapport aux deux axes orthogonaux passant par le point $O$, en fonction des moments $I_x$ et $I_y$ de la surface $A$, et les moments principaux d'inertie $I_{min}$ et $I_{max}$ par rapport au point $O$. Appliquez la formule obtenue pour calculer le produit d'inertie $\overline{P}_{xy}$ de la cornière asymétrique 20,3 cm x 15,24 cm x 2,54 cm montrée à la fig. 9.13, sachant que son moment d'inertie minimal $I_{min} = 886{,}6$ cm$^4$.

## MOMENTS D'INERTIE DES MASSES

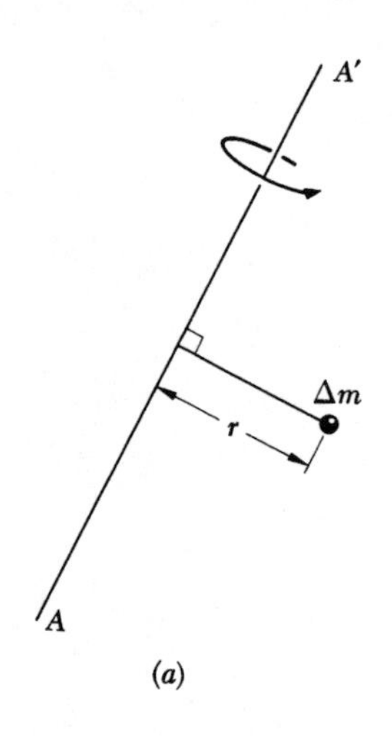


(a)

**9.10. Moment d'inertie d'une masse.** Considérons une petite masse $\Delta m$, fixée à une tige de masse négligeable, qui peut tourner librement autour de l'axe $AA'$ (Fig. 9.20*a*). Si on applique un couple à ce système supposé être initialement au repos, il se mettra à tourner autour de l'axe $AA'$. Ce mouvement sera étudié plus tard dans le cours de dynamique. Maintenant, nous voulons seulement établir que le temps requis par le système pour atteindre une certaine vitesse de rotation est proportionnel à la masse $\Delta m$ et au carré de la distance $r$ à l'axe de rotation. Le produit $r^2\Delta m$ fournit donc une manière pratique de mesure de l'*inertie* du système, c'est-à-dire la résistance qu'il offre à se mettre en mouvement. Pour cette raison, le produit $r^2\Delta m$ est appelé le *moment d'inertie* de la masse $\Delta m$ par rapport à l'axe $AA'$.

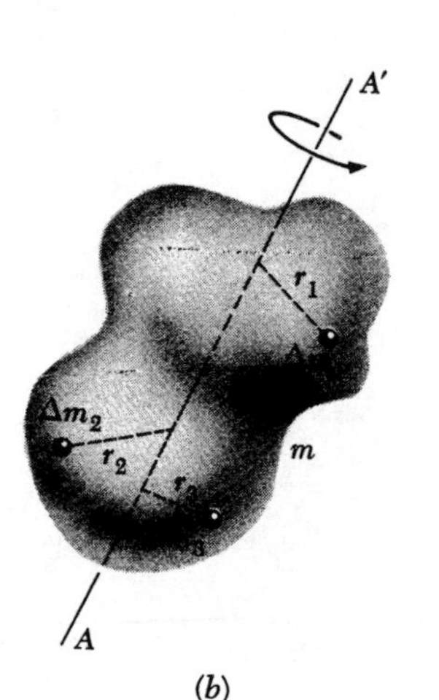


(b)

Considérons maintenant un corps de masse $m$ en rotation autour de l'*axe* $AA'$ (Fig. 9.20*b*). Divisons ce corps en petits éléments de masse $\Delta m_1$, $\Delta m_2$ etc.; la résistance offerte par le corps à se mettre en rotation sera mesurée par la somme des résistances de chaque élément $r^2_1\Delta m_1 + r^2_2\Delta m_2 + \ldots$ Cette somme est donc le moment d'inertie du corps par rapport à l'axe $AA'$. En augmentant indéfiniment le nombre d'éléments, nous trouverons que le moment d'inertie est égal, à la limite, à l'intégrale

$$I = \int r^2\, dm \tag{9.28}$$

Le *rayon de giration* $k$ du corps par rapport à l'axe $AA'$ est défini par les relations

$$I = k^2 m \qquad \text{ou} \qquad k = \sqrt{\frac{I}{m}} \tag{9.29}$$

Le rayon de giration $k$ représente, aussi, la distance à laquelle la masse entière du corps doit être concentrée pour que le moment d'inertie qui en résulte soit égal au moment d'inertie du corps par rapport à $AA'$ (Fig. 9.20*c*). Qu'elle garde sa forme originale (Fig. 9.20*b*) ou qu'elle se concentre sur le point indiqué (Fig. 9.20*c*), la masse $m$ réagira de façon identique à une sollicitation de rotation ou *giration* autour de l'axe $AA'$. Dans le système SI où l'unité de longueur est le mètre (m) et l'unité de masse le kilogramme (kg), l'unité du moment d'inertie sera le kilogramme par mètre carré ($1\,\text{kg}\cdot\text{m}^2$).

(c)

**Fig. 9.20**

Le moment d'inertie du corps par rapport aux axes de coordonnées peut s'écrire facilement en fonction des coordonnées $x$, $y$ et $z$ de l'élément de masse $dm$ (Fig. 9.21). Si on note, par exemple, que le carré de la distance $r$ de l'élément $dm$ à l'axe $y$ est $z^2 + x^2$, le moment d'inertie par rapport à l'axe $y$ peut s'écrire

$$I_y = \int r^2\, dm = \int (z^2 + x^2)\, dm$$

De façon identique, nous pouvons écrire pour $I_x$ et $I_z$

$$\begin{aligned} I_x &= \int (y^2 + z^2)\, dm \\ I_y &= \int (z^2 + x^2)\, dm \\ I_z &= \int (x^2 + y^2)\, dm \end{aligned} \tag{9.30}$$

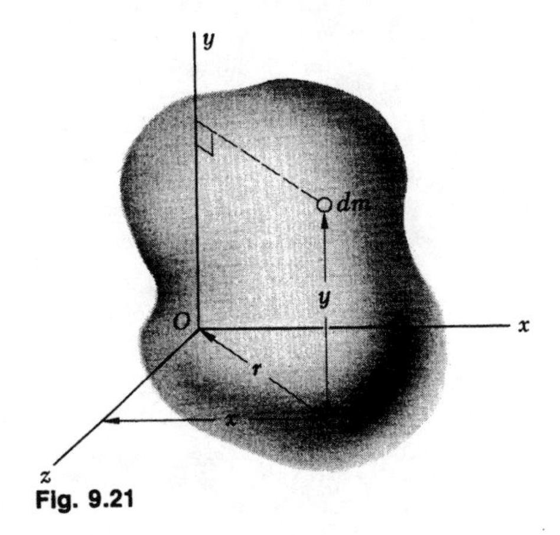

Fig. 9.21

## 9.11. Théorème des axes parallèles.

Considérons un corps de masse $m$ : soit $Oxyz$, système d'axes orthogonaux d'origine quelconque $O$ et $Gx'y'z'$, système d'axes centraux respectivement parallèles aux précédents, où l'origine $G$† est le centre de gravité du corps (Fig. 9.22). Appelons $\bar{x}$, $\bar{y}$ et $\bar{z}$ les coordonnées de $G$ prises par rapport au système $Oxyz$. Nous pouvons écrire les expressions suivantes entre les coordonnées $x$, $y$ et $z$ de l'élément $dm$ prises par rapport au système $Oxyz$ et les coordonnées $x'$, $y'$ et $z'$ prises par rapport au système $Gx'y'z'$ :

$$x = x' + \bar{x} \qquad y = y' + \bar{y} \qquad z = z' + \bar{z} \tag{9.31}$$

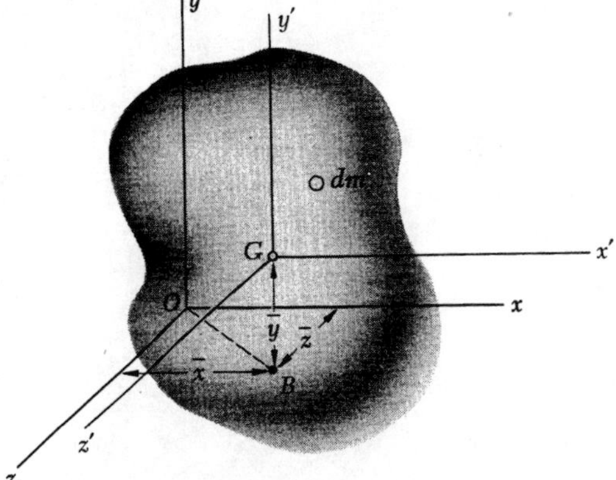

Fig. 9.22

† Remarquons que le mot *central* est utilisé pour définir un axe passant par le *centre de gravité G* du corps, que ceci coïncide ou non avec son centre *géométrique* (centroïde).

En se rapportant aux éq. (9.30), nous pouvons écrire le moment d'inertie du corps par rapport à l'axe $x$ de la façon suivante :

$$I_x = \int(y^2 + z^2)\,dm = \int[(y' + \overline{y})^2 + (z' + \overline{z})^2]\,dm$$
$$= \int(y'^2 + z'^2)\,dm + 2\overline{y}\int y'\,dm + 2\overline{z}\int z'\,dm + (\overline{y}^2 + \overline{z}^2)\int dm$$

La première intégrale dans l'expression précédente représente le moment d'inertie $\overline{I}_x$ du corps par rapport à l'axe central $x'$; les deuxième et troisième intégrales représentent le moment statique du corps par rapport respectivement aux plans $z'x'$ et $x'y'$. Comme ces deux plans passent par le point $G$, ces deux intégrales sont nulles. La dernière intégrale est égale à la masse $m$ du corps. Nous écrivons alors

$$I_x = \overline{I}_{x'} + m(\overline{y}^2 + \overline{z}^2) \tag{9.32}$$

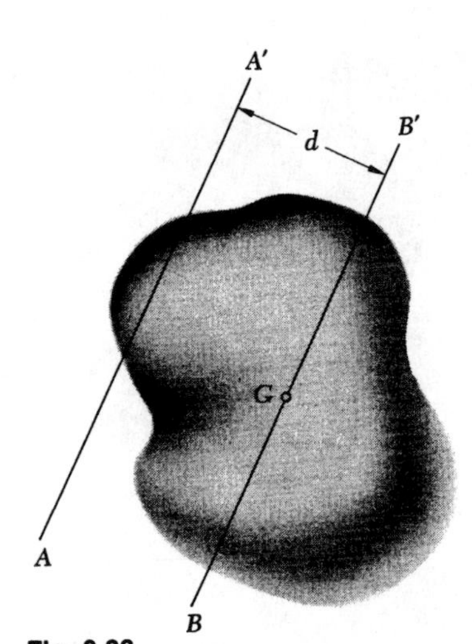

Fig. 9.23

et d'une façon identique

$$I_y = \overline{I}_{y'} + m(\overline{z}^2 + \overline{x}^2) \qquad I_z = \overline{I}_{z'} + m(\overline{x}^2 + \overline{y}^2) \tag{9.32'}$$

Nous pouvons vérifier, sur la fig. 9.22, que la somme $\overline{z^2} + \overline{x^2}$ représente le carré de la distance $OB$ entre les axes $x$, $y$ et $y'$. De la même manière $\overline{y^2} + \overline{z^2}$ et $\overline{x^2} + \overline{y^2}$ représentent respectivement le carré des distances entre les axes $x$ et $x'$ et $z$ et $z'$. Appelant $d$ la distance entre un axe arbitraire $AA'$ et un axe central parallèle $BB'$ (Fig. 9.23), nous pouvons alors écrire la relation suivante entre le moment d'inertie $I$ du corps par rapport à l'axe $AA'$ et son moment d'inertie $I$ par rapport à l'axe central parallèle $BB'$ :

$$I = \overline{I} + md^2 \tag{9.33}$$

En exprimant les moments d'inertie en fonction des rayons de giration, nous aurons

$$k^2 = \overline{k}^2 + d^2 \tag{9.34}$$

ou $k$ et $\overline{k}$ représentent respectivement les rayons de giration par rapport à $AA'$ et par rapport à $BB'$.

**9.12. Moments d'inertie de plaques minces.** Considérons une plaque mince homogène d'épaisseur uniforme $t$ et de masse volumique $\rho$. Le moment d'inertie de la masse de la plaque par rapport à un axe quelconque $AA'$ (Fig. 9.24$a$) est donné par

$$I_{AA',\ \text{masse}} = \int r^2\, dm$$

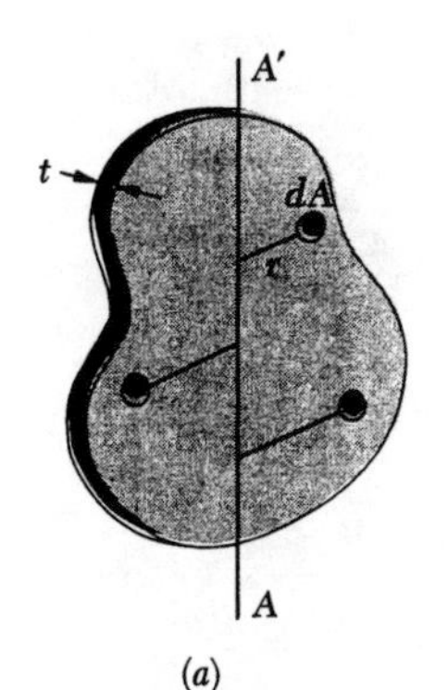

($a$)

Puisque $dm = \rho t dA$, nous pouvons écrire

$$I_{AA',\ \text{masse}} = \rho t \int r^2\, dA$$

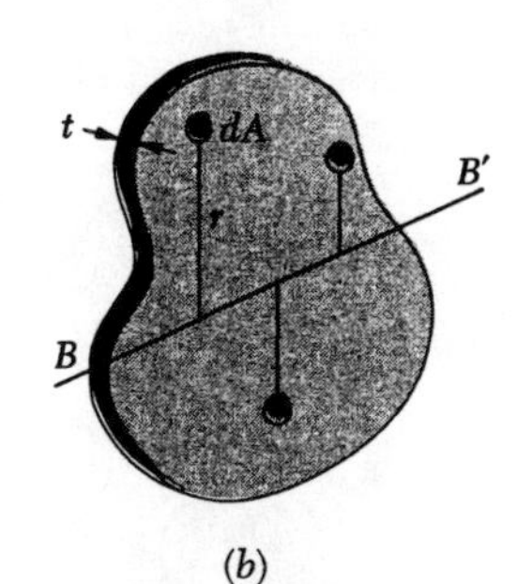

($b$)

Puisque l'épaisseur est négligeable vis-à-vis des autres dimensions de la plaque, $r$ représente la distance de l'élément de surface $dA$ à l'axe $AA'$. L'intégrale est alors égale au moment d'inertie de la surface de la plaque par rapport à l'axe $AA'$. Nous avons

$$I_{AA',\ \text{masse}} = \rho t I_{AA',\ \text{surface}} \tag{9.35}$$

De façon identique, nous aurons comme moment d'inertie par rapport à un axe $BB'$ perpendiculaire à $AA'$ (Fig. 9.24$b$)

$$I_{BB',\ \text{masse}} = \rho t I_{BB',\ \text{surface}} \tag{9.36}$$

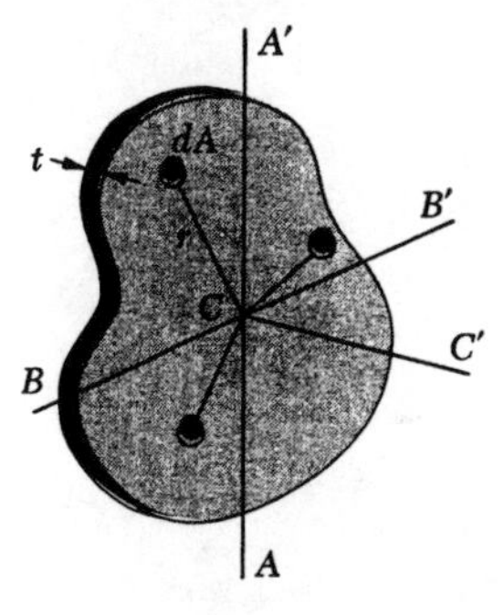

($c$) **Fig. 9.24**

Considérons maintenant, l'axe $CC'$ perpendiculaire à la plaque passant par le point $C$, intersection des axes $AA'$ et $BB'$. (Fig. 9.24$c$). Nous avons

$$I_{CC',\ \text{masse}} = \rho t J_{C,\ \text{surface}} \tag{9.37}$$

où $J_C$ est le moment d'inertie polaire de la plaque par rapport au point $C$.

En nous rappelant de la relation $J_C = I_{AA'} = I_{BB'}$ existant entre les moments d'inertie orthogonaux et polaires d'une surface, nous pouvons écrire les relations suivantes entre les moments d'inertie de la masse d'une plaque mince :

$$I_{CC'} = I_{AA'} + I_{BB'} \tag{9.38}$$

*Plaque rectangulaire.* Dans le cas d'une plaque rectangulaire de côtés $a$ et $b$(Fig. 9.25), nous obtenons les moments d'inertie de la masse par rapport aux deux axes orthogonaux passant par le centre de gravité de la plaque (axes centraux) suivants :

$$I_{AA',\ \text{masse}} = \rho t I_{AA',\ \text{surface}} = \rho t(\tfrac{1}{12}a^3 b)$$
$$I_{BB',\ \text{masse}} = \rho t I_{BB',\ \text{surface}} = \rho t(\tfrac{1}{12}ab^3)$$

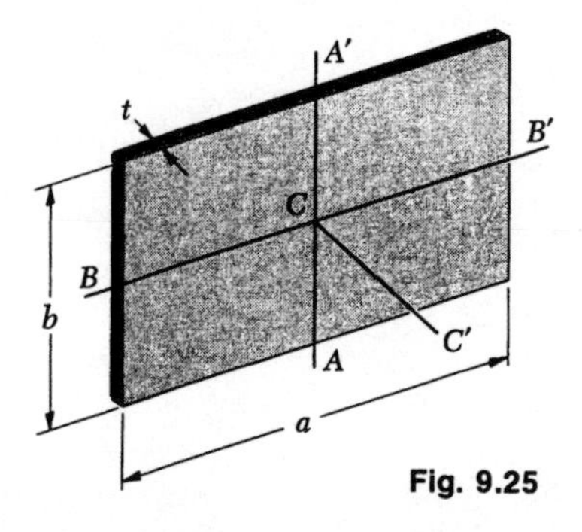

**Fig. 9.25**

Si nous remarquons que le produit $\rho abt$ est égal à la masse $m$ de la plaque, les moments d'inertie d'une plaque mince peuvent s'écrire

$$I_{AA'} = \tfrac{1}{12}ma^2 \qquad I_{BB'} = \tfrac{1}{12}mb^2 \tag{9.39}$$
$$I_{CC'} = I_{AA'} + I_{BB'} = \tfrac{1}{12}m(a^2 + b^2) \tag{9.40}$$

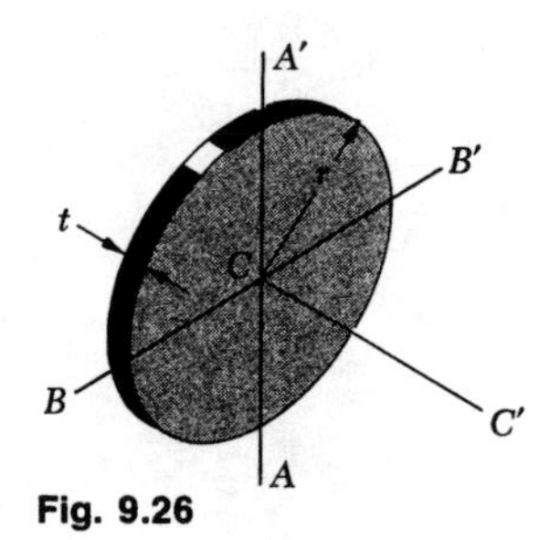

Fig. 9.26

*Plaque circulaire.* Dans le cas d'une plaque circulaire ou d'un disque de rayon $r$ (Fig. 9.26), nous aurons

$$I_{AA',\text{masse}} = \rho t I_{AA',\text{surface}} = \rho t(\tfrac{1}{4}\pi r^4)$$

Si nous remarquons encore que le produit $\rho \pi r^2 t$ représente la masse $m$ du disque et que $I_{AA'} = I_{BB'}$, les moments d'inertie de la masse d'un disque vont s'écrire

$$I_{AA'} = I_{BB'} = \tfrac{1}{4}mr^2 \tag{9.41}$$
$$I_{CC'} = I_{AA'} + I_{BB'} = \tfrac{1}{2}mr^2 \tag{9.42}$$

**9.13. Détermination du moment d'inertie d'un corps par intégration.** Le moment d'inertie d'un corps s'obtient en calculant l'intégrale $I = \int r^2 dm$. Si le corps est constitué d'un matériel homogène de masse volumique $\rho$, nous avons $dm = \rho dV$ et l'intégrale devient $I = \rho \int r^2 dV$. Cette intégrale dépend seulement de la forme du corps. Afin de la calculer, nous devons procéder à une intégration triple ou au moins à une double intégration (Fig. 9.27).

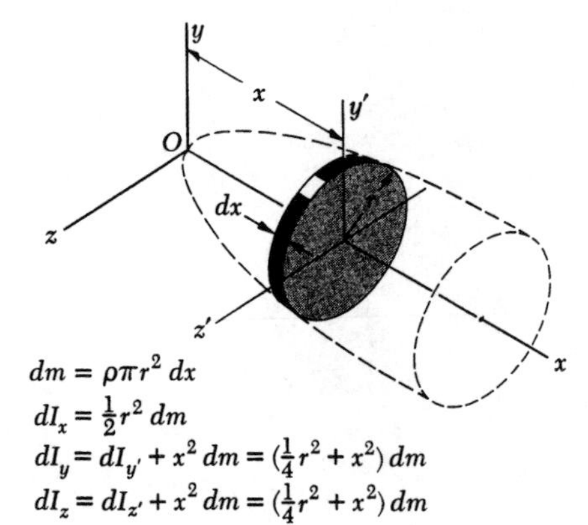

**Fig. 9.27** Détermination du moment d'inertie d'un corps de révolution.

Cependant, si le corps possède deux plans de symétrie, il est souvent possible de calculer son moment d'inertie au moyen d'une intégration simple en choisissant comme masse $dm$, la masse d'une plaque élémentaire perpendiculaire aux deux plaques de symétrie. Dans le cas des corps de révolution, par exemple, la masse élémentaire sera un disque mince (Fig. 9.27).

Utilisant l'équation (9.42), le moment d'inertie du disque par rapport à l'axe de révolution peut s'écrire rapidement, tel qu'il est indiqué à la fig. 9.27. Les moments d'inertie par rapport à chacun des deux autres axes de coordonnées s'obtiennent à l'aide de l'équation (9.41) et du théorème des axes parallèles. L'intégration des expressions ainsi obtenues nous donnera les moments d'inertie des corps de révolution.

**9.14. Moments d'inertie des corps composés.** Les moments d'inertie des différents volumes sont donnés à la figure 9.28. Le moment d'inertie par rapport à un axe donné d'un corps composé de certains de ces volumes, est la somme des moments d'inertie de chaque composant pris par rapport à l'axe donné. Notons que, comme pour les surfaces, le rayon de giration d'un corps composé n'est pas la somme des rayons de giration de ses composantes.

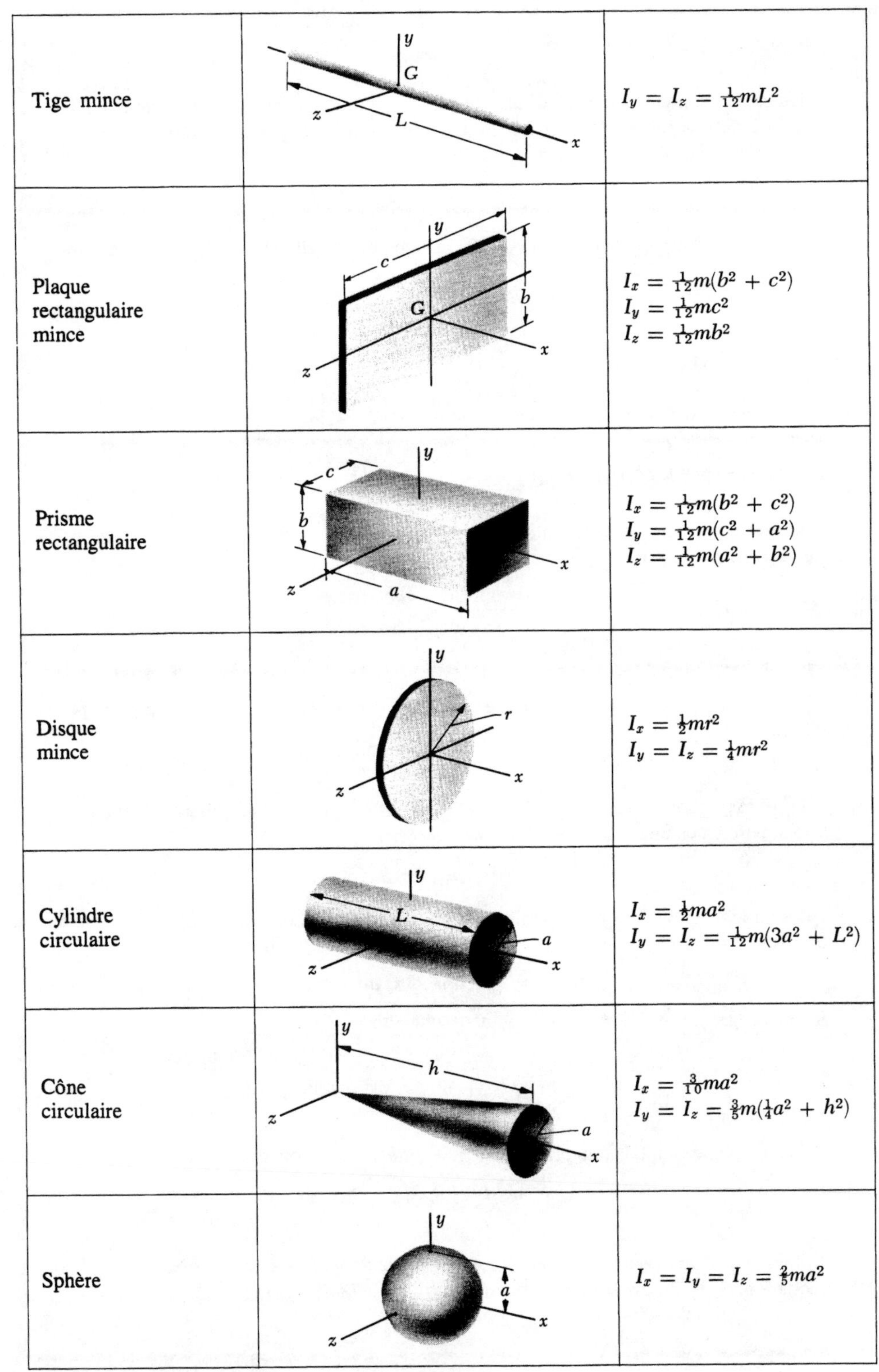

| | | |
|---|---|---|
| Tige mince | | $I_y = I_z = \frac{1}{12}mL^2$ |
| Plaque rectangulaire mince | | $I_x = \frac{1}{12}m(b^2 + c^2)$<br>$I_y = \frac{1}{12}mc^2$<br>$I_z = \frac{1}{12}mb^2$ |
| Prisme rectangulaire | | $I_x = \frac{1}{12}m(b^2 + c^2)$<br>$I_y = \frac{1}{12}m(c^2 + a^2)$<br>$I_z = \frac{1}{12}m(a^2 + b^2)$ |
| Disque mince | | $I_x = \frac{1}{2}mr^2$<br>$I_y = I_z = \frac{1}{4}mr^2$ |
| Cylindre circulaire | | $I_x = \frac{1}{2}ma^2$<br>$I_y = I_z = \frac{1}{12}m(3a^2 + L^2)$ |
| Cône circulaire | | $I_x = \frac{3}{10}ma^2$<br>$I_y = I_z = \frac{3}{5}m(\frac{1}{4}a^2 + h^2)$ |
| Sphère | | $I_x = I_y = I_z = \frac{2}{5}ma^2$ |

**Fig. 9.28** Moments d'inertie de masse des volumes usuels.

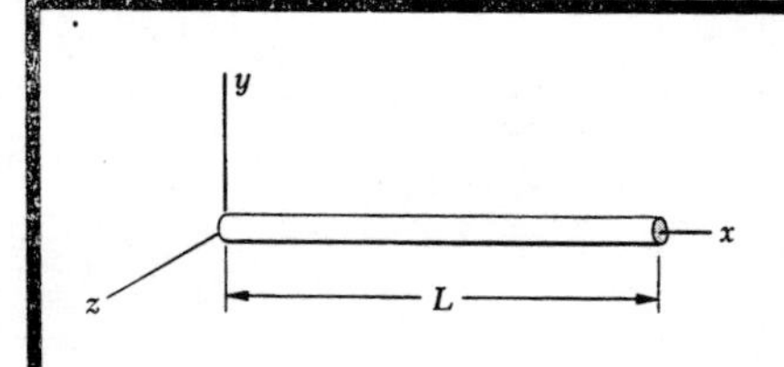


## PROBLÈME RÉSOLU 9.9

Calculez le moment d'inertie d'une tige mince, de longueur $L$ et de masse $m$, par rapport à un axe perpendiculaire à l'axe longitudinal de la tige et passant par une section d'extrémité de celle-ci.

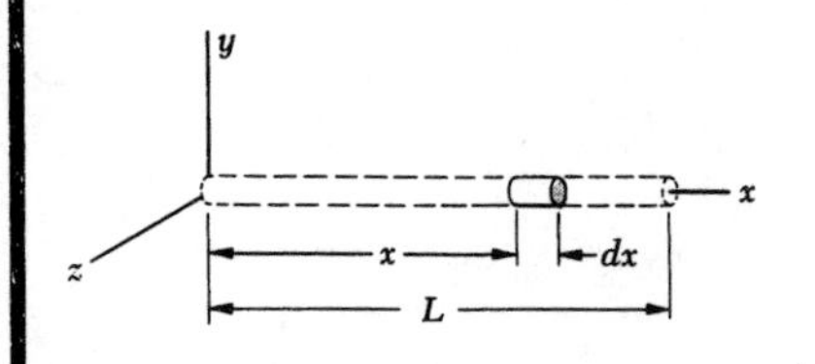


**Solution.** En prenant comme volume élémentaire le cylindre de génératrice $dx$, nous avons

$$dm = \frac{m}{L}\,dx$$

$$I_y = \int x^2\,dm = \int_0^L x^2 \frac{m}{L}\,dx = \left[\frac{m}{L}\frac{x^3}{3}\right]_0^L \qquad I_y = \frac{mL^2}{3}$$ ◄

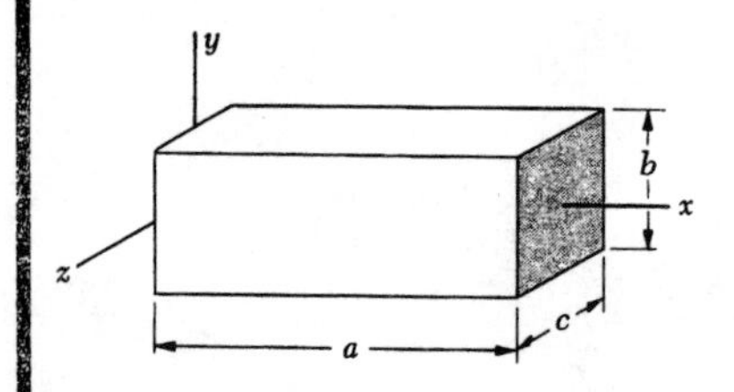


## PROBLÈME RÉSOLU 9.10

Calculez le moment d'inertie du prisme rectangulaire homogène illustré ci-contre, pris par rapport à l'axe $z$.

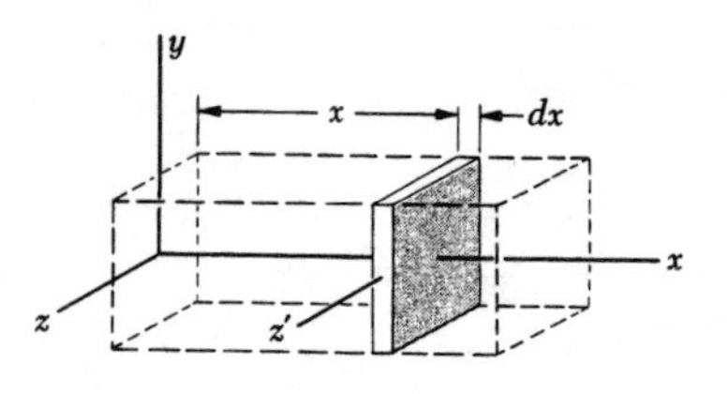


**Solution.** Choisissons, comme élément de masse, la plaque mince représentée pour laquelle

$$dm = \rho bc\,dx$$

En se rapportant à la section 9.12, nous trouvons que le moment d'inertie de masse de la plaque élémentaire par rapport à l'axe $z'$ est

$$dI_{z'} = \tfrac{1}{12}b^2\,dm$$

Utilisant le théorème des axes parallèles, nous obtenons le moment d'inertie de masse de la plaque par rapport à l'axe $z$.

$$dI_z = dI_{z'} + x^2\,dm = \tfrac{1}{12}b^2\,dm + x^2\,dm = (\tfrac{1}{12}b^2 + x^2)\,\rho bc\,dx$$

Si on intègre entre $x = 0$ et $x = a$, nous obtenons

$$I_z = \int dI_z = \int_0^a (\tfrac{1}{12}b^2 + x^2)\,\rho bc\,dx = \rho abc\,(\tfrac{1}{12}b^2 + \tfrac{1}{3}a^2)$$

Puisque la masse totale du prisme est $m = \rho abc$, nous pouvons écrire

$$I_z = m(\tfrac{1}{12}b^2 + \tfrac{1}{3}a^2) \qquad I_z = \tfrac{1}{12}m(4a^2 + b^2)$$ ◄

Notons que si le prisme est mince, $b$ est petit par rapport à $a$ et l'expression de $I_z$ se réduit à $ma^2/3$, qui est le résultat obtenu dans le problème résolu 9.9 en posant $L = a$.

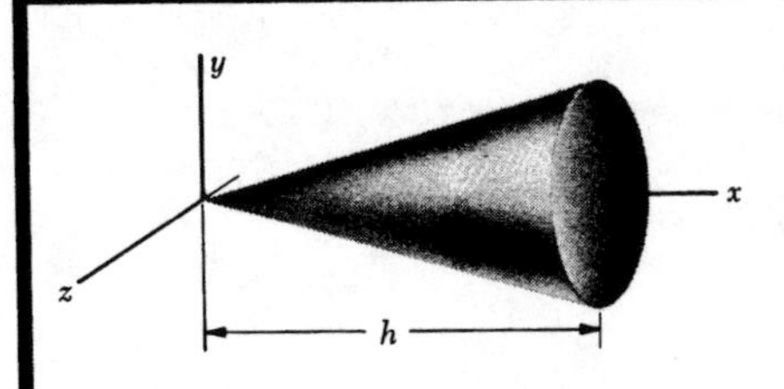


## PROBLÈME RÉSOLU 9.11

Calculez le moment d'inertie d'un cône circulaire droit par rapport à : *a*) son axe longitudinal, *b*) un axe passant par le sommet et perpendiculaire à son axe longitudinal, *c*) un axe central perpendiculaire à son axe longitudinal.

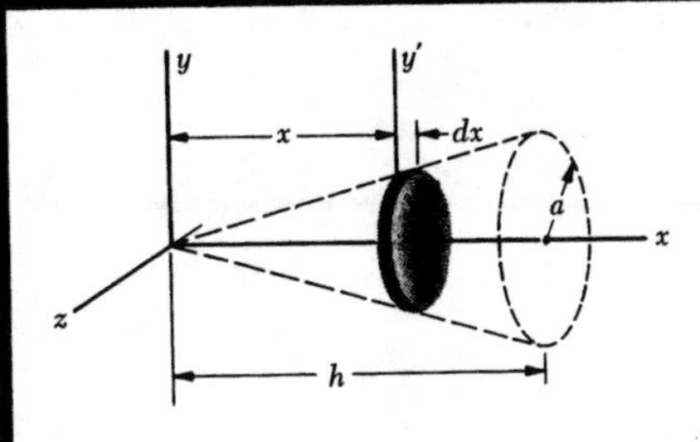


**Solution.** Choisissons comme masse élémentaire la masse du disque mince illustré ci-contre.

$$r = a\frac{x}{h} \qquad dm = \rho\pi r^2\,dx = \rho\pi\frac{a^2}{h^2}x^2\,dx$$

***a. Moment d'inertie $I_x$.*** Si on utilise l'expression obtenue à la section 9.12 pour un disque mince, nous pouvons calculer le moment d'inertie de masse de l'élément par rapport à l'axe $x$.

$$dI_x = \tfrac{1}{2}r^2\,dm = \tfrac{1}{2}\left(a\frac{x}{h}\right)^2\left(\rho\pi\frac{a^2}{h^2}x^2\,dx\right) = \tfrac{1}{2}\rho\pi\frac{a^4}{h^4}x^4\,dx$$

Si on intégre entre $x = 0$ et $x = h$, nous obtenons

$$I_x = \int dI_x = \int_0^h \tfrac{1}{2}\rho\pi\frac{a^4}{h^4}x^4\,dx = \tfrac{1}{2}\rho\pi\frac{a^4}{h^4}\frac{h^5}{5} = \tfrac{1}{10}\rho\pi a^4 h$$

Comme la mase du cône est $m = 1/3\ \rho\pi a^2 h$, nous pouvons écrire

$$I_x = \tfrac{1}{10}\rho\pi a^4 h = \tfrac{3}{10}a^2(\tfrac{1}{3}\rho\pi a^2 h) = \tfrac{3}{10}ma^2 \qquad I_x = \tfrac{3}{10}ma^2 \blacktriangleleft$$

***b. Moment d'inertie $I_y$.*** Nous allons utiliser la même masse élémentaire. Appliquant le théorème des axes parallèles et utilisant les expressions déduites à la section 9.12 pour un disque mince, nous avons

$$dI_y = dI_{y'} + x^2\,dm = \tfrac{1}{4}r^2\,dm + x^2\,dm = (\tfrac{1}{4}r^2 + x^2)\,dm$$

Substituant les valeurs de $r$ et de $dm$, nous aurons

$$dI_y = \left(\frac{1}{4}\frac{a^2}{h^2}x^2 + x^2\right)\left(\rho\pi\frac{a^2}{h^2}x^2\,dx\right) = \rho\pi\frac{a^2}{h^2}\left(\frac{a^2}{4h^2} + 1\right)x^4\,dx$$

$$I_y = \int dI_y = \int_0^h \rho\pi\frac{a^2}{h^2}\left(\frac{a^2}{4h^2} + 1\right)x^4\,dx = \rho\pi\frac{a^2}{h^2}\left(\frac{a^2}{4h^2} + 1\right)\frac{h^5}{5}$$

Finalement, si on introduit la masse totale du cône $m$, nous pouvons écrire

$$I_y = \tfrac{3}{5}(\tfrac{1}{4}a^2 + h^2)\tfrac{1}{3}\rho\pi a^2 h \qquad I_y = \tfrac{3}{5}m(\tfrac{1}{4}a^2 + h^2) \blacktriangleleft$$

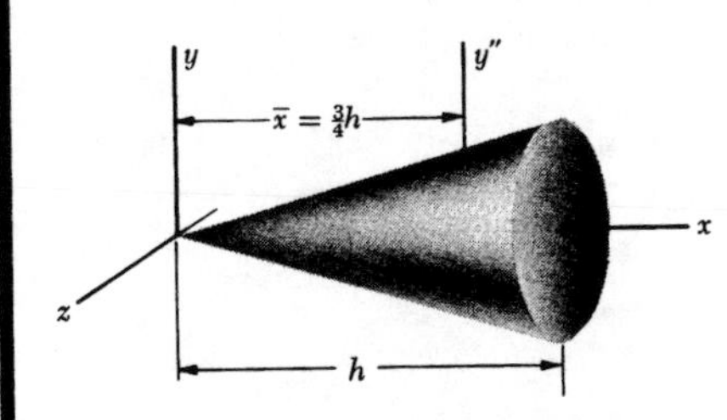


***c. Moment d'inertie $I_{y''}$.*** À l'aide du théorème des axes parallèles, nous écrirons

$$I_y = \bar{I}_{y''} + m\bar{x}^2$$

expression qui, résolue par rapport à $\bar{I}_{y''}$ nous donne, puisque $x = \frac{3}{4}h$,

$$\bar{I}_{y''} = I_y - m\bar{x}^2 = \tfrac{3}{5}m(\tfrac{1}{4}a^2 + h^2) - m(\tfrac{3}{4}h)^2$$

$$\bar{I}_{y''} = \tfrac{3}{20}m(a^2 + \tfrac{1}{4}h^2) \blacktriangleleft$$

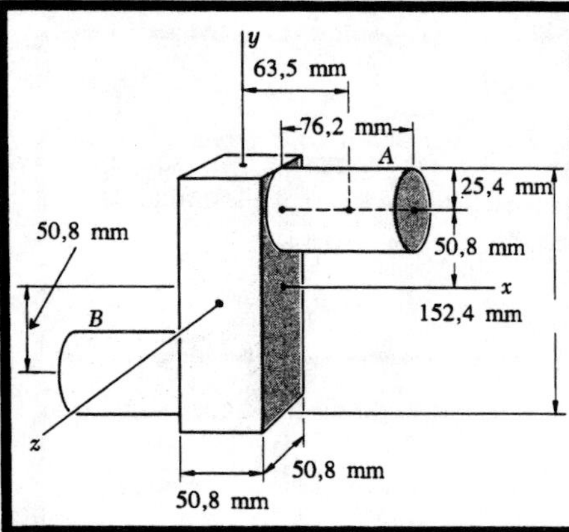


## PROBLÈME RÉSOLU 9.12

La pièce forgée ci-jointe est composée d'un prisme rectangulaire mesurant 152,4 mm x 50,8 mm x 50,8 mm et de deux cylindres de diamètre 50,8 mm et de longueur 76,2 mm. Calculez le moment d'inertie par rapport aux axes de référence. (Le poids volumique de l'acier est 7850 kg/m³.)

**Calcul des masses**
*Prisme*

$$V = (50{,}8 \text{ mm})^2(152{,}4 \text{ mm}) = 0{,}393 \times 10^6 \text{ mm}^3$$

et puisque $1 \text{ mm}^3 = (10^{-3} \text{ m})^3 = 10^{-9} \text{ m}^3$,

$$V = 0{,}393 \times 10^6 \times 10^{-9} \text{ m}^3 = 0{,}393 \times 10^{-3} \text{ m}^3$$
$$m = \rho V = (7{,}85 \times 10^3 \text{ kg/m}^3)(0{,}393 \times 10^{-3} \text{ m}^3) = 3{,}09 \text{ kg}$$

*Chaque cylindre*

$$V = \pi r^2 h = (25{,}4 \text{ mm})^2(76{,}2 \text{ mm}) = 0{,}1544 \times 10^6 \text{ mm}^3 = 0{,}1544 \times 10^{-3} \text{ m}^3$$
$$m = \rho V = (7{,}85 \times 10^3 \text{ kg/m}^3)(0{,}1544 \times 10^{-3} \text{ m}^3) = 1{,}212 \text{ kg}$$

**Moments d'inertie de masse.** Les moments d'inertie de chaque volume composant sont calculés à partir de la fig. 9.28, en utilisant le théorème des axes parallèles si nécessaire. Remarquons que toutes les longueurs doivent s'exprimer en millimètres

***Prisme***

$$I_x = I_z = \frac{1}{12}(3{,}09\text{ kg})[(152{,}4\text{ mm})^2 + (50{,}8\text{ mm})^2] = 6640\text{ kg}\cdot\text{mm}^2$$

$$I_y = \frac{1}{12}(3{,}09\text{ kg})[(50{,}8\text{ mm})^2 + (50{,}8\text{ mm})^2] = 1329\text{ kg}\cdot\text{mm}^2$$

***Chaque cylindre***

$$I_x = \frac{1}{2}ma^2 + m\bar{y}^2 = \frac{1}{2}(1{,}212\text{ kg})(25{,}4\text{ mm})^2 + (1{,}212\text{ kg})(50{,}8\text{ mm})^2 = 3520\text{ kg}\cdot\text{mm}^2$$

$$I_y = \frac{1}{12}m(3a^2 + L^2) + m\bar{x}^2 = \frac{1}{12}(1{,}212\text{ kg})[3(25{,}4\text{ mm})^2 + (76{,}2\text{ mm})^2] + (1{,}212\text{ kg})(63{,}5\text{ mm})^2 = 5670\text{ kg}\cdot\text{mm}^2$$

$$I_z = \frac{1}{12}m(3a^2 + L^2) + m(\bar{x}^2 + \bar{y}^2) = \frac{1}{12}(1{,}212\text{ kg})[3(25{,}4\text{ mm})^2 + (76{,}2\text{ mm})^2] + (1{,}212\text{ kg})[(63{,}5\text{ mm})^2 + (50{,}8\text{ mm})^2] = 8800\text{ kg}\cdot\text{mm}^2$$

***Pièce forgée.*** En additionnant les valeurs obtenues et en remarquant que $1\text{ mm}^2 = (10^{-3}\text{ m})^2 = 10^{-6}\text{ m}^2$, nous avons

$$I_x = 6640\text{ kg}\cdot\text{mm}^2 + 2(3520\text{ kg}\cdot\text{mm}^2) = 13{,}68 \times 10^3\text{ kg}\cdot\text{mm}^2$$

$$I_x = 13{,}68 \times 10^{-3}\text{ kg}\cdot\text{m}^2 \quad ◄$$

$$I_y = 1329\text{ kg}\cdot\text{mm}^2 + 2(5670\text{ kg}\cdot\text{mm}^2) = 12{,}67 \times 10^3\text{ kg}\cdot\text{mm}^2$$

$$I_y = 12.67 \times 10^{-3}\text{ kg}\cdot\text{m}^2 \quad ◄$$

$$I_z = 6640\text{ kg}\cdot\text{mm}^2 + 2(8800\text{ kg}\cdot\text{mm}^2) = 24{,}2 \times 10^3\text{ kg}\cdot\text{mm}^2$$

$$I_z = 24{,}2 \times 10^{-3}\text{ kg}\cdot\text{m}^2 \quad ◄$$

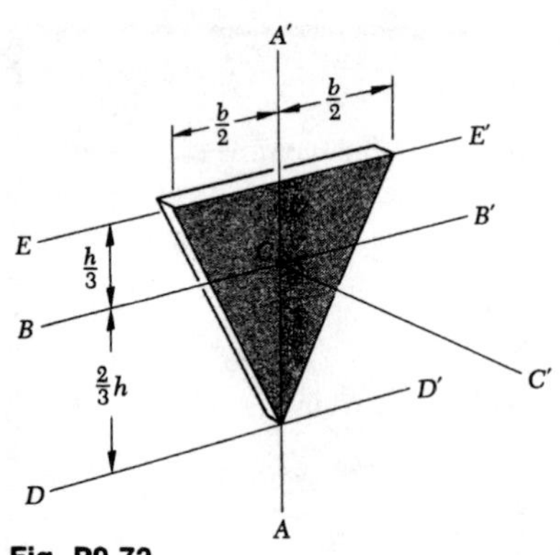

Fig. P9.72

## PROBLÈMES SUPPLÉMENTAIRES

**9.72** Une plaque mince de masse $m$ a la forme d'un triangle isocèle de base $b$ et de hauteur $h$. Calculez le moment d'inertie de la plaque pris par rapport : $a$) aux axes centraux $AA'$ et $BB'$ contenus dans son plan de la plaque. $b$) à l'axe central $CC'$ perpendiculaire au plan de la plaque.

**9.73** Calculez le moment d'inertie de la plaque du problème 9.72 pris par rapport : $a$) au bord $EE'$, $b$) à l'axe $DD'$ qui passe par un sommet d'une des surfaces triangulaires et qui est parallèle au côté $EE'$.

**9.74** Calculez le moment d'inertie d'un anneau, de masse $m$, découpé dans une plaque mince uniforme, pris par rapport : $a$) au diamètre $AA'$ de l'anneau, $b$) l'axe $CC'$ perpendiculaire au plan de l'anneau.

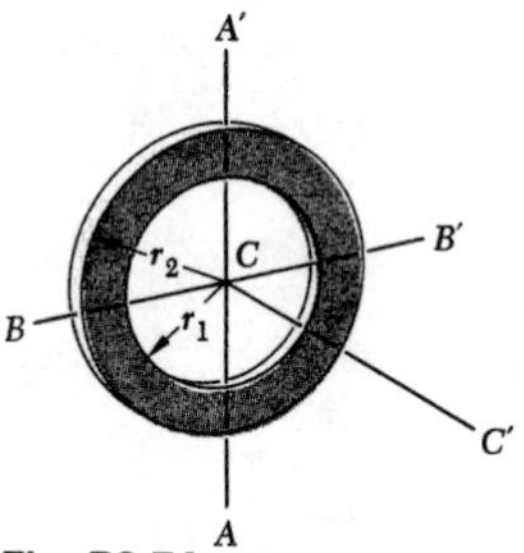

Fig. P9.74

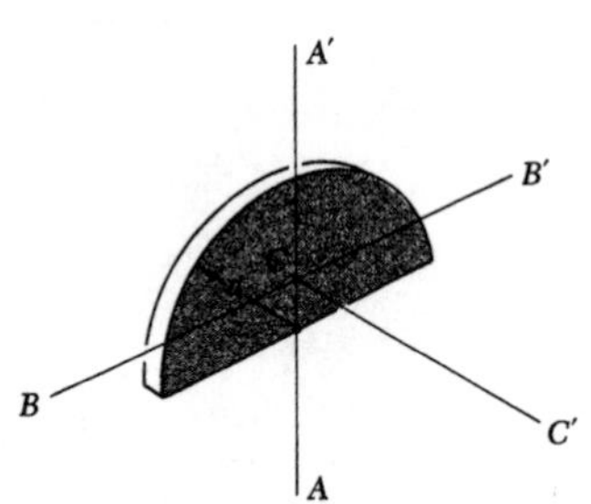

Fig. P9.75

**9.75** Une plaque semi-circulaire mince possède un rayon $a$ et une masse $m$. Calculez le moment d'inertie de la plaque pris par rapport à : $a$) l'axe central $BB'$, $b$) l'axe central $CC'$.

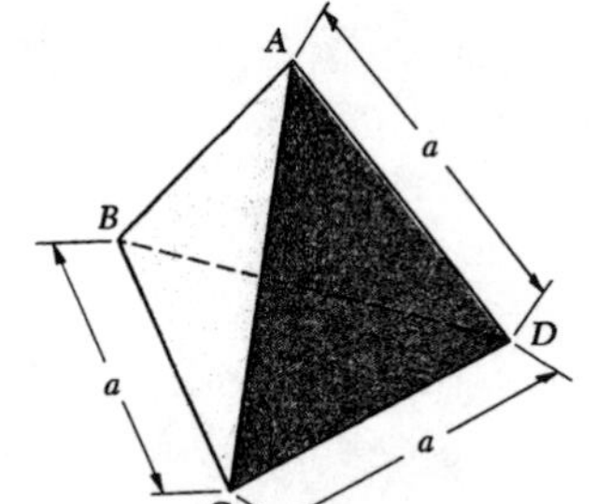

Fig. P9.76

**9.76** Calculez, par intégration simple, le moment d'inertie d'un tétraède régulier, homogène, de masse $m$ et de côté $a$, pris par rapport à un axe passant par $A$ et perpendiculaire à la base $BCD$. (Utilisez le résultat obtenu à l'alinéa ($b$) du problème 9.72.)

**9.77** La surface ombrée tourne autour de l'axe $x$ de façon à engendrer un solide de révolution, homogène, de masse $m$. Exprimez le moment d'inertie du solide pris par rapport à l'axe $x$ en fonction de $m$, $a$ et $n$. L'expression obtenue peut être utilisée pour vérifier : $a$) la valeur donnée à la fig. 9.28 pour un cône ($n = 1$), et $b$) la réponse du problème 9.78 ($n = \frac{1}{2}$ ).

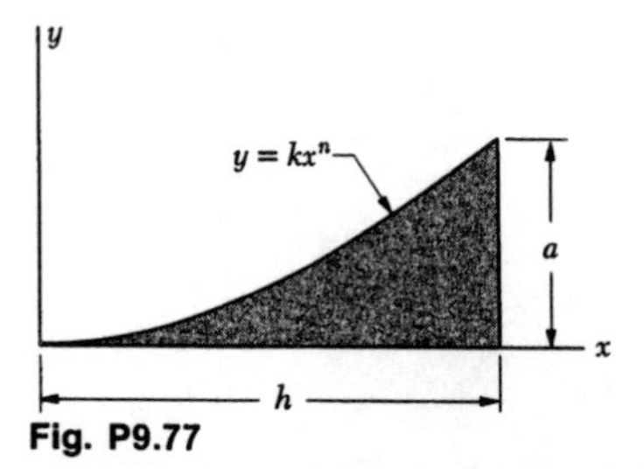

Fig. P9.77

**9.78** Calculez, par intégration simple, le moment d'inertie et le rayon de giration pris par rapport à l'axe $x$ du paraboloïde représenté ci-dessous, en le supposant homogène et de masse $m$.

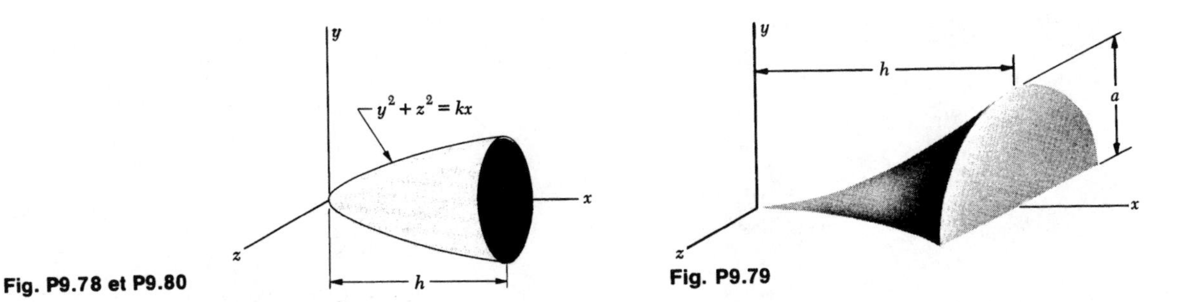


Fig. P9.78 et P9.80

Fig. P9.79

**9.79** Le solide homogène dessiné ci-dessus s'obtient par la rotation de 180° autour de $x$ de la surface du probl. 9.77, en posant $n = 2$. Calculez le moment d'inertie $I_x$ en fonction de $m$ et $a$.

**9.80** Calculez, par intégration simple, le moment d'inertie et le rayon de giration pris par rapport à l'axe $y$ du paraboloïde, si on suppose qu'il est homogène et de masse $m$.

**9.81** Calculez, par intégration simple, le moment d'inertie et le rayon de giration d'un cylindre circulaire de rayon $a$, de longueur $L$ et de masse volumique uniforme $\rho$, pris par rapport à un diamètre de sa base.

**9.82** Calculez, par intégration simple, le moment d'inertie de la pyramide rectangulaire, pris par rapport à l'axe $y$, en la supposant homogène et de masse $m$.

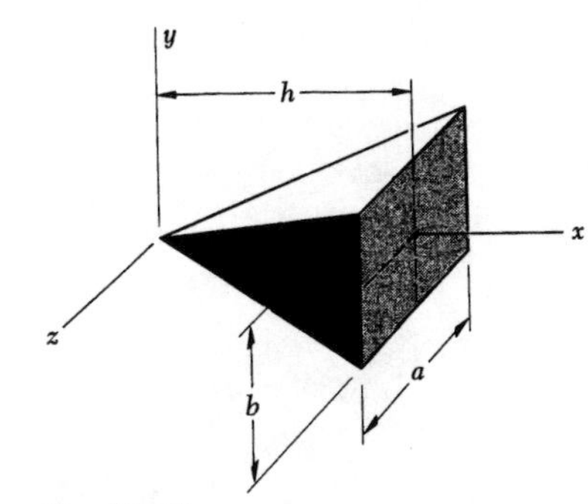


Fig. P9.82

**9.83** Calculez, par intégration simple, le moment d'inertie et le rayon de giration du cône circulaire droit, pris par rapport à l'axe $z$, en le supposant homogène et de masse $m$.

**9.84** Calculez le moment d'inertie du tronc de cône circulaire droit de masse $m$, pris par rapport à son axe de symétrie.

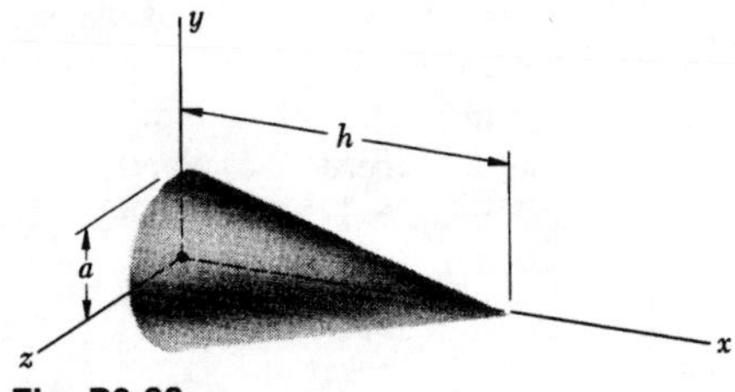


Fig. P9.83

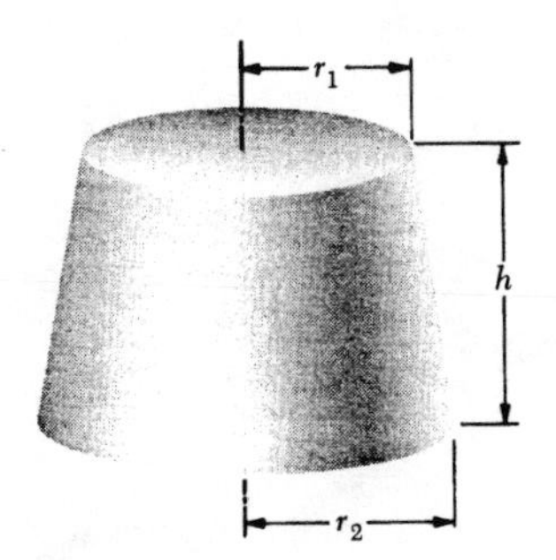


Fig. P9.84

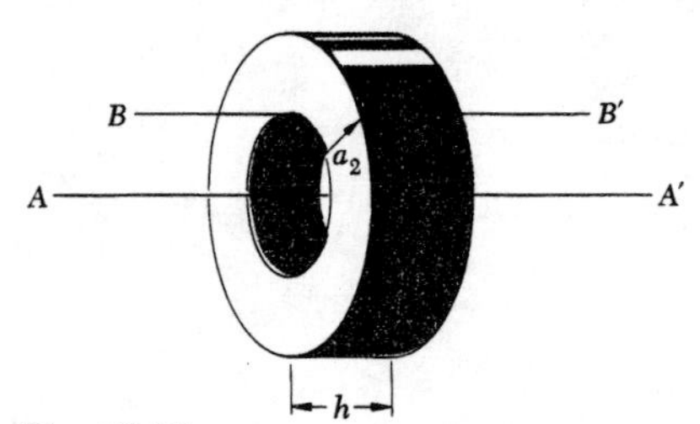


Fig. P9.85

**9.85** Calculez le moment d'inertie de l'anneau homogène de masse $m$, pris par rapport à l'axe $AA'$.

**9.86** Calculez le moment d'inertie et le rayon de giration du volant d'inertie en acier illustré ci-dessous, pris par rapport à l'axe de rotation. L'âme du volant est formée d'une plaque de 25 mm d'épaisseur. (Masse volumique de l'acier = 7850 kg/m$^3$.)

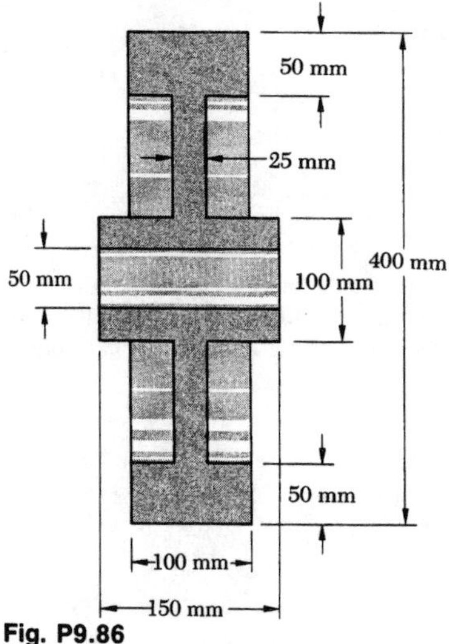


Fig. P9.86

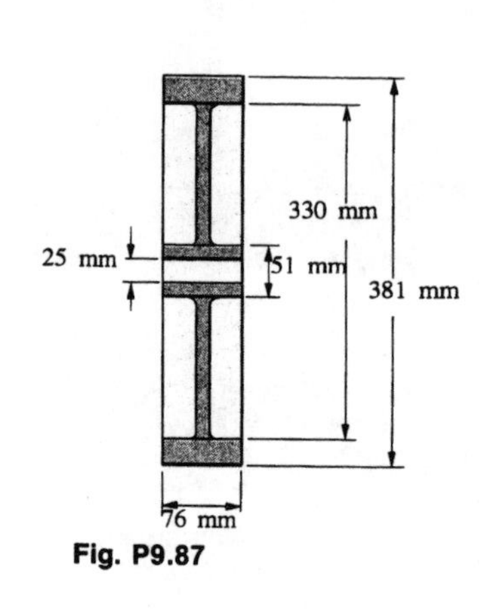


Fig. P9.87

**9.87** La section diamétrale d'un petit volant d'inertie est représentée ci-dessus. La jante et le moyeu sont assemblés par huit rayons dont deux sont représentés sur la figure. Chaque rayon est formé par une tige de section de 121 mm$^2$. Calculez le moment d'inertie et le rayon de giration du volant d'inertie pris par rapport à l'axe de symétrie. (Masse volumique de l'acier = 7850 kg/m$^3$.)

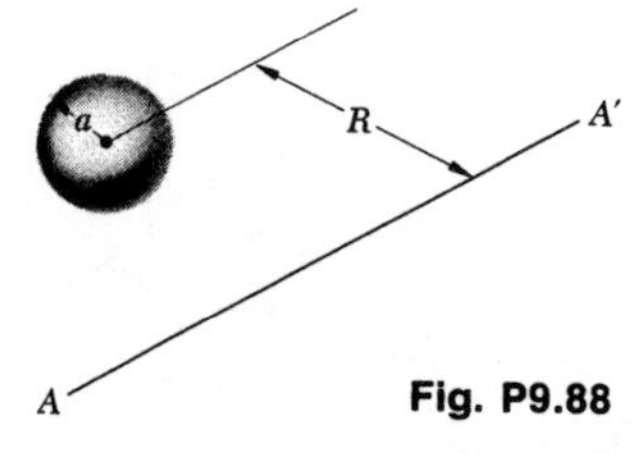


Fig. P9.88

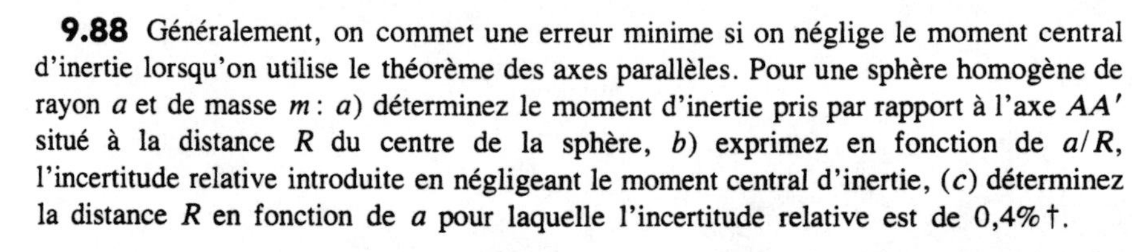

**9.88** Généralement, on commet une erreur minime si on néglige le moment central d'inertie lorsqu'on utilise le théorème des axes parallèles. Pour une sphère homogène de rayon $a$ et de masse $m$ : $a$) déterminez le moment d'inertie pris par rapport à l'axe $AA'$ situé à la distance $R$ du centre de la sphère, $b$) exprimez en fonction de $a/R$, l'incertitude relative introduite en négligeant le moment central d'inertie, ($c$) déterminez la distance $R$ en fonction de $a$ pour laquelle l'incertitude relative est de 0,4% †.

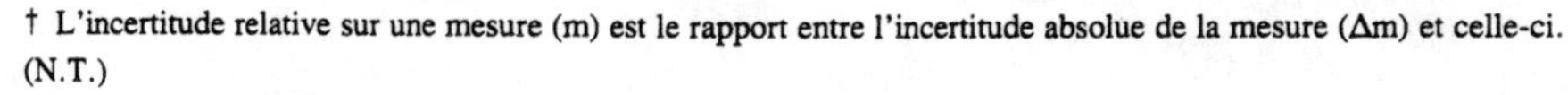

† L'incertitude relative sur une mesure (m) est le rapport entre l'incertitude absolue de la mesure (Δm) et celle-ci. (N.T.)

**9.89** Deux tiges, de longueur $l$ et de masse $m$, sont soudées ensemble (Fig. P9.89). Calculez le moment d'inertie de l'ensemble pris par rapport : *a*) à l'axe $x$ parallèle à la tige $CD$, *b*) à l'axe $y$, *c*) à l'axe $z$.

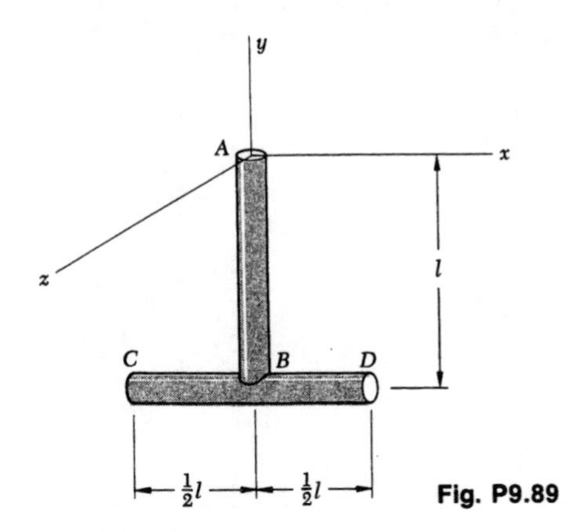


Fig. P9.89

**9.90** Calculez, pour le probl. 9.89, le moment d'inertie de l'ensemble pris par rapport aux axes centraux parallèles à $x$, $y$ et $z$.

**9.91** Calculez pour l'anneau homogène de masse volumique $\rho$ : *a*) le moment d'inertie pris par rapport à l'axe $BB'$, *b*) la valeur de $a_1$ pour laquelle $I_{BB'}$ est maximal lorsqu'on fixe $a_2$ et $h$, *c*) la valeur correspondante de $I_{BB'}$.

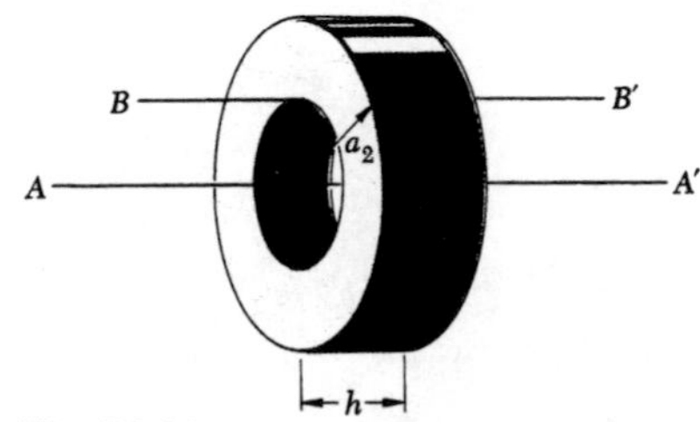


Fig. P9.91

**9.92 et 9.93** Calculez le moment d'inertie et le rayon de giration des pièces représentées ci-dessous, pris par rapport à l'axe $x$. (Masse volumique de l'acier = 7850 kg/m$^3$.)

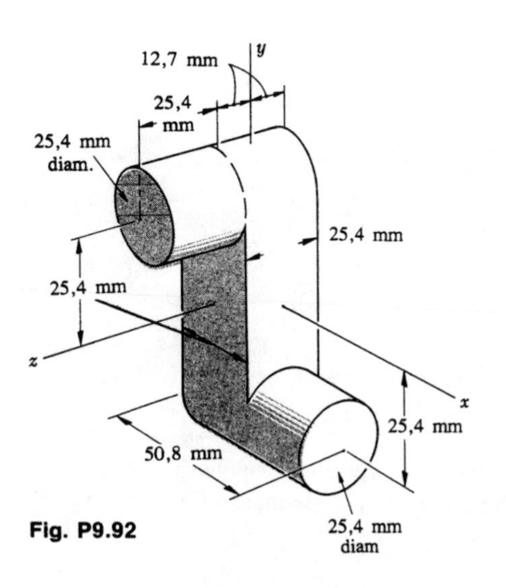


Fig. P9.92

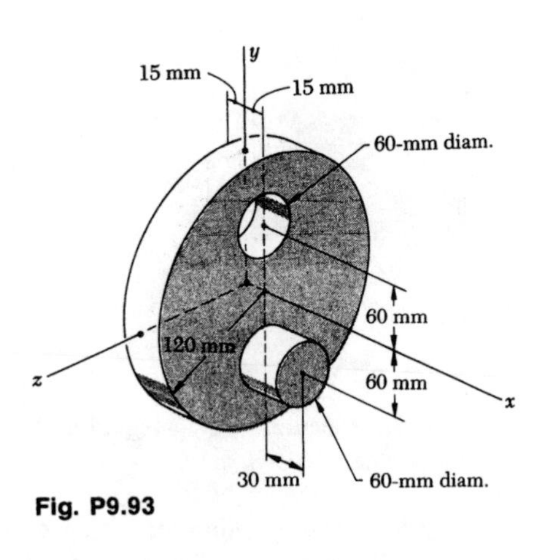


Fig. P9.93

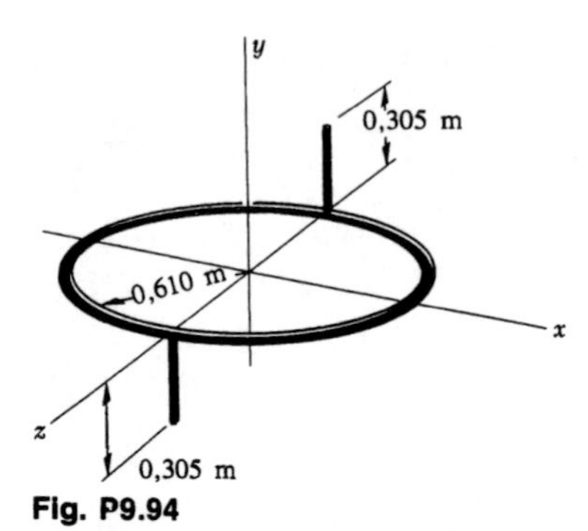

Fig. P9.94

**9.94** Un fil métallique homogène, de poids linéaire 21,9 N/m, est plié suivant la forme montrée à la figure illustrée ci-contre. Déterminez le moment d'inertie de la pièce par rapport à : *a*) l'axe *x*, *b*) l'axe *y*, *c*) l'axe *z*.

**9.95** Deux trous d'un diamètre de 50 mm sont forés dans le bloc d'acier représenté ci-dessous. Calculez le moment d'inertie de la pièce par rapport aux axes de chaque trou. (Masse volumique de l'acier = 7850 kg/m$^3$.)

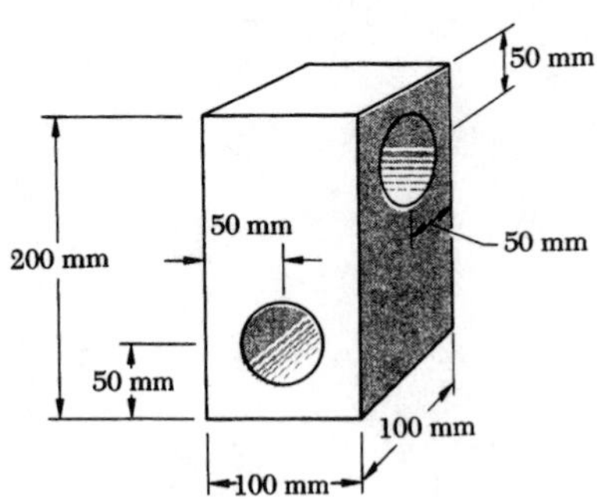

Fig. P9.95

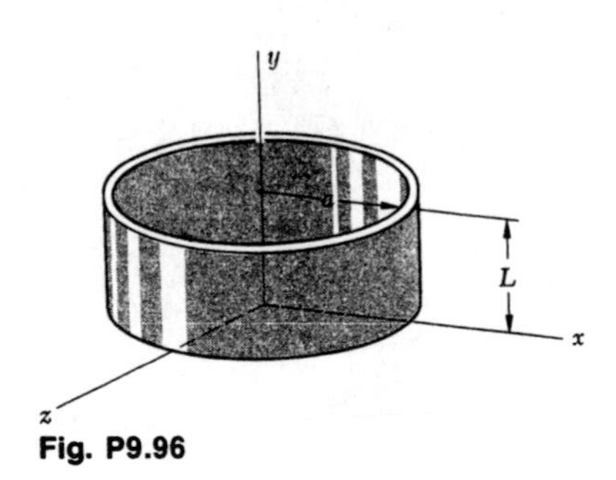

Fig. P9.96

## PROBLÈMES DE RÉVISION

**9.96** Calculez le moment d'inertie $I_x$ d'un cylindre évidé, de paroi mince et de masse *m*. (Considérez le cylindre comme un solide limité par des surfaces cylindriques respectivement de rayon *a* et $a + \varepsilon$; faites ensuite tendre $\varepsilon$ vers zéro après avoir exprimé le moment d'inertie en fonction de *a*, $\varepsilon$, *L* et *m*.)

**9.97** Calculez, par intégration directe, le moment d'inertie de la surface ombrée pris par rapport à : *a*) l'axe *x*, *b*) l'axe *y*.

y
$y = kx^{1/3}$
a
x
h

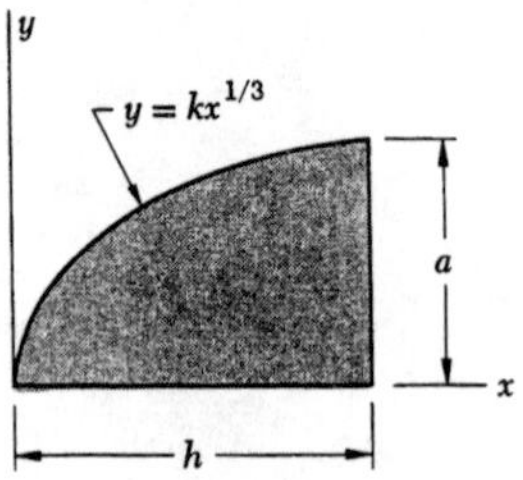

Fig. P9.97 et P9.98

**9.98** Calculez, par intégration directe, le produit d'inertie de l'aire ombrée par rapport aux axes *x* et *y*.

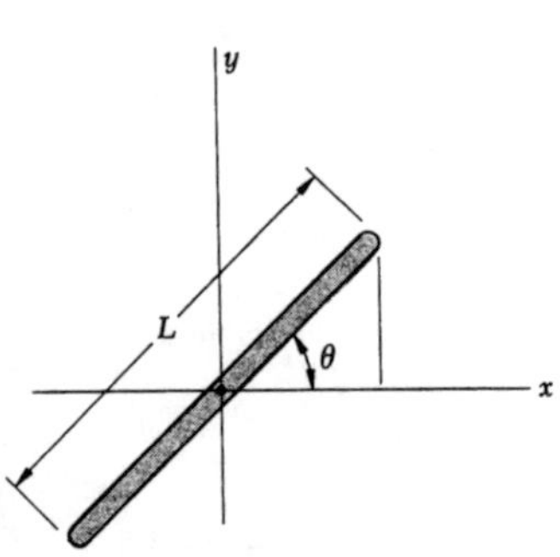

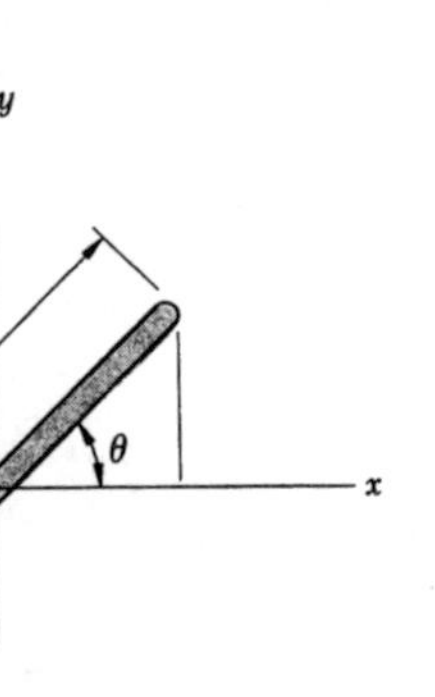

Fig. P9.99

**9.99** Une tige mince de masse *m* et de longueur *L* appartenant au plan *xy*, forme un angle $\theta$ avec l'axe *x*. Calculez : *a*) le moment d'inertie $I_x$, *b*) le moment d'inertie $I_y$.

**9.100** Calculez le rayon de giration d'un triangle équilatéral de côté $a$, pris par rapport à un de ses côtés.

**9.101** Calculez, par intégration directe, le moment d'inertie et le rayon de giration d'une sphère de rayon $a$ et d'une masse volumique $\rho$ pris par rapport à un axe diamétral.

**9.102** Calculez les moments centraux d'inertie $\bar{I}_x$ et $\bar{I}_y$ et les rayons centraux de giration $\bar{k}_x$ et $\bar{k}_y$ pour la section de la cornière dessinée ci-contre. (Négligez l'effet des coins arrondis.)

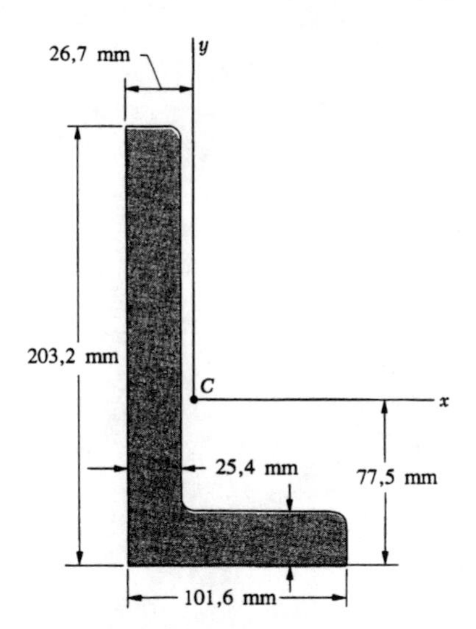


Fig. P9.102 et P9.103

**9.103** Calculez l'orientation des axes centraux principaux et les valeurs correspondantes du moment d'inertie de la section de la cornière dessinée ci-contre. (Négligez l'effet des coins arrondis et utilisez les valeurs de $\bar{I}_x$ et $\bar{I}_y$ obtenues dans le probl. 9.102.)

**9.104** Calculez le moment d'inertie d'une plaque mince de forme elliptique et de masse $m$, pris par rapport : $a$) aux axes $AA'$ et '$BB'$ de l'ellipse, $b$) à l'axe $CC'$ perpendiculaire à la plaque.

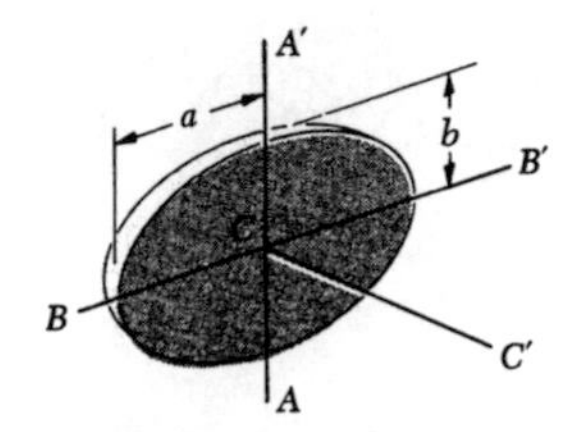


Fig. P9.104

**9.105** Une demi-sphère de rayon $a$ et un cône de hauteur $h$, de même masse volumique $\rho$, sont assemblés pour former le solide dessiné ci-dessous. $a$) Calculez le rapport $h/a$ pour lequel le moment d'inertie du solide, pris par rapport à son axe de symétrie, est égal au moment d'inertie d'une sphère, de rayon $a$ et de masse volumique $\rho$, pris par rapport à un de ses diamètres. $b$) Répétez la solution en considérant le moment d'inertie du solide par rapport à un diamètre de la base commune au cône et à l'hémisphère. (Résolvez les équations cubiques obtenues par la méthode des approximations successives.)

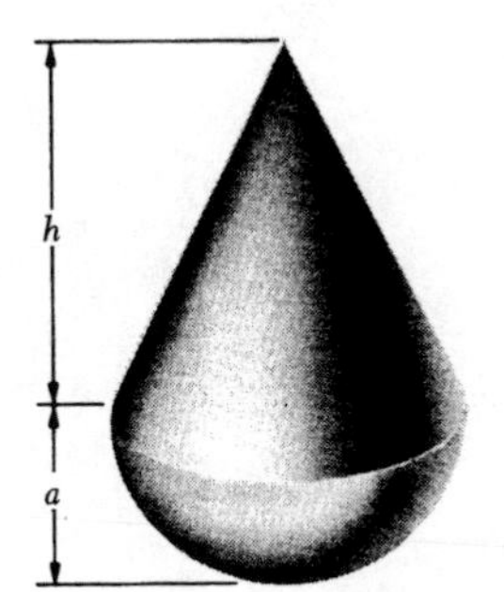


Fig. P9.105 et P9.106

**9.106** Une demi-sphère en acier de rayon $a = 40$ mm et un cône en acier de hauteur $h = 100$ mm sont assemblés de la façon illustrée ci-dessus. Calculez le moment d'inertie du corps composé pris par rapport à son axe de symétrie. (Masse volumique de l'acier $\rho = 7850\ \text{kg/m}^3$.)

**9.107** *a*) Calculez $I_x$ et $I_y$ si $b$ = 250 mm. *b*) Calculez la valeur de $b$ pour que $I_x = I_y$.

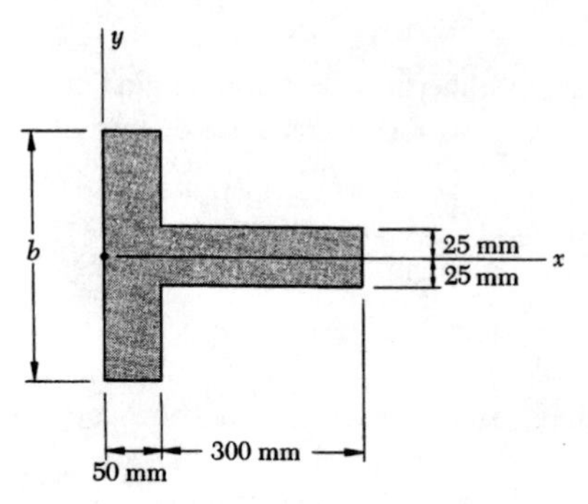


**Fig. P9.107**

# Méthode des travaux virtuels

CHAPITRE

# 10

## *10.1. Travail d'une force.

Dans les chapitres précédents, nous avons trouvé une solution aux problèmes d'équilibre des corps rigides en exprimant que l'ensemble des forces extérieures appliquées aux corps formaient un système nul. Les équations résultantes, dites équations d'équilibre $\Sigma F_x = 0$, $\Sigma F_y = 0$, $\Sigma F_z = 0$ et $\Sigma M_A = 0$, étaient résolues en fonction des inconnues introduites par les problèmes. Nous allons, dans ce chapitre, exposer une méthode différente qui présente de grands avantages dans la solution de certains problèmes d'équilibre. Cette méthode est basée sur le concept du *travail d'une force* : elle a été proposée d'une façon formelle par le mathématicien suisse Jean Bernoulli, au dix-huitième siècle.

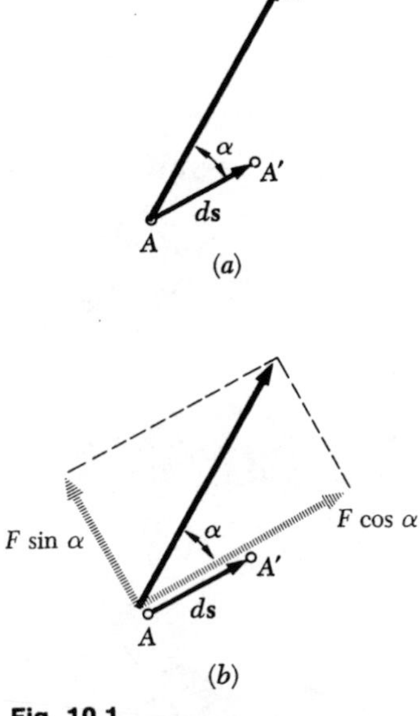

Fig. 10.1

Nous allons d'abord définir les mots *déplacement* et *travail*, tels qu'ils sont utilisés en mécanique. Considérons un point matériel qui se déplace du point $A$ à un point voisin $A'$ (Fig. 10.1*a*). Le petit vecteur $d\mathbf{s}$ de grandeur $ds$, d'origine $A$ et d'extrémité $A'$, est appelé le *déplacement du point*. Appliquons au point matériel une force $\mathbf{F}$ de grandeur $F$ et faisant un angle $\alpha$ avec le vecteur $d\mathbf{s}$. Le *travail de la force* $\mathbf{F}$ *appliquée le long du déplacement* $d\mathbf{s}$ est défini par le scalaire

$$dU = F\,ds \cos\alpha \tag{10.1}$$

Étant une *quantité scalaire*, le travail possède une grandeur et un signe, mais il ne possède pas de caractéristiques directionnelles. Notons encore que le tra-

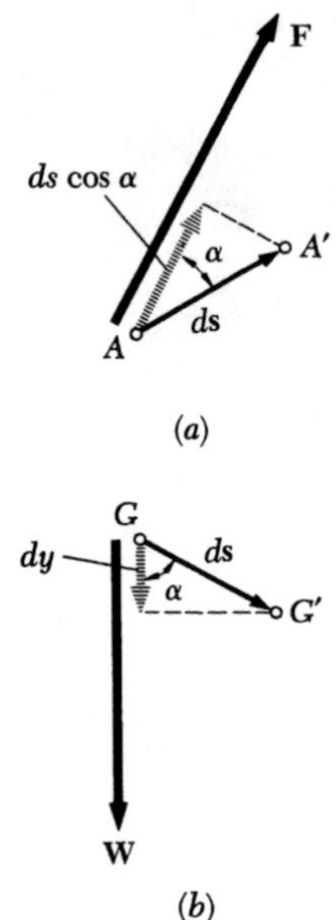


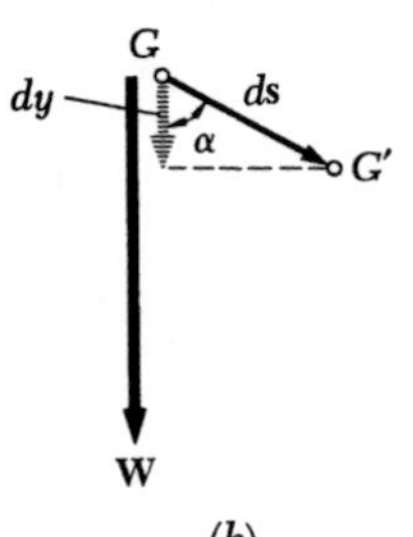


Fig. 10.2

vail doit se mesurer à l'aide d'une unité obtenue en multipliant l'unité de longueur par l'unité de force; cette unité est appelée le *joule* (J)†.

Il découle de l'éq. 10.1 que le travail $dU$ peut être considéré comme le produit de déplacement $ds$ par la composante scalaire $F \cos \alpha$ de la force **F** prise suivant la direction de **ds** (Fig. 10.1*b*). Si cette composante et le déplacement **ds** ont le même sens, le travail est positif; s'ils ont des sens opposés, le travail est négatif. Trois cas particuliers sont d'un intérêt spécial. Si la force **F** a la même direction que le déplacement **ds**, le travail sera $dU = F\,ds$. Si **F** a la direction opposée au déplacement, le travail devient $dU = -F\,ds$. Finalement, si **F** est perpendiculaire à **ds**, le travail $dU$ s'annule.

Remarquons que le travail élémentaire $dU$, réalisé par la force **F** durant le déplacement **ds**, peut aussi être considéré comme le produit de $F$ par la composante $ds \cos \alpha$ du déplacement, suivant la direction de la force **F** (Fig. 10.2*a*). Cette perception du travail élémentaire $dU$ est particulièrement intéressante lorsqu'on calcule le travail réalisé par le poids **W** d'un corps (Fig. 10.2*b*). Ce travail est égal au produit de $W$ par le déplacement vertical $dy$ du centre de gravité $G$ du corps. Si le déplacement est vers le bas, le travail est positif; si le déplacement est vers le haut, le travail est négatif.

Un certain nombre de forces fréquemment rencontrées en statique *ne font pas de travail.* Il s'agit des forces appliquées à des points fixes ($ds = 0$) ou agissant dans une direction perpendiculaire au déplacement ($\cos\alpha = 0$). On retrouve parmi ces forces : *a*) la réaction d'un appui à rotule sans frottement lorsque le corps tourne autour de l'axe de rotation de celle-ci, *b*) la réaction d'une surface sans frottement lorsque le corps se déplace le long de celle-ci, *c*) le poids d'un corps lorsque son centre de gravité se déplace horizontalement, *d*) la force de frottement appliquée à une roue qui roule sans glisser (puisqu'à chaque instant, les points de contact de la roue et du sol sont au repos l'un par rapport à l'autre). Cependant, la plus grande partie des forces appliquées aux corps produisent un travail; nous pouvons citer dans ce cas, les forces de frottement et même le poids d'un corps lorsque le centre de gravité ne se déplace pas parallèlement à la surface terrestre.

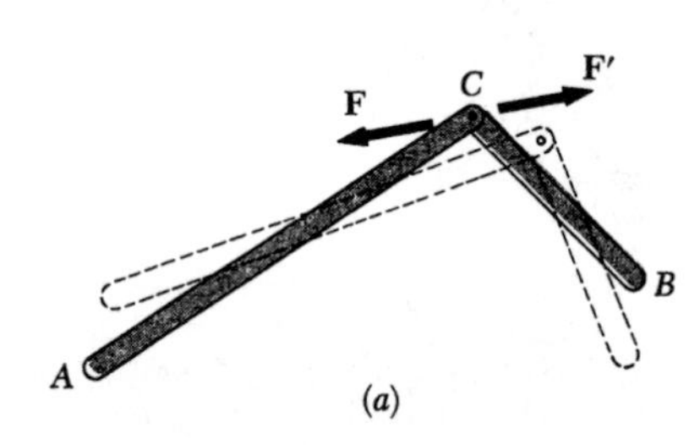


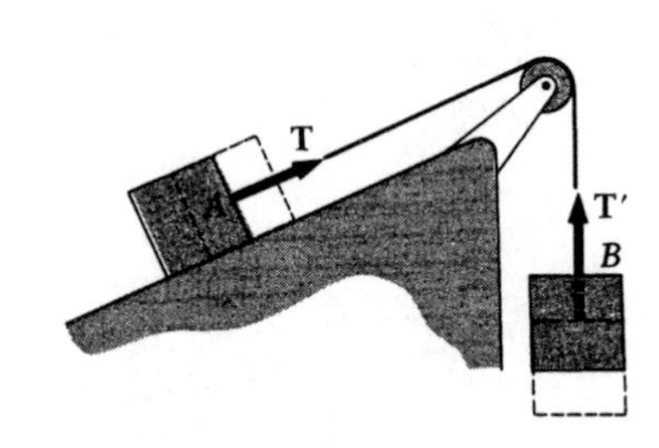


Fig. 10.3

Dans certains cas, la somme des travaux produits par un ensemble de forces est nulle. Considérons, par exemple, deux corps rigides $AC$ et $BC$ assemblés par une rotule $C$, sans frottement (Fig. 10.3*a*). On retrouve parmi les forces agissant sur $AC$, la force **F** exercée au point $C$ par le corps $BC$. En général, le travail de cette force ne sera pas nul mais il sera égal et opposé au travail de la force **F′** exercée par $AC$ sur $BC$, puisque ces forces sont égales, opposées et appliquées au même point. Si on considère l'ensemble des deux corps, on peut donc conclure que le travail des forces internes appliquées en $C$ est nul. On arrive à une conclusion similaire si on regarde un système formé de blocs reliés par un câble *inextensible* $AB$ (Fig. 10.3*b*). Le travail de la force **T** au point $A$

† Le joule est l'unité SI de l'*énergie*, qu'il s'agisse d'énergie de forme mécanique (travail, énergie potentielle, énergie cinétique) ou de forme chimique, électrique ou encore thermique. Remarquons cependant que même si $J = N \cdot m$, l'unité de moment d'une force reste le newton-mètre ($N \cdot m$) et non le joule, puisque le moment n'est pas une forme d'énergie.

est égal en grandeur au travail de la force de **T**′ appliquée au point $B$, puisque ces forces ont la même grandeur et que les points $A$ et $B$ se déplacent de la même longueur (câble indéformable) : mais dans un cas le travail est positif et dans l'autre il est négatif et la somme des travaux dus aux forces internes appliquées aux points $A$ et $B$ s'annule encore.

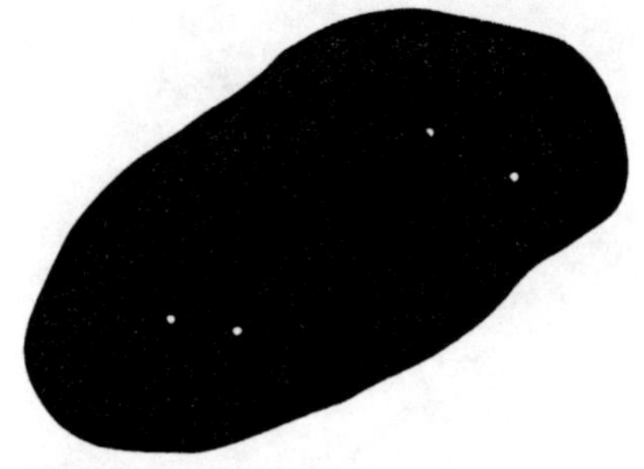

**Fig. 10.4**

Nous pouvons généraliser ces conclusions et affirmer que le *travail total des forces internes d'un corps rigide est nul.* Considérons deux points $A$ et $B$ d'*un corps rigide* et les deux forces égales et opposées $F$ et $F'$ qu'ils exercent l'un sur l'autre (Fig. 10.4). Bien qu'en général les petits déplacements $d\mathbf{s}$ et $d\mathbf{s}'$ des deux points sont différents, les composantes de ces déplacements le long de $AB$ doivent être égales, sinon les points ne resteront pas à une distance constante l'un de l'autre et le corps ne serait donc pas rigide. Nous déduisons que le travail de **F** est égal et opposé au travail de **F**′ et que leur somme est nulle. Lors de la détermination du travail des forces extérieures appliquées à un corps rigide, il est souvent intéressant de calculer le travail d'un couple sans considérer séparément le travail de chaque force qui le forme. Considérons deux forces **F** et **F**′ formant un couple de moment $M = Fr$ et appliquées à un corps rigide (Fig. 10.5). Tout petit déplacement du corps rigide ramenant les points $A$ et $B$ respectivement aux points $A'$ et $B''$ peut se décomposer en deux parties : dans la première, les points $A$ et $B$ décrivent le même déplacement $d\mathbf{s}_1$; dans la seconde, $A'$ reste fixe tandis que $B'$ se déplace vers $B''$ en décrivant un déplacement $d\mathbf{s}_2$ de grandeur $ds_2 = r\, d\theta$. Dans la première partie du mouvement, le travail produit par la force **F** est égal et opposé au travail de la force **F**′ et leur somme, par conséquent, est nulle. Dans la deuxième partie, seule la force **F** produit un travail $dU = F\, ds_2 = Fr\, d\theta$. Or le produit $Fr$ est égal au moment $M$ du couple. Nous constatons que le travail produit par un couple de moment $M$, appliqué au corps rigide, vaut

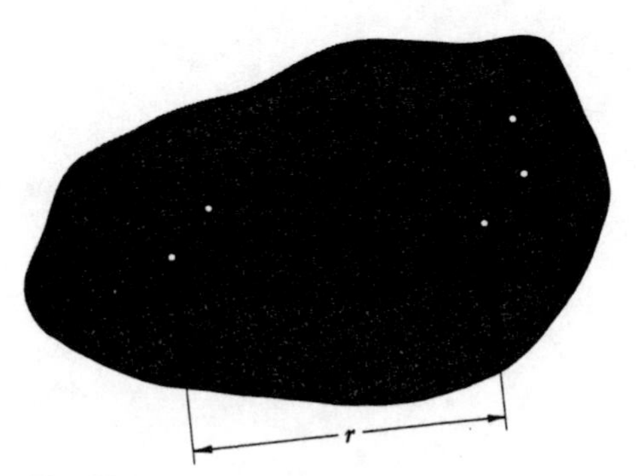


**Fig. 10.5**

$$dU = M\, d\theta \tag{10.2}$$

où $M\, d\theta$ est le petit angle de rotation du corps exprimé en radians. Nous remarquons encore que le travail doit s'exprimer dans une unité obtenue en multipliant l'unité de force par l'unité de longueur.

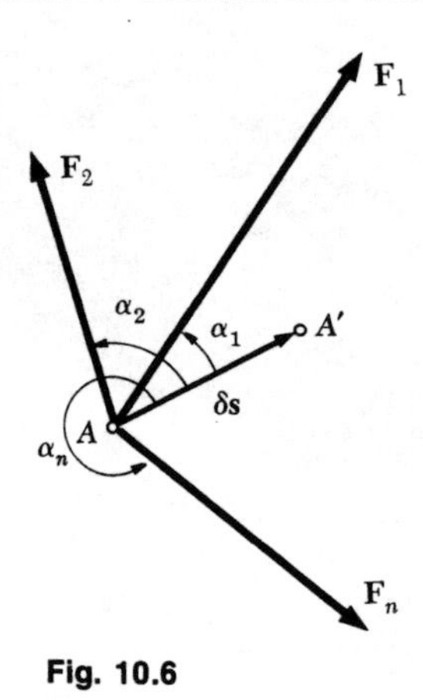

Fig. 10.6

***10.2. Principe des travaux virtuels.** Considérons un point soumis à l'action de plusieurs forces $\mathbf{F}_1$, $\mathbf{F}_2$..., $\mathbf{F}_n$ (Fig. 10.6). Nous supposerons que le point peut décrire un déplacement infiniment petit de $A$ à $A'$. Ce déplacement est possible, mais il *n'est pas nécessairement décrit.* En effet, les forces appliquées peuvent former un système nul et le point est au repos ou encore, si le système de forces n'est pas nul, le point pourra décrire un déplacement autre que $AA'$. Le déplacement $AA'$ est donc un déplacement hypothétique; il est appelé *déplacement virtuel* qu'on représentera par $\delta\mathbf{s}$. Le symbole $\delta\mathbf{s}$ représente un infiniment petit du premier ordre; on l'utilise pour le distinguer du déplacement $d\mathbf{s}$ réellement décrit par le point sous l'action de l'ensemble des forces qui lui sont appliquées. Comme nous le voyons, les déplacements virtuels peuvent servir pour déterminer si les conditions d'équilibre du point $A$ sont satisfaites ou non.

Le travail de chacune des forces $\mathbf{F}_1$, $\mathbf{F}_2$..., $\mathbf{F}_n$ produit le long du déplacement virtuel $\delta\mathbf{s}$ est appelé *travail virtuel.* Le travail virtuel de toutes les forces appliquées au point $A$ (Fig. 10.6) est donné par

$$\begin{aligned}\delta U &= F_1 \cos \alpha_1 \, \delta s + F_2 \cos \alpha_2 \, \delta s + \cdots + F_n \cos \alpha_n \, \delta s \\ &= (F_1 \cos \alpha_1 + F_2 \cos \alpha_2 + \cdots + F_n \cos \alpha_n) \, \delta s \end{aligned} \tag{10.3}$$

Comme l'expression à l'intérieur de la parenthèse représente la composante de la résultante $\mathbf{R}$ de l'ensemble de forces $\mathbf{F}_1$, $\mathbf{F}_2$..., $\mathbf{F}_n$ appliquées le long de $AA'$, on peut déduire que le travail virtuel produit par ces forces est identique au travail virtuel de leur résultante $\mathbf{R}$.

Le principe des travaux virtuels établit que *si un point est en équilibre, les travaux virtuels des forces appliquées au point s'annulent pour tout déplacement virtuel de celui-ci.* Cette condition est nécessaire : si le point est en équilibre, la résultante $\mathbf{R}$ des forces est nulle, l'expression à l'intérieur de la parenthèse de l'éq. (10.3) s'annule aussi et, par conséquent la somme des travaux virtuels est nulle. Cette condition est aussi suffisante : en choisissant $AA'$ successivement le long de l'axe $x$ et de l'axe $y$ et en posant $\delta U = 0$ dans l'éq. (10.3), nous satisfaisons les équations d'équilibre $\Sigma F_x = 0$ et $\Sigma F_y = 0$.

Dans le cas d'un corps rigide, le principe des travaux virtuels établit que *si un corps rigide est en équilibre, la somme des travaux virtuels des forces extérieures appliquées au corps rigide s'annule pour tout déplacement virtuel de celui-ci.* Cette condition est nécessaire; en effet, si le corps est en équilibre, tous ses points sont en équilibre et le travail virtuel des forces appliquées à chaque point doit s'annuler. Or nous avons déjà vu que le travail total des forces intérieures est nul; alors le travail total des forces extérieures doit aussi s'annuler. Nous pouvons, d'une manière similaire, prouver que la condition est aussi suffisante.

Le principe des travaux virtuels peut s'appliquer à un ensemble de corps rigides. Si l'ensemble forme un système rigidement lié pendant le déplacement virtuel, seul l'ensemble des forces extérieures doit être considéré, puisque le système des forces internes s'annule.

## *10.3. Applications du principe des travaux virtuels.

Le principe des travaux virtuels est particulièrement intéressant dans la solution des problèmes mettant en jeu des mécanismes formés par un ensemble de corps rigides, reliés rigidement entre eux. Considérons, par exemple, le levier à pression *ABC* de la fig. 10.7*a* utilisé pour fixer un bloc de bois. Nous voulons calculer la force exercée par le levier sur le bloc lorsque la force **P** est appliquée au point *C*. Nous supposons que les liaisons se font sans frottement. Appelons **Q** la réaction du bloc et traçons le schéma du levier isolé; provoquons ensuite un déplacement virtuel du levier en donnant, par exemple, à l'angle $\theta$ l'accroissement virtuel $\delta\theta$ (Fig. 10.7*b*).

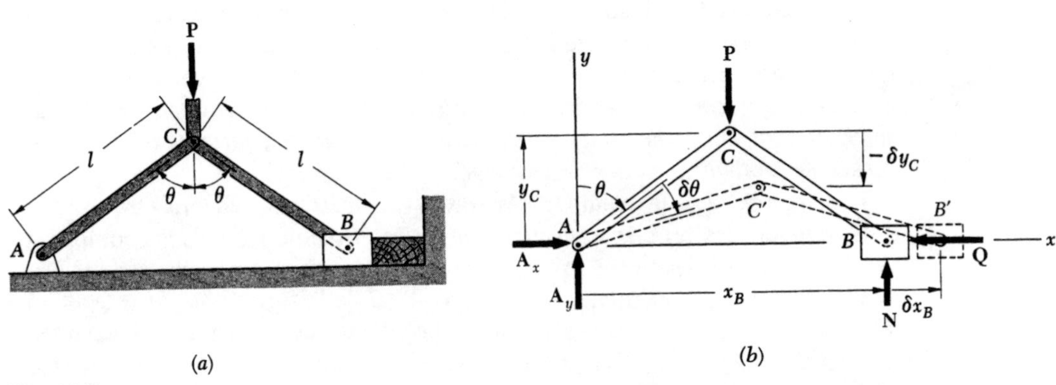


Fig. 10.7

En choisissant un système de référence d'origine *A*, nous remarquons que $x_B$ augmente lorsque $y_C$ décroît. Ceci est indiqué dans la figure par l'accroissement positif $\delta x_B$ et par l'accroissement négatif $-\delta y_C$. Les réactions $\mathbf{A}_x$, $\mathbf{A}_y$ et **N** ne produiront pas de travail pendant le déplacement virtuel considéré et il nous reste à calculer seulement le travail de **P** et **Q**. Puisque **Q** et $\delta x_B$ ont des sens opposés, le travail virtuel de **Q** est $\delta U_Q = -Q\,\delta x_B$. Puisque **P** et l'accroissement indiqué $(-\delta y_C)$ ont le même sens, le travail virtuel de **P** est $\delta U_P = +P(-\delta y_C) = -P\,\delta y_C$. Nous aurions pu prévoir la présence d'un signe négatif, puisque les forces **P** et **Q** sont directement opposées respectivement aux axes *x* et *y*. En exprimant $x_B$ et $y_C$ en fonction de l'angle $\theta$ et en dérivant par rapport à $\theta$, on obtient

$$\begin{aligned} x_B &= 2l \sin\theta & y_C &= l\cos\theta \\ \delta x_B &= 2l\cos\theta\,\delta\theta & \delta y_C &= -l\sin\theta\,\delta\theta \end{aligned} \tag{10.4}$$

Le travail virtuel des forces **P** et **Q** est alors

$$\begin{aligned}\delta U = \delta U_Q + \delta U_P &= -Q\,\delta x_B - P\,\delta y_C \\ &= -2Ql\cos\theta\,\delta\theta + Pl\sin\theta\,\delta\theta\end{aligned}$$

En posant $\delta U = 0$, nous obtenons

$$2Ql\cos\theta\,\delta\theta = Pl\sin\theta\,\delta\theta \tag{10.5}$$
$$Q = \tfrac{1}{2}P\tan\theta \tag{10.6}$$

L'avantage de la méthode des travaux virtuels par rapport à l'utilisation des équations d'équilibre est donc évident : par cette méthode, nous éliminons toutes les réactions inconnues, tandis que l'équation $\Sigma M_A = 0$ n'élimine que deux de ces réactions inconnues. Nous pouvons nous servir de cette particularité de la méthode des travaux virtuels pour résoudre notamment les problèmes qui mettent en jeu des machines ou des mécanismes. *Si le déplacement virtuel considéré est compatible avec les liaisons, toutes les réactions et forces internes sont nulles et seulement le travail des charges, forces extérieures et forces de frottement doit être envisagé.*

Remarquons que la méthode des travaux virtuels peut encore être utilisée pour résoudre les problèmes mettant en jeu des structures à liaisons complètes telles que le déplacement virtuel envisagé ne pourra jamais prendre place.

Considérons, par exemple, la structure *ABC* de la fig. 10.8*a*. Si le point *A* est maintenu immobile tandis que le point *B* exécute un déplacement virtuel horizontal (Fig. 10.8*b*), nous devons considérer seulement le travail produit par **P** et $\mathbf{B}_x$. La réaction $\mathbf{B}_x$ peut se calculer de la même manière que nous avons calculé la force **Q** dans l'exemple précédent (Fig. 10.7*b*); nous avons

$$B_x = -\frac{1}{2}P\tan\theta$$

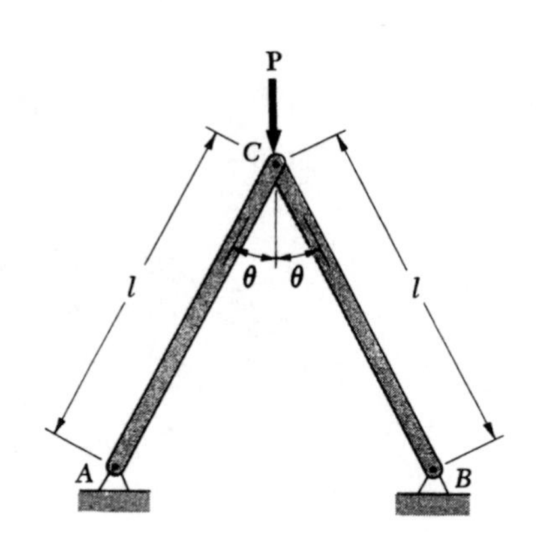


(*a*)

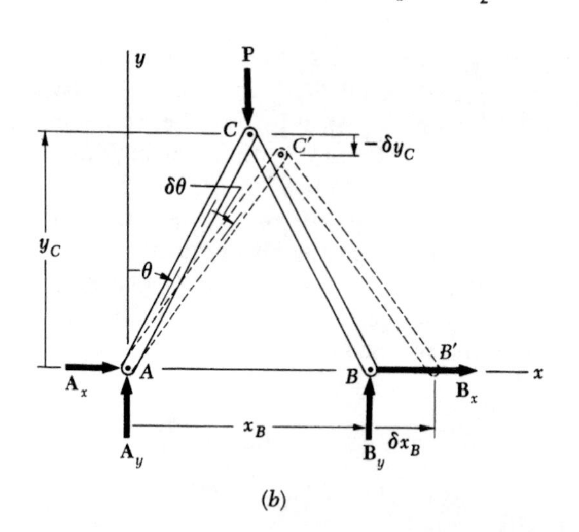


(*b*)

**Fig. 10.8**

En maintenant $B$ fixe et en donnant à $A$ un déplacement virtuel horizontal, nous pourrons de la même façon calculer la composante de réaction $\mathbf{A}_x$. Les composantes $\mathbf{A}_y$ et $\mathbf{B}_y$ peuvent se calculer par une rotation de la structure $ACB$ *considérée rigide* respectivement autour du point $A$ et du point $B$.

La méthode des travaux virtuels peut aussi être utilisée pour prédire la configuration d'un système en équilibre sous l'action des forces données. Par exemple, la valeur de l'angle $\theta$ pour lequel le levier de la fig. 10.7 est en équilibre sous l'action des forces **P** et **Q**, peut s'obtenir par la solution de l'éq. (10.6) en fonction de tan $\theta$.

Remarquons finalement que l'attrait de la méthode des travaux virtuels est basé, en grande partie, sur l'existence de relations géométriques simples entre les déplacements virtuels envisagés lors de la solution des problèmes proposés. Lorsque ces relations simples n'existent pas, il est souvent préférable d'avoir recours aux méthodes conventionnelles décrites au chap. 6.

***10.4. Machines. Rendement mécanique.** En analysant le levier à pression de la section précédente, nous avons supposé que les forces de frottement étaient inexistantes. Dans ces conditions, le travail virtuel est formé simplement par le travail de la force appliquée **P** et de la réaction **Q**. Mais le travail de la réaction **Q** est égal et opposé au travail de la force exercée par le levier sur le bloc. L'éq. (10.5) nous montre que le *travail fourni par le levier* $2QL \cos \theta\, \delta\theta$ est égal au travail reçu par le levier $Pl \sin \theta\, \delta\theta$. Une machine, pour laquelle le travail fourni est égal au travail reçu, est appelée machine « idéale ». Dans une machine « réelle », les forces de frottement réalisent toujours un travail et le travail fourni par la machine sera toujours inférieur au travail qu'elle reçoit.

Considérons, par exemple, le levier à pression de la fig. 10.7*a* et supposons que **F** est la force de frottement développée entre le bloc $B$ en glissement et le plan horizontal (Fig. 10.9). À l'aide des méthodes conventionnelles de la statique et en additionnant les moments pris par rapport au point $A$, nous trouverons $N = P/2$. Appelant $\mu$ le coefficient de frottement entre le bloc $B$ et le plan horizontal, nous obtenons $F = \mu N = \mu P/2$. En nous rappelant les éq. (10.4), nous pouvons trouver que le travail virtuel total des forces **Q**, **P** et **F** le long du déplacement virtuel montré à la fig. 10.9, est

$$\begin{aligned} \delta U &= -Q\, \delta x_B - P\, \delta y_C - F\, \delta x_B \\ &= -2Ql \cos \theta\, \delta\theta + Pl \sin \theta\, \delta\theta - \mu Pl \cos \theta\, \delta\theta \end{aligned}$$

Si on pose $\delta U = 0$, nous obtenons

$$2Ql \cos \theta\, \delta\theta = Pl \sin \theta\, \delta\theta - \mu Pl \cos \theta\, \delta\theta \tag{10.7}$$

qui exprime que le travail fourni est égal au travail reçu, moins le travail des forces de frottement. En tirant la valeur de **Q**, nous avons

$$Q = \tfrac{1}{2}P(\tan \theta - \mu) \tag{10.8}$$

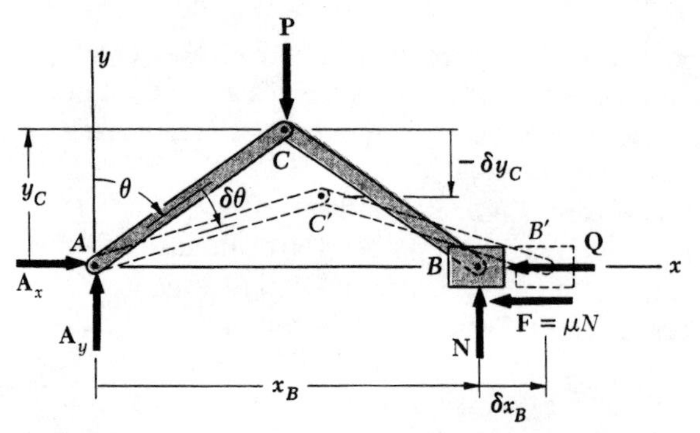


**Fig. 10.9**

Nous pouvons voir que $Q = 0$ lorsque $\tan\theta = \mu$ (c'est-à-dire lorsque $\theta$ est égal à l'angle de frottement $\phi$) et que $Q < 0$ lorsque $\theta < \phi$. Le levier ne peut être efficace que pour des valeurs de $\theta$ supérieures à l'angle de frottement.

Le *rendement mécanique* d'une machine est défini par le rapport

$$\eta = \frac{\text{Travail fourni par la machine}}{\text{Travail reçu par la machine}} \tag{10.9}$$

En d'autres mots, le rendement mécanique d'une machine idéale sera de $\eta = 1$, puisque ces deux travaux sont égaux; pour la machine réelle, ce rendement sera toujours inférieur à l'unité.

Dans le cas du levier que nous venons d'analyser, nous pouvons écrire

$$\eta = \frac{\text{Travail fourni par la machine}}{\text{Travail reçu par la machine}} = \frac{2Ql \cos \theta \; \delta\theta}{Pl \sin \theta \; \delta\theta}$$

Et en remplaçant $Q$ par la valeur donnée par l'éq. (10.8), nous obtenons

$$\eta = \frac{P(\tan\theta - \mu)l \cos\theta \; \delta\theta}{Pl \sin\theta \; \delta\theta} = 1 - \mu \cot\theta \tag{10.10}$$

Nous pouvons vérifier, dans le cas d'absence des forces de frottements, que nous devons avoir $\mu = 0$ et $\eta = 1$. En général, lorsque $\mu$ est différent de zéro, le rendement $\eta$ devient zéro pour $\mu \cot\theta = 1$, c'est-à-dire pour $\tan\theta = \mu$ ou encore $\theta = \tan^{-1} \mu = \phi$. Nous vérifions encore que le levier ne peut être utilisé que pour des valeurs de $\theta$ plus grandes que l'angle de frottement.

## PROBLÈME RÉSOLU 10.1

Calculez, à l'aide du principe des travaux virtuels, le moment **M** du couple nécessaire pour maintenir l'équilibre du mécanisme représenté ci-contre.

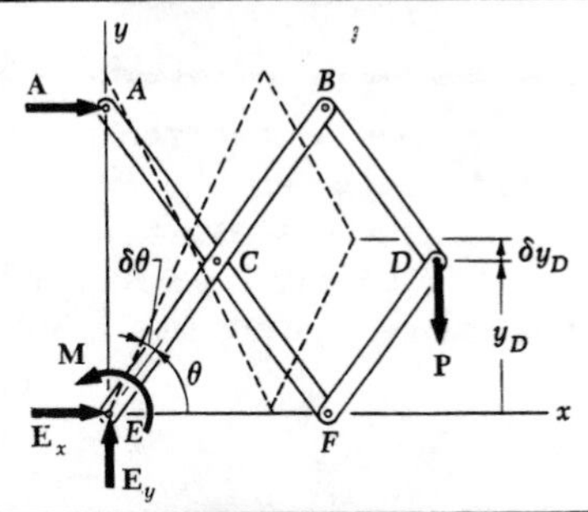


**Solution.** Choississons un système de référence d'origine $E$ et écrivons

$$y_D = l \sin \theta \qquad \delta y_D = l \cos \theta \, \delta\theta$$

***Principe des travaux virtuels.*** Puisque les réactions **A**, $\mathbf{E}_x$ et $\mathbf{E}_y$ ne produisent pas de travail le long du déplacement virtuel, la somme des travaux virtuels dus aux forces **M** et **P** doit être nulle.

$$\delta U = 0: \qquad + M\,\delta\theta - P\,\delta y_D = 0$$
$$+ M\,\delta\theta - P(l \cos \theta \, \delta\theta) = 0 \qquad M = Pl \cos \theta \blacktriangleleft$$

## PROBLÈME RÉSOLU 10.2

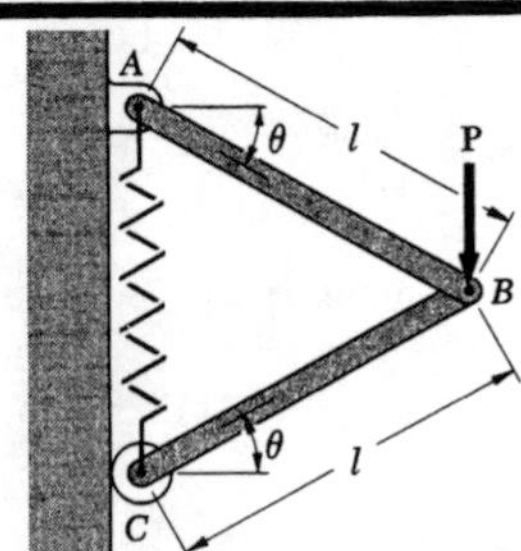


Calculez les expressions de $\theta$ et de la force interne du ressort correspondant à la position d'équilibre du mécanisme. La longueur du ressort au repos est $h$ et sa constante est $k$. Négligez le poids du mécanisme.

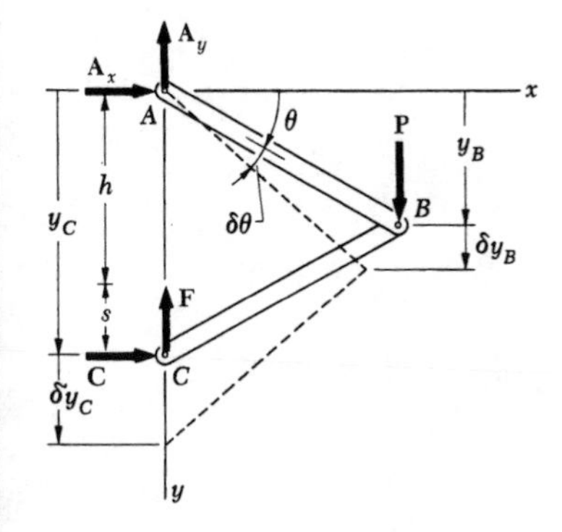


**Solution.** Avec le système de coordonnées indiqué, nous avons

$$y_B = l \sin \theta \qquad y_C = 2l \sin \theta$$
$$\delta y_B = l \cos \theta \, \delta\theta \qquad \delta y_C = 2l \cos \theta \, \delta\theta$$

L'allongement du ressort est

$$s = y_C - h = 2l \sin \theta - h$$

La grandeur de la force exercée au point $C$ par le ressort est

$$F = ks = k(2l \sin \theta - h) \qquad (1)$$

***Principe des travaux virtuels.*** Puisque les réactions $\mathbf{A}_x$, $\mathbf{A}_y$ et **C** ne produisent pas de travail, le travail virtuel total produit par **P** et **F** doit s'annuler

$$\delta U = 0: \qquad P\,\delta y_B - F\,\delta y_C = 0$$
$$P(l \cos \theta \, \delta\theta) - k(2l \sin \theta - h)(2l \cos \theta \, \delta\theta) = 0$$
$$\sin \theta = \frac{P + 2kh}{4kl} \blacktriangleleft$$

Par substitution dans l'expression (1), nous obtenons

$$F = \tfrac{1}{2}P \blacktriangleleft$$

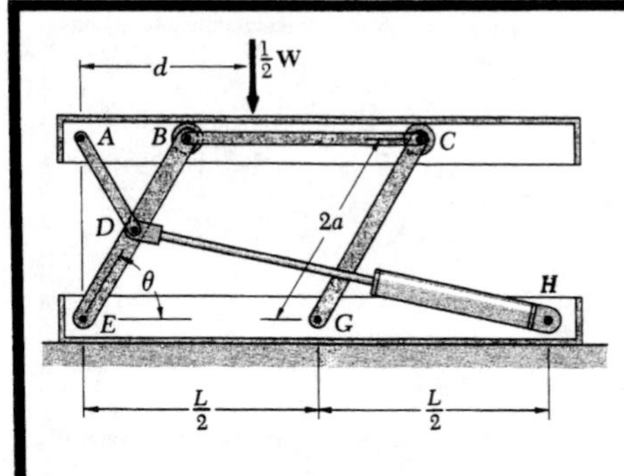


## PROBLÈME RÉSOLU 10.3

Un appareil hydraulique de levage est utilisé pour déplacer des caisses de 1000 kg. Il est formé d'une plate-forme et de deux membrures identiques sur lesquelles les cylindres hydrauliques exercent des forces égales. (Une moitié seulement du mécanisme est représentée.) Les membrures *EDB* et *CG* ont une longueur $2a$ et la membrure *AD* est attachée au point milieu de la membrure *EDB*. La caisse est placée sur la plate-forme de telle façon que la moitié de son poids est supporté par la moitié du mécanisme. Calculez la force développée par chaque cylindre, lorsque $\theta = 60°$, si on mesure $a = 0{,}70$ m, $L = 3{,}20$ m. Ce mécanisme a déjà été traité au probl. résolu 6.8.

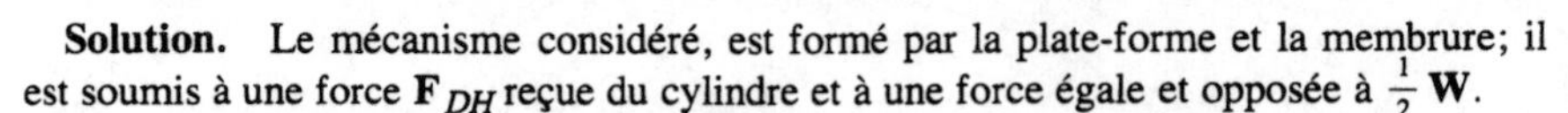

**Solution.** Le mécanisme considéré, est formé par la plate-forme et la membrure; il est soumis à une force $\mathbf{F}_{DH}$ reçue du cylindre et à une force égale et opposée à $\frac{1}{2}\mathbf{W}$.

***Principe des travaux virtuels.*** Observons d'abord que les réactions passant par les appuis *E* et *G* ne produisent pas de travail. En appelant *y* l'élévation de la plate-forme par rapport à la base, et par *s* la longueur *DH* de l'ensemble cylindre et piston, nous écrivons

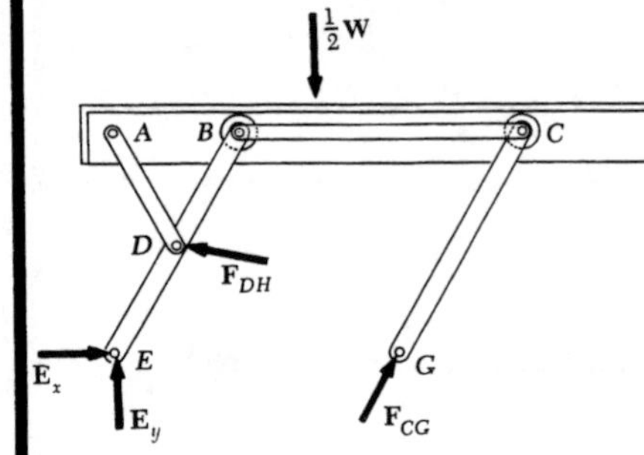


$$\delta U = 0: \qquad -\tfrac{1}{2}W\,\delta y + F_{DH}\,\delta s = 0 \qquad (1)$$

Le déplacement vertical $\delta y$ de la plate-forme, exprimé en fonction du déplacement angulaire $\delta\theta$ de la tringle *EDB*, sera

$$y = (EB)\sin\theta = 2a\sin\theta$$
$$\delta y = 2a\cos\theta\,\delta\theta$$

Pour pouvoir exprimer $\delta s$ en fonction de $\delta\theta$, rappelons-nous que

$$s^2 = a^2 + L^2 - 2aL\cos\theta$$

et par dérivation

$$2s\,\delta s = -2aL(-\sin\theta)\,\delta\theta$$
$$\delta s = \frac{aL\sin\theta}{s}\,\delta\theta$$

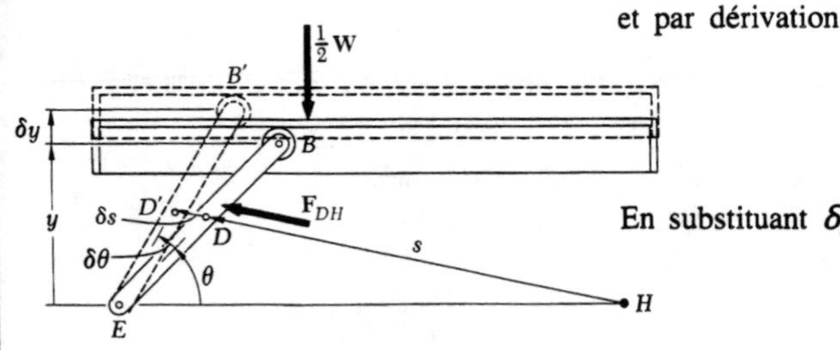


En substituant $\delta y$ et $\delta s$ dans la relation (1), nous avons

$$(-\tfrac{1}{2}W)2a\cos\theta\,\delta\theta + F_{DH}\frac{aL\sin\theta}{s}\delta\theta = 0$$
$$F_{DH} = W\frac{s}{L}\cot\theta$$

En introduisant les données, nous obtenons finalement

$$W = mg = (1000 \text{ kg})(9{,}81 \text{ m/s}^2) = 9810 \text{ N} = 9{,}81 \text{ kN}$$

$$s^2 = a^2 + L^2 - 2aL\cos\theta$$
$$= (0{,}70)^2 + (3{,}20)^2 - 2(0{,}70)(3{,}20)\cos 60° = 8{,}49$$
$$s = 2{,}91 \text{ m}$$

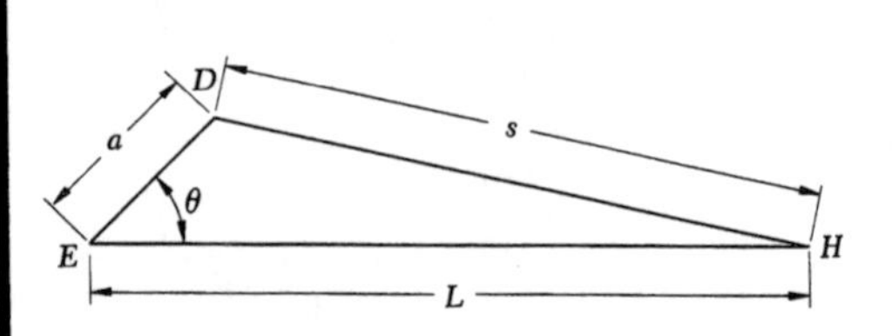


$$F_{DH} = W\frac{s}{L}\cot\theta = (9{,}81 \text{ kN})\frac{2{,}91 \text{ m}}{3{,}20 \text{ m}}\cot 60°$$

$$F_{DH} = 5{,}15 \text{ kN} \blacktriangleleft$$

## PROBLÈMES

**10.1** Calculez la grandeur de la force **P** requise pour maintenir l'équilibre du mécanisme dessiné ci-contre.

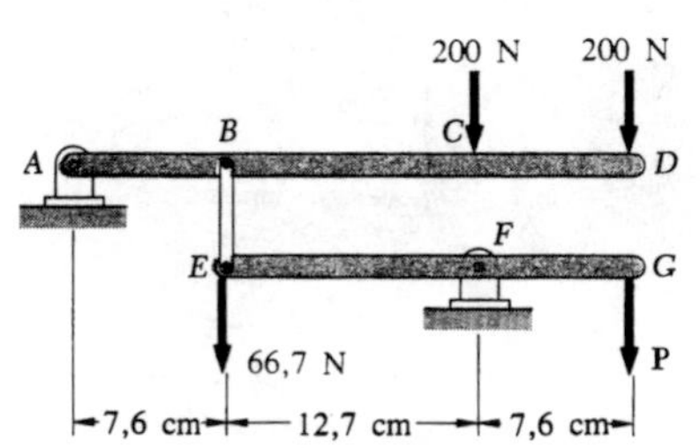

Fig. P10.1

**10.2** Calculez le poids $W$ qui équilibre la charge de 200 N.

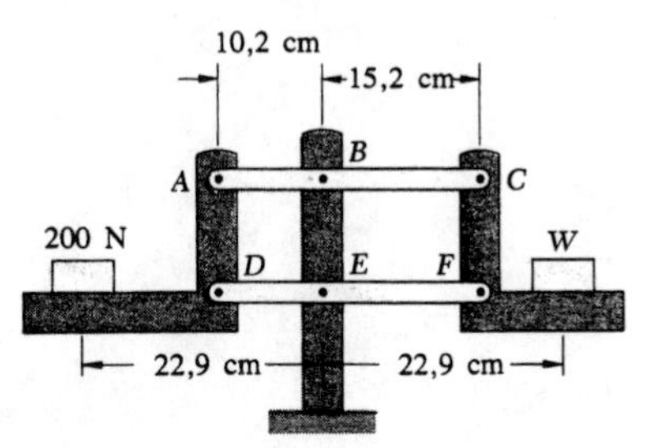

Fig. P10.2

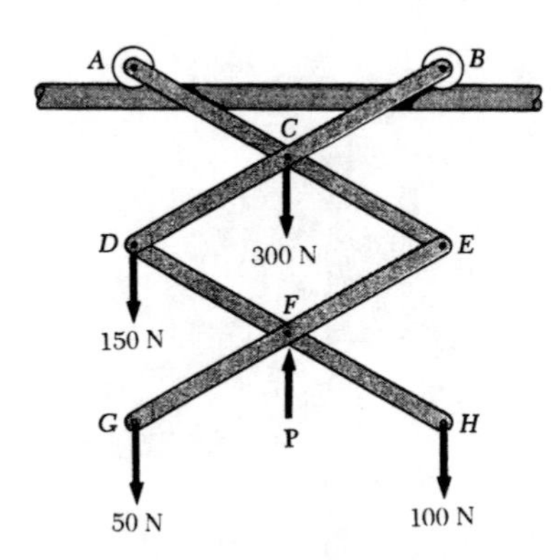

Fig. P10.3

**10.3** Calculez la force **P** requise pour maintenir en équilibre le mécanisme dessiné ci-contre. Toutes les membrures ont la même longueur et les roues $A$ et $B$ roulent sans frottement sur la barre horizontale.

**10.4** Calculez la force horizontale **P** qui doit être appliquée au point $A$ pour maintenir l'équilibre du mécanisme.

**10.5** Calculez le couple **M** qu'on doit appliquer à la membrure $AC$ pour maintenir l'équilibre du mécanisme dessiné ci-dessous.

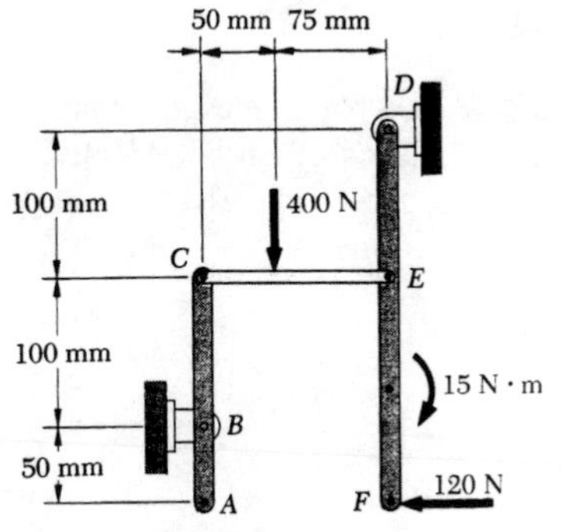

Fig. P10.4 et P10.5

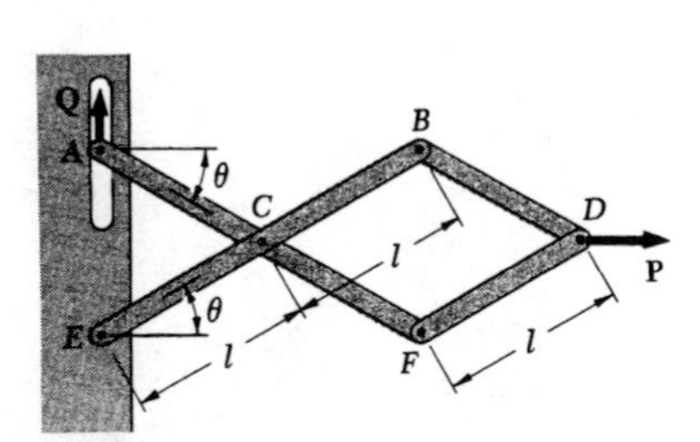

Fig. P10.6

**10.6 et 10.7** Déduisez l'expression de la grandeur de la force **Q** requise pour maintenir l'équilibre des deux mécanismes représentés ci-contre soumis à une force donnée **P**.

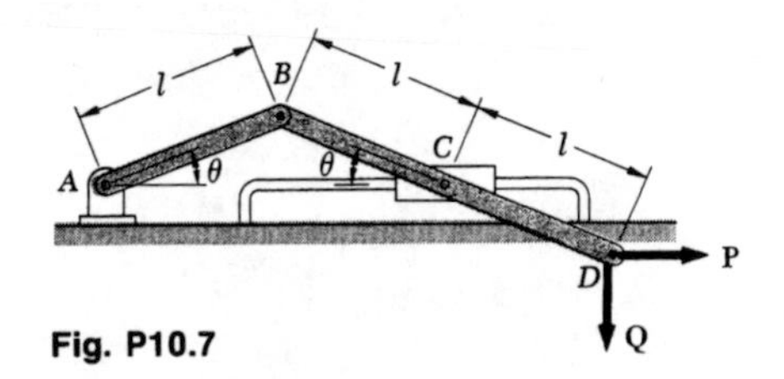

Fig. P10.7

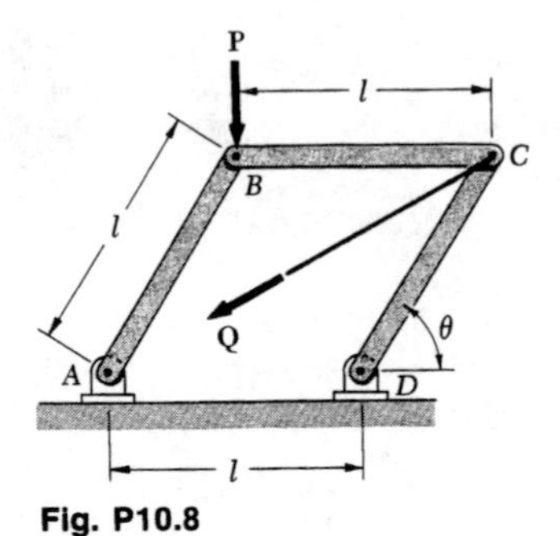

Fig. P10.8

**10.8** Trois membrures, de longueur $l$, sont assemblées pour former le mécanisme dessiné ci-contre. Déduisez l'expression de la grandeur de la force **Q** nécessaire pour maintenir l'équilibre sachant que sa ligne d'action passe par le point $A$.

**10.9** Une tige mince $AB$ est attachée au manchon $A$ et repose sur la roulette $C$. Déduisez une expression donnant la valeur de **Q** nécessaire pour maintenir en équilibre le mécanisme dessiné ci-dessous. On néglige les forces de frottement.

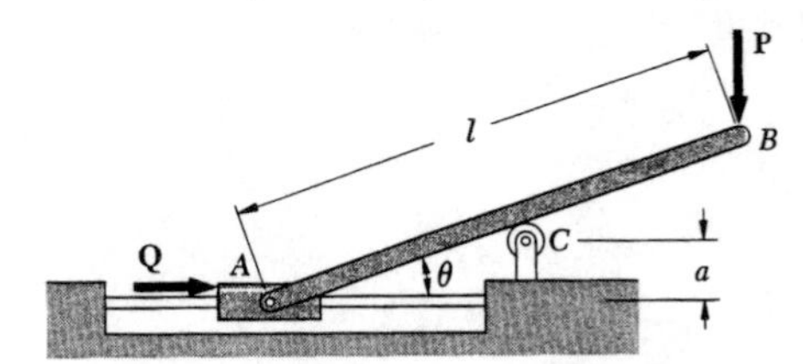

Fig. P10.9

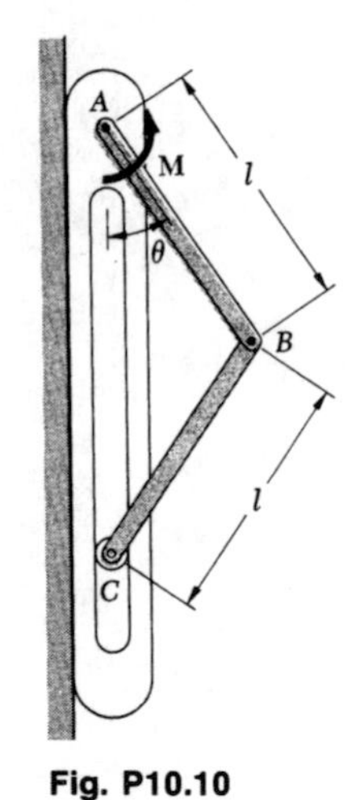

Fig. P10.10

**10.10** Déduisez une expression donnant le moment du couple **M** requis pour maintenir en équilibre le mécanisme représenté ci-contre. On suppose que $W$ est le poids de chaque tige.

**10.11** Déduisez une expression donnant le moment du couple **M** requis pour maintenir en équilibre le mécanisme représenté ci-contre.

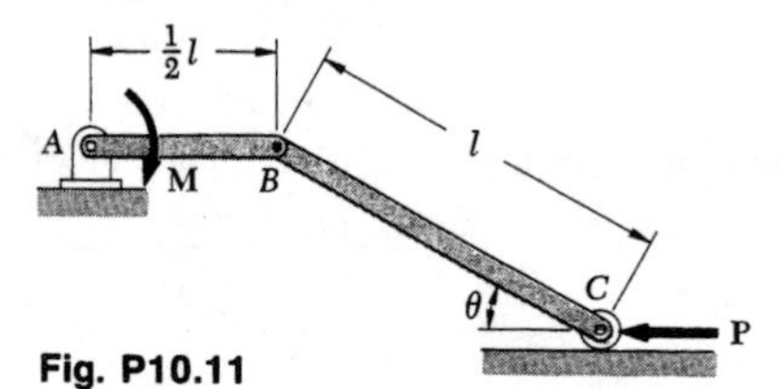

Fig. P10.11

**10.12** On désire développer un effort de serrage de $Q = 2000$ N entre les mâchoires de la pince à pliage. Calculez la valeur $P$ des forces à appliquer au manche. Montrez aussi que la valeur $P$ est indépendante de la position, par rapport aux mâchoires, de l'objet à plier.

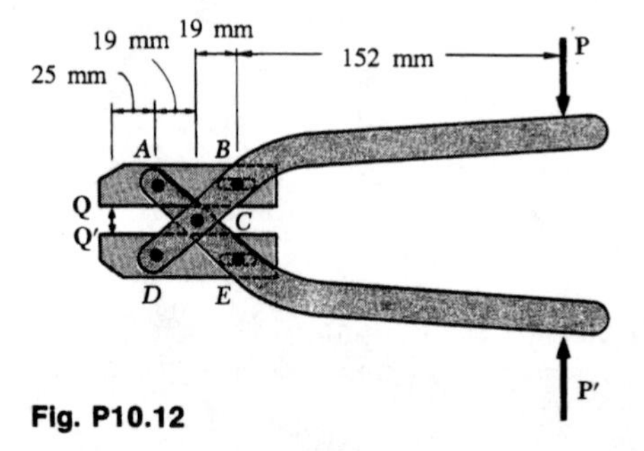

Fig. P10.12

**10.13** Un manchon $A$ pèse 24,9 N et peut glisser sans frottement sur une tige verticale à surface polie. Calculez la valeur de la force **P** requise pour maintenir le manchon en équilibre si le câble $AB$ a une longueur de 45,7 cm, et lorsque : *a*) $c$ = 5,1 cm, *b*) $c$ = 20,3 cm.

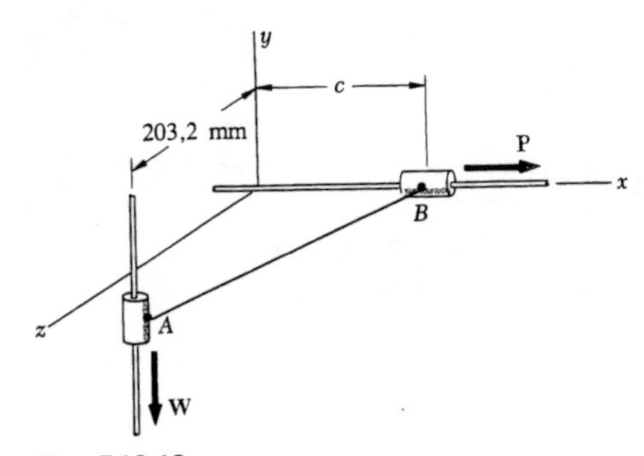

Fig. P10.13

**10.14** Calculez, dans le probl. 10.9, la grandeur de la force **Q** requise pour maintenir l'équilibre lorsque $l$ = 500 mm, $a$ = 100 mm, $P$ = 500 N et $\theta$ = 30°.

**10.15** Calculez, dans le probl. 10.7, la grandeur de la force **Q** requise pour maintenir l'équilibre lorsque $l$ = 450 mm, $\theta$ = 30° et $P$ = 600 N.

**10.16** Calculez, dans le probl. 10.6, la valeur de $\theta$ correspondant à la position d'équilibre lorsque $P$ = 178 N et $Q$ = 711,7 N.

**10.17** Calculez, dans le probl. 10.7, la valeur de $\theta$ correspondant à la position d'équilibre lorsque $P$ = 444,8 N et $Q$ = 667 N.

**10.18** Calculez, dans le probl. 10.8, la valeur de $\theta$ correspondant à la position d'équilibre lorsque $P$ = 400 N et $Q$ = 600 N.

**10.19** Calculez, dans le probl. 10.9, la valeur de l'angle $\theta$ correspondant à la position d'équilibre lorsque $P$ = 500 N, $Q$ = 400 N, $\alpha$ = 100 mm et $l$ = 500 mm.

**10.20** Deux tiges $AB$ et $BC$, de masse 4 kg, sont assemblées par la rotule $B$ et par le ressort $DE$, de constante élastique 800 N/m et de longueur au repos 150 mm. Calculez la valeur de $x$ correspondant à la position d'équilibre.

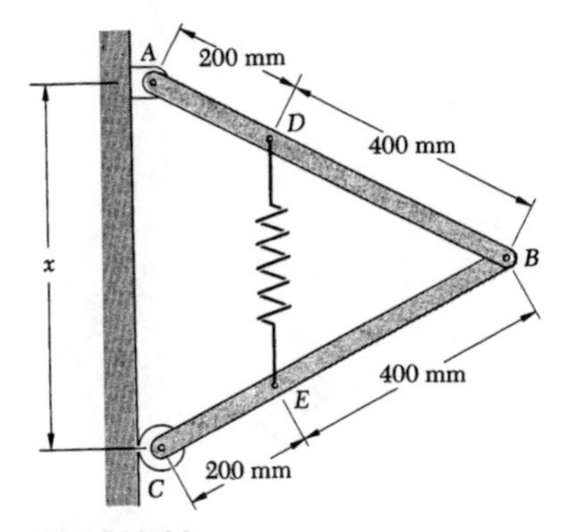

Fig. P10.20

**10.21** On applique une force verticale **W** au point $B$ du mécanisme dessiné ci-contre. La constante d'élasticité du ressort est $k$ et il n'est soumis à aucune force lorsque $AB$ et $BC$ sont horizontaux. Déduisez une expression en $\theta$, $W$, $l$ et $k$ qui doit être vérifiée lorsque le mécanisme est en équilibre.

**10.22** Une charge **W** de grandeur 667 N est appliquée au point $B$ du mécanisme dessiné ci-contre. Calculez la valeur de $\theta$ correspondant à l'équilibre si on néglige le poids du mécanisme et si on pose $l$ = 20,3 cm. La constante d'élasticité du ressort est de $k$ = 17,5 N/m et on sait que le ressort est au repos lorsque $AB$ et $BC$ sont horizontaux. (Calculez la valeur approchant $\theta$ à l'aide de la méthode des approximations successives.)

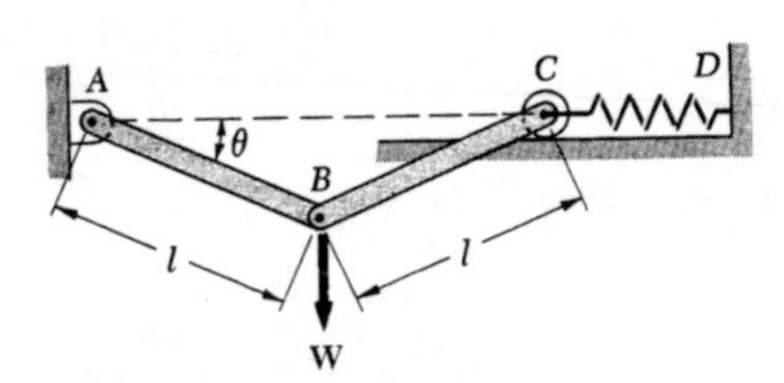

Fig. P10.21 et P10.22

**10.23** La partie supérieure de la plate-forme hydraulique est maintenue à un niveau donné par le cylindre hydraulique. Calculez la valeur de la force exercée par le cylindre lorsque $\theta = 30°$, sachant que $l$ est la longueur des membrures *AF* et *CD*.

**10.24** Résolvez le probl. 10.23 en supposant que le cylindre hydraulique est attaché aux points *E* et *H*.

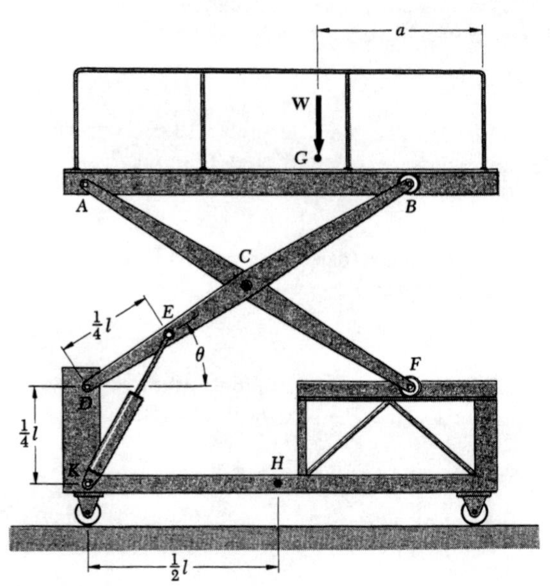


Fig. P10.23

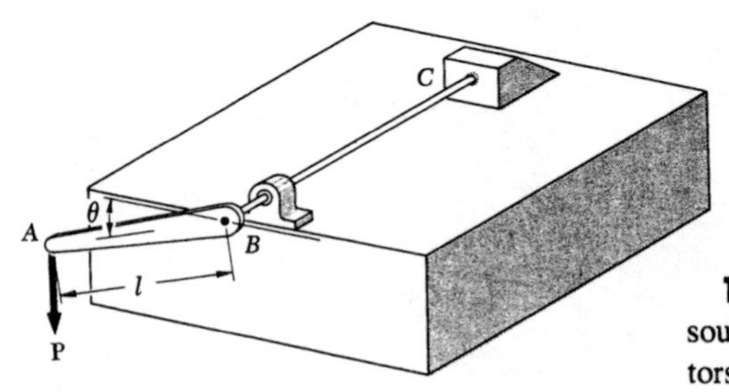


Fig. P10.25

**10.25** Le levier *AB* est soudé à l'axe horizontal *BC* qui est appuyé sur le palier *B* et soudé au bloc fixe *C*. Ce mécanisme, appelé barre de torsion, possède la constante de torsion $k$, c'est-à-dire qu'il faut lui appliquer un couple de moment $k$ pour faire tourner d'un radian l'extrémité *B* de la barre. Calculez la valeur de $\theta$ correspondant à la position d'équilibre si $P = 89$ N, $l = 25{,}4$ cm et $k = 11{,}3 \times 10^2$ N · cm/rad.

**10.26** Résolvez le probl. 10.25 pour $P = 311{,}4$ N, $l = 25{,}4$ cm et $k = 11{,}3 \times 10^2$ N · cm/rad. Faites le calcul dans les quadrants suivants : $0 < \theta < 90°$, $270° < \theta < 360°$ et $360° < \theta < 450°$. (Nous supposons que $k$ reste constant pour les angles de torsion considérés.)

**10.27** Déduisez une expression pour le rendement mécanique du vérin de la section 8.6. Montrez que si le vérin est autobloquant, le rendement mécanique ne peut pas dépasser 0,5.

**10.28** Un bloc de poids $W$ est poussé vers le haut d'un plan incliné faisant un angle $\alpha$ avec l'horizontale au moyen d'une force **P** parallèle au plan. On appelle $\mu$ le coefficient de frottement entre le bloc et le plan. Déduisez une expression du rendement mécanique du système. Montrez que le rendement mécanique est inférieur à 0,5 si on veut que le bloc reste en place lorsqu'on enlève la force **P**.

**10.29** Supposez, dans le probl. 10.6, que le coefficient de frottement entre l'axe $A$ et la boutonnière soit $\mu = 0{,}30$ et calculez les grandeurs maximale et minimale de la force **Q** pour lesquelles l'équilibre se maintient lorsque $\theta = 30°$ et $P = 1334$ N.

**10.30** Appelant $\mu$ le coefficient de frottement entre le point $C$ et la surface horizontale, calculez le plus grand moment du couple **M** pour lequel l'équilibre se maintient.

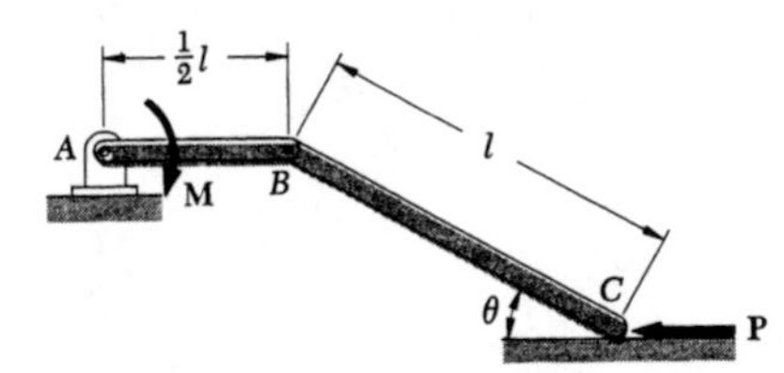


Fig. P10.30

**10.31** Utilisant le principe des travaux virtuels, calculez la réaction au point $D$ de la poutre articulée dessinée ci-contre.

**10.32** Utilisant le principe des travaux virtuels, calculez séparément la force et le couple formant la réaction au point $A$ de la poutre du probl. 10.31.

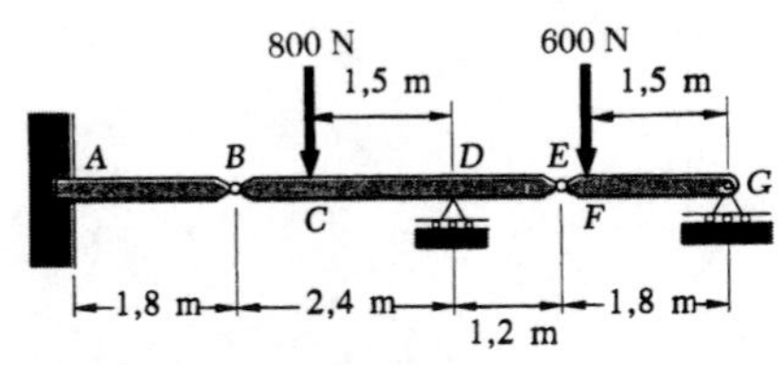


Fig. P10.31 et P10.32

**10.33** Deux tiges uniformes de poids $W$ et de longueur $l$ sont assemblées par l'intermédiaire de la rotule $B$. Calculez, à l'aide du principe des travaux virtuels, les valeurs de $\theta_1$ et $\theta_2$ correspondant à la position d'équilibre.

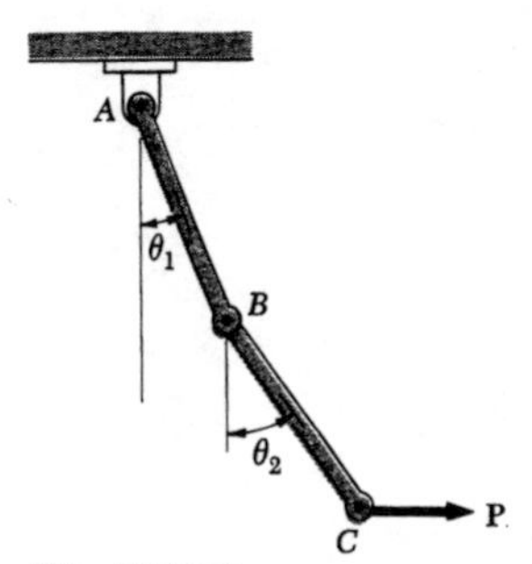


Fig. P10.33

**10.34** Dans le probl. 10.3, en supposant que la force **P** est enlevée et le mécanisme maintenu en équilibre par un câble attaché aux points $E$ et $H$, calculez la tension dans ce câble.

**10.35** Calculez le déplacement vertical du noeud $G$ si on diminue la longueur de la barre $BD$ de 3,8 cm. (Suggestion : Appliquez une charge verticale au noeud $G$ et à l'aide des méthodes exposées au chap. 6, calculez la force exercée par la barre $BD$ sur les noeuds $B$ et $D$. Appliquez alors la méthode des travaux virtuels pour un déplacement virtuel réduisant la longueur de la barre $BD$. Cette méthode est utilisée seulement lorsqu'il s'agit de modifications de la longueur des barres d'un treillis.)

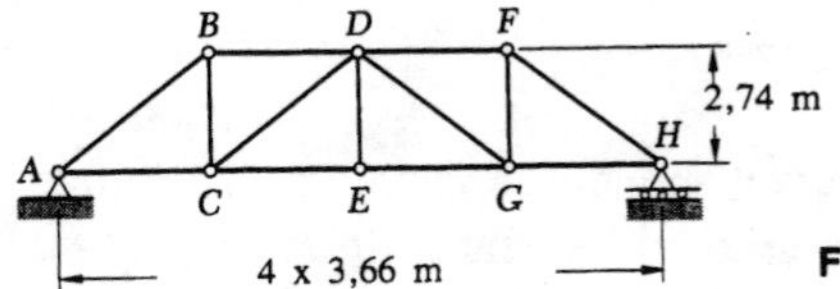


Fig. P10.35, P10.36 et P10.37

**10.36** Calculez le déplacement vertical du noeud $B$ si la longueur de la barre $DG$ de la ferme en treillis représentée ci-dessus devient 4,624 m. (Voir suggestion au probl. 10.35.)

**10.37** Calculez le déplacement horizontal du noeud $B$ si la longueur de la barre $DG$ de la ferme du probl. 10.36 devient 4,624 m.

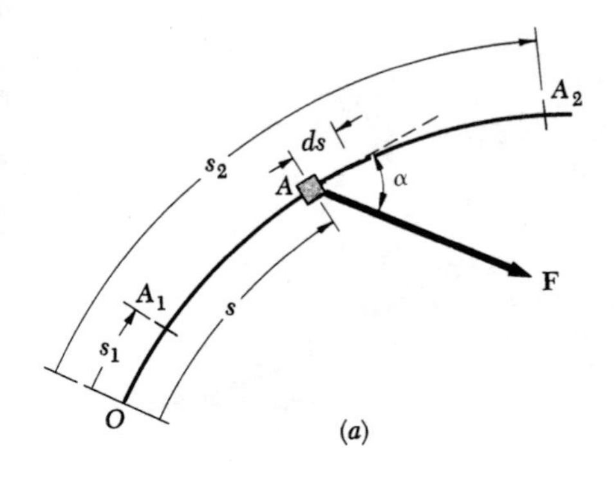

(a)

(b)

Fig. 10.10

## *10.5. Travail d'une force le long d'un déplacement fini.

Considérons une force **F** appliquée à un point $A$. Le travail produit par **F** le long d'un déplacement infiniment petit $ds$ du point $A$ a été défini, à la section 10.1, comme étant

$$dU = F\,ds \cos\alpha \tag{10.1}$$

Le travail de la force **F** correspondant à un déplacement fini de $A_1$ à $A_2$ (Fig. 10.10*a*) est appelé $U_{1\to2}$ et s'obtient par l'intégration de l'éq. (10.1) le long de la courbe décrite par le point $A$.

$$U_{1\to2} = \int_{s_1}^{s_2} (F \cos\alpha)\, ds \tag{10.11}$$

où la variable d'intégration $s$ mesure la longueur de la trajectoire du point. Le travail $U_{1\to2}$ est représenté par la surface sous la courbe obtenue en rapportant sur un graphique $F \cos\alpha$ comme ordonnée et $s$ comme abscisse. (Fig. 10.10*b*). Dans le cas où la force **F** de grandeur constante agit dans la direction du mouvement, la formule (10.11) donne $U_{1\to2} = F\,(s_1 - s_2)$.

Si on se rappelle (Section 10.1) que le travail d'un couple de moment $M$ le long d'une rotation infiniment petite $d\theta$ décrite par un corps rigide est

$$dU = M\,d\theta \tag{10.2}$$

nous pouvons alors exprimer le travail de ce couple le long d'une rotation finie par l'intégrale

$$U_{1\to2} = \int_{\theta_1}^{\theta_2} M\,d\theta \tag{10.12}$$

Dans le cas d'un couple constant, cette relation sera

$$U_{1\to2} = M(\theta_2 - \theta_1)$$

*Travail du poids d'un corps.* Nous avons conclu, à la section 10.1, que le travail du poids **W** d'un corps le long d'un déplacement infiniment petit du corps est donné par le produit de la grandeur $W$ du poids par le déplacement vertical du centre de gravité du corps. Si l'axe $y$ des ordonnées est orienté positivement vers le haut de la feuille, ce travail sera exprimé par (Fig. 10.11)

$$dU = -W\,dy$$

$$U_{1\to2} = -\int_{y_1}^{y_2} W\,dy = Wy_1 - Wy_2 \tag{10.13}$$

or

$$U_{1\to2} = -W(y_2 - y_1) = -W\,\Delta y \tag{10.13'}$$

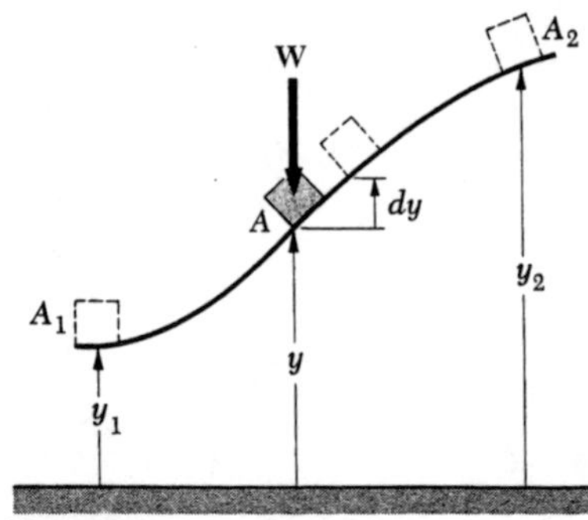

Fig. 10.11

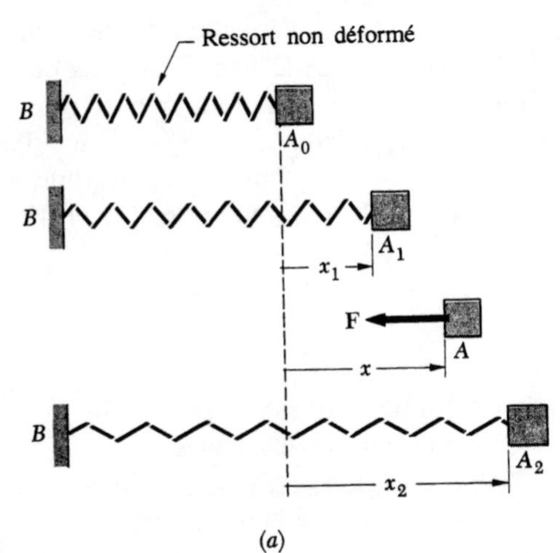


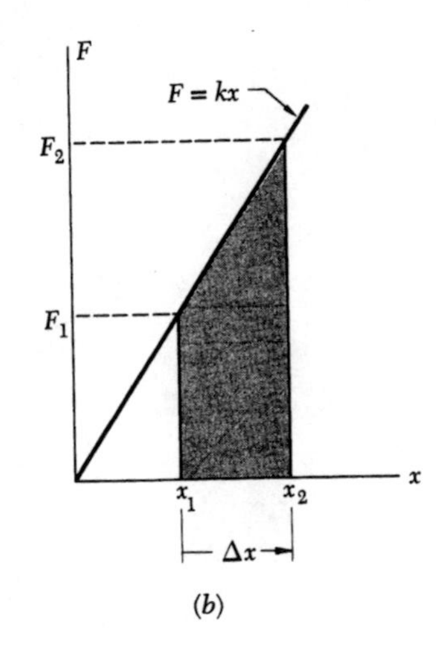


**Fig. 10.12** (*a*) (*b*)

où $\Delta y$ est la composante verticale du déplacement de $A_1$ à $A_2$. Le travail du poids **W** est alors égal *au produit de W et du déplacement vertical du centre de gravité du corps*. Dans le système de référence choisi, le travail est *positif* lorsque le corps *se déplace vers le bas de la page, c'est-à-dire lorsque* $\Delta y < 0$.

*Travail de la force exercée par un ressort.* Considérons un corps $A$ attaché au point fixe $B$ par l'intermédiaire d'un ressort : nous supposerons que le ressort n'est pas déformé lorsque le corps est au point $A_0$ (Fig. 10.12*a*). L'expérience nous apprend que la valeur de la force **F** exercée par le ressort sur le corps $A$ est proportionnelle à l'allongement $x$ du ressort mesuré à partir de la position $A_0$. Nous pouvons écrire

$$F = kx \tag{10.14}$$

où $k$ est la *constante d'élasticité du ressort*, exprimée en N/m. Le travail de la force **F** produite par le ressort le long du déplacement fini du corps du point $A_1$ ($x = x_1$) au point $A_2$ ($x = x_2$) s'obtient en écrivant

$$dU = -F\,dx = -kx\,dx$$

$$U_{1\to 2} = -\int_{x_1}^{x_2} kx\,dx = \tfrac{1}{2}kx_1^2 - \tfrac{1}{2}kx_2^2 \tag{10.15}$$

Une attention spéciale doit être portée aux unités de $k$ et de $x$ qui doivent être homogènes. Par exemple, si $k$ est exprimé en N/cm et $x$ en cm, le travail sera exprimé en N · cm.

Remarquons que le travail de la force **F** exercée par le ressort sur le corps *est positif lorsque* $x_2 < x_1$, *c'est-à-dire quand le ressort retourne à sa position initiale, non déformée.*

Puisque l'éq. (10.14) est l'équation d'une droite de pente $k$ qui passe par l'origine, le travail $U_{1\to2}$ de la force **F** le long du déplacement de $A_1$ vers $A_2$ peut s'obtenir en calculant la surface trapézoïdale de la fig. 10.12*b*. Ceci est fait en déterminant les valeurs $F_1$ et $F_2$ et en multipliant la base $\Delta x$ du trapèze par la mi-hauteur $\frac{F_1 + F_2}{2}$. Puisque le travail de la force interne **F** du ressort est positif pour une valeur négative de $\Delta x$, on peut écrire

$$U_{1\to2} = -\tfrac{1}{2}(F_1 + F_2)\,\Delta x \tag{10.16}$$

Cette relation est d'une utilisation plus facile que la relation (10.15) et rend plus difficile une erreur sur les unités.

***10.6. Énergie potentielle.** Considérons encore le corps de la fig. 10.11. Nous pouvons déduire de l'éq. (10.13) que le travail du poids **W** exécuté le long d'un déplacement fini s'obtient par soustraction de la valeur de la fonction $Wy$ correspondant à la position 2 de la valeur de la même fonction correspondant à la position 1. Le travail du poids **W** est par conséquent indépendant de la trajectoire suivie pour aller de la position 1 à la position 2; il dépend seulement des valeurs finales et initiales de la fonction $W_y$. Cette fonction est appelée l'énergie potentielle du corps par rapport à son poids **W** et est souvent notée $V_g$. Nous aurons

$$U_{1\to2} = (V_g)_1 - (V_g)_2 \qquad \text{avec } V_g = Wy \tag{10.17}$$

Remarquons que si $(V_g)_2 > (V_g)_1$, c'est-à-dire si l'énergie potentielle *augmente* le long du déplacement (comme c'est le cas ici) le travail $U_{1\to2}$ est négatif. Si, d'autre part, le travail **W** est positif, l'énergie potentielle diminue. Par conséquent l'énergie potentielle $V_g$ du corps nous fournit une mesure *du travail qui peut être fait* par le poids **W**. Puisque c'est uniquement la variation et non la valeur de l'énergie potentielle $V_g$ qui entre dans la formule (10.17), une constante arbitraire peut être ajoutée à l'expression qui nous donne $V_g$. En d'autres mots, le niveau à partir duquel le déplacement $y$ est mesuré peut être choisi arbitrairement. Notez que l'énergie potentielle est exprimée dans les mêmes unités que le travail, c'est-à-dire en joules(J) †. Considérons maintenant le corps de la fig. 10.12*a*; nous pouvons voir facilement, à partir de la formule (10.15), que le travail de la force élastique **F** est la différence entre la valeur de la fonction $\frac{1}{2}kx^2$ correspondant à la position 2 du corps et sa valeur à la position 1. Cette fonction, notée $V_e$, est appelée l'énergie potentielle du ressort par rapport à sa force élastique **F**. Nous avons

$$U_{1\to2} = (V_e)_1 - (V_e)_2 \qquad \text{avec } V_e = \tfrac{1}{2}kx^2 \tag{10.18}$$

† Voir la note, page 370.

Remarquons que le long du déplacement considéré, le travail de la force élastique **F** est négatif et l'énergie potentielle $V_e$ diminue. Remarquons encore que la relation nous donnant $V_e$ est valable seulement si la déformation élastique du ressort se mesure à partir de sa position au repos, c'est-à-dire non déformée.

Le concept d'énergie potentielle peut s'utiliser lorsque des forces autres que les forces gravitationnelles ou élastiques sont mises en jeu. Ce concept reste valable aussi longtemps que le travail élémentaire $dU$ de la force donnée est une *différentielle exacte.* Il est alors possible de trouver une fonction $V$, dite d'énergie potentielle, telle que

$$dU = -dV \tag{10.19}$$

Par intégration le long d'un déplacement fini, l'expression (10.19) nous donne la relation générale

$$U_{1\to2} = V_1 - V_2 \tag{10.20}$$

qui nous dit que le *travail de la force est indépendant du chemin parcouru par son point d'application, et qu'il est égal et de signe contraire à la variation d'énergie potentielle.* Une force qui satisfait à l'éq. (10.20) est appelée *force conservative.*

***10.7. Équilibre des corps et énergie potentielle.** L'application du principe des travaux virtuels se simplifie considérablement lorsque l'énergie potentielle du système est connue. Dans le cas d'un déplacement virtuel, la formule (10.19) devient $\delta U = -\delta V$. Cependant, si la position du système est définie par une seule variable indépendante $\theta$, nous devons écrire $\delta V = (dV/d\theta)\,\delta\theta$. Puisque $\delta\theta$ doit être différent de zéro, la condition $\delta U = 0$, qui traduit l'équilibre du système, devient

$$\frac{dV}{d\theta} = 0 \tag{10.21}$$

Le principe des travaux virtuels nous dit que *si le système est en équilibre, la variation de l'énergie potentielle du système est nulle.* Si la position du système est fonction de plusieurs variables indépendantes (le système est dit posséder *plusieurs degrés de liberté*), les dérivées partielles de $V$ par rapport à chaque variable indépendante doivent être nulles.

Considérons, par exemple, une structure faite de deux membrures $AC$ et $CB$ (Fig. 10.13*a*) et soumise à une charge $W$ appliquée au point $C$. La structure est supportée par une rotule $A$ et un rouleau $B$. Un ressort $BD$ lie le point $B$ au point fixe $D$. La constante du ressort est $k$ et on suppose que la longueur du

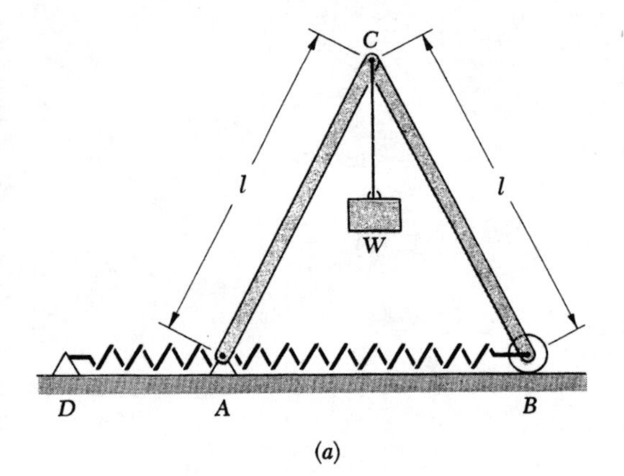


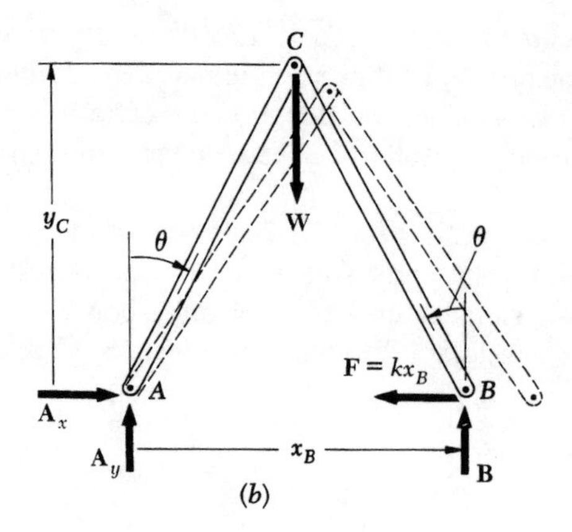


Fig. 10.13

ressort au repos est égale à $AD$ et que, par conséquent, le ressort n'est pas déformé lorsque $B$ coïncide avec $A$. Si on néglige les forces de frottement et le poids des membrures, nous pouvons voir que les seules forces qui produisent un travail le long du déplacement de la structure sont le poids **W** et la force élastique **F** exercée par le ressort sur le point $B$ (Fig. 10.13*b*). L'énergie potentielle totale du système peut alors s'obtenir en additionnant l'énergie potentielle $V_g$ correspondant à la force de gravité **W** et l'énergie potentielle $V_e$ correspond à la force élastique **F**.

Si on choisit un système de coordonnées centré sur le point $A$ et si on note que la déformation du ressort, mesurée à partir de sa position initiale, c'est-à-dire non déformée, est $AB = x_B$, nous pouvons écrire

$$V_e = \tfrac{1}{2}kx_B^2 \qquad V_g = Wy_C$$

En exprimant les coordonnées $x_B$ et $y_C$ en fonction de l'angle $\theta$, nous obtenons

$$\begin{aligned} x_B &= 2l\sin\theta & y_C &= l\cos\theta \\ V_e &= \tfrac{1}{2}k(2l\sin\theta)^2 & V_g &= W(l\cos\theta) \\ V &= V_e + V_g = 2kl^2\sin^2\theta + Wl\cos\theta \end{aligned} \tag{10.22}$$

Nous obtenons les positions d'équilibre du système en annulant les dérivées de l'énergie potentielle $V$

$$\frac{dV}{d\theta} = 4kl^2\sin\theta\cos\theta - Wl\sin\theta = 0$$

$$\sin\theta = 0 \qquad 4kl\cos\theta - W = 0$$

Le système aura alors deux positions d'équilibre correspondant aux valeurs $\theta = 0$ et $\theta = \cos^{-1}(W/4kl)$. †

† La deuxième position n'existera pas si $W > 4kl$. (Voir le probl. 10.61 qui traite de l'équilibre de ce système.)

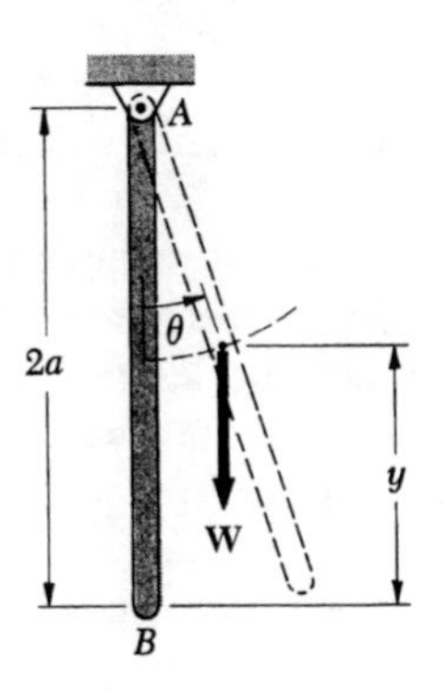


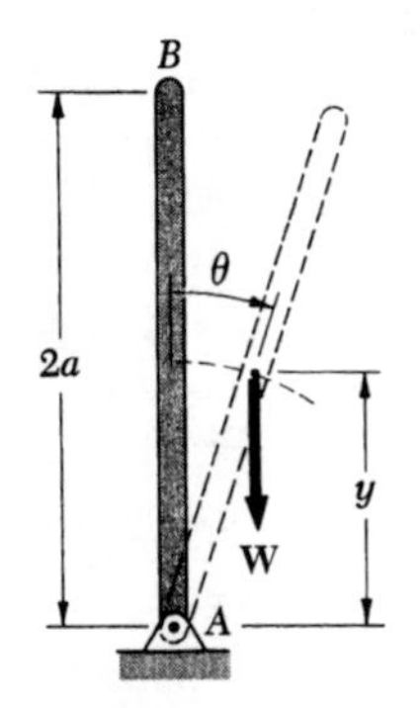


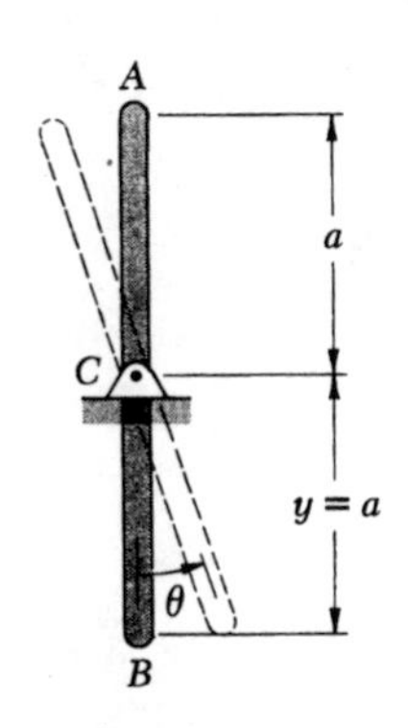


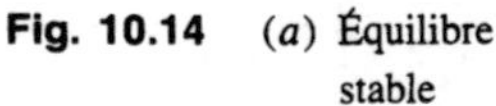

**Fig. 10.14** (*a*) Équilibre stable (*b*) Équilibre instable (*c*) Équilibre indifférent

## *10.8. Équilibre stable.

Considérons les trois tiges uniformes, de longueur $2a$ et de poids **W**, représentées à la fig. 10.14. Même si chaque tige est en équilibre, il existe une énorme différence entre les trois cas considérés. Supposons que chaque tige est légèrement écartée de sa position d'équilibre et est ensuite relâchée : la tige *a* retombera dans sa position d'équilibre originale, la tige *b* continuera à s'éloigner de sa position d'équilibre originale et la tige *c* restera au repos dans sa nouvelle position. Dans le cas *a*, l'équilibre de la tige est dit *stable*; dans le cas *b*, l'équilibre de la tige est dit *instable*; dans le cas *c*, l'équilibre de la tige est dit *indifférent*.

En nous rappelant (Section 10.6) que l'énergie potentielle $V_g$ correspondant à la gravité est égale à $Wy$, où $y$ est l'élévation du point d'application de **W** mesuré à partir d'un niveau arbitraire, nous pouvons voir que l'énergie potentielle de la tige *a* est minimale dans la position d'équilibre considérée, que l'énergie potentielle de la tige *b* est maximale et que l'énergie potentielle de la tige *c* est constante. L'équilibre est alors *stable*, *instable* ou *indifférent* lorsque l'énergie potentielle du système est *minimale*, *maximale* ou *constante*.

On peut voir facilement que ces conclusions sont générales : en effet, nous pouvons observer d'abord que la force tend toujours à produire un travail positif et, par conséquent, à diminuer l'énergie potentielle du système auquel elle est appliquée. Cependant, quand le système est éloigné de sa position d'équilibre, les forces appliquées au système tendent à le ramener à sa position originale si $V$ est minimale (Fig. 10.15*a*), ou à l'éloigner de cette position si $V$

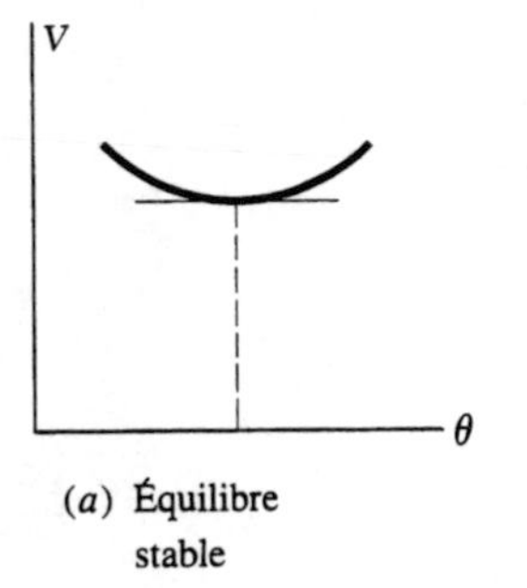


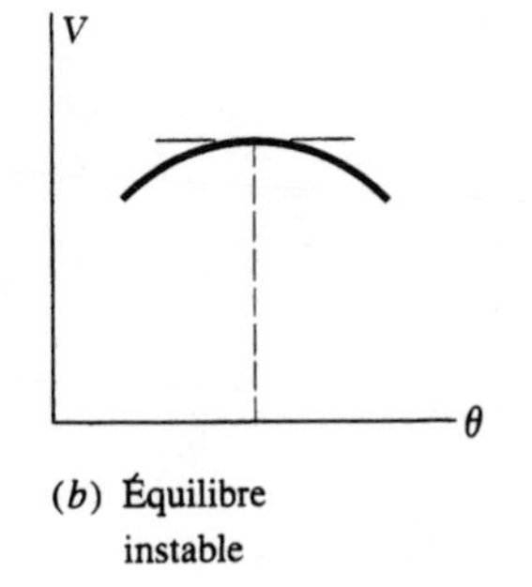


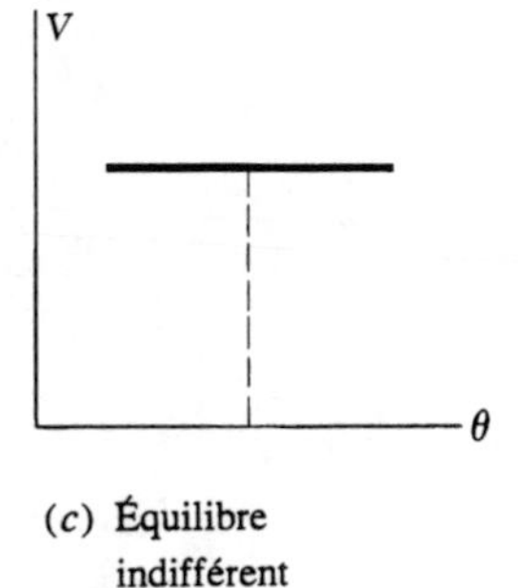


**Fig. 10.15** (*a*) Équilibre stable (*b*) Équilibre instable (*c*) Équilibre indifférent

est maximale (Fig. 10.15*b*). Si $V$ est constante, (Fig. 10.15*c*) les forces appliquées n'auront aucune tendance à déplacer le système dans l'une ou l'autre direction.

Si on se rappelle, de l'analyse mathématique, qu'une fonction est minimale ou maximale suivant que la dérivée seconde est positive ou négative, nous pouvons résumer comme suit les conditions d'équilibre d'un système à un degré de liberté (c'est-à-dire un système où la position est fonction d'une variable indépendante unique $\theta$) :

$$\begin{aligned} &\frac{dV}{d\theta} = 0 \qquad \frac{d^2V}{d\theta^2} > 0: \text{ équilibre stable} \\ &\frac{dV}{d\theta} = 0 \qquad \frac{d^2V}{d\theta^2} < 0: \text{ équilibre instable} \end{aligned} \tag{10.23}$$

Si la première et la seconde dérivées de $V$ sont nulles, il devient nécessaire de regarder les dérivées d'ordre supérieur pour déterminer si l'équilibre est stable, instable, ou indifférent. L'équilibre sera indifférent si toutes les dérivées sont nulles, puisque l'énergie potentielle $V$ est alors constante. L'équilibre sera stable si la première dérivée différente de zéro est d'ordre pair et positive. Dans les autres cas, l'équilibre sera instable.

Si le système possède *plusieurs degrés de liberté*, l'énergie potentielle $V$ dépendra de plusieurs variables et il sera alors nécessaire d'appliquer la théorie des fonctions à plusieurs variables pour déterminer si $V$ est minimale. Nous pourrons vérifier qu'un système à deux degrés de liberté sera stable et l'énergie potentielle correspondante $V(\theta_1, \theta_2)$ sera minimale, si les relations suivantes sont vérifiées simultanément.

$$\begin{gathered} \frac{\partial V}{\partial \theta_1} = \frac{\partial V}{\partial \theta_2} = 0 \\ \left(\frac{\partial^2 V}{\partial \theta_1\, \partial \theta_2}\right)^2 - \frac{\partial^2 V}{\partial \theta_1^2}\frac{\partial^2 V}{\partial \theta_2^2} < 0 \\ \frac{\partial^2 V}{\partial \theta_1^2} > 0 \qquad \text{ou} \qquad \frac{\partial^2 V}{\partial \theta_2^2} > 0 \end{gathered} \tag{10.24}$$

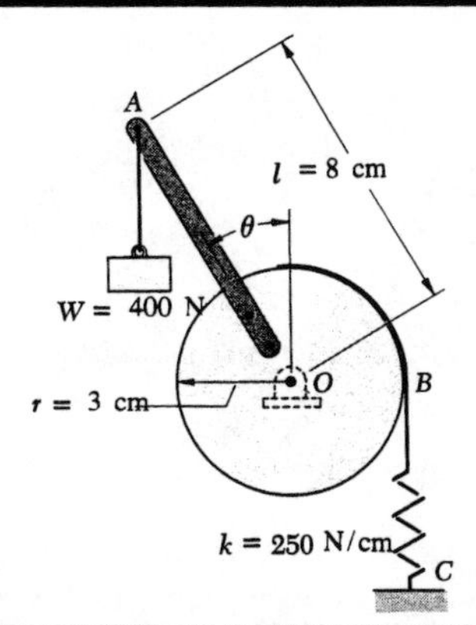


## PROBLÈME RÉSOLU 10.4

Un poids de 400 N est attaché au levier $AO$. La constante du ressort $BC$ est $k$ = 250 N/cm et on sait que le ressort est au repos lors que $\theta = 0$. Calculez la position ou les positions d'équilibre et vérifiez, dans chaque cas, si l'équilibre est stable, instable ou indifférent.

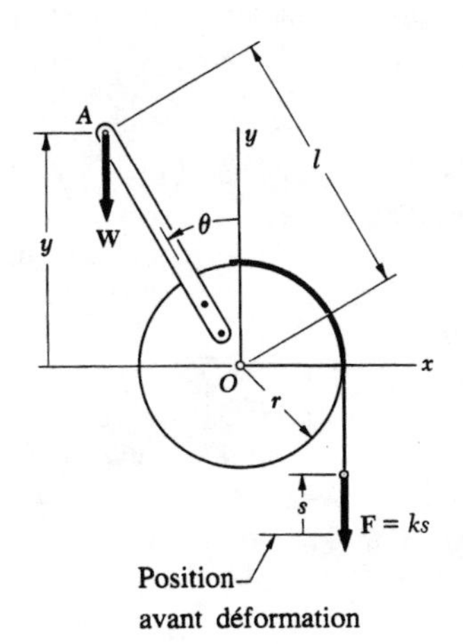


**Énergie potentielle.** Appelant $s$ la déformation du ressort, mesurée à partir de sa position au repos, et en plaçant l'origine du système de coordonnées au point $O$, l'énergie potentielle du système s'écrit

$$V_e = \tfrac{1}{2}ks^2 \qquad V_g = Wy$$

En mesurant $\theta$ en radians, nous avons

$$s = r\theta \qquad y = l\cos\theta$$
$$V_e = \tfrac{1}{2}kr^2\theta^2 \qquad V_g = Wl\cos\theta$$
$$V = V_e + V_g = \tfrac{1}{2}kr^2\theta^2 + Wl\cos\theta$$

**Positions d'équilibre.** Posant $dV/d\theta = 0$, nous pouvons écrire

$$\frac{dV}{d\theta} = kr^2\theta - Wl\sin\theta = 0$$
$$\sin\theta = \frac{kr^2}{Wl}\theta$$

et en introduisant avec les données numériques, nous avons

$$\sin\theta = \frac{(250\ \text{N/cm})(3\ \text{cm})^2}{(400\ \text{N})(8\ \text{cm})}\theta = 0{,}703\ \theta$$

Par la méthode des approximations successives, on obtient

$$\theta = 0 \qquad \text{avec} \qquad \theta = 80{,}4° \blacktriangleleft$$

**Conditions d'équilibre.** La dérivée seconde de l'énergie potentielle $V$, prise par rapport à $\theta$, est

$$\frac{d^2V}{d\theta^2} = kr^2 - Wl\cos\theta = (250\ \text{N/cm})(3\ \text{cm})^2 - (400\ \text{N})(8\ \text{cm})\cos\theta$$
$$= 2250 - 3200\cos\theta$$

Pour $\theta = 0$ $\qquad \dfrac{d^2V}{d\theta^2} = 2250 - 3200\cos 0° = -950 < 0$

L'équilibre est instable pour $\theta = 0°$ ◄

Pour $\theta = 80{,}4°$ $\qquad \dfrac{d^2V}{d\theta^2} = 2250 - 3200\cos 80{,}4° = +1716 > 0$

L'équilibre est stable pour $\theta = 80{,}4°$ ◄

## PROBLÈMES

**10.38** Résolvez le probl. 10.20 à l'aide de la méthode exposée à la section 10.7.

**10.39** Résolvez le probl. 10.21 à l'aide de la méthode exposée à la section 10.7.

**10.40** Résolvez le probl. 10.22 à l'aide de la méthode décrite à la section 10.7.

**10.41** Résolvez le probl. 10.33 à l'aide de la méthode décrite à la section 10.7.

**10.42** Montrez dans le probl. 10.2, que le mécanisme est en équilibre indifférent.

**10.43** Montrez, dans le probl. 10.3, que le mécanisme est en équilibre indifférent.

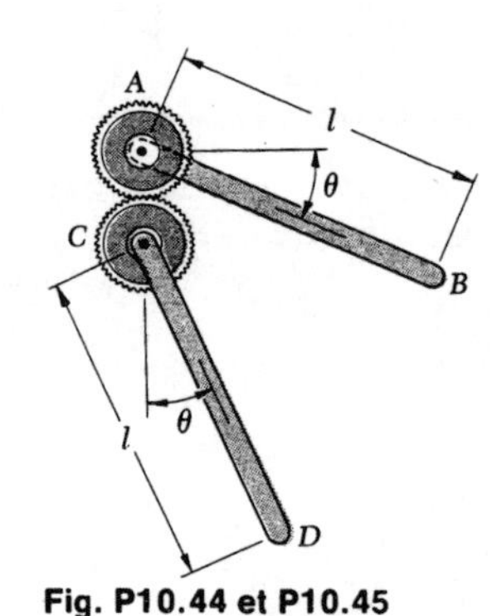

**Fig. P10.44 et P10.45**

**10.44** Deux tiges uniformes, de poids $W$ chacune sont attachées à deux roues dentées d'égal rayon. Déterminez les positions d'équilibre du système et montrez, pour chaque cas, s'il s'agit d'un équilibre stable, instable ou indifférent.

**10.45** Une force verticale **P**, de grandeur 44,5 N, est appliquée au point $D$ de la tige $CD$ illustrée ci-dessus. Déterminez les positions d'équilibre du système et montrez, pour chaque cas, s'il s'agit d'un équilibre stable, instable ou indifférent, sachant que les tiges uniformes $AB$ et $CD$ pèsent 22,2 N chacune.

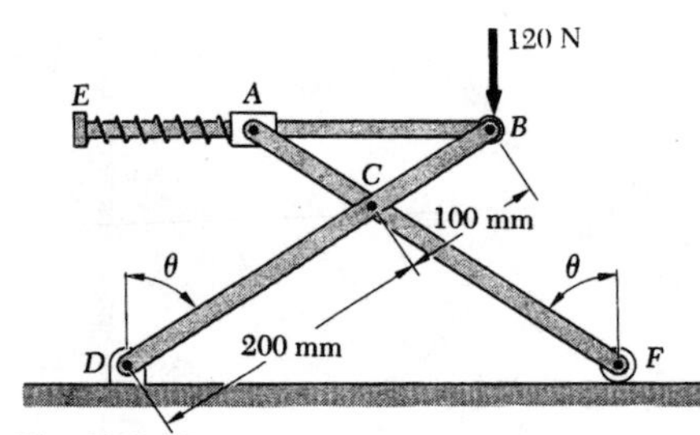

**Fig. P10.46**

**10.46** Deux tiges $AF$ et $BD$ de longueur 300 mm et une troisième tige $BE$ sont assemblées de la façon illustrée à la figure ci-contre. Le ressort $EA$ a une constante $k$ = 1,8 kN/m et est au repos pour $\theta = 0$. Calculez les valeurs de $\theta$ correspondant à l'équilibre et montrez, pour chaque cas, s'il s'agit d'un équilibre stable, instable ou indifférent.

**10.47** Résolvez le probl. 10.25 à l'aide de la méthode décrite à la section 10.7. Déterminez s'il s'agit d'un équilibre stable, instable ou indifférent. (L'énergie potentielle correspondant à un couple exercé par un ressort à torsion est $\frac{1}{2}\, k\, \theta^2$, où $k$ est la constante de torsion du ressort et $\theta$ l'angle de torsion.)

**10.48** Déterminez, dans le probl. 10.26, les positions d'équilibre stable, instable, ou indifférent.

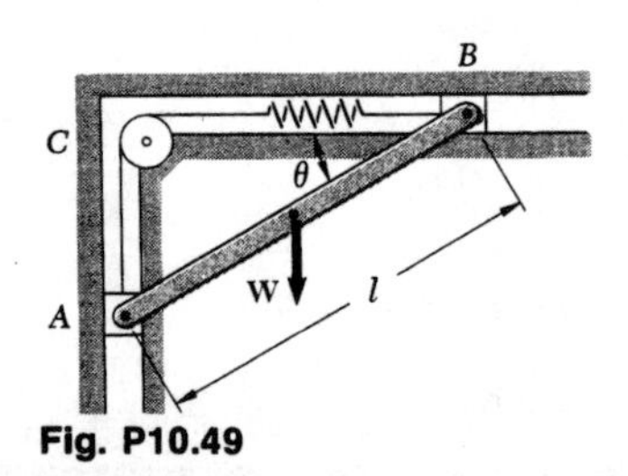

**Fig. P10.49**

**10.49** Une tige mince $AB$, de poids $W$, est attachée à deux blocs $A$ et $B$ qui peuvent glisser sans frottement dans les deux guides dessinés ci-contre. La constante du ressort est $k$ et il est au repos lorsque $AB$ est horizontale. Déduisez une équation en fonction de $\theta$, $W$, $l$ et $k$ qui doit être satisfaite lorsque la tige est en équilibre. (Négligez le poids des blocs.)

**10.50** Calculez, dans le probl. 10.49, les deux valeurs de $\theta$ correspondant à l'équilibre quand $W = 178$ N, $k = 17{,}5$ N/cm et $l = 38{,}1$ cm. Déterminez, pour chaque cas, s'il s'agit d'un équilibre stable, instable ou indifférent.

**10.51** Montrez, en supposant que $0° \leq \theta \leq 90°$ dans le mécanisme illustré au probl. 10.21, que pour chaque valeur de $W$ et $k$, il existe une seule position d'équilibre. Montrez ensuite que la position d'équilibre est stable.

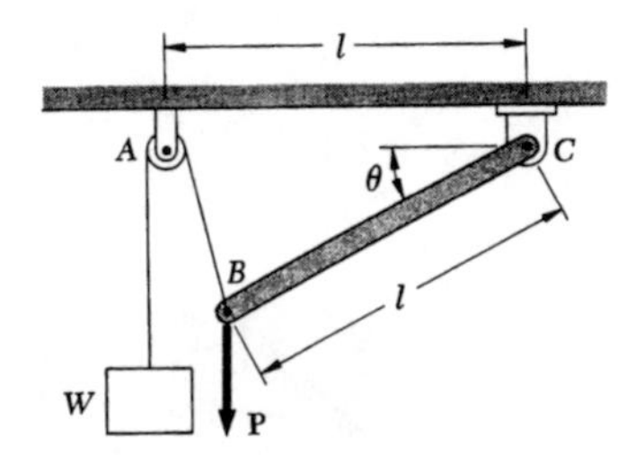

Fig. P10.52

**10.52** *a*) Déduisez une relation définissant l'angle $\theta$ correspondant à la position d'équilibre. *b*) Calculez l'angle $\theta$ correspondant à la position d'équilibre, si $W = \frac{1}{2}P$.

**10.53** Le ressort intérieur $AC$ de constante $k$ est au repos lorsque $\theta = 45°$. Déduisez une relation donnant les valeurs de $\theta$ correspondant aux positions d'équilibre.

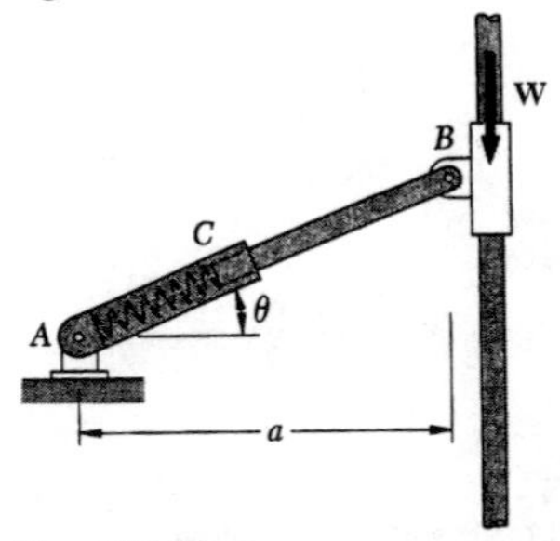

Fig. P10.53

**10.54** Déterminez, dans le probl. 10.53, les valeurs de $\theta$ correspondant aux positions d'équilibre quand $W = 75$ N, $k = 2$ kN/m et $a = 500$ mm.

**10.55** Déterminez, dans le mécanisme du problème résolu 10.4, les valeurs limites de $W$ pour lesquelles il existe un équilibre stable lorsque le levier $AO$ est vertical. Exprimez le résultat en fonction de $l$, $r$ et $k$.

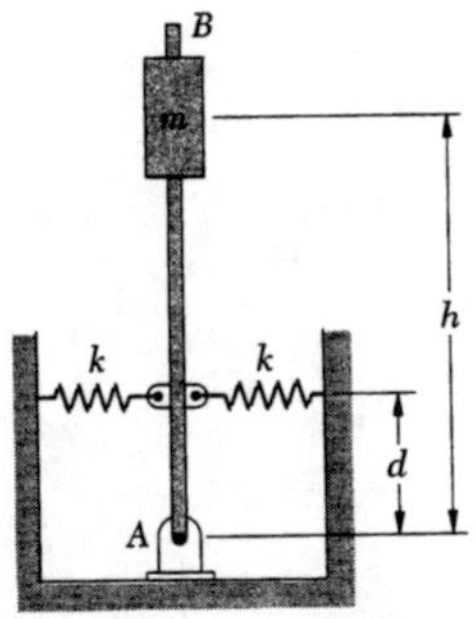

Fig. P10.56 et P10.57

**10.56** La tige $AB$ est attachée au pivot $A$ et à deux ressorts de constante $k$. Calculez les valeurs limites de $k$ pour lesquelles l'équilibre de la tige $AB$ est stable pour la position indiquée. Chaque ressort peut travailler en compression ou en tension. Posez $h = 450$ mm, $d = 300$ mm et $m = 200$ kg.

**10.57** Calculez les valeurs de la distance $d$ pour lesquelles l'équilibre de la tige $AB$ est stable dans la position indiquée. Chaque ressort peut travailler en compression ou en tension. Posez $m = 100$ kg, $h = 600$ mm et $k = 3$ kN/m pour chaque ressort.

**10.58 et 10.59** Deux barres $AB$ et $BC$ sont attachées à un ressort, de constante $k$, qui est au repos lorsque les barres sont horizontales. Calculez les valeurs $P$ de la grandeur de deux forces égales et opposées **P** et **P'** pour lesquelles le système est stable dans la position indiquée.

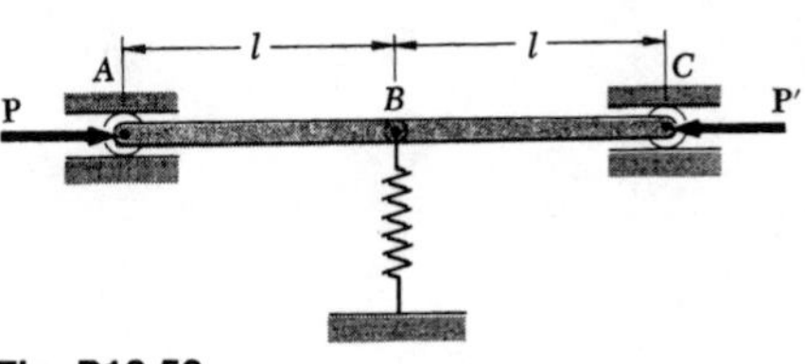

Fig. P10.58

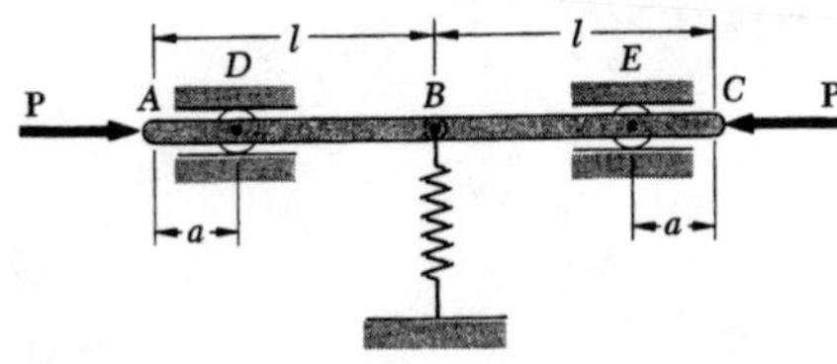

Fig. P10.59

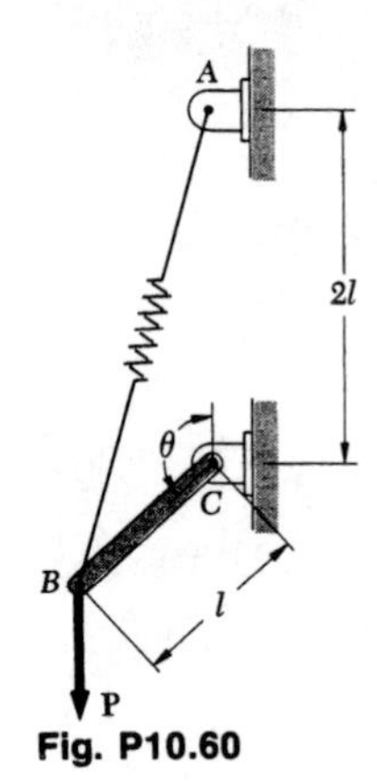

Fig. P10.60

**10.60** Le ressort $AB$, de constante $k$, est au repos lorsque $\theta = 0$. Calculez le domaine des valeurs de $k$ pour lesquelles, si $\theta = 180°$, le système est en équilibre stable.

**10.61** Nous avons trouvé deux positions d'équilibre pour le système illustré à la fig. 10.13, notamment $\theta = 0$ et $\theta = \cos^{-1}(W/4kl)$. Montrez que : *a*) si $W < 4kl$, l'équilibre est stable pour la première position ($\theta = 0$) et instable pour la seconde, *b*) si $W = 4kl$, les deux positions coïncident et l'équilibre est instable, *c*) si $W > 4kl$, l'équilibre est instable pour la première position ($\theta = 0$) et la seconde position n'existe pas. (Nous supposons que le système se déforme tel qu'indiqué et il ne peut pas tourner comme un corps rigide autour du point $A$, lorsque $A$ et $B$ coïncident.)

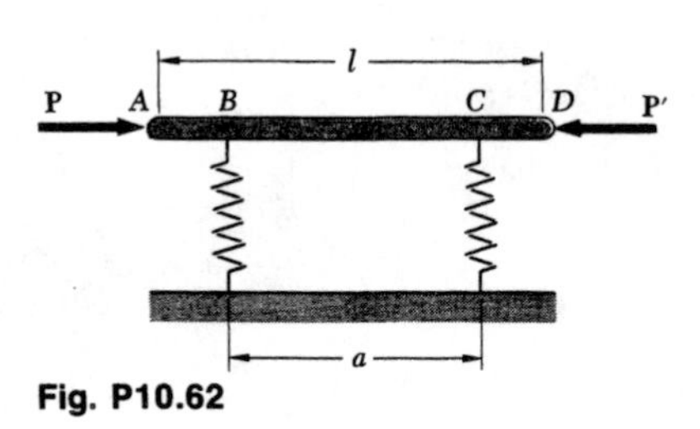

Fig. P10.62

**10.62** La barre horizontale $AD$ est attachée à deux ressorts de constante $k$ et est en équilibre dans la position horizontale. Calculez les valeurs extrêmes de la grandeur $P$ de deux forces égales et opposées **P** et **P**′ pour lesquelles la position d'équilibre est stable : *a*) si $AB = CD$, *b*) si $AB = 2(CD)$.

***10.63 et 10.64.** Les barres dessinées ci-dessous, chacune de longueur $l$ et de poids négligeable, sont attachées à des ressorts de constante $k$. Les ressorts sont au repos et le système est en équilibre lorsque $\theta_1 = \theta_2 = 0$. Calculez les valeurs extrêmes de $P$ pour lesquelles la position d'équilibre est stable.

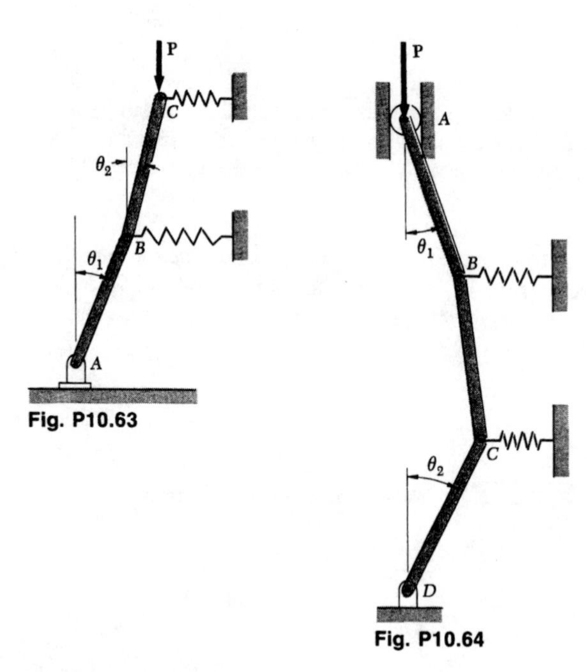

Fig. P10.63

Fig. P10.64

## PROBLÈMES DE RÉVISION

**10.65** *a*) Déduisez l'équation du moment du couple **M** requis pour maintenir l'équilibre du mécanisme dessiné ci-contre. *b*) Calculez la valeur de $\theta$ correspondant à la position d'équilibre lorsque $P = 89$ N, $M = 9{,}04$ N · m, $l = 10{,}2$ cm et $b = 25{,}4$ cm en précisant s'il s'agit d'un équilibre stable, instable ou indifférent.

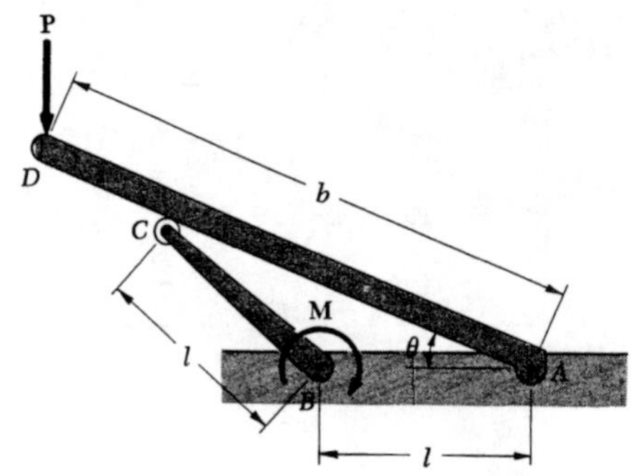


Fig. P10.65

**10.66** L'élévation de la plate-forme supérieure de l'appareil de levage représenté ci-dessous est réalisée par l'intermédiaire de deux cylindres hydrauliques $H$ et $E$. Une charge de 5 kN est appliquée au point $G$ de la plate-forme. Calculez la force exercée par chaque cylindre au point d'attache $E$, lorsque $\theta = 30°$. (Négligez le poids de l'appareil.)

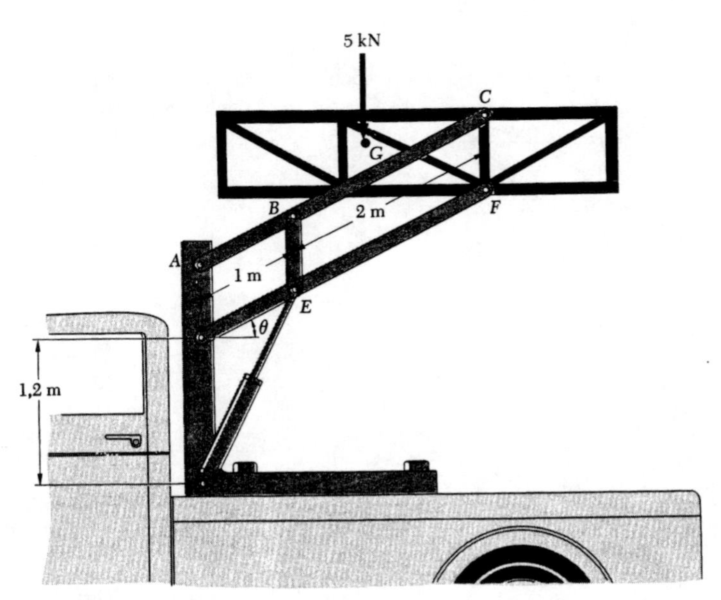


Fig. P10.66

**10.67** Dans le probl. 10.66 : *a*) exprimez la force exercée par le cylindre sur l'attache $E$ en fonction de la longueur $HE$, *b*) calculez la plus grande valeur admissible de $\theta$ lorsque la force exercée par le cylindre sur le point $E$ est de 25 kN.

**10.68** Déduisez une expression mathématique de la grandeur de la force **Q** nécessaire pour maintenir l'équilibre de la barre $AB$, de section uniforme, en supposant qu'elle glisse sans frottement sur le sol et sur le plan incliné.

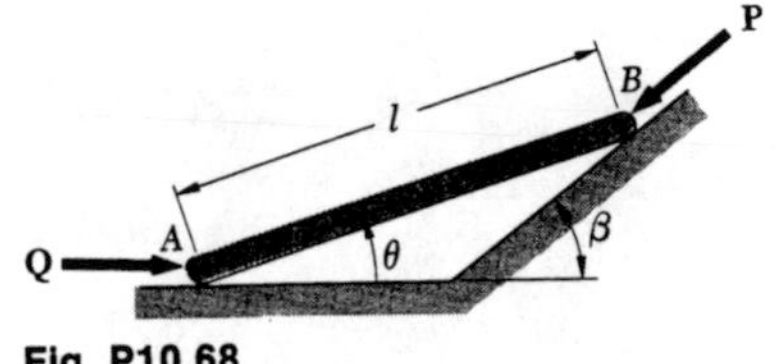


Fig. P10.68

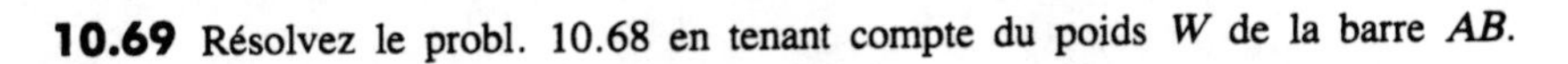

**10.69** Résolvez le probl. 10.68 en tenant compte du poids $W$ de la barre $AB$.

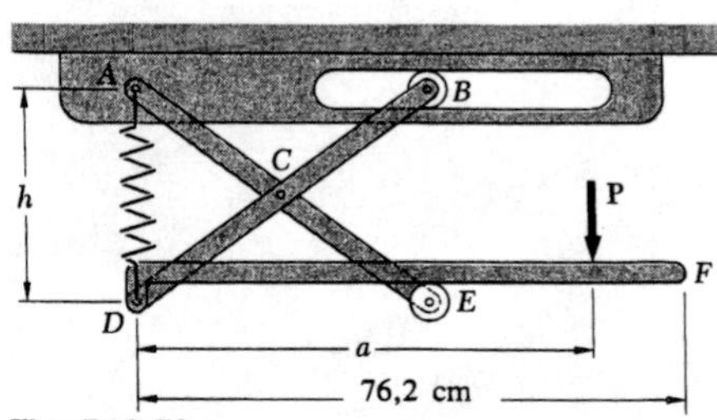

**Fig. P10.70**

**10.70** Les barres *ACE* et *DCB*, de longueur identique de 63,5 cm, sont reliées par un axe passant par leur point milieu *C*. Une charge **P**, de grandeur 890 N, est appliquée à une troisième barre *DF*. Calculez : *a*) la force de tension du ressort *AD*, *b*) la longueur du ressort, au repos, sachant que la constante d'élasticité du ressort est 70 N/cm. Posez, dans chaque cas, $h$ = 38,1 cm et $a$ = 76,2 cm.

**10.71** Une tige mince, de longueur $l$, est attachée à un manchon *B* et repose sur une surface circulaire polie de rayon $r$. Déduisez une expression mathématique donnant la grandeur de la force **Q** nécessaire pour maintenir l'équilibre, sachant que le manchon *B* glisse sans frottement le long de la tige verticale.

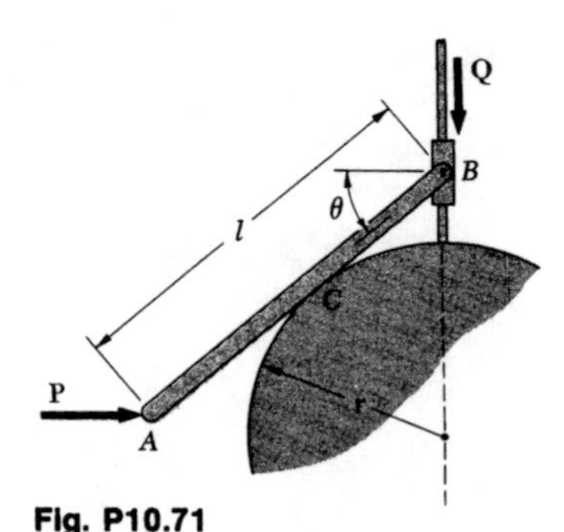

**Fig. P10.71**

**10.72** Résolvez le probl. 10.71, en supposant que la force **P** est enlevée et remplacée par un couple **M** positif appliqué à la barre *AB*.

**10.73** Le ressort *AD* possédant une constante $k$ est au repos lorsque $x = \frac{1}{2} l$. Déduisez une équation, fonction $\theta$, qui doit être vérifiée lorsque le système est en équilibre. (Négligez le poids de la tige *AB*.)

**10.74** Calculez les valeurs de $\theta$ et de $x$ correspondant à la position d'équilibre lorsque $P$ = 155,7 N, $W$ = 89 N, $r$ = 7,6 cm, $l$ = 40,6 cm et $k$ = 8,76 N/cm, sachant que le ressort est au repos lorsque $x$ = 20,3 cm.

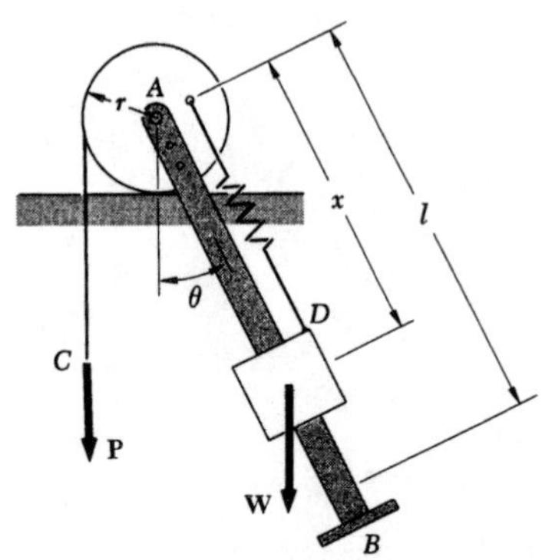

**Fig. P10.73 et P10.74**

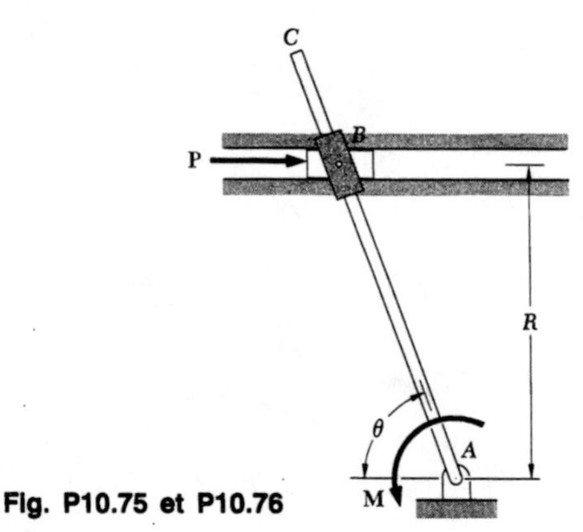

**Fig. P10.75 et P10.76**

**10.75** Le manchon *B* du mécanisme illustré ci-contre peut glisser le long de la tige *AC* et est attaché par un axe à un bloc pouvant glisser dans un guide horizontal. Déduisez une expression mathématique donnant la valeur du couple **M** nécessaire pour maintenir l'équilibre du mécanisme.

**10.76** Calculez la valeur de $\theta$ correspondant à la position d'équilibre de la tige *AC* lorsque $\kappa$ = 400 mm, $P$ = 100 mm et $M$ = 50 N.

CHAPITRE

# A3

# Corps rigide : systèmes de forces équivalents

**A3.1. Corps rigides. Forces intérieures et forces extérieures.** Dans les chapitres précédents, nous avons assimilé les corps à des points matériels. Nous verrons dans les prochains chapitres que cette simplification n'est pas toujours possible et qu'un corps rigide doit être considéré, en général, *comme l'ensemble d'un grand nombre de points matériels.* Nous verrons encore que les dimensions du corps doivent alors être prises en considération et que les points d'application des forces interviennent dans les effets de celles-ci.

Dans la mécanique que nous étudions ici, nous avons admis que le corps *était rigide*, c'est-à-dire qu'il ne subissait pas de déformations sous l'action des forces appliquées. Cependant, les structures et les machines ne présentent pas un caractère de rigidité aussi absolu et se déforment plus ou moins sous l'action des forces appliquées. Il est vrai que ces déformations sont petites et n'affectent pas l'équilibre général de la structure, mais elles jouent un rôle déterminant dans la résistance de la structure à l'effondrement par rupture : elles seront d'ailleurs étudiées en détail dans le cours de mécanique des matériaux.

Lorsqu'on étudie les forces agissant sur les corps rigides, une première division s'impose : 1) *forces extérieures*, 2) *forces intérieures*.

1. Nous entendons par *forces extérieures* l'action des autres corps sur le corps étudié. Ces forces sont à l'origine du comportement du corps rigide. Ce sont elles qui sont responsables de l'état de mouvement du corps. Nous parlerons uniquement des forces extérieures dans ce chapitre.
2. Nous entendons par *forces intérieures* l'interaction de l'ensemble des points constituant le corps. Si celui-ci est formé de différentes parties, les interactions se manifestant entre ces parties sont aussi considérées comme des forces internes. Nous avons vu ces forces aux chapitres 6 et 7.

Fig. A3.1

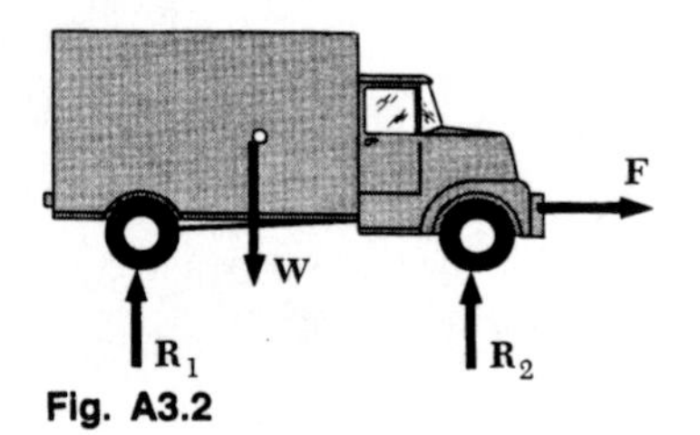

Fig. A3.2

Comme exemple de forces extérieures, prenons les forces qui s'exercent sur un camion que quelques hommes tirent à l'aide d'un câble attaché au pare-chocs (Fig. A3.1). Les forces extérieures qui agissent sur le camion sont indiquées sur le *schéma du camion isolé* (Fig. A3.2). Commençons par analyser le poids du camion. Bien qu'il soit l'effet de l'attraction gravitationnelle exercée par la terre sur chaque élément du camion, le poids peut être représenté par une force unique **W**. Le *point d'application* de cette force est appelé *centre de gravité du camion*. Nous avons vu au chapitre 5 comment calculer ces centres de gravité. Le poids **W** tend à déplacer le camion verticalement vers le bas. En fait, cette force ferait tomber le camion si le sol n'était pas là pour le retenir. Le sol s'oppose au mouvement du camion au moyen des réactions $\mathbf{R}_1$ et $\mathbf{R}_2$. Ces forces sont exercées *par le sol sur le camion* et doivent par conséquent être comprises dans le groupe des forces extérieures.

Les hommes qui tirent sur la corde exercent une force **F**. Le point d'application de **F** est placé sur le pare-chocs avant. Cette force **F** tend à déplacer le camion vers l'avant en suivant une trajectoire rectiligne et en réalité, elle réalise ce mouvement, puisqu'il n'existe aucune force extérieure qui s'y oppose. (Par souci de simplification, nous avons négligé les forces de frottement.) Ce mouvement du camion, au cours duquel les déplacements des différents points du camion restent parallèles, s'appelle *translation.* D'autres forces peuvent provoquer un mouvement différent du camion. Par exemple, la force exercée par un vérin placé sous l'essieu avant fait tourner le camion autour de l'essieu arrière. Ce mouvement s'appelle *rotation.* Nous pouvons conclure que les *forces extérieures agissant sur un corps rigide* peuvent, si elles ne sont pas annulées par d'autres forces, imprimer au corps soit un mouvement de rotation, soit un mouvement de translation, soit encore les deux mouvements simultanément.

**A3.2. Principe du glissement des forces. Forces équivalentes.** Ce principe établit que les *conditions d'équilibre ou de mouvement d'un corps rigide soumis à une force* **F** *restent inchangées si on remplace cette force par une force* **F'** *de même grandeur et de même direction, mais ayant un point d'application différent de* **F**, *à condition que les deux forces aient la même ligne d'action* (Fig. A3.3). Dans ces conditions, les deux forces **F** et **F'** sont dites *équivalentes.* Ce principe qui, en fait, permet à une *force de glisser le long* de sa ligne d'action, est basé sur une évidence expérimentale; *il ne peut* être déduit d'aucune des propositions énoncées jusqu'à maintenant et nous devons donc l'accepter comme une *loi expérimentale.*

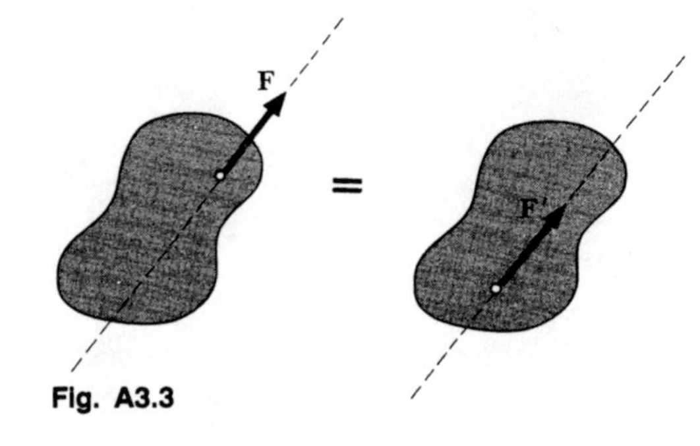

Fig. A3.3

D'ailleurs, le principe du glissement des forces peut se déduire des propositions établies lors de l'étude de la dynamique des corps rigides, mais cette étude exige qu'on introduise tout d'abord les trois principes de Newton ainsi que quelques autres principes. Cependant, dans la statique des corps rigides, nous nous baserons sur les trois principes introduits au commencement de ce cours, à savoir le principe du parallélogramme des forces, le premier principe de Newton et le principe du glissement des forces.

Nous avons montré au chapitre 2 que les forces sont représentées par des vecteurs. Lorsque les forces sont appliquées à un point et par conséquent attachées à un point d'application bien défini, les vecteurs qui les représentent sont dits *vecteurs liés.* C'est le cas des vecteurs vitesse ou accélération instantanés d'un corps en mouvement.

D'autres forces qui suivent le principe du glissement peuvent glisser le long de leur ligne d'action sans modifier les conditions d'équilibre des corps sur lesquels ces forces agissent. Ce comportement particulier nous conduit à les représenter par un autre type de vecteurs, connus sous le nom de *vecteurs glissants.* C'est le cas, notamment, des forces qui définissent les moments. Ces moments sont indépendants de la position sur leur ligne d'action respective du point d'application des forces. Notons que toutes les propriétés qui seront déduites dans les sections suivantes et qui concernent les forces appliquées aux corps rigides, seront valables, à fortiori, pour n'importe quel système de vecteurs glissants. Cependant, pour préserver le caractère pratique de ce cours, nous ferons référence aux forces plutôt qu'aux vecteurs.

En retournant à l'exemple du camion, nous pouvons observer que la ligne d'action de **F** est horizontale et passe par les deux pare-chocs (Fig. A3.4). En nous servant du principe du glissement, nous pouvons remplacer **F** par une *force équivalente* **F'**, appliquée sur le pare-chocs arrière.

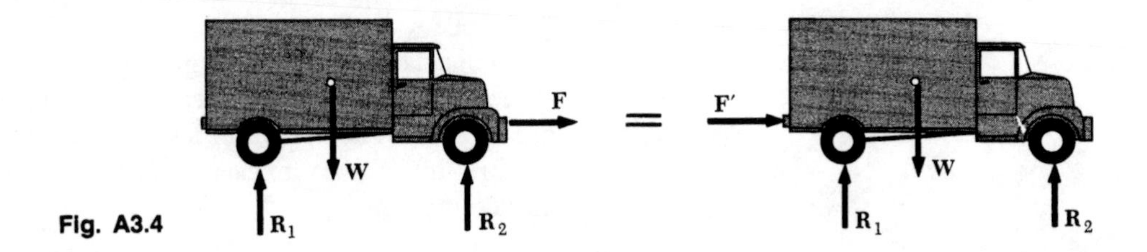

Fig. A3.4

On peut conclure que les conditions de mouvement et les forces qui agissent sur le camion restent inchangées ($\mathbf{W}$, $\mathbf{R}_1$, $\mathbf{R}_2$) si les hommes poussent sur le pare-chocs arrière du camion au lieu de le tirer par le pare-chocs avant.

Remarquons cependant que le principe du glissement et le concept de l'équivalence des forces possèdent une certaine limite. Considérons; par exemple, une courte barre $AB$, à l'extrémité de laquelle nous appliquons deux forces axiales égales et opposées $\mathbf{P}_1$ et $\mathbf{P}_2$, comme le montre la fig. A3.5*a*. Suivant le principe du glissement, la force $\mathbf{P}_2$ peut être remplacée par une force de même grandeur, de même direction et de même ligne d'action $\mathbf{P}_2'$ mais appliquée en $A$ au lieu de $B$ (Fig. A3.5*b*). Les forces $\mathbf{P}_1$ et $\mathbf{P}_2'$, agissant sur le même corps, peuvent être additionnées suivant les règles énoncées au chap. 2; puisqu'elles sont égales et opposées, leur somme est nulle. Le système de forces original montré à la fig. A3.5*a* est équivalent à un système de forces nul (Fig. A3.5*c*), tout au moins du point de vue du comportement extérieur de la barre.

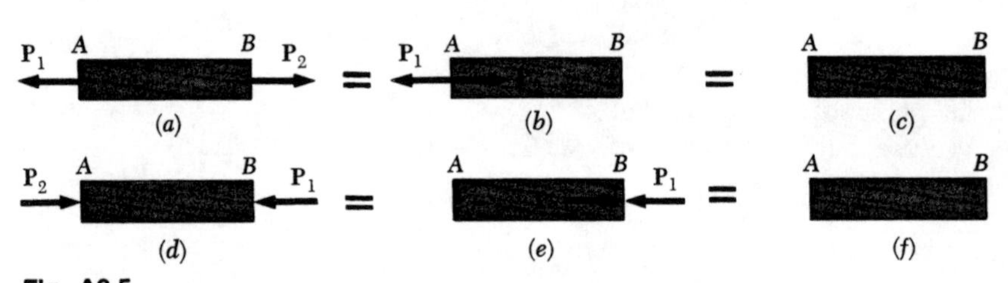


**Fig. A3.5**

Considérons maintenant deux forces égales et opposées $\mathbf{P}_1$ et $\mathbf{P}_2$ qui agissent sur la barre $AB$ de la manière indiquée sur la fig. A3.5*d*. La force $\mathbf{P}_2$ peut être remplacée par la force $\mathbf{P}_2'$ de même grandeur, de même direction et de même ligne d'action mais appliquée en $B$ plutôt qu'en $A$. (Fig. A3.5*e*). Les forces $\mathbf{P}_1$ et $\mathbf{P}_2'$ peuvent s'additionner et leur somme est nulle (Fig. A3.5*f*). Du point de vue de la mécanique des corps rigides, les systèmes montrés dans les fig. A3.5*a* et *d* sont équivalents. Mais les *forces internes* et les *déformations produites* par les deux systèmes sont nettement différentes. La barre de la fig. A3.5*a* est *en traction* et si elle n'est pas absolument rigide, elle va s'allonger; la barre de la fig. A3.5*d* est *en compression* et si elle n'est pas absolument rigide, elle va se comprimer.

En conclusion, même si le principe du glissement des forces peut être utilisé sans restriction pour déterminer les conditions de mouvement ou d'équilibre des corps rigides et pour calculer les forces extérieures qui agissent sur ces corps, il doit être utilisé avec précaution lorsqu'on travaille avec des forces internes ou des déformations.

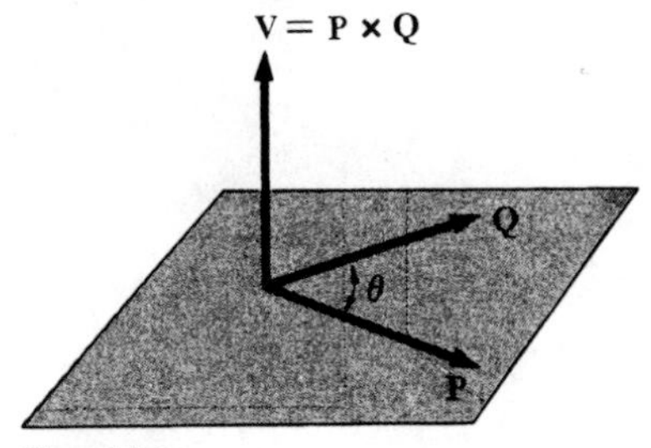

Fig. A3.6

**A3.3. Produit vectoriel de deux vecteurs.** Pour pouvoir poursuivre l'étude des effets des forces appliquées aux corps rigides, nous devons introduire le concept de *moment d'une force par rapport à un point.* Ce concept pourra être compris plus clairement si nous introduisons d'abord la notion de *produit vectoriel* de deux vecteurs. Le produit vectoriel de deux vecteurs **P** et **Q** est un vecteur **V** qui satisfait aux conditions suivantes :

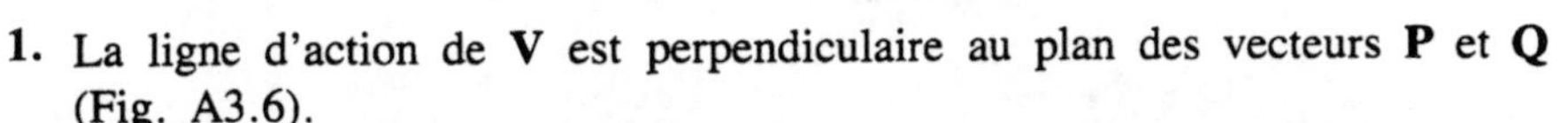

1. La ligne d'action de **V** est perpendiculaire au plan des vecteurs **P** et **Q** (Fig. A3.6).

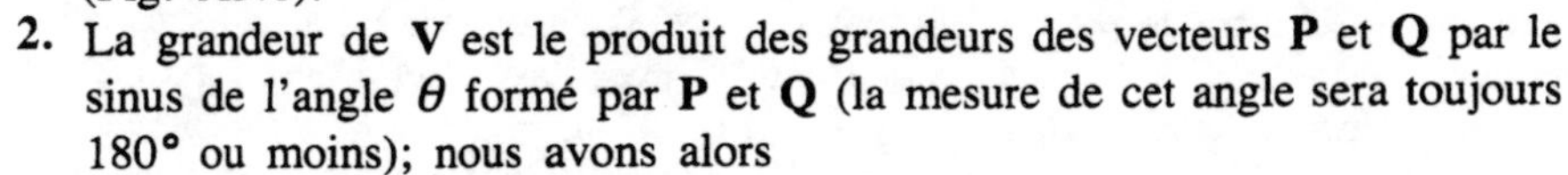

2. La grandeur de **V** est le produit des grandeurs des vecteurs **P** et **Q** par le sinus de l'angle $\theta$ formé par **P** et **Q** (la mesure de cet angle sera toujours 180° ou moins); nous avons alors

$$V = PQ \sin\theta \tag{A 3.1}$$

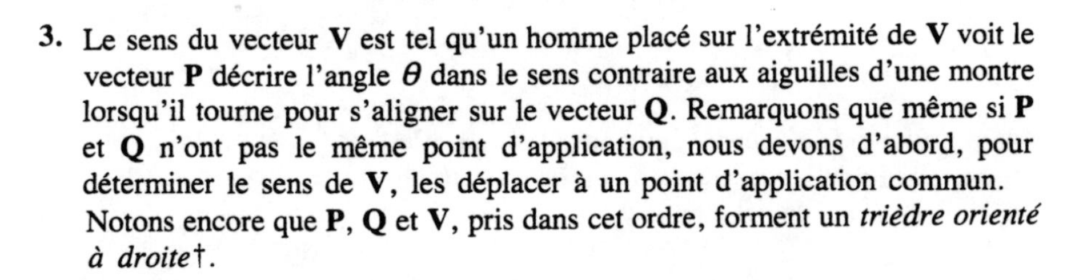

3. Le sens du vecteur **V** est tel qu'un homme placé sur l'extrémité de **V** voit le vecteur **P** décrire l'angle $\theta$ dans le sens contraire aux aiguilles d'une montre lorsqu'il tourne pour s'aligner sur le vecteur **Q**. Remarquons que même si **P** et **Q** n'ont pas le même point d'application, nous devons d'abord, pour déterminer le sens de **V**, les déplacer à un point d'application commun. Notons encore que **P**, **Q** et **V**, pris dans cet ordre, forment un *trièdre orienté à droite*†.

Le vecteur **V** satisfaisant ces trois conditions (qui le définissent d'ailleurs sans ambiguïté) est un vecteur-produit de **P** et **Q**; il est représenté par

$$\mathbf{V} = \mathbf{P} \times \mathbf{Q} \tag{A 3.2}$$

Nous déduisons facilement de l'éq. (A 3.1) que lorsque deux vecteurs **P** et **Q** ont la même direction ou des directions opposées, leur produit vectoriel est nul. Nous pouvons faire de l'éq. (A 3.1) une interprétation géométrique simple : en effet, la grandeur du vecteur **V** mesure l'aire du parallélogramme construit sur les vecteurs **P** et **Q** (Fig. A3.7).

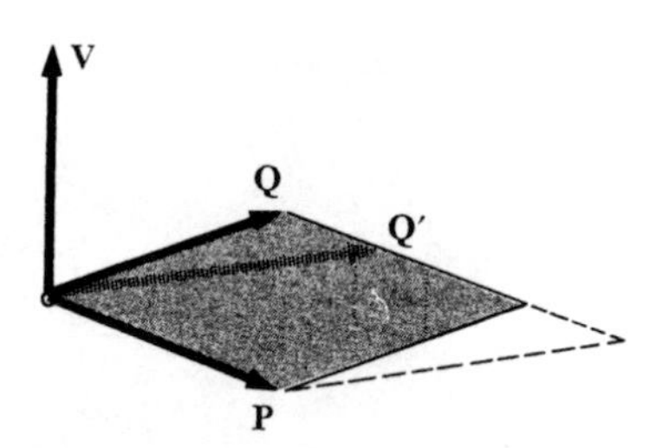

Fig. A3.7

Cette aire ne change pas si on remplace le vecteur **Q** par un vecteur **Q′** appartenant au plan de **P** et de **Q** et de façon telle que la droite passant par les extrémités de **Q** et **Q′** est parallèle à **P**. Nous écrirons

$$\mathbf{V} = \mathbf{P} \times \mathbf{Q} = \mathbf{P} \times \mathbf{Q}' \tag{A 3.3}$$

† Notons que les axes $x$, $y$ et $z$ forment un système d'axes orthogonaux orienté à droite, tandis que les vecteurs unitaires **i**, **j**, **k** forment un trièdre orthogonal orienté à droite.

On déduit aussi de la troisième condition imposée lors de la définition de **V** que le produit vectoriel *n'est pas commutatif.* En effet, comme le trièdre formé des vecteurs **P**, **Q** et **V** change d'orientation quand on change l'ordre de ces vecteurs, c'est-à-dire que **Q** X **P** est différent de (**P** X **Q**), on peut alors voir facilement que **Q** X **P** est égal à −**V**, vecteur égal et opposé à **V**. Nous écrirons

$$\mathbf{Q} \times \mathbf{P} = -(\mathbf{P} \times \mathbf{Q}) \qquad \text{(A 3.4)}$$

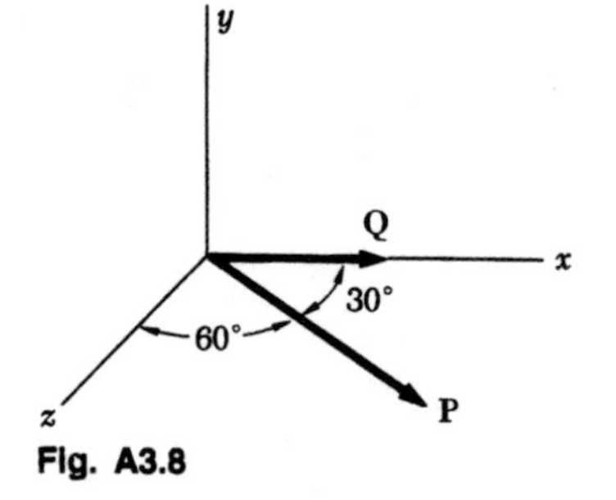


**Fig. A3.8**

*Exemple.* Calculons le produit vectoriel $\mathbf{V} = \mathbf{P} \times \mathbf{Q}$ du vecteur **P**, de grandeur 6, appartenant au plan $zx$ et formant un angle de 30° avec l'axe $x$, et du vecteur **Q**, de grandeur 4, dont la ligne d'action est l'axe $x$ (Fig. A3.8).

De la définition du produit vectoriel, nous déduisons que l'axe $y$ est la ligne d'action du vecteur **V** et que sa grandeur est donnée par

$$V = PQ \sin \theta = (6)(4) \sin 30° = 12$$

et qu'il est orienté vers le haut de la page.

Nous savons déjà que le produit vectoriel n'est pas commutatif. Nous pourrons aussi nous demander si le produit vectoriel est une opération *distributive*, c'est-à-dire si la relation

$$\mathbf{P} \times (\mathbf{Q}_1 + \mathbf{Q}_2) = \mathbf{P} \times \mathbf{Q}_1 + \mathbf{P} \times \mathbf{Q}_2 \qquad \text{(A 3.5)}$$

est valide. La réponse est *oui*. Beaucoup de nos lecteurs seraient d'accord pour accepter d'emblée cette affirmation. Cependant, puisque la structure de l'algèbre vectorielle et de la statique reposent sur elle, nous allons prendre le temps de la démontrer. Supposons que la ligne d'action du vecteur **P** est l'axe $y$ (Fig. A3.9*a*). Appelons **Q** la somme de $\mathbf{Q}_1$ et $\mathbf{Q}_2$. Abaissons une perpendiculaire sur le plan $zx$ de chaque extrémité des vecteurs $\mathbf{Q}_1$, $\mathbf{Q}_2$ et **Q**, définissant aussi les nouveaux vecteurs $\mathbf{Q}'_1$, $\mathbf{Q}'_2$ et $\mathbf{Q}'$. Ces vecteurs seront appelés respectivement les *projections des vecteurs* $\mathbf{Q}_1$, $\mathbf{Q}_2$ et **Q** dans le plan $zx$. En faisant appel à la propriété du produit vectoriel exprimée par l'éq. (A 3.3), nous remarquons que le membre de gauche de l'éq. (A 3.5), peut être remplacé par le vecteur $\mathbf{P} \times \mathbf{Q}'$ et que la même manière, les vecteurs $\mathbf{P} \times \mathbf{Q}_1$ et $\mathbf{P} \times \mathbf{Q}_2$ pourront être remplacés par les vecteurs $\mathbf{P} \times \mathbf{Q}'_1$ et $\mathbf{P} \times \mathbf{Q}'_2$. La relation à démontrer s'écrit maintenant

$$\mathbf{P} \times \mathbf{Q}' = \mathbf{P} \times \mathbf{Q}'_1 + \mathbf{P} \times \mathbf{Q}'_2 \qquad \text{(A 3.5')}$$

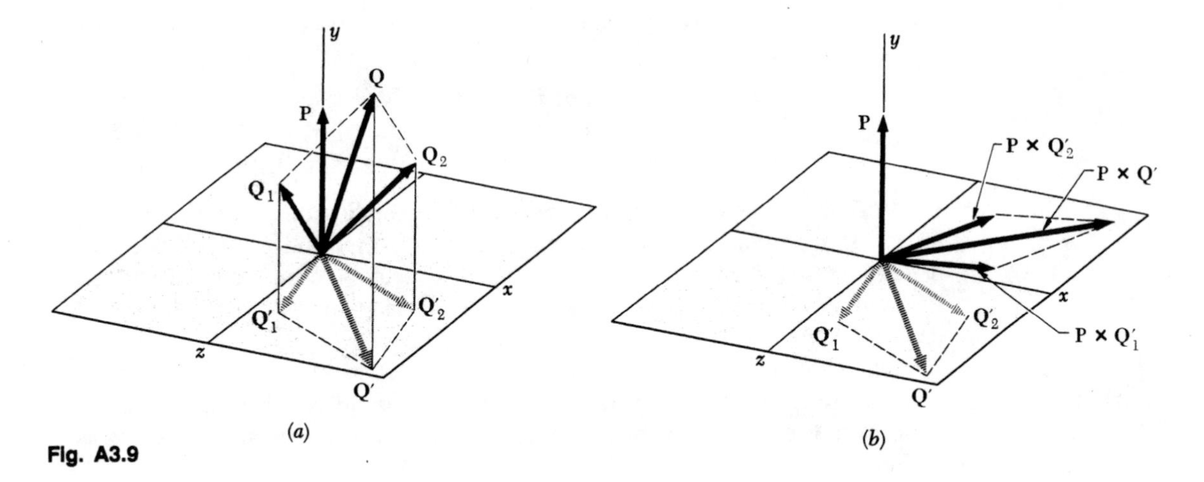


**Fig. A3.9**

Nous pouvons voir que $\mathbf{P} \times \mathbf{Q}'$ s'obtient de $\mathbf{Q}'$ en multipliant ce vecteur par le scalaire $P$ et en le faisant tourner de 90° dans le plan $zx$, dans le sens négatif (Fig. A3.9*b*). Les deux autres produits vectoriels de la relation (A 3.5′) peuvent s'obtenir de la même façon à partir respectivement de $\mathbf{Q}'_1$ et $\mathbf{Q}'_2$. Comme la projection d'un parallélogramme sur un plan quelconque est encore un parallélogramme, le vecteur $\mathbf{Q}'$, projection du vecteur $\mathbf{Q}$ qui est la somme de $\mathbf{Q}_1 + \mathbf{Q}_2$, doit être la somme de $\mathbf{Q}'_1$ et de $\mathbf{Q}'_2$, projections des vecteurs $\mathbf{Q}_1$ et $\mathbf{Q}_2$ dans le même plan (Fig. A3.9*a*). Cette relation entre les vecteurs $\mathbf{Q}'$, $\mathbf{Q}'_1$ et $\mathbf{Q}'_2$ reste encore valable après avoir multiplié ces derniers par le scalaire $P$ et les avoir fait tourner de 90° (Fig. A3.9*b*). Alors la relation (A 3.5′) est prouvée et nous pouvons affirmer que le produit vectoriel est distributif par rapport à l'addition.

La troisième propriété, c'est-à-dire la propriété associative, ne s'applique pas au produit vectoriel. D'une façon générale, nous avons

$$(\mathbf{P} \times \mathbf{Q}) \times \mathbf{S} \neq \mathbf{P} \times (\mathbf{Q} \times \mathbf{S}) \qquad \text{(A 3.6)}$$

**A3.4. Décomposition du produit vectoriel selon des axes de référence orthogonaux.** Nous allons déterminer le produit vectoriel de deux des vecteurs unitaires, **i**, **j** et **k**. Considérons d'abord le produit $\mathbf{i} \times \mathbf{j}$ (Fig. A3.10*a*) : comme la grandeur de ces deux vecteurs est l'unité et que l'angle qu'ils font est égal à 90°, leur produit vectoriel sera encore un vecteur dont la grandeur sera l'unité et qui sera perpendiculaire à la fois à **i** et à **j**. Ce vecteur doit être **k**, puisque **i**, **j**, **k** forment, par définition, un trièdre orthogonal orienté à droite, ou positif. D'autre part, d'après le principe de non-commutativité du produit vectoriel, on déduit que $\mathbf{j} \times \mathbf{i} = -\mathbf{k}$ (Fig. A3.10*b*). Nous pourrons finalement relever que le produit vectoriel d'un vecteur unitaire par lui-même est nul, puisque les vecteurs ont la même direction.

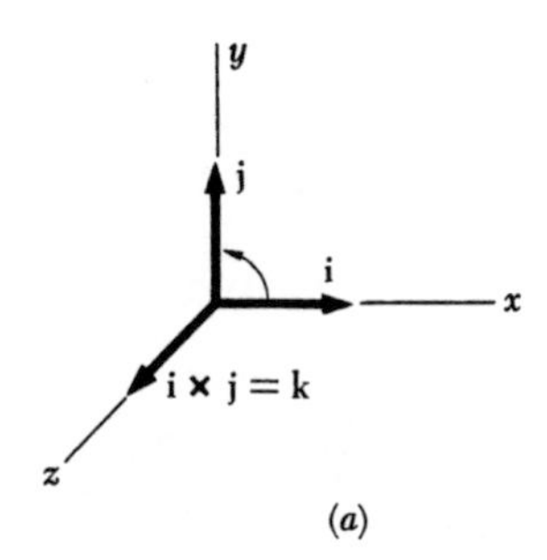


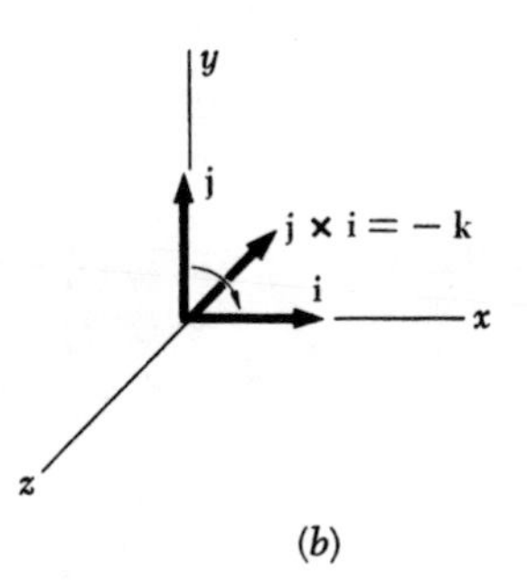


**Fig. A3.10**

Les produits vectoriels de toutes les combinaisons possibles de deux vecteurs unitaires sont alors

$$\begin{array}{lll} \mathbf{i} \times \mathbf{i} = 0 & \mathbf{j} \times \mathbf{i} = -\mathbf{k} & \mathbf{k} \times \mathbf{i} = \mathbf{j} \\ \mathbf{i} \times \mathbf{j} = \mathbf{k} & \mathbf{j} \times \mathbf{j} = 0 & \mathbf{k} \times \mathbf{j} = -\mathbf{i} \\ \mathbf{i} \times \mathbf{k} = -\mathbf{j} & \mathbf{j} \times \mathbf{k} = \mathbf{i} & \mathbf{k} \times \mathbf{k} = 0 \end{array} \qquad \text{(A 3.7)}$$

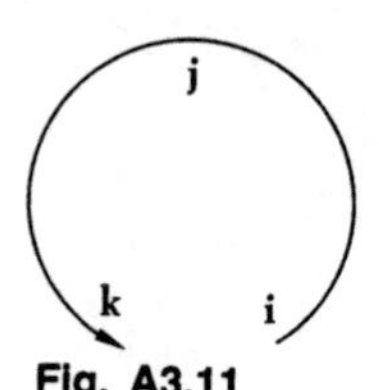

**Fig. A3.11**

En dessinant un cercle et en inscrivant dans ce cercle, suivant le sens positif, les lettres représentant les trois vecteurs unitaires (Fig. A3.11), nous pourrons déterminer plus facilement le signe du vecteur résultant d'un produit vectoriel. Le produit vectoriel sera positif si les vecteurs se suivent dans l'ordre inscrit dans le cercle, négatif dans le cas contraire.

Nous pouvons maintenant exprimer très facilement le vecteur **V**, produit vectoriel de **P** et **Q**, en fonction des composantes de ces deux vecteurs. En exprimant **P** et **Q** en fonction de leurs composantes unitaires, nous pouvons écrire

$$\mathbf{V} = \mathbf{P} \times \mathbf{Q} = (P_x\mathbf{i} + P_y\mathbf{j} + P_z\mathbf{k}) \times (Q_x\mathbf{i} + Q_y\mathbf{j} + Q_z\mathbf{k})$$

La propriété distributive nous permet d'exprimer **V** comme étant la somme des produits vectoriels $P_x \mathbf{i} \times Q_y \mathbf{j}$. En observant que chacune de ces expressions est le produit vectoriel de deux vecteurs unitaires tels $\mathbf{i} \times \mathbf{j}$, multiplié par deux scalaires tels $P_x\, Q_y$, et en tenant compte de la relation (A 3.7), nous obtenons, après mise en facteurs de **i**, **j** et **k**,

$$\mathbf{V} = (P_yQ_z - P_zQ_y)\mathbf{i} + (P_zQ_x - P_xQ_z)\mathbf{j} + (P_xQ_y - P_yQ_x)\mathbf{k} \qquad \text{(A 3.8)}$$

Nous voyons alors que les composantes scalaires de **V** s'écrivent

$$\begin{aligned} V_x &= P_yQ_z - P_zQ_y \\ V_y &= P_zQ_x - P_xQ_z \\ V_z &= P_xQ_y - P_yQ_x \end{aligned} \qquad \text{(A 3.9)}$$

Si nous retournons à l'éq. A 3.8, nous constatons que le membre de droite représente le développement du déterminant d'ordre 3. Le produit vectoriel **V** peut s'exprimer comme suit, ce qui facilite la mémorisation†:

$$\mathbf{V} = \begin{vmatrix} \mathbf{i} & \mathbf{j} & \mathbf{k} \\ P_x & P_y & P_z \\ Q_x & Q_y & Q_z \end{vmatrix} \qquad \text{(A 3.10)}$$

Après mise en facteurs, on retrouve la relation (A 3.8).

† Tout déterminant composé de trois lignes et de trois colonnes peut se calculer en répétant la première et la deuxième colonne et en formant le produit des trois membres en diagonale. La valeur du déterminant est alors égale à la somme des produits des termes de chaque diagonale marquée par le trait plein, moins la somme des termes de chaque diagonale marquées par les traits interrompus.

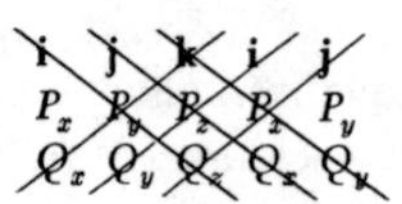

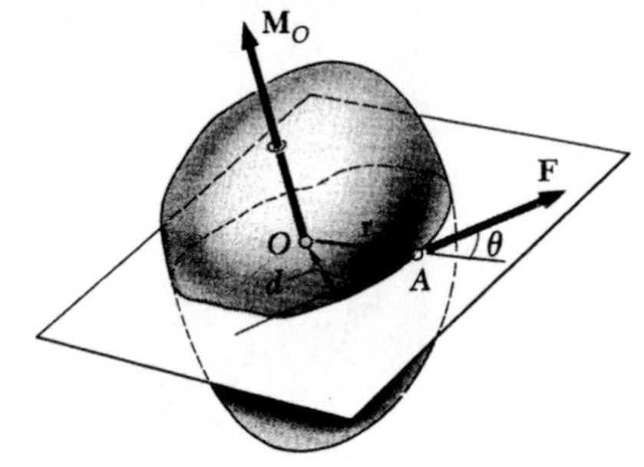


Fig. A3.12

**A3.5. Moment d'une force par rapport à un point.** Considérons une force quelconque **F**, appliquée sur un corps rigide (Fig. A3.12). Comme nous savons déjà, cette force **F** est représentée par un vecteur qui définit sa grandeur et sa direction. Or, l'expérience nous apprend que l'effet de la force sur le corps dépend aussi de son point d'application $A$. La position de $A$ peut être à son tour parfaitement définie par le vecteur **r**, qu'on obtient en joignant l'origine de référence $O$ au point $A$; on appelle un tel vecteur le *vecteur position* du point $A$†. Le vecteur position **r** et la force **F** définissent le plan $\pi$ montré sur la fig. A3.12.

Nous définirons le *moment de* **F** *par rapport au point O*, comme étant le produit vectoriel de **r** et **F** :

$$\mathbf{M}_O = \mathbf{r} \times \mathbf{F} \qquad \text{(A 3.11)}$$

Par la définition du produit vectoriel donnée à la section (A3.3), le moment $\mathbf{M}_O$ doit être perpendiculaire au plan contenant l'origine $O$ et la force **F**. Le sens de $\mathbf{M}_O$ est défini par le sens de la rotation du vecteur **r** lorsqu'il vient se confondre avec **F**; cette rotation doit avoir le *sens contraire aux aiguilles d'une montre* pour un observateur placé sur l'extrémité de $\mathbf{M}_O$. On peut encore définir le sens de rotation de $\mathbf{M}_O$ par la *règle de la main droite* : fermez légèrement votre main droite de façon à ce que vos doigts soient courbés suivant le sens de la rotation que la force **F** imprime au corps : votre pouce pointe alors dans la direction de $\mathbf{M}_O$.

Finalement, la grandeur $M_O$ est donnée par la relation (A 3.12) où $d$ représente la longueur de la perpendiculaire abaissée du point de rotation du corps sur la ligne d'action de la force **F** et $\theta$ l'angle formé par le vecteur position **r** et la force **F**.

$$M_O = rF\sin\theta = Fd \qquad \text{(A 3.12)}$$

Nous pouvons voir que la rotation du corps autour d'un axe, provoquée par la force **F**, dépend non seulement de sa grandeur $F$ mais aussi de sa distance de l'axe de rotation : *la grandeur de* $\mathbf{M}_O$ *mesure donc la capacité de la force* **F** *à faire tourner le corps autour d'un axe.* Remarquons que cet axe est aussi la *ligne d'action du vecteur* $\mathbf{M}_O$.

Dans le système d'unités SI, où l'unité de force est le newton (N) et l'unité de longueur le mètre (m), l'*unité du moment d'une force est le newton-mètre* (N·m).

† Nous pouvons vérifier qu'il s'agit réellement de vecteurs. Considérons par exemple les vecteurs position **r** et **r'** du point $A$, mesurés à partir des deux points $O$ et $O'$ (Fig. A3.40*a*, section A3.15). Nous pouvons vérifier que le vecteur position $\mathbf{r}' = \overrightarrow{O'A}$ s'obtient à partir des vecteurs $\mathbf{S} = \overrightarrow{O'O}$ et $\mathbf{r} = \overrightarrow{OA}$ en appliquant le principe des parallélogrammes.

D'après ce qui précède, nous constatons que le moment $\mathbf{M}_O$ d'une force **F** par rapport à un point, *reste constant* quand on déplace son point d'application le long de sa ligne d'action. Inversement, nous pouvons encore dire que le moment $\mathbf{M}_O$ d'une force **F** *ne définit pas la position de son point d'application.*

Nous constatons donc que le moment $\mathbf{M}_O$ d'une force **F**, de grandeur et direction connue, *définit complètement la ligne d'action de* **F**. À vrai dire, la ligne d'action de **F** doit se trouver dans le plan $\pi$ perpendiculaire à $\mathbf{M}_O$ et contenant le point $O$: la distance $d$ entre $O$ et la ligne d'action de **F** est égale au rapport des grandeurs $M_0/F$.

Le principe du glissement des forces (Section A3.2) nous dit que deux forces **F** et **F′** sont équivalentes (c'est-à-dire ont le même effet sur un corps rigide) si elles ont la même grandeur, la même direction et la même ligne d'action. Ce principe peut s'énoncer ainsi: la *condition nécessaire et suffisante pour que deux forces soient équivalentes est qu'elles aient la même grandeur, la même direction et le même moment par rapport à un point quelconque O.* Nous pouvons écrire,

$$\mathbf{F} = \mathbf{F}' \qquad \text{et} \qquad \mathbf{M}_O = \mathbf{M}'_O \tag{A 3.13}$$

Insistons sur le fait que la relation précédente est valable pour n'importe quel point de l'espace.

*Cas particulier des problèmes à deux dimensions.* De nombreux problèmes rencontrés dans la pratique mettent en jeu des structures symétriques possédant un plan de charge bien défini qui coïncide habituellement avec le plan de symétrie. Ces structures peuvent être assimilées à des ensembles à deux dimensions et être représentées très facilement sur une feuille de papier. L'analyse de telles structures est évidemment beaucoup plus simple que celle des structures à trois dimensions (triangulations de l'espace).

Considérons par exemple une dalle de béton soumise à la charge **F** (Fig. A3.13). Le moment de **F** par rapport au point $O$, appartenant au plan de la figure, est représenté par le vecteur $\mathbf{M}_O$ perpendiculaire à ce plan et de grandeur $Fd$. Dans le cas de la fig. A3.13*a*, le vecteur $\mathbf{M}_O$ *sort* de la feuille de papier, tandis que dans celui de la fig. A3.13*b*, il *entre* dans la feuille. Nous pouvons voir que dans la première figure **F** provoque une rotation dans le sens contraire aux aiguilles d'une montre, tandis que dans la seconde, cette rotation se fait dans le sens de ces mêmes aiguilles. Il est alors naturel d'attribuer au moment de **F** par rapport au point $O$, le sens contraire aux aiguilles d'une montre ↺ dans la fig A3.13*a* et le sens de ces mêmes aiguilles ↻ dans la fig. A3.13*b*.

Puisque le moment d'une force **F** appartenant au plan de la figure doit être un vecteur perpendiculaire à ce plan, il nous suffit pour définir ce moment $\mathbf{M}_O$ de préciser sa *grandeur* et son *sens*. Ceci se fait en attribuant à la grandeur $M_O$ du moment le signe positif ou négatif, suivant qu'il a tendance à faire tourner le corps respectivement dans le *sens contraire* aux aiguilles d'une montre ou dans le *sens de ces mêmes aiguilles*; dans le premier cas, $\mathbf{M}_O$ est un vecteur qui *sort* de la feuille de papier, tandis que dans le second, il *pénètre* dans cette même feuille.

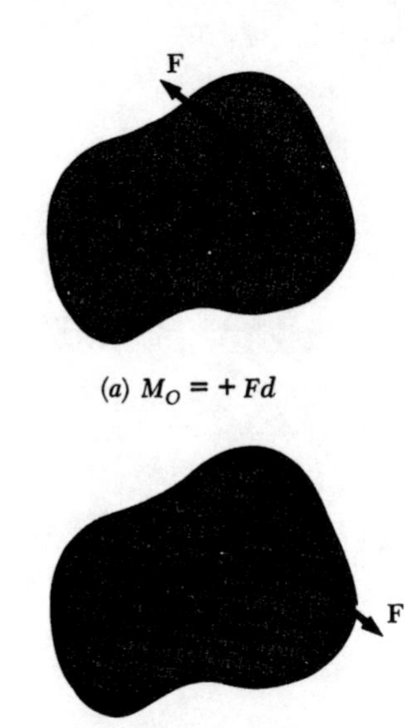

Fig. A3.13

**A3.6. Théorème de Varignon.** La propriété distributive du produit vectoriel peut être utilisée pour déterminer le moment par rapport à un point $O$ de la résultante de plusieurs forces concourantes. En effet considérons plusieurs forces $\mathbf{F}_1$, $\mathbf{F}_2$, ... $\mathbf{F}_n$ appliquées au même point $A$ (Fig. A3.14) et appelons **r** le vecteur position de ce point.

La relation (A3.5) nous donne immédiatement

$$\mathbf{r} \times (\mathbf{F}_1 + \mathbf{F}_2 + \cdots) = \mathbf{r} \times \mathbf{F}_1 + \mathbf{r} \times \mathbf{F}_2 + \cdots \qquad \text{(A 3.14)}$$

Nous pouvons énoncer que le *moment par rapport à un point quelconque O de la résultante de plusieurs forces concourantes est égal à la somme des moments de chaque force par rapport au même point O.*

Cette propriété des moments a été établie par Varignon, mathématicien français (1654-1722), longtemps avant l'introduction de l'algèbre vectorielle et est connue sous le nom de *théorème de Varignon.*

Revenons à la relation (A 3.14) : elle permet de remplacer la détermination du moment de la force **F** par la détermination du moment de deux ou plus de ses composantes. Comme nous le verrons dans la section suivante, on décompose généralement **F** suivant des directions parallèles aux axes de référence. Mais il peut s'avérer plus rapide pour le calcul du moment de décomposer **F** suivant des directions qui ne sont pas parallèles aux axes de référence (voir problème résolu A3.3).

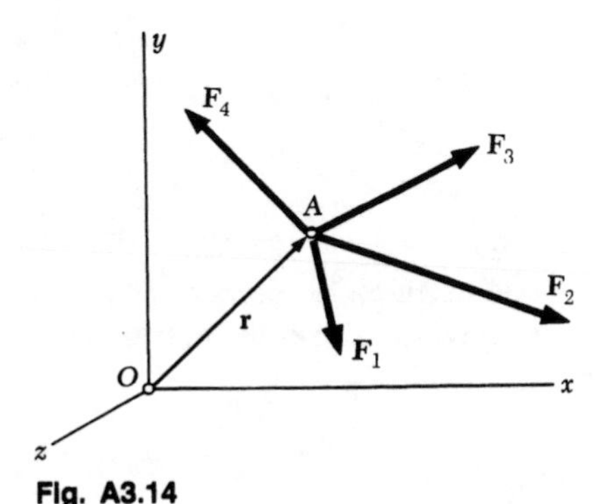

Fig. A3.14

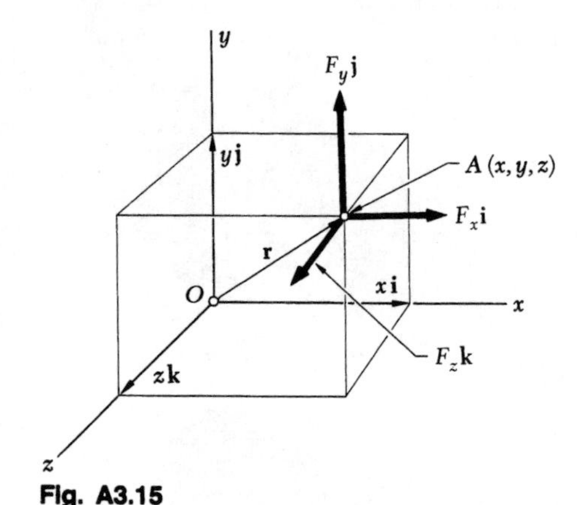

Fig. A3.15

**A3.7. Composantes orthogonales du moment d'une force.** En général, la détermination du moment d'une force de l'espace sera considérablement simplifiée si la force **F** et le vecteur position **r** de son point d'application sont préalablement décomposés suivant les axes $x$, $y$ et $z$. Considérons par exemple le moment $\mathbf{M}_O$ par rapport au point $O$ de la force **F**, de composantes $F_x$, $F_y$ et $F_z$, appliquée au point $A$ de coordonnées $x$, $y$ et $z$ (Fig. A3.15). Comme les composantes scalaires du vecteur **r** sont les coordonnées du point $A$, nous écrirons

$$\mathbf{r} = x\mathbf{i} + y\mathbf{j} + z\mathbf{k} \qquad (A\ 3.15)$$
$$\mathbf{F} = F_x\mathbf{i} + F_y\mathbf{j} + F_z\mathbf{k} \qquad (A\ 3.16)$$

En introduisant ces valeurs de **r** et **F** dans la relation

$$\mathbf{M}_O = \mathbf{r} \times \mathbf{F} \qquad (A\ 3.11)$$

et en utilisant les résultats obtenus dans la section A3.4, nous pouvons écrire le moment $\mathbf{M}_O$ de **F** par rapport au point $O$ sous la forme

$$\mathbf{M}_O = M_x\mathbf{i} + M_y\mathbf{j} + M_z\mathbf{k} \qquad (A\ 3.17)$$

où les composantes $M_x$, $M_y$ et $M_z$ sont définies par les relations

$$\begin{aligned} M_x &= yF_z - zF_y \\ M_y &= zF_x - xF_z \\ M_z &= xF_y - yF_x \end{aligned} \qquad (A\ 3.18)$$

Comme nous verrons dans la section A3.10, les composantes scalaires $M_x$, $M_y$ et $M_z$ du moment $\mathbf{M}_O$ mesurent la capacité de la force **F** à faire tourner le corps rigide respectivement autour des axes $x$, $y$ et $z$. En substituant dans la relation (A 3.17) $M_x$, $M_y$ et $M_z$ en fonction des valeurs tirées de la relation (A 3.18), nous pouvons écrire $\mathbf{M}_O$ sous forme d'un déterminant

$$\mathbf{M}_O = \begin{vmatrix} \mathbf{i} & \mathbf{j} & \mathbf{k} \\ x & y & z \\ F_x & F_y & F_z \end{vmatrix} \qquad (A\ 3.19)$$

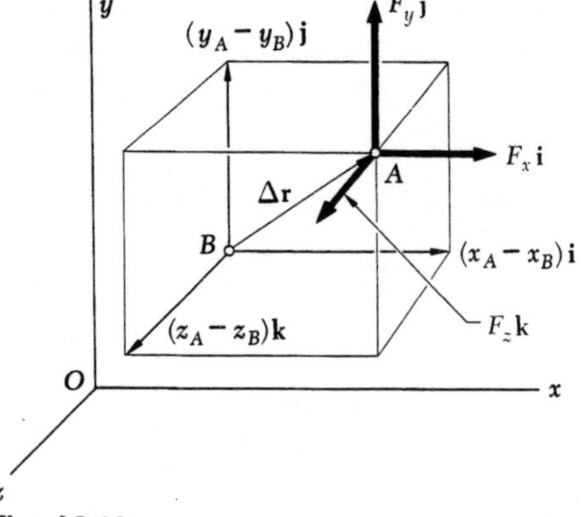

Fig. A3.16

Pour calculer le moment $\mathbf{M}_B$ d'une force **F** appliquée en $A$ (Fig. A3.6), nous pouvons utiliser le vecteur $\Delta\mathbf{r} = \mathbf{r}_A - \mathbf{r}_B$ au lieu du vecteur **r**. On obtient alors

$$\mathbf{M}_B = \Delta\mathbf{r} \times \mathbf{F} = (\mathbf{r}_A - \mathbf{r}_B) \times \mathbf{F} \qquad (A\ 3.20)$$

ou encore, sous la forme d'un déterminant,

$$\mathbf{M}_B = \begin{vmatrix} \mathbf{i} & \mathbf{j} & \mathbf{k} \\ \Delta x & \Delta y & \Delta z \\ F_x & F_y & F_z \end{vmatrix} \tag{A 3.21}$$

où $\Delta x$, $\Delta y$ et $\Delta z$ sont les composantes scalaires du vecteur $\mathbf{\Delta r}$ défini par les points $A$ et $B$ :

$$\Delta x = x_A - x_B \qquad \Delta y = y_A - y_B \qquad \Delta z = z_A - z_B$$

Lorsque *nous avons affaire à des problèmes à deux dimensions*, la force $\mathbf{F}$ est supposée appartenir au plan $xy$ (Fig. A3.17).

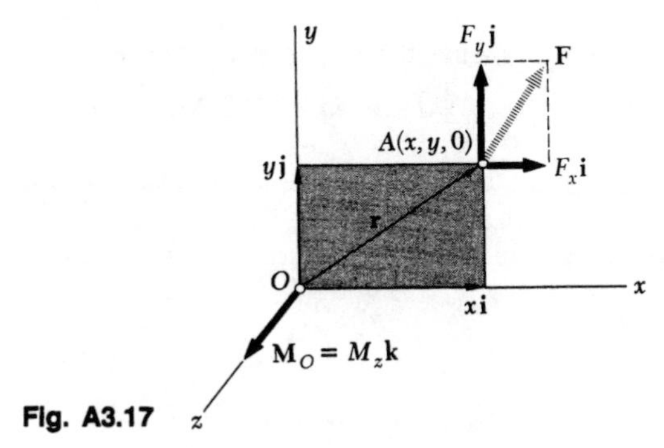

**Fig. A3.17**

En posant $z$ = O et $F_z = 0$ dans les relations A 3.19, nous obtenons

$$\mathbf{M}_O = (xF_y - yF_x)\mathbf{k}$$

Nous pouvons vérifier que le vecteur $\mathbf{M}_O$, moment de la force $\mathbf{F}$ par rapport au point $O$, est perpendiculaire au plan de la figure et est complètement défini par le scalaire

$$M_O = M_z = xF_y - yF_x \tag{A 3.22}$$

Comme nous l'avons déjà fait remarquer, une valeur positive de $M_O$ indique que le vecteur $\mathbf{M}_O$ sort de la feuille de papier (la force $\mathbf{F}$ a tendance à imprimer une rotation positive autour du point $O$) et une valeur négative indique que le vecteur $\mathbf{M}_O$ pénètre dans la feuille de papier (la force $\mathbf{F}$ a alors tendance à imprimer une rotation négative autour du point $O$).

Pour calculer le moment, par rapport au point $B$ ($x_B$, $y_B$), d'une force contenue dans le plan $xy$ et appliquée au point $A$ de coordonnées $x_A$, $y_A$ (Fig. A3.18), nous poserons $\Delta z = 0$ et $F_z = 0$ dans les relations (A 3.21) et nous vérifierons que le vecteur $\mathbf{M}_B$ est perpendiculaire au plan $xy$; sa grandeur sera donnée par la relation scalaire :

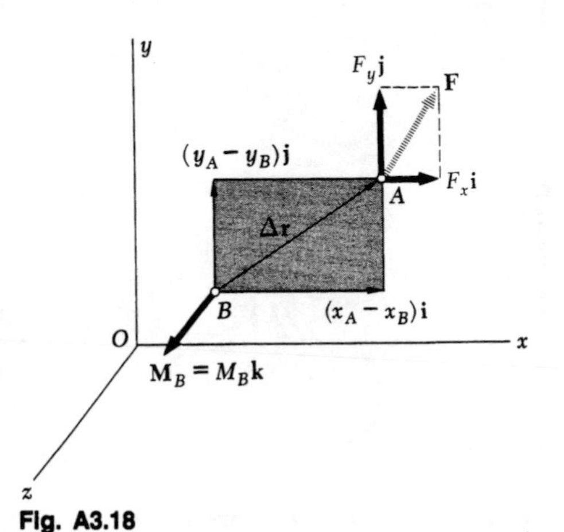

**Fig. A3.18**

$$M_B = (x_A - x_B)F_y - (y_A - y_B)F_x \tag{A 3.23}$$

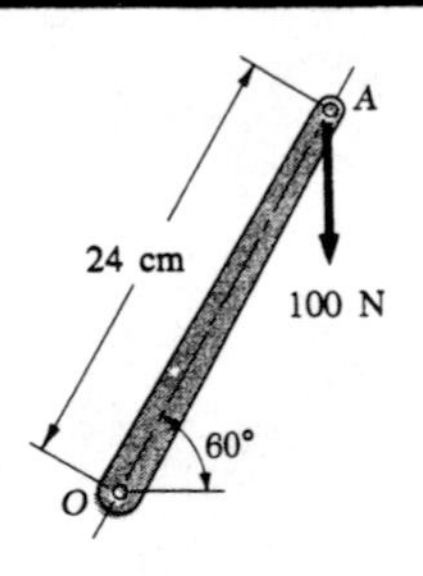


## PROBLÈME RÉSOLU A3.1

Une force verticale de 100 N est appliquée à l'extrémité $A$ d'un levier attaché à un axe qui passe par le point $O$. Déterminez : *a*) le moment de cette force par rapport au point $O$, *b*) la grandeur de la force horizontale, appliquée au point $A$, qui provoquerait le même moment par rapport à $O$, *c*) la plus petite force qui, appliquée en $A$, provoquerait le même moment par rapport à $O$, *d*) à quelle distance de l'axe $O$ doit être appliquée une force verticale de 240 N capable de provoquer le même moment par rapport à $O$. *e*) Dites si une des forces considérées en (*b*), (*c*) et (*d*) est équivalente à la force originale.

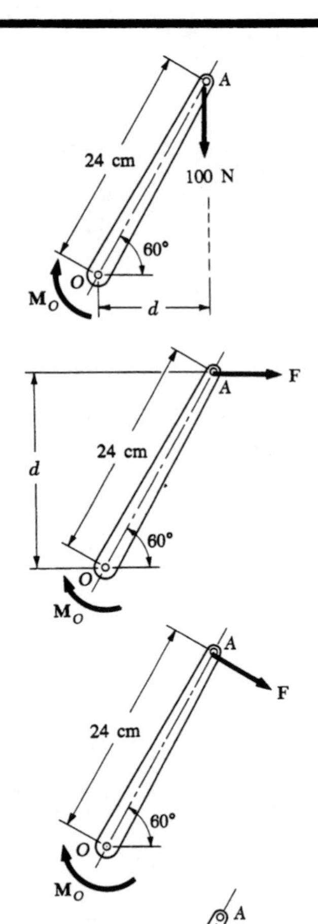


***a.* Moment par rapport au point *O*.** La distance entre $O$ et la ligne d'action de la force de 100 N est

$$d = (24 \text{ cm}) \cos 60° = 12 \text{ cm}$$

La grandeur du moment par rapport à $O$ de la force de 100 N est

$$M_O = Fd = (100 \text{ N})(12 \text{ cm}) = 1200 \text{ N}\cdot\text{cm}$$

Puisque la force tend à faire tourner le levier dans le sens négatif (sens des aiguilles d'une montre) autour du point $O$, le moment sera représenté par le vecteur $\mathbf{M}_O$ perpendiculaire au plan de la figure et *pénétrant dans la feuille*. Nous exprimons ce fait en écrivant

$$\mathbf{M}_O = 1200 \text{ N}\cdot\text{cm} \circlearrowright \quad ◄$$

***b.* Force horizontale.** Dans ce cas nous aurons

$$d = (24 \text{ cm}) \sin 60° = 20{,}8 \text{ cm}$$

Puisque le moment par rapport au point $O$ est de 1200 N·m, nous écrirons

$$M_O = Fd \qquad 1200 \text{ N}\cdot\text{cm} = F(20{,}8 \text{ cm})$$
$$F = 57{,}7 \text{ N} \qquad \mathbf{F} = 57{,}7 \text{ N} \rightarrow \quad ◄$$

***c.* La plus petite force.** Puisque $M_O = Fd$, on déduit que $d$ doit prendre sa valeur maximale. Or cette valeur est la longueur $OA$ du levier : on doit donc prendre $\mathbf{F}$ perpendiculaire à $OA$. On trouve que $d = 24$ cm et on calcule

$$M_O = Fd \qquad 1200 \text{ N}\cdot\text{cm} = F(24 \text{ cm})$$
$$F = 50 \text{ N} \qquad \mathbf{F} = 50 \text{ N} \searrow 30° \quad ◄$$

***d.* Force verticale de 240 N.** Dans ce cas, $M_O = Fd$ nous donne

$$1200 \text{ N}\cdot\text{cm} = (240 \text{ cm})d \qquad d = 5 \text{ cm}$$
$$OB \cos 60° = d \qquad OB = 10 \text{ cm} \quad ◄$$

***e.*** Aucune des forces considérées en (*b*), (*c*) et (*d*) n'est équivalente à la force originale de 100 N. Même si toutes ces forces ont le même moment par rapport au point $O$, elles possèdent des composantes différentes. En d'autres mots, même si toutes ces forces font tourner le levier autour du point $O$ de la même manière, elles tirent sur l'axe de rotation de façons différentes.

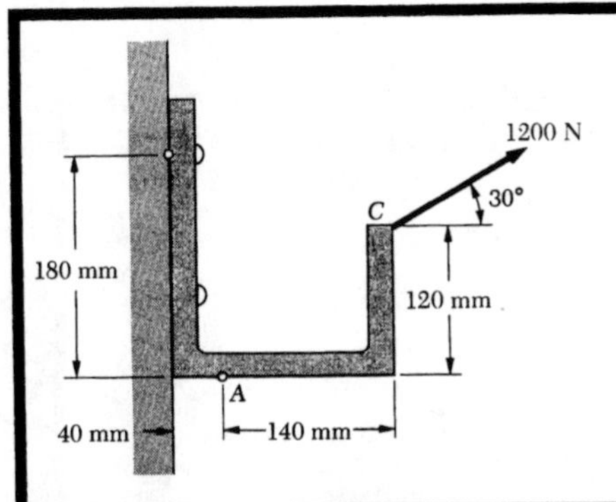


## PROBLÈME RÉSOLU A3.2

Une force de 1200 N est appliquée au support illustré ci-contre. Calculez le moment $\mathbf{M}_A$ de la force par rapport au point $A$.

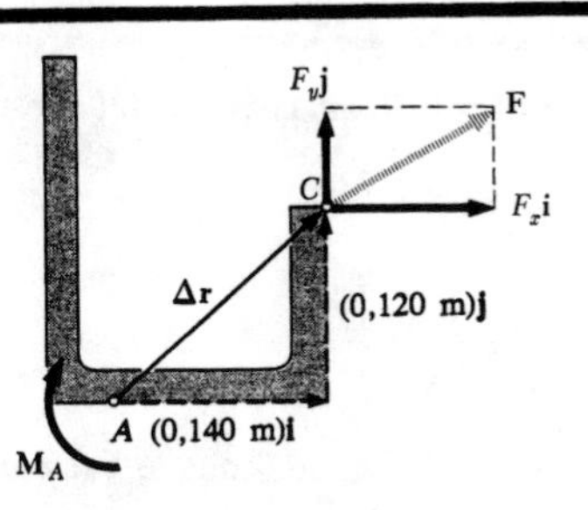


**Solution.** Le moment $\mathbf{M}_A$ est donné par le produit vectoriel

$$\mathbf{M}_A = \Delta\mathbf{r} \times \mathbf{F}$$

où $\Delta\mathbf{r}$ est le vecteur $\overrightarrow{AC}$. En décomposant $\Delta\mathbf{r}$ et $\mathbf{F}$ suivant $x$ et $y$, nous aurons

$$\Delta\mathbf{r} = \Delta x\mathbf{i} + \Delta y\mathbf{j} = (0{,}140 \text{ m})\mathbf{i} + (0{,}120 \text{ m})\mathbf{j}$$

$$\mathbf{F} = F_x\mathbf{i} + F_y\mathbf{j} = (1200 \text{ N}) \cos 30°\mathbf{i} + (1200 \text{ N}) \sin 30°\mathbf{j}$$
$$= (1039 \text{ N})\mathbf{i} + (600 \text{ N})\mathbf{j}$$

En utilisant les relations (A 3.7), qui nous donnent le produit vectoriel des vecteurs unitaires, nous obtenons

$$\mathbf{M}_A = \Delta\mathbf{r} \times \mathbf{F} = [(0{,}140 \text{ m})\mathbf{i} + (0{,}120 \text{ m})\mathbf{j}] \times [1039 \text{ N})\mathbf{i} + (600 \text{ N})\mathbf{j}]$$
$$= (84{,}0 \text{ N}\cdot\text{m})\mathbf{k} - (124{,}7 \text{ N}\cdot\text{m})\mathbf{k}$$

$$\mathbf{M}_A = -(40{,}7 \text{ N}\cdot\text{m})\mathbf{k} \qquad M_A = 40{,}7 \text{ N}\cdot\text{m} ↻ ◄$$

Le moment $\mathbf{M}_A$ est un vecteur perpendiculaire au plan de la figure, vecteur *pénétrant dans* la feuille de papier.

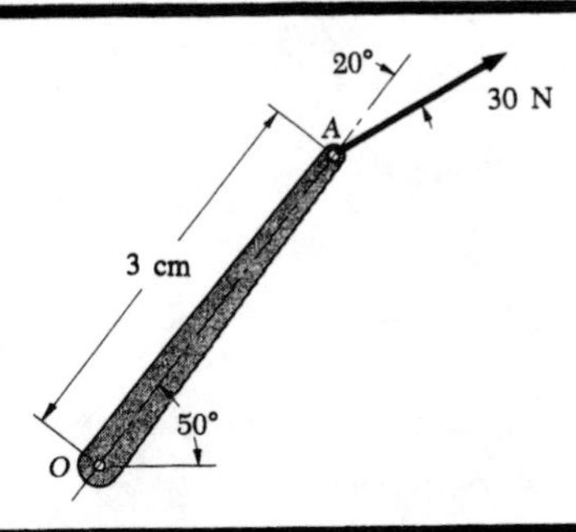


## PROBLÈME RÉSOLU A3.3

Une force de 30 N est appliquée à l'extrémité du levier de 3 cm illustré ci-contre. Calculez le moment de la force par rapport au point $O$.

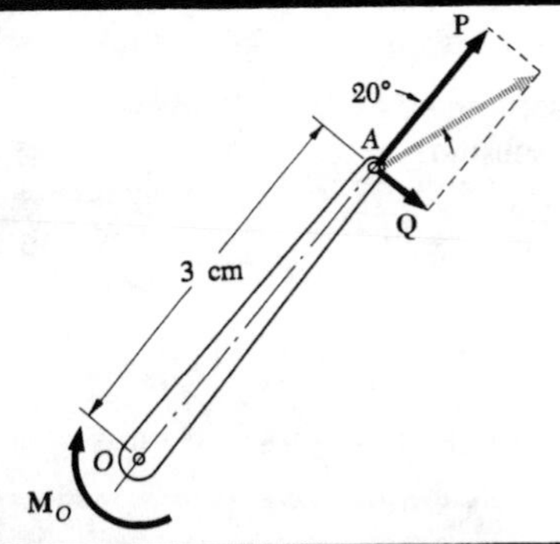


**Solution.** La force est remplacée par ses composantes **P** et **Q**, suivant respectivement la direction $OA$ et une direction perpendiculaire. D'après le théorème de Varignon, le moment de la force de 30 N par rapport au point $O$ est égal à la somme des moments de **P** et **Q** par rapport au même point. Or le point $O$ se trouve sur la ligne d'action de **P** : il s'ensuit que la composante **P** a un moment nul par rapport à ce point. Le moment de la force de 30 N se réduit au moment de la composante **Q**. Nous écrivons

$$Q = (30 \text{ N}) \sin 20° = 10{,}26 \text{ N}$$
$$M_O = -Q(3 \text{ cm}) = -(10{,}26 \text{ N})(3 \text{ cm}) = -30{,}8 \text{ N}\cdot\text{cm}$$

Comme la composante scalaire $M_O$ est négative, le moment $\mathbf{M}_O$ est un vecteur qui *pénètre dans la feuille de papier* et on a

$$M_O = 30{,}8 \text{ N}\cdot\text{cm} ↻ ◄$$

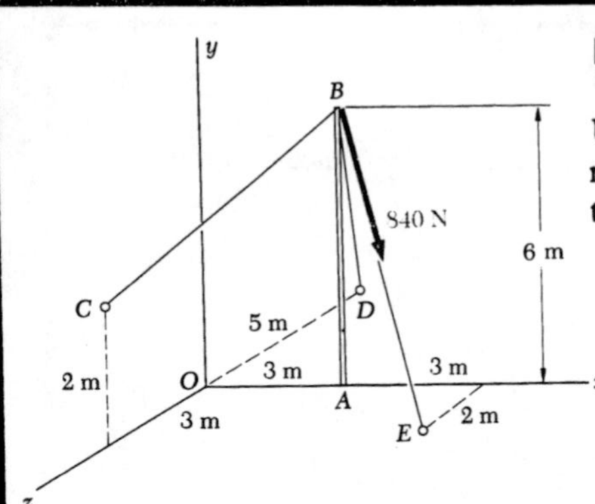


## PROBLÈME RÉSOLU A3.4

Un mât $AB$ de 6 m de hauteur est soutenu par trois câbles. Calculez le moment, par rapport au point $C$, de la force exercée sur le point $B$ par le câble $BE$. L'effort de tension dans ce câble est de 840 N.

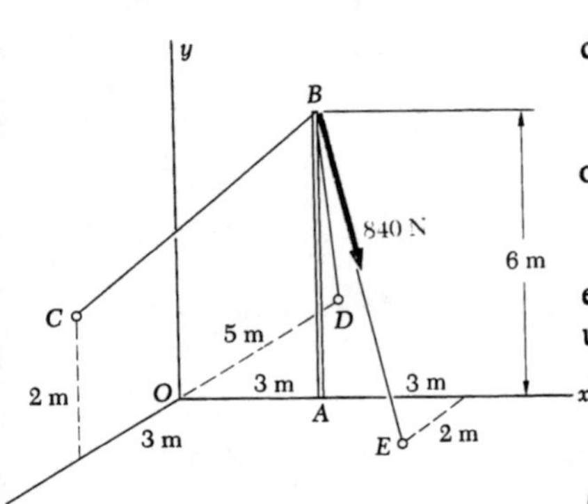


**Solution.** Le moment $\mathbf{M}_C$ de la force exercée par le câble $BE$ attaché au point $B$ est donné par le produit vectoriel

$$\mathbf{M}_C = \Delta\mathbf{r} \times \mathbf{F} \tag{1}$$

où $\Delta\mathbf{r}$ est le vecteur $\overrightarrow{CB}$

$$\Delta\mathbf{r} = \overrightarrow{CB} = (3 \text{ m})\mathbf{i} + (4 \text{ m})\mathbf{j} - (3 \text{ m})\mathbf{k} \tag{2}$$

et où $\mathbf{F}$ est la force de tension de 840 N dirigée de $B$ vers $E$. Introduisons le vecteur unitaire $\boldsymbol{\lambda} = \overrightarrow{BE}/BE$ : nous pouvons écrire

$$\mathbf{F} = F\boldsymbol{\lambda} = (840 \text{ N})\frac{\overrightarrow{BE}}{BE} \tag{3}$$

Or les composantes de $B$ sont

$$\overrightarrow{BE} = (3 \text{ m})\mathbf{i} - (6 \text{ m})\mathbf{j} + (2 \text{ m})\mathbf{k} \qquad BE = 7 \text{ m}$$

En introduisant cette valeur dans la relation (3), nous obtenons

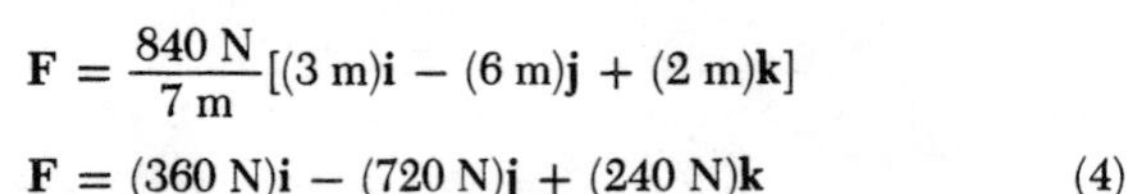

$$\mathbf{F} = \frac{840 \text{ N}}{7 \text{ m}}[(3 \text{ m})\mathbf{i} - (6 \text{ m})\mathbf{j} + (2 \text{ m})\mathbf{k}]$$

$$\mathbf{F} = (360 \text{ N})\mathbf{i} - (720 \text{ N})\mathbf{j} + (240 \text{ N})\mathbf{k} \tag{4}$$

En introduisant dans la relation (1) les valeurs de $\Delta\mathbf{r}$ et $\mathbf{F}$ tirées de (2) et (4) et en utilisant les relations (A 3.7), nous obtenons

$$\begin{aligned}\mathbf{M}_C = \Delta\mathbf{r} \times \mathbf{F} &= (3\mathbf{i} + 4\mathbf{j} - 3\mathbf{k}) \times (360\mathbf{i} - 720\mathbf{j} + 240\mathbf{k}) \\ &= (3)(-720)\mathbf{k} + (3)(240)(-\mathbf{j}) + (4)(360)(-\mathbf{k}) \\ &\quad + (4)(240)\mathbf{i} + (-3)(360)\mathbf{j} + (-3)(-720)(-\mathbf{i})\end{aligned}$$

$$\mathbf{M}_C = -(1200 \text{ N}\cdot\text{m})\mathbf{i} - (1800 \text{ N}\cdot\text{m})\mathbf{j} - (3600 \text{ N}\cdot\text{m})\mathbf{k} \blacktriangleleft$$

**Autre solution.** Comme nous avons vu à la section A3.7, le moment $\mathbf{M}_C$ peut s'exprimer sous forme d'un déterminant. Si on substitue $\Delta x$, $\Delta y$ et $\Delta z$ par les différences des coordonnées des points $B$ et $C$, et $F_x$, $F_y$ et $F_z$ par les composantes scalaires de la force de 840 N, nous obtenons

$$\mathbf{M}_C = \begin{vmatrix} \mathbf{i} & \mathbf{j} & \mathbf{k} \\ \Delta x & \Delta y & \Delta z \\ F_x & F_y & F_z \end{vmatrix} = \begin{vmatrix} \mathbf{i} & \mathbf{j} & \mathbf{k} \\ 3 & 4 & -3 \\ 360 & -720 & 240 \end{vmatrix}$$

$$\mathbf{M}_C = -(1200 \text{ N}\cdot\text{m})\mathbf{i} - (1800 \text{ N}\cdot\text{m})\mathbf{j} - (3600 \text{ N}\cdot\text{m})\mathbf{k} \blacktriangleleft$$

## PROBLÈMES SUPPLÉMENTAIRES

**A3.1** Une force de 150 N est appliquée au point $A$ d'un levier. Sachant que la distance $AB$ est de 250 mm, calculez le moment de la force par rapport au point $B$ quand $\alpha = 50°$.

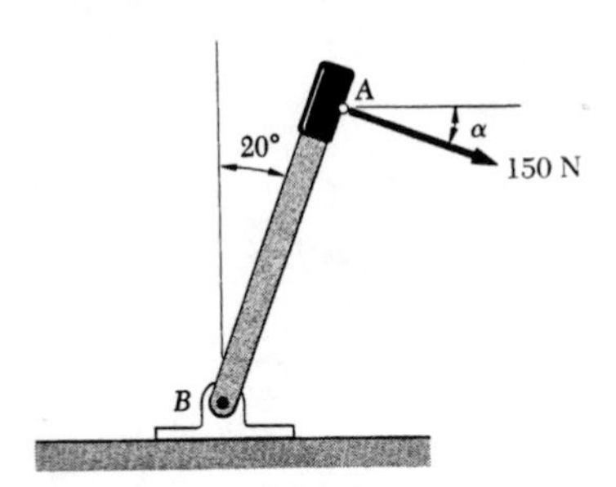

**Fig. PA3.1 et PA3.2**

**A3.2** Calculez, dans le probl. A3.1, le moment maximal par rapport au point $B$ provoqué par la force de 150 N. Dans quelle direction cette force doit agir?

**A3.3** Une force de 450 N est appliquée au point $A$ de la plaque. Calculez : *a*) le moment de la force de 450 N par rapport au point $D$, *b*) la plus petite force qui, appliquée au point $B$, produit le même moment par rapport à $D$.

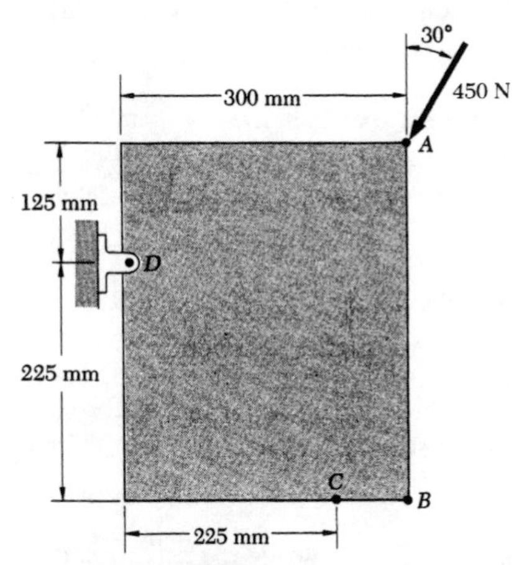

**Fig. PA3.3 et PA3.4**

**A3.4** Une force de 450 N est appliquée au point $A$. Calculez : *a*) le moment $\mathbf{M}_D$ de cette force par rapport au point $D$, *b*) la grandeur et le sens de la force horizontale qui, appliquée au point $C$, crée un moment identique à $\mathbf{M}_D$, *c*) la plus petite force qui, appliquée au point $C$, crée encore un moment identique à $\mathbf{M}_D$.

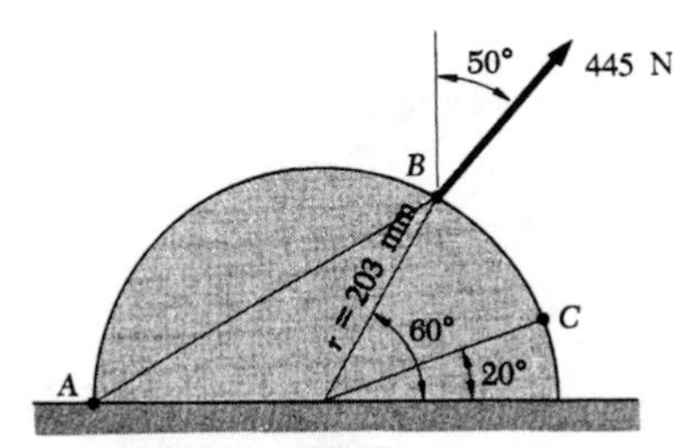

**Fig. PA3.5 et PA3.8**

**A3.5 et A3.6** Calculez le moment de la force de 445 N par rapport au point $A$. *a*) En utilisant la définition du moment d'une force. *b*) En décomposant la force suivant les directions verticales et horizontales. *c*) En décomposant la force suivant la droite $AB$ et une direction perpendiculaire à cette droite.

**A3.7 et A3.8** Calculez le moment de la force de 445 N par rapport au point $C$.

**A3.9** Déterminez, dans le probl. A3.7, la longueur de la perpendiculaire abaissée du point $C$ sur la ligne d'action de la force de 445 N.

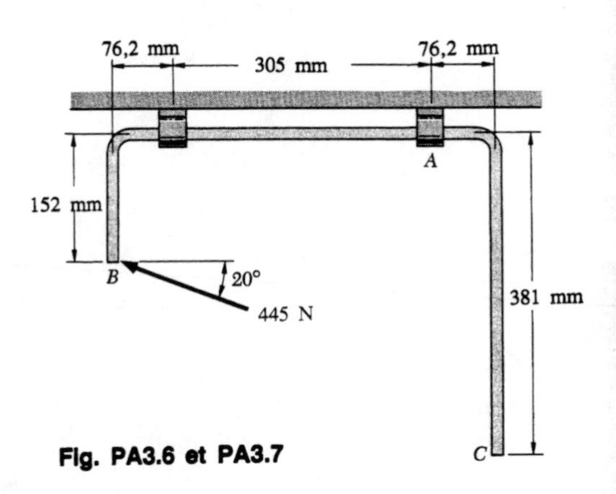

**Fig. PA3.6 et PA3.7**

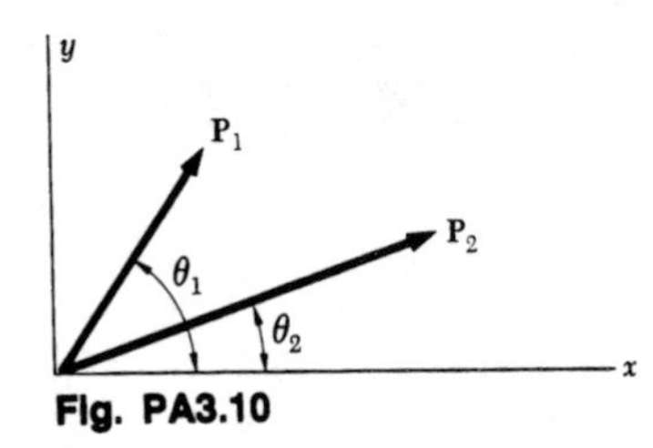

Fig. PA3.10

**A3.10** Calculez $\mathbf{P}_1 \times \mathbf{P}_2$ et utilisez le résultat obtenu pour prouver l'identité $\sin(\theta_1 - \theta_2) = \sin\theta_1 \cos\theta_2 - \cos\theta_1 \sin\theta_2$.

**A3.11** Une force $\mathbf{F} = F_x\mathbf{i} + F_y\mathbf{j}$ est appliquée à un point de coordonnées $x$ et $y$. Déduisez une relation donnant la distance entre le point $O$, origine du système de référence, et la ligne d'action de la force $\mathbf{F}$.

**A3.12** La ligne d'action de la force $\mathbf{P}$ passe par les deux points $A(x_1, y_1)$ et $B(x_2, y_2)$. Calculez le moment de la force par rapport à l'origine, si on admet que la force est orientée de $A$ vers $B$.

**A3.13** Déterminez le moment par rapport à l'origine $O$ de la force $\mathbf{F} = -2\mathbf{i} - 3\mathbf{j} + 5\mathbf{k}$ appliquée au point $A$, si le vecteur position de ce point est : *a*) $\mathbf{r} = \mathbf{i} + \mathbf{j} + \mathbf{k}$, *b*) $\mathbf{r} = 4\mathbf{i} + 6\mathbf{j} - 10\mathbf{k}$, *c*) $\mathbf{r} = 4\mathbf{i} + 3\mathbf{j} - 5\mathbf{k}$.

**A3.14** Calculez le moment par rapport à l'origine $O$ d'une force $\mathbf{F} = 4\mathbf{i} + 10\mathbf{j} + 6\mathbf{k}$ appliquée au point $A$, si on admet que le vecteur position du point $A$ est : *a*) $\mathbf{r} = 2\mathbf{i} - 3\mathbf{j} + 4\mathbf{k}$, *b*) $\mathbf{r} = 2\mathbf{i} + 6\mathbf{j} + 3\mathbf{k}$, *c*) $\mathbf{r} = 2\mathbf{i} + 5\mathbf{j} + 6\mathbf{k}$.

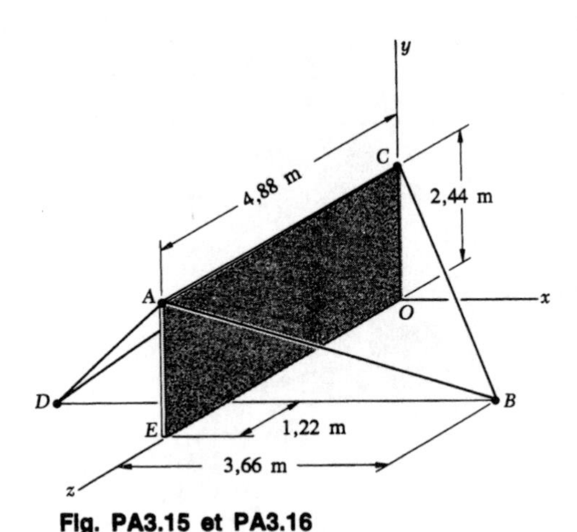

Fig. PA3.15 et PA3.16

**A3.15** Une section d'un mur en béton préfabriqué est provisoirement soutenue par des câbles. Sachant que l'effort de tension dans le câble $BC$ est de 4000 N, calculez le moment par rapport à l'origine du système de référence $O$ de la force exercée au point $C$ de la section du mur.

**A3.16** Sachant que la force de tension dans le câble $AB$ est de 3110 N, calculez le moment de la force exercée au point $A$ par rapport à l'origine de référence $O$.

**A3.17** Une force $\mathbf{P}$ de grandeur 360 N est appliquée au point $B$. Calculez le moment de la force $\mathbf{P}$ par rapport : *a*) à l'origine du système de référence, *b*) au point $D$.

**A3.18** Une force $\mathbf{Q}$ de 450 N est appliquée au point $C$. Calculez le moment de cette force par rapport : *a*) à l'origine $O$, *b*) au point $D$.

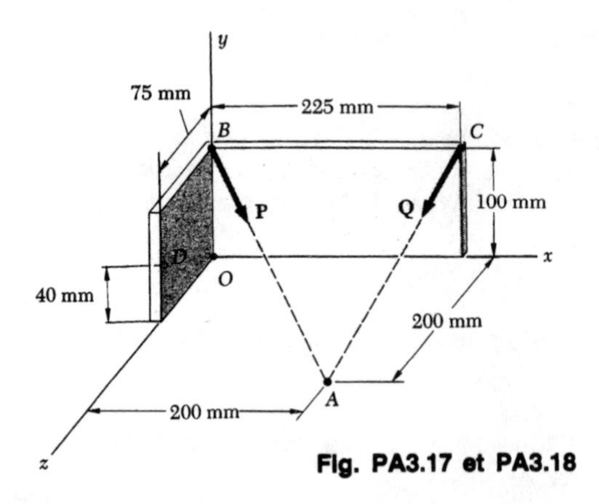

Fig. PA3.17 et PA3.18

**A3.19** La ligne d'action de la force **P** de grandeur 1870 N passe par les deux points $A$ et $B$. Calculez le moment de **P** par rapport au point $O$ en vous servant du vecteur position : $a$) du point $A$, $b$) du point $B$.

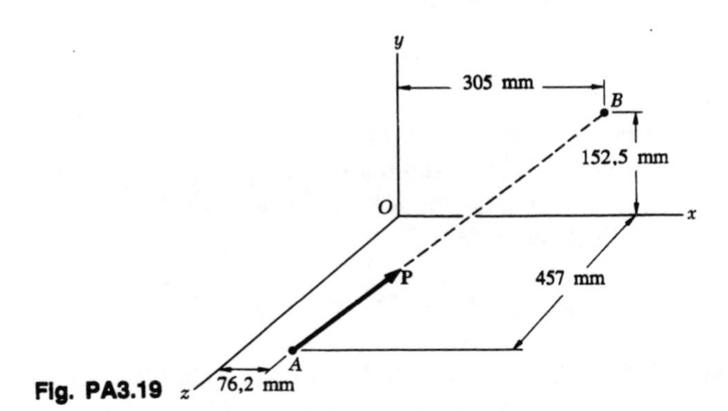


**Fig. PA3.19**

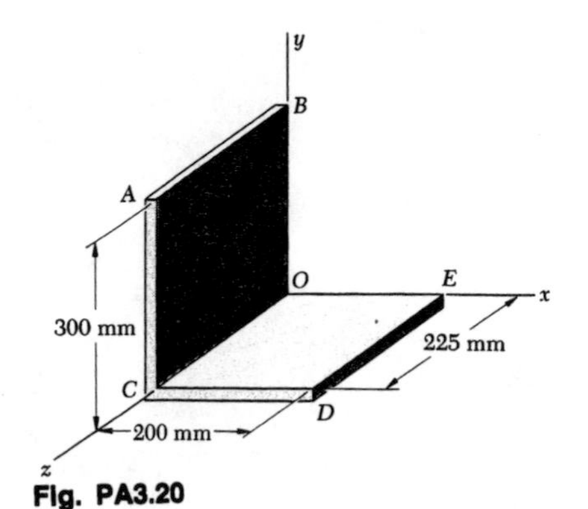


**Fig. PA3.20**

**A3.20** Une force **P** de 200 N est orientée suivant la diagonale $BC$ de la plaque pliée illustrée à la fig. PA3.20. Calculez le moment de **P** par rapport au point $E$.

**A3.21** Déterminez, dans le probl. A3.20, la longueur de la perpendiculaire abaissée du point $E$ sur la ligne d'action de **P**.

**A3.22** Déterminez, dans le probl. A3.19, la longueur de la perpendiculaire abaissée de l'origine $O$ sur la ligne d'action de **P**.

**A3.23** Une seule force **F** est appliquée au point $A$ de coordonnées $x = y = z = a$. Démontrez que $M_x + M_y + M_z + 0$, c'est-à-dire que la *somme algébrique* des composantes orthogonales du moment de **F** par rapport à l'origine $O$ est nulle.

**A3.24** Calculez, dans le probl. résolu A3.4, la longueur de la perpendiculaire abaissée du point $C$ sur le segment de droite $BE$.

## A3.8. Produit scalaire de deux vecteurs.

Nous allons maintenant augmenter notre connaissance de l'algèbre vectorielle en introduisant la notion de produit scalaire des vecteurs **P** et **Q**. Ce produit est défini comme étant un scalaire égal au produit des grandeurs des deux vecteurs **P** et **Q** par le cosinus de l'angle $\theta$ qu'ils forment (Fig. A3.19). Le produit scalaire de **P** et **Q** s'écrit

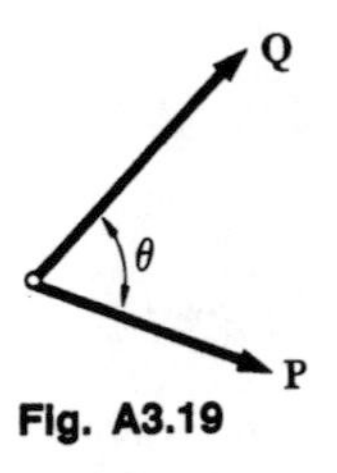


**Fig. A3.19**

$$\mathbf{P} \cdot \mathbf{Q} = PQ \cos\theta \qquad \text{(A 3.24)}$$

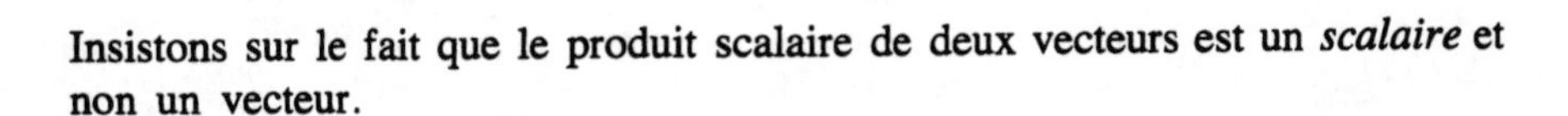

Insistons sur le fait que le produit scalaire de deux vecteurs est un *scalaire* et non un vecteur.

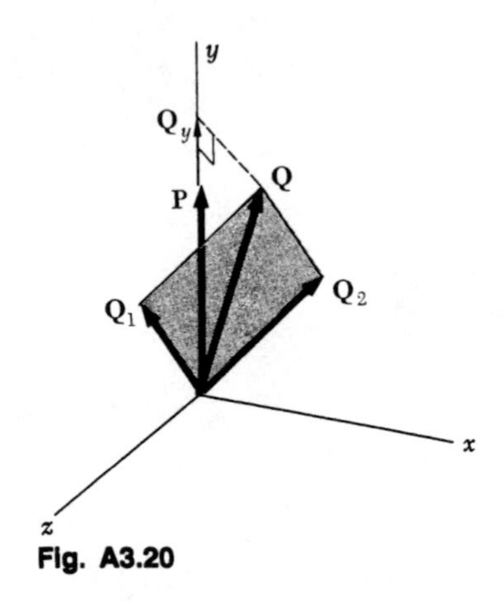

**Fig. A3.20**

On déduit de sa propre définition que le produit scalaire est *commutatif.*

$$\mathbf{P} \cdot \mathbf{Q} = \mathbf{Q} \cdot \mathbf{P} \tag{A 3.25}$$

Pour prouver qu'il est *aussi distributif,* nous devons prouver que

$$\mathbf{P} \cdot (\mathbf{Q}_1 + \mathbf{Q}_2) = \mathbf{P} \cdot \mathbf{Q}_1 + \mathbf{P} \cdot \mathbf{Q}_2 \tag{A 3.26}$$

Supposons, pour simplifier, que **P** est dirigé suivant l'axe des $y$ (Fig. A3.20). Si nous appelons **Q** la somme de $\mathbf{Q}_1$ et $\mathbf{Q}_2$ et $\theta_y$ l'angle que forme **Q** avec l'axe des $y$, nous pouvons réécrire le membre de gauche de la relation A 3.26 de la manière suivante :

$$\mathbf{P} \cdot (\mathbf{Q}_1 + \mathbf{Q}_2) = \mathbf{P} \cdot \mathbf{Q} = PQ \cos \theta_y = PQ_y \tag{A 3.27}$$

où $Q_y$ est la composante $y$ de **Q**. D'une manière similaire le membre de droite de la relation (A 3.26) peut s'écrire

$$\mathbf{P} \cdot \mathbf{Q}_1 + \mathbf{P} \cdot \mathbf{Q}_2 = P(Q_1)_y + P(Q_2)_y \tag{A 3.28}$$

Puisque **Q** est la somme de $\mathbf{Q}_1$ et $\mathbf{Q}_2$, sa composante doit être égale à la somme des composantes $y$ de $\mathbf{Q}_1$ et $\mathbf{Q}_2$. Il s'ensuit alors que les relations (A 3.27) et (A 3.28) sont égales, ce qui prouve la véracité de la relation (A 3.26).

La troisième propriété — l'associativité — ne s'applique pas au produit scalaire puisque $(\mathbf{P} \cdot \mathbf{Q}) \cdot \mathbf{S}$ n'a pas de signification étant donné que $\mathbf{P} \cdot \mathbf{Q}$ n'est pas un vecteur mais un scalaire.

Nous allons exprimer le produit scalaire des vecteurs **P** et **Q** en fonction de leur composantes. Commençons par écrire

$$\mathbf{P} \cdot \mathbf{Q} = (P_x\mathbf{i} + P_y\mathbf{j} + P_z\mathbf{k}) \cdot (Q_x\mathbf{i} + Q_y\mathbf{j} + Q_z\mathbf{k})$$

Ensuite, si on utilise la propriété distributive du produit scalaire, nous pouvons exprimer $\mathbf{P} \cdot \mathbf{Q}$ comme étant la somme des produits scalaires tels que $P_x \mathbf{i} \cdot Q_x \mathbf{i}$ et $\mathbf{P}_x \mathbf{i} \cdot \mathbf{Q}_y \mathbf{j}$. Nous pouvons cependant vérifier facilement, à partir de la définition du produit scalaire, que le produit scalaire de deux des vecteurs unitaires **i, j** ou **k** est; ou bien l'unité, ou bien nul.

$$\begin{matrix} \mathbf{i} \cdot \mathbf{i} = 1 & \mathbf{j} \cdot \mathbf{j} = 1 & \mathbf{k} \cdot \mathbf{k} = 1 \\ \mathbf{i} \cdot \mathbf{j} = 0 & \mathbf{j} \cdot \mathbf{k} = 0 & \mathbf{k} \cdot \mathbf{i} = 0 \end{matrix} \tag{A 3.29}$$

Alors l'expression obtenue pour $\mathbf{P} \cdot \mathbf{Q}$ se réduit à

$$\mathbf{P} \cdot \mathbf{Q} = P_xQ_x + P_yQ_y + P_zQ_z \tag{A 3.30}$$

Dans le cas particulier où **P** et **Q** sont égaux, nous pouvons vérifier que

$$\mathbf{P} \cdot \mathbf{P} = P_x^2 + P_y^2 + P_z^2 = P^2 \tag{A 3.31}$$

*Applications*

1. ***Angle entre deux vecteurs quelconques.*** Considérons deux vecteurs définis par leurs composantes

$$\mathbf{P} = P_x\mathbf{i} + P_y\mathbf{j} + P_z\mathbf{k}$$
$$\mathbf{Q} = Q_x\mathbf{i} + Q_y\mathbf{j} + Q_z\mathbf{k}$$

Pour déterminer l'angle entre les deux vecteurs, nous allons égaler les expressions de leur produit scalaire obtenues en (A 3.24) et (A 3.30)

$$PQ\cos\theta = P_xQ_x + P_yQ_y + P_zQ_z$$

et en résolvant l'équation par rapport à $\cos\theta$, on obtient

$$\cos\theta = \frac{P_xQ_x + P_yQ_y + P_zQ_z}{PQ} \tag{A 3.32}$$

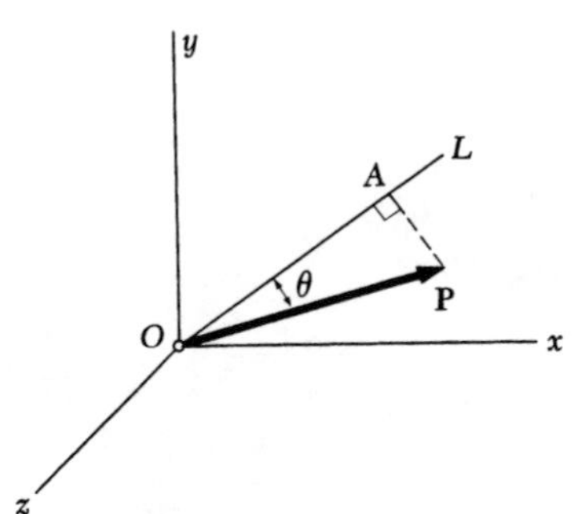

**Fig. A3.21**

2. ***Projection d'un vecteur sur une droite quelconque.*** Considérons le vecteur **P** qui forme l'angle $\theta$ avec une droite orientée, $OL$ (Fig. A3.21). La *projection de* **P** *sur l'axe OL* est définie comme étant le scalaire

$$P_{OL} = P\cos\theta \tag{A 3.33}$$

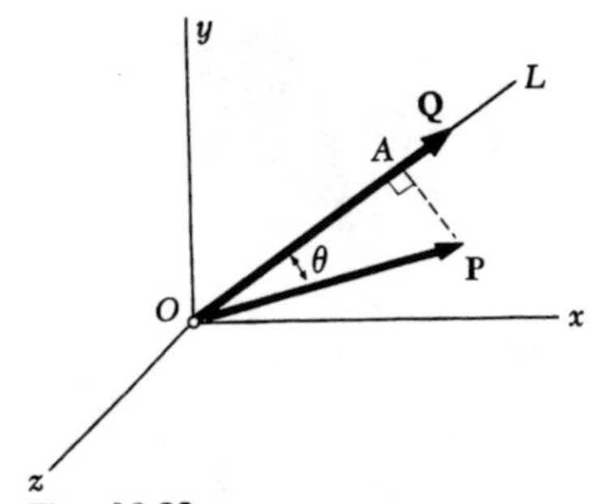

**Fig. A3.22**

Remarquons que la projection $P_{OL}$ a comme grandeur la longueur du segment $OA$ : elle sera positive si $OA$ a le même sens que l'axe $OL$, c'est-à-dire si l'angle $\theta$ est un angle aigu et elle sera négative dans le cas contraire. Si le vecteur **P** et l'axe $OL$ sont perpendiculaires, alors la projection $P_{OL}$ est nulle.

Considérons maintenant le vecteur **Q** porté par l'axe $OL$ et de même sens que lui (Fig. A3.22). Le produit scalaire $\mathbf{P}\cdot\mathbf{Q}$ peut s'écrire

$$\mathbf{P}\cdot\mathbf{Q} = PQ\cos\theta = P_{OL}Q \tag{A 3.34}$$

d'où nous pouvons déduire

$$P_{OL} = \frac{\mathbf{P}\cdot\mathbf{Q}}{Q} = \frac{P_xQ_x + P_yQ_y + P_zQ_z}{Q} \tag{A 3.35}$$

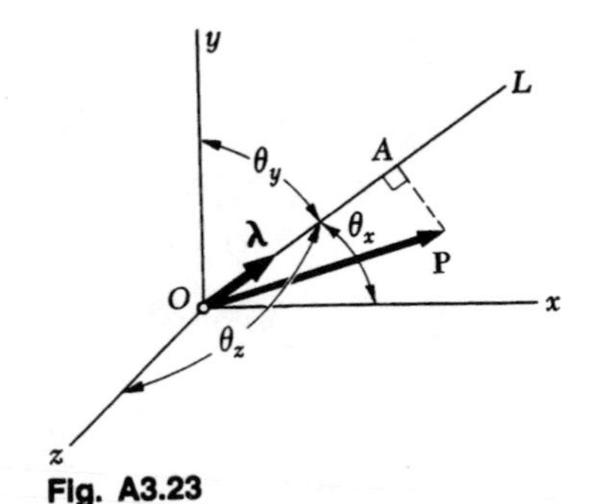

**Fig. A3.23**

Dans le cas particulier où le vecteur de ligne d'action $OL$ est le vecteur unitaire $\lambda$ (Fig. A3.23), nous pouvons écrire

$$P_{OL} = \mathbf{P}\cdot\boldsymbol{\lambda} \tag{A 3.36}$$

Si ensuite nous décomposons **P** et $\boldsymbol{\lambda}$ suivant des axes orthogonaux et puisque les cosinus directeurs du segment $OL$ sont précisément les composantes du vecteur unitaire $\lambda$ suivant ces mêmes axes , nous pouvons déduire que la projection de **P** sur $OL$ vaut

$$P_{OL} = P_x\cos\theta_x + P_y\cos\theta_y + P_z\cos\theta_z \tag{A 3.37}$$

où $\theta_x$, $\theta_y$ et $\theta_z$ sont les angles qui forment l'axe *OL* avec les axes de référence.

## A3.9. Produit mixte de trois vecteurs.

Nous allons définir le produit mixte de trois vecteurs **S**, **P** et **Q** comme étant le scalaire

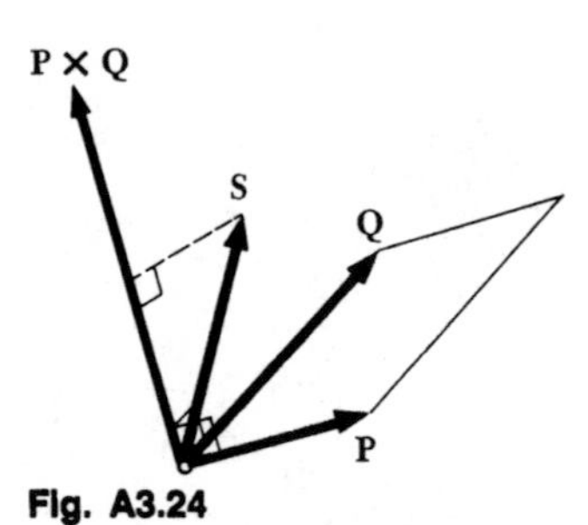

Fig. A3.24

$$\mathbf{S} \cdot (\mathbf{P} \times \mathbf{Q}) \tag{A 3.38}$$

formé par le produit scalaire d'un vecteur **S** par le produit vectoriel de deux autres vecteurs **P** et **Q**.

Nous pouvons interpréter facilement cette opération vectorielle (Fig. A3.24). Commençons pour nous rappeler (Section A3.3) que le vecteur $\mathbf{P} \times \mathbf{Q}$ est perpendiculaire au plan contenant **P** et **Q** et sa grandeur est donnée par l'aire du parallélogramme construit sur **P** et **Q**. Ensuite l'éq. (A 3.34) nous indique que le produit scalaire du vecteur **S** et du vecteur $\mathbf{P} \times \mathbf{Q}$ peut s'obtenir en multipliant la grandeur du vecteur $\mathbf{P} \times \mathbf{Q}$ (c'est-à-dire l'aire du parallélogramme construit sur **P** et **Q**) par la projection du vecteur **S** sur sa ligne d'action (ou encore par la projection de **S** sur une droite perpendiculaire au plan du parallélogramme). On peut alors vérifier que la valeur du produit mixte est égale au volume du parallélipipède construit sur les trois vecteurs **S**, **P** et **Q** (Fig. A3.25). Ce produit sera positif si **S**, **P** et **Q** forment un trièdre positif et sera négatif dans le cas contraire. Par exemple, le produit $\mathbf{S} \cdot (\mathbf{P} \times \mathbf{Q})$ sera *négatif* si la rotation qu'amène **P** sur la ligne d'action de **Q**, vu de l'extrémité de **S**, a le *sens des aiguilles d'une montre*.

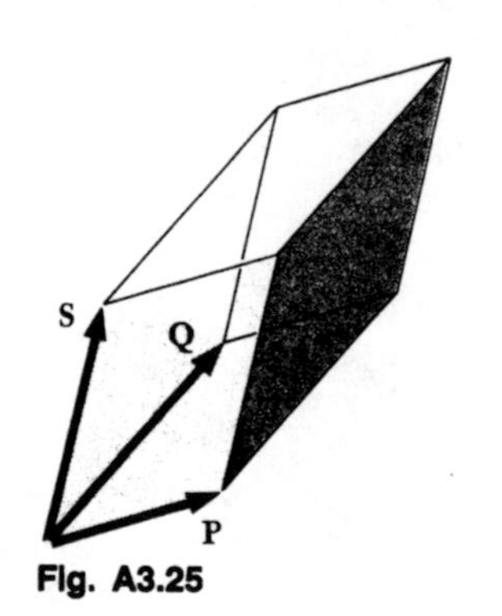

Fig. A3.25

Comme nous pouvons former six produits mixtes avec les vecteurs **S**, **P** et **Q** en changeant seulement l'ordre dans laquelle ils entrent dans ces produits, nous avons

$$\begin{aligned} \mathbf{S} \cdot (\mathbf{P} \times \mathbf{Q}) &= \mathbf{P} \cdot (\mathbf{Q} \times \mathbf{S}) = \mathbf{Q} \cdot (\mathbf{S} \times \mathbf{P}) \\ &= -\mathbf{S} \cdot (\mathbf{Q} \times \mathbf{P}) = -\mathbf{P} \cdot (\mathbf{S} \times \mathbf{Q}) = -\mathbf{Q} \cdot (\mathbf{P} \times \mathbf{S}) \end{aligned} \tag{A 3.39}$$

et nous constatons facilement que tous ces produits mixtes ont la même valeur absolue, mais pas le même signe. Si nous disposons en cercle les lettres qui représentent les trois vecteurs pris dans le sens positif de rotation (Fig. A3.26), nous vérifions encore que le signe du produit mixte reste positif, si dans l'opération les vecteurs sont permutés de façon à ce qu'ils se lisent dans le cercle suivant le sens positif de rotation. Ce type de permutation s'appelle *permutation circulaire*. On peut déduire encore de la relation (A 3.39) que le produit mixte peut s'écrire aussi bien $\mathbf{S} \cdot (\mathbf{P} \times \mathbf{Q})$ que $(\mathbf{S} \times \mathbf{P}) \cdot \mathbf{Q}$.

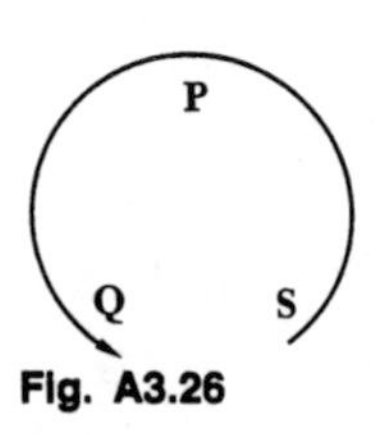

Fig. A3.26

Il est intéressant de vérifier que le produit mixte est nul lorsque les trois vecteurs sont coplanaires.

Nous allons maintenant exprimer le produit mixte des vecteurs **S**, **P** et **Q** en fonction de leurs composantes. Si nous posons **P** × **Q** = **V** la relation (A 3.30) nous permet d'écrire

$$\mathbf{S}\cdot(\mathbf{P}\times\mathbf{Q}) = \mathbf{S}\cdot\mathbf{V} = S_xV_x + S_yV_y + S_zV_z$$

et si nous remplaçons les composantes **V** par les valeurs tirées de la relation (A 3.9), nous obtenons finalement

$$\mathbf{S}\cdot(\mathbf{P}\times\mathbf{Q}) = S_x(P_yQ_z - P_zQ_y) + S_y(P_zQ_x - P_xQ_z) + S_z(P_xQ_y - P_yQ_x) \quad \text{(A 3.40)}$$

Cette dernière relation peut s'écrire d'une façon plus condensée puisqu'en réalité elle est le développement du déterminant

$$\mathbf{S}\cdot(\mathbf{P}\times\mathbf{Q}) = \begin{vmatrix} S_x & S_y & S_z \\ P_x & P_y & P_z \\ Q_x & Q_y & Q_z \end{vmatrix} \quad \text{(A 3.41)}$$

Par l'application des règles qui permettent la permutation des lignes d'un déterminant, nous pouvons aussi vérifier les relations (A 3.39) que nous avons déduites par des considérations géométriques.

## A3.10. Moment d'une force par rapport à un axe donné.

Nous pouvons maintenant continuer notre étude de l'algèbre vectorielle en introduisant le concept de *moment d'une force par rapport à un axe*. Considérons encore la force **F** appliquée à un corps rigide et le moment $\mathbf{M}_O$ de cette force par rapport au point $O$ (Fig. A3.27). Posons $OL$ comme étant un axe qui passe par le point $O$: *nous définissons le moment $M_{OL}$ de la force* **F** *par rapport à l'axe OL comme étant la projection OC sur cet axe du moment* $\mathbf{M}_O$ *de la force par rapport au point O.*

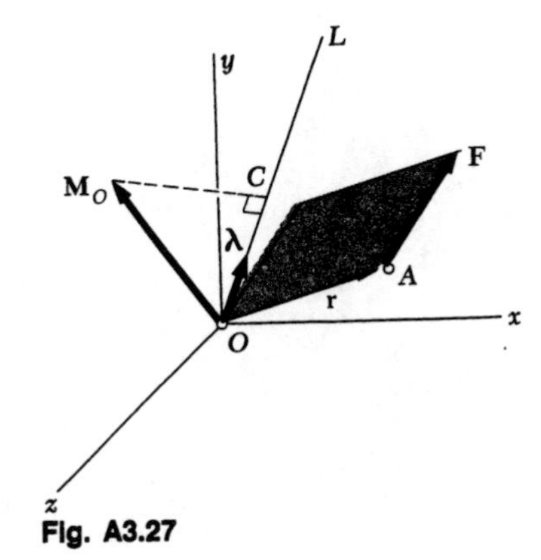

Fig. A3.27

Appelons **λ** le vecteur unitaire porté par l'axe $OL$. Les relations (A 3.36) et (A 3.11) obtenues plus tôt nous permettent d'écrire

$$M_{OL} = \boldsymbol{\lambda}\cdot\mathbf{M}_O = \boldsymbol{\lambda}\cdot(\mathbf{r}\times\mathbf{F}) \quad \text{(A 3.42)}$$

Cette relation nous montre que le moment $M_{OL}$ de la force **F** par rapport à l'axe $OL$ est le scalaire obtenu à partir du produit mixte des vecteurs **λ**, **r** et **F**. Sous forme de déterminant, $M_{OL}$ peut s'écrire

$$M_{OL} = \begin{vmatrix} \lambda_x & \lambda_y & \lambda_z \\ x & y & z \\ F_x & F_y & F_z \end{vmatrix} \quad \text{(A 3.43)}$$

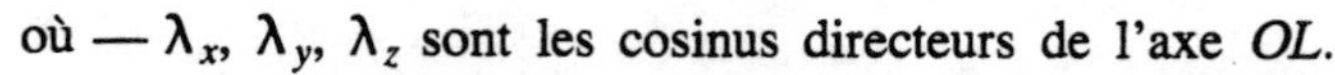

où — $\lambda_x$, $\lambda_y$, $\lambda_z$ sont les cosinus directeurs de l'axe $OL$.
— $x$, $y$, $z$ sont les coordonnées du point d'application de la force **F**.
— $F_x$, $F_y$, $F_z$ sont les composantes orthogonales de la force **F**.

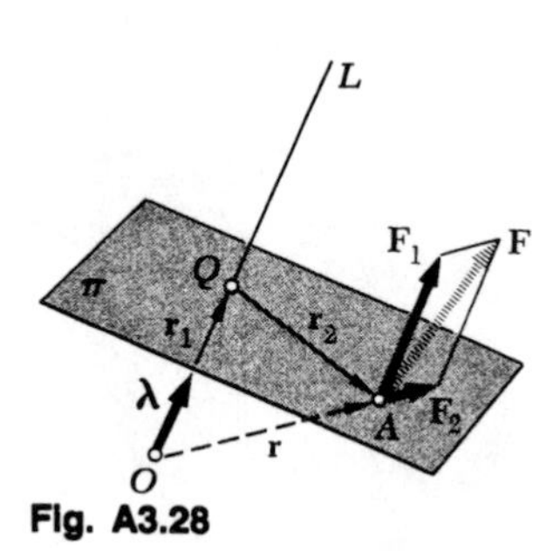

**Fig. A3.28**

La signification physique du moment $M_{OL}$ d'une force **F** par rapport à un axe fixe $OL$ devient évidente si nous décomposons la force **F** suivant deux directions respectivement parallèle et perpendiculaire à l'axe $OL$. En effet ces composantes sont $\mathbf{F}_1$, parallèle à $OL$, et $\mathbf{F}_2$ appartenant au plan $\pi$ perpendiculaire à $OL$ (Fig. A3.28). En décomposant d'une manière identique le vecteur **r** (vecteur position du point $A$) dans ses composantes $\mathbf{r}_1$ et $\mathbf{r}_2$ et en les introduisant dans la relation (A 3.42), nous pouvons écrire

$$
\begin{aligned}
M_{OL} &= \boldsymbol{\lambda} \cdot [(\mathbf{r}_1 + \mathbf{r}_2) \times (\mathbf{F}_1 + \mathbf{F}_2)] \\
&= \boldsymbol{\lambda} \cdot (\mathbf{r}_1 \times \mathbf{F}_1) + \boldsymbol{\lambda} \cdot (\mathbf{r}_1 \times \mathbf{F}_2) + \boldsymbol{\lambda} \cdot (\mathbf{r}_2 \times \mathbf{F}_1) + \boldsymbol{\lambda} \cdot (\mathbf{r}_2 \times \mathbf{F}_2)
\end{aligned}
$$

Remarquons que tous ces produits mixtes sont nuls à l'exception du dernier. En effet, dans les trois premiers produits mixtes, les vecteurs sont coplanaires (Section A3.9).

Finalement nous pouvons écrire.

$$M_{OL} = \boldsymbol{\lambda} \cdot (\mathbf{r}_2 \times \mathbf{F}_2) \qquad \text{(A 3.44)}$$

Le produit vectoriel $\mathbf{r}_2 \times \mathbf{F}_2$ est perpendiculaire au plan $\pi$ et représente le moment de la composante $\mathbf{F}_2$ par rapport au point $Q$, point d'intersection de l'axe $OL$ au plan $\pi$. Il s'ensuit que le scalaire $M_{OL}$, qui est positif si $\mathbf{r}_2 \times \mathbf{F}_2$ et l'axe $OL$ ont le même sens, et négatif dans le cas contraire, mesure la capacité de $\mathbf{F}_2$ à faire tourner le corps autour de l'axe fixe $OL$. Puisque l'autre composante $\mathbf{F}_1$ n'intervient pas dans cette rotation, nous pouvons conclure que le *moment $M_{OL}$ de la force* **F** *par rapport à l'axe OL mesure la capacité de la force* **F** *à faire tourner le corps rigide autour de l'axe fixe OL.*

Il résulte de la définition du moment d'une force **F** par rapport à un axe, que le moment de cette force **F** par rapport à un axe coordonné est égal à la composante de $\mathbf{M}_O$ suivant cet axe. Si on substitue successivement par $\lambda$ chacun des vecteurs unitaires dans la relation (A 3.42), nous constatons que les expressions obtenues pour les *moments de* **F** *calculés par rapport aux axes de référence*, sont respectivement égales aux expressions trouvées à la section A3.7 des composantes du moment $\mathbf{M}_O$ de la force **F** par rapport au point $O$.

$$
\begin{aligned}
M_x &= yF_z - zF_y \\
M_y &= zF_x - xF_z \\
M_z &= xF_y - yF_x
\end{aligned}
\qquad \text{(A 3.18)}
$$

Il est intéressant de remarquer que si les composantes $F_x$, $F_y$ et $F_z$ d'une force **F** appliquée à un corps rigide mesurent la capacité de **F** à faire déplacer le corps respectivement dans les directions $x$, $y$ et $z$, les moments $M_x$, $M_y$ et $M_z$ de la force **F**, calculés par rapport aux axes de référence, mesurent, eux, la capacité de la force **F** à faire tourner le corps rigide respectivement autour des axes $x$, $y$ et $z$.

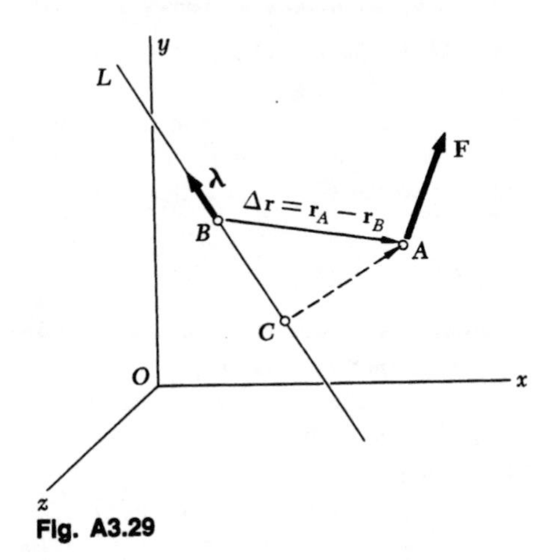


**Fig. A3.29**

D'une façon plus générale le moment de la force **F** appliquée à un point $A$, calculé par rapport à un axe qui ne passe pas par l'origine, peut s'obtenir en choisissant arbitrairement un point $B$ de cet axe (Fig. A3.29) et en calculant la projection sur lui du moment $\mathbf{M}_B$ de la force **F** par rapport au point $B$. Nous écrivons

$$M_{BL} = \boldsymbol{\lambda} \cdot \mathbf{M}_B = \boldsymbol{\lambda} \cdot (\Delta \mathbf{r} \times \mathbf{F}) \qquad \text{(A 3.45)}$$

où $\Delta \mathbf{r} = \mathbf{r}_A - \mathbf{r}_B$ représente le vecteur $\overrightarrow{BA}$. Exprimant $M_{BL}$ sous forme d'un déterminant, nous avons

$$M_{BL} = \begin{vmatrix} \lambda_x & \lambda_y & \lambda_z \\ \Delta_x & \Delta_y & \Delta_z \\ F_x & F_y & F_z \end{vmatrix} \qquad \text{(A 3.46)}$$

où — $\lambda_x$, $\lambda_y$, $\lambda_z$ sont les cosinus directeurs de l'axe $BL$.
— $\Delta_x = x_A - x_B$, $\Delta_y = y_A - y_B$, $\Delta_z = z_A - z_B$
— $F_x$, $F_y$, $F_z$ sont les composantes de la force **F**.

Remarquons que le résultat obtenu est indépendant du choix du point $B$. En effet si on appelle $M_{CL}$ le moment calculé par rapport à un autre point $C$, nous avons

$$\begin{aligned} M_{CL} &= \boldsymbol{\lambda} \cdot [(\mathbf{r}_A - \mathbf{r}_C) \times \mathbf{F}] \\ &= \boldsymbol{\lambda} \cdot [(\mathbf{r}_A - \mathbf{r}_B) \times \mathbf{F}] + \boldsymbol{\lambda} \cdot [(\mathbf{r}_B - \mathbf{r}_C) \times \mathbf{F}] \end{aligned}$$

Or, comme les vecteurs $\boldsymbol{\lambda}$ et $\mathbf{r}_B - \mathbf{r}_C$ ont la même ligne d'action, le volume du parallélipipède dont les arêtes sont $\boldsymbol{\lambda}$, $\mathbf{r}_B - \mathbf{r}_C$ et **F**, sera nul, puisqu'il est égal au produit mixte de ces trois vecteurs (Section A3.9). L'expression obtenue pour $M_{CL}$ se réduit alors au premier terme, identique à celui donné par la relation (A 3.45) qui définit $M_{BL}$.

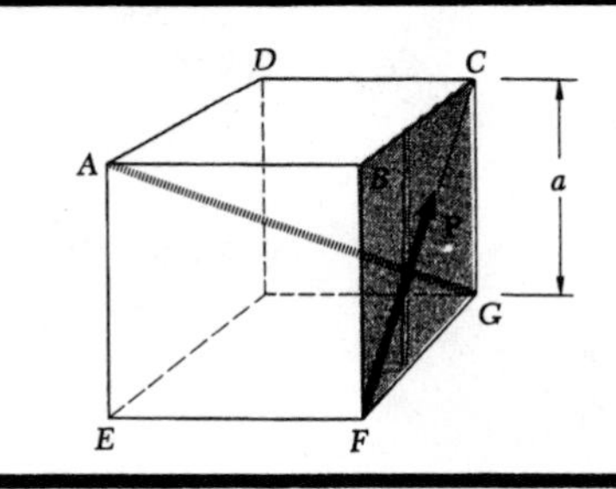


## PROBLÈME RÉSOLU A3.5

Un cube d'arête $a$ est soumis à la force **P**. Calculez le moment de **P** : *a*) par rapport au point $A$, *b*) par rapport à l'arête $AB$, *c*) par rapport à la diagonale $AG$. *d*) En utilisant les résultats obtenus en (*c*), déterminez la longueur de la perpendiculaire commune à $AG$ et $FC$.

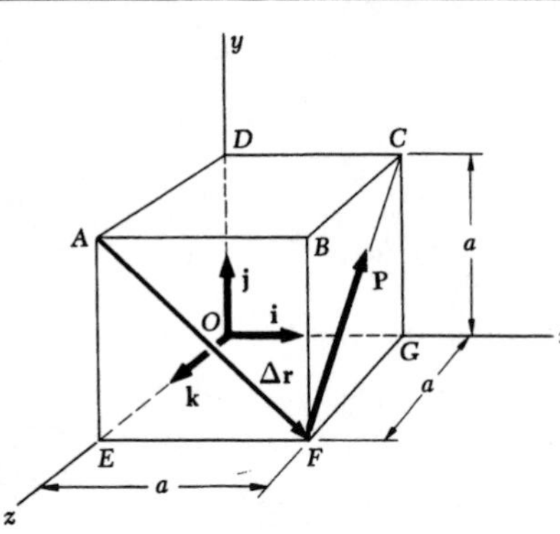


***a.* Moment par rapport au point *A*.** Prenons les arêtes $OG$, $OD$, $OE$ communes aux axes des coordonnées $x$, $y$ et $z$. Traçons le vecteur $\Delta\mathbf{r}$ en joignant le point $A$ au point d'application **F** de la force **P**.
Nous pouvons écrire

$$\Delta\mathbf{r} = a\mathbf{i} - a\mathbf{j} = a(\mathbf{i} - \mathbf{j})$$
$$\mathbf{P} = (P/\sqrt{2})\mathbf{j} - (P/\sqrt{2})\mathbf{k} = (P/\sqrt{2})(\mathbf{j} - \mathbf{k})$$

Le moment de **P** par rapport au point $A$ s'écrit

$$\mathbf{M}_A = \Delta\mathbf{r} \times \mathbf{P} = a(\mathbf{i} - \mathbf{j}) \times (P/\sqrt{2})(\mathbf{j} - \mathbf{k})$$
$$\mathbf{M}_A = (aP/\sqrt{2})(\mathbf{i} + \mathbf{j} + \mathbf{k}) \quad \blacktriangleleft$$

***b.* Moment par rapport à l'arête *AB*.** Si on projette $\mathbf{M}_A$ sur $AB$, nous avons

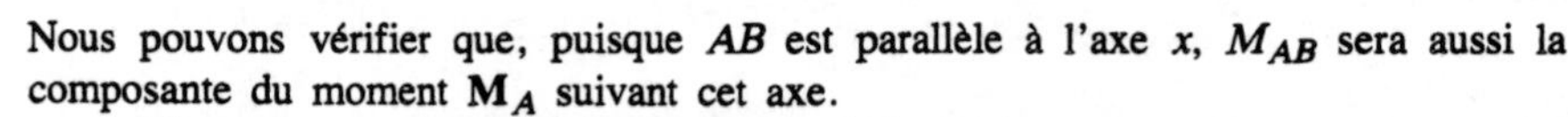

$$M_{AB} = \mathbf{i} \cdot \mathbf{M}_A = \mathbf{i} \cdot (aP/\sqrt{2})(\mathbf{i} + \mathbf{j} + \mathbf{k}) \qquad M_{AB} = aP/\sqrt{2} \quad \blacktriangleleft$$

Nous pouvons vérifier que, puisque $AB$ est parallèle à l'axe $x$, $M_{AB}$ sera aussi la composante du moment $\mathbf{M}_A$ suivant cet axe.

***c.* Moment par rapport à la diagonale *AG*.** Le moment de **P** par rapport à $AG$ s'obtient en projetant $\mathbf{M}_A$ sur la diagonale $AG$. Si nous appelons $\boldsymbol{\lambda}$ le vecteur unitaire porté par $AG$, nous constatons que

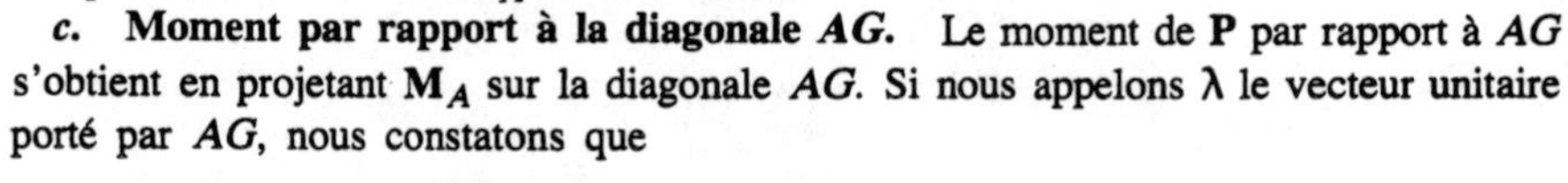

$$\boldsymbol{\lambda} = \frac{\overrightarrow{AG}}{AG} = \frac{a\mathbf{i} - a\mathbf{j} - a\mathbf{k}}{a\sqrt{3}} = (1/\sqrt{3})(\mathbf{i} - \mathbf{j} - \mathbf{k})$$

et on peut écrire

$$M_{AG} = \boldsymbol{\lambda} \cdot \mathbf{M}_A = (1/\sqrt{3})(\mathbf{i} - \mathbf{j} - \mathbf{k}) \cdot (aP/\sqrt{2})(\mathbf{i} + \mathbf{j} + \mathbf{k})$$
$$M_{AG} = (aP/\sqrt{6})(1 - 1 - 1) \qquad M_{AG} = -aP/\sqrt{6} \quad \blacktriangleleft$$

***Autre solution.*** Le moment de **P** par rapport à $AG$ peut aussi s'exprimer sous forme d'un déterminant :

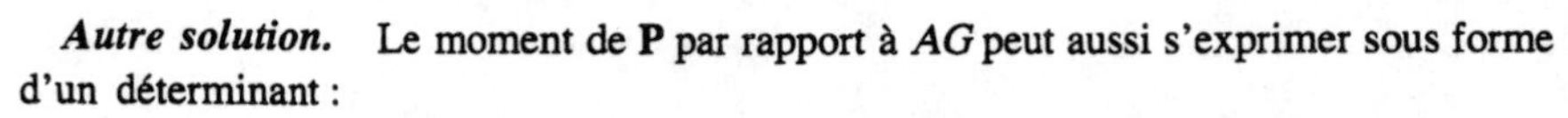

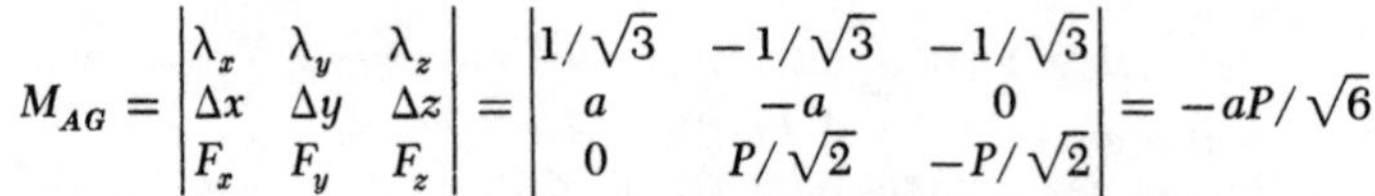

$$M_{AG} = \begin{vmatrix} \lambda_x & \lambda_y & \lambda_z \\ \Delta x & \Delta y & \Delta z \\ F_x & F_y & F_z \end{vmatrix} = \begin{vmatrix} 1/\sqrt{3} & -1/\sqrt{3} & -1/\sqrt{3} \\ a & -a & 0 \\ 0 & P/\sqrt{2} & -P/\sqrt{2} \end{vmatrix} = -aP/\sqrt{6}$$

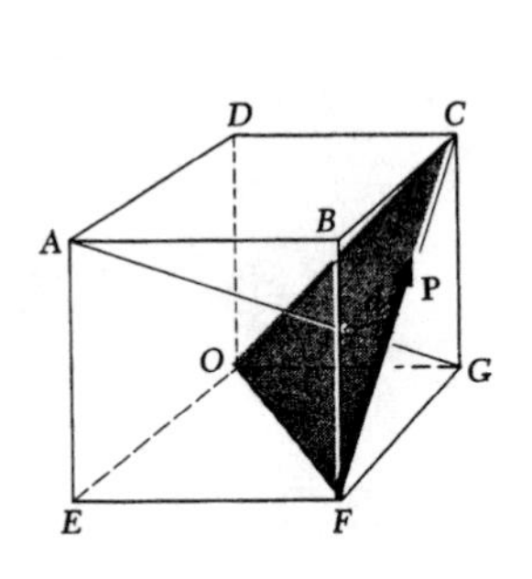


***d.* Longueur de la perpendiculaire commune entre *AG* et *FC*.** Commençons d'abord par vérifier si **P** est perpendiculaire à la diagonale $AG$. Ceci peut être fait en calculant le produit scalaire $\mathbf{P} \cdot \boldsymbol{\lambda}$ et en vérifiant s'il est nul

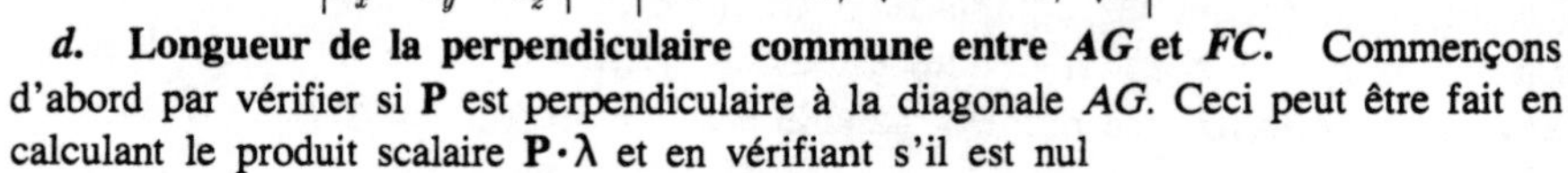

$$\mathbf{P} \cdot \boldsymbol{\lambda} = (P/\sqrt{2})(\mathbf{j} - \mathbf{k}) \cdot (1/\sqrt{3})(\mathbf{i} - \mathbf{j} - \mathbf{k}) = (P/\sqrt{6})(0 - 1 + 1) = 0$$

Le moment $M_{AG}$ peut alors être exprimé par $-Pd$, où $d$ est la perpendiculaire commune à $AG$ et $FC$. (Le signe négatif résulte du fait que la rotation imprimée au cube par la force **P** a le sens des aiguilles d'une montre pour un observateur placé au point $G$.) En utilisant la valeur de $M_{AG}$, calculée à la partie (*c*), on trouve

$$M_{AG} = -Pd = -aP/\sqrt{6} \qquad d = a/\sqrt{6} \quad \blacktriangleleft$$

## PROBLÈMES SUPPLÉMENTAIRES

**A3.25** Prouvez que $\cos(\theta_1 - \theta_2) = \cos\theta_1\cos\theta_2 + \sin\theta_1\sin\theta_2$ à l'aide du produit scalaire $\mathbf{P}_1 \cdot \mathbf{P}_2$.

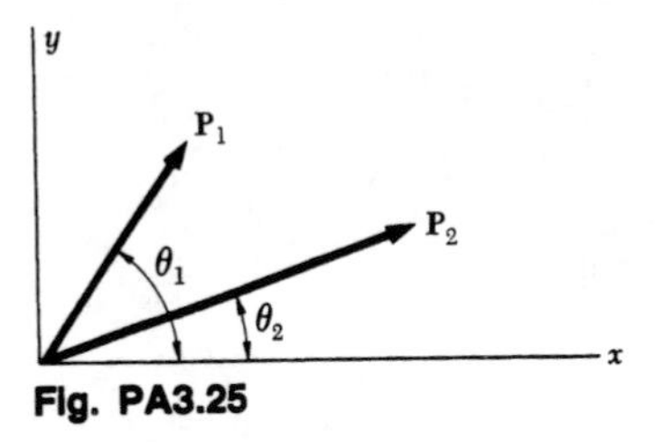

**Fig. PA3.25**

**A3.26** Calculez les produits scalaires $\mathbf{P} \cdot \mathbf{Q}$, $\mathbf{P} \cdot \mathbf{S}$ et $\mathbf{Q} \cdot \mathbf{S}$, si on a $\mathbf{P} = 2\mathbf{i} + \mathbf{j} + 2\mathbf{k}$, $\mathbf{Q} = 3\mathbf{i} + 4\mathbf{j} - 5\mathbf{k}$ et $\mathbf{S} = -4\mathbf{i} + \mathbf{j} - 2\mathbf{k}$.

**A3.27** Plusieurs câbles sont attachés au sommet *A* d'un pylône. Calculez l'angle entre les câbles *AB* et *AC*.

**A3.28** Calculez l'angle entre les câbles *AD* et *AB* du probl. A3.27.

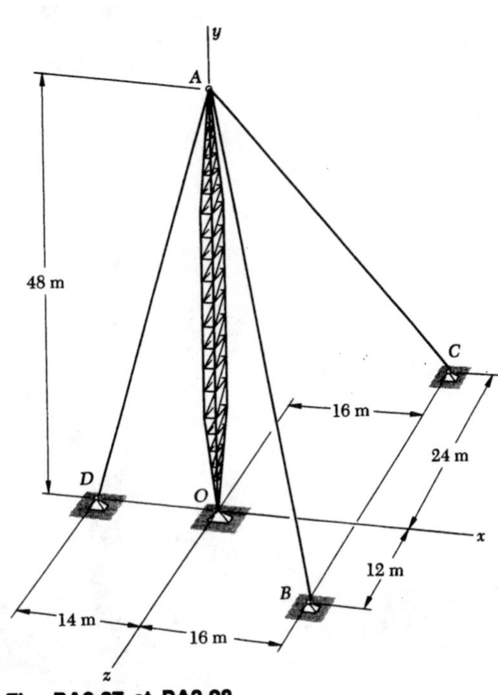

**Fig. PA3.27 et PA3.28**

**A3.29** La tige *ABC* possède une partie rectiligne *AB* et une partie circulaire *BC*. Sachant que $\alpha = 30°$ et que la tension dans le câble *AD* est de 300 N, calculez : *a*) l'angle formé par les câbles *AC* et *AD*, *b*) la projection sur *AC* de la force exercée au point *A* par le câble *AD*.

**A3.30** Dans le probl. A3.29, supposons que $\alpha = 45°$. Si l'effort de tension dans le câble *AC* est de 450 N, calculez : *a*) l'angle formé par les câbles *AC* et *AD*, *b*) la projection sur *AD* de la force transmise au point *A* par le câble *AC*.

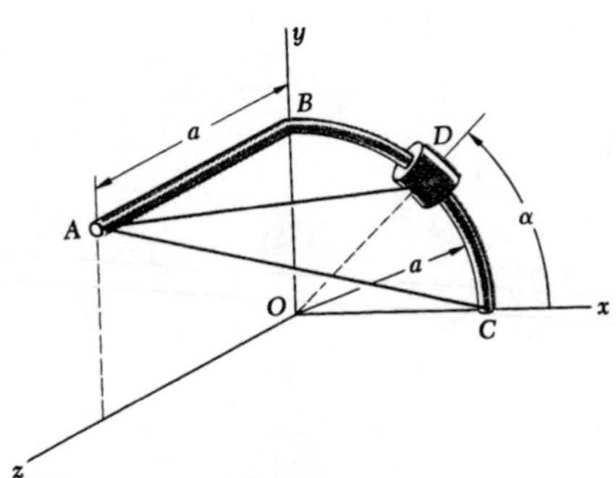

**Fig. PA3.29 et PA3.30**

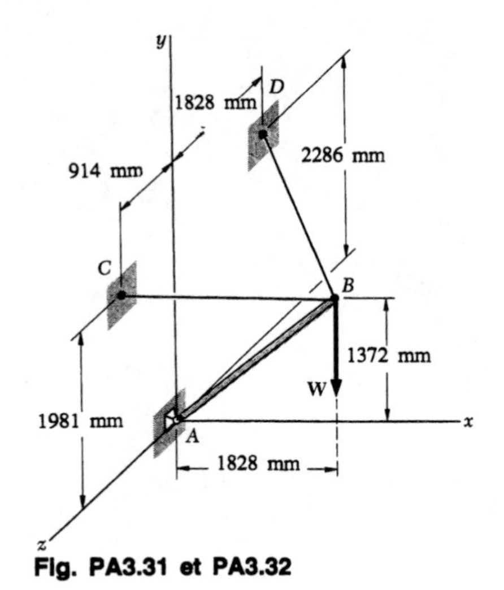

**Fig. PA3.31 et PA3.32**

**A3.31** Sachant que la tension dans le câble *BC* est de 1245 N, calculez : *a*) l'angle entre le câble *BC* et la barre *AB*, *b*) la projection sur *AB* de la force transmise au point *B* par le câble *BC*.

**A3.32** Sachant que l'effort dans le câble *BD* est de 800 N, calculez : *a*) l'angle entre le câble *BD* et la barre *AB*, *b*) la projection sur *AB* de la force transmise au point *B* par le câble *BD*.

**A3.33** Calculez $\mathbf{P}\cdot(\mathbf{Q}\times\mathbf{S})$, $(\mathbf{P}\times\mathbf{Q})\cdot\mathbf{S}$ et $(\mathbf{S}\times\mathbf{Q})\cdot\mathbf{P}$ sachant que $\mathbf{P} = \mathbf{i} + 2\mathbf{j} + 3\mathbf{k}$, $\mathbf{Q} = \mathbf{i} + 2\mathbf{j}$ et $\mathbf{S} = \mathbf{i}$.

**A3.34** Calculez le scalaire $S_z$ pour que les vecteurs $\mathbf{P} = 3\mathbf{i} + 2\mathbf{j} + \mathbf{k}$, $\mathbf{Q} = 5\mathbf{i} + \mathbf{j} - 2\mathbf{k}$ et $\mathbf{S} = \mathbf{i} + 3\mathbf{j} + S_z\,\mathbf{k}$ soient coplanaires.

**A3.35** La grue est orientée de façon à ce que la flèche *DA* soit parallèle à l'axe *x*. On mesure un effort de tension de 13 kN dans le câble *AB*. Calculez les moments, par rapport aux axes *x*, *y* et *z*, de la force transmise au point *A* par le câble *AB*.

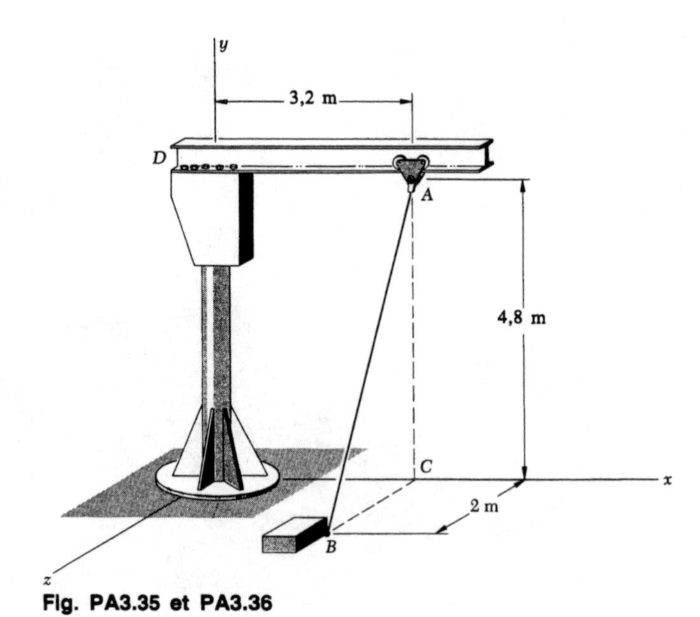

**Fig. PA3.35 et PA3.36**

**A3.36** Calculez l'effort admissible dans le câble *AB* de la grue du probl. A3.35, si les moments par rapport aux axes *x*, *y* et *z* de cette force ne doivent pas dépasser respectivement les valeurs : $|M_x| \le 10$ kN·m, $|M_y| \le 6$ kN·m, $|M_z| \le 16$ kN·m.

**A3.37** Une force verticale **P** de 267 N est appliquée au point $A$ d'une manivelle. Calculez les moments de **P** par rapport à chaque axe $xyz$, sachant que $\theta = 75°$

**A3.38** Calculez la grandeur de la force **P** et l'angle $\theta$ sachant que le moment de **P** par rapport aux axes $x$ et $z$ sont respectivement $M_x = -18$ N·m et $M_z = -27$ N·m.

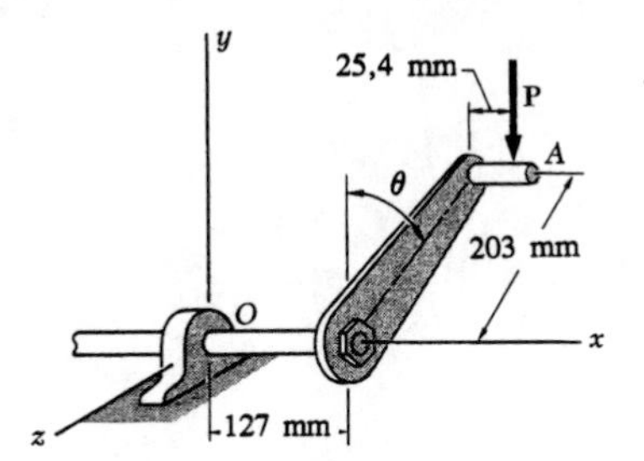


Fig. PA3.37 et PA3.38

**A3.39** Une force **F** est appliquée au point $C$ du tuyau $ABCD$. Calculez les composantes $F_y$ et $F_z$ de la force **F**, sachant que sa composante $F_x = 100$ N et que ses moments par rapport à $x$ et $y$ sont respectivement $M_x = 75$ N·m et $M_y = -140$ N·m.

**A3.40** Une force inconnue **F** est appliquée au point $C$ de la tuyauterie $ABCD$. Calculez le moment $M_y$ de **F** par rapport à l'axe $y$, sachant que $M_x = 150$ N·m et $M_z = 90$ N·m.

**A3.41** Une force $\mathbf{F} = (100 \text{ N})\mathbf{i} + (150 \text{ N})\mathbf{j} + (300 \text{ N})\mathbf{k}$ est appliquée au point $C$ de la tuyauterie du problème précédent. Calculez le moment de cette force **F** par rapport : *a*) au segment de droite $BE$, *b*) au segment de droite $AD$.

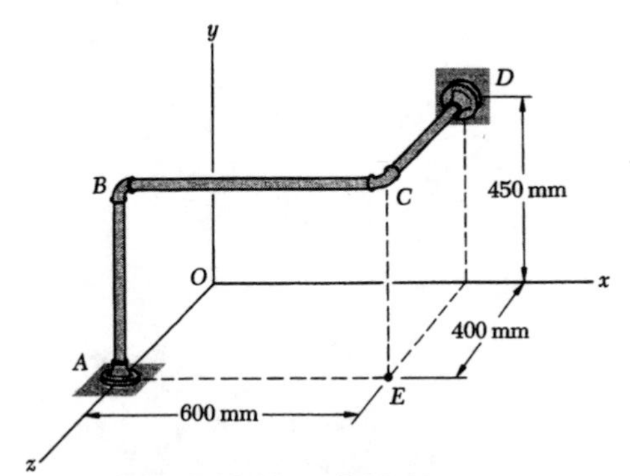


Fig. PA3.39, PA3.40, et PA3.41

**A3.42** Deux tiges soudées en forme de T forment un levier sur lequel une force de 578 N est appliquée. Calculez le moment de la force par rapport à la tige $AB$.

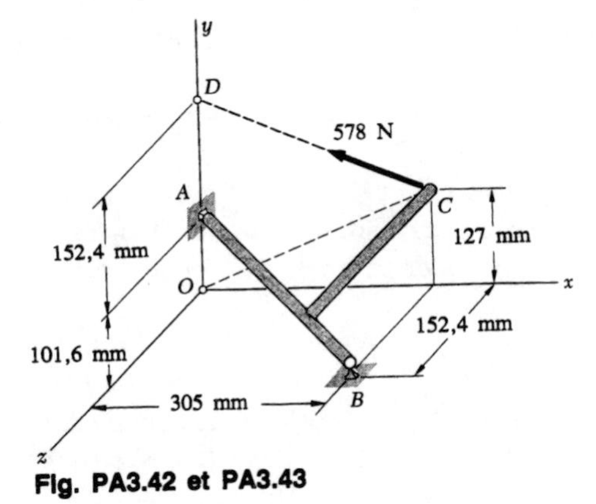


Fig. PA3.42 et PA3.43

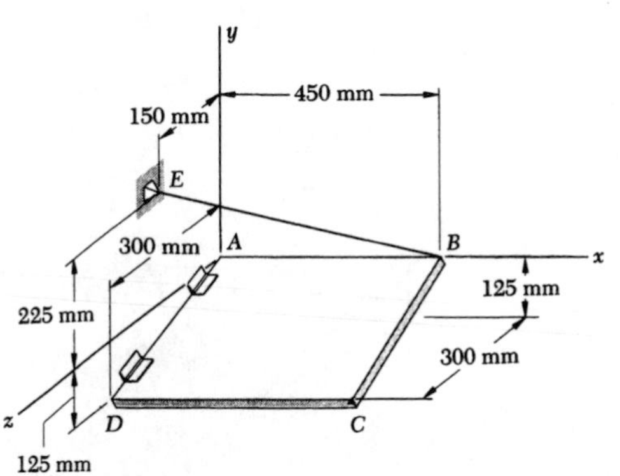


Fig. PA3.44

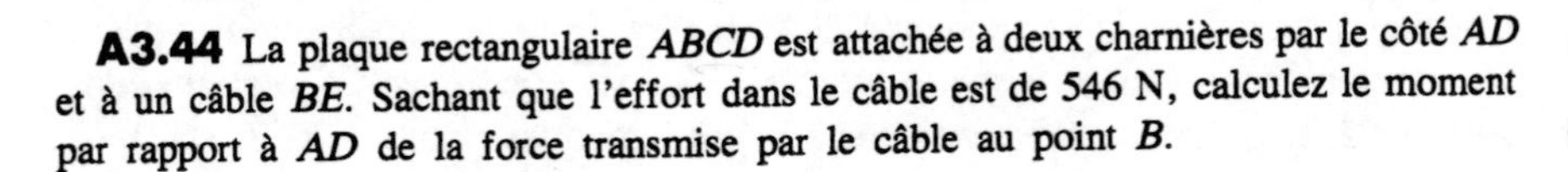

**A3.43** Résolvez le probl. A3.42 en supposant qu'une force de 578 N est appliquée suivant la direction $CO$.

**A3.44** La plaque rectangulaire $ABCD$ est attachée à deux charnières par le côté $AD$ et à un câble $BE$. Sachant que l'effort dans le câble est de 546 N, calculez le moment par rapport à $AD$ de la force transmise par le câble au point $B$.

**A3.45** Un tétraèdre régulier possède 6 côtés de longueur $a$. Une seule force $\mathbf{P}$ est appliquée le long d'un de ses côtés. Calculez le moment de $\mathbf{P}$ par rapport à chacun des autres côtés.

**A3.46** Deux forces de l'espace $\mathbf{F}_1$ et $\mathbf{F}_2$ ont la même grandeur $\mathbf{F}$. Prouvez que le moment de $\mathbf{F}_1$ par rapport à la ligne d'action de $\mathbf{F}_2$ est égal au moment de $\mathbf{F}_2$ par rapport à la ligne d'action de $\mathbf{F}_1$.

***A3.47** Utilisez les résultats obtenus dans le probl. A3.42 pour déterminer la distance entre les segments $AB$ et $CD$.

***A3.48** Utilisez les résultats obtenus dans le probl. A3.44 pour déterminer la distance entre les segments $AD$ et $BE$.

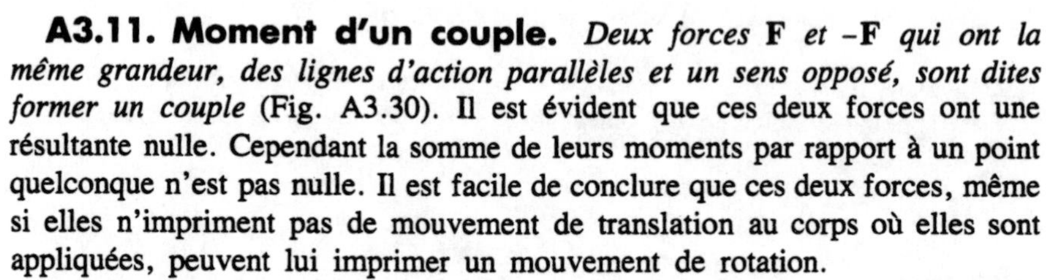

## A3.11. Moment d'un couple.

*Deux forces* $\mathbf{F}$ *et* $-\mathbf{F}$ *qui ont la même grandeur, des lignes d'action parallèles et un sens opposé, sont dites former un couple* (Fig. A3.30). Il est évident que ces deux forces ont une résultante nulle. Cependant la somme de leurs moments par rapport à un point quelconque n'est pas nulle. Il est facile de conclure que ces deux forces, même si elles n'impriment pas de mouvement de translation au corps où elles sont appliquées, peuvent lui imprimer un mouvement de rotation.

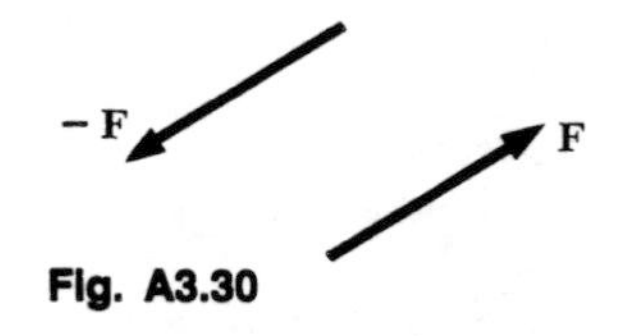


Fig. A3.30

Appelant respectivement $\mathbf{r}_A$ et $\mathbf{r}_B$ les vecteurs position du point d'application des forces $\mathbf{F}$ et $-\mathbf{F}$, nous constatons que la somme des moments de ces deux forces par rapport au point $O$ est donnée par la relation

$$\mathbf{r}_A \times \mathbf{F} + \mathbf{r}_B \times (-\mathbf{F}) = (\mathbf{r}_A - \mathbf{r}_B) \times \mathbf{F}$$

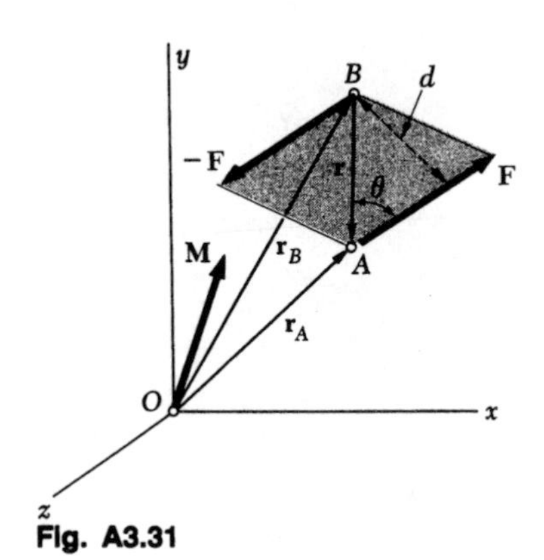


Fig. A3.31

En posant $\mathbf{r}_A - \mathbf{r}_B = \mathbf{r}$, où $\mathbf{r}$ est le vecteur défini par les points d'application $A$ et $B$ des deux forces, nous concluons que la somme des moments par rapport au point $O$ des forces $\mathbf{F}$ et $-\mathbf{F}$ est représentée par le vecteur

$$\mathbf{M} = \mathbf{r} \times \mathbf{F} \qquad \text{(A 3.47)}$$

Ce vecteur $\mathbf{M}$ est appelé le *moment du couple* : c'est un vecteur perpendiculaire au plan contenant les deux forces et dont la grandeur est

$$M = rF \sin\theta = Fd \qquad \text{(A 3.48)}$$

où $d$ est la longueur de la perpendiculaire commune à $\mathbf{F}$ et $-\mathbf{F}$. Le sens de $\mathbf{M}$ se détermine par la règle de la main droite.

Puisque le vecteur $\mathbf{r}$ de la relation (A 3.47) est indépendant du choix de l'origine $O$ des axes de référence, nous pouvons affirmer que le résultat serait le même si on calculait les moments de $\mathbf{F}$ et de $-\mathbf{F}$ par rapport à un autre point $O'$. On peut donc conclure que le moment $\mathbf{M}$ d'un couple est un *vecteur libre* (Section 2.2) qui peut être appliqué à n'importe quel point (Fig. A3.32).

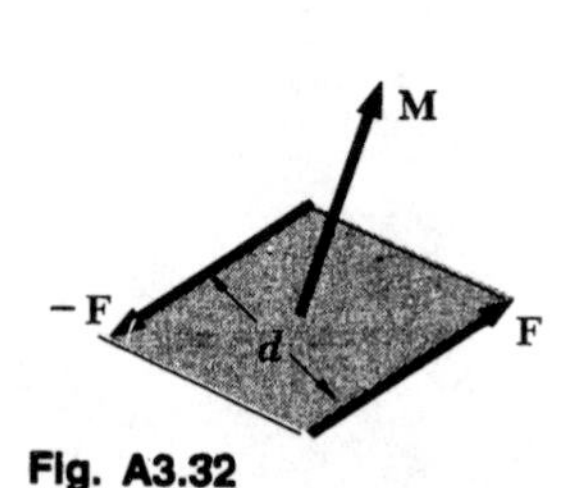


Fig. A3.32

De la définition du moment d'un couple on peut aussi déduire que deux couples formés de forces ($\mathbf{F}_1$, $-\mathbf{F}_1$) et ($\mathbf{F}_2$, $-\mathbf{F}_2$), illustrés à la fig. A3.33, auront des moments égaux si :

— ils vérifient la relation

$$F_1 d_1 = F_2 d_2 \tag{A 3.49}$$

— ils appartiennent au même plan ou à des plans parallèles.

— ils ont le même sens.

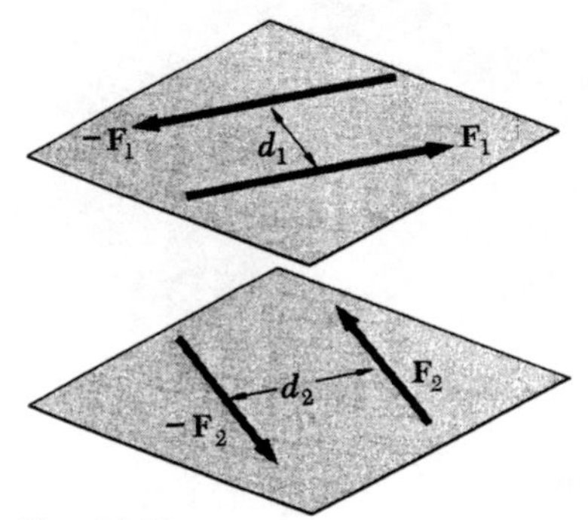

Fig. A3.33

**A3.12. Couples équivalents.** Supposons que les couples illustrés à la fig. A3.34 sont appliqués successivement au même bloc. Comme nous avons vu dans la section précédente, ces couples ne peuvent imprimer au bloc qu'un mouvement de rotation. Puisque les trois couples possèdent le même moment (même direction et même grandeur $M = 12$ N·m), il est logique de conclure qu'ils vont produire sur le bloc la même rotation.

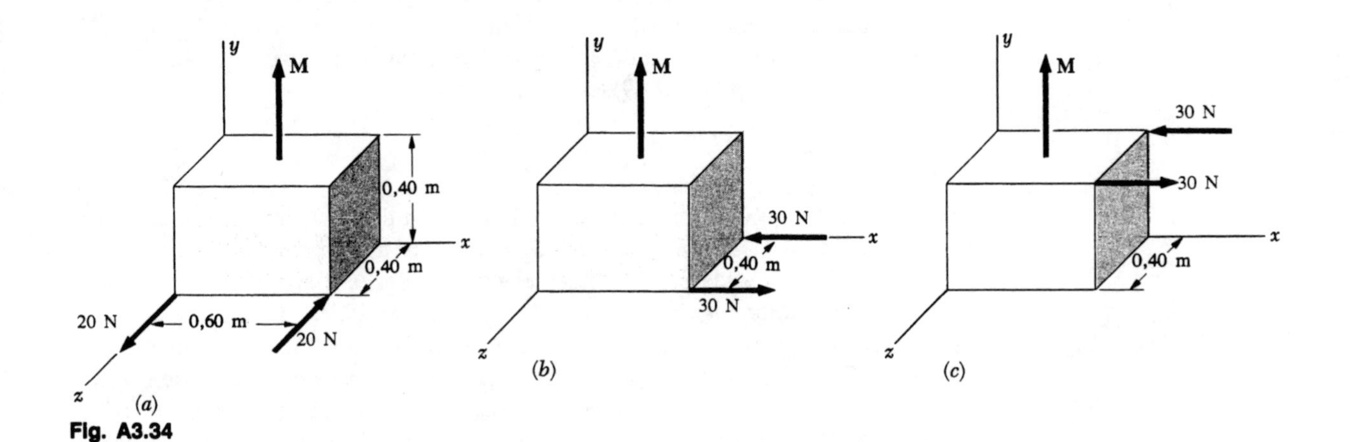

Fig. A3.34

Nous ne pouvons pas cependant accepter cette conclusion, si logique soit elle, sans faire appel aux principes introduits au commencement de ce livre. Ces principes sont : *a*) le principe du parallélogramme, qui nous indique comment on peut additionner deux forces (Section 2.1), *b*) le principe du glissement de forces (Section A3.2). En nous basant sur eux, nous pouvons énoncer que *deux systèmes de forces sont équivalents* (c'est-à-dire qu'ils provoquent les mêmes effets sur un corps rigide) *si nous pouvons passer de l'un à l'autre en utilisant les opérations suivantes* : 1) remplacer deux forces par leur résultante; 2) décomposer une force suivant deux directions; 3) annuler deux forces égales, opposées et appliquées au même point du corps; 4) appliquer au même point du corps deux forces égales et opposées; 5) déplacer une force le long de sa ligne d'action. Chacune de ces opérations peut facilement se justifier à l'aide du principe du parallélogramme ou du principe du glissement des forces.

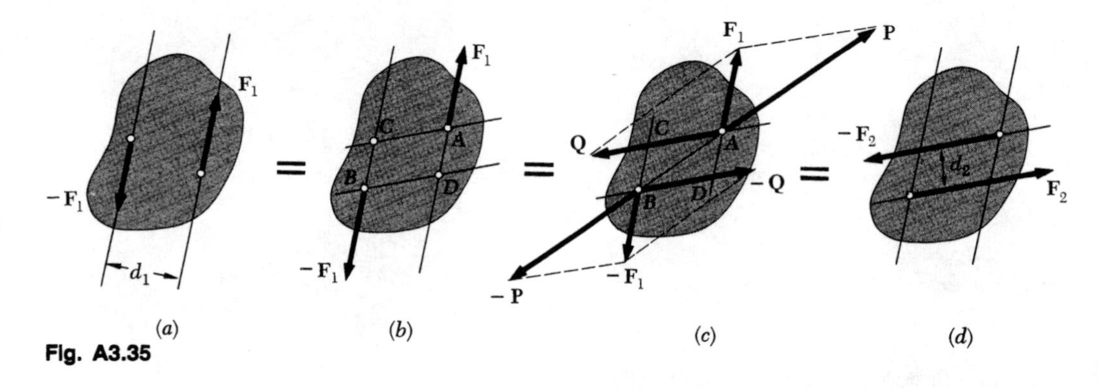

**Fig. A3.35**

Démontrons maintenant que *deux couples qui ont le même moment* **M** *sont équivalents*. Considérons d'abord deux couples appartenant au même plan et supposons que ce plan est le plan de la figure A3.35. Le premier couple est formé par les forces $\mathbf{F}_1$ et $-\mathbf{F}_1$ de grandeur $F_1$ et à la distance $d_1$ l'une de l'autre (Fig. A3.35*a*) et le second est formé par les forces $\mathbf{F}_2$ et $-\mathbf{F}_2$, de grandeur $F_2$ et à la distance $d_2$ l'une de l'autre (Fig. A3.35*b*). Puisque les deux couples ont le même moment **M** perpendiculaire au plan de la figure, ils doivent avoir aussi le même sens (supposé être contraire aux aiguilles d'une montre) et la relation (A 3.49) est donc vérifiée.

$$F_1 d_1 = F_2 d_2 \qquad \text{(A 3.49)}$$

Pour démontrer qu'ils sont équivalents, il nous faut d'abord montrer qu'on peut passer de l'un à l'autre à l'aide des opérations décrites plus tôt.

Soit $A$, $B$, $C$, $D$, les points d'intersection des lignes d'action des forces de deux couples. Commençons par faire glisser les forces $\mathbf{F}_1$ et $-\mathbf{F}_1$ jusqu'à ce que leurs origines soient respectivement sur $A$ et $B$(Fig. A3.35*b*). Décomposons la force $\mathbf{F}_1$ en **P** suivant la direction $AB$ et **Q** suivant la direction $AC$ (Fig. A3.35*c*); d'une façon similaire la force $-\mathbf{P}$ suivant $AB$ et $-\mathbf{Q}$ suivant $BD$. Les forces **P** et $-\mathbf{P}$ ont la même grandeur, la même ligne d'action et des sens opposés; elles peuvent se déplacer le long de leur ligne d'action commune jusqu'à ce que leurs origines coïncident et ensuite soient annulées. On voit donc que le couple formé par $\mathbf{F}_1$ et $-\mathbf{F}_1$ se réduit au couple de forces **Q** et $-\mathbf{Q}$.

Nous montrerons maintenant que les forces **Q** et $-\mathbf{Q}$ sont respectivement égales aux forces $-\mathbf{F}_2$ et $\mathbf{F}_2$. Le moment du couple formé par **Q** et $-\mathbf{Q}$ peut s'obtenir en calculant le moment de **Q** par rapport au point $B$ : d'une manière semblable, le moment du couple formé par $\mathbf{F}_1$ et $-\mathbf{F}_1$ est aussi le moment de $\mathbf{F}_1$ par rapport au point $B$. Or, selon le théorème de Varignon, le moment de $\mathbf{F}_1$ est égal à la somme des moments de ses composantes **P** et **Q**. Puisque le moment de **P** par rapport à $B$ est nul, le moment du couple de forces **Q** et $-\mathbf{Q}$ doit être égal au moment du couple formé par $\mathbf{F}_1$ et $-\mathbf{F}_1$. D'après (A 3.49), nous pouvons écrire

$$Qd_2 = F_1 d_1 = F_2 d_2 \qquad \text{et} \qquad Q = F_2$$

Alors les forces **Q** et $-\mathbf{Q}$ sont respectivement égales aux forces $-\mathbf{F}_2$ et $\mathbf{F}_2$ et le couple de la fig. A3.35*a* est équivalent au couple de la fig. A3.35*d*.

Considérons maintenant deux couples appartenant à deux plans parallèles $\pi_1$ et $\pi_2$ et prouvons qu'ils sont égaux s'ils possèdent le même moment. D'après ce que nous venons de voir, nous pouvons supposer que les couples sont formés de forces, de même grandeur *F*, dont les lignes d'action sont parallèles (Fig. A3.36*a* et *d*). Nous nous proposons de démontrer qu'on peut passer du couple du plan $\pi_1$ au couple du plan $\pi_2$ en nous servant des cinq opérations décrites plus tôt.

Considérons d'abord les deux plans définis respectivement par les lignes d'action de $\mathbf{F}_1$ et $-\mathbf{F}_2$, et de $-\mathbf{F}_1$ et $\mathbf{F}_2$ (Fig. A3.36*b*). À un point de l'intersection de ces deux plans, appliquons deux forces $\mathbf{F}_3$ et $-\mathbf{F}_3$ respectivement égales à $\mathbf{F}_1$ et $-\mathbf{F}_1$. Le couple formé par $\mathbf{F}_1$ et $-\mathbf{F}_3$ peut être remplacé par un couple formé de $\mathbf{F}_3$ et $-\mathbf{F}_2$ (Fig. A3.36*c*) puisque les deux couples ont le même moment et sont situés sur le même plan. De la même manière, le couple formé par $-\mathbf{F}_1$ et $\mathbf{F}_3$ peut être remplacé par un couple formé de $-\mathbf{F}_3$ et $\mathbf{F}_2$. Si nous annulons les deux forces égales et opposées $\mathbf{F}_3$ et $-\mathbf{F}_3$, nous obtenons le couple cherché appartenant au plan $\pi_2$ (Fig. A3.36*d*).

Nous pouvons donc conclure que deux couples de même moment **M** sont équivalents s'ils appartiennent au même plan ou à des plans parallèles.

Cette propriété est extrêment utile à la compréhension de la mécanique des corps rigides. Elle indique que l'effet d'un couple appliqué à un corps rigide est indépendant des forces qui le forment, de leur point d'application ainsi que de leur grandeur et de leur sens. Cet effet dépend ***uniquement du moment*** du couple (grandeur et direction). Des couples de même moment **M** produisent les mêmes effets sur un corps rigide donné.

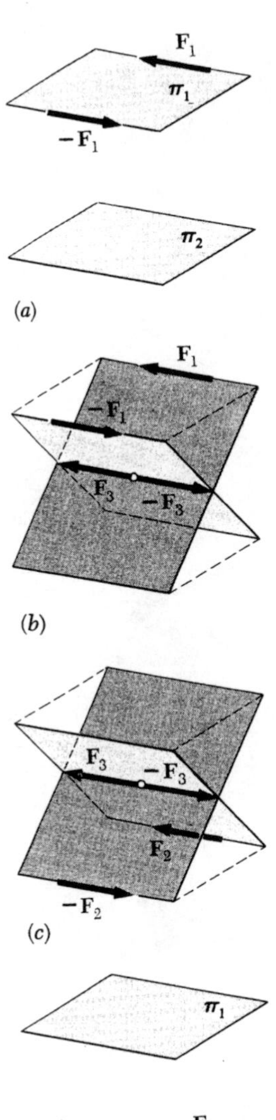


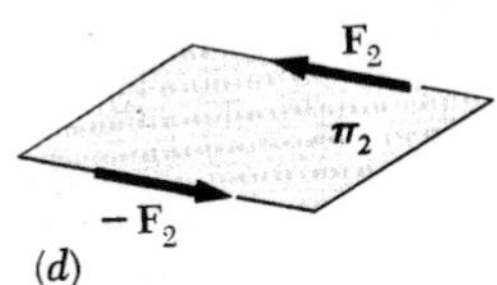


**Fig. A3.36**

**A3.13. Addition de couples.** Considérons encore deux plans $\pi_1$ et $\pi_2$ qui se coupent et deux couples appartenant à chacun de ces plans. Supposons que le couple du plan $\pi_1$ est formé de deux forces $\mathbf{F}_1$ et $-\mathbf{F}_1$ perpendiculaires à la droite d'intersection des deux plans et appliquées respectivement en *A* et *B* (Fig. A3.37*a*). Supposons encore que le couple du plan $\pi_2$ est formé de deux forces $\mathbf{F}_2$ et $-\mathbf{F}_2$ perpendiculaires à *AB* et appliquées respectivement aux points *A* et *B*. Il est évident que **R**, résultante de $\mathbf{F}_1$ et $\mathbf{F}_2$, et $-\mathbf{R}$, résultante de $-\mathbf{F}_1$ et $-\mathbf{F}_2$, forment un couple. Si on appelle **r** le vecteur $\overrightarrow{AB}$ et si on utilise la définition du moment d'un couple (Section A3.11), nous pouvons exprimer le moment **M** de ce couple résultant par

$$\mathbf{M} = \mathbf{r} \times \mathbf{R} = \mathbf{r} \times (\mathbf{F}_1 + \mathbf{F}_2)$$

et écrire selon le théorème de Varignon

$$\mathbf{M} = \mathbf{r} \times \mathbf{F}_1 + \mathbf{r} \times \mathbf{F}_2$$

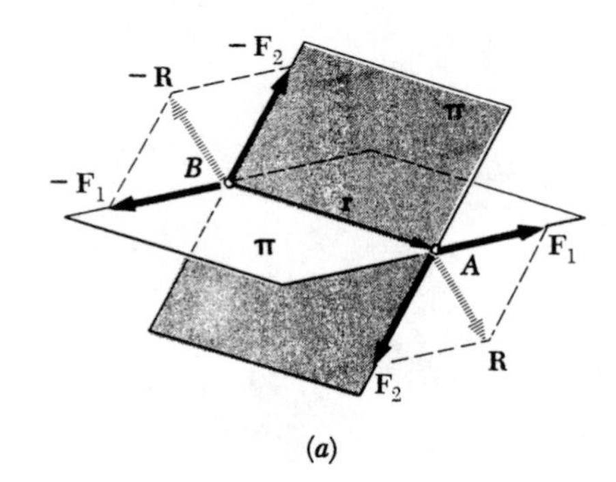

(a)

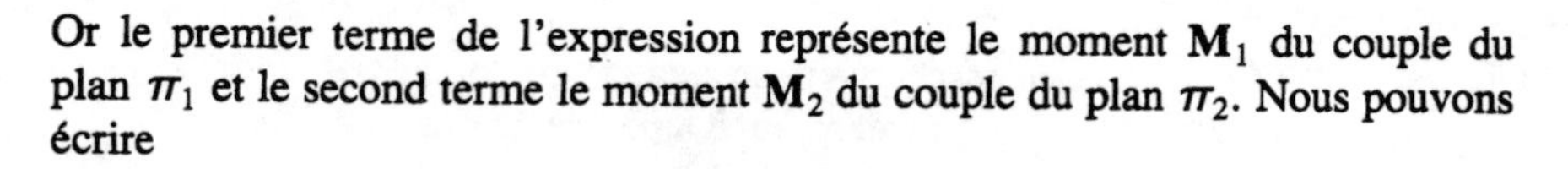
Or le premier terme de l'expression représente le moment $\mathbf{M}_1$ du couple du plan $\pi_1$ et le second terme le moment $\mathbf{M}_2$ du couple du plan $\pi_2$. Nous pouvons écrire

$$\mathbf{M} = \mathbf{M}_1 + \mathbf{M}_2 \tag{A 3.50}$$

et conclure que la somme de deux couples de moment $\mathbf{M}_1$ et $\mathbf{M}_2$ est un couple de moment $\mathbf{M}$ qu'on obtient en additionnant $\mathbf{M}_1$ et $\mathbf{M}_2$ (Fig. A3.37*b*).

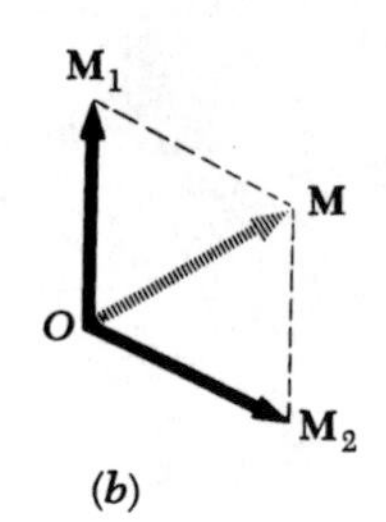

(b)

**Fig. A3.37**

**A3.14. Représentation vectorielle des couples.** Comme nous l'avons vu à la section A3.12, les couples appartenant au même plan ou à des plans parallèles et qui ont le même moment $\mathbf{M}$, sont équivalents. Il n'est donc pas nécessaire de représenter les forces réelles qui forment un couple donné si on veut étudier son effet sur un corps rigide (Fig. A3.38*a*). Il suffit de dessiner une flèche égale en grandeur et en direction au moment $\mathbf{M}$ du couple (Fig. A3.38*b*). D'autre part, nous avons vu à la section 3.13 que l'addition de deux couples est elle-même un couple et que le moment $\mathbf{M}$ du couple résultant est le vecteur somme des moments $\mathbf{M}_1$ et $\mathbf{M}_2$ des couples donnés. Par conséquent, les couples suivent la loi de l'addition des vecteurs et la flèche dessinée à la fig. A3.38*b* pour représenter le couple défini à la fig. A3.38*a* peut, sans aucun doute, être considérée comme un vecteur.

Le vecteur représentant un couple est appelé le *vecteur couple*. Notons que dans la fig. A3.38, le symbole ↻ est utilisé pour représenter le vecteur couple remplaçant le couple lui-même. Pour les distinguer du vecteur représentant le moment du couple et éviter la confusion avec la représentation d'une force, le vecteur couple est représenté par une flèche colorée. Les vecteurs couples, tout comme le moment du couple, sont des *vecteurs libres*. Par conséquent leurs points d'application peuvent être quelconques, notamment le point *O*, origine du système de référence (Fig. A3.38*c*). Par ailleurs le vecteur couple $\mathbf{M}$ peut se décomposer suivant les axes de référence en $\mathbf{M}_x$, $\mathbf{M}_y$ et $\mathbf{M}_z$ (Fig. A3.38*d*) qui représentent des couples agissant respectivement dans les plans *yz*, *zx* et *xy*.

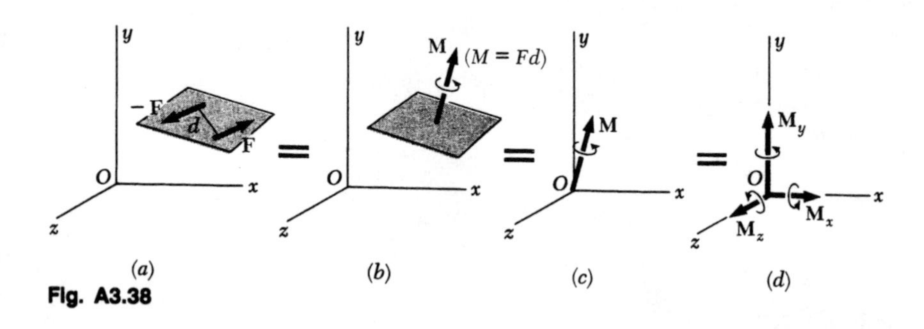

**Fig. A3.38**

**A3.15. Réduction d'une force quelconque à un système formé d'un couple et d'une force appliquée à un point donné.** Considérons une force **F** appliquée au point *A* d'un corps rigide, point qui est défini par le vecteur position **r** (Fig. A3.39*a*). Supposons que nous préférions avoir une force appliquée au point *O*. Nous savons que nous pouvons déplacer la force **F** le long de sa ligne d'action (principe du glissement); mais nous ne pouvons pas la déplacer au point *O*, situé en dehors de sa ligne d'action, sans modifier l'effet de **F** sur le corps rigide.

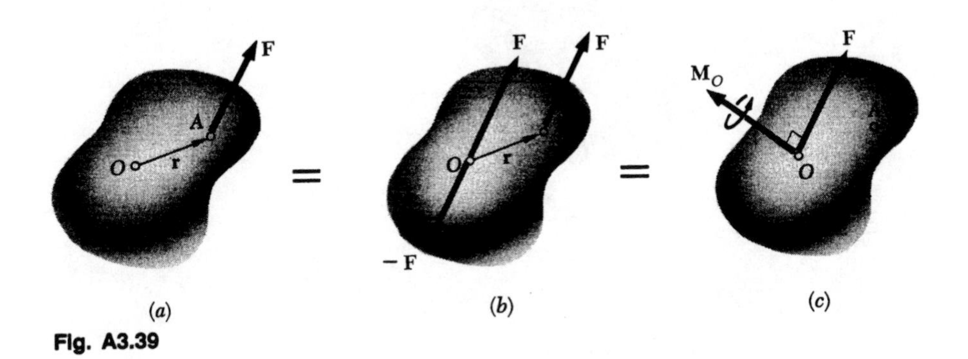


**Fig. A3.39**

Nous pouvons cependant appliquer deux forces au point *O*, une égale à **F** et une autre égale à −**F**, sans modifier l'effet de la force originale sur le corps rigide (Fig. A3.39*b*). Comme résultat de cette transformation, la force **F** est maintenant appliquée au point *O*, les deux autres forces **F** et −**F** forment un couple de moment $\mathbf{M}_O = \mathbf{r} \times \mathbf{F}$. De cette façon, *toute force* **F** *appliquée à un corps rigide peut se déplacer à un autre point du corps à condition qu'on lui ajoute un couple dont le moment est le moment par rapport au point O de* **F** *avant son déplacement.* Le couple va provoquer la même rotation autour du point *O* que celle provoquée par la force **F** avant son déplacement.

Le couple est représenté par le vecteur couple $\mathbf{M}_O$ perpendiculaire au plan contenant **r** et **F**. Puisque $\mathbf{M}_O$ est un vecteur libre, il peut être appliqué à n'importe quel point; cependant, par commodité, le vecteur couple est souvent attaché à l'origine *O* du système de référence, en même temps que la force **F**, et l'ensemble ainsi formé s'appelle un *système force-couple* (Fig. A3.39*c*).

Si la force **F** a été déplacée de *A* à un point différent *O′* (Fig. A3.40*a* et *c*), le moment $\mathbf{M}_{O'} = \mathbf{r}' \times \mathbf{F}$ de la force **F** par rapport au point *O′* devra être calculé et un autre système force-couple formé de la force **F** et du vecteur couple $\mathbf{M}_{O'}$, doit être attaché au point *O′*. La relation qui existe entre les moments de **F** par rapport aux points *O* et *O′* est donnée par

$$\mathbf{M}_{O'} = \mathbf{r}' \times \mathbf{F} = (\mathbf{r} + \mathbf{s}) \times \mathbf{F} = \mathbf{r} \times \mathbf{F} + \mathbf{s} \times \mathbf{F}$$

$$\mathbf{M}_{O'} = \mathbf{M}_O + \mathbf{s} \times \mathbf{F} \qquad \text{(A 3.51)}$$

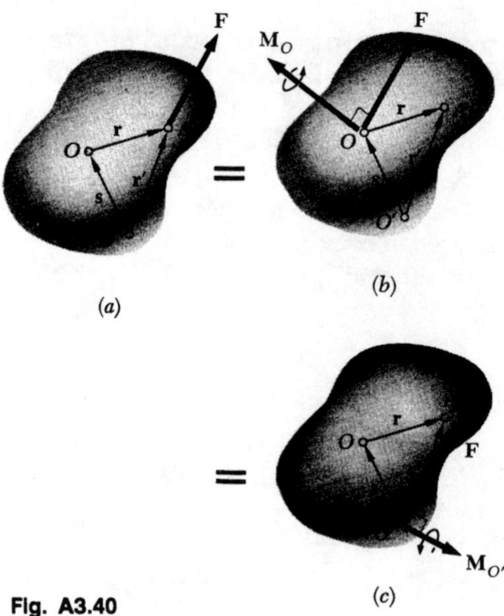


**Fig. A3.40**

où **s** est le vecteur $\overrightarrow{OO'}$. De cette façon, le moment $\mathbf{M}_{O'}$ de **F** par rapport au point $O'$ est obtenu en additionnant le moment $\mathbf{M}_O$ de **F** par rapport au point $O$ au vecteur $\mathbf{s} \times \mathbf{F}$ qui est le moment par rapport au point $O'$ de la force **F** appliquée au point $O$.

Ces conclusions auraient pu être émises en observant que pour déplacer au point $O'$ un système force-couple attaché au point $O$ (Fig. A3.40*b* et *c*), le vecteur couple $\mathbf{M}_O$ peut se déplacer librement vers le point $O'$, mais que pour déplacer la force **F** de $O$ à $O'$, il est nécessaire de joindre à **F** le vecteur couple $\mathbf{s} \times \mathbf{F}$ qui représente le moment par rapport au point $O'$ de la force **F** appliquée au point $O$. Ainsi le vecteur couple $\mathbf{M}_{O'}$ doit être la somme de $\mathbf{M}_O$ et $\mathbf{s} \times \mathbf{F}$.

Comme nous l'avons déjà écrit le système force-couple qu'on obtient en transférant la force **F** du point $A$ au point $O$, est formé d'une force **F** et d'un vecteur couple $\mathbf{M}_O = \mathbf{r} \times \mathbf{F}$ perpendiculaire à **F**. Réciproquement, tout système force-couple, formé d'une force **F** et d'un couple $\mathbf{M}_O$ qui sont perpendiculaires entre eux, peut être remplacé par une force équivalente. Ceci s'obtient en déplaçant la force **F** dans le plan perpendiculaire à $\mathbf{M}_O$ jusqu'à ce que le moment par rapport au point $O$ de la force **F** devienne égal au vecteur couple $\mathbf{M}_O$ qu'on veut éliminer.

## PROBLÈME RÉSOLU A3.6

Deux couples sont appliqués au bloc. Remplacez ces couples par un couple équivalent.

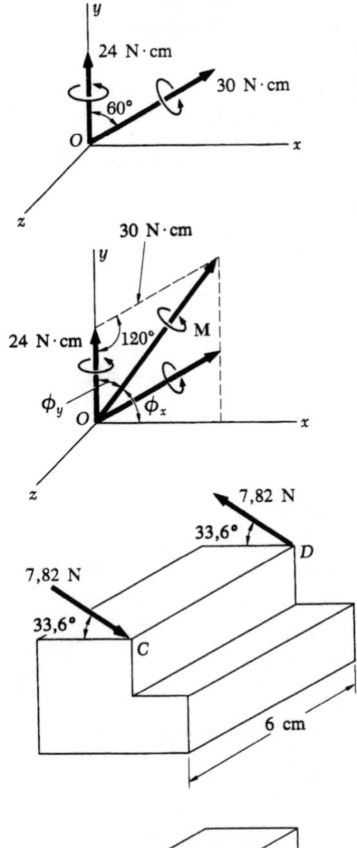


**Solution.** Chaque couple est représenté par un vecteur couple qui est perpendiculaire au plan du couple et dont la grandeur est égale au moment du couple. Le sens de chaque vecteur est obtenu par la règle de la main droite et, par commodité, les deux vecteurs couples sont attachés à l'origine du système de coordonnées.

Le couple unique, équivalant aux deux couples donnés, sera représenté par la résultante de ces deux vecteurs couples. La grandeur de la résultante du vecteur couple **M** est obtenue par la loi des cosinus.

$$M^2 = (24)^2 + (30)^2 - (2)(24)(30)\cos 120°$$
$$M = 46{,}9\ \text{N}\cdot\text{cm}$$

L'angle $\phi_y$ que le vecteur couple résultant forme avec la verticale est donné par la loi du sinus.

$$\frac{\sin \phi_y}{30\ \text{N}\cdot\text{cm}} = \frac{\sin 120°}{46{,}9\ \text{N}\cdot\text{cm}} \qquad \phi_y = 33{,}6°$$

L'angle que le vecteur couple forme avec $x$ est

$$\phi_x = 90° - 33{,}6° = 56{,}4°$$

et l'angle qu'il forme avec $z$ est $\phi_z = 90°$. Par conséquent, le vecteur couple **M** est défini par

$$M = 46{,}9\ \text{N}\cdot\text{cm} \qquad \phi_x = 56{,}4° \qquad \phi_y = 33{,}6° \qquad \phi_z = 90° \quad ◄$$

Le couple équivalant au système des deux couples de départ est un couple de grandeur $M = 46{,}9$ N·cm agissant dans un plan parallèle à l'axe $z$ et formant un angle de 33,6° avec le plan horizontal. Ce couple peut être formé de plusieurs manières, comme par exemple, par deux forces de 7,82 N appliquées aux coins $C$ et $D$ dans les directions indiquées, ou encore deux forces de 9,77 N, parallèles à l'axe $z$ et appliquées aux points $E$ et $F$ comme il est indiqué dans la figure.

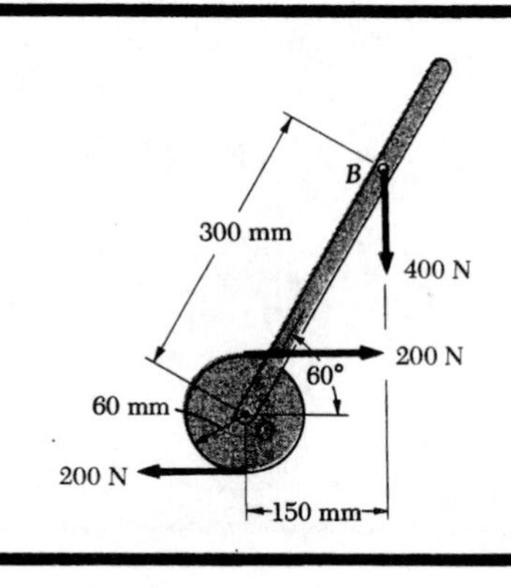


## PROBLÈME RÉSOLU A3.7

Remplacez le couple et la force illustrés ci-contre par une force équivalente appliquée au levier. Calculez la distance de l'axe au point d'application de cette force équivalente.

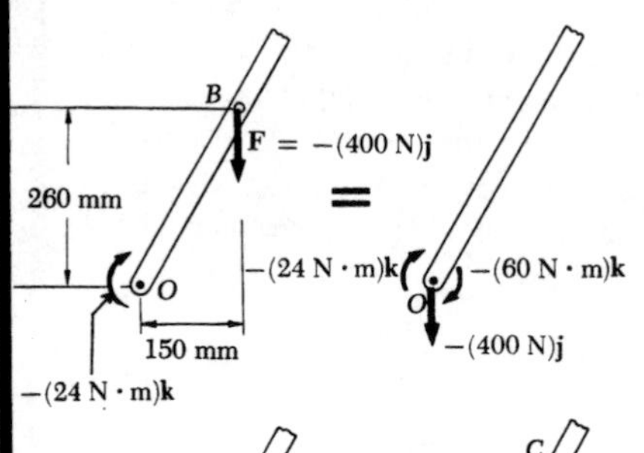


**Solution.** Remplaçons d'abord la force et le couple illustrés par un système équivalent force-couple appliqué au point $O$. Nous déplaçons alors la force $\mathbf{F} = -(400 \text{ N})\mathbf{j}$ au point $O$ et en même temps nous lui ajoutons un couple de moment $\mathbf{M}_O$ égal au moment, par rapport au point $O$, de la force dans sa position initiale.

$$\mathbf{M}_O = \overrightarrow{OB} \times \mathbf{F} = [(0{,}150 \text{ m})\mathbf{i} + (0{,}260 \text{ m})\mathbf{j}] \times (-400 \text{ N})\mathbf{j}$$
$$= -(60 \text{ N} \cdot \text{m})\mathbf{k}$$

Ce couple est additionné au couple de moment $-(24 \text{ N} \cdot \text{m})\mathbf{k}$ formé par les deux forces de 200 N et on obtient ainsi un couple de moment $-(84 \text{ N} \cdot \text{m})\mathbf{k}$. Ce dernier couple peut s'éliminer par l'application de $\mathbf{F}$ au point $C$ choisi de façon à ce que

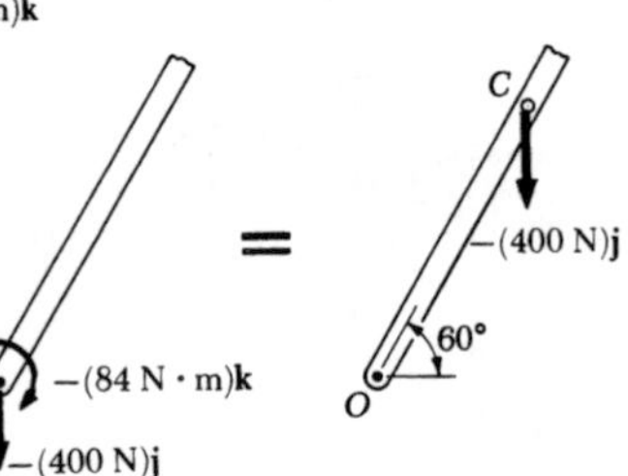


$$-(84 \text{ N} \cdot \text{m})\mathbf{k} = \overrightarrow{OC} \times \mathbf{F}$$
$$= [(OC) \cos 60° \mathbf{i} + (OC) \sin 60° \mathbf{j}] \times (-400 \text{ N})\mathbf{j}$$
$$= -(OC) \cos 60° (400 \text{ N})\mathbf{k}$$

Nous pouvons conclure que

$$(OC) \cos 60° = 0{,}210 \text{ m} = 210 \text{ mm} \qquad OC = 420 \text{ mm} \blacktriangleleft$$

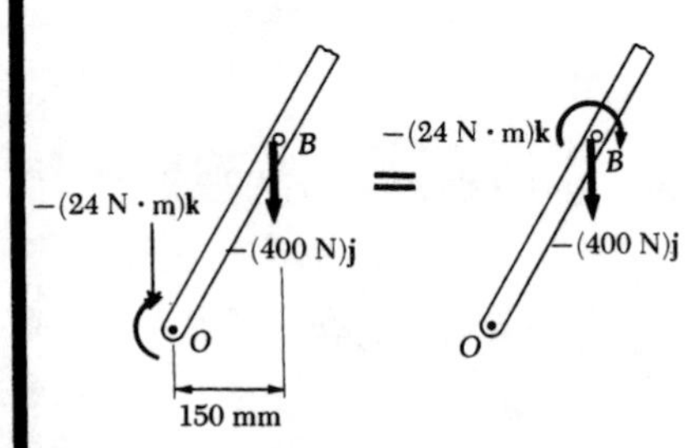


**Autre solution.** Puisque l'effet d'un couple ne dépend pas de sa position, le couple de moment $-(24 \text{ N} \cdot \text{m})\mathbf{k}$ peut se déplacer au point $B$; nous obtenons alors un système force-couple appliqué au point $B$. Ce couple peut alors être éliminé en appliquant $\mathbf{F}$ à un autre point $C$, choisi de façon à ce que

$$-(24 \text{ N} \cdot \text{m})\mathbf{k} = BC \times \mathbf{F}$$
$$= -(BC) \cos 60° (400 \text{ N})\mathbf{k}$$

Nous pouvons conclure que

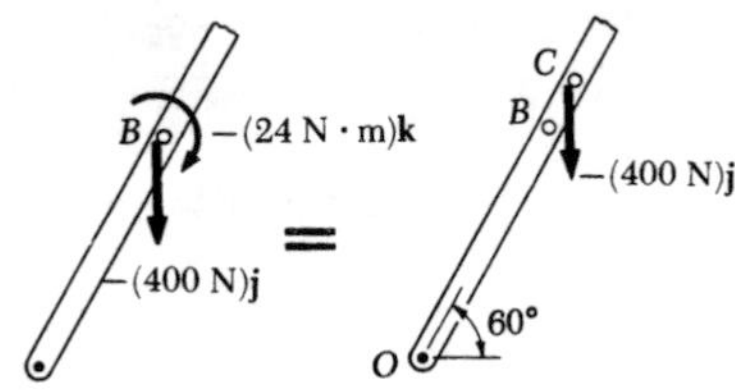


$$(BC) \cos 60° = 0{,}060 \text{ m} = 60 \text{ mm} \qquad BC = 120 \text{ mm}$$
$$OC = OB + BC = 300 \text{ mm} + 120 \text{ mm} \qquad OC = 420 \text{ mm} \blacktriangleleft$$

## PROBLÈMES SUPPLÉMENTAIRES

**A3.49** Nous appliquons deux couples à une plaque de 120 x 160 mm. Sachant que $P_1 = P_2 = 150$ N et $Q_1 = Q_2 = 200$ N, prouvez que leur somme est nulle : *a*) par l'addition de leurs moments, *b*) en composant $\mathbf{P}_1$ et $\mathbf{Q}_1$ dans une résultante $\mathbf{R}_1$, composant $\mathbf{P}_2$ et $\mathbf{Q}_2$ dans une résultante $\mathbf{R}_2$ et en montrant que $\mathbf{R}_1$ et $\mathbf{R}_2$ sont égales et opposées et ont la même ligne d'action.

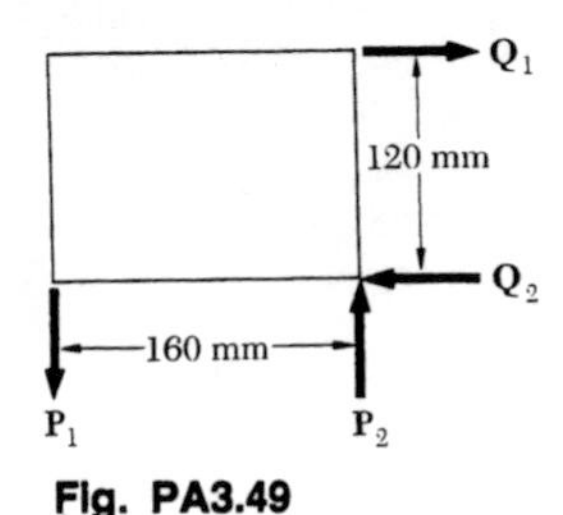

**Fig. PA3.49**

**A3.50** Un couple formé par deux forces de 975 N est appliqué aux deux poulies de l'ensemble illustrée ci-dessous. Calculez un couple équivalent formé par : *a*) deux forces verticales appliquées en *A* et *C*, *b*) les plus petites forces possibles appliquées en *B* et *D*, *c*) les plus petites forces possibles appliquées à l'ensemble.

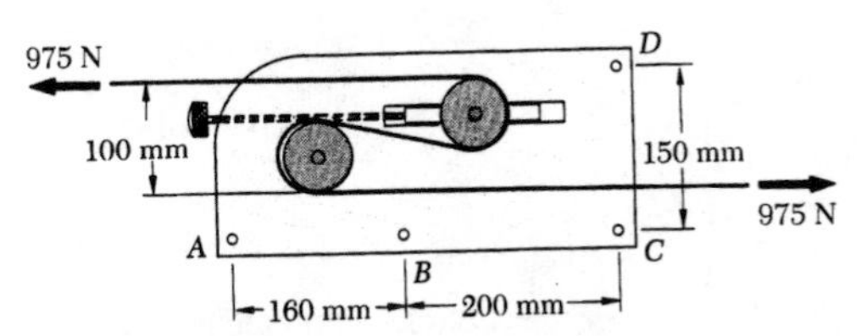

**Fig. PA3.50**

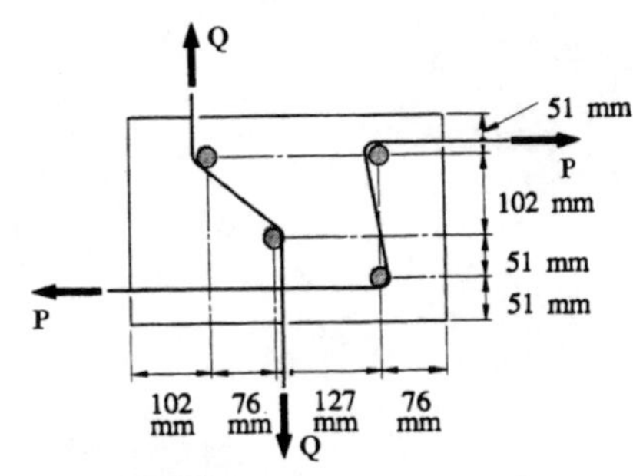

**Fig. PA3.51**

**A3.51** Quatre chevilles de 2,54 cm de diamètre sont attachées à une planche. Deux cordes passent autour des chevilles et sont tirées par des forces de grandeur $P = 98$ N et $Q = 156$ N. Calculez le couple résultant agissant sur l'ensemble.

**A3.52** Une foreuse à tête multiple est utilisé pour forer simultanément six trous dans une plaque d'acier. Chaque mèche exerce, dans le sens des aiguilles d'une montre, un couple de grandeur 4,5 N · m. Calculez le couple équivalent formé par les plus petites forces appliquées : *a*) aux points *A* et *C*, b) aux points *A* et *D*, *c*) sur la plaque.

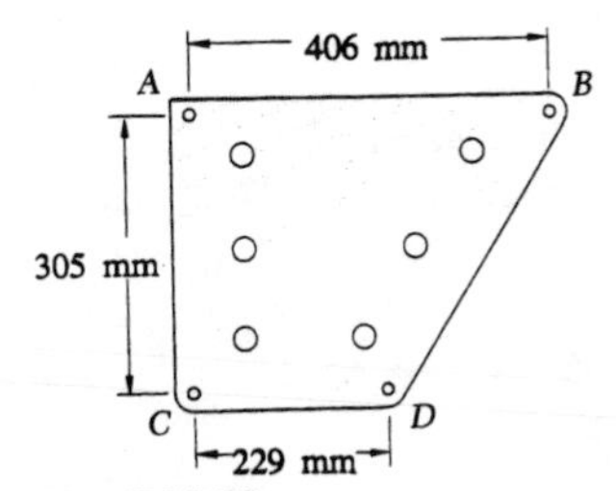

**Fig. PA3.52**

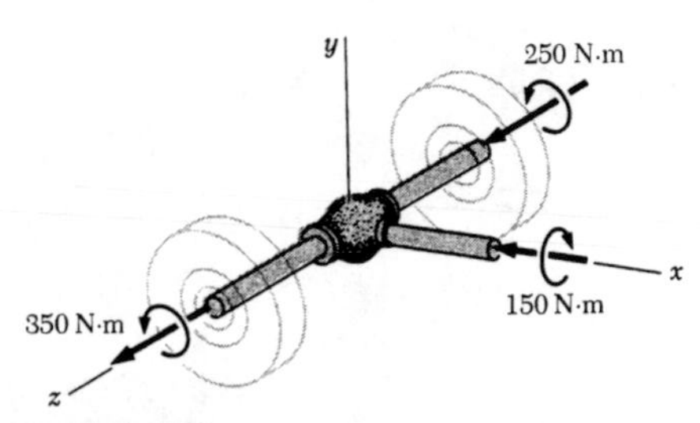

**Fig. PA3.53**

**A3.53** L'essieu arrière et l'arbre de transmission d'une automobile sont actionnés par trois couples. Remplacez ces trois couples par un couple unique équivalent.

**A3.54** Calculez les composantes du couple équivalant aux deux couples appliqués à l'ensemble illustré ci-dessous. Vérifiez le résultat obtenu en additionnant les moments de chaque force par rapport aux axes de référence.

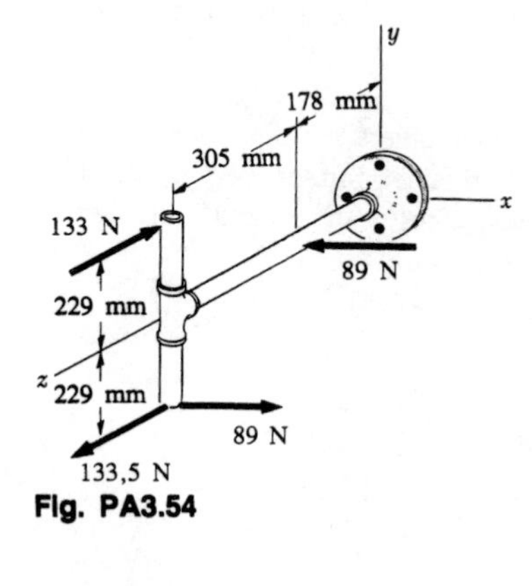


**Fig. PA3.54**

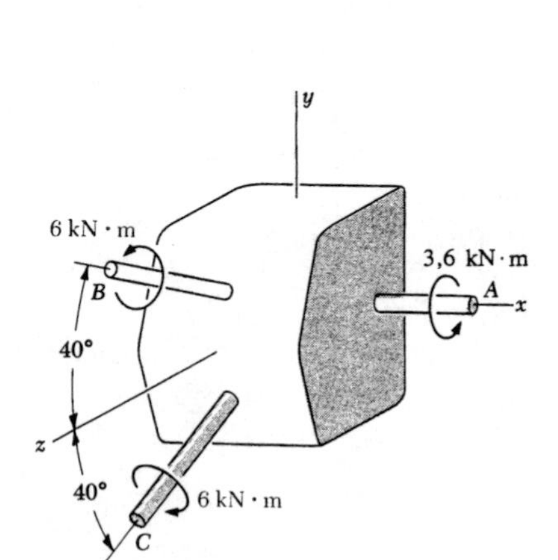


**Fig. PA3.55**

**A3.55** Les vecteurs couples $\mathbf{M}_1$ et $\mathbf{M}_2$ représentent des couples contenus respectivement dans les plans *ABC* et *ACD*. Calculez le couple équivalant aux couples appliqués, en supposant que $M_1 = M_2 = M$.

**A3.56** Les trois arbres d'une boîte de vitesses sont soumis aux couples indiqués. L'arbre *A* est horizontal et les autres se trouvent sur le plan vertical *xy*. Calculez les composantes du couple résultant appliqué à la boîte de vitesses.



**Fig. PA3.56**

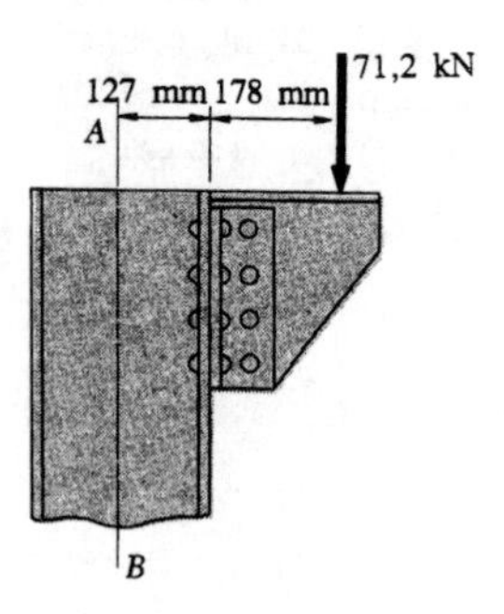


**Fig. PA3.57**

**A3.57** Une colonne supporte une charge de 71,2 kN. Réduisez cette force à un système force-couple appliqué le long de *AB*.

**A3.58** Une force de 400 N est utilisée pour plier la pièce illustrée par la figure ci-contre. Calculez un système force-couple équivalent appliqué : *a*) au point *A*, *b*) au point *B*.

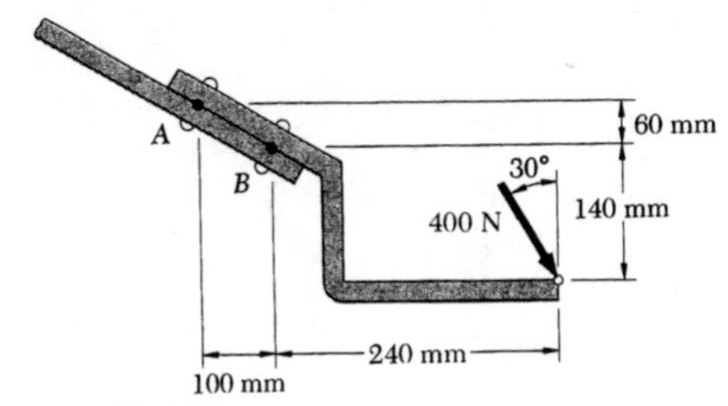

**Fig. PA3.58**

**A3.59** Sachant que $\alpha = 60°$, remplacez la force et le couple indiqués par une force unique appliquée à un point appartenant : *a*) au segment de droite *AB*, *b*) au segment de droite *CD*. Dans chaque cas, calculez la distance du centre *O* au point d'application de la force.

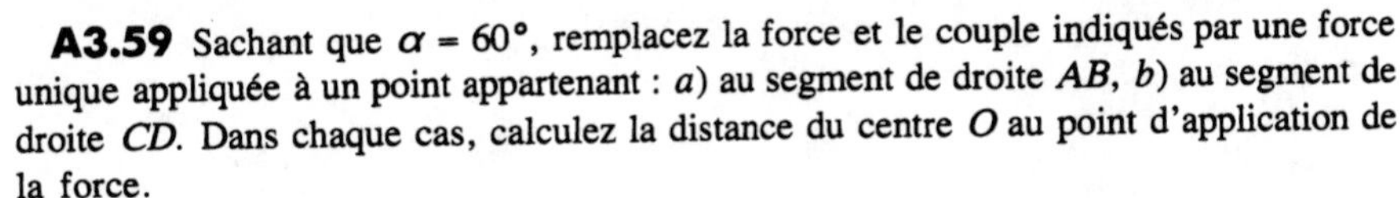

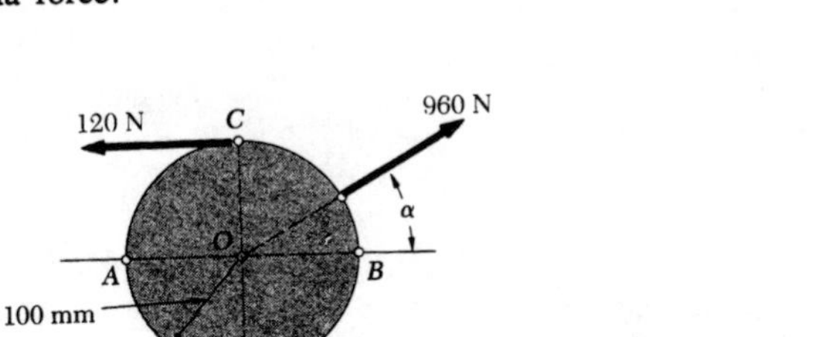

**Fig. PA3.59 et PA3.60**

**A3.60** La force et le couple indiqués doivent être remplacés par une force unique. Calculez la valeur de $\alpha$ pour que la ligne d'action de la force unique passe par le point *B*.

**A3.61** Une force de 222 N est appliquée à la cornière. Calculez : *a*) un système force-couple équivalent appliqué au point *A*, *b*) deux forces horizontales appliquées en *A* et *B*, formant un couple équivalant au système trouvé en (*a*).

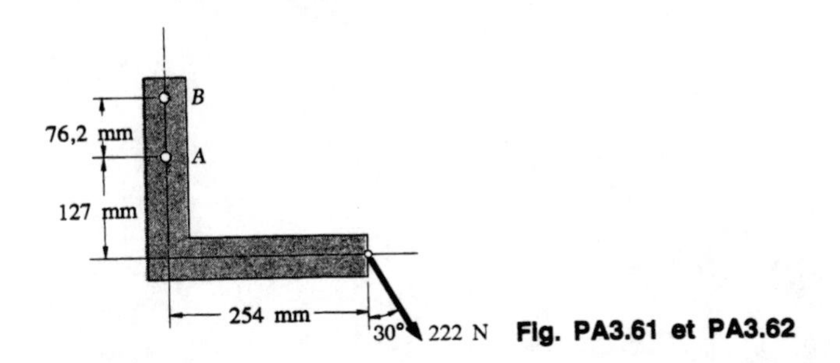

**Fig. PA3.61 et PA3.62**

**A3.62** Une force de 222 N est appliquée à la cornière. Calculez : *a*) un système force-couple équivalent appliqué au point *B*, *b*) deux forces horizontales appliquées en *A* et *B* qui forment un couple équivalant au système trouvé en (*a*).

**A3.63** Une force **P** de grandeur 300 N est appliquée à la poignée d'un levier suivant une direction perpendiculaire à l'axe de celui-ci ($\beta = 0$). En supposant que $\alpha = 0$, remplacez **P** par : *a*) un système force-couple équivalent appliqué en *B*, *b*) un système équivalent formé de deux forces parallèles appliquées en *B* et en *C*.

**A3.64** Remplacez la force **P** par un système équivalent formé par deux forces parallèles appliquées en *B* et *C*. Montrez que : *a*) ces forces sont parallèles à la force **P**, *b*) la grandeur de ces forces est indépendante de $\alpha$ et $\beta$.

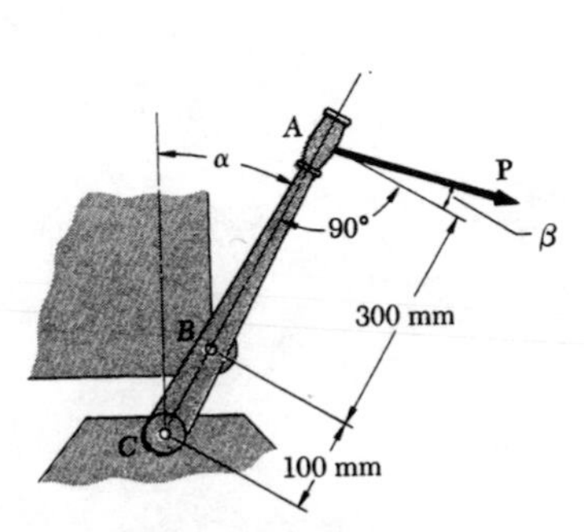

**Fig. PA3.63 et PA3.64**

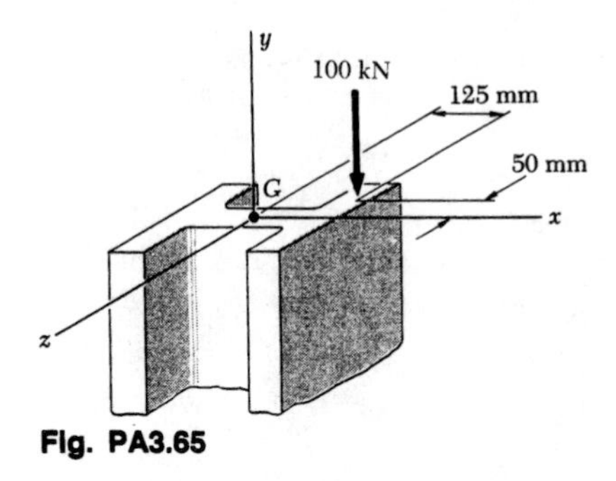

Fig. PA3.65

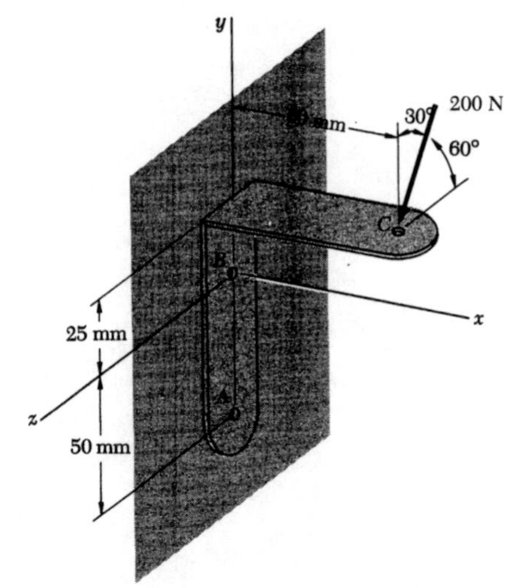

Fig. PA3.66

**A3.65** Une charge de 100 kN est appliquée excentriquement sur une colonne. Calculez les composantes de la force et le couple appliqués au point *G*, qui forment un système équivalant à la charge de 100 kN.

**A3.66** Une force de 200 N est appliquée sur le support *ABC*. Calculez les composantes de la force et le couple, appliqués au point *A*, qui forment un système équivalant à cette force.

**A3.67** Une section d'un mur en béton préfabriqué est provisoirement soutenue par des câbles. L'effort de tension dans le câble *AB* est de 3110 N. Remplacez la force exercée au point *A* de la section du mur par un système force-couple appliqué : *a*) à l'origine des coordonnées *O*, *b*) au point *E*.

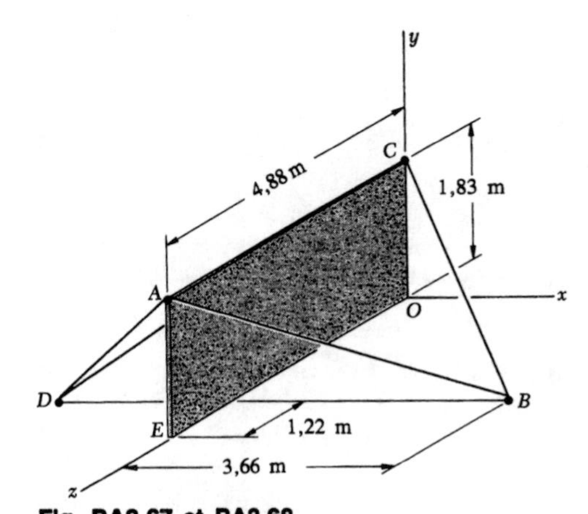

Fig. PA3.67 et PA3.68

**A3.68** L'effort de tension dans le câble *BC* (probl. A3.67) est de 4000 N. Remplacez la force exercée au point *C* de la section du mur par un système force-couple appliqué : *a*) à l'origine des coordonnées *O*, *b*) au point *E*.

**A3.69** Cinq systèmes force-couple sont appliqués à cinq coins d'une caisse rectangulaire. Déterminez deux systèmes force-couple équivalant à ces cinq systèmes.

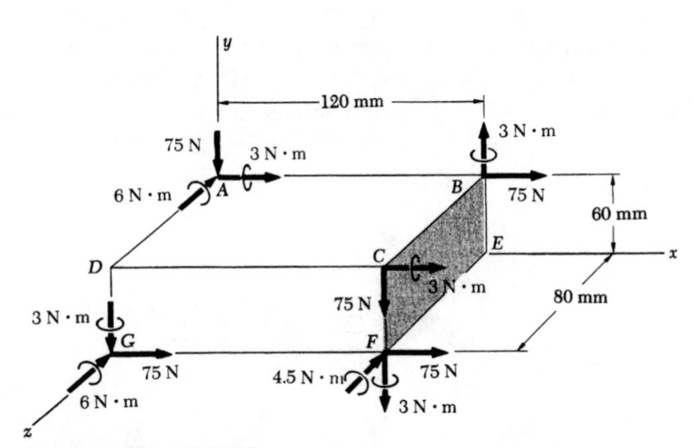


**Fig. PA3.69 et PA3.70**

**A3.70** Calculez lequel des systèmes force-couple indiqués est équivalent au système force-couple appliqué au point $O$ et formé par une force $\mathbf{F} = -(75\text{ N})\mathbf{j}$ et par un vecteur couple $\mathbf{M}_O = (9\text{ N}\cdot\text{m})\mathbf{i} - (9\text{ N}\cdot\text{m})\mathbf{k}$.

**A3.71** Calculez la valeur de $a$ pour laquelle le système force-couple indiqué peut être remplacé par une résultante unique. Si $F = 180$ N et $M = 22{,}6$ N · m, calculez le point où la ligne d'action de la résultante équivalente intercepte le plan $yz$.

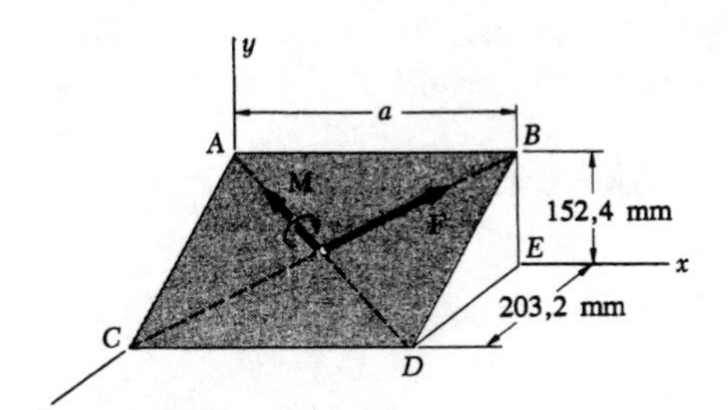


**Fig. PA3.71 et PA3.72**

**A3.72** Une force **F** de grandeur 180 N et un couple de 22,6 N · m sont appliqués tel qu'illustré. Sachant que $a$ = 30,5 cm, calculez le système force-couple équivalent appliqué au point $E$.

**A3.16. Réduction d'un système de forces à une résultante et à un couple.** Considérons un ensemble de forces quelconque $\mathbf{F}_1$, $\mathbf{F}_2$, $\mathbf{F}_3$, etc., appliquées aux points $A_1$, $A_2$, $A_3$, etc., d'un corps rigide. Appelons $\mathbf{r}_1$, $\mathbf{r}_2$, $\mathbf{r}_3$, etc., les vecteurs position de ces points (Fig. A3.41*a*). Comme nous l'avons vu dans la section précédente, la force $\mathbf{F}_1$ peut être transportée de $A_1$ à un point quelconque $O$, pourvu qu'on lui adjoigne un couple de moment $\mathbf{M}_1$ égal au moment original ($\mathbf{r}_1 \times \mathbf{F}_1$) de $\mathbf{F}_1$ par rapport au nouveau point $O$. En appliquant successivement ce théorème aux forces $\mathbf{F}_2$, $\mathbf{F}_3$, etc., nous obtenons un système, illustré à la fig. A3.41*b*, formé d'un ensemble de forces appliquées au point $O$ et d'un ensemble de couples.

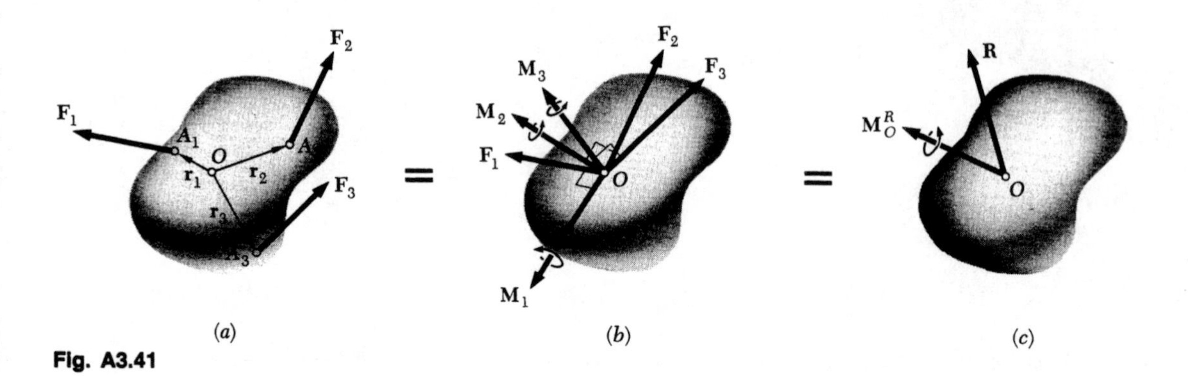

**Fig. A3.41**

Puisque les forces sont maintenant concourantes, nous pouvons les composer vectoriellement dans une résultante $\mathbf{R}$. De la même façon, l'ensemble de couples $\mathbf{M}_1$, $\mathbf{M}_2$, $\mathbf{M}_3$, etc., peut être composé dans un couple unique représenté par le vecteur couple $\mathbf{M}_O^R$. Nous pouvons conclure que tout système de forces, quelle que soit sa complexité, peut de cette façon être réduit à un système *force-couple équivalent appliqué à un point quelconque O* (Fig. A3.41*c*). Remarquons cependant que même si chacun des vecteurs couples $\mathbf{M}_1$, $\mathbf{M}_2$, $\mathbf{M}_3$, etc. (Fig. A3.41*b*), est perpendiculaire à la force correspondante, la résultante $\mathbf{R}$ et le vecteur couple résultant $\mathbf{M}_O^R$ ne sont pas perpendiculaires.

Le système force-couple équivalent est donc défini par les équations

$$\mathbf{R} = \Sigma\mathbf{F} \qquad \mathbf{M}_O^R = \Sigma\mathbf{M}_O = \Sigma(\mathbf{r} \times \mathbf{F}) \tag{A 3.52}$$

qui expriment que la force $\mathbf{R}$ est obtenue par l'addition de toutes les forces du système, tandis que le moment $\mathbf{M}_O^R$ du couple, appelé aussi *moment résultant du système*, est obtenu par l'addition des moments de toutes les forces du système par rapport au point $O$.

Lorsqu'un système de forces est réduit à un système force-couple équivalent appliqué au point $O$, il est facile de le réduire à un autre point $O'$. En effet la résultante $\mathbf{R}$ du nouveau système reste la même mais le nouveau vecteur couple $\mathbf{M}_{O'}^R$, sera donné par l'addition du vecteur couple précédent $\mathbf{M}_O^R$ et du moment par rapport au point $O'$ de la résultante **R** attachée au point $O$ (Fig. A3.42). Nous aurons

$$\mathbf{M}_{O'}^{R} = \mathbf{M}_{O}^{R} + \mathbf{s} \times \mathbf{R} \qquad \text{(A 3.53)}$$

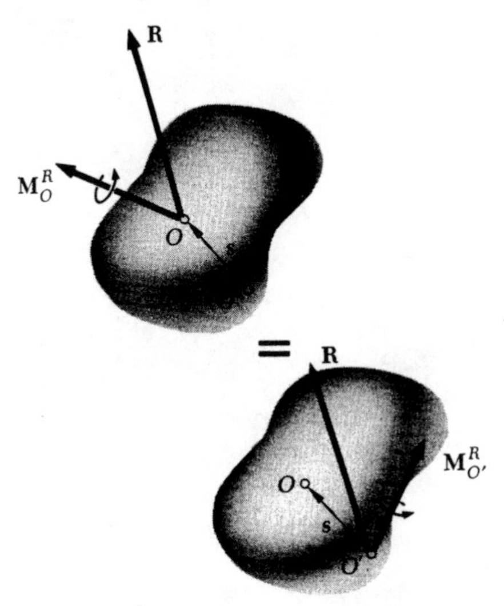


**Fig. A3.42**

Dans la pratique, les opérations de réduction d'un système force-couple équivalent se font analytiquement, en décomposant les vecteurs positions **r** de chaque force **F** suivant les axes **i**, **j**, **k**. Nous aurons alors

$$\mathbf{r} = x\mathbf{i} + y\mathbf{j} + z\mathbf{k} \qquad \text{(A 3.54)}$$
$$\mathbf{F} = F_x\mathbf{i} + F_y\mathbf{j} + F_z\mathbf{k} \qquad \text{(A 3.55)}$$

Substituant **r** et **F** dans les équations (A 3.52) et en composant en fonction de **i**, **j** et **k**, nous obtenons **R** et $\mathbf{M}_O^R$ sous la forme

$$\mathbf{R} = R_x\mathbf{i} + R_y\mathbf{j} + R_z\mathbf{k} \qquad \mathbf{M}_O^R = M_x^R\mathbf{i} + M_y^R\mathbf{j} + M_z^R\mathbf{k} \quad \text{(A 3.56)}$$

Les composantes $R_x$, $R_y$ et $R_z$ représentent respectivement la somme des composantes $x$, $y$ et $z$ des forces du système donné et physiquement, elles mesurent la capacité de ce système à imprimer un mouvement de translation le long des axes $x$, $y$ et $z$.
De la même façon, les composantes $M_x^R$, $M_y^R$, $M_z^R$ représentent respectivement la somme des moments des forces données par rapport aux axes $xyz$ et mesurent la capacité du système à faire tourner le corps autour de ces mêmes axes.

La grandeur et la direction de la résultante **R** peuvent se calculer à partir des composantes $R_x$, $R_y$ *et* $R_z$ en utilisant les relations (2.14) et (2.15) de la section 2.11 : des opérations semblables nous donneront la grandeur et la direction du vecteur couple $\mathbf{M}_O^R$.

**A3.17. Systèmes de forces équivalents.** Nous avons vu dans la section précédente que tout système de forces peut se réduire à un système force-couple équivalent appliqué à un point quelconque $O$. Ce système force-couple équivalent produit les mêmes effets sur le corps rigide que le système initial. Nous pouvons alors affirmer que deux systèmes de forces sont équivalents *s'ils peuvent être réduits au même système force-couple appliqué à un point quelconque O.* Si nous nous rappelons que le système de réduction au point $O$ est défini par les éq. (A 3.52), nous énoncerons que *les conditions nécessaires et suffisantes pour que deux systèmes de forces* $\mathbf{F}_1$, $\mathbf{F}_2$, $\mathbf{F}_3$, *etc. et* $\mathbf{F}_1'$, $\mathbf{F}_2'$, $\mathbf{F}_3'$, *etc. soient équivalents, sont qu'ils possèdent la même résultante* **R** *et le même moment résultant* **M** *par rapport à un point quelconque O.* Ces conditions s'expriment mathématiquement par

$$\Sigma \mathbf{F} = \Sigma \mathbf{F}' \text{ et } \Sigma \mathbf{M}_O = \Sigma \mathbf{M}'_O \qquad \text{(A 3.57)}$$

Notons que pour démontrer que deux systèmes sont équivalents, la deuxième des relations (A 3.57) doit être prouvée par rapport à un *seul point O*: si les deux systèmes sont équivalents, elle sera vraie pour *n'importe quel point.*

Si nous décomposons les relations (A 3.57) suivant les axes de référence, nous pouvons exprimer les conditions nécessaires et suffisantes d'équivalence de deux systèmes par les relations :

$$\begin{array}{lll} \Sigma F_x = \Sigma F'_x & \Sigma F_y = \Sigma F'_y & \Sigma F_z = \Sigma F'_z \\ \Sigma M_x = \Sigma M'_x & \Sigma M_y = \Sigma M'_y & \Sigma M_z = \Sigma M'_z \end{array} \qquad \text{(A 3.58)}$$

Ces équations ont une signification physique simple. Elles expriment que deux systèmes de forces sont équivalents s'ils ont tendance à imprimer au corps rigide : 1) la même translation suivant les axes $x$, $y$ et $z$, 2) la même rotation autour de ces axes.

**A3.18. Systèmes équipollents.** Quand deux systèmes de vecteurs satisfont aux relations (A 3.57) et (A 3.58), c'est-à-dire quand leur résultante et leur moment résultant autour d'un point arbitraire sont respectivement égaux, les deux systèmes sont dits *équipollents.* La conclusion de la section précédente peut s'énoncer ainsi : *si deux systèmes de forces agissant sur un corps rigide sont équipollents, alors ils sont aussi équivalents.*

Il est important de faire remarquer que cette affirmation ne s'applique pas aux corps déformables. En effet, deux systèmes de forces appliqués à ces corps peuvent être équipollents, c'est-à-dire posséder des résultantes et des moments résultants identiques, et cependant, puisqu'ils agissent sur des parties différentes du corps, produire des effets différents : *il ne sont donc pas équivalents.*

En résumé, nous pouvons affirmer que deux systèmes équipollents appliqués *à un corps rigide sont équivalents.* De façon identique, deux systèmes équipollents de vecteurs glissants (voir section A3.2) sont aussi équivalents. Cependant les autres systèmes équipollents de vecteurs ne seront pas en général équivalents.

**A3.19. Cas particuliers de la réduction d'un système de forces.** Nous avons vu, à la section A3.16, que tout système de forces appliqué à un corps rigide peut être réduit à un système force-couple équivalent appliqué à un point quelconque $O$ et que ce système est composé d'une résultante $\mathbf{R}$, somme vectorielle de toutes les forces du système, et d'un vecteur couple $\mathbf{M}_O^R$ égal au moment résultant du système.

Lorsque $\mathbf{R} = 0$, le système force-couple se réduit au vecteur couple $\mathbf{M}_O^R$. Le système de forces donné peut alors être réduit à un simple couple, appelé le *couple résultant* du système.

Recherchons maintenant les conditions pour qu'un système de forces se réduise à une résultante seule. Il résulte, de la section A3.15, que le système force-couple appliqué au point $O$ peut être remplacé par une force unique $\mathbf{R}$ ayant une nouvelle ligne d'action si $\mathbf{R}$ et $\mathbf{M}_O^R$ sont perpendiculaires entre eux. Les systèmes de forces qui peuvent se réduire à une force unique seront donc ceux où la résultante $\mathbf{R}$ et le vecteur couple $\mathbf{M}_O^R$ sont perpendiculaires entre eux. Malgré le fait que cette condition de perpendicularité *ne soit pas vérifiée généralement* pour les systèmes de forces de l'espace, elle *le sera cependant* si ces systèmes sont composés de : 1) forces concourantes, 2) forces coplanaires, 3) forces parallèles. Voyons chaque cas en particulier.

1. Si les forces du système sont *concourantes*, elles ont alors le même point d'application et peuvent être composées vectoriellement dans une résultante $\mathbf{R}$. Le moment des forces est donc nul et le système se réduit à cette simple résultante. Les forces concourantes ont été étudiées en détail au chap. 2.
2. Si les forces sont *coplanaires*, par exemple, si toutes les forces appartiennent au plan de la figure (Fig. A3.43*a*), leur résultante $\mathbf{R}$ appartiendra au même plan, tandis que le moment de chaque force et par conséquent le moment résultant $\mathbf{M}_O^R$ par rapport au point $O$, sera perpendiculaire au plan de la figure. Le système force-couple appliqué au point $O$ est formé d'une force $\mathbf{R}$ et d'un vecteur couple $\mathbf{M}_O^R$ qui sont perpendiculaires entre eux (Fig. A3.43*b*)†. Ils peuvent être réduits à une force unique $\mathbf{R}$ en déplaçant $\mathbf{R}$ dans le plan de la figure jusqu'à ce que son moment par rapport au point $O$ soit égal à $\mathbf{M}_O^R$. La distance du point $O$ à la nouvelle ligne d'action de $\mathbf{R}$ est donnée par la relation $d = M_O^R/R$ (Fig. A3.43*c*).

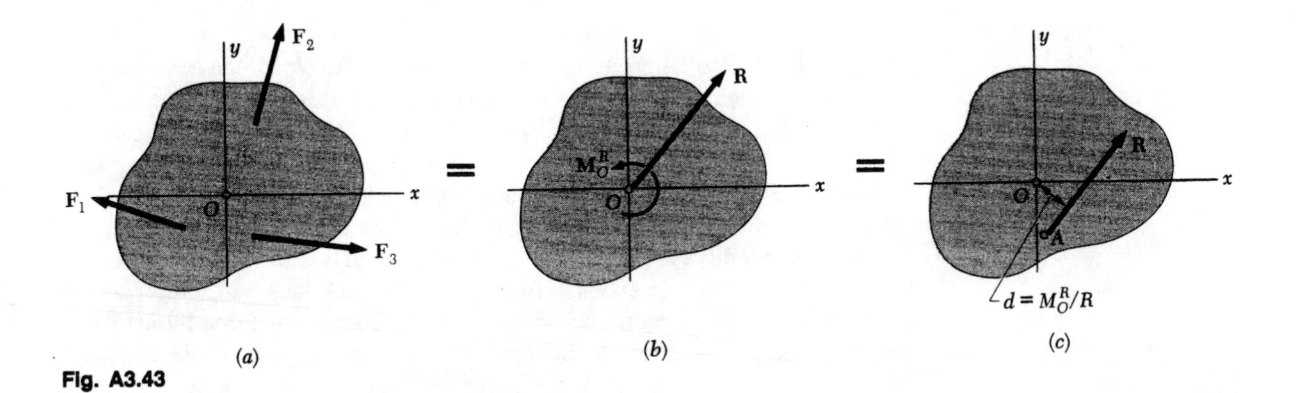


**Fig. A3.43**

† Puisque le vecteur couple $\mathbf{M}_O^R$ est perpendiculaire au plan de la figure, il a été représenté par le symbole ↺. Un couple positif ↺ correspond à un vecteur *sortant de la feuille* tandis qu'un couple négatif ↻ correspond à un vecteur *pénétrant dans la feuille*.

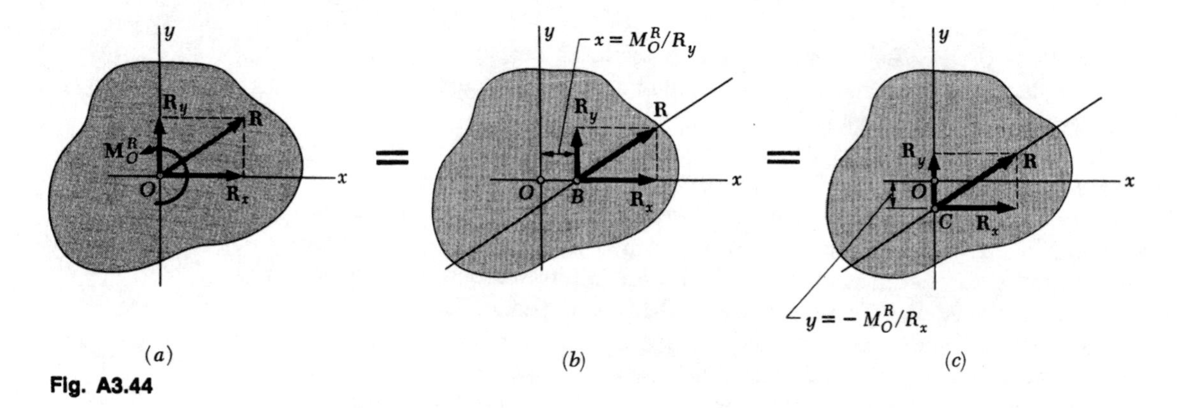


**Fig. A3.44**

Comme il a été vu à la section A3.16, les opérations de réduction d'un système de forces sont considérablement simplifiées si les forces sont remplacées par leurs composantes (Fig. A3.44*a*)

$$R_x = \Sigma F_x \qquad R_y = \Sigma F_y \qquad M_z^R = M_O^R = \Sigma M_O \qquad \text{(A 3.59)}$$

Pour pouvoir réduire un système de forces à une force unique **R**, le moment de **R** par rapport au point $O$ doit être égal à $\mathbf{M}_O^R$. Si $x$ et $y$ sont les coordonnées du point d'application $A$ de la résultante **R** et si on se sert de la relation (A 3.22), nous pouvons écrire

$$xR_y - yR_x = M_O^R$$

qui, en fait, est l'équation de la ligne d'action de **R**. Nous pouvons aussi déterminer directement les points d'intersection des axes $x$, $y$ et de la ligne d'action de **R**, en remarquant que $\mathbf{M}_O^R$ doit être égal au moment par rapport au point $O$ de la composante $y$ de **R**, lorsque celle-ci est attachée au point $B$ (Fig. A3.44*b*), et au moment par rapport au même point de la composante $x$ de **R**, lorsque celle-ci est attachée au point $C$ (Fig. A3.44*c*).

3. Si les forces du système sont *parallèles*, par exemple, à l'axe $y$ (Fig. A3.45*a*), nous pouvons affirmer que leur résultante **R** sera encore parallèle à cet axe. D'autre part, puisque le moment d'une force lui est par définition perpendiculaire, le moment par rapport au point $O$ de chaque force du système et, par conséquent, leur moment résultant $\mathbf{M}_O^R$ se trouvent encore dans le plan $zx$. Le système force-couple équivalent appliqué au point $O$ est formé alors par une force **R** et un vecteur couple $\mathbf{M}_O^R$ qui sont perpendiculaires entre eux (Fig. A3.45*b*) : il peut donc être réduit à une force unique **R** (Fig. A3.45*c*) ou, si **R** = 0, à un couple de moment $\mathbf{M}_O^R$.

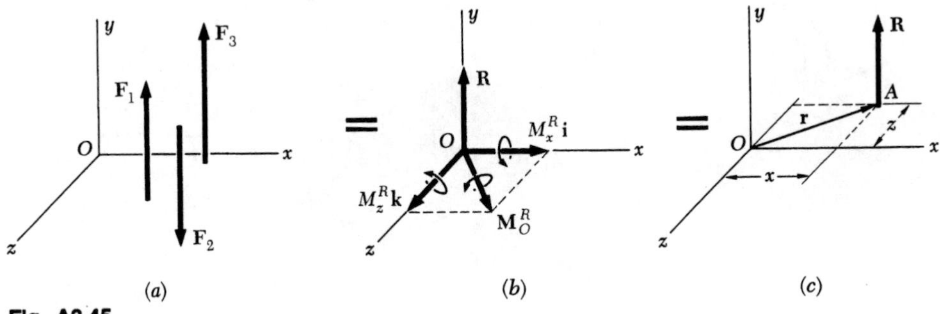


**Fig. A3.45**

Pratiquement, le système force-couple appliqué au point $O$ sera caractérisé par ses composantes

$$R_y = \Sigma F_y \qquad M_x^R = \Sigma M_x \qquad M_z^R = \Sigma M_z \qquad \text{(A 3.60)}$$

La réduction du système à une force unique peut se faire en transportant **R** à un nouveau point d'application $A(x, \mathrm{O}, z)$ choisi de telle façon que le moment de **R** par rapport au point $O$ est égal à $\mathbf{M}_O^R$ .

Nous écrirons

$$\mathbf{r} \times \mathbf{R} = \mathbf{M}_O^R$$
$$(x\mathbf{i} + z\mathbf{k}) \times R_y\mathbf{j} = M_x^R\mathbf{i} + M_z^R\mathbf{k}$$

En calculant le produit vectoriel et en égalant les deux équations membre à membre, nous obtenons les équations algébriques qui nous donnent les coordonnées du point $A$ :

$$-zR_y = M_x^R \qquad xR_y = M_z^R$$

Ces équations nous disent que les moments de **R** par rapport à $x$ et à $z$ doivent être respectivement égaux à $\mathbf{M}_x^R$ et $\mathbf{M}_z^R$ .

*Dans le cas général* d'un système de forces de l'espace, le système force-couple équivalent appliqué au point $O$ est formé d'une force **R** et d'un couple $\mathbf{M}_O^R$ qui ne sont ni perpendiculaires entre eux ni nuls (Fig. A3.45*a*). Alors le système de forces *ne peut être* réduit ni à une simple force, ni à un couple unique. Le vecteur couple cependant peut être remplacé par deux autres vecteurs couples obtenus en décomposant $\mathbf{M}_O^R$ (Fig. A3.46) en une composante

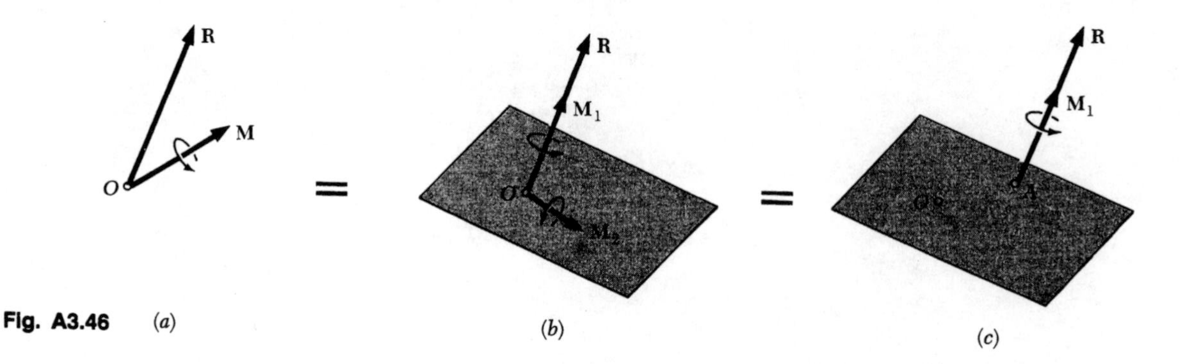


**Fig. A3.46** (*a*) (*b*) (*c*)

$\mathbf{M}_1$ le long de la ligne d'action de **R** et en une autre composante $\mathbf{M}_2$ contenue dans un plan perpendiculaire à **R** (Fig. A3.46*b*). Le vecteur couple $\mathbf{M}_2$ et la force **R** peuvent à leur tour être remplacés par la force **R** uniquement, agissant sur une nouvelle ligne d'action. Le système de forces original se réduit alors à une force **R** et à un vecteur couple $\mathbf{M}_1$ (Fig. A3.46*c*), c'est-à-dire à une résultante **R** et à un couple contenu dans un plan perpendiculaire à **R**. Ce système force-couple particulier est appelé *torseur*. La ligne d'action de **R** constitue l'axe du torseur et le rapport $M_1/R$ est appelé le *pas du torseur*.

En utilisant la définition du produit scalaire et les expression (A 3.35), on peut déduire que

$$M_1 = \frac{\mathbf{R} \cdot \mathbf{M}_O^R}{R} \qquad \text{(A 3.61)}$$

et alors†

$$\text{le pas} = \frac{M_1}{R} = \frac{\mathbf{R} \cdot \mathbf{M}_O^R}{R^2} \qquad \text{(A 3.62)}$$

Un cas particulier de réduction d'un système de forces à un système force-couple est celui où la résultante **R** et le vecteur couple $\mathbf{M}_O^R$ sont nuls. Le système de forces est alors dit *équivalent à zéro*. Un tel système n'a pas d'effet sur le corps rigide où il est appliqué et le corps est alors dit *en équilibre*. Nous traiterons ce cas en particulier au chapitre suivant.

† Les expressions obtenues pour la projection du vecteur couple sur la ligne d'action de **R** et pour le pas du torseur sont indépendantes du choix du point $O$. À l'aide de l'expression (A 3.53), nous vérifions que, si on avait choisi un autre point $O'$, le numérateur de (A 3.61) et (A 3.62) serait alors

$$\mathbf{R} \cdot \mathbf{M}_{O'}^R = \mathbf{R} \cdot (\mathbf{M}_O^R + \mathbf{s} \times \mathbf{R}) = \mathbf{R} \cdot \mathbf{M}_O^R + \mathbf{R} \cdot (\mathbf{s} \times \mathbf{R})$$

Puisque le triple produit $\mathbf{R} \cdot (\mathbf{s} \times \mathbf{R})$ est aussi nul, nous avons

$$\mathbf{R} \cdot \mathbf{M}_{O'}^R = \mathbf{R} \cdot \mathbf{M}_O^R \qquad \text{(A 3.63)}$$

Dès lors, le produit scalaire $\mathbf{R} \cdot \mathbf{M}_O^R$ est indépendant du choix du point $O$.

## PROBLÈME RÉSOLU A3.8

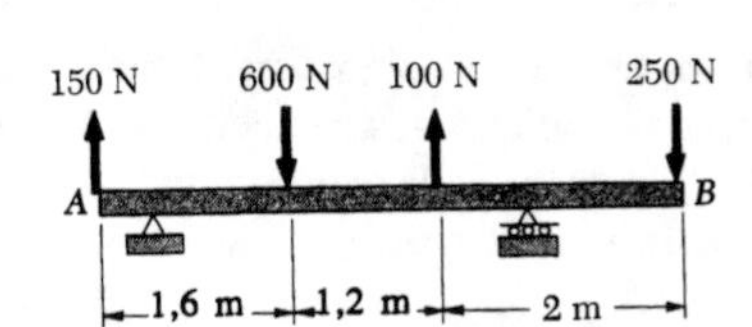


Une poutre de 4,80 m est soumise à deux forces. Réduisez le système de forces donné à : *a*) un système force-couple équivalent appliqué au point *A*, *b*) un système force-couple appliqué au point *B*, *c*) une résultante unique.

*Note.* Puisque les réactions d'appui ne sont pas incluses dans le système de forces originel, ce système ne maintient pas la poutre en équilibre.

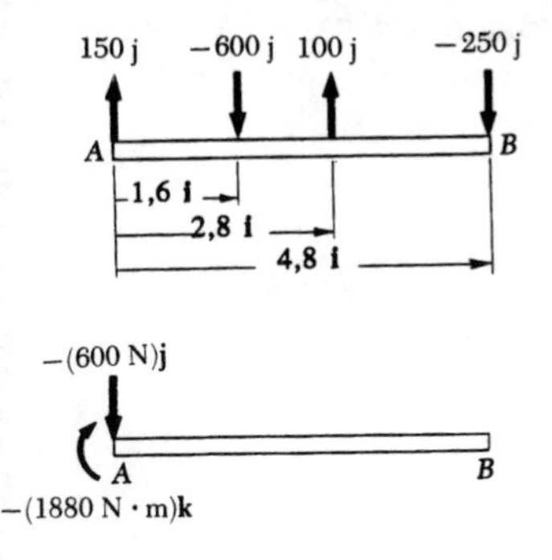


***a.* Système force-couple appliqué au point *A*.** Le système force-couple appliqué au point *A* équivalant au système proposé est formé par une force **R** et un couple $\mathbf{M}_A^R$ défini comme suit :

$$\begin{aligned}\mathbf{R} &= \Sigma\mathbf{F}\\ &= (150\text{ N})\mathbf{j} - (600\text{ N})\mathbf{j} + (100\text{ N})\mathbf{j} - (250\text{ N})\mathbf{j} = -(600\text{ N})\mathbf{j}\\ \mathbf{M}_A^R &= \Sigma(\mathbf{r} \times \mathbf{F})\\ &= (1{,}6\mathbf{i}) \times (-600\mathbf{j}) + (2{,}8\mathbf{i}) \times (100\mathbf{j}) + (4{,}8\mathbf{i}) \times (-250\mathbf{j})\\ &= -(1880\text{ N}\cdot\text{m})\mathbf{k}\end{aligned}$$

Le système force-couple équivalent appliqué en *A* est alors

$$\mathbf{R} = 600\text{ N}\downarrow \qquad \mathbf{M}_A^R = 1880\text{ N}\cdot\text{m} \curvearrowright \blacktriangleleft$$

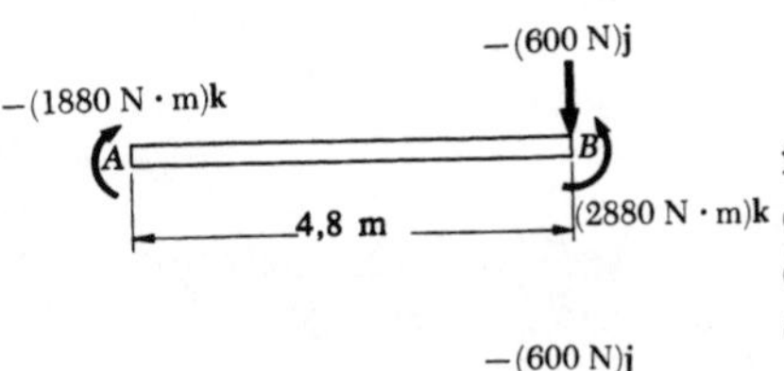


***b.* Système force-couple appliqué au point *B*.** Nous trouverons un système force-couple appliqué au point *B* équivalant au système force-couple appliqué en *A*, calculé à la partie *a*. La force **R** reste inchangée, mais un nouveau vecteur couple $\mathbf{M}_B^R$, dont le moment est égal au moment par rapport au point *B* du système force-couple déterminé à la partie *a*, doit être déterminé. Par conséquent, nous avons

$$\begin{aligned}\mathbf{M}_B^R &= \mathbf{M}_A^R + \overrightarrow{BA} \times \mathbf{R}\\ &= -(1880\text{ N}\cdot\text{m})\mathbf{k} + (-4{,}8\text{ m})\mathbf{i} \times (-600\text{ N})\mathbf{j}\\ &= -(1880\text{ N}\cdot\text{m})\mathbf{k} + (2880\text{ N}\cdot\text{m})\mathbf{k} = +(1000\text{ N}\cdot\text{m})\mathbf{k}\end{aligned}$$

Le système force-couple équivalent appliqué au point *B* sera donc

$$\mathbf{R} = 600\text{ N}\downarrow \qquad \mathbf{M}_B^R = 1000\text{ N}\cdot\text{m} \curvearrowleft \blacktriangleleft$$

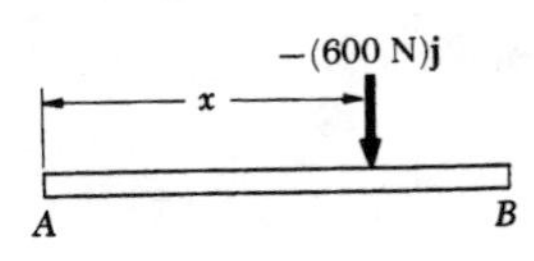


***c.* Résultante unique.** La résultante équivalente au système proposé est égale à **R** et son point d'application doit être tel que le moment de **R** par rapport au point *A* est égal à $\mathbf{M}_A^R$. Nous écrivons

$$\begin{aligned}\mathbf{r} \times \mathbf{R} &= \mathbf{M}_A^R\\ x\mathbf{i} \times (-600\text{ N})\mathbf{j} &= -(1880\text{ N}\cdot\text{m})\mathbf{k}\\ -x(600\text{ N})\mathbf{k} &= -(1880\text{ N}\cdot\text{m})\mathbf{k}\end{aligned}$$

et nous pouvons conclure que $x = 3{,}13$ m. Alors la résultante équivalente au système proposé sera

$$\mathbf{R} = 600\text{ N}\downarrow \qquad x = 3{,}13\text{ m} \blacktriangleleft$$

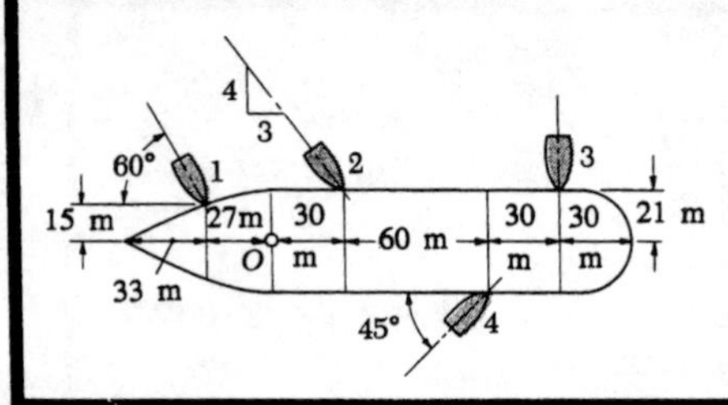


## PROBLÈME RÉSOLU A3.9

On utilise quatre remorqueurs pour conduire à quai un navire au long cours. Chaque remorqueur exerce une force de 5 kN dans les directions indiquées. Calculez : *a*) le système force-couple équivalent appliqué au point *O*, *b*) le point de la coque où un seul remorqueur plus puissant doit agir pour produire le même effet que les remorqueurs prévus initialement.

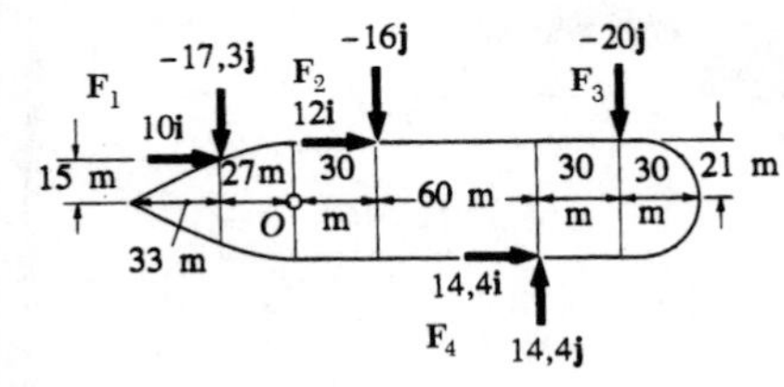


***a.* Système force-couple appliqué au point *O*.** Chacune des forces est décomposée suivant les schémas tracés. Le système équivalent appliqué au point *O* est formé d'une force résultante **R** et d'un couple $\mathbf{M}_O^R$ défini comme suit :

$$\mathbf{R} = \Sigma\mathbf{F}$$
$$= (10{,}0\mathbf{i} - 17{,}3\mathbf{j}) + (12{,}0\mathbf{i} - 16{,}0\mathbf{j}) + (-20{,}0\mathbf{j}) + (14{,}4\mathbf{i} + 14{,}4\mathbf{j})$$
$$= 36{,}4\mathbf{i} - 38{,}9\mathbf{j}$$
$$\mathbf{M}_O^R = \Sigma(\mathbf{r} \times \mathbf{F})$$
$$= (-27\mathbf{i} + 15\mathbf{j}) \times (10{,}0\mathbf{i} - 17{,}3\mathbf{j})$$
$$+ (30\mathbf{i} + 27\mathbf{j}) \times (12{,}0\mathbf{i} - 16{,}0\mathbf{j})$$
$$+ (120\mathbf{i} + 21\mathbf{j}) \times (-20{,}0\mathbf{j})$$
$$+ (90\mathbf{i} - 21\mathbf{j}) \times (14{,}4\mathbf{i} + 14{,}4\mathbf{j})$$
$$= (467 - 150 - 480 - 252 - 2400 + 1296 + 302)\mathbf{k}$$
$$= -1217\mathbf{k}$$

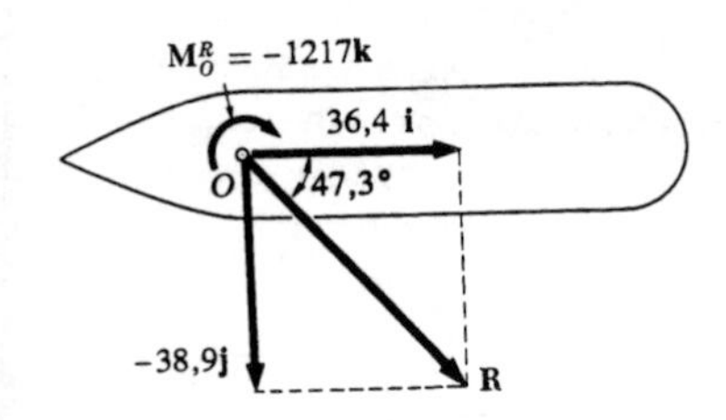


Le système force-couple équivalent appliqué au point *O* sera alors

$$\mathbf{R} = (36{,}4 \text{ kN})\mathbf{i} - (38{,}9 \text{ kN})\mathbf{j} \qquad \mathbf{M}_O^R = -(1217 \text{ kN}\cdot\text{m})\mathbf{k}$$

ou

$$\mathbf{R} = 53{,}3 \text{ kN} \searrow 47{,}3° \qquad \mathbf{M}_O^R = 1217 \text{ kN}\cdot\text{m} \circlearrowright \blacktriangleleft$$

*Note* : Comme toutes les forces appartiennent au plan de la figure, nous pouvons affirmer que le vecteur somme de leurs moments sera perpendiculaire à ce plan. Notez que le moment de chaque composante pourrait être obtenu directement à partir du diagramme, en multipliant sa grandeur par sa distance au point *O* et en donnant à ce produit un signe positif ou négatif, suivant le sens du moment.

***b.* Remorqueur unique.** La force exercée par un seul remorqueur doit être égale à **R** et son point d'application *A* doit être tel, que le moment de **R** par rapport au point *O* est égal à $\mathbf{M}_O^R$. Si on remarque que le vecteur position de *A* est

$$\mathbf{r} = x\mathbf{i} + 21\mathbf{j}$$

on peut écrire

$$\mathbf{r} \times \mathbf{R} = \mathbf{M}_O^R$$
$$(x\mathbf{i} + 21\mathbf{j}) \times (36{,}4\mathbf{i} - 38{,}9\mathbf{j}) = -1217\mathbf{k}$$
$$-x(38{,}9)\mathbf{k} - 764\mathbf{k} = -1217\mathbf{k}$$

$$x = 11{,}6 \text{ m} \blacktriangleleft$$

Un support de type console est soumis à trois forces. Remplacez ces forces par un système force-couple équivalent.

**Solution.** Nous commençons par déterminer les différents vecteur $\Delta\mathbf{r}$ en joignant le point $A$ aux points d'application des forces et en décomposant respectivement les forces suivant les axes $xyz$. Si on remarque que $\mathbf{F}_B = (350\ \text{N})\boldsymbol{\lambda}_{BE}$, où

$$\boldsymbol{\lambda}_{BE} = \frac{\overrightarrow{BE}}{BE} = \frac{1}{7}(3\mathbf{i} - 6\mathbf{j} + 2\mathbf{k})$$

nous avons

$$\Delta\mathbf{r}_B = \overrightarrow{AB} = 3\mathbf{i} + 2\mathbf{k} \qquad \mathbf{F}_B = 150\mathbf{i} - 300\mathbf{j} + 100\mathbf{k}$$
$$\Delta\mathbf{r}_C = \overrightarrow{AC} = 3\mathbf{i} - 2\mathbf{k} \qquad \mathbf{F}_C = 354\mathbf{i} \qquad - 354\mathbf{k}$$
$$\Delta\mathbf{r}_D = \overrightarrow{AD} = 4\mathbf{i} - 4\mathbf{j} \qquad \mathbf{F}_D = 300\mathbf{i} + 520\mathbf{j}$$

Le système force-couple appliqué au point $A$, équivalant au système initial, est formé par une force résultante $\mathbf{R} = \Sigma\mathbf{F}$ et un couple $\mathbf{M}_A^R = \Sigma(\Delta\mathbf{r} \times \mathbf{F})$. La force $\mathbf{R}$ s'obtient immédiatement par l'addition des composantes $x$, $y$ et $z$ des forces initiales

$$\mathbf{R} = \Sigma\mathbf{F} = (804\ \text{N})\mathbf{i} + (220\ \text{N})\mathbf{j} - (254\ \text{N})\mathbf{k} \blacktriangleleft$$

Le calcul de $\mathbf{M}_A^R$ sera facilité si nous exprimons les moments $\Delta\mathbf{r} \times \mathbf{F}$ sous forme de déterminants (Section A3.7) :

$$\Delta\mathbf{r}_B \times \mathbf{F}_B = \begin{vmatrix} \mathbf{i} & \mathbf{j} & \mathbf{k} \\ 3 & 0 & 2 \\ 150 & -300 & 100 \end{vmatrix} = 600\mathbf{i} \qquad -900\mathbf{k}$$

$$\Delta\mathbf{r}_C \times \mathbf{F}_C = \begin{vmatrix} \mathbf{i} & \mathbf{j} & \mathbf{k} \\ 3 & 0 & -2 \\ 354 & 0 & -354 \end{vmatrix} = \qquad 354\mathbf{j}$$

$$\Delta\mathbf{r}_D \times \mathbf{F}_D = \begin{vmatrix} \mathbf{i} & \mathbf{j} & \mathbf{k} \\ 4 & -4 & 0 \\ 300 & 520 & 0 \end{vmatrix} = \qquad 3280\mathbf{k}$$

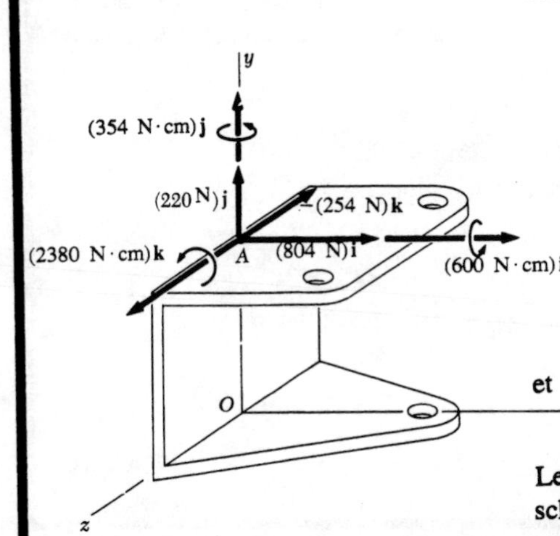


et en additionnant les expressions obtenues, on a

$$\mathbf{M}_A^R = \Sigma(\Delta\mathbf{r} \times \mathbf{F}) = (600\ \text{N}\cdot\text{cm})\mathbf{i} + (354\ \text{N}\cdot\text{cm})\mathbf{j} + (2380\ \text{N}\cdot\text{cm})\mathbf{k} \blacktriangleleft$$

Les composantes orthogonales de la force $\mathbf{R}$ et le couple $\mathbf{M}_A^R$ sont montrés dans le schéma illustré ci-contre.

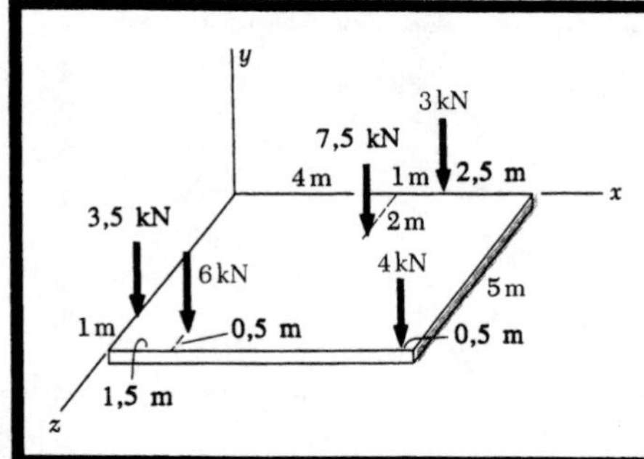


## PROBLÈME RÉSOLU A3.11

Une dalle rectangulaire, d'une dimension de 5 x 7,5 m, supporte 5 colonnes. Calculez la grandeur et le point d'application de la résultante unique, équivalente au système initial.

**Solution.** Nous commençons par réduire le système de forces donné à un système force-couple équivalent appliqué à l'origine des axes de référence. Ce système est formé d'une force **R** et d'un couple $\mathbf{M}_O^R$ défini comme suit

$$\mathbf{R} = \Sigma\mathbf{F} \qquad \mathbf{M}_O^R = \Sigma(\mathbf{r} \times \mathbf{F})$$

Les vecteurs positions des points d'application des différentes forces se trouvent facilement à l'aide du tableau ci-dessous.

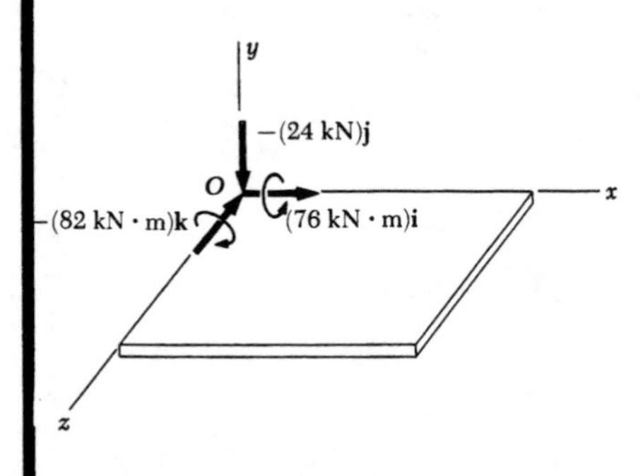


| r, m | F, kN | r × F, kN · m |
|---|---|---|
| 5i | −3j | −15k |
| 4k | −3,5j | 14i |
| 7i + 5k | −4j | 20i − 28k |
| 1,5i + 4,5k | −6j | 27i − 9k |
| 4i + 2k | −7,5j | 15i − 30k |
| | R = −24j | $\mathbf{M}_O^R$ = 76i − 82k |

Puisque la force **R** et le vecteur couple $\mathbf{M}_O^R$ sont perpendiculaires entre eux, le système force-couple équivalent appliqué à l'origine *O* peut à son tour être réduit à une force unique **R**. Le nouveau point d'application de **R** sera choisi dans le plan de la dalle de façon à ce que le moment de **R** par rapport au point *O* soit égal à $\mathbf{M}_O^R$. Appelant **r** le vecteur position du point d'application cherché, et par *x* et *y* ses coordonnées, nous pouvons écrire

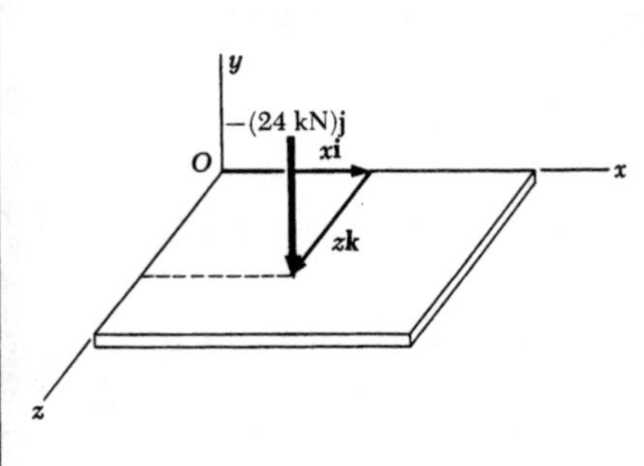


$$\mathbf{r} \times \mathbf{R} = \mathbf{M}_O^R$$
$$(x\mathbf{i} + z\mathbf{k}) \times (-24\mathbf{j}) = 76\mathbf{i} - 82\mathbf{k}$$
$$-24x\mathbf{k} + 24z\mathbf{i} = 76\mathbf{i} - 82\mathbf{k}$$

équations qui nous donnent

$$-24x = -82 \qquad 24z = 76$$
$$x = 3{,}42 \text{ m} \qquad z = 3{,}17 \text{ m}$$

Finalement la résultante équivalente sera

$$\mathbf{R} = 24 \text{ kN} \downarrow \qquad \text{pour } x = 3{,}42 \text{ m},\ z = 3{,}17 \text{ m}$$ ◄

## PROBLÈMES SUPPLÉMENTAIRES

**A3.73** Une poutre de 4 m est chargée successivement de différentes manières. Trouvez deux mises en charge qui sont équivalentes.

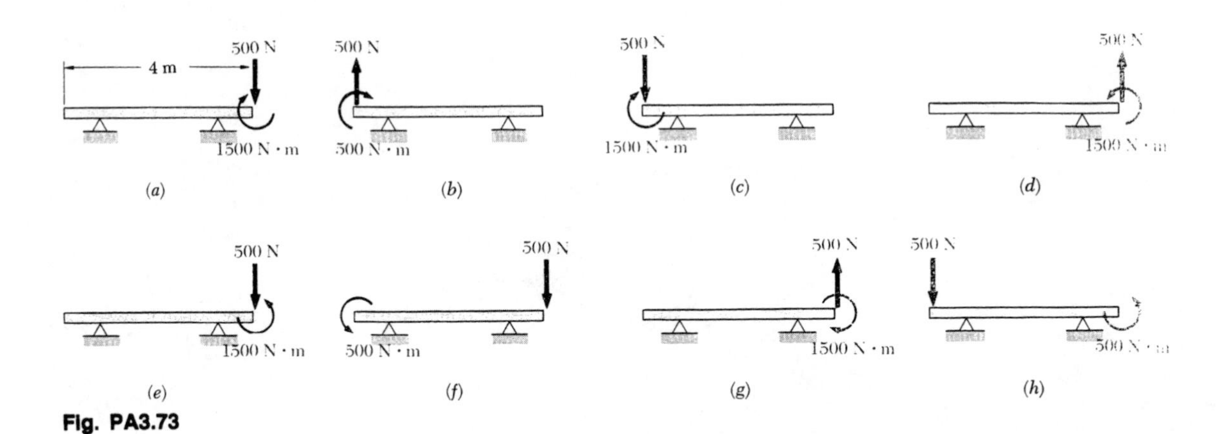


**Fig. PA3.73**

**A3.74** Une poutre de 4 m est chargée de la façon illustrée à la figure ci-contre. Indiquez laquelle des mises en charge données à la fig. PA3.73 est équivalente à celle de la figure ci-contre.

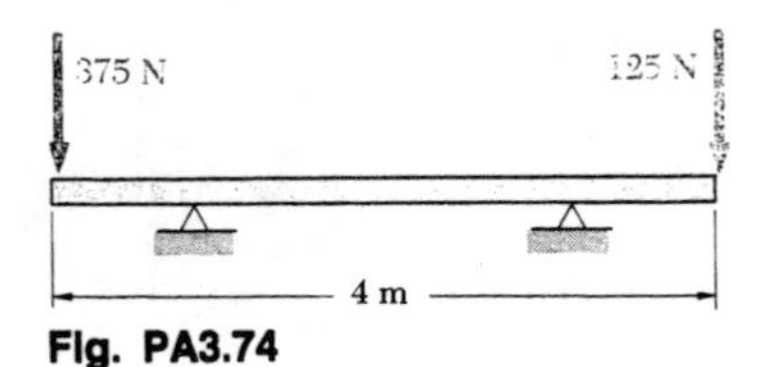


**Fig. PA3.74**

**A3.75** Deux forces parallèles **P** et **Q** sont appliquées aux extrémités d'une poutre *AB* de longueur *L*. Trouvez la distance *x* entre le point *A* et la ligne d'action de leur résultante. Vérifiez les résultats obtenus en supposant que $L$ = 20,3 cm et : *a*) $P$ = 44,5 N et $Q$ = 133,5 N, les deux forces étant orientées vers le bas, *b*) $P$ = 44,5 N orientée vers le bas tandis que $Q$ = 133,5 N est orientée vers le haut.

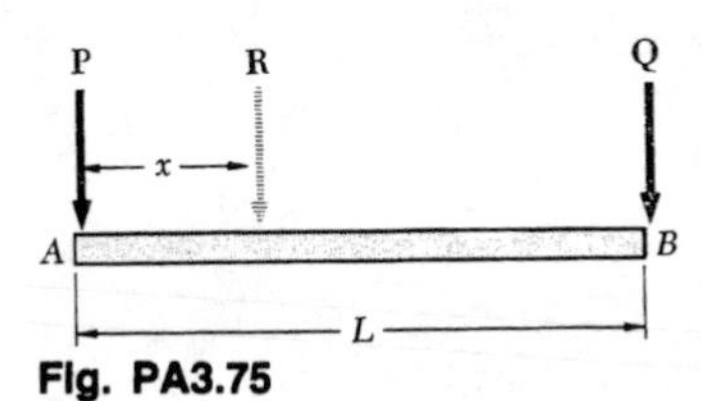


**Fig. PA3.75**

**A3.76** Calculez la distance entre le point *A* et la ligne d'action de la résultante des trois forces indiquées quand : *a*) $a$ = 1 m, *b*) $a$ = 1,5 m, *c*) $a$ = 2,5 m.

**A3.77** Résolvez le probl. A3.76 en supposant que la charge *C* est limitée à 6 kN.

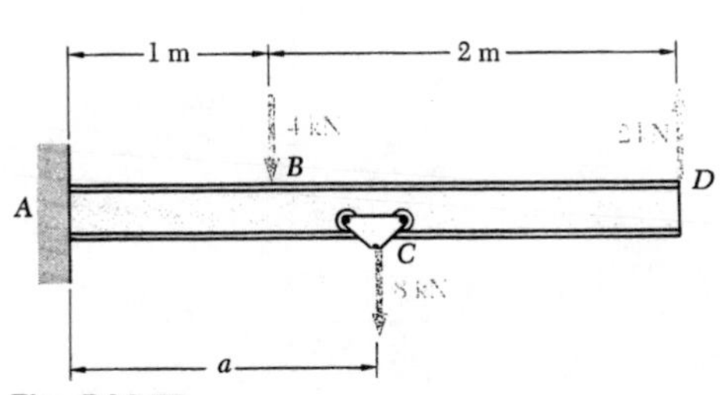


**Fig. PA3.76**

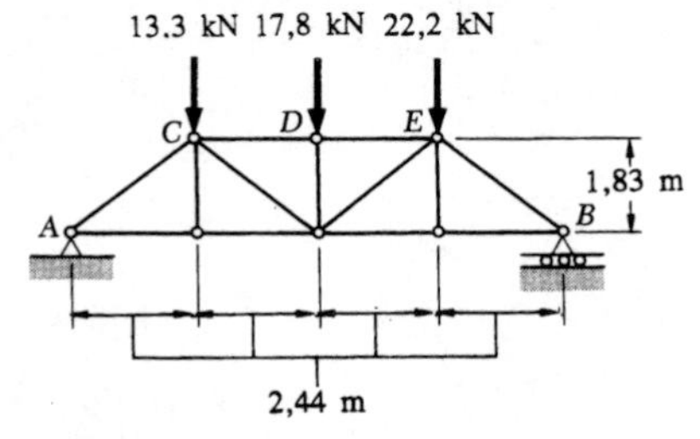

**Fig. PA3.78**

**A3.78** Calculez la distance entre le point $A$ et la ligne d'action de la résultante de toutes les forces qui agissent sur la ferme en treillis illustrée par la figure.

**A3.79** Une courroie transporteuse est chargée de quatre caisses. Calculez la grandeur et la ligne d'action de la résultante de toutes les charges indiquées. La vitesse de la bande transporteuse est constante.

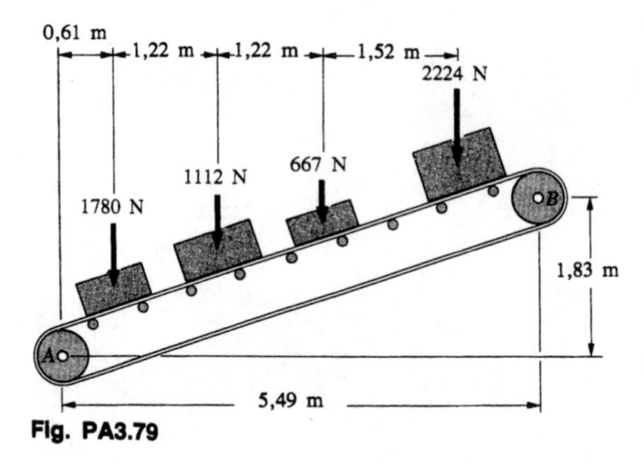

**Fig. PA3.79**

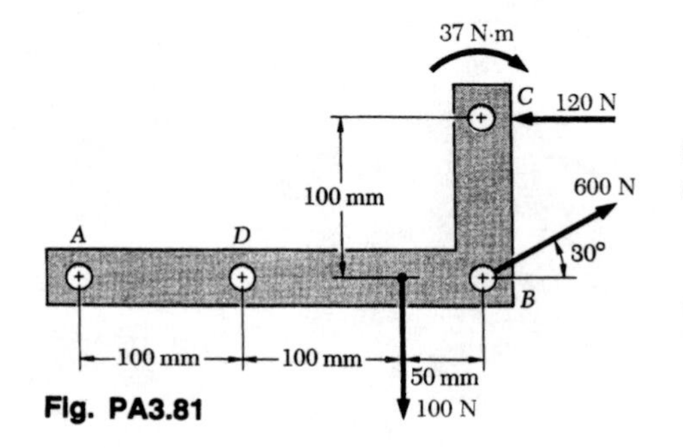

**Fig. PA3.81**

**A3.80** Résolvez le probl. A3.79 en supposant que la caisse de 1112 N est enlevée.

**A3.81** Une console en forme de $L$ est soumise au système de forces indiqué sur la figure. Calculez la résultante du système et le point d'intersection de sa ligne d'action avec : *a*) la droite $AB$, *b*) avec la droite $BC$.

**A3.82** Calculez la résultante du système indiqué sur la figure et le point d'intersection de sa ligne d'action avec : *a*) la droite $AC$, *b*) la droite $CD$.

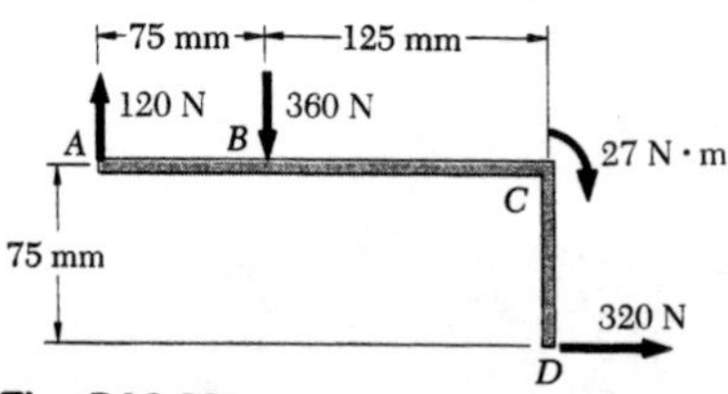

**Fig. PA3.82**

**A3.83** Une ferme de toiture d'un édifice est soumise à des charges de vent telles qu'indiquées. Calculez : *a*) le système force-couple équivalent appliqué au point *D*, *b*) la résultante de toutes les charges et sa ligne d'action.

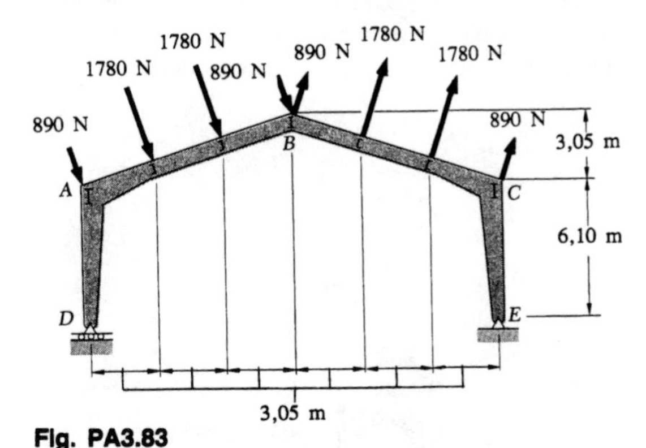


**Fig. PA3.83**

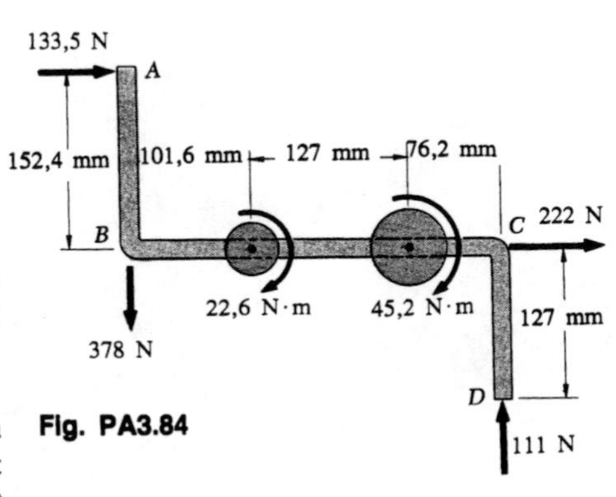


**Fig. PA3.84**

**A3.84** Un support métallique est soumis à un système de forces et de couples tel qu'indiqué. Calculez la résultante du système et l'intersection de sa ligne d'action avec : *a*) la droite *AB*, *b*) la droite *BC*, *c*) la droite *CD*.

**A3.85** Deux câbles exercent des forces de 90 kN sur deux noeuds de la structure en treillis. Calculez la résultante de toutes les forces agissant sur la structure et le point d'intersection de sa ligne d'action avec la droite *AB*, si le poids de la structure est $W = 200$ kN.

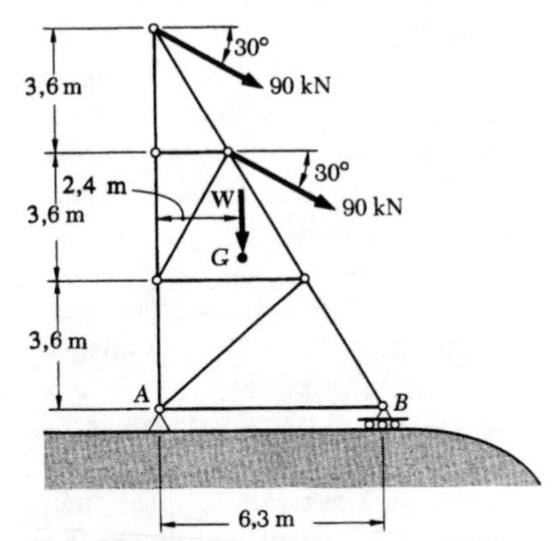


**Fig. PA3.85**

**A3.86** Une force **P** de grandeur *P* est appliquée au rebord de la plaque semi-circulaire de rayon *a*. *a*) Remplacez la force **P** par un système force-couple équivalent appliqué au point *D*, pied de la perpendiculaire abaissée du point *B* sur l'axe *x*. *b*) Calculez la valeur de $\theta$ pour lequel le moment du système équivalent appliqué au point *D* est maximal.

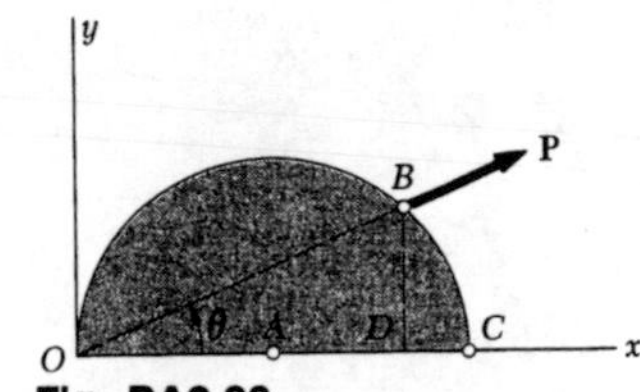


**Fig. PA3.86**

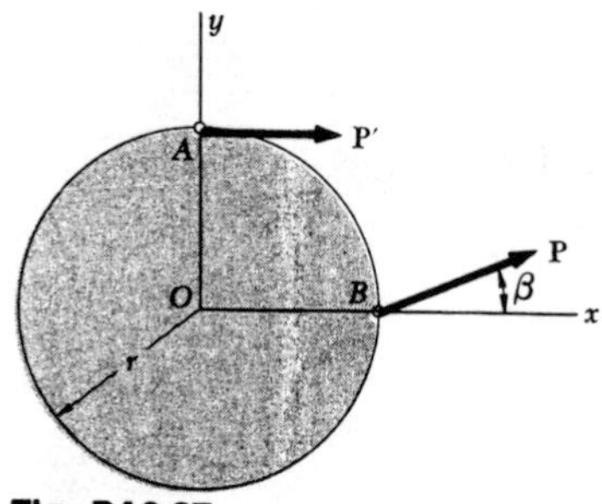

Fig. PA3.87

***A3.87** On applique deux forces de grandeur $P$ sur le rebord d'un disque. Calculez l'angle $\beta$ pour que la ligne d'action de la résultante des deux forces soit tangente au bord du disque.

**A3.88** Le mât $AB$, d'une longueur de 3,66 m, est encastré au point $A$ et est soumis à son poids de 445 N et à une force de 623 N transmise par le câble $BC$. Calculez le système force-couple appliqué au point $A$, équivalant aux deux forces données.

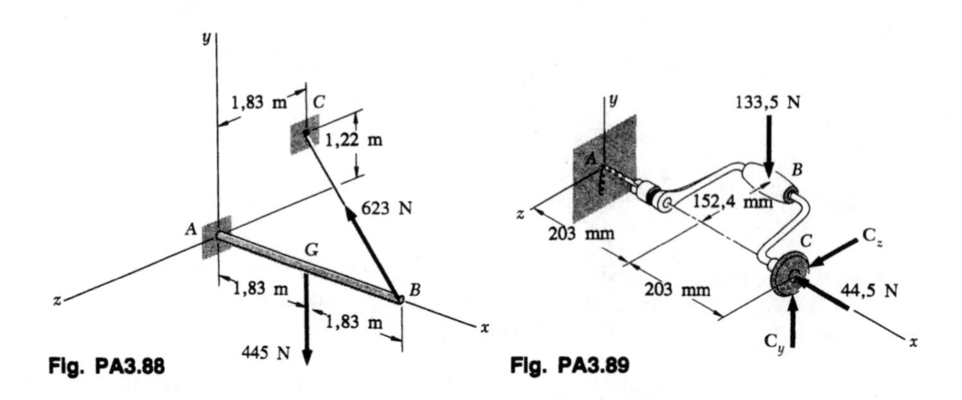

Fig. PA3.88

Fig. PA3.89

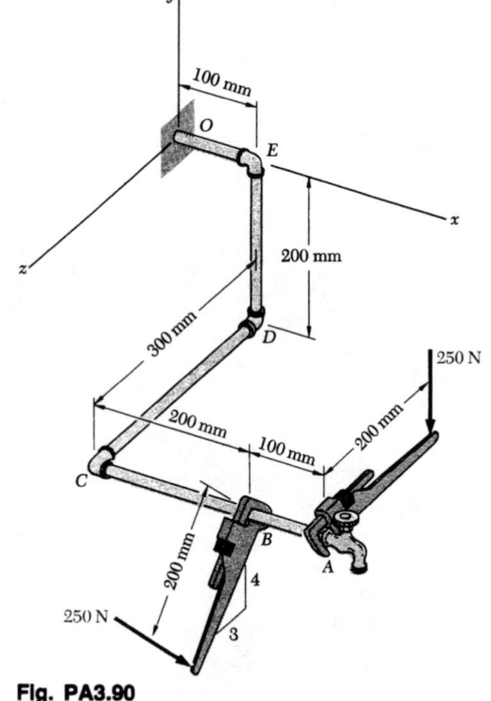

Fig. PA3.90

**A3.89** Pour pouvoir forer un trou avec un vilebrequin, on doit appliquer une force verticale de 133 N au bras $B$ et une autre force axiale de 44,5 N à la tête $C$. Le plan du bras du vilebrequin est le plan $zx$. *a*) Calculez les autres composantes de la force totale appliquée au point $C$, si on suppose que le vilebrequin ne tourne pas autour des axes $y$ et $z$ (ceci veut dire que le système de forces appliqué au vilebrequin a des moments nuls par rapport aux axes $y$ et $z$). *b*) Réduisez la force de 133 N et la force totale appliquée au point $C$ à un système force-couple équivalent appliqué au point $A$.

**A3.90** Pour serrer le joint reliant le robinet $A$ au tronçon $AC$ d'une canalisation, un plombier fait usage de deux clefs à tubes. En appliquant une force de 250 N à chaque clef, à une distance de 200 mm de l'axe du tuyau et perpendiculairement à celui-ci et à la clef, il empêche le tube de tourner et évite le serrage ou le desserrage du coude $C$. Remplacez les deux forces de 250 N par un système force-couple équivalent appliqué au point $D$ et déterminez si l'action du plombier tend à serrer ou à desserrer le joint entre : *a*) le tuyau $CD$ et le coude $D$, *b*) le coude $D$ et le tuyau $DE$. (Supposez que tous les joints possèdent un filetage droit.)

**A3.91** Remplacez les deux forces exercées par le plombier du probl. A3.90 par un système force-couple équivalent appliqué au point $E$, et déterminez si les forces appliquées par le plombier tendent à serrer ou à desserrer le joint entre : *a*) le tube $DE$ et le coude $E$, *b*) le coude $E$ et le tube $EO$. (Supposez que tous les joints possèdent un filetage droit.)

**A3.92** On applique sur un quart de disque placé verticalement les quatre forces indiquées sur la figure. Calculez la grandeur et le point d'application de la résultante de ces forces si $P = 40$ N et $R = 250$ mm.

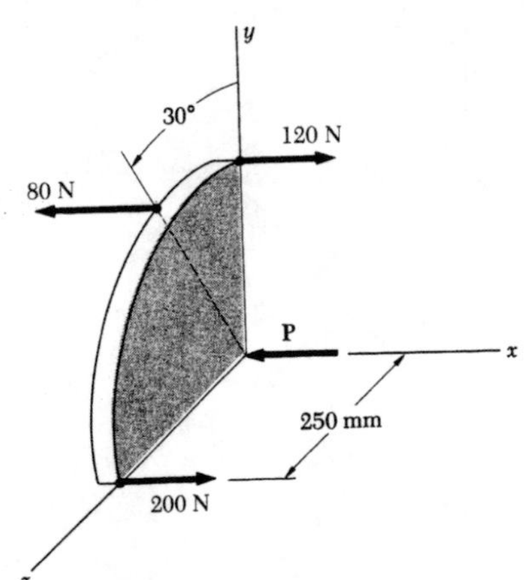

**Fig. PA3.92 et PA3.93**

**A3.93** Calculez la grandeur de la force **P** pour que la ligne d'action de la résultante des quatre forces passe par le bord du disque.

**A3.94** Une plaque métallique carrée de côté $a$ est chargée, à chaque coin, par les forces indiquées. Calculez la grandeur et le point d'application de la résultante des forces appliquées.

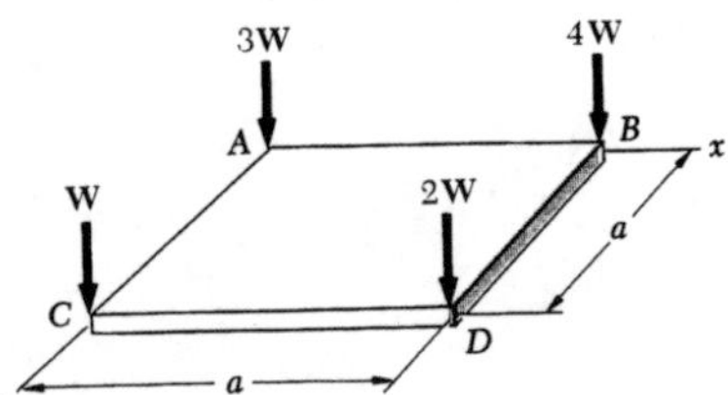

**Fig. PA3.94 et PA3.95**

**A3.95** Calculez la grandeur et le point d'application de la plus petite force additionnelle à appliquer à la plaque du probl. A3.94 si on veut que la résultante des cinq forces passe par le centre de la plaque.

**A3.96** Réduisez le système de forces appliqué sur la plaque métallique pliée à 90° à un torseur équivalent. (Spécifiez le pas et l'axe du torseur.)

**A3.97** Résolvez le probl. A3.96 en remplaçant les forces de 178 N par des forces de 89 N.

**A3.98** Un réducteur de vitesse à vis sans fin pèse 300 N; son centre de gravité se trouve sur l'axe $x$ à 200 mm de l'origine. Remplacez le poids et les couples indiqués par un torseur équivalent. (Spécifiez l'axe et le pas du torseur.)

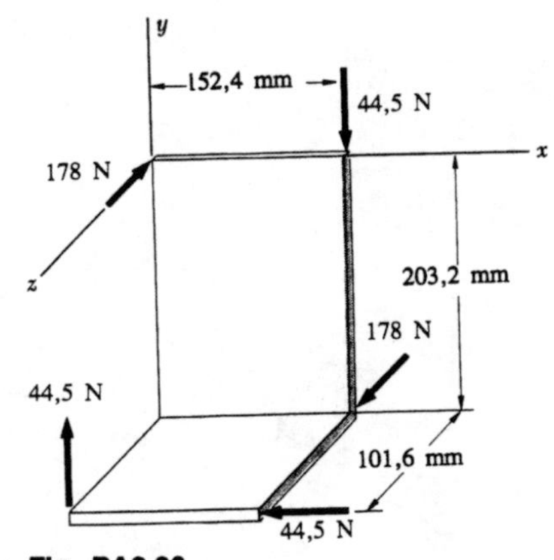

**Fig. PA3.96**

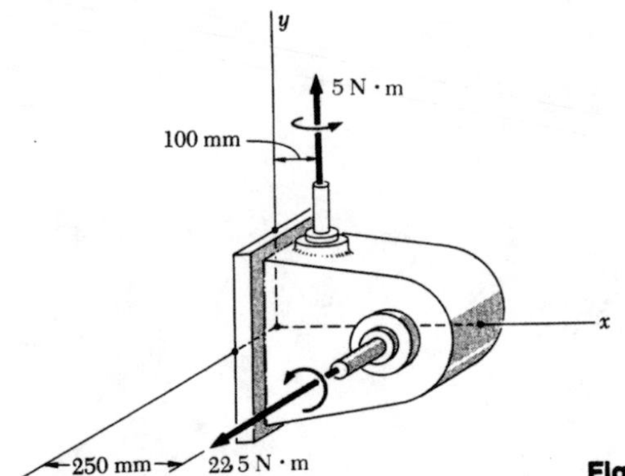

**Fig. PA3.98**

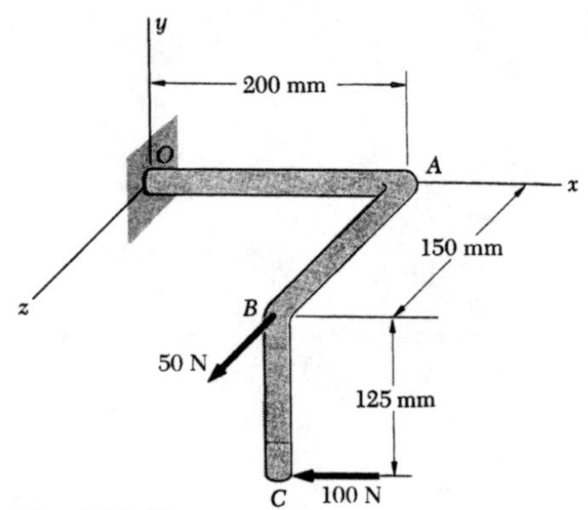

Fig. PA3.99

**A3.99** Remplacez le système de forces indiqué par : *a*) un système force-couple équivalent appliqué à l'origine, *b*) un torseur équivalent. (Spécifiez l'axe et le pas du torseur.)

**A3.100** Deux forces de grandeur $P$ agissent le long des diagonales des faces du cube d'arête $a$ illustré ci-contre. Remplacez les deux forces par un système formé de : *a*) une force et un couple appliqués au point $O$, *b*) un torseur équivalent. (Spécifiez l'axe et le pas du torseur.)

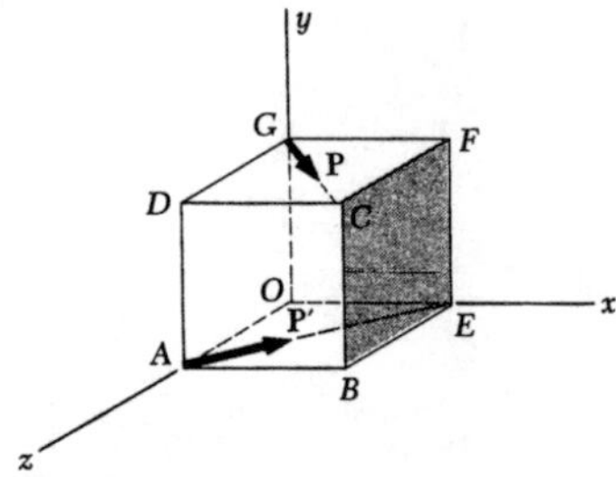

Fig. P3.100

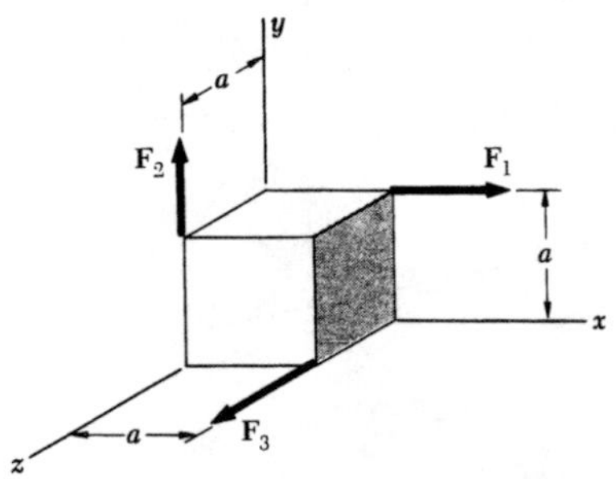

Fig. PA3.101, PA3.102, et PA3.103

**A3.101** On applique trois forces sur un cube d'arête $a$. Calculez la grandeur et l'axe du torseur équivalant au système de forces initial si $F_1 = F_2 = P$ et $F_3 = 0$.

**A3.102** On applique trois forces au cube d'arête $a$ du probl. A3.101. Calculez le torseur équivalant aux trois forces si $F_1 = F_2 = F_3 = P$.

***A3.103** On applique trois forces sur le cube du probl. A3.102. Calculez la grandeur de $\mathbf{F}_3$, sachant que $F_1 = F_2 = P$ et que le système peut se réduire à une force unique $\mathbf{R}$. Calculez sa grandeur et sa ligne d'action.

**A3.104** Remplacez le torseur appliqué en $O$ par un système équivalent de deux forces choisies de telle façon qu'une d'entre elles agit au point $B$ et l'autre sur le plan $zx$, sachant que $R = 310$ N et $M = 15{,}8$ N·m.

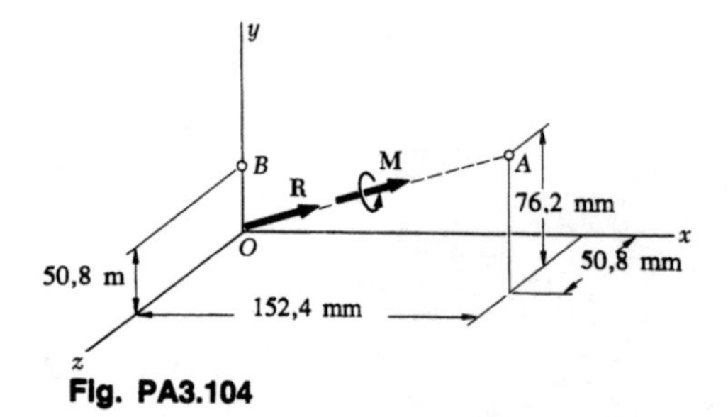

Fig. PA3.104

**A3.105** *a*) Réduisez le torseur appliqué au point *O* par un système formé de deux forces perpendiculaires à l'axe *y* et appliquées respectivement en *A* et *B*. *b*) Résolvez la partie (*a*) en supposant que $R = 240$ N, $M = 40$ N·m, $a = 125$ mm et $b = 250$ mm.

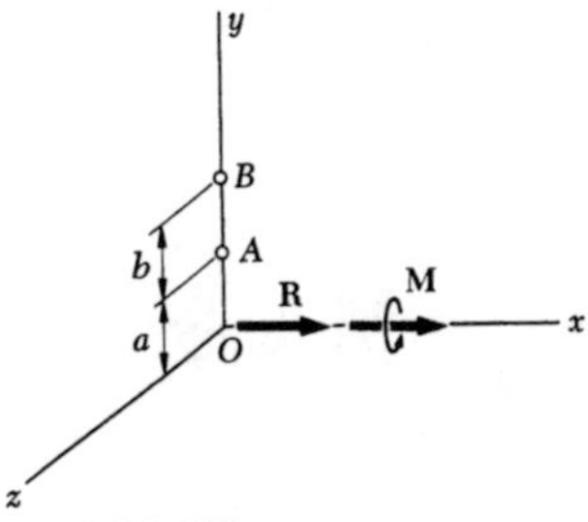

**Fig. PA3.105**

**A3.106** Montrez qu'en général, un torseur peut être remplacé par deux forces choisies de telle façon qu'une d'entre elles passe par un point donné tandis que l'autre appartient à un plan donné.

***A3.107** Montrez qu'un torseur peut être remplacé par deux forces perpendiculaires dont une est appliquée à un point donné.

**A3.108** Montrez qu'un torseur peut être remplacé par deux forces dont l'une a une ligne d'action déterminée.

## PROBLÈMES DE RÉVISION

**A3.109** Pour déplacer une caisse de 770 N, deux hommes poussent sur elle tandis que deux autres utilisent deux cordes pour la tirer. L'homme *A* pousse horizontalement avec 667 N, l'homme *B* pousse avec une force horizontale de 222 N, l'homme *C* tire la caisse avec une force de 356 N et finalement l'homme *D* tire aussi avec une force de 534 N. Calculez la résultante de toutes les forces appliquées à la caisse.

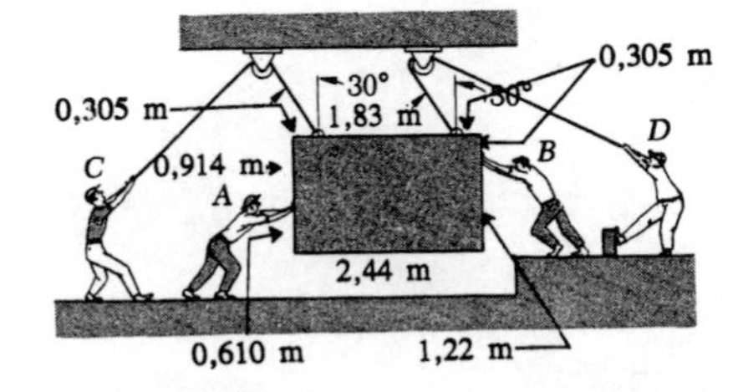

**Fig. PA3.109**

**A3.110** Trois forces horizontales sont appliquées sur une colonne. Calculez la résultante des forces et le point où sa ligne d'action coupe la droite *AD*, si la grandeur de **P** est : *a*) $P = 222$ N, *b*) $P = 2220$ N, *c*) $P = 1560$ N.

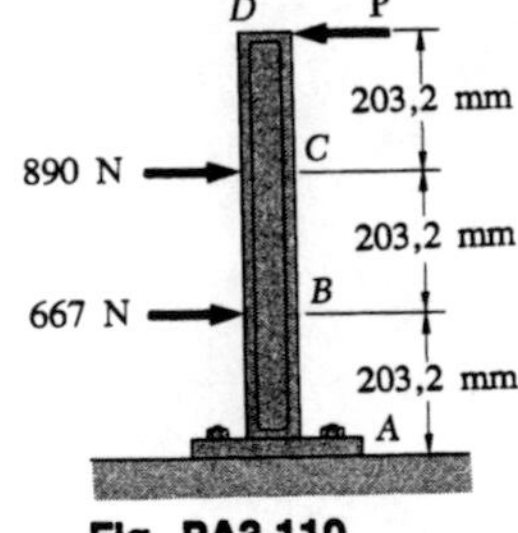

**Fig. PA3.110**

**A3.111** Une plaque métallique d'une dimension de 150 x 300 mm est soumise à quatre charges. Calculez leur résultante ainsi que les deux points où la ligne d'action de cette résultante coupe le bord de la plaque.

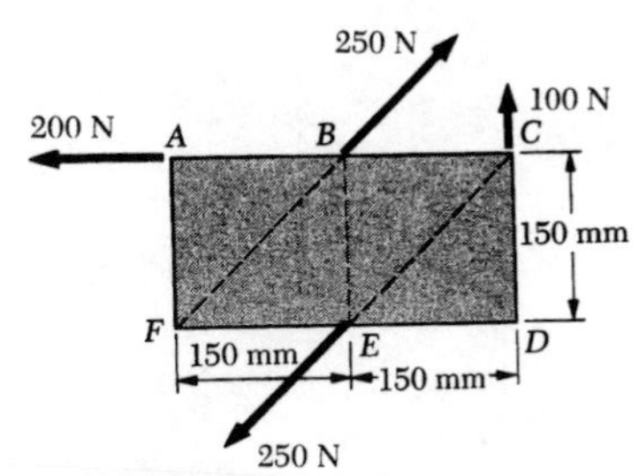

**Fig. PA3.111**

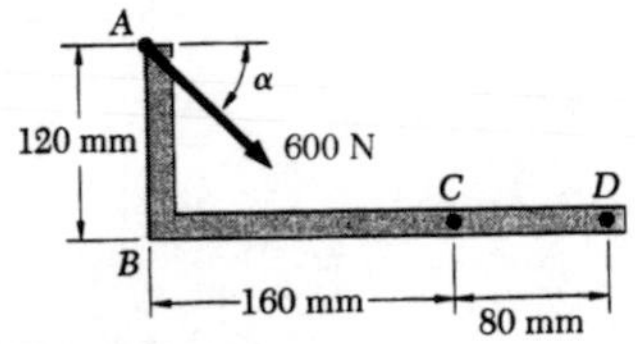

**Fig. PA3.112**

**A3.112** Sachant que $\alpha = 45°$, remplacez la force de 600 N par : *a*) un système force-couple appliqué au point *C*, *b*) un système équivalent formé de deux forces parallèles qui passent par le point *B* et le point *C*.

**A3.113** Une semelle de fondation de forme carrée est chargée par quatre colonnes. Calculez la grandeur et le point d'application de la résultante des charges transmises par les colonnes.

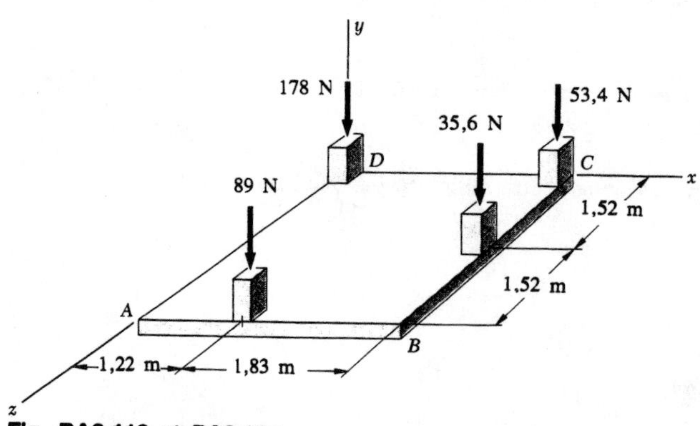


**Fig. PA3.113 et PA3.114**

**A3.114** Calculez la grandeur et le point d'application de la plus petite force additionnelle qui doit être appliquée à la semelle de fondation du probl. A3.113 pour que la résultante des cinq forces passe par le centre de la semelle.

**A3.115** Une force $P$ de 3110 N est appliquée suivant la direction *CD*. Calculez le moment de **P** : *a*) par rapport au point *A*, *b*) par rapport à la droite *AB*.

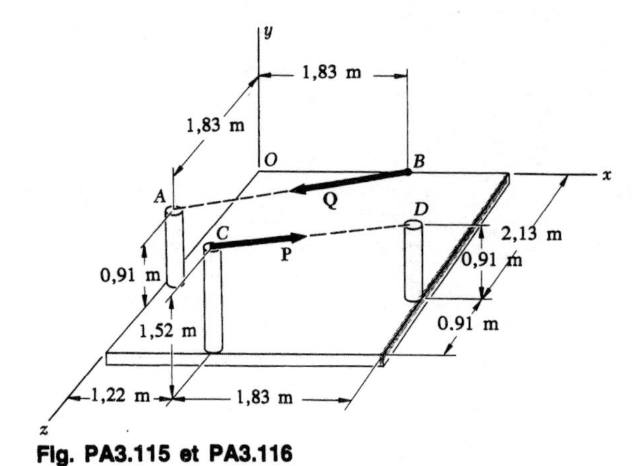


**Fig. PA3.115 et PA3.116**

**A3.116** Une force **Q** de grandeur 934 N est appliquée suivant la direction *BA*. Calculez le moment de **Q** : *a*) par rapport au point *D*, *b*) par rapport à la droite *DC*.

**A3.117** Une boîte de vitesses est soumise aux couples et à la force horizontale, tel qu'illustré. Calculez : *a*) le système force-couple appliqué à l'origine du système de référence, *b*) le torseur équivalent. (Spécifiez l'axe et le pas du torseur.)

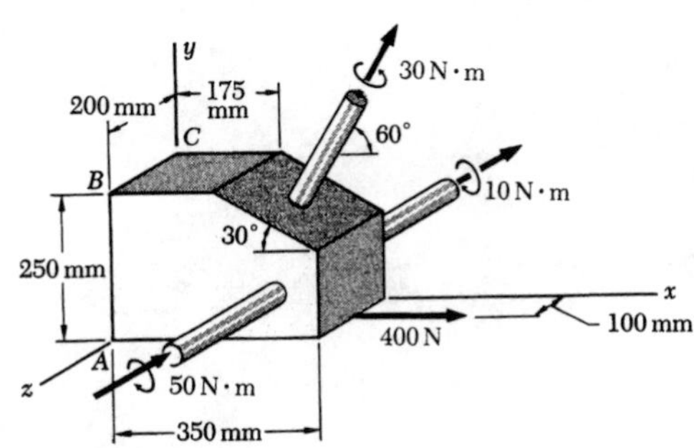


**Fig. PA3.117**

**A3.118** Trois forces agissent sur la plaque illustrée par la figure ci-contre : la force horizontale **P** est parallèle à l'axe $x$ et les forces verticales **Q** et $-\mathbf{Q}$ forment un couple de moment $M = Qr$. Calculez : *a*) le torseur équivalant au système initial, *b*) le lieu géométrique des points d'intersection de l'axe du torseur avec le plan $yz$ lorsque $\theta$ varie.

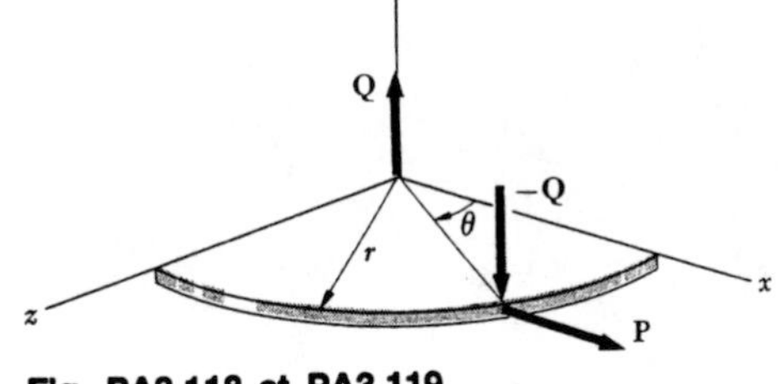


**Fig. PA3.118 et PA3.119**

**A3.119** On admet que $P = 400$ N, $Q = 800$ N, et $r = 200$ mm. Calculez le torseur équivalant au système initial quand : *a*) $\theta = 30°$, *b*) $\theta = 90°$. (Spécifiez pour chaque cas l'axe et le pas du torseur.)

**A3.120** Deux forces sont appliquées au mât vertical. Calculez les composantes et le couple équivalent appliqués au point *O*.

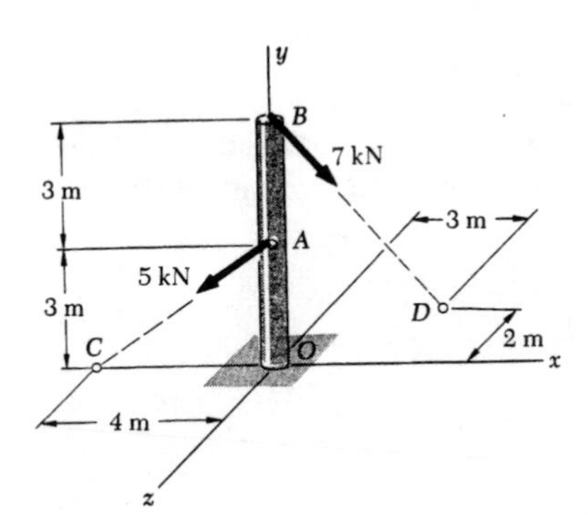


**Fig. PA3.120**

CHAPITRE

# A4 Équilibre des corps rigides

**A4.1. Corps rigide en équilibre.** *Un corps rigide est dit en équilibre lorsque les forces extérieures qui lui sont appliquées forment un système équivalant à zéro,* c'est-à-dire lorsque le système de forces extérieures peut être réduit à une résultante nulle et à un couple nul. En posant $\mathbf{R} = 0$ et $\mathbf{M}_O^R = 0$ dans les équations (A 3.52), nous obtenons les conditions nécessaires et suffisantes d'équilibre d'un corps rigide :

$$\Sigma \mathbf{F} = 0 \qquad \Sigma \mathbf{M}_O = \Sigma(\mathbf{r} \times \mathbf{F}) = 0 \tag{A 4.1}$$

Si nous considérons plutôt les composantes $x$, $y$ et $z$ de $R$ et de $\mathbf{M}_O^R$, les équations vectorielles (4.1) seront remplaçées par les six équations algébriques

$$\Sigma F_x = 0 \qquad \Sigma F_y = 0 \qquad \Sigma F_z = 0 \tag{A 4.2}$$

$$\Sigma M_x = 0 \qquad \Sigma M_y = 0 \qquad \Sigma M_z = 0 \tag{A 4.3}$$

Les équations (A 4.2) traduisent le fait que les composantes des forces extérieures suivant les axes $x$, $y$ et $z$ sont équilibrées; les équations (A 4.3) traduisent le fait que les moments des forces extérieures par rapport aux axes $x$,

$y$ et $z$ sont aussi équilibrés. Le système de forces extérieures, par conséquent, ne provoque ni la translation, ni la rotation du corps rigide.

**A4.2. Schéma du corps isolé.** Il est essentiel, pour bien résoudre les problèmes impliquant des corps rigides, de considérer *toutes* les forces qui agissent sur lui, comme il est important d'ailleurs d'exclure de nos calculs toute force qui ne lui est pas directement appliquée. Il est facile de se rendre compte que, en ajoutant ou en retranchant une force au système de forces appliqué au corps, on change ses conditions d'équilibre. La première étape dans la solution d'un problème d'équilibre consiste à dessiner le *schéma du corps isolé.* Nous avons utilisé souvent ce schéma dans le chapitre 2. Cependant, vu son importance dans la solution des problèmes d'équilibre, nous allons résumer ici les différentes étapes qu'on doit respecter pour le tracer correctement.

D'abord, nous devons procéder au choix judicieux du corps ou de la partie du corps que nous voulons isoler. Ensuite après avoir procédé à la coupure de toutes les liaisons, nous dessinons schématiquement le contour du corps ou de la partie du corps ainsi *isolé.*

*Toutes* les forces extérieures doivent être clairement indiquées sur ce schéma. Ces forces remplacent l'action exercée par les liaisons sur le corps avant les coupures. Elles doivent être appliquées aux points où se trouvaient ces liaisons. Le poids $W$ du corps isolé doit être considéré comme une force extérieure, puisqu'il représente l'action exercée par la terre sur les différents éléments du corps. Comme nous l'avons vu au chapitre 5, le poids doit être appliqué au centre de gravité du corps. Quand le corps isolé est composé de plusieurs parties, les forces que ces parties exercent les unes sur les autres *ne doivent* pas être considérées comme des forces extérieures. Ce sont en fait des forces intérieures pour ce qui concerne le corps isolé.

La grandeur et la direction des *forces extérieures complètement connues* doivent être clairement indiquées dans le schéma du corps isolé. On doit porter une attention spéciale à les indiquer avec le sens de la force *qu'elles exercent* sur le corps et non celui de la force *exercée* par le corps. Les forces extérieures connues incluent habituellement le poids et les forces appliquées avec un but précis.

Les *forces extérieures inconnues* sont habituellement les *réactions* —appelées aussi forces de liaison— au moyen desquelles le *sol* ou les *autres corps* s'opposent au mouvement du corps isolé, l'obligeant ainsi à rester au repos. Les réactions s'exercent aux points où le corps isolé était *supporté* ou *lié* aux autres corps. Elles seront discutées en détail aux sections A4.3 et A4.8.

Le schéma du corps isolé doit comporter les dimensions nécessaires au calcul des moments, tous les autres détails doivent être omis.

## ÉQUILIBRE D'UN CORPS RIGIDE DANS LE PLAN

**A4.3. Les réactions d'appui et de liaison dans une structure à deux dimensions.** Dans la première partie de ce chapitre, nous allons étudier l'équilibre des structures à deux dimensions, c'est-à-dire des structures contenues dans le plan de la figure de même que les forces qui lui sont appliquées. Les réactions nécessaires pour maintenir la structure immobile appartiendront alors au plan de la figure. Les réactions peuvent être classées en trois groupes qui correspondent à trois types de *support* ou de *liaison.*

1. *Réactions équivalentes à une force dont on connaît la ligne d'action.* Les appuis et les liaisons qui provoquent ce type de réactions sont entre autres les *rouleaux*, les *appuis à berceau*, les *surfaces en contact sans frottement*, les *barres articulées*, les *câbles de faible longueur*, les *manchons qui peuvent glisser sans frottement le long d'une tige*, ou encore les *goujons se déplaçant dans un guide*, *etc.* Toutes ces liaisons empêchent le mouvement dans une seule direction. Ces supports sont schématisés à la Fig. A4.1 et nous avons aussi indiqué la réaction qu'ils provoquent. On voit bien que les réactions de ces types de liaisons ou d'appuis introduisent une seule inconnue, à savoir la grandeur de la réaction. Cette réaction doit être bien identifiée par une notation appropriée. La ligne d'action de cette réaction étant connue, elle doit être clairement indiquée sur le schéma du corps isolé. Elle doit être perpendiculaire aux surfaces en contact (liaison sans frottement) ou alors dirigée suivant l'axe du câble ou de la barre articulée, le sens de la réaction étant déterminé par le type de liaison. L'appui par câble, par exemple, introduit une réaction qui doit tendre le câble, tandis que la liaison par barre articulée ou par goujon et glissière permet une réaction orientée dans un sens ou dans l'autre de sa ligne d'action. Remarquons qu'on admet, dans certains cas, la réversibilité de la réaction dans les appuis à berceau ou à rouleaux simples.
2. *Réactions équivalentes à une force de direction inconnue.* Les appuis et les liaisons qui provoquent ce type de réaction sont, entre autres, les *axes de rotation sans frottement*, les *charnières*, les *surfaces rugueuses (frottement)*, les *rotules*, *etc.* Ces liaisons empêchent la translation du corps rigide dans toute direction mais ne peuvent pas empêcher la rotation de celui-ci autour d'un axe de la liaison. Les réactions provoquées par ces liaisons introduisent deux inconnues, à savoir la grandeur et la direction de la réaction qu'on représente souvent par leurs composantes orthogonales $x$ et $y$.
3. *Réactions équivalentes à une force et à un couple.* Ce type de réaction est provoqué par une liaison à *encastrement*, liaison qui empêche tout mouvement du corps rigide par rapport à la liaison. Il est clair que ce type de liaison crée des forces de réaction sur toute la surface de contact. Ces forces

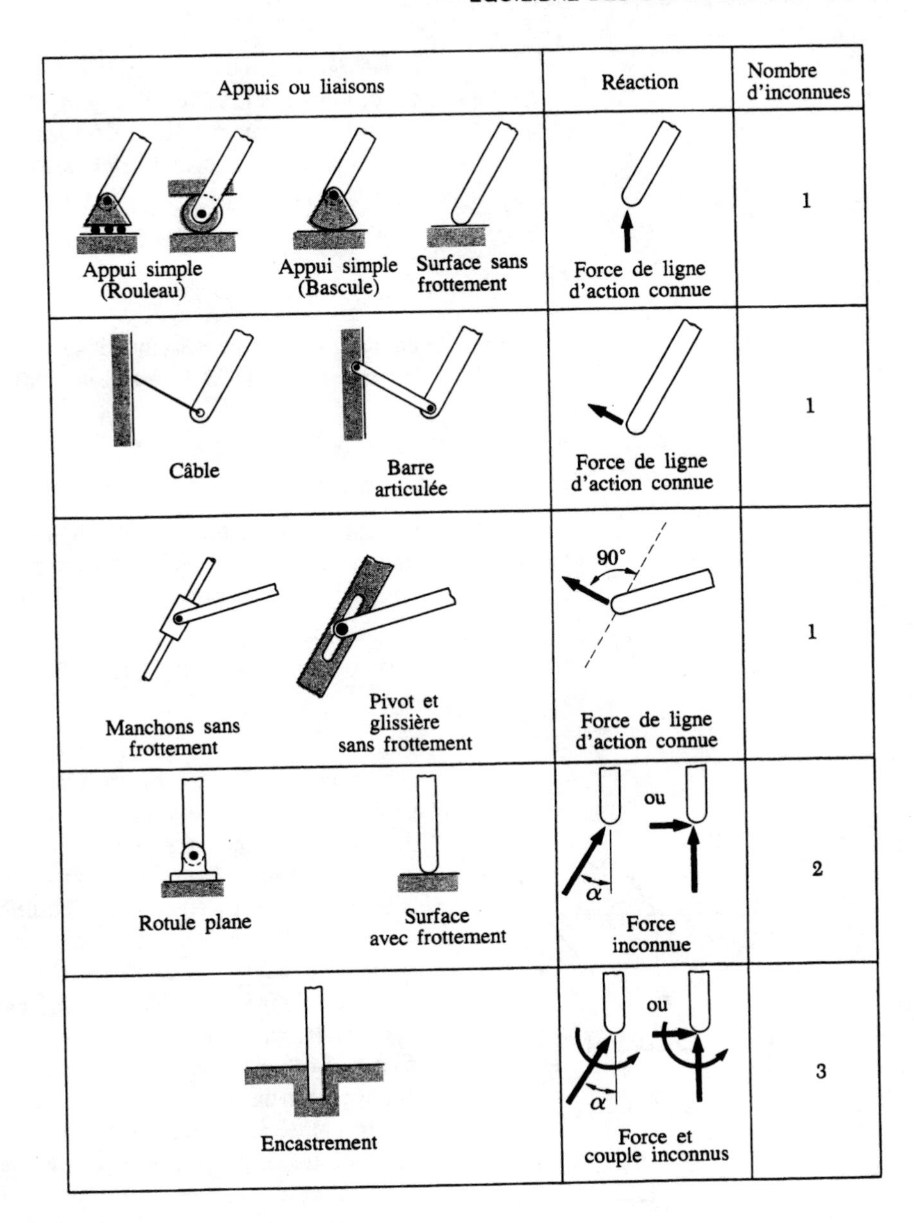


**Fig. A4.1** Réactions d'appui ou de liaison.

peuvent cependant être réduites à un *système force-couple équivalent*. Ces réactions introduisent, comme inconnues, les éléments de ce système équivalent qu'on représente souvent par les composantes $x$ et $y$ de la force et par le moment du couple. Quand le sens de la force résultante ou du couple n'est pas clairement apparent, il n'est pas nécessaire d'essayer de le déterminer. Il suffit de lui donner un sens arbitraire. Le signe qui affectera la valeur calculée des réactions nous dira, s'il est positif, que notre choix arbitraire est correct.

**A4.4. Équilibre d'un corps rigide à deux dimensions.** Les conditions d'équilibre d'un corps rigide, introduites à la section A4.1, se simplifient beaucoup lorsqu'on les applique à un corps rigide qui appartient à un plan quelconque. En effet, si on choisit le plan défini par les axes $x$ et $y$, nous avons

$$F_z = 0 \qquad M_x = M_y = 0 \qquad M_z = M_O$$

pour chaque force appliquée au corps rigide. Il en résulte que les conditions imposées à la section A4.1. se réduisent à

$$\Sigma F_x = 0 \qquad \Sigma F_y = 0 \qquad \Sigma M_O = 0 \tag{A 4.4}$$

Comme le troisième relation A 4.4 doit être satisfaite quelque soit le point $O$, nous pouvons écrire, d'une façon plus générale, les conditions d'équilibre d'un corps rigide appartenant à un plan de la façon suivante :

$$\Sigma F_x = 0 \qquad \Sigma F_y = 0 \qquad \Sigma M_A = 0 \tag{A 4.5}$$

où $A$ est un point quelconque du corps rigide. Ces trois relations nous permettent de déterminer *trois et uniquement trois inconnues.* Nous avons vu dans la section précédente que les inconnues sont habituellement les réactions d'appui, et que ces réactions dépendent du type d'appui ou de liaison affectant le corps rigide. Si on tient compte des conclusions de la section A4.3, nous constatons que les équations d'équilibre (A 4.5) nous permettent parfaitement de calculer les réactions provoquées par deux appuis à rouleau différents et une liaison par câble, ou alors les réactions provoquées par un appui à encastrement, ou même celles provoquées par un appui à rouleau et une rotule, etc.

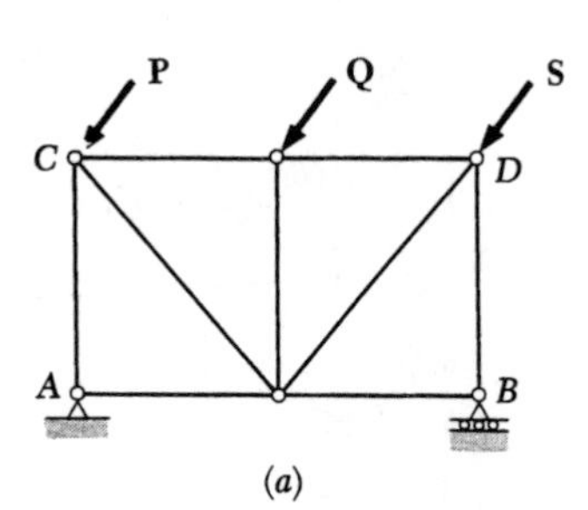


(a)

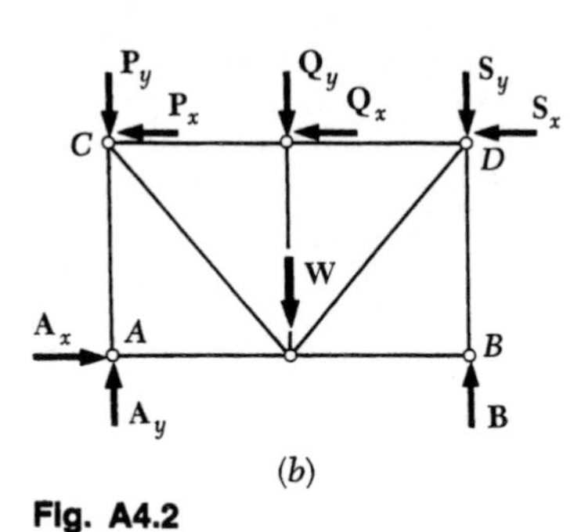


(b)

**Fig. A4.2**

Considérons, par exemple, la structure en treillis articulé, représentée à la figure A4.2, soumise aux charges concentrées **P**, **Q** et **S**. Cette structure est appuyée sur un appui à rotule en $A$ et sur un appui à rouleau au point $B$. La rotule empêche les mouvements de translation de la structure en exerçant sur elle une force qui peut être décomposée en $\mathbf{A}_x$ et $\mathbf{A}_y$; le rouleau, lui, empêche la structure de tourner autour du point $A$ en exerçant une force verticale **B**. Le « *schéma du corps isolé* », représenté à la figure A4.2*b*, comporte non seulement les réactions $\mathbf{A}_x$, $\mathbf{A}_y$, et **B**, mais aussi les charges appliquées **P**, **Q** et **S** et le poids **W** de la structure. Si nous exprimons que la somme des moments de toutes les forces indiquées sur le schéma du corps isolé est nulle, nous obtenons la relation $\Sigma M_A = 0$ qui nous donnera la grandeur $B$ puisqu'elle ne contient pas les deux autres inconnues $A_x$ ou $A_y$. Si ensuite nous exprimons que la somme des composantes $x$ ainsi que celle des composantes $y$ sont nulles, nous obtenons les relations $\Sigma F_x = 0$ et $\Sigma F_y = 0$ d'où nous pouvons tirer respectivement les valeurs $A_x$ et $A_y$.

Nous pourrions obtenir des équations additionnelles en annulant la somme des moments par rapport à des points autres que $A$. Nous pourrions écrire par exemple $\Sigma M_B = 0$. Une telle équation cependant n'apporte aucune condition d'équilibre nouvelle parce que les équations précédentes ont déjà établi sans ambiguité que le système de forces tracé sur la figure A4.2*b* est équivalent à zéro. Ces nouvelles relations *ne sont donc pas indépendantes*, et ne peuvent pas servir à déterminer une quatrième inconnue. Elles auront cependant l'utilité de servir de vérification de la solution obtenue par les trois équations d'équilibre initiales.

Cependant, même si on ne peut pas augmenter le nombre d'équations d'équilibre, chacune d'elles peut être remplacée par une autre relation. Nous pourrions, par exemple, utiliser un autre système équivalent d'équations d'équilibre, tel que

$$\Sigma F_x = 0 \qquad \Sigma M_A = 0 \qquad \Sigma M_B = 0 \qquad \text{(A 4.6)}$$

où le segment de droite $AB$ a une direction différente de l'axe $y$(Fig. A4.2*b*). Ces équations traduisent des conditions suffisantes d'équilibre du treillis articulé de la figure A4.2. Les deux premières équations indiquent que les forces extérieures doivent se réduire à une force unique $R_A$, verticale, passant par le point $A$. Cependant, la troisième relation exige que le moment de cette force résultante $R_A$ soit nul par rapport au point $B$, point qui n'appartient pas à la ligne d'action de $\mathbf{R}_A$ : ceci n'est possible que lorsque la force est nulle, et dans ce cas, le corps rigide est en équilibre.

Un autre système d'équations d'équilibre serait

$$\Sigma M_A = 0 \qquad \Sigma M_B = 0 \qquad \Sigma M_C = 0 \qquad \text{(A 4.7)}$$

où les points $A$, $B$ et $C$ ne sont pas *en ligne droite* (Fig. A4.2*b*). La première équation de ce système exige que les forces extérieures appliquées au treillis se réduisent à une résultante unique $\mathbf{R}$ dont la ligne d'action passe par le point $A$. La deuxième et la troisième équation imposent les mêmes conditions par rapport aux points $B$ et $C$. Comme ces trois points ne sont pas en ligne droite, la résultante $\mathbf{R}$ doit forcément être nulle et, par conséquent, le treillis articulé est en équilibre.

La première équation $\Sigma M_A = 0$, qui exprime que la somme des moments des forces extérieures par rapport à la rotule $A$ est nulle, a une signification physique plus évidente que les deux autres équations (A 4.7) parce qu'elle impose l'équilibre des moments par rapport à un axe de rotation naturel du corps (appui à rotule). Les deux autres mettent en jeu des points autour desquels la poutre en treillis articulé ne peut pas tourner. Cependant, pour l'étude des conditions d'équilibre d'un corps, ces trois équations présentent toutes le *même intérêt* : ceci nous permet plus de liberté dans le choix des équations d'équilibre puisque ce choix va seulement être dicté par le souci d'écrire des équations avec *une seule inconnue*, ce qui accélère la résolution du système d'équations résultant. On peut obtenir des équations linéaires en annulant la somme des moments des forces appliquées par rapport au point d'intersection des lignes d'action de deux des forces inconnues ou, si ces deux forces sont parallèles, en annulant la somme des composantes des forces suivant une direction perpendiculaire à ces forces. Dans le cas, par exemple, du treillis articulé de la figure A4.3 appuyé

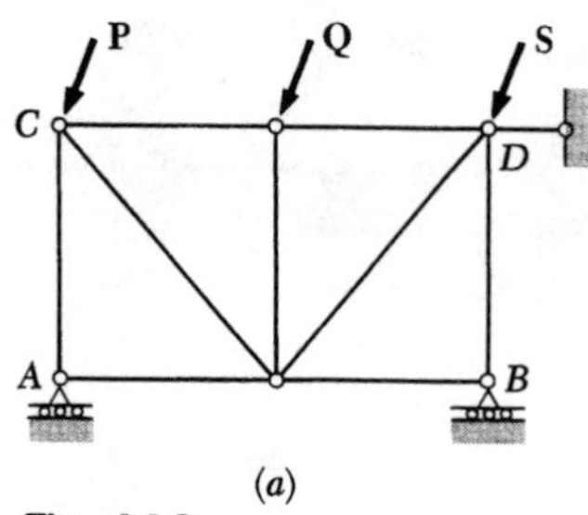


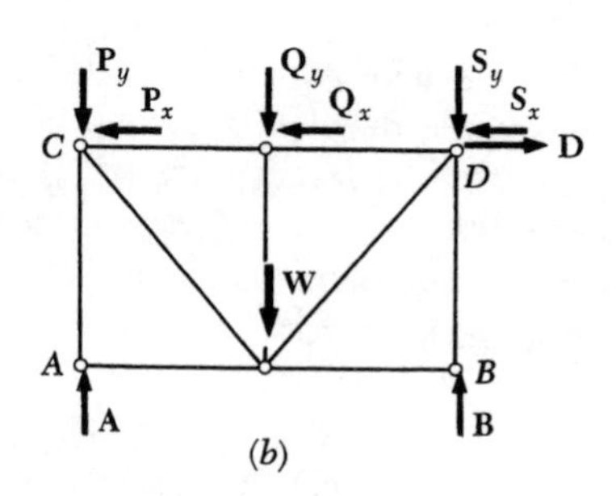


Fig. A4.3

sur les deux appuis à rouleau $A$ et $B$ et sur un appui à barre articulée $D$, les réactions $A$ et $B$ sont éliminées de l'équation $\Sigma F_x = 0$ qui traduit l'équilibre des composantes des forces suivant l'axe $x$. Pour éliminer les réactions en $A$ et $D$, il suffit d'annuler les moments des forces par rapport au point $C$ ($\Sigma M_C = 0$). Et finalement, pour éliminer les réactions $B$ et $D$, il suffit d'annuler les moments par rapport au point $D$ ($\Sigma M_D = 0$). Nous aurons alors le système

$$\Sigma F_x = 0 \qquad \Sigma M_C = 0 \qquad \Sigma M_D = 0$$

où chaque équation ne possède qu'une seule inconnue.

## A4.5. Réactions statiquement indéterminées.

Dans chacun des exemples traités à la section précédente (Fig. A4.2 et Fig. A4.3), les types d'appuis que nous avons utilisés sont tels que le corps rigide ne peut se déplacer sous l'action de l'ensemble des forces appliquées. Un corps rigide ainsi lié est dit *à liaisons complètes*. Rappelons aussi que ces supports introduisent *trois réactions inconnues* qui sont facilement calculées par les trois équations d'équilibre. Dans ces conditions, les réactions sont dites *statiquement déterminées* et le treillis ainsi appuyé est une *structure isostatique*.

Considérons maintenant la structure en treillis de la figure A4.4*a*, appuyée sur deux rotules $A$ et $B$. Ces appuis introduisent *plus* de liaisons que celles nécessaires pour empêcher tout mouvement de la structure sous l'action des forces extérieures. Nous constaterons d'ailleurs, très facilement, en traçant le « schéma du corps isolé », que ces supports introduisent *quatre* inconnues. Nous avons par conséquent plus d'inconnues que d'équations d'équilibre mises à notre disposition (Section A4.4.). Nous ne pouvons donc déterminer la valeur de toutes les inconnues. En effet, les équations $\Sigma M_A = 0$ et $\Sigma M_B = 0$ nous donnent les valeurs $A_y$ et $B_y$, composantes suivant $y$ des réactions inconnues $A$ et $B$, tandis que la troisième relation disponible $\Sigma F_x = 0$ nous donne seulement la *valeur de la somme* $A_x + B_x$ des composantes suivant $x$ des mêmes réactions $A$ et $B$. Ces composantes $A_x$ et $B_x$ sont dites *statiquement indéterminées*. Pour les calculer, nous devons faire appel aux déformations réelles ou virtuelles produites par la mise en charge, mais une telle méthode de calcul sort du cadre de ce cours : il fait partie du cours de mécanique des matériaux.

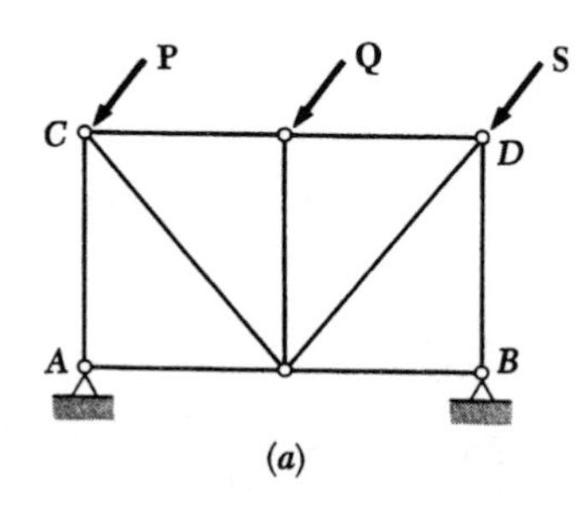


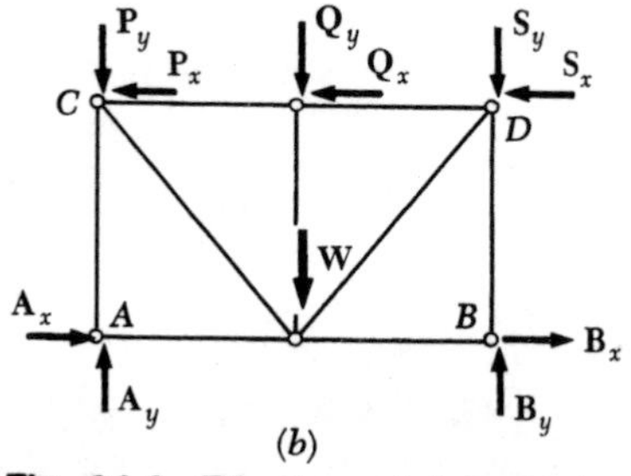


Fig. A4.4 Réactions statiquement indéterminées.

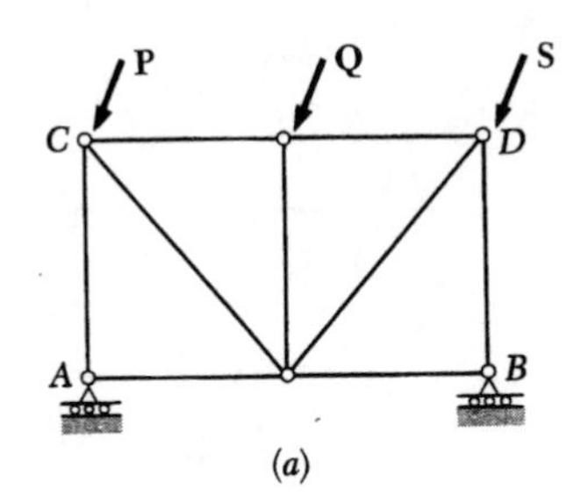


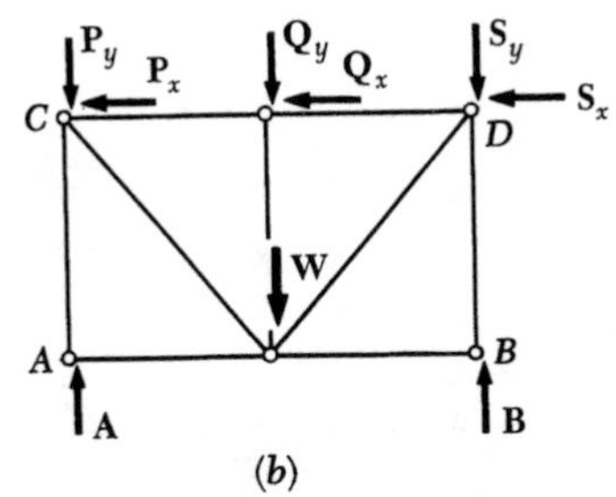


**Fig. A4.5** Liaisons incomplètes.

La structure de la figure A4.5*a* est appuyée sur deux appuis à rouleau *A* et *B*. Il est clair que les liaisons indiquées sont insuffisantes pour empêcher tout mouvement de la structure. En effet, même si les mouvements verticaux sont impossibles, la structure peut se déplacer horizontalement. Un corps rigide ainsi appuyé est dit *à liaisons incomplètes*†. Si nous retournons à la figure A4.5*b*, nous remarquerons facilement en traçant le « schéma du corps isolé » (Fig. A4.5*b*) que ces appuis introduisent deux inconnues. Nous avons, par conséquent, *moins* d'inconnues que d'équations d'équilibre mises à notre disposition et une des équations ne pourra pas être vérifiée. En effet, dans ce cas, les équations $\Sigma M_A = 0$ et $\Sigma M_B = 0$ seront vérifiées lors d'un choix convenable des réactions *A* et *B*, mais l'équation $\Sigma F_x = 0$ ne le sera pas, à moins que par une mise en charge très particulière, la somme des composantes horizontales soit nulle (c'est le cas notamment d'un ensemble de forces parallèles ou symétriques par rapport à l'axe vertical de symétrie de la structure). Nous pouvons donc conclure que l'équilibre d'une structure avec de tels appuis ne peut pas être maintenu.

En résumé, nous pouvons dire, de ce qui précède, que si un corps rigide est à liaisons complètes et si les réactions introduites par ces liaisons sont statiquement déterminées, *nous devons avoir autant d'inconnues que d'équations d'équilibre*. Quand cette condition *n'est pas* satisfaite, nous pouvons être certains que le corps rigide *n'est pas à liaisons complètes* ou alors que les réactions d'appui *ne sont pas statiquement déterminées* ou encore que ces *deux conditions ont lieu en même temps*.

Remarquons que ces conditions, même si elles *sont nécessaires* pour garantir l'équilibre de la structure, *ne sont pas suffisantes*. En d'autres mots, le fait que le nombre d'inconnues soit égal au nombre d'équations n'est pas la garantie d'une *liaison complète* de la structure ou de la présence de réactions *statiquement déterminées*. Considérons, par exemple, la structure illustrée à la figure A4.6, appuyée sur les rouleaux *A*, *B* et *E*. Même si nous avons affaire à trois réactions inconnues **A**, **B** et **E**, nous pouvons vérifier facilement que l'équation $\Sigma F_x = 0$ ne sera pas satisfaite à moins que, par un hasard de mise en charge, les composantes horizontales des charges s'annulent. Il est vrai que nous possédons un nombre suffisant de liaisons, mais ces liaisons sont mal choisies et laissent à la structure la liberté de se déplacer horizontalement. Un corps rigide ainsi appuyé est *incorrectement lié*. Puisque nous ne disposons que de *deux* équations pour déterminer *trois* inconnues, ces réactions sont dites *statiquement indéterminées*. Nous voyons donc qu'un choix incorrect d'appuis pour une structure ou un corps rigide nous conduit *aussi* à une *indétermination statique des réactions*.

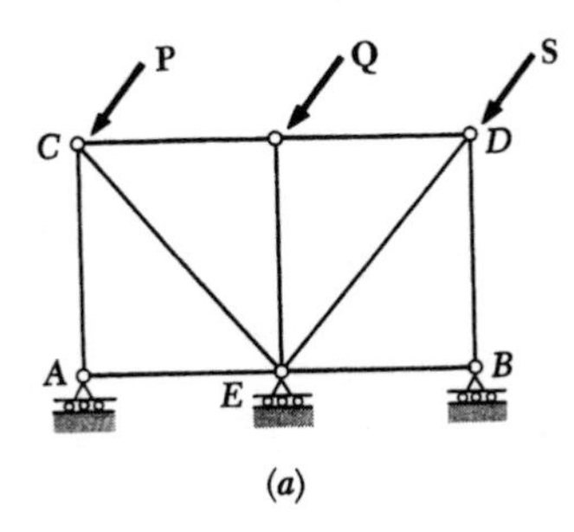


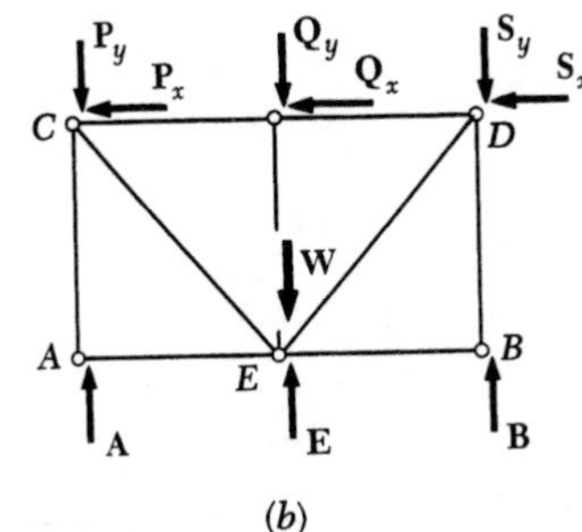


**Fig. A4.6** Liaisons incorrectes.

Un autre exemple de liaison incomplète (et d'indétermination statique) est donné par la structure en treillis articulé illustrée à la figure A4.7. Cette structure est supportée par la rotule *A* et par deux barres articulées *B* et *C* : ces

† Un système à liaisons incomplètes est souvent appelé *instable*. Cependant, pour éviter des confusions entre ce type d'instabilité créé par le type de liaison du système, et l'autre type d'instabilité, traité au chapitre 10, qui résulte du comportement du système lorsqu'on perturbe son état d'équilibre, nous réserverons l'usage du mot *stable* et *instable* pour ce dernier cas.

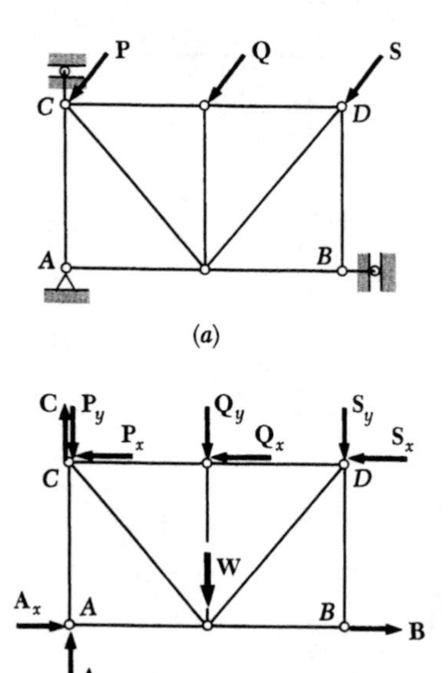


**Fig. A4.7** Liaisons incorrectes.

trois appuis introduisent quatre réactions inconnues. Comme nous ne disposons que de trois équations d'équilibre qui soient indépendantes, ces réactions sont statiquement indéterminées. D'autre part, nous notons que l'équation $\Sigma M_A = 0$ ne peut être satisfaite pour cette mise en charge puisqu'elle exige que les lignes d'action des réactions **B** et **C** passent par le point $A$. Nous pouvons conclure que la structure peut tourner autour du point $A$ et que, par conséquent, elle est incorrectement liée†.

Les exemples illustrés aux figures A4.6 et A4.7 nous conduisent à conclure qu'un *corps rigide est incorrectement appuyé quand les appuis*, même en introduisant un nombre suffisant de réactions, *sont choisis de telle façon que ces réactions sont concourantes ou parallèles.*‡

En résumé, pour nous assurer qu'un corps rigide du plan est à liaisons complètes et que les réactions d'appui sont statiquement déterminées, nous devons nous assurer que les appuis introduisent *trois et seulement trois réactions inconnues* et qu'ils sont choisis de telle façon que les réactions ne sont ni concourantes ni parallèles.

Les appuis susceptibles d'introduire des réactions statiquement indéterminées doivent être utilisés avec précaution dans la conception des structures et uniquement lorsque le concepteur a une connaissance approfondie des problèmes qu'ils soulèvent. Notons aussi que l'*analyse* des structures avec des réactions statiquement indéterminées, peut souvent être faite à l'aide des méthodes de la statique. Dans le cas de la structure de la figure A4.4, par exemple, les composantes verticales des réactions d'appui $A$ et $B$ sont obtenues à partir des équations d'équilibre.

Mais de telles structures ne vont pas nécessairement s'effondrer : sur un cas particulier de mise en charge, leurs équilibres peuvent être maintenus. Les structures illustrées aux figures A4.5 et A4.6, par exemple, resteront en équilibre si les forces appliquées **P**, **Q** et **S** sont verticales. D'ailleurs, nous avons des structures conçues pour être en mouvement et, par conséquent, elles doivent être à liaisons incomplètes. Une voiture de chemin de fer, par exemple, serait d'une utilité douteuse si elle devenait une structure à liaisons complètes en lui appliquant les freins d'une façon permanente.

† La rotation autour du point $A$ demande un certain jeu aux supports $B$ et $C$. Dans la pratique, ce jeu existe toujours. D'ailleurs si le jeu est maintenu petit, les déplacements aux appuis **B** et **C** seront aussi petits. L'équation $\Sigma M_A = 0$ exige alors pour **B** et **C** des valeurs énormes, ce qui comporte évidemment des risques d'effondrement aux supports $B$ et $C$.

‡ Comme cette situation résulte d'un mauvais arrangement ou *géométrie* des appuis, on l'appelle souvent *instabilité géométrique*.

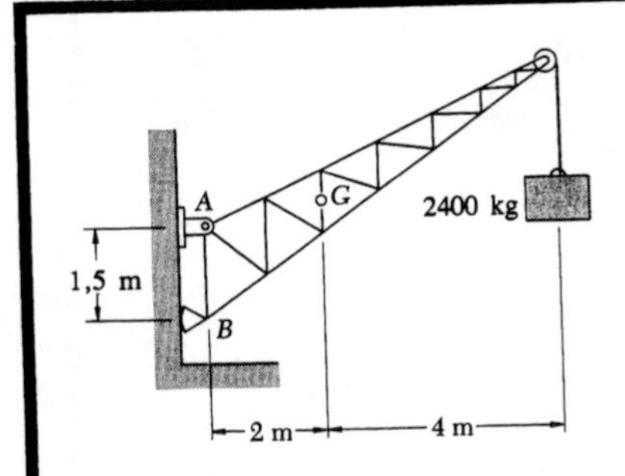


## PROBLÈME RÉSOLU A4.1

Une grue fixe d'une masse de 1000 kg est utilisée pour soulever une caisse de 2400 kg. Elle est appuyée sur une rotule $A$ et un appui à berceau $B$. Son centre de gravité se trouve au point $G$. Calculez les composantes des réactions d'appui $A$ et $B$.

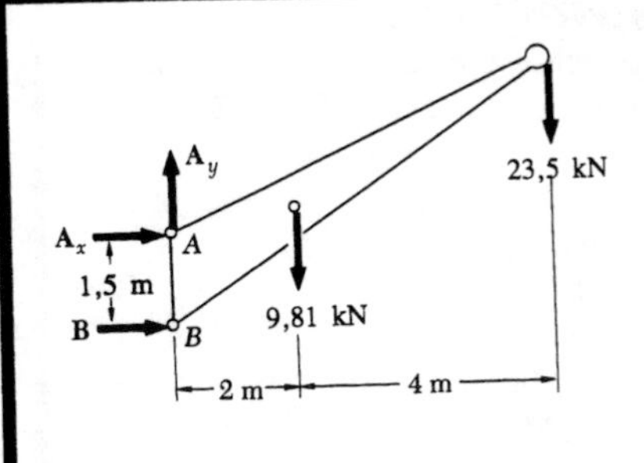


**Solution.** Commençons par traçer le « schéma du corps isolé ». Calculons le poids de la grue et de la caisse en multipliant les masses respectives par 9,81 m/s². Nous obtenons respectivement 9810 N ou 9,81 kN et 23 500 N ou 23,5 kN. La réaction de la rotule $A$ est une force de direction inconnue que nous représenterons par ses composantes $\mathbf{A}_x$ et $\mathbf{A}_y$. La réaction de l'appui à berceau $B$ est une force de direction perpendiculaire aux deux surfaces de contact : elle est donc horizontale. Nous supposerons que $\mathbf{A}_x$, $\mathbf{A}_y$ et $\mathbf{B}$ ont les directions indiquées.

***Détermination de* B.** Exprimons que la somme des moments de toutes les forces extérieures par rapport au point $A$ est nulle. L'équation que nous obtenons ne contient ni $A_x$ ni $A_y$, puisque les moments de $\mathbf{A}_x$ et $\mathbf{A}_y$ par rapport au point $A$ sont nuls. En multipliant la grandeur de chaque force par sa distance du point $A$, nous pouvons écrire

$$+\circlearrowleft \Sigma M_A = 0: \quad +B(1{,}5\text{m}) - (9{,}81 \text{ kN})(2 \text{ m}) - (23{,}5 \text{ kN})(6 \text{ m}) = 0$$
$$B = +\ 107{,}1 \text{ kN} \qquad \mathbf{B} = 107{,}1 \text{ kN} \rightarrow \blacktriangleleft$$

Puisque la valeur de $B$ est positive, le sens arbitraire qu'on lui a donné *est* le sens réel.

***Détermination de* $\mathbf{A}_x$.** La grandeur $A_x$ est déterminée en exprimant que la somme des composantes horizontales des forces extérieures est nulle

$$\overset{+}{\rightarrow} \Sigma F_x = 0: \quad A_x + B = 0 \qquad A_x = -107{,}1 \text{ kN}$$
$$A_x + 107{,}1 \text{ kN} \qquad \mathbf{A}_x = 107{,}1 \text{ kN} \leftarrow \blacktriangleleft$$

Comme la valeur de $A_x$ est négative, le sens arbitraire qu'on lui a donné *est contraire* au sens réel.

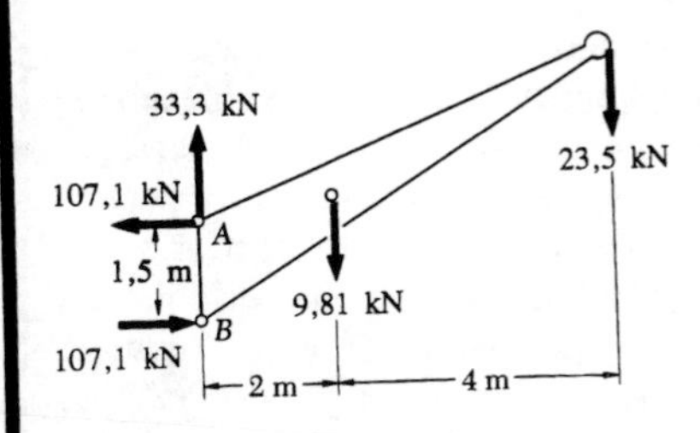


***Détermination de* $\mathbf{A}_y$.** La grandeur $A_y$ est déterminée en exprimant que la somme des composantes verticales des forces extérieures est nulle

$$+\uparrow \Sigma F_y = 0: \quad A_y - 9{,}81 \text{ kN} - 23{,}5 \text{ kN} = 0$$
$$A_y = +33{,}3 \text{ kN} \qquad A_y = 33{,}3 \text{ kN} \uparrow \blacktriangleleft$$

Additionnant vectoriellement $\mathbf{A}_x$ et $\mathbf{A}_y$, nous trouvons la réaction $A$ qui est 112,2 kN ⦣ 17,3°.

***Vérification.*** Les valeurs obtenues doivent annuler la somme de tous les moments par rapport à un point quelconque du plan. Par exemple, en considérant le point $B$, nous avons

$$+\circlearrowleft \Sigma M_B = -(9{,}81 \text{ kN})(2 \text{ m}) - (23{,}5 \text{ kN})(6 \text{ m}) + (107{,}1 \text{ kN})(1{,}5 \text{ m}) = 0$$

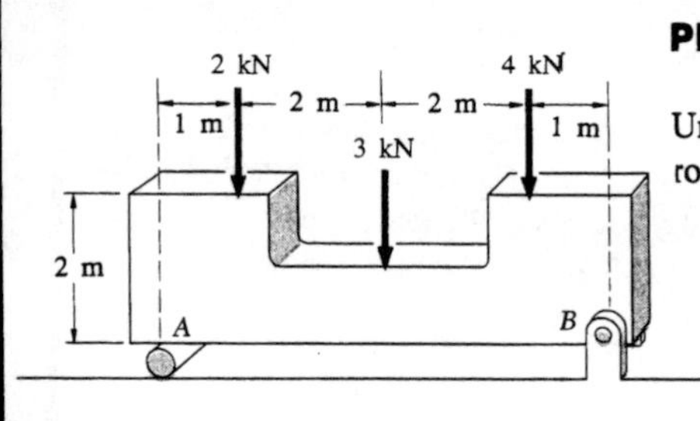


## PROBLÈME RÉSOLU A4.2

Une pièce est soumise à trois charges. Cette pièce est supportée par une rotule $B$ et un rouleau $A$. Calculez les réactions des appuis $A$ et $B$.

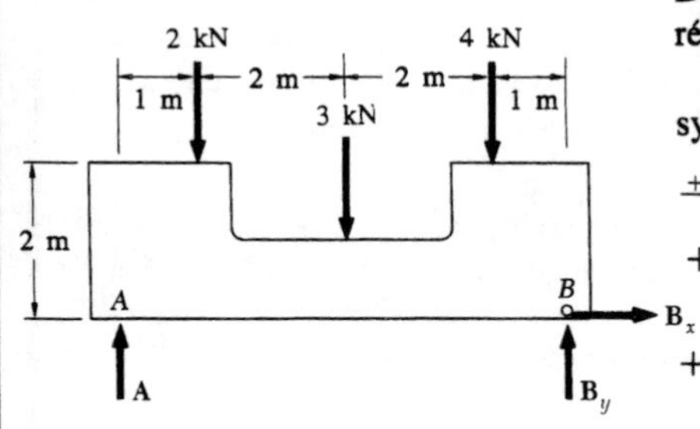


**Solution.** Traçons d'abord le « schéma du corps isolé ». La réaction $A$ est verticale. La réaction $B$ est de direction inconnue et sera représentée par ses composantes $\mathbf{B}_x$ et $\mathbf{B}_y$. Pour tracer le « schéma du corps isolé », on a donné un sens arbitraire à chaque réaction.

***Équations d'équilibre.*** En écrivant les équations d'équilibre et en résolvant le système par rapport aux réactions inconnues, nous obtenons :

$\xrightarrow{+} \Sigma F_x = 0$: $\quad B_x = 0 \qquad \mathbf{B}_x = 0$ ◄

$+\circlearrowleft \Sigma M_A = 0$: $\quad -(2\text{ kN})(1\text{ m}) - (3\text{ kN})(3\text{ m}) - (4\text{ kN})(5\text{ m}) + B_y(6\text{ m}) = 0$

$B_y = +5{,}17\text{ kN} \qquad \mathbf{B}_y = 5{,}17\text{ kN}\uparrow$ ◄

$+\circlearrowleft \Sigma M_B = 0$: $\quad -A(6\text{ m}) + (2\text{ kN})(5\text{ m}) + (3\text{ kN})(3\text{ m}) + (4\text{ kN})(1\text{ m}) = 0$

$A = +3{,}83\text{ kN} \qquad \mathbf{A} = 3{,}83\text{ kN}\uparrow$ ◄

***Vérification.*** Les résultats peuvent être vérifiés en annulant la somme de toutes les composantes verticales des réactions et des forces appliquées.

$$+\uparrow \Sigma F_y = +5{,}17\text{ kN} + 3{,}83\text{ kN} - 2\text{ kN} - 3\text{ kN} - 4\text{ kN} = 0$$

***Note.*** Dans ce problème, les réactions en $A$ et $B$ sont verticales. Cependant, elles le sont pour des raisons différentes. L'appui $A$ est un appui à rouleau : la réaction qu'il provoque *n'a pas* de composante horizontale. À l'appui $B$, la réaction a une composante horizontale nulle parce que les forces appliquées sont toutes verticales et que la condition d'équilibre suivant l'axe horizontal exige $\Sigma F_x = 0$.

À première vue, nous aurions pu déduire que, vu la mise en charge proposée (charges verticales), la composante horizontale de la réaction d'appui $\mathbf{B}_x$ devrait être obligatoirement nulle. Cette façon de procéder est mauvaise. En l'adoptant, nous courons le risque d'oublier que $\mathbf{B}_x \neq 0$ quand les charges appliquées ne sont pas toutes verticales. Remarquons encore que c'est en résolvant l'équation d'équilibre $\Sigma F_x = 0$ que nous avons trouvé $\mathbf{B}_x = 0$. Si nous l'annulons par des considérations géométriques de mise en charge, nous pouvons oublier qu'en réalité nous avons fait usage d'une équation d'équilibre et, ainsi, fausser le nombre d'équations mises à notre disposition pour calculer les réactions.

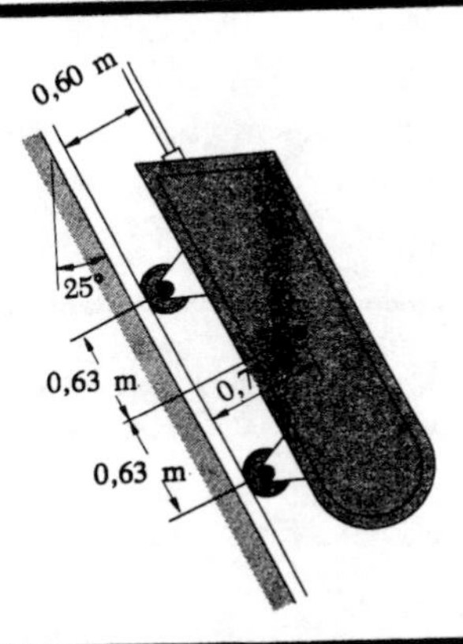


## PROBLÈME RÉSOLU A4.3

Une benne de chargement est immobile sur ses rails qui forment un angle de 25° avec la verticale. Le poids de la benne et de son chargement est de 25,0 kN et est considéré comme étant appliqué à un point situé à 75 cm des rails et à égale distance des deux roues de la benne. Celle-ci est tirée par un câble fixé à un de ses points situé à 60 cm des rails. Calculez l'effort de tension dans le câble et les réactions à chaque paire de roues.

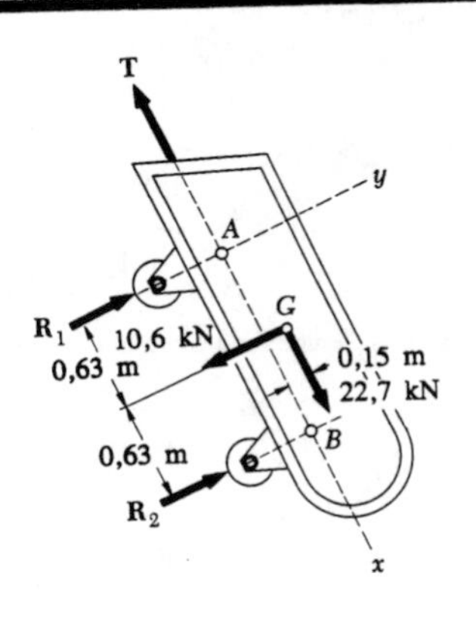


**Solution.** Traçons d'abord le schéma de la benne isolée. La réaction à chaque roue est perpendiculaire au rail et la tension dans le câble est une force parallèle à ces mêmes rails. Pour simplifier les calculs, nous choisissons l'axe $x$, parallèle à la direction des rails, et l'axe $y$ qui lui est perpendiculaire. Le poids de 5,5 kN peut être décomposé suivant les axes.

$$W_x = +(25{,}0 \text{ kN}) \cos 25° = +22{,}7 \text{ kN}$$
$$W_y = -(25{,}0 \text{ kN}) \sin 25° = -10{,}6 \text{ kN}$$

***Équations d'équilibre.*** Calculons les moments par rapport au point $A$ éliminant ainsi $\mathbf{T}$ et $\mathbf{R}_1$ de l'équation résultante.

$$+\circlearrowleft \Sigma M_A = 0: \quad -(10{,}6 \text{ kN})(0{,}63 \text{ m}) - (22{,}7 \text{ kN})(0{,}15 \text{ m}) + R_2\,(1{,}26 \text{ m}) = 0$$
$$R_2 = +8{,}0 \text{ kN} \qquad \mathbf{R}_2 = 8{,}0 \text{ kN} \nearrow \blacktriangleleft$$

Si ensuite nous annulons les moments par rapport au point $B$ pour éliminer $\mathbf{T}$ et $\mathbf{R}_2$ de la nouvelle équation, nous pouvons écrire

$$+\circlearrowleft \Sigma M_B = 0: \quad +(10{,}6 \text{ kN}(0{,}63 \text{ m}) - (22{,}7 \text{ kN})(0{,}15 \text{ m}) - R_1(1{,}26 \text{ m}) = 0$$
$$R_1 = +2{,}60 \text{ kN} \qquad \mathbf{R}_1 = 2{,}60 \text{ kN} \nearrow \blacktriangleleft$$

La valeur de $T$ s'obtient par l'équation

$$\searrow + \Sigma F_x = 0: \quad +22{,}7 - T = 0$$
$$T = +22{,}7 \text{ kN} \qquad \mathbf{T} = 22{,}7 \text{ kN} \nwarrow \blacktriangleleft$$

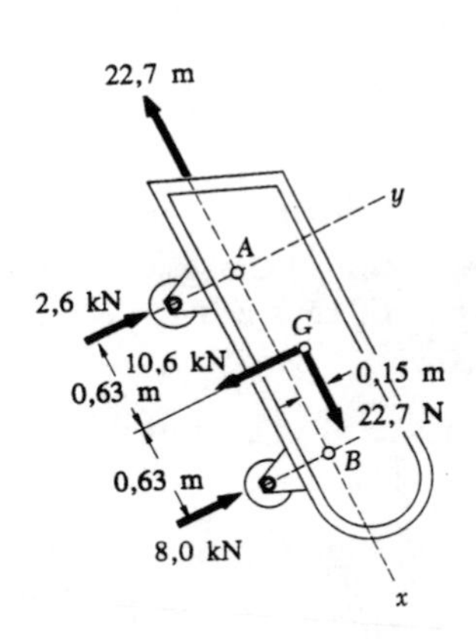


Nous avons tracé ces forces dans le schéma ci-contre.

***Vérification.*** Nous pouvons vérifier nos calculs en annulant la somme des composantes suivant $y$.

$$\nearrow + \Sigma F_y = +2{,}6 + 8{,}0 - 10{,}6 = 0$$

Une autre vérification consisterait à annuler la somme des moments par rapport à n'importe quel point, à l'exception des points $A$ et $B$.

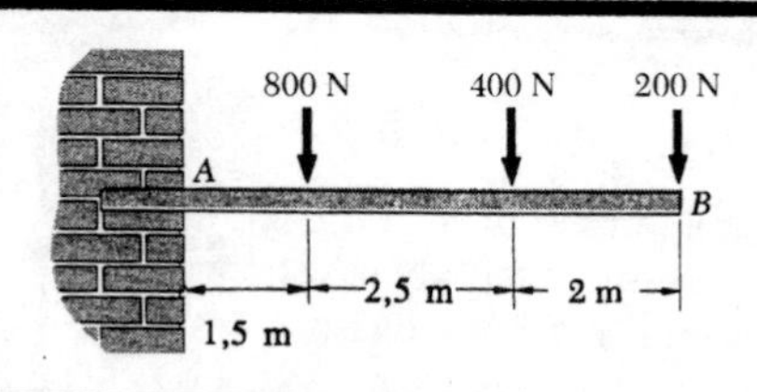


## PROBLÈME RÉSOLU A4.4

Une poutre console est chargée de la façon indiquée à la figure ci-contre. Elle est encastrée à l'extrémité gauche et libre à l'extrémité droite. Calculez les réactions à l'encastrement.

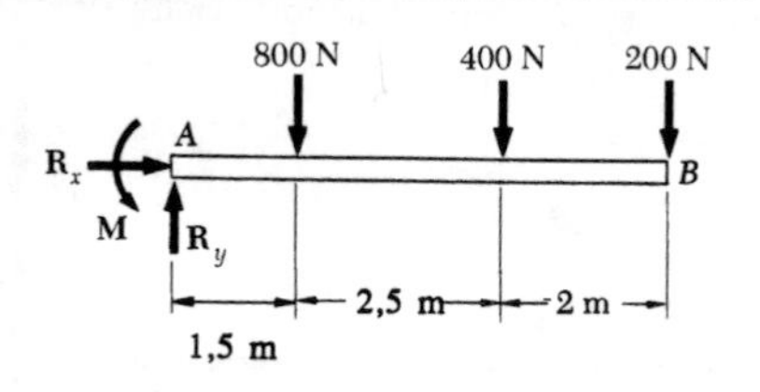


**Solution.** La partie de la poutre encastrée dans le mur est soumise à un grand nombre de forces. Ces forces cependant sont équivalentes à une résultante **R** de composantes $\mathbf{R}_x$ et $\mathbf{R}_y$ et à un couple **M**.

***Équations d'équilibre***

$$\overset{+}{\rightarrow} \Sigma F_x = 0: \quad R_x = 0 \qquad\qquad \mathrm{R}_x = 0 \blacktriangleleft$$

$$+\uparrow \Sigma F_y = 0: \quad R_y - 800\ \mathrm{N} - 400\ \mathrm{N} - 200\ \mathrm{N} = 0$$

$$R_y = +1400\ \mathrm{N} \qquad\qquad \mathrm{R}_y = 1400\ \mathrm{N}\uparrow \blacktriangleleft$$

$$+\circlearrowleft \Sigma M_A = 0:$$

$$-(800\ \mathrm{N})(1{,}5\ \mathrm{m}) - (400\ \mathrm{N})(4\ \mathrm{m}) - (200\ \mathrm{N})(6\ \mathrm{m}) + M = 0$$

$$M = +4000\ \mathrm{N}\cdot\mathrm{m} \qquad\qquad \mathrm{M} = 4000\ \mathrm{N}\cdot\mathrm{m} \circlearrowleft \blacktriangleleft$$

La réaction d'encastrement sera composée d'une force verticale de 1400 N et d'un couple positif de 4000 N·m

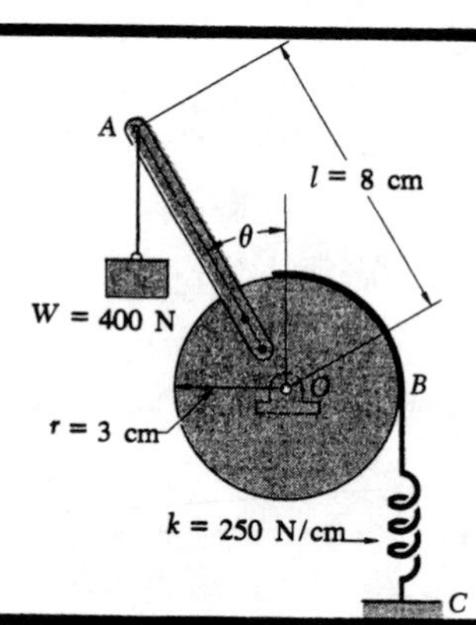


## PROBLÈME RÉSOLU A4.5

Un poids de 400 N est attaché au levier $AO$. La constante du ressort $BC$ est $k =$ 250 N/cm. Le ressort est au repos lorsque $\theta = 0$. Déterminez les positions d'équilibre.

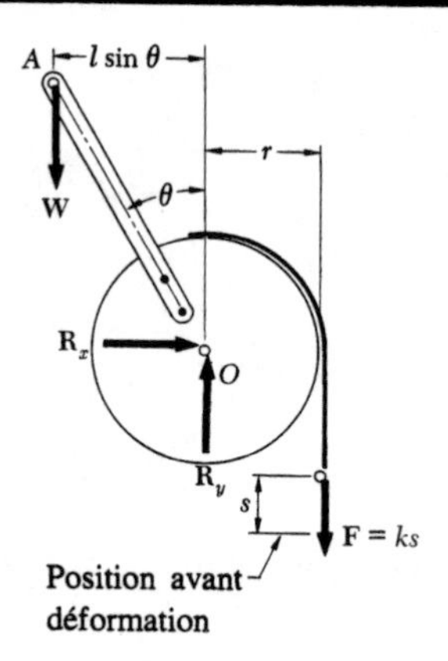


**Solution.** ***Force transmise par le ressort.*** Appelons $s$ l'allongement du ressort mesuré à partir de sa position de repos. Puisque $s = r\theta$, nous pouvons écrire

$$F = ks = kr\theta$$

***Équation d'équilibre.*** En additionnant les moments de **W** et **F** par rapport au point $O$, nous avons

$$+\circlearrowleft \Sigma M_O = 0: \quad Wl \sin\theta - r(kr\theta) = 0 \qquad \sin\theta = \frac{kr^2}{Wl}\theta$$

En substituant les données, nous obtenons

$$\sin\theta = \frac{(250\ \mathrm{N/cm})(3\ \mathrm{cm})^2}{(400\ \mathrm{N})(8\ \mathrm{cm})}\theta \qquad \sin\theta = 0{,}703\theta$$

Par la méthode des approximations successives, nous trouvons

$$\theta = 0 \qquad \theta = 80{,}3° \blacktriangleleft$$

## PROBLÈMES SUPPLÉMENTAIRES

**A4.1** La flèche d'une grue a une longueur de 12,2 m et pèse 8,9 kN; la distance de l'axe $A$ au centre de gravité $G$ de la flèche est de 6,1 m. Calculez l'effort de tension $T$ transmis par le câble et la réaction à la rotule $A$ pour un angle d'élévation de 30°.

**A4.2** Un élévateur à palette d'une masse de 600 kg est utilisé pour soulever une caisse $C$ de 150 kg. Déterminez les réactions : $a$) à chacune des deux roues $A$, $b$) à la roue unique de direction $B$.

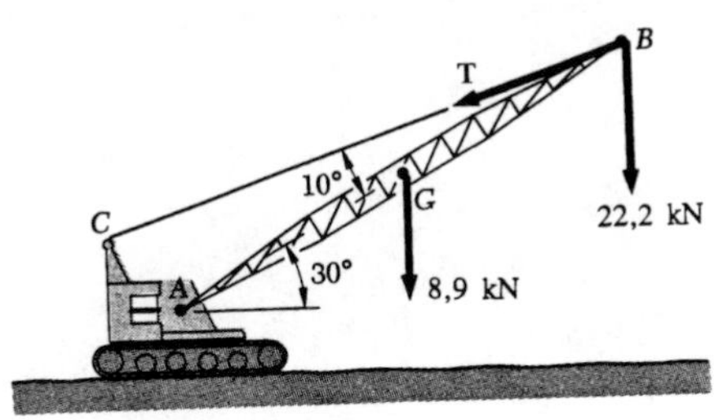

**Fig. PA4.1**

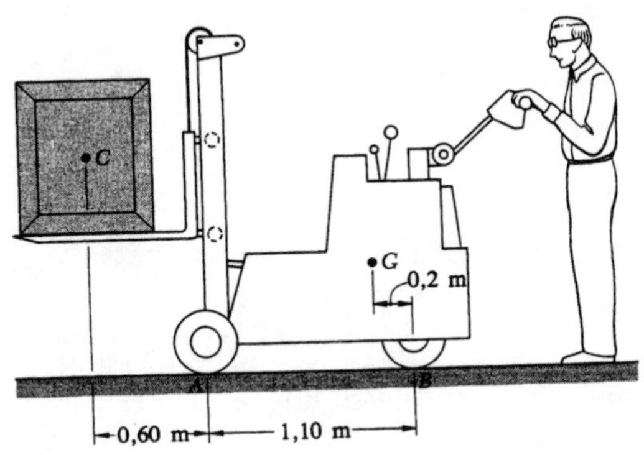

**Fig. PA4.2**

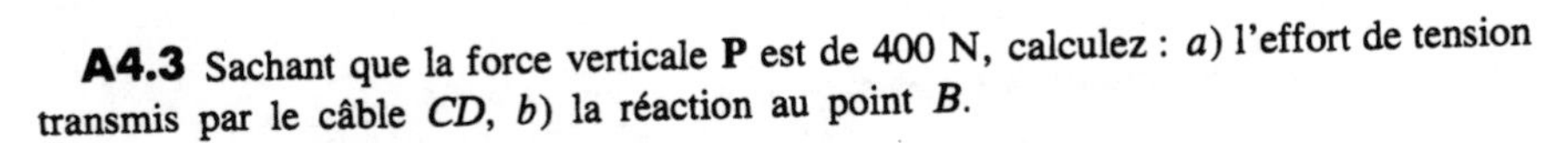
**A4.3** Sachant que la force verticale **P** est de 400 N, calculez : $a$) l'effort de tension transmis par le câble $CD$, $b$) la réaction au point $B$.

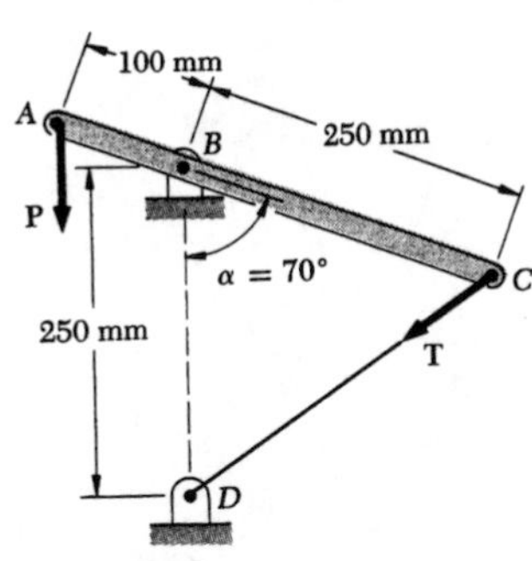

**Fig. PA4.3**

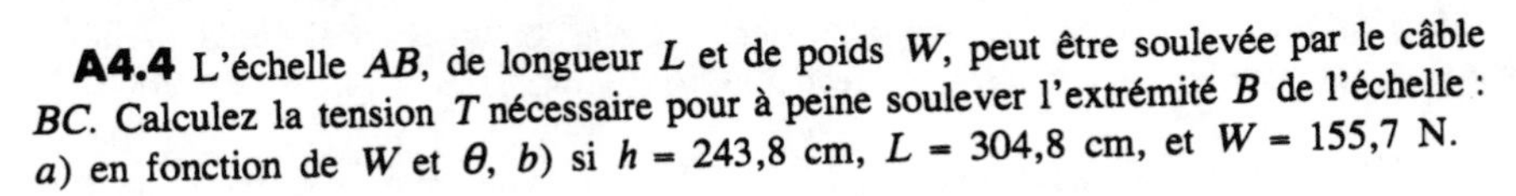
**A4.4** L'échelle $AB$, de longueur $L$ et de poids $W$, peut être soulevée par le câble $BC$. Calculez la tension $T$ nécessaire pour à peine soulever l'extrémité $B$ de l'échelle : $a$) en fonction de $W$ et $\theta$, $b$) si $h$ = 243,8 cm, $L$ = 304,8 cm, et $W$ = 155,7 N.

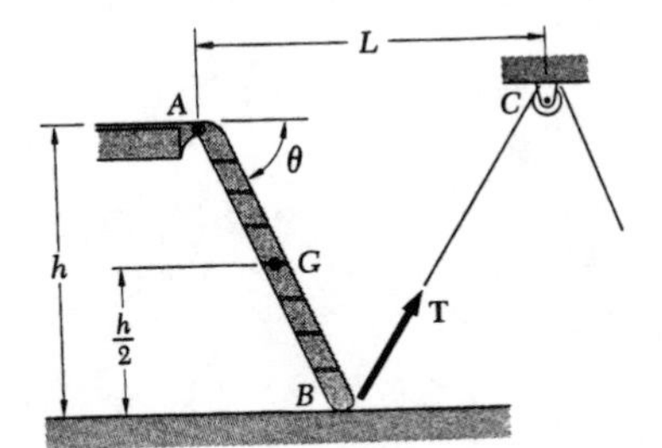

**Fig. PA4.4**

**A4.5** Un bloc de poids $W$ est supporté par un treuil. Calculez la valeur de **P** pour laquelle le système est en équilibre : $a$) en fonction de $W$, $r$, $l$ et $\theta$, $b$) si $W$ = 445 N, $r$ = 7,6 cm, $l$ = 38,1 cm et $\theta$ = 60°.

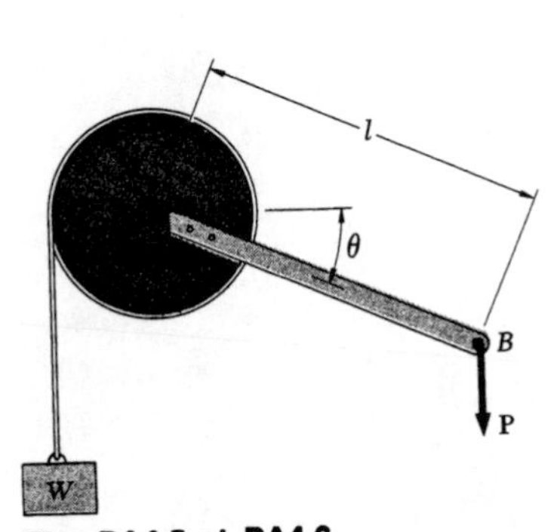

**Fig. PA4.5 et PA4.6**

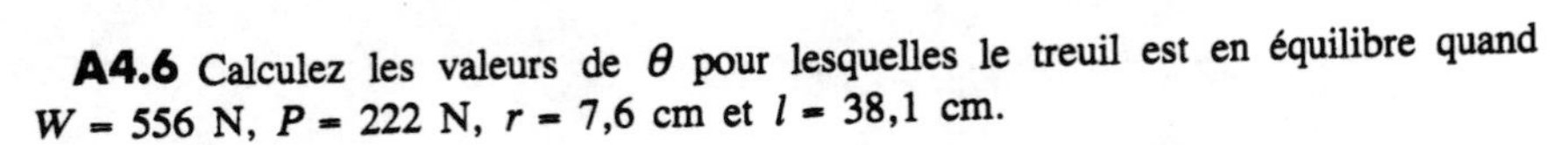
**A4.6** Calculez les valeurs de $\theta$ pour lesquelles le treuil est en équilibre quand $W$ = 556 N, $P$ = 222 N, $r$ = 7,6 cm et $l$ = 38,1 cm.

**A4.7** Le câble $AB$ doit transmettre une force de 1200 N. Calculez : *a*) la force verticale **P** à appliquer sur la pédale, *b*) la réaction correspondante à l'appui $C$.

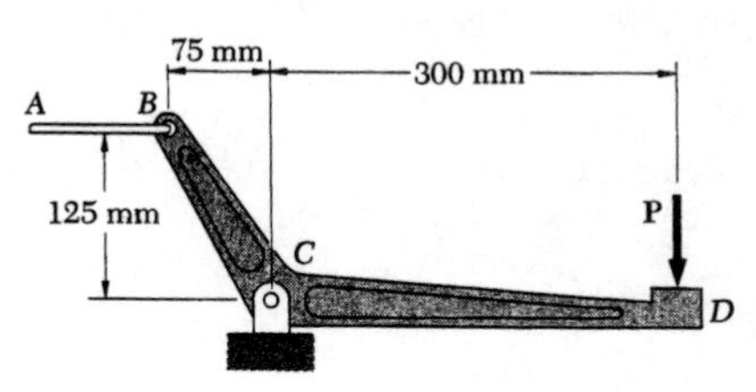


**Fig. PA4.7 et PA4.8**

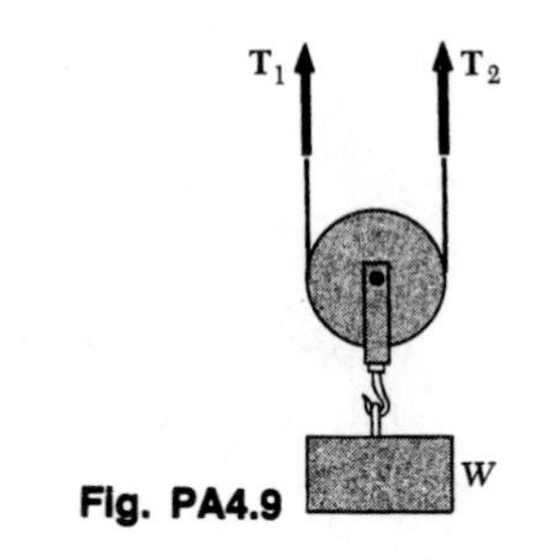


**Fig. PA4.9**

**A4.8** Calculez l'effort maximal transmis par le câble $AB$ si la réaction maximale permise au point $C$ est de 2,6 kN.

**A4.9** Un bloc de poids $W$ est suspendu à une poulie soutenue par deux câbles. Démontrez que, si la poulie est en équilibre, les efforts $T_1$ et $T_2$ dans les deux brins du câble sont égaux à $W/2$.

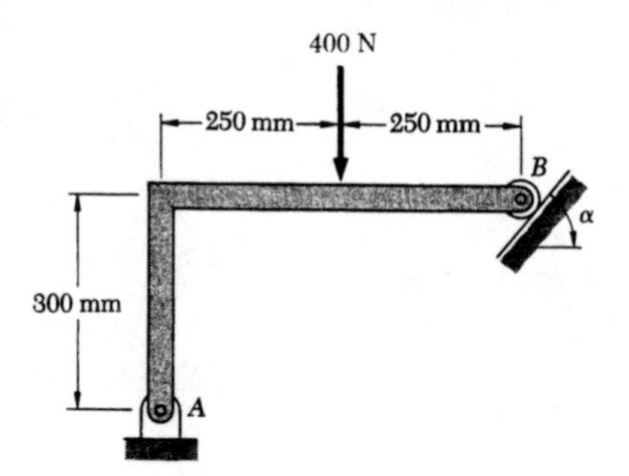


**Fig. PA4.10, PA4.11, et PA4.12**

**A4.10** Calculez les réactions en $A$ et $B$ pour $\alpha = 60°$.

**A4.11** Calculez les réactions en $A$ et $B$ pour $\alpha = 90°$.

**A4.12** Calculez la valeur de $\alpha$ pour laquelle la réaction au point $B$ prend sa plus petite valeur. Quelles seront alors les réactions aux points $A$ et $B$?

**A4.13** Une tige supportée par les rouleaux $B$, $C$ et $D$ est soumise à une force de 890 N appliquée au point $A$. En supposant que $\beta = 0$, calculez : *a*) les réactions en $A$, $B$ et $D$, *b*) lequel des appuis on peut supprimer sans perturber l'équilibre de la tige.

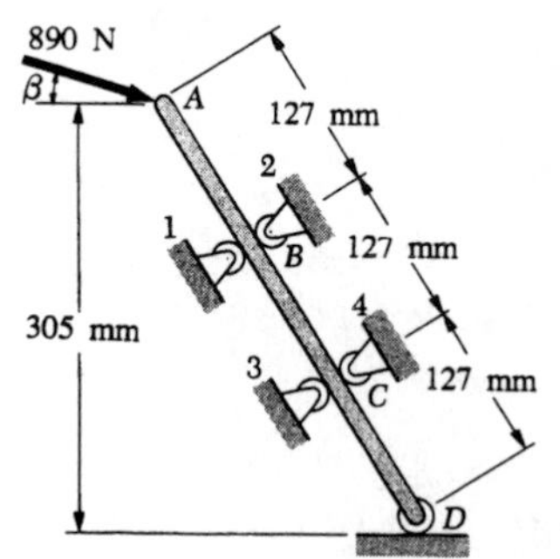


**Fig. PA4.13**

**A4.14** Résolvez le probl. A4.13 quand la force de 890 N est appliquée verticalement et que $\beta = 90°$.

**A4.15** Une console mobile est maintenue en place par un câble attaché au point *C* et par des rouleaux sans frottement *A* et *B*. Calculez, pour la mise en charge illustrée, l'effort de tension *T* dans le câble et les réactions *A* et *B*.

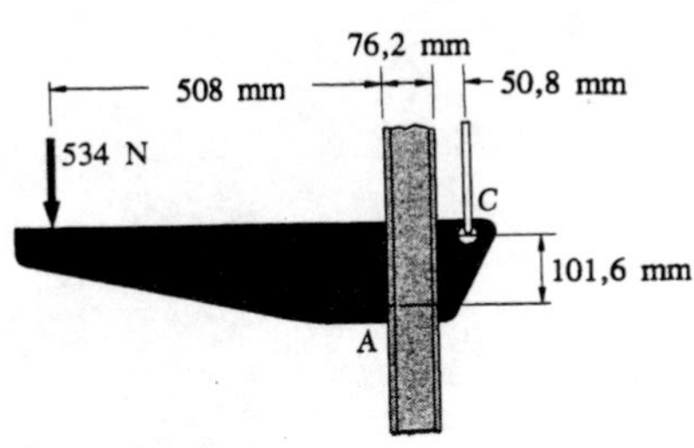


**Fig. PA4.15**

**A4.16** Une porte à bascule, installée dans un garage, a une masse de 90 kg. Elle est formée par un panneau rectangulaire *AC* de 2,4 mètres de hauteur et est supportée par le câble *AE* attaché au milieu du côté supérieur de la porte et par deux ensembles de rouleaux sans frottement *A* et *B*. Chaque ensemble est formé de deux rouleaux localisés de part et d'autre de la porte. Les rouleaux *A* sont conçus pour se déplacer librement sur l'horizontale tandis que les rouleaux *B* doivent se déplacer sur la verticale. Calculez, en supposant que la porte se trouve dans une position pour laquelle $BD = 1{,}2$ m : *a*) l'effort de tension transmis par le câble *AE*, *b*) les réactions des quatre rouleaux.

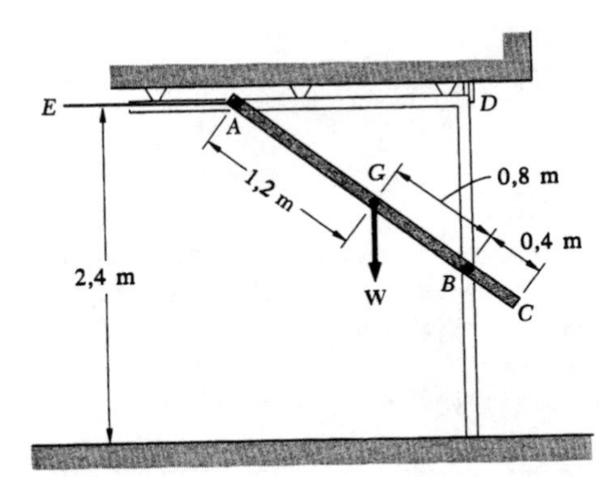


**Fig. PA4.16 et PA4.17**

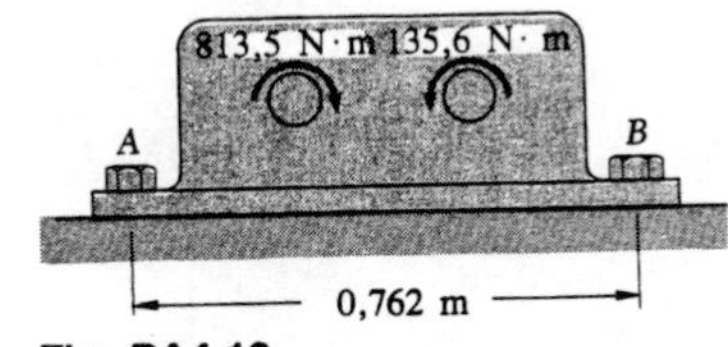


**Fig. PA4.18**

**A4.17** Calculez, dans le probl. A4.16, la valeur minimale admissible de la distance *BD* pour que l'effort de tension dans le câble *AE* ne dépasse pas 5 kN.

**A4.18** Les deux arbres d'une boîte de vitesses transmettent les couples de torsion indiqués sur la figure ci-contre. Calculez les composantes verticales des réactions d'appui transmises par les boulons d'attache *A* et *B*.

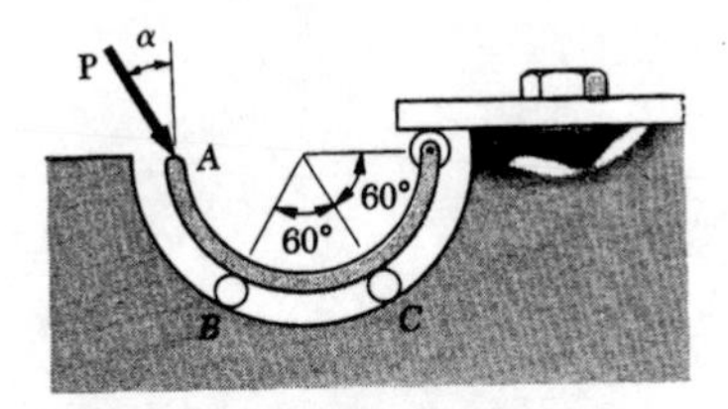


**Fig. PA4.19 et PA4.20**

**A4.19** Calculez les valeurs extrêmes de $\alpha$ pour que la tige pliée en demi-cercle soit en équilibre sous l'action de la force *P* et des réactions *B*, *C* et *D*.

**A4.20** Calculez les réactions *B*, *C* et *D*: *a*) pour $\alpha = 0$, *b*) pour $\alpha = 30°$.

**A4.21** Un couple **M** est appliqué pour plier la tige $AB$ qui peut être supportée de quatre manières différentes. Calculez pour chaque cas les réactions d'appui.

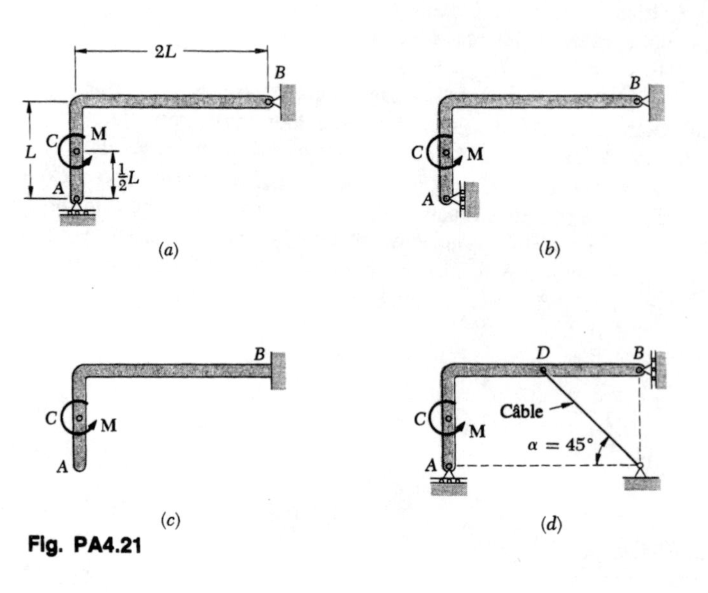


**Fig. PA4.21**

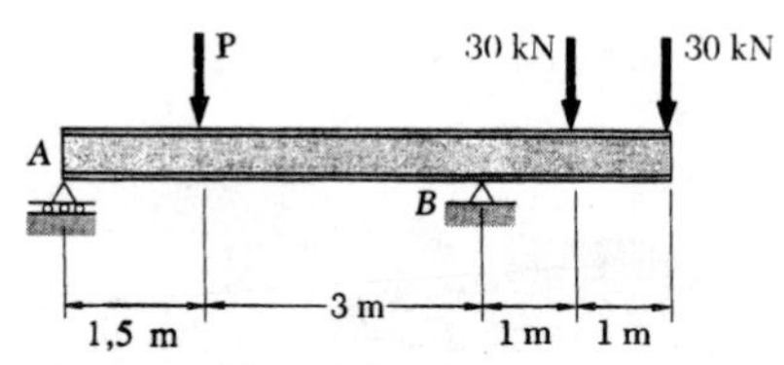


**Fig. PA4.22 et PA4.23**

**A4.22** La valeur maximale permise pour chacune des réactions est 150 kN, et la réaction $A$ doit être verticale vers le haut. Calculez les valeurs extrêmes de $P$ pour lesquelles la poutre est en équilibre. (Négligez le poids de la poutre.)

**A4.23** Calculez les réactions en $A$ et $B$ quand : *a*) $P = 75$ kN, *b*) $P = 150$ kN.

**A4.24** Une poutre de longueur 304 cm est simplement appuyée sur les appuis $C$ et $D$. Calculez les valeurs extrêmes de $P$ pour lesquelles la poutre reste en équilibre. (Négligez le poids de la poutre.)

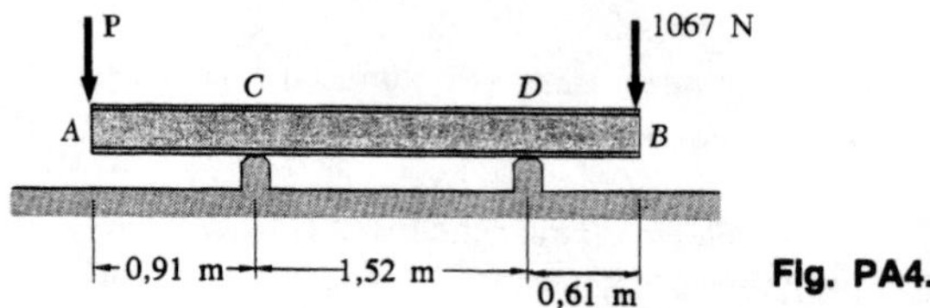


**Fig. PA4.24 et PA4.25**

**A4.25** Le poids de la poutre précédente est de 445 N. Calculez les valeurs extrêmes de $P$ pour lesquelles la poutre reste en équilibre.

**A4.26** Un poteau de signalisation peut être fixé de trois manières. Calculez les réactions pour chaque type de support si on admet que la tension dans le câble $BC$ est de 1950 N dans le montage ($c$).

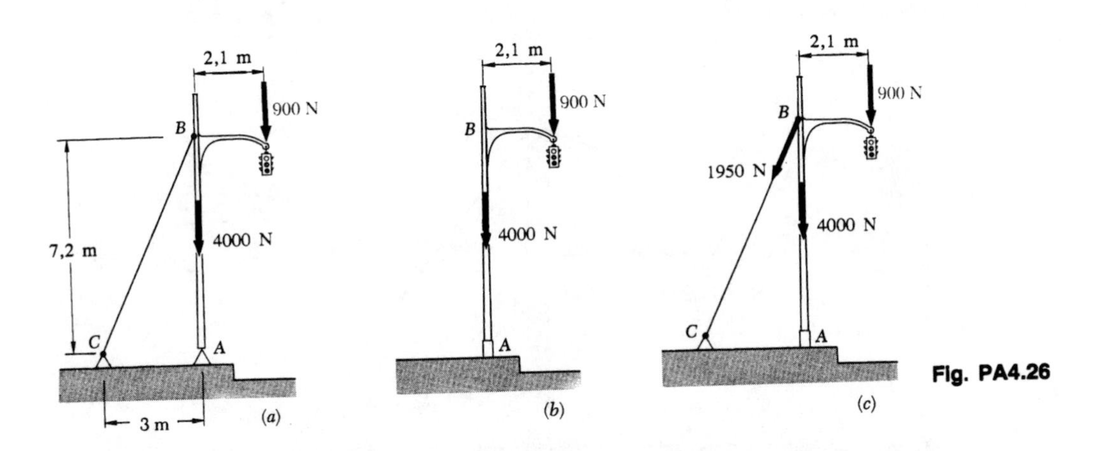


**Fig. PA4.26**

**A4.27** Le mécanisme illustré à la figure PA4.27 mesure la tension d'un épais ruban de papier au cour du processus de fabrication. Le ruban passe par trois rouleaux à rotation libre $A$, $B$ et $C$. Les paliers des rouleaux $A$ et $C$ sont fixés à la plaque verticale tandis que le rouleau $B$ est fixé à l'extrémité d'un levier coudé pivotant autour de l'axe $D$ et attaché à un ressort. Lorsque la tension dans le ruban varie, l'extrémité $F$ de ce levier indique la valeur de cette tension sur une échelle appropriée. Calculez : $a$) la force transmise au point $E$ par le ressort lorsque le ruban est soumis à une traction de 150 N, $b$) la réaction correspondant au pivot $D$.

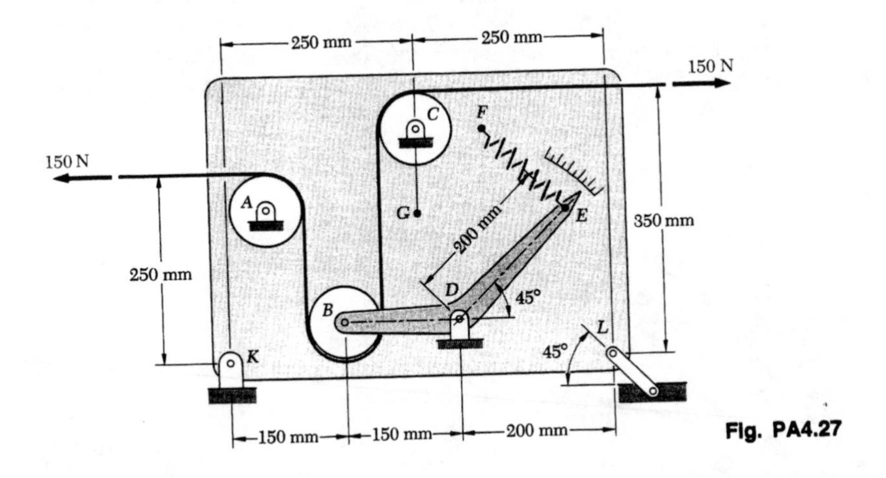


**Fig. PA4.27**

**A4.28** Calculez les réactions d'appui $K$ et $L$ de la « balance de tensions » précédente si on admet que son poids est de 200 N et que son centre de gravité $G$ se trouve sur la verticale de $C$ et que la tension dans le ruban est de 150 N.

**A4.29** La poutre *AC* fait partie de la structure du toit d'un petit bâtiment industriel. Elle est rivetée à une colonne *DE* par l'intermédiaire du gousset *C* et soutenue par le câble *BDF*. *a*) Calculez la réaction d'appui *C* lorsque la tension dans le câble est de 173,5 kN. *b*) Quelle sera la tension *T* dans le câble si on veut annuler le couple d'encastrement en *C*?

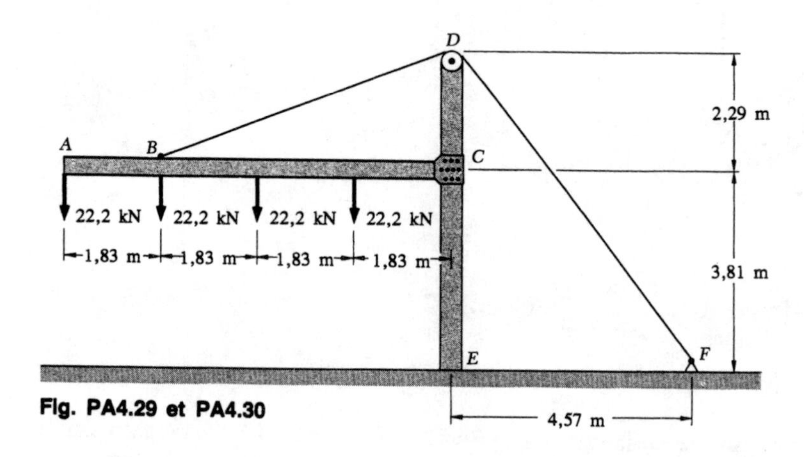


**Fig. PA4.29 et PA4.30**

**A4.30** Calculez dans l'ensemble précédent : *a*) la réaction d'appui *F* si la tension *T* dans le câble est de 133,5 kN, *b*) pour quelle valeur de *T* le couple à l'appui *E* s'annule?

**A4.31** Dans un moteur à support basculant, on utilise le poids de celui-ci pour maintenir la tension dans la courroie de transmission. Quand le moteur est à l'arrêt, la tension dans la courroie est uniforme ($T_1 = T_2$). La masse du moteur est de 90 kg et le diamètre de la poulie motrice est de 150 mm. En négligeant la masse du support *AB*, calculez : *a*) la tension $T = T_1 = T_2$ dans la courroie, *b*) la réaction d'appui *C*. (Moteur à l'arrêt.)

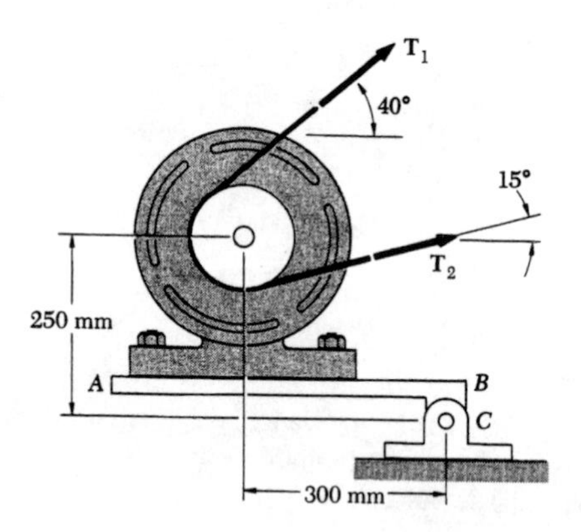


**Fig. PA4.31**

**A4.32** Le bras horizontal $ABC$ d'un mécanisme de levage qui pèse 4450 N est attaché par le pivot $B$ et est soutenu par le câble $EADC$. Les poulies $A$ et $D$ étant sans frottement, la tension du câble est la même partout. Le mécanisme peut soulever une charge de 13 350 N plaçée à une distance de 3,66 m de la colonne $DF$. Calculez dans ces conditions : *a*) l'effort de tension dans le câble, *b*) les composantes horizontales et verticales de la réaction d'appui $B$.

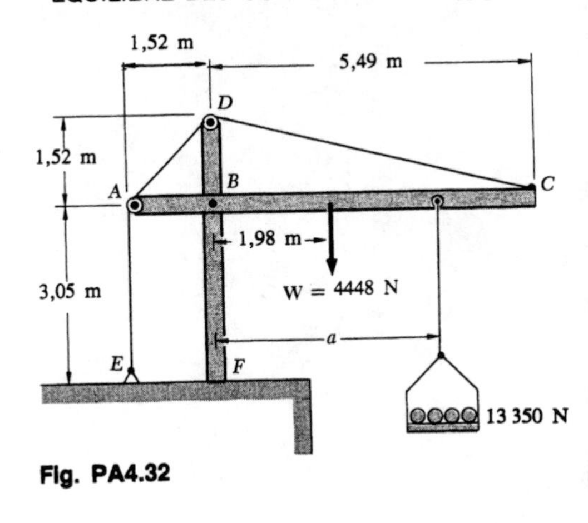


**Fig. PA4.32**

**A4.33** Calculez pour le mécanisme précédent : *a*) la distance maximale à laquelle on doit placer une charge de 13 350 N si la tension maximale admissible dans le câble est de 35 580 N, *b*) les valeurs correspondantes des composantes horizontales et verticales de la réaction d'appui $B$.

***A4.34** Deux roues $A$ et $B$, respectivement de poids $2W$ et $W$, sont attachées à une barre de poids négligeable et sont libres de rouler sur les surfaces $CD$ et $DB$. Calculez l'angle que la tige doit former avec l'horizontale pour que le système soit en équilibre, en supposant que $\theta = 45°$.

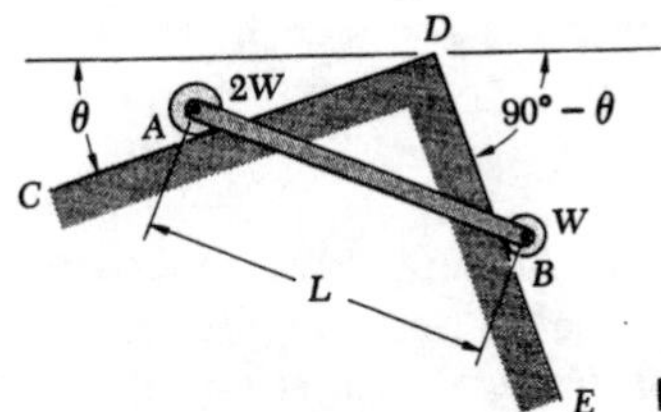


**Fig. PA4.34 et PA4.35**

***A4.35** Calculez l'angle $\theta$, dans le probl. A4.34, pour que la barre soit horizontale lorsque le système est en équilibre.

**A4.36** Une tige mince $AB$, de poids $W$, est attachée par des pivots aux deux blocs $A$ et $B$ qui peuvent se déplacer sans frottement dans des glissières. Ces blocs sont reliés par un câble élastique qui passe par la poulie $C$. *a*) Déterminez la force de tension $T$ dans le câble en fonction de $W$ et $\theta$. *b*) Calculez la valeur de $\theta$ pour laquelle la tension dans le câble est de $2W$.

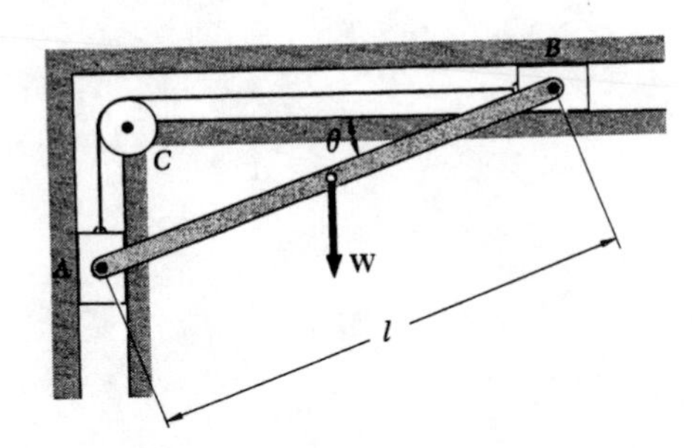


**Fig. PA4.36**

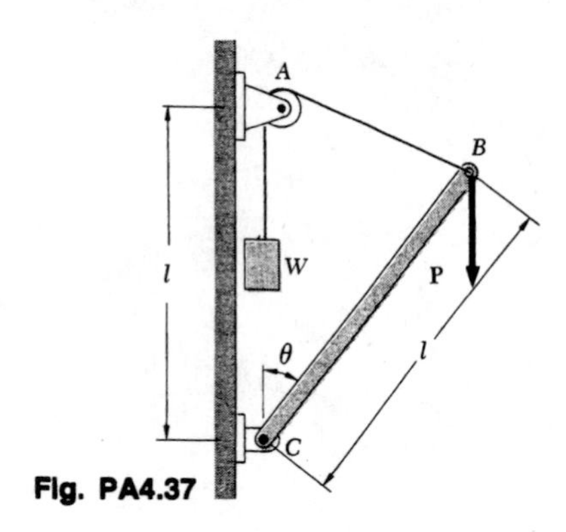

Fig. PA4.37

**A4.37 et A4.38** *a*) Établissez une équation donnant la valeur de $\theta$ lorsque les systèmes sont en équilibre. *b*) Calculez la valeur de $\theta$ correspondant à l'équilibre quand $P = 2W$.

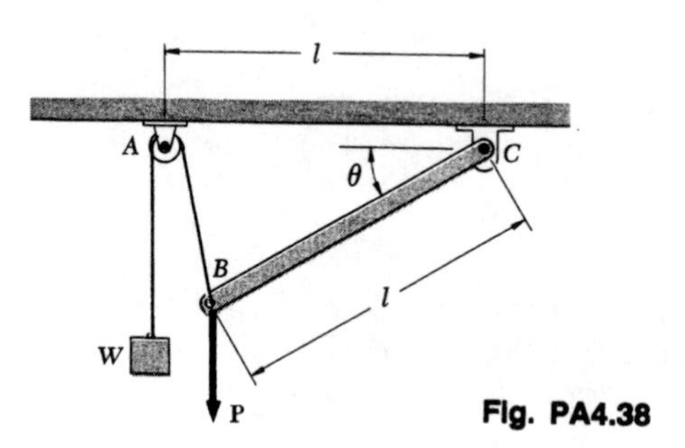

Fig. PA4.38

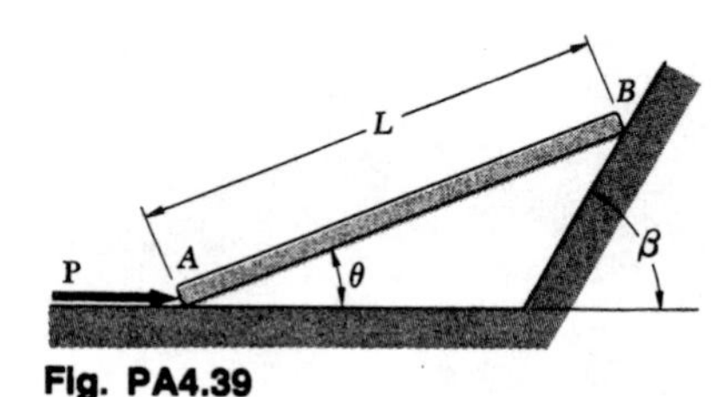

Fig. PA4.39

***A4.39** Une tige mince, de longueur $L$ et poids $W$, est maintenue par la force **P** dans la position indiquée. Si on néglige l'effet de frottement aux appuis $A$ et $B$, calculez l'angle $\theta$ correspondant à l'équilibre : *a*) en fonction de $P$, $W$, $L$ et $\beta$, *b*) si $P = 44{,}5$ N, $W = 89$ N, $L = 76{,}2$ cm, et $\beta = 60°$.

**A4.40** La pièce en L peut être appuyée de huit manières différentes. Dans tous les cas, ces liaisons sont sans frottement. Déterminez pour chaque cas : *a*) si la pièce est à liaisons complètes, incomplètes ou incorrectes, *b*) si les réactions sont statiquement déterminées ou indéterminées, *c*) si l'équilibre de la pièce est possible. Chaque fois que possible, calculez les réactions d'appui en admettant que **P** = 400 N.

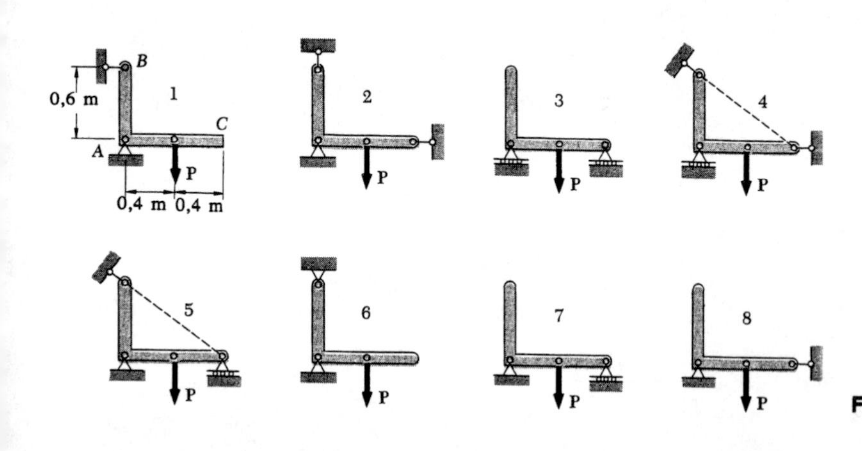

Fig. PA4.40

**A4.41** Neuf plaques métalliques identiques, de dimensions 61 x 90 cm et pesant 445 N, sont appuyées de la façon illustrée ci-contre. Toutes les liaisons sont sans frottement. Répondez aux questions du problème précédent et déterminez chaque fois que possible les réactions d'appui.

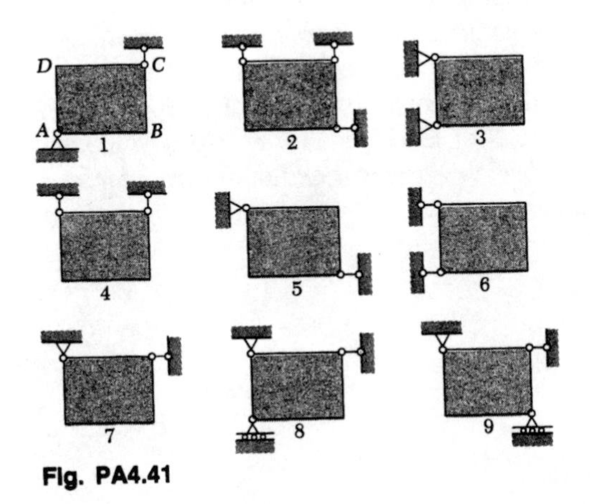


**Fig. PA4.41**

## A4.6. Équilibre d'un corps rigide soumis à deux forces.

Un cas particulier important d'équilibre est celui d'un corps rigide soumis à deux forces. Nous allons démontrer que : *si un corps rigide est en équilibre sous l'action de deux forces, celles-ci doivent être de même grandeur et de même ligne d'action, mais de sens opposé.*

Considérons la pièce en L, illustrée ci-contre, soumise à l'action des deux forces $\mathbf{F}_1$ et $\mathbf{F}_2$ appliquées respectivement aux points $A$ et $B$ (Fig. A4.8*a*). Si la pièce *est* en équilibre, la somme des moments de $\mathbf{F}_1$ et $\mathbf{F}_2$ par rapport à n'importe quel point doit être nulle. Calculons d'abord la somme des moments par rapport au point $A$. Puisque le moment de $\mathbf{F}_1$ est nul, alors le moment de $\mathbf{F}_2$ par rapport à $A$ doit aussi être nul et la ligne d'action de $\mathbf{F}_2$ doit passer par $A$ (Fig. A4.8*b*). En calculant la somme des moments par rapport à $B$, nous constatons aussi que la ligne d'action de $\mathbf{F}_1$ doit passer par le point $B$ (Fig. A4.8*c*). Ainsi, les deux forces $\mathbf{F}_1$ et $\mathbf{F}_2$ doivent avoir la même ligne d'action $AB$. Les équations d'équilibre $\Sigma F_x = 0$ ou $\Sigma F_y = 0$ nous indiquent que ces forces doivent avoir des sens contraires.

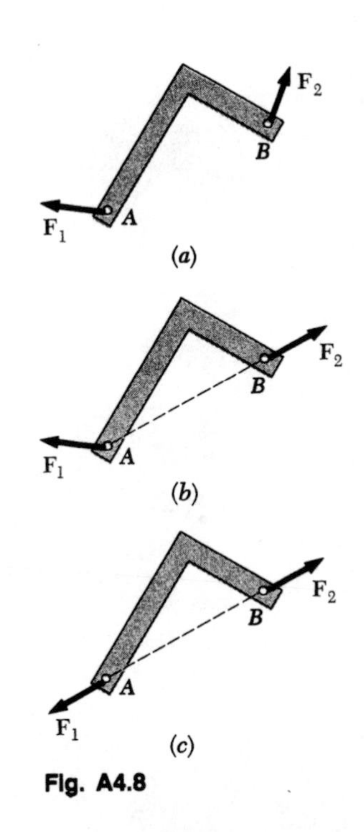


**Fig. A4.8**

Si plusieurs forces agissent aux deux points $A$ et $B$, les forces appliquées au point $A$ peuvent être remplacées par la résultante $\mathbf{F}_1$ et celles appliquées en $B$, par leur résultante $\mathbf{F}_2$. Nous pouvons alors définir le corps rigide soumis à deux forces, d'une façon plus générale, comme étant un *corps soumis à plusieurs forces appliquées à deux seuls points du corps.* Si le corps est en équilibre sous l'action de ces forces, alors les résultantes $\mathbf{F}_1$ et $\mathbf{F}_2$ doivent avoir la même ligne d'action et la même grandeur, mais elles sont de sens opposé.

Même si les problèmes d'équilibre mettant en jeu deux forces $\mathbf{F}_1$ et $\mathbf{F}_2$ peuvent être traités par les méthodes générales décrites précédemment, il est parfois avantageux de recourir à la propriété qu'on vient d'énoncer parce qu'elle permet d'utiliser des méthodes géométriques ou trigonométriques qui sont habituellement plus expéditives.

**A4.7. Équilibre d'un corps rigide soumis à trois forces.** Un autre cas d'équilibre très important est celui d'un *corps rigide soumis à trois forces* ou, d'une façon plus générale, *soumis à un ensemble de forces appliquées en trois points.* Considérons un corps rigide soumis à un ensemble de forces qui peut se réduire à trois résultantes $\mathbf{F}_1$, $\mathbf{F}_2$ et $\mathbf{F}_3$ appliquées respectivement aux points $A$, $B$ et $C$ (Fig. A4.9$a$). Nous voulons démontrer que *si le corps est en équilibre, les lignes d'action des trois forces doivent être concourantes ou parallèles.*

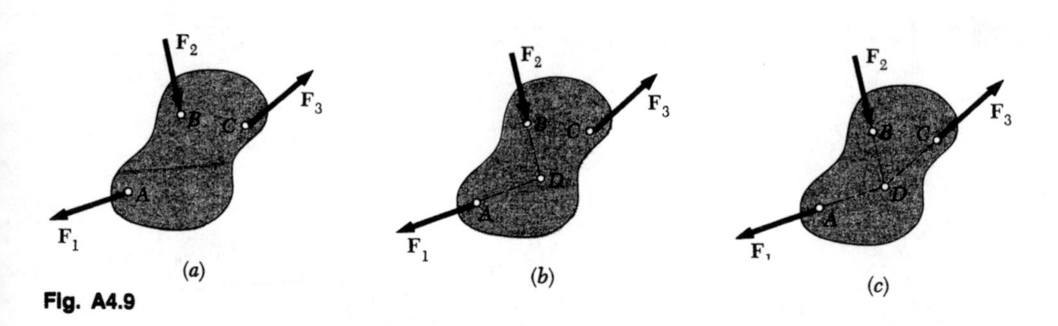


**Fig. A4.9**

Puisque le corps rigide est en équilibre, la somme des moments de ces trois forces par rapport à n'importe quel point doit être nulle. Calculons d'abord la somme des moments des forces par rapport au point $D$, point d'intersection des lignes d'action de $\mathbf{F}_1$ et $\mathbf{F}_2$ (Fig. A4.9$b$). Puisque les moments de $\mathbf{F}_1$ et $\mathbf{F}_2$ par rapport au point $D$ sont nuls, la ligne d'action de $\mathbf{F}_3$ doit passer par ce point $D$ (Fig. A4.9$c$). Les trois lignes d'action sont alors concourantes. La seule exception est celle où ces lignes d'action ne se coupent pas; alors les forces sont parallèles.

Même si ce problème peut être traité avec succès par les méthodes générales décrites précédemment, il est souvent avantageux d'avoir recours à la propriété qu'on vient d'énoncer parce qu'elle permet d'utiliser des méthodes géométriques ou trigonométriques qui sont habituellement plus expéditives.

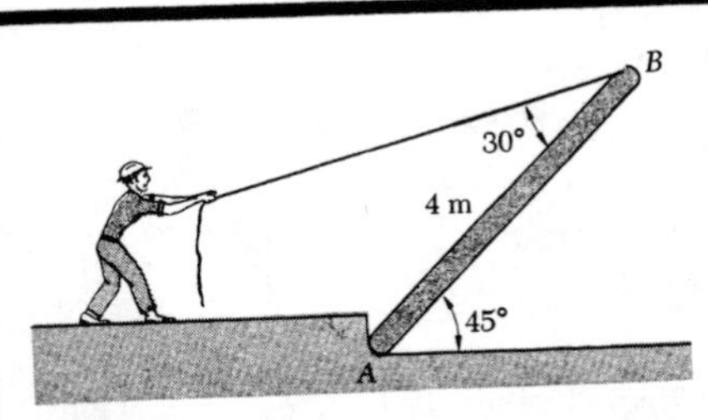


## PROBLÈME RÉSOLU 4.6

Un homme soulève une poutrelle de 10 kg, longue de 4 m, en la tirant avec une corde. Calculez la force de tension dans le câble et la réaction d'appui $A$.

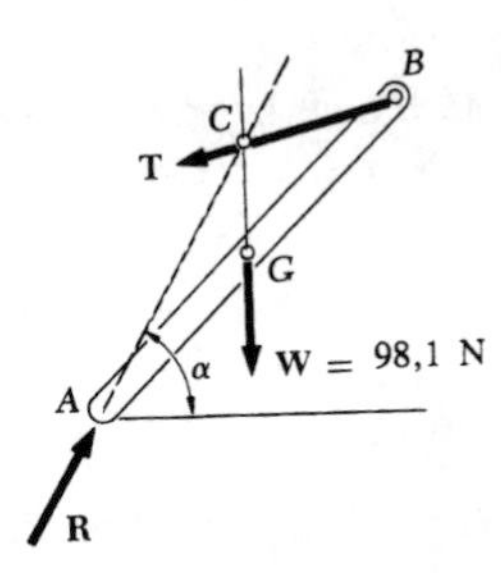


**Solution.** La poutrelle est soumise à trois forces : son poids **W**, la force **T** transmise par la corde et la réaction d'appui **R**. Le poids $W$ de la poutrelle est

$$W = mg = (10\ \text{kg})(9{,}81\ \text{m}/s^2) = 98{,}1\ \text{N}$$

***Équilibre sous l'action de trois forces.*** Comme nous l'avons énoncé, les trois forces appliquées à la poutrelle doivent être concourantes. La ligne d'action de la réaction **R** doit alors passer par le point d'intersection $C$ des deux autres forces **W** et **T**. Nous pouvons alors calculer l'angle $\alpha$ que la réaction **R** forme avec l'horizontale. En baissant la verticale $BF$ et l'horizontale $CD$, nous constatons que

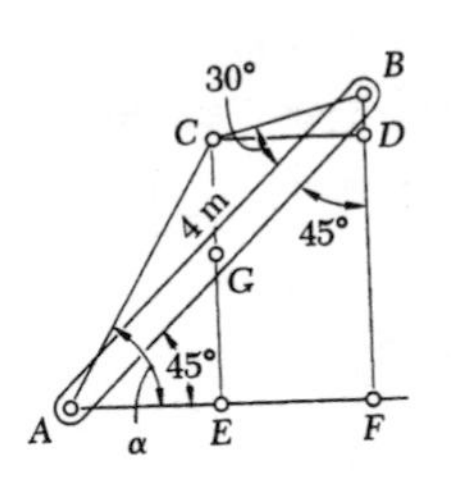


$$AF = BF = (AB)\cos 45° = (4\ \text{m})\cos 45° = 2{,}83\ \text{m}$$
$$CD = EF = AE = \tfrac{1}{2}(AF) = 1{,}415\ \text{m}$$
$$BD = (CD)\cot(45° + 30°) = (1{,}415\ \text{m})\tan 15° = 0{,}379\ \text{m}$$
$$CE = DF = BF - BD = 2{,}83\ \text{m} - 0{,}379\ \text{m} = 2{,}45\ \text{m}$$

Nous pouvons écrire

$$\tan\alpha = \frac{CE}{AE} = \frac{2{,}45\ \text{m}}{1{,}415\ \text{m}} = 1{,}732$$

$$\alpha = 60{,}0° \blacktriangleleft$$

Nous connaissons maintenant la direction de toutes les forces appliquées à la poutrelle.

***Parallélogramme de forces.*** Le triangle de forces peut être tracé et ses angles intérieurs déterminés par des méthodes géométriques. Par la loi du sinus, nous avons

$$\frac{T}{\sin 30°} = \frac{R}{\sin 105°} = \frac{98{,}1\ \text{N}}{\sin 45°}$$

$$T = 69{,}4\ \text{N} \blacktriangleleft$$
$$\mathbf{R} = 134{,}0\ \text{N} \measuredangle 60{,}0° \blacktriangleleft$$

## PROBLÈMES SUPPLÉMENTAIRES

**A4.42** Résolvez le probl. A4.10 par la méthode exposée à la section A4.7.

**A4.43** Résolvez le probl. A4.3 par la méthode exposée à la section A4.7.

**A4.44** Calculez dans le probl. A4.13 : *a*) la valeur de $\beta$ pour laquelle les appuis 1, 2 et 3 peuvent être supprimés sans perturber l'équilibre de la tige, *b*) les réactions d'appui *C* et *D* qui correspondent à la valeur trouvée de $\beta$.

**A4.45** Calculez dans le probl. A4.13 : *a*) la valeur de $\beta$ pour laquelle les appuis 1, 3 et 4 peuvent être supprimés, *b*) les réactions d'appui *B* et *D* correspondant à cette valeur de $\beta$.

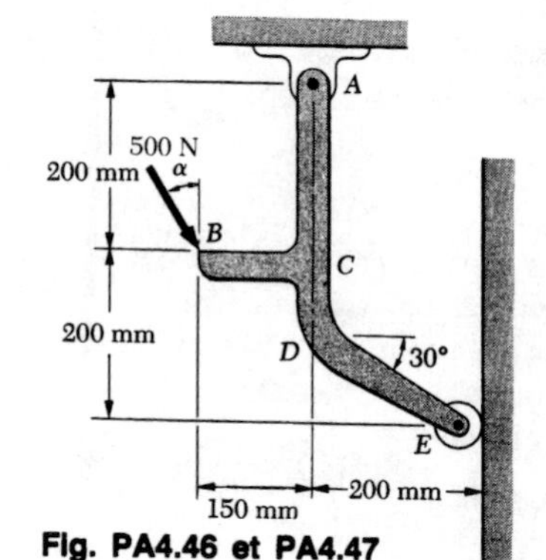

**Fig. PA4.46 et PA4.47**

**A4.46** Calculez les réactions d'appui *A* et *E* quand $\alpha = 0$.

**A4.47** Calculez : *a*) la valeur de $\alpha$ pour laquelle la réaction au point *A* est verticale, *b*) les réactions d'appui *A* et *E* correspondant à cette valeur de $\alpha$.

**A4.48** Une échelle pesant 213,5 N et d'une longueur de 3,66 m est appuyée sur un mur vertical, sans frottement. Son extrémité inférieure repose sur un sol rugueux à 1,22 m du mur vertical. Calculez les réactions d'appui.

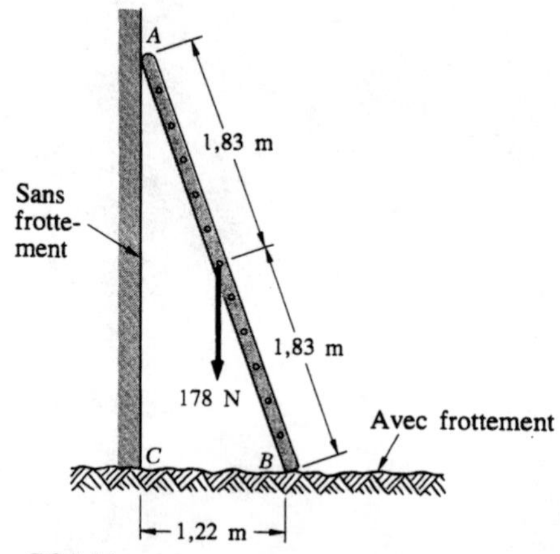

**Fig. PA4.48**

**A4.49** Un panneau pesant 222 N est supporté par une rotule $A$ et soutenu par le câble $CB$. Calculez la réaction d'appui $A$ et la tension $T$ transmise par le câble.

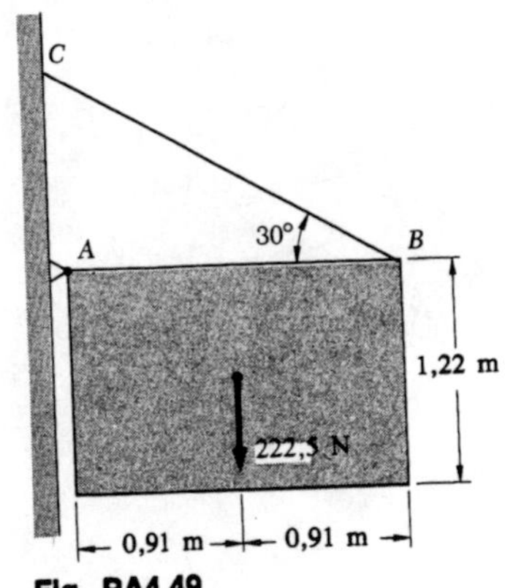


Fig. PA4.49

**A4.50** Un rouleau compresseur de 100 kg et d'un diamètre de 500 mm est utilisé pour tasser une pelouse. Calculez la force nécessaire pour le faire surmonter un obstacle de 50 mm : *a*) si le rouleau est poussé, *b*) si le rouleau est tiré.

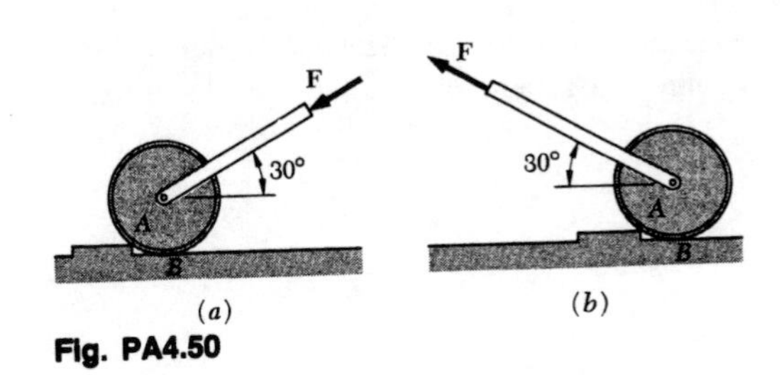


Fig. PA4.50

**A4.51** Résolvez le probl. A4.7 par la méthode décrite à la section A4.7.

**A4.52** Calculez les réactions d'appui $A$ et $E$ du mécanisme illustré à la figure PA4.52.

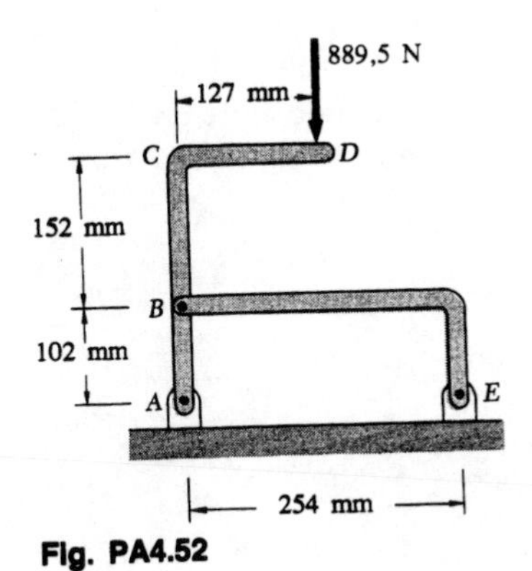


Fig. PA4.52

**A4.53** Résolvez le probl. A4.52 en supposant que la force de 890 N est appliquée horizontalement au point $D$ et est dirigée vers la gauche.

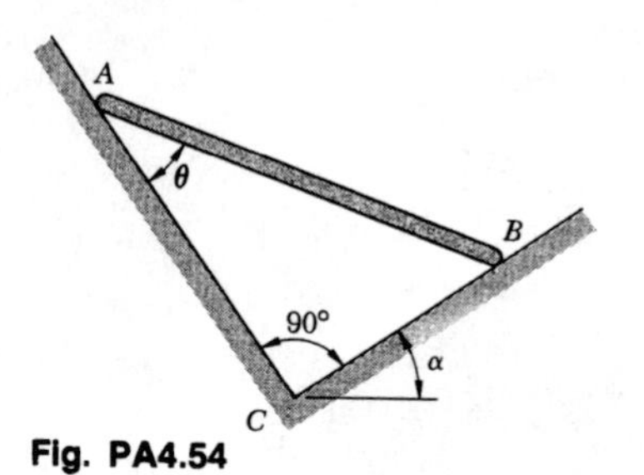

Fig. PA4.54

**A4.54** Une tige cylindrique $AB$ est appuyée sur deux surfaces sans frottement $AC$ et $CB$. Calculez l'angle $\theta$ correspondant à l'équilibre, lorsque : *a*) $\alpha = 30°$, *b*) $\alpha = 40°$, et *c*) $\alpha = 60°$.

**A4.55** Une tige mince $BC$, de longueur $L$ et de poids $W$, est supportée par un axe $C$ glissant dans une glissière et est soutenue par le câble $AB$. Sachant que $\theta = 30°$, calculez : *a*) la valeur de $\beta$ pour laquelle la tige est en équilibre, *b*) la tension correspondante du câble.

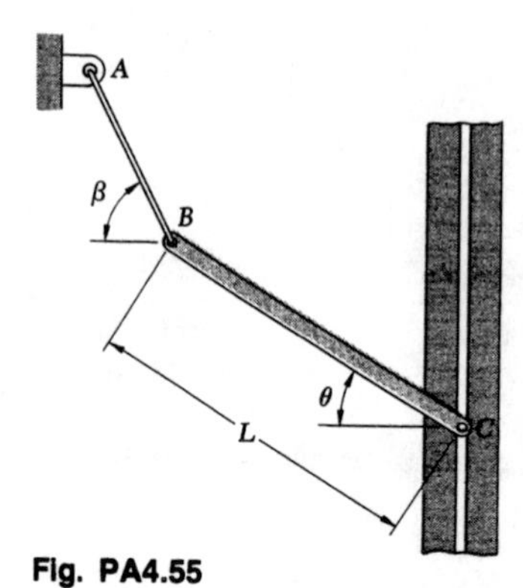

Fig. PA4.55

**A4.56** Une tige mince, de longueur $L$ et de poids $W$, est coincée entre un mur et une cheville $C$. Calculez l'angle $\theta$ correspondant à l'équilibre. (Négligez les frottements.)

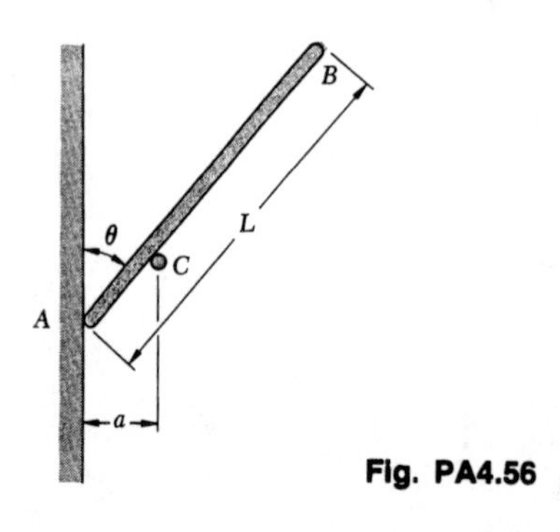

Fig. PA4.56

**A4.57** Une tige, de section circulaire uniforme et longue de 2 m, est maintenue en équilibre avec une extrémité appuyée sur un mur vertical sans frottement et l'autre soutenue par la corde $AC$. Calculez la longueur de la corde.

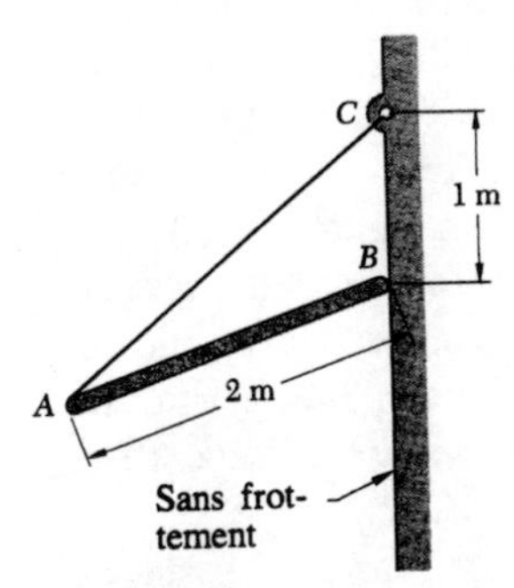

**Fig. PA4.57**

***A4.58** Une tige uniforme $AB$, de longueur $3R$, repose à l'intérieur d'un bol hémisphérique de rayon $R$. Calculez l'angle $\theta$ correspondant à l'équilibre, en négligeant le frottement.

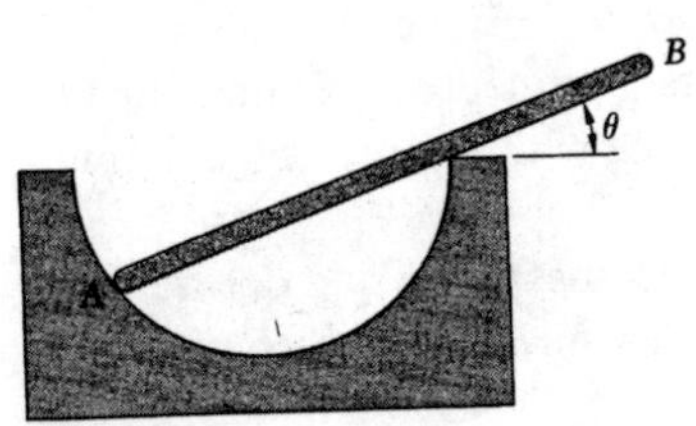

**Fig. PA4.58**

***A4.59** Une tige, de poids $W$ et de longueur $2r$, est attachée par un pivot à un manchon coulissant $B$ et repose sur un cylindre de rayon $r$. Sachant que le manchon glisse sans frottement sur son axe, calculez la valeur de $\theta$ qui correspond à l'équilibre. (Négligez le frottement.)

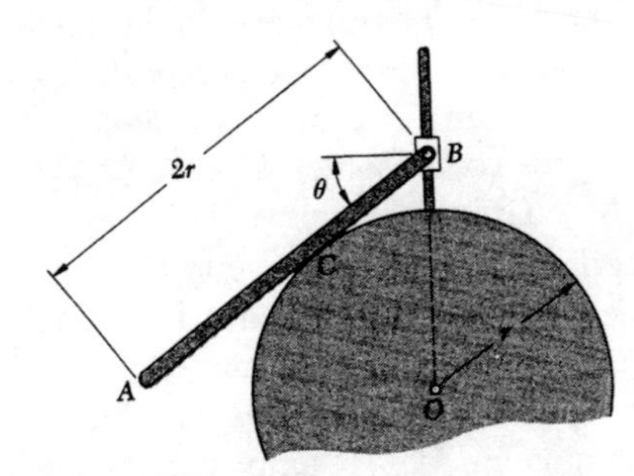

**Fig. PA4.59**

## ÉQUILIBRE D'UN CORPS RIGIDE DANS L'ESPACE

**A4.8. Les réactions d'appui et les liaisons dans une structure à trois dimensions.** Les réactions d'appui dans une structure à trois dimensions varient de la simple force de direction inconnue, introduite par une surface sans frottement, jusqu'au système force-couple créé par un appui à encastrement. Par conséquent, le nombre d'inconnues associées aux réactions d'appui ou autres liaisons qu'on rencontre dans les problèmes d'équilibre à trois dimensions peut varier de un à six. Différents types d'appuis, ainsi que les réactions qu'ils provoquent sont dessinés à la figure A4.10. Une manière simple de déterminer le type de réaction introduite par un support déterminé ainsi que le nombre d'*inconnues* mises en jeu dans le problème, consiste à établir d'abord lesquels des six mouvements fondamentaux (translation suivant les axes $x$, $y$ et $z$ et rotation autour des mêmes axes) doivent être annulés et lesquels doivent être permis.

Les appuis faits au moyen d'*une sphère* ou d'une surface sans frottement, ou encore, par exemple, par l'intermédiaire d'un câble, empêchent le mouvement dans une direction connue et, par conséquent, introduisent une réaction dont la ligne d'action est la direction connue : il reste comme seule inconnue la grandeur de la réaction $\mathbf{R}$. Les rotules planes, les roues guidées ou en contact avec des surfaces rugueuses qui empêchent le mouvement dans la direction perpendiculaire au plan de la rotule, introduisent une réaction contenue dans un plan connu mais dont la direction et la grandeur restent à trouver : il nous reste par conséquent deux inconnues à déterminer $R_x$ et $R_y$. Finalement les rotules spériques ainsi que les surfaces rugueuses en contact empêchent le mouvement de translation suivant les trois axes et introduisent une réaction inconnue définie par les trois inconnues $R_x$, $R_y$ et $R_z$.

Certaines liaisons peuvent empêcher des rotations aussi bien que des translations : elles introduisent alors comme inconnues des forces et des couples. La réaction d'un appui à encastrement, appui qui empêche tout mouvement de translation aussi bien que de rotation, est formée par trois inconnues $R_x$, $R_y$, $R_z$ et par trois couples inconnus $M_x$, $M_y$, $M_z$. Une liaison à cardan qui permet la rotation autour de deux axes ($x$ et $y$, par exemple) introduit une réaction qui est composée de trois forces inconnues $F_x$, $F_y$ et $F_z$ et d'un seul couple inconnu $M_z$.

D'autres liaisons sont primitivement conçues pour empêcher la translation; cependant leur conception est telle qu'elles peuvent éventuellement empêcher des mouvements de rotation. Les réactions qu'elles introduisent comportent comme inconnues les composantes $R_x$, $R_y$ et $R_z$ et *peuvent* éventuellement comporter des couples inconnus. Un groupe de liaisons de ce type comporte les charnières et les paliers conçus pour supporter seulement des forces radiales. Ce type de liaisons introduit comme inconnues des composantes $R_x$ et $R_y$, mais peut aussi introduire deux couples $\mathrm{M}_x$ et $\mathrm{M}_y$. Un autre groupe de liaisons, qui comprend les pivots ainsi que les charnières et les paliers conçus pour supporter des charges axiales aussi bien que radiales, introduit des réactions qui comportent comme inconnues les trois composantes et deux couples. Cependant ces liaisons ne créent pas de couples sous des mises en charge normales. Par conséquent, lors de la détermination des réactions de telles

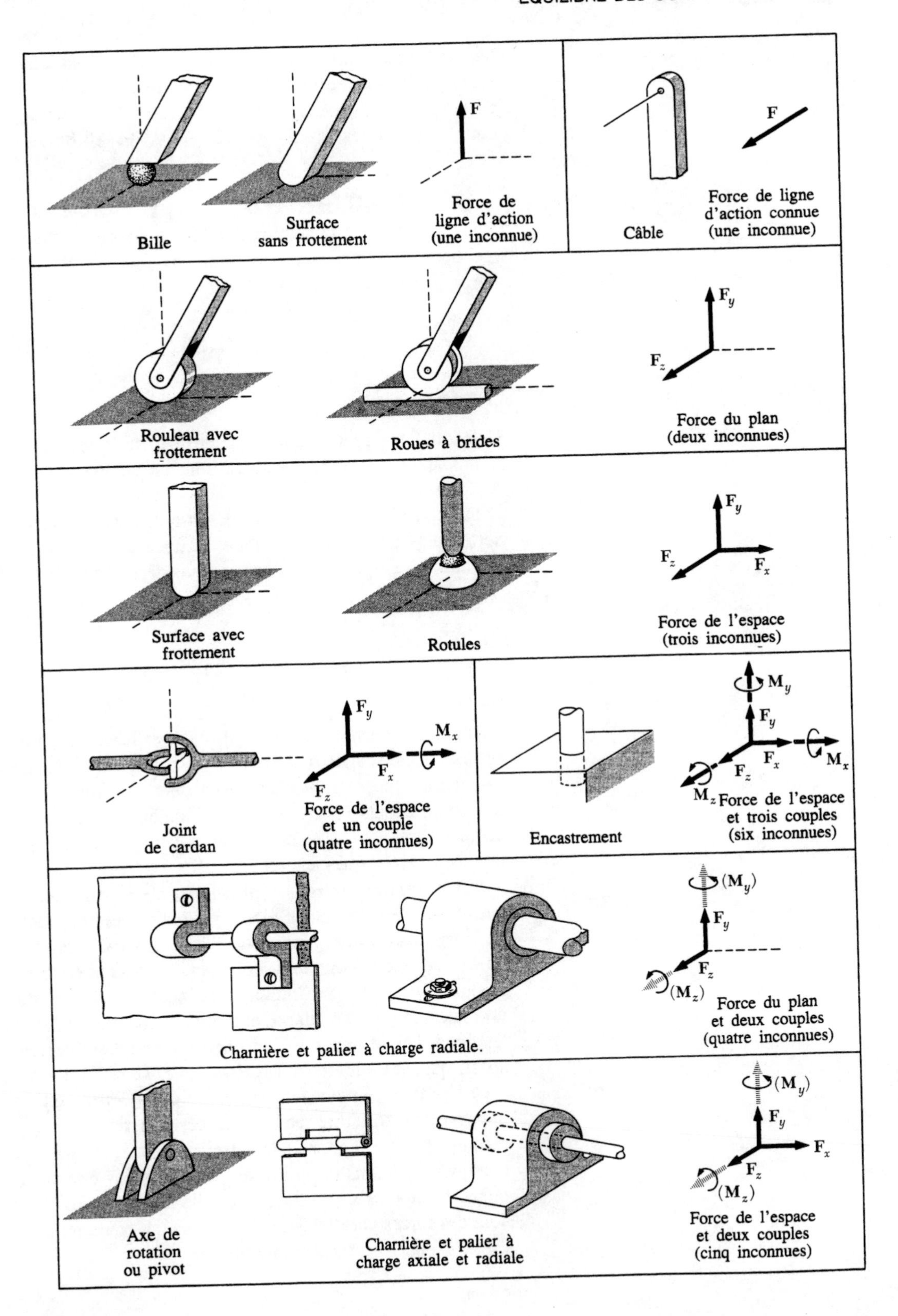


**Fig. A4.10** Types d'appui et leurs réactions.

liaisons, nous introduisons comme inconnues les composantes $F_x$, $F_y$ et $F_z$, *à moins* qu'il soit nécessaire d'introduire des couples pour maintenir l'équilibre de la structure, ou encore que la liaison soit expressément conçue pour créer un couple. (Voir les probl. A4.82, A4.85 et A4.86.)

**A4.9. Équilibre d'un corps rigide à trois dimensions.** Nous avons vu, à la section A4.1, que six équations algébriques sont nécessaires pour exprimer les conditions nécessaires et suffisantes d'équilibre d'un corps à trois dimensions.

$$\Sigma F_x = 0 \qquad \Sigma F_y = 0 \qquad \Sigma F_z = 0 \qquad \text{(A 4.2)}$$
$$\Sigma M_x = 0 \qquad \Sigma M_y = 0 \qquad \Sigma M_z = 0 \qquad \text{(A 4.3)}$$

Ces équations permettent de déterminer un nombre maximal de six inconnues qui *sont*, en général, les réactions introduites par les appuis et parfois par d'autres liaisons.

Dans la plus grande partie des problèmes, les équations (A 4.2) et (A 4.3) seront plus correctement établies si nous exprimons, sous forme vectorielle, les conditions d'équilibre du corps considéré. Nous écrivons

$$\Sigma \mathbf{F} = 0 \qquad \Sigma \mathbf{M}_O = \Sigma(\mathbf{r} \times \mathbf{F}) = 0 \qquad \text{(A 4.1)}$$

Ensuite, nous exprimerons la force **F** et le vecteur position **r** en fonction des composantes scalaires associées aux vecteurs unitaires **i**, **j** et **k**, et nous calculerons tous les produits vectoriels, soit directement, soit par la méthode des déterminants (Section A3.7). Finalement, en annulant les coefficients des vecteurs unitaires dans chacune des deux relations (A 4.1), nous obtenons les relations algébriques cherchées.

Si les réactions introduisent *plus* de six inconnues, nous avons *plus* d'inconnues que d'équations et alors quelques-unes des réactions sont *statiquement indéterminées* (voir probl. A4.84 et A4.105). Si les réactions introduisent *moins* de six inconnues, nous avons *plus* d'équations que d'inconnues et quelques-unes des six équations ne peuvent être satisfaites sous les conditions normales de mise en charge et alors la structure est à *liaisons incomplètes*. Sous les conditions d'une mise en charge particulière correspondant à un problème spécifique, les équations *surabondantes* se réduisent à des indéterminations du type 0 = 0 et peuvent être mises de côté; cependant, quoique incomplètement appuyée, la structure peut dans ces cas rester en équilibre (voir les probl. résolus A4.7 et A4.8). D'autre part, même avec six inconnues ou plus, quelques équations d'équilibre peuvent ne pas être satisfaites. Ceci peut arriver quand les appuis sont conçus de telle façon que les réactions qu'ils introduisent sont des forces parallèles ou des forces qui coupent la même droite : la structure est alors *incorrectement supportée*.

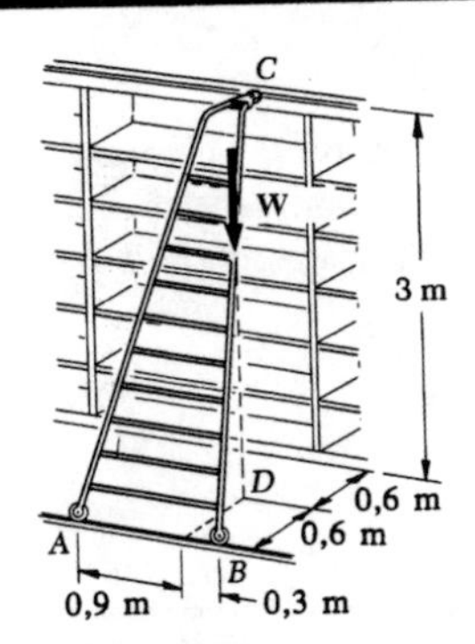


## PROBLÈME RÉSOLU A4.7

Une échelle de 20 kg, utilisée pour desservir les étagères supérieures d'un entrepôt, est appuyée sur deux roues, $A$ et $B$, guidées par un rail et sur une troisième roue $C$ qui s'appuie sur un chemin de roulement fixé au mur. Un homme de 80 kg est sur l'échelle et se penche vers la droite. La ligne d'action du poids résultant **W** de l'homme et de l'échelle rencontre le plancher au point $D$. Calculez les composantes des réactions d'appuis $A$, $B$ et $C$.

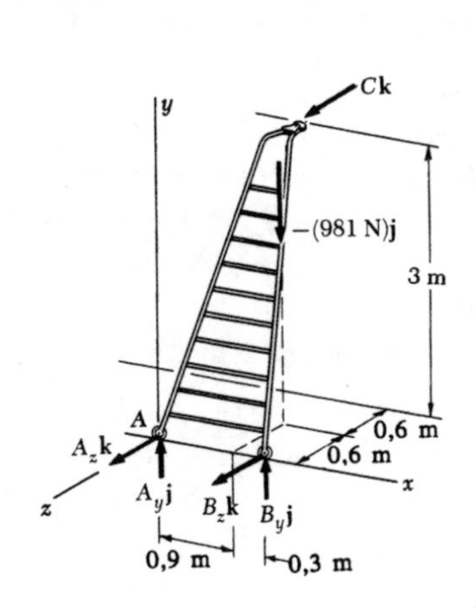


**Solution.** Traçons d'abord le schéma de l'échelle isolée. Le poids résultant **W** de l'homme et de l'échelle est

$$\mathbf{W} = -mg\mathbf{j} = -(80\text{ kg} + 20\text{ kg})(9{,}81\text{ m/s}^2)\mathbf{j} = -(981\text{ N})\mathbf{j}$$

Les réactions inconnues sont au nombre de cinq : deux composantes pour chaque roue guidée (articulation plane) et une composante pour la roue supérieure, non guidée. L'échelle est donc à liaisons incomplètes : elle est libre de se déplacer le long du rail placé sur le sol. Elle est cependant en équilibre sous la mise en charge proposée puisque l'équation $\Sigma F_x = 0$ est satisfaite.

***Équations d'équilibre.*** Exprimons, sous forme vectorielle, que l'ensemble des forces appliquées à l'échelle forment un système équivalant à zéro :

$$\Sigma\mathbf{F} = 0: \quad A_y\mathbf{j} + A_z\mathbf{k} + B_y\mathbf{j} + B_z\mathbf{k} - (981\text{ N})\mathbf{j} + C\mathbf{k} = 0$$
$$(A_y + B_y - 981\text{ N})\mathbf{j} + (A_z + B_z + C)\mathbf{k} = 0 \qquad (1)$$

$$\Sigma\mathbf{M}_A = \Sigma(\mathbf{r} \times \mathbf{F}) = 0:$$
$$1{,}2\mathbf{i} \times (B_y\mathbf{j} + B_z\mathbf{k}) + (0{,}9\mathbf{i} - 0{,}6\mathbf{k}) \times (-981\mathbf{j}) + (0{,}6\mathbf{i} + 3\mathbf{j} - 1{,}2\mathbf{k}) \times C\mathbf{k} = 0$$

En calculant les produits vectoriels, nous obtenons†

$$1{,}2B_y\mathbf{k} - 1{,}2B_z\mathbf{j} - 882{,}9\mathbf{k} - 588{,}6\mathbf{i} - 0{,}6C\mathbf{j} + 3C\mathbf{i} = 0$$
$$(3C - 588{,}6)\mathbf{i} - (1{,}2B_z + 0{,}6C)\mathbf{j} + (1{,}2B_y - 882{,}9)\mathbf{k} = 0 \qquad (2)$$

En annulant les coefficients des vecteurs unitaires **i**, **j** et **k** dans les éq. (2), nous obtenons les relations algébriques qui annulent la somme des moments par rapport à chaque axe de référence :

$$3C - 588{,}6 = 0 \qquad C = +196{,}2\text{ N}$$
$$1{,}2B_z + 0{,}6C = 0 \qquad B_z = -98{,}1\text{ N}$$
$$1{,}2B_y - 882{,}9 = 0 \qquad B_y = +736\text{ N}$$

En annulant les coefficients des vecteurs unitaires **j** et **k** dans l'éq. (1), nous obtenons deux relations algébriques exprimant que les composantes $y$ et $z$ doivent être nulles. Si on substitue $B_y$, $B_z$ et $C$ par les valeurs obtenues plus haut, on trouve

$$A_y + B_y - 981 = 0 \qquad A_y + 736 - 981 = 0 \qquad A_y = +245\text{ N}$$
$$A_z + B_z + C = 0 \qquad A_z - 98{,}1 + 196{,}2 = 0 \qquad A_z = -98{,}1\text{ N}$$

† Les moments mis en jeu dans ce problème et dans les problèmes A4.8 et A4.9 peuvent s'exprimer sous forme de déterminants.
(Voir probl. résolu A3.10.)

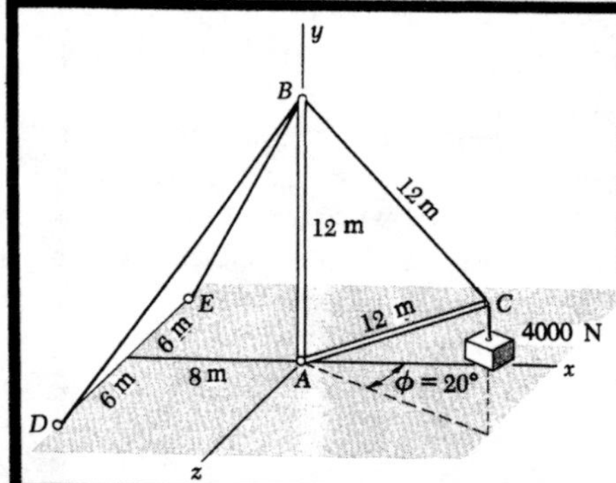


## PROBLÈME RÉSOLU A4.8

Un mât de charge est utilisé pour soulever une charge de 4000 N. Il est appuyé sur une rotule sphérique $A$ et est soutenu par deux câbles ancrés aux points $D$ et $E$. Le plan du mât de charge fait un angle de 20° avec le plan $xy$. Calculez la réaction d'appui $A$ et l'effort de tension dans chaque câble.

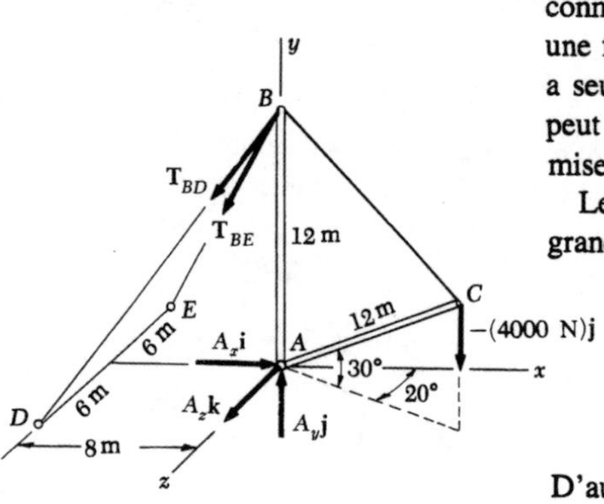


**Solution.** On trace d'abord le schéma du mât isolé . Puisque les lignes d'action des forces transmises par les câbles au point $B$ sont connues, il nous suffit pour connaître ces forces de calculer leur grandeur $T_{BD}$ et $T_{BE}$. La réaction d'appui $A$ est une force de direction inconnue et est représentée par ses trois composantes. Comme on a seulement cinq inconnues, le mât de charge est incomplètement appuyé. En effet, il peut tourner librement autour de l'axe vertical $y$; cependant il est en équilibre sous la mise en charge proposée parce que l'équation d'équilibre $\Sigma M_y = 0$ est satisfaite.

Les composantes des forces $\mathbf{T}_{BD}$ et $\mathbf{T}_{BE}$ peuvent s'exprimer en fonction des grandeurs inconnues $T_{BD}$ et $T_{BE}$, en écrivant

$$\overrightarrow{BD} = -(8\text{ m})\mathbf{i} - (12\text{ m})\mathbf{j} + (6\text{ m})\mathbf{k} \qquad BD = 15{,}62\text{ m}$$
$$\overrightarrow{BE} = -(8\text{ m})\mathbf{i} - (12\text{ m})\mathbf{j} - (6\text{ m})\mathbf{k} \qquad BE = 15{,}62\text{ m}$$
$$\mathbf{T}_{BD} = T_{BD}(\overrightarrow{BD}/BD) = T_{BD}(-0{,}512\mathbf{i} - 0{,}768\mathbf{j} + 0{,}384\mathbf{k})$$
$$\mathbf{T}_{BE} = T_{BE}(\overrightarrow{BE}/BE) = T_{BE}(-0{,}512\mathbf{i} - 0{,}768\mathbf{j} - 0{,}384\mathbf{k})$$

D'autre part, nous pouvons écrire le vecteur position du point $C$ sous la forme

$$\overrightarrow{AC} = (12\text{ m})(\cos 30° \cos 20°\mathbf{i} + \sin 30°\mathbf{j} + \cos 30° \sin 20°\mathbf{k})$$
$$\overrightarrow{AC} = (9{,}77\text{ m})\mathbf{i} + (6\text{ m})\mathbf{j} + (3{,}55\text{ m})\mathbf{k}$$

***Équations d'équilibre.*** Comme les forces appliquées au mât de charge forment un système équivalant à zéro, nous pouvons écrire

$$\Sigma\mathbf{F} = 0: \quad A_x\mathbf{i} + A_y\mathbf{j} + A_z\mathbf{k} + \mathbf{T}_{BD} + \mathbf{T}_{BE} - (4000\text{ N})\mathbf{j} = 0$$
$$(A_x - 0{,}512T_{BD} - 0{,}512T_{BE})\mathbf{i}$$
$$+ (A_y - 0{,}768T_{BD} - 0{,}768T_{BE} - 4000\text{ N})\mathbf{j}$$
$$= (A_z + 0{,}384T_{BD} - 0{,}384T_{BE})\mathbf{k} = 0 \qquad (1)$$

$$\Sigma\mathbf{M}_A = \Sigma(\mathbf{r} \times \mathbf{F}) = 0:$$
$$12\mathbf{j} \times T_{BD}(-0{,}512\mathbf{i} - 0{,}768\mathbf{j} + 0{,}384\mathbf{k})$$
$$+ 12\mathbf{j} \times T_{BE}(-0{,}512\mathbf{i} - 0{,}768\mathbf{j} - 0{,}384\mathbf{k})$$
$$+ (9{,}77\mathbf{i} + 6\mathbf{j} + 3{,}55\mathbf{k}) \times (-4000\mathbf{j}) = 0$$
$$(4{,}61T_{BD} - 4{,}61T_{BE} + 14{,}200)\mathbf{i}$$
$$+ (6{,}14T_{BD} + 6{,}14T_{BE} - 39{,}080)\mathbf{k} = 0 \qquad (2)$$

En annulant les coefficients **i** et **k** dans l'éq. (2), nous obtenons deux équations algébriques qui nous permettent de calculer $T_{BD}$ et $T_{BE}$

$$T_{BD} = 1640\text{ N} \qquad T_{BE} = 4720\text{ N} \blacktriangleleft$$

En annulant les coefficients de **i**, **j** et **k** dans l'éq. (1), nous obtenons trois autres relations algébriques qui nous donnent les composantes de la réaction d'appui **A**.

$$A_x = +3260\text{ N} \qquad A_y = +8880\text{ N} \qquad A_z = +1183\text{ N} \blacktriangleleft$$

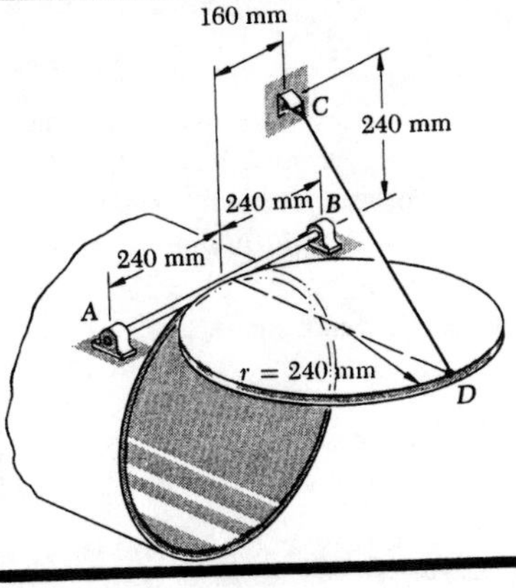

## PROBLÈME RÉSOLU A4.9

Un couvercle de tuyau, de rayon $r$ = 240 mm et de masse 30 kg, est maintenu dans une position horizontale par le câble $CD$. En supposant que le palier $B$ ne peut pas reprendre des efforts axiaux, calculez l'effort de tension dans le câble et les composantes des réactions d'appui $A$ et $B$.

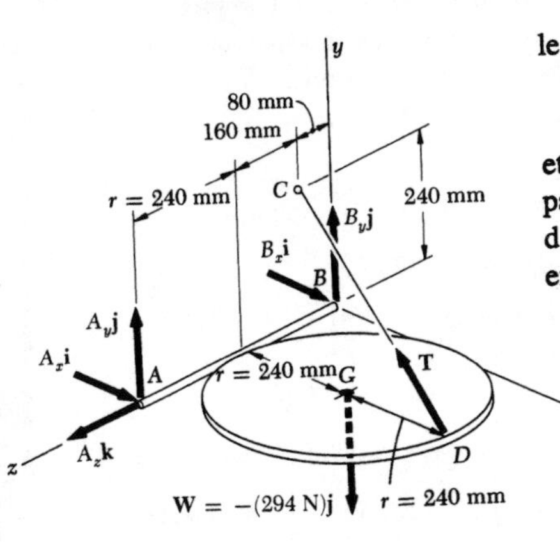


**Solution.** Traçons d'abord le « schéma du couvercle isolé ». Les forces agissant sur le couvercle sont le poids propre

$$\mathbf{W} = -m g \mathbf{j} = -(30 \text{ kg})(9{,}81 \text{ m/s}^2)\mathbf{j} = -(294 \text{ N})\mathbf{j}$$

et les réactions d'appui qui introduisent six inconnues, à savoir la force **T** transmise par le câble, trois composantes au palier $A$ et deux au palier $B$, qui ne reprennent pas d'effort axial. Nous allons exprimer les composantes de **T** en fonction de la grandeur $T$, en décomposant le vecteur $\overrightarrow{DC}$ suivant les axes de référence

$$\overrightarrow{DC} = -(480 \text{ mm})\mathbf{i} + (240 \text{ mm})\mathbf{j} - (160 \text{ mm})\mathbf{k} \qquad DC = 560 \text{ mm}$$

$$\mathbf{T} = T\frac{\overrightarrow{DC}}{DC} = -\tfrac{6}{7}T\mathbf{i} + \tfrac{3}{7}T\mathbf{j} - \tfrac{2}{7}T\mathbf{k}$$

***Équations d'équilibre.*** Annulons d'abord l'ensemble des forces appliquées sur le couvercle

$$\Sigma\mathbf{F} = 0: \quad A_x\mathbf{i} + A_y\mathbf{j} + A_z\mathbf{k} + B_x\mathbf{i} + B_y\mathbf{j} + \mathbf{T} - (294 \text{ N})\mathbf{j} = 0$$

$$(A_x + B_x - \tfrac{6}{7}T)\mathbf{i} + (A_y + B_y + \tfrac{3}{7}T - 294 \text{ N})\mathbf{j} + (A_z - \tfrac{2}{7}T)\mathbf{k} = 0 \qquad (1)$$

$$\Sigma\mathbf{M}_B = \Sigma(\mathbf{r} \times \mathbf{F}) = 0:$$

$$2r\mathbf{k} \times (A_x\mathbf{i} + A_y\mathbf{j} + A_z\mathbf{k}) + (2r\mathbf{i} + r\mathbf{k}) \times (-\tfrac{6}{7}T\mathbf{i} + \tfrac{3}{7}T\mathbf{j} - \tfrac{2}{7}T\mathbf{k}) + (r\mathbf{i} + r\mathbf{k}) \times (-294 \text{ N})\mathbf{j} = 0$$

$$(-2A_y - \tfrac{3}{7}T + 294 \text{ N})r\mathbf{i} + (2A_x - \tfrac{2}{7}T)r\mathbf{j} + (\tfrac{6}{7}T - 294 \text{ N})r\mathbf{k} = 0 \qquad (2)$$

Si nous annulons les coefficients des vecteurs unitaires dans l'éq. (2), nous obtenons trois équations algébriques qui nous donnent

$$T = 343 \text{ N} \qquad A_x = +49{,}0 \text{ N} \qquad A_y = +73{,}5 \text{ N} \blacktriangleleft$$

Si maintenant nous annulons les coefficients des vecteurs unitaires dans l'éq. (1), nous obtenons trois nouvelles relations algébriques. Après substitution des valeurs de $T$, $A_x$ et $A_y$ dans ces relations, nous obtenons

$$A_z = +98{,}0 \text{ N} \qquad B_x = +245 \text{ N} \qquad B_y = +73{,}5 \text{ N} \blacktriangleleft$$

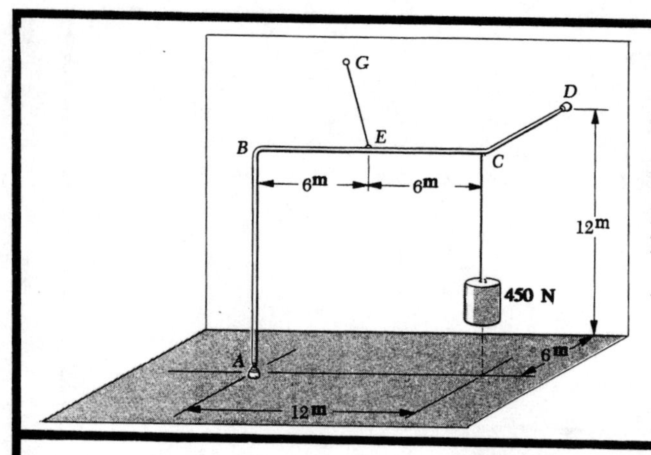


## PROBLÈME RÉSOLU A4.10

Une charge de 450 N est suspendue au coude $C$ d'une tuyauterie $ABCD$. L'ensemble est appuyé sur les rotules sphériques $A$ et $D$, fixées respectivement au plancher et à un mur vertical, et soutenu par un câble attaché au point $E$ situé au milieu du tuyau $BC$ et au point $G$ fixé au mur vertical. Calculez : *a*) où on doit placer le point $G$ pour réduire au minimum l'effort de tension dans le câble, *b*) la valeur de cet effort de tension.

**Solution.** Traçons d'abord le « schéma de l'ensemble isolé » qui comprend le poids $\mathbf{W} = 450\ \mathbf{j}$, les réactions d'appui $A$ et $D$, et l'effort $\mathbf{T}$ transmis par le câble. Pour éliminer les réactions d'appui $A$ et $D$ des calculs, annulons la somme des moments par rapport à l'axe $AD$. Appelant $\lambda$ le vecteur unitaire qui définit la direction $AD$, nous pouvons écrire

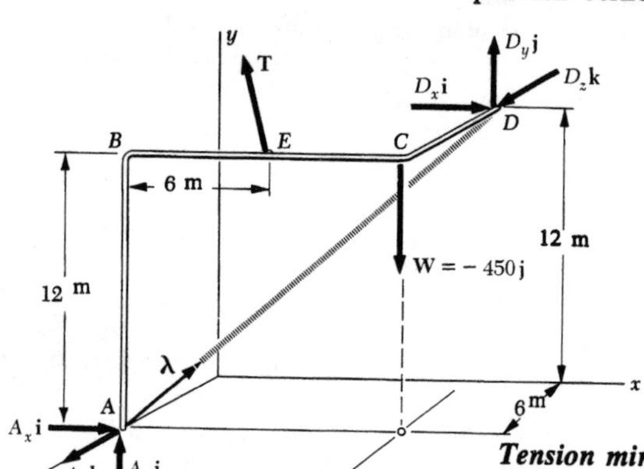


$$\Sigma M_{AD} = 0: \qquad \boldsymbol{\lambda}\cdot(\overrightarrow{AE} \times \mathbf{T}) + \boldsymbol{\lambda}\cdot(\overrightarrow{AC} \times \mathbf{W}) = 0 \tag{1}$$

Le deuxième terme de l'éq. (1) peut s'écrire :

$$\overrightarrow{AC} \times \mathbf{W} = (12\mathbf{i} + 12\mathbf{j}) \times (-450\mathbf{j}) = -5400\mathbf{k}$$

$$\boldsymbol{\lambda} = \frac{\overrightarrow{AD}}{AD} = \frac{12\mathbf{i} + 12\mathbf{j} - 6\mathbf{k}}{18} = \tfrac{2}{3}\mathbf{i} + \tfrac{2}{3}\mathbf{j} - \tfrac{1}{3}\mathbf{k}$$

$$\boldsymbol{\lambda}\cdot(\overrightarrow{AC} \times \mathbf{W}) = (\tfrac{2}{3}\mathbf{i} + \tfrac{2}{3}\mathbf{j} - \tfrac{1}{3}\mathbf{k})\cdot(-5400\mathbf{k}) = +1800$$

Si on introduit la valeur obtenue dans l'éq. (1), on peut écrire

$$\boldsymbol{\lambda}\cdot(\overrightarrow{AE} \times \mathbf{T}) = -1800\ \text{N}\cdot\text{m} \tag{2}$$

***Tension minimale.*** En utilisant la propriété de la commutativité du produit mixte, nous pouvons écrire l'éq. (2) sous la forme

$$\mathbf{T}\cdot(\boldsymbol{\lambda} \times \overrightarrow{AE}) = -1800\ \text{N}\cdot\text{m} \tag{3}$$

qui montre que la projection du vecteur $\mathbf{T}$ sur le vecteur $\boldsymbol{\lambda}\mathbf{x}\overrightarrow{AE}$ est constante. On peut conclure que $\mathbf{T}$ sera minimal quand il sera parallèle au vecteur

$$\boldsymbol{\lambda} \times \overrightarrow{AE} = (\tfrac{2}{3}\mathbf{i} + \tfrac{2}{3}\mathbf{j} - \tfrac{1}{3}\mathbf{k}) \times (6\mathbf{i} + 12\mathbf{j}) = 4\mathbf{i} - 2\mathbf{j} + 4\mathbf{k}$$

Le vecteur unitaire correspondant étant $\frac{2}{3}\mathbf{i} - \frac{1}{3}\mathbf{j} + \frac{2}{3}\mathbf{k}$, nous écrivons

$$\mathbf{T}_{\text{min}} = T(\tfrac{2}{3}\mathbf{i} - \tfrac{1}{3}\mathbf{j} + \tfrac{2}{3}\mathbf{k}) \tag{4}$$

En introduisant les valeurs de $\mathbf{T}$ et $\lambda$ x $\overrightarrow{AE}$ dans l'éq. (3), nous trouvons $T = -300$. Reportant cette valeur dans l'éq. (4), nous obtenons

$$\mathbf{T}_{\text{min}} = -200\mathbf{i} + 100\mathbf{j} - 200\mathbf{k} \qquad T_{\text{min}} = 300\ \text{N}$$ ◄

***Position du point G.*** Puisque le vecteur $\overrightarrow{EG}$ et la force $\mathbf{T}_{\text{min}}$ ont la même direction, leurs composantes sont proportionnelles. Si on appelle $x$, $y$, $O$ les coordonnées de $G$, nous écrivons

$$\frac{x-6}{-200} = \frac{y-12}{+100} = \frac{0-6}{-200} \qquad x = 0 \quad y = 15\ \text{m}$$ ◄

## PROBLÈMES SUPPLÉMENTAIRES

**A4.60** Un mât de 10 m est soumis à une force de 8,4 kN. Il s'appuie sur une rotule sphérique *A* et est soutenu par deux câbles *BD* et *BE*. Calculez l'effort de tension dans chaque câble et la réaction d'appui, en négligeant le poids propre du mât.

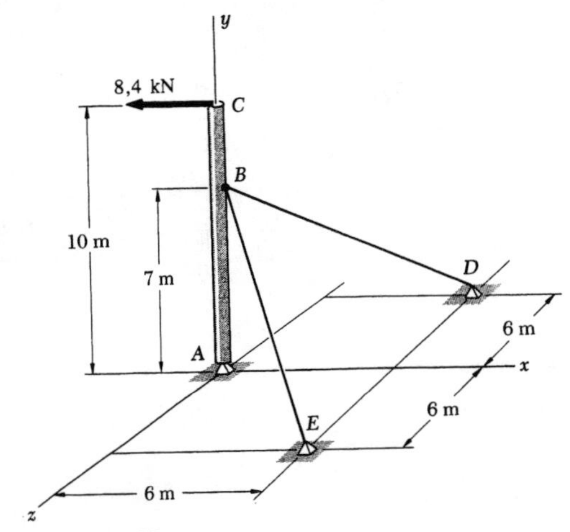


Fig. PA4.60

**A4.61** Une barre *AB* supporte une charge de 900 N. Elle est appuyée sur une rotule sphérique *A*, fixée à un mur vertical, et est soutenue par les câbles *BC* et *BD*. Calculez l'effort de tension dans chaque câble et la réaction d'appui *A* si on néglige le poids propre de la barre.

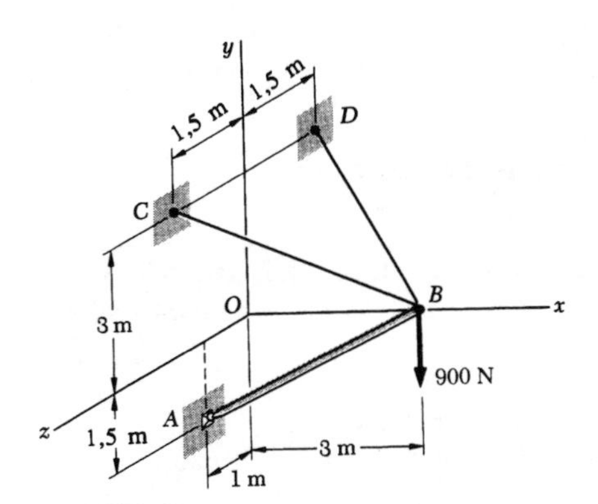


Fig. PA4.61

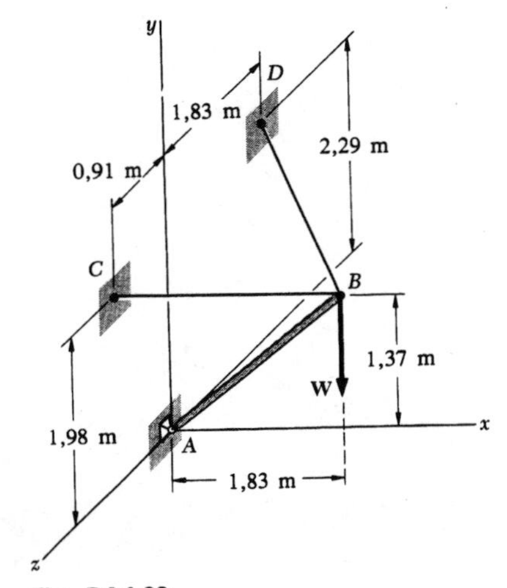


Fig. PA4.62

**A4.62** La barre *AB* supporte une charge de $W = 3647$ N. Elle est appuyée sur une rotule sphérique *A* et est soutenue par les deux câbles *BC* et *BD*. Calculez la réaction d'appui *A* et l'effort de tension transmis par chaque câble si on néglige le poids propre de la barre.

**A4.63** Résolvez le probl. A4.62 en supposant que la barre pèse 547 N.

**A4.64** Une poutre de 2,5 m est appuyée sur une rotule sphérique et est soutenue par les deux câbles *EBF* et *DC*; le câble *EBF* passe sur une poulie sans frottement. Calculez l'effort de tension transmis par chaque câble.

**A4.65** Déterminez, dans le probl. résolu A4.8, l'angle horizontal $\phi$ pour lequel la tension dans le câble *BE* est maximale : *a*) si tous les câbles restent tendus, *b*) si on remplace les câbles par des barres qui peuvent transmettre des efforts de compression aussi bien que de tension.

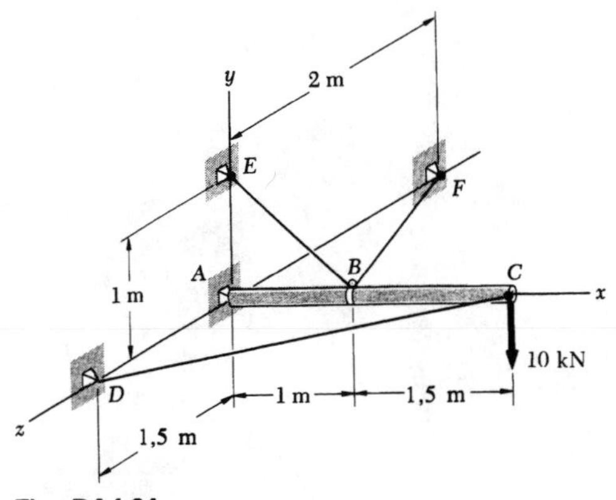


Fig. PA4.64

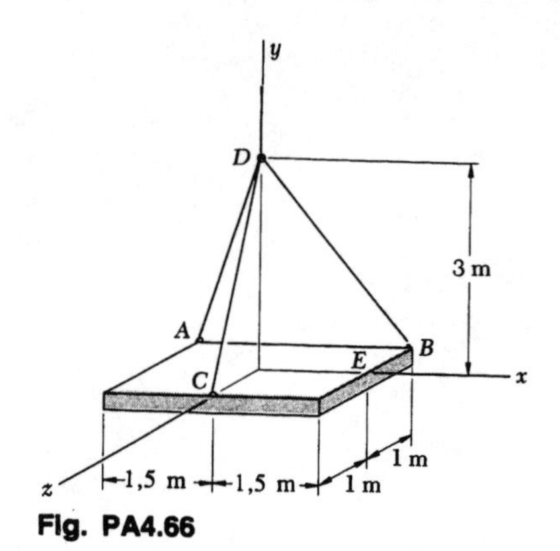

Fig. PA4.66

**A4.66** Une épaisse plaque de métal, de 2 x 3 m et de masse 600 kg, est soulevée par trois câbles qui sont attachés au point $D$ de la verticale passant par le centre de la plaque. Déterminez l'effort de tension dans chaque câble.

**A4.67** Résolvez le probl. A4.66 en remplaçant le câble $BD$ par un autre câble reliant les points $D$ et $E$.

**A4.68** Une plaque carrée d'un poids de 178 N est attachée à trois câbles. Calculez l'effort de tension dans chaque câble.

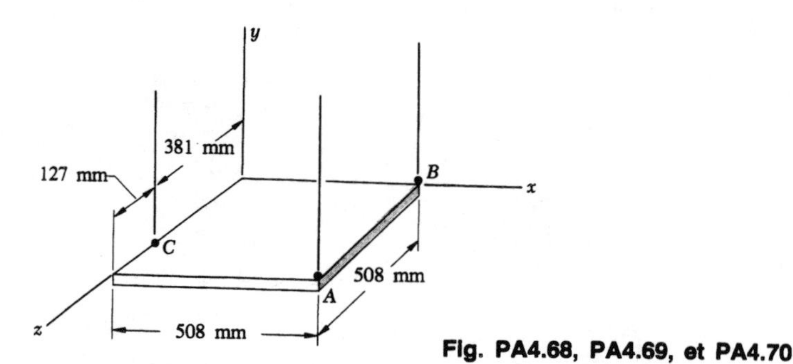

Fig. PA4.68, PA4.69, et PA4.70

**A4.69** On place une charge $W$ sur la plaque précédente. Calculez la grandeur et la position de cette charge, si on veut appliquer à chaque câble la même tension maximale de 134 N.

**A4.70** Calculez la valeur minimale et la position correspondante de la charge $W$ du probl. A4.69, si cette charge donne des efforts de tension égaux dans chaque câble.

**A4.71** Un arbre de transmission $AE$ tourne à vitesse constante, entraîné par un moteur électrique relié à la poulie $B$ par l'intermédiaire d'une courroie. La poulie $C$ est utilisée pour entraîner une machine-outil placée directement sous la verticale de $C$, tandis que la poulie $D$ entraîne un autre arbre parallèle à l'arbre $AE$ et situé à la même hauteur. On sait que $T_B + T'_B = 160$ N, $T_C = 178$ N, $T'_C = 71$ N, $T_D = 0$ et $T'_D = 0$. Calculez : *a*) la force de tension dans chaque partie de la courroie qui passe par la poulie $B$, *b*) les réactions d'appui $A$ et $E$ provoquées par les forces transmises par les courroies.

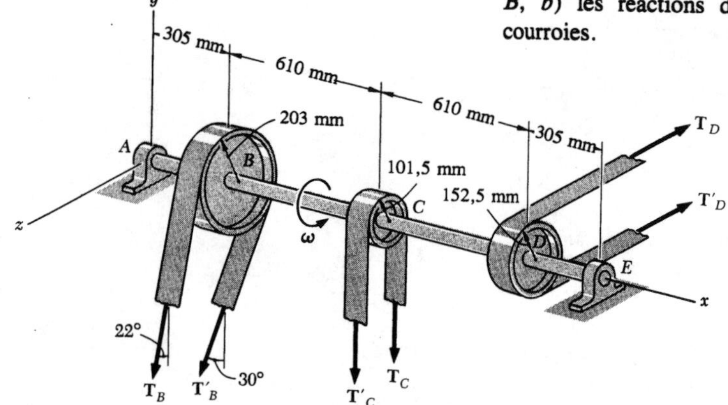

Fig. PA4.71

**A4.72** Résolvez le probl. A4.71 en supposant que $T_B + T'_B = 160$ N, $T_C = 0$, $T'_C = 0$, $T_D = 160$ N et $T'_D = 53$ N.

**A4.73** Un treuil est maintenu en équilibre par une force verticale **P** appliquée au point *E*. Sachant que $\theta = 60°$, calculez la grandeur de **P** et les réactions d'appui *A* et *B*. Supposez aussi que le palier *B* ne reprend pas de réaction axiale.

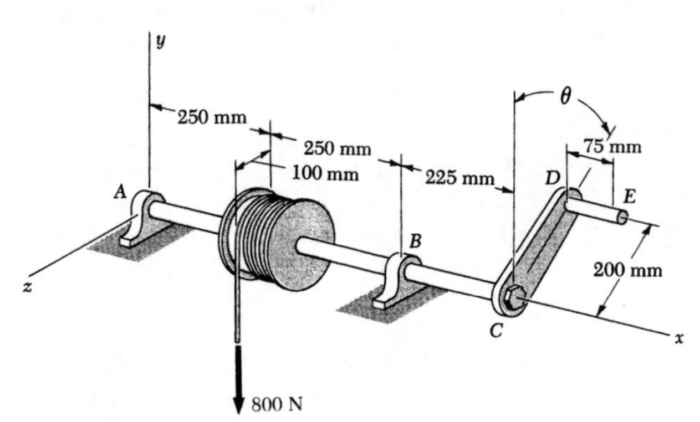


**Fig. PA4.73**

**A4.74** Résolvez le probl. A4.73 en supposant que le treuil est maintenu en équilibre par une force **P** appliquée au point *E* suivant une direction perpendiculaire au plan *CDE*.

**A4.75** Une tige, de section uniforme et de poids 56 N, a une longueur de 450 mm. Elle s'appuie sur deux rotules sphériques attachées à deux manchons *A* et *B* qui se déplacent librement sur deux axes. Calculez la grandeur de la force **P** qui est nécessaire pour maintenir l'équilibre quand : *a*) $C = 50$ mm, *b*) $C = 200$ mm.

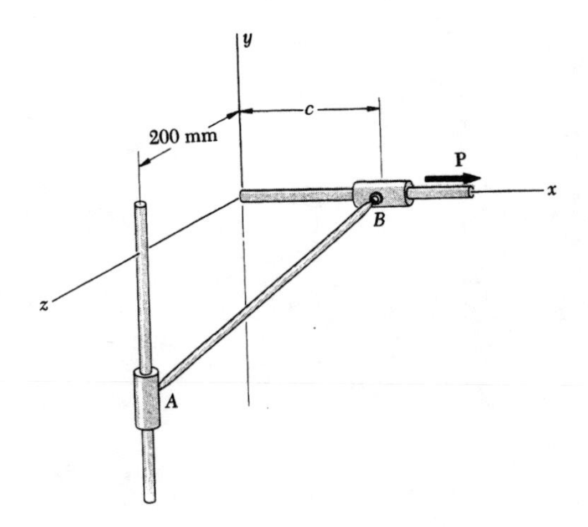


**Fig. PA4.75**

**Fig. PA4.76**

**A4.76** Un catamaran, d'un poids de 1780 N, navigue en ligne droite et à une vitesse constante. L'effet du vent sur la voilure est représenté par la force **F** = (400 N) **i** − (534 N) **k** appliquée à un point de coordonnées $x = -48{,}7$ cm, $y = 304{,}8$ cm, $z = 36{,}6$ cm. Grâce aux efforts de l'équipage, le mât reste à la verticale et les deux coques sont soumises à des forces égales qui sont : les forces de poussée hydrostatique **B** = $B$**j** appliquées aux points de coordonnées $x = 61$ cm, $y = \pm 122$ cm, les forces de traînée **D** = $-D$**i** appliquées aux points de coordonnées $y = 61$ cm, $z = \pm 122$ cm et les forces de poussée latérale **S** = $S$**k** appliquées aux points de coordonnées $x = -d$, $y = -61$ cm. Calculez : *a*) la grandeur $D$ de la traînée de chaque coque, *b*) la grandeur $S$ de la poussée latérale et la distance $d$ entre leurs lignes d'action.

**A4.77** L'équipage du catamaran du probl. A4.76 est formé de deux marins, l'un pesant 712 N et l'autre 623 N. Le centre de gravité du bateau a pour coordonnées $x = -91{,}4$ cm, $z = 0$ et le marin de 712 N est assis au point $x = -152{,}4$ cm, $z = 122$ cm, tandis que le marin de 623 N se penche à l'extérieur du bateau pour maintenir le mât dans la position verticale. Calculez les coordonnées $x$ et $z$ du centre de gravité de ce marin.

**A4.78** Afin de nettoyer un tuyau de drainage obstrué $AE$, un plombier a détaché les deux extrémités de ce tube et a introduit par l'extrémité $A$ un couteau rotatif actionné par un câble flexible accouplé à un moteur électrique. Le plombier applique une poussée au câble en rotation de manière à le faire avancer le long du tuyau à nettoyer. L'ensemble de forces appliquées par le moteur et le plombier à l'extrémité du câble peut être représenté par le torseur **F** = −(48 N)**k**, **M** = −(90 N·m)**K**.. Calculez les réactions en $B$, $C$ et $D$ provoquées par l'opération de nettoyage. Supposez que la réaction à chaque support appartient à un plan perpendiculaire à l'axe du tuyau.

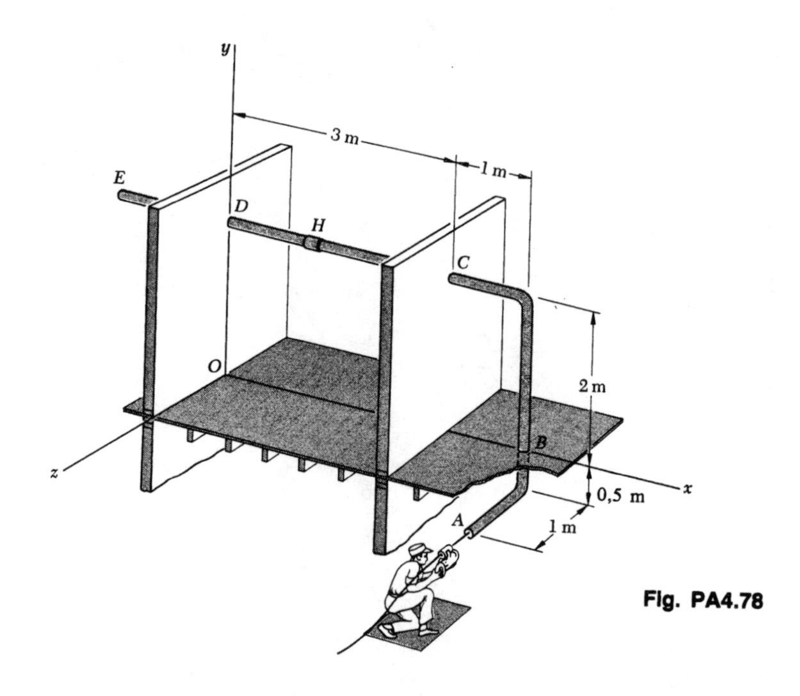

**Fig. PA4.78**

**A4.79** On suppose que dans le probl. A4.78 on détache le tuyau au point $H$ avant l'introduction du couteau par l'extrémité $A$. Calculez les réactions que l'opération de nettoyage provoque aux appuis $B$ et $C$, en supposant que la réaction de l'appui $C$ introduit deux vecteurs-couples parallèles respectivement aux axes $y$ et $z$ en plus des deux composantes de la force perpendiculaire au tuyau.

**A4.80** Une porte de 20 kg se ferme d'elle-même lorsqu'un contrepoids de 15 kg est attaché au point $C$. On maintient la porte ouverte en appliquant à sa poignée $D$ une force $\mathbf{P}$ perpendiculaire au plan de la porte. Calculez la grandeur de $\mathbf{P}$ et les composantes de la réaction d'appui $A$ et $B$ quand $\theta = 90°$. On suppose que la charnière $A$ ne reprend pas d'efforts axiaux.

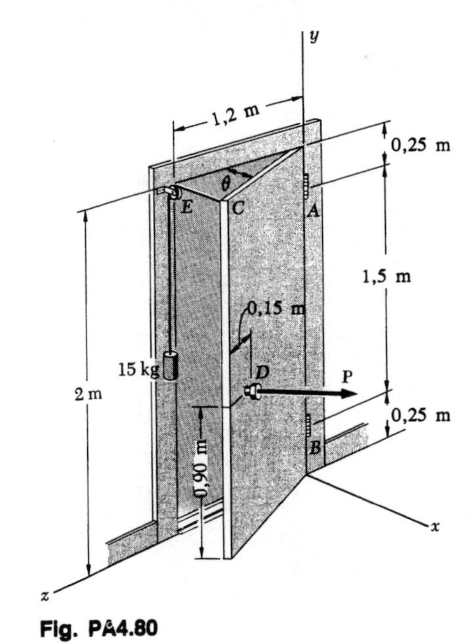


Fig. PA4.80

**A4.81** Une fenêtre de dimensions 900 x 1500 mm est suspendue à deux charnières $A$ et $B$. Elle est maintenue en place par un bâton $CD$ de 600 mm de longueur. On admet que la charnière $A$ ne transmet pas d'efforts axiaux. Calculez la grandeur de la force transmise par le bâton et les composantes de la réaction d'appui $A$ et $B$.

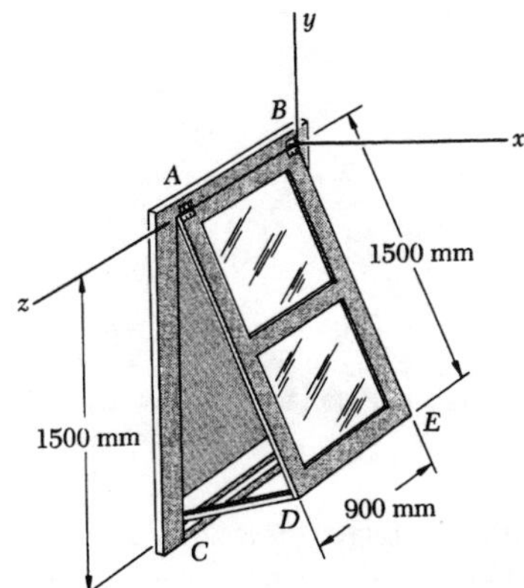


Fig. PA4.81

**A4.82** Résolvez le probl. A4.81 après avoir enlevé la charnière $A$.

**A4.83** La plate-forme horizontale $ABCD$ pèse 222 N et supporte une charge de 890 N placée sur son centre. La plate-forme est maintenue en place par les charnières $A$ et $B$ et par les barres $CE$ et $DE$. Déterminez les réactions d'appui $A$ et $B$ ainsi que l'effort transmis par la barre $CE$, si on supprime la barre $DE$. On admet que l'appui $A$ ne reprend pas d'efforts axiaux.

**A4.84** Un auvent vitré de 2224 N, de dimensions 2,44 x 3,05 m, est maintenu dans une position horizontale par deux charnières $A$ et $B$ et par un câble $CD$ attaché au point $D$ qui se trouve à 1,52 m du point $B$ et sur sa verticale. Calculez la force de tension dans le câble $DC$ et les composantes des réactions d'appui $A$ et $B$.

**A4.85** Résolvez le probl. A4.84 après avoir retiré la charnière $A$.

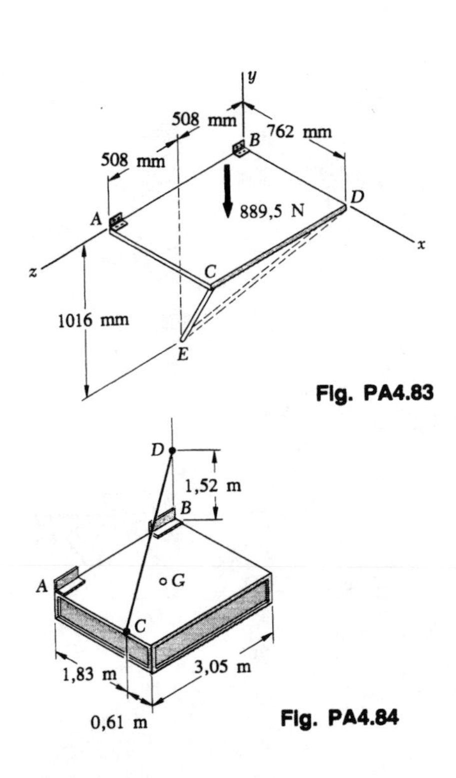


Fig. PA4.83

Fig. PA4.84

**A4.86** Résolvez le probl. A4.83 en supposant que la barre $DE$ et la charnière $A$ sont enlevées.

**A4.87** Une pièce rigide $ABC$, faite de deux tubes soudés à 90° et appuyée sur une rotule sphérique $A$, est soutenue par trois câbles. Calculez les forces de tension transmises par chaque câble et la réaction d'appui $A$ si on applique au point $G$ une charge de 5 kN.

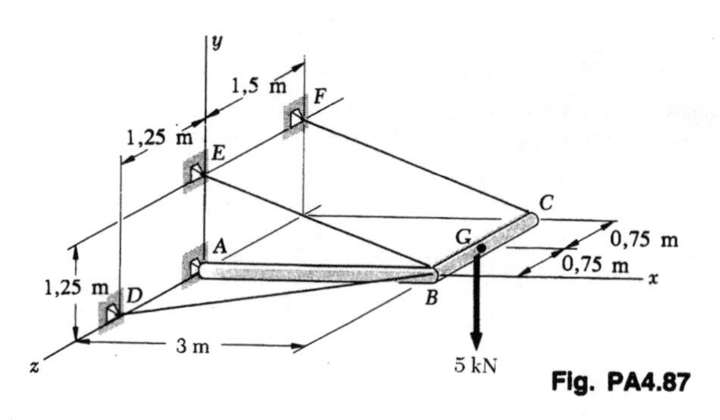

Fig. PA4.87

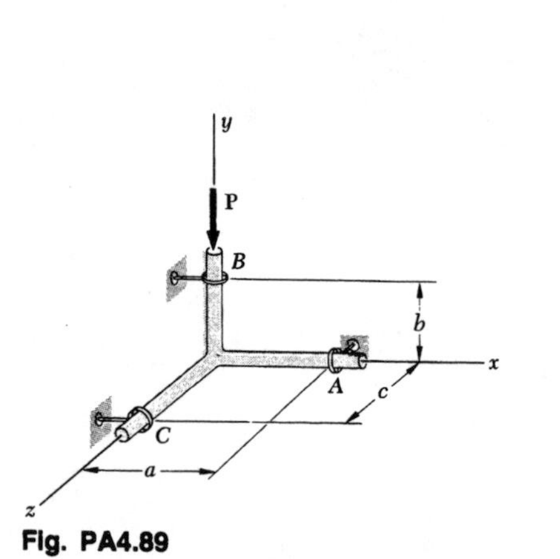

Fig. PA4.89

**A4.88** Résolvez le probl. A4.87, si on remplace le câble $BD$ par un nouveau câble $EC$.

**A4.89** Trois barres de section circulaire sont soudées à angle droit les unes par rapport aux autres. Cette pièce est soutenue par des oeillets vissés aux trois points $A$, $B$ et $C$. Calculez les réactions d'appui si $P = 112$ N, $a = 30{,}5$ cm, $b = 20{,}5$ cm et $c = 25{,}4$ cm.

Fig. PA4.91

**A4.90** Résolvez le probl. A4.89 en supposant que la force **P** est remplacée par le couple $\mathbf{M} = (169{,}5\ \mathrm{N \cdot m})\ \mathbf{j}$, appliqué au point $B$.

**A4.91** Une plaque circulaire uniforme, de rayon $r$ et de poids $W$, est supportée par trois câbles verticaux, de longueur $h$, attachés aux points $ABC$ également espacés les uns des autres. Calculez l'angle horizontal $\theta$ de rotation de la plaque quand un couple $\mathbf{M}_O$ est appliqué dans le plan de la plaque. On suppose que $\theta$ est petit.

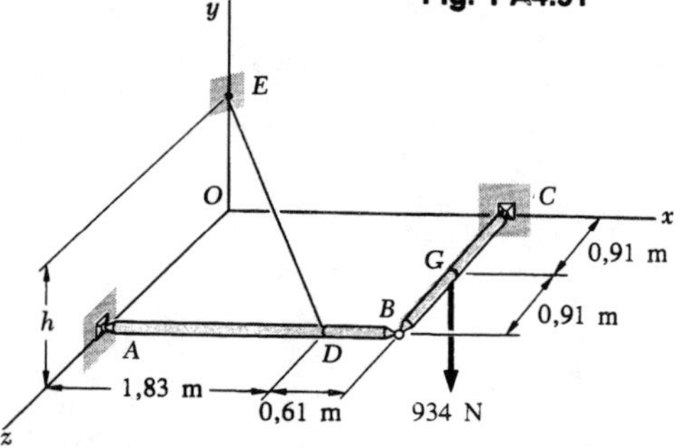

Fig. PA4.92

**A4.92** La tige $AB$ de 2,44 m de longueur et la tige $BC$ d'une longueur de 1,83 m sont reliées par une rotule sphérique au point $B$, sont soutenues par le câble $DE$ et appuyées sur des rotules sphériques $A$ et $C$ fixées aux murs. Calculez l'effort de tension transmis par le câble si on suppose que $h = 0{,}91$ m.

**A4.93** Résolvez le probl. A4.92 lorsque $h = 3{,}20$ m.

**A4.94** Une plaque *ABCD* pèse 23 kg et mesure 325 x 450 mm; elle est appuyée sur les charnières *A* et *D* et est soutenue par le câble *BE*. Calculez la force transmise par le câble *BE*.

**A4.95** Résolvez le probl. A4.94 si on remplace le câble *BE* par le câble *EC*.

**A4.96** Deux tiges sont soudées à 90° de façon à former le levier illustré à la figure PA4.96. Ce levier est appuyé sans frottement sur un mur vertical et repose dans les paliers *A* et *B*. Une force verticale **P**, de grandeur 400 N, est appliquée au point milieu de la tige *DC*. Calculez la réaction d'appui *D*.

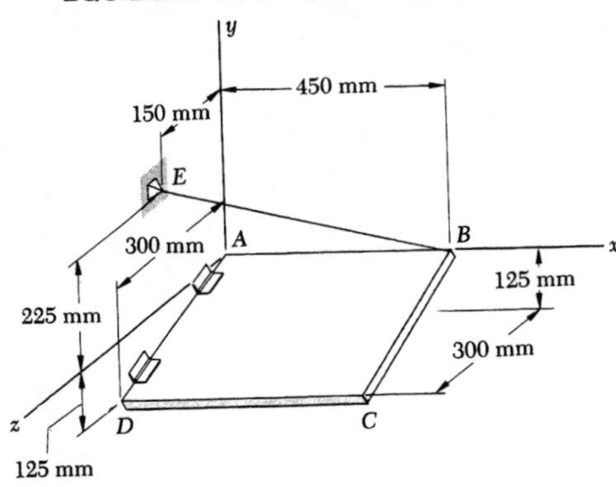

Fig. PA4.94

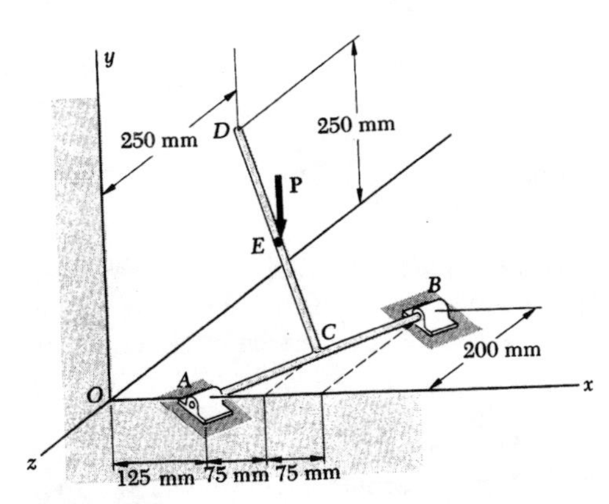

Fig. PA4.96

## PROBLÈMES DE RÉVISION

**A4.97** Calculez les réactions d'appui *A* et *B* du treillis articulé illustré ci-contre.

**A4.98** Calculez les réactions d'appui *A* et *B* pour la mise en charge illustrée ci-dessous.

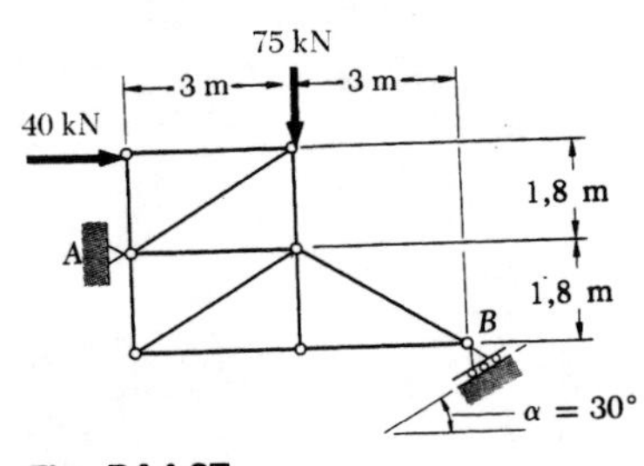

Fig. PA4.97

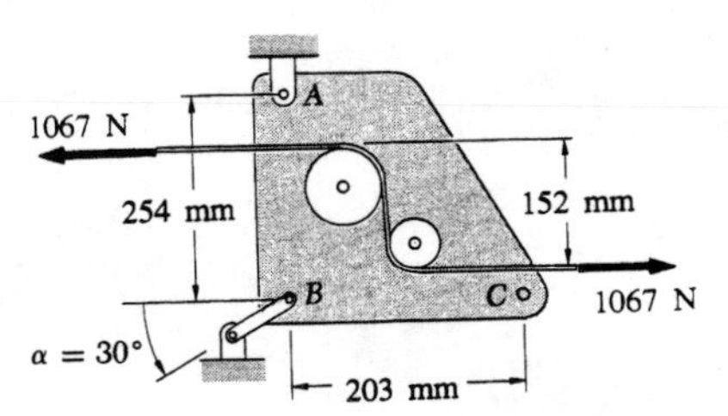

Fig. PA4.98

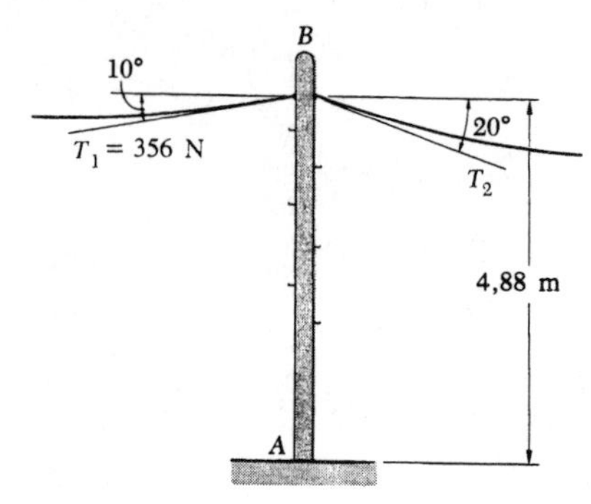


**Fig. PA4.99**

**A4.99** Un poteau téléphonique de 4,88 m et pesant 1335 N supporte les extrémités de deux câbles téléphoniques. La force de tension dans le câble gauche est de $T_1 = 356$ N et ce câble forme un angle de 10° avec l'horizontale mesuré au point d'attache, *a*) Calculez la réaction d'appui *A* si $T_2 = 0$. *b*) Calculez les valeurs extrêmes de la force transmise par le câble droit si le couple à l'encastrement *A* doit rester inférieur à 814 N·m.

**A4.100** La barre *AD* est attachée aux manchons *B* et *C* qui peuvent glisser librement sur des axes verticaux. L'appui simple *A* se fait sans frottement. Calculez les réactions d'appui *A*, *B* et *C* si : *a*) $\alpha = 60°$, *b*) $\alpha = 90°$.

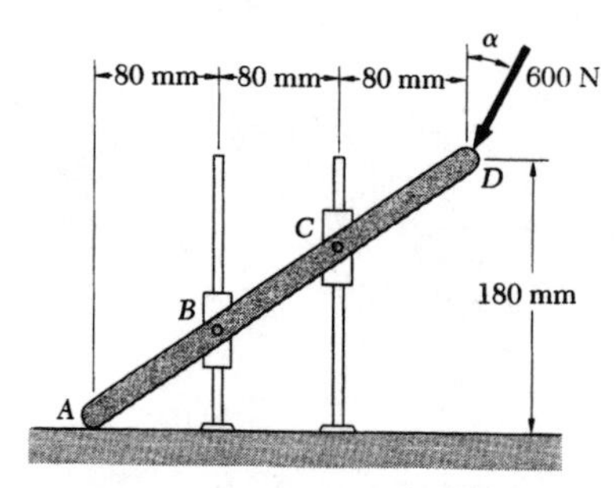


**Fig. PA4.100**

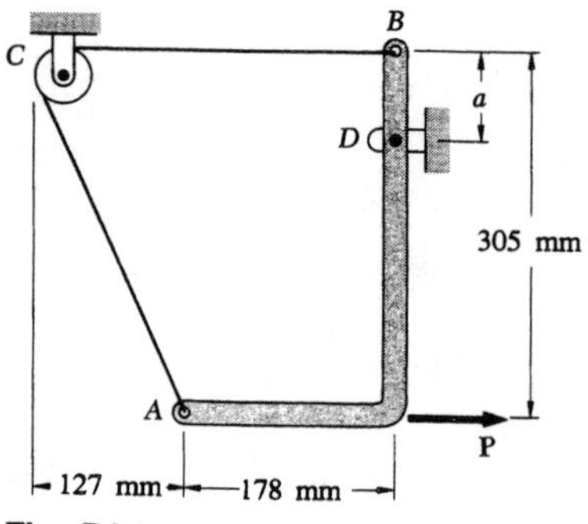


**Fig. PA4.101**

**A4.101** La force **P** de 400 N est appliquée à la tige *AB*, pliée à 90°, appuyée sur un pivot *D* et soutenue par le câble *ACB*. La poulie *C* est sans frottement : la tension dans le câble est donc constante. Calculez la valeur de cette tension et la réaction au pivot *D* lorsque $a = 76$ mm.

***A4.102** Dans la liste de problèmes donnée ci-dessus, les corps rigides considérés sont tous à liaisons complètes et les réactions sont statiquement déterminées. Il est possible de rendre ces structures à liaisons incorrectes en modifiant les dimensions du corps et la direction de la réaction. Déterminez $\alpha$ ou *a* pour que chaque structure devienne à liaisons incorrectes. *a*) probl. 4.3, *b*) probl. 4.21d, *c*) probl. 4.97, *d*) probl. 4.98, *e*) probl. 4.101.

**A4.103** Une poutre à âme pleine, de masse 3000 kg, est soulevée par deux câbles attachés en *A* et *B*. Le câble *B* forme un angle de 30° avec la verticale. Calculez la direction du câble attaché en *A* et l'effort de tension développé dans les deux câbles, en supposant que la poutre est maintenue en position horizontale.

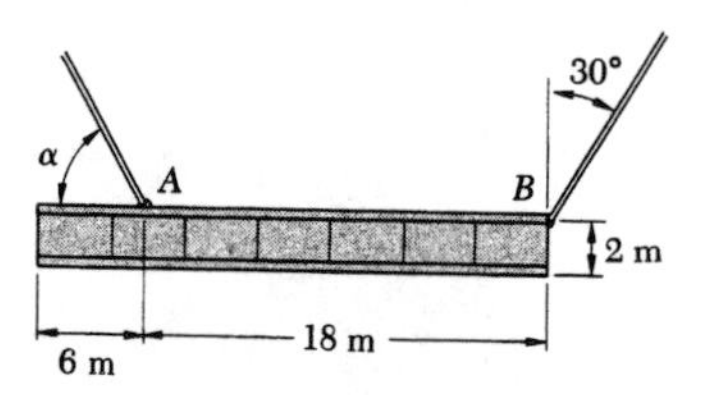


**Fig. PA4.103**

**A4.104** Un réservoir cylindrique, de 2224 N et de rayon 2,44 m, doit être soulevé sur une plate-forme de 0,61 m. Un câble est enroulé autour du réservoir et tiré horizontalement. Calculez l'effort de tension dans le câble et la réaction en $A$, en supposant que l'appui se fait avec frottement.

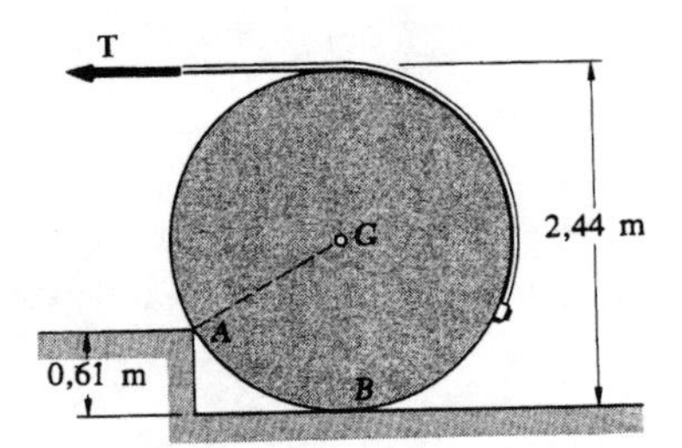

**Fig. PA4.104**

**A4.105** La porte de sécurité d'une chambre forte d'une banque pèse 53,4 kN et est supportée par deux gonds. Calculez les composantes de la réaction à chaque appui.

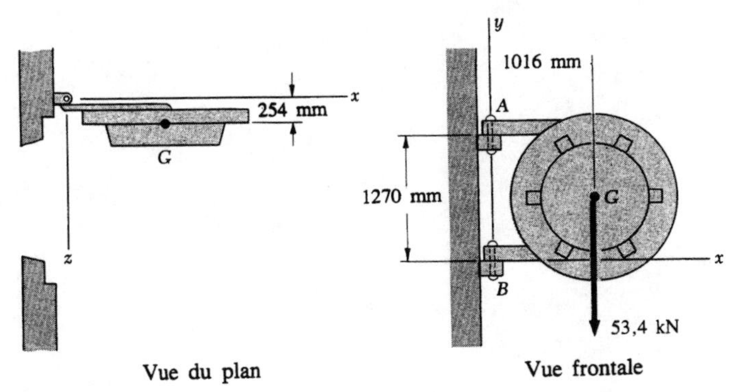

**Fig. PA4.105**

**A4.106** Un panneau de signalisation de masse uniforme, de mesure 1,5 x 2,4 m, est appuyé sur une rotule $A$ et est soutenu par deux câbles attachés en $B$ et $E$. Calculez la tension dans chaque câble et la réaction d'appui $A$.

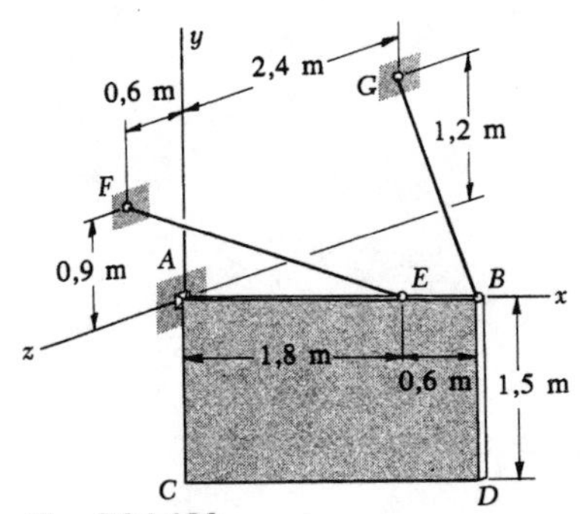

**Fig. PA4.106**

**A4.107** Une table circulaire, de poids $W$ = 120 N et de rayon $r$ = 600 mm, est supportée par trois pieds également espacés le long de son périmètre. Calculez la valeur maximale de $a$, pour que la table ne bascule pas autour de l'axe $AB$ sous l'action d'une force **P** de 300 N. Dessinez l'aire de la table à l'intérieur de laquelle on peut appliquer la force **P** sans la faire basculer.

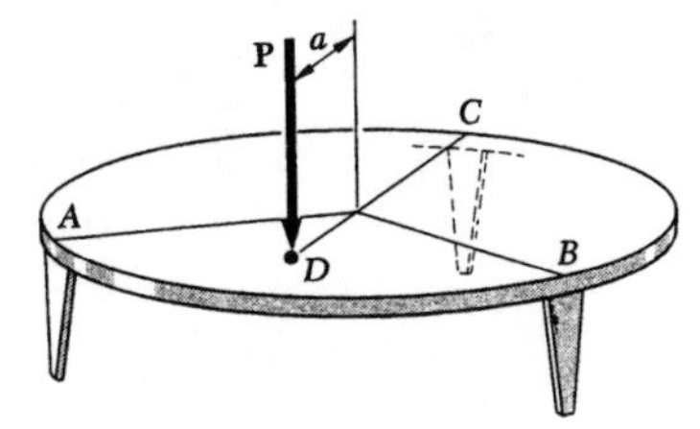

**Fig. PA4.107**

**A4.108** La tige $AB$, de section uniforme, de poids $W$ = 111 N, est appuyée sur une rotule $A$, sur la barre $CD$ et le mur $B$. Calculez en supposant que les liaisons se font sans frottement : $a$) la force que la tige $CD$ exerce sur la tige $AB$, $b$) les réactions en $A$ et $B$. (La force de réaction au point $E$ est perpendiculaire aux deux tiges.)

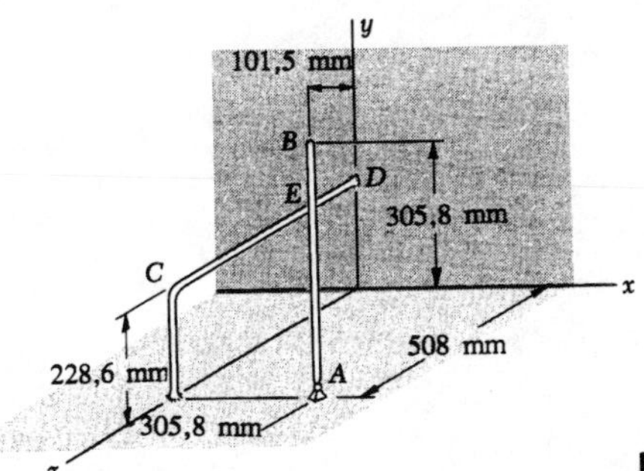

**Fig. PA4.108**

# INDEX


Action et réaction, 7,185
Addition :
des couples, 429-430
dans l'espace, 109-110
dans le plan, 68-69
des forces concourantes,
dans l'espace, 45
dans le plan, 20, 29
des forces non concourantes,
440
dans l'espace, 117-118
dans le plan, 75-76
des vecteurs, 18-20
Angle :
d'avancement, 292
d'éboulement, 278
de frottement :
cinétique, 277
statique, 277
Appuis, 488
à rotule, 125
à rouleau, 125
fixes, 462-463, 488
sphériques, 488
Archimède, 6
Aristote, 6
Axe(s) :
d'inertie, 341-343
de symétrie, 142, 144
du torseur, 108, 118
frottement d', 300-301
principaux d'inertie, 340

Bandes de freins, 310-311
Barre(s), 462
à efforts multiples, 210-237
articulée, 462
Bernouilli, Jean, 369
Bow (notation de), 188

Câble(s) :
flèche d'un, 261, 269
parabolique, 260-261
réactions d'un, 125, 462-487
soumis à des charges
concentrées, 258-259
soumis à des charges réparties,
259-260
Calcul (règle à) :
précision de la, 15
utilisation de la, 22, 23, 28, 30,
34, 36, 43, 45,46
Calculatrice :
précision de la, 15
utilisation de la, 22, 23, 28, 30,
36, 43
Caténaire, 267-269
Centre :
de gravité, 138-139, 171-173
des courbes, 140, 144, 146
des surfaces, 143-156
des volumes, 173-175
détermination du —, 153-154,
171-175
de pression, 165, 338-339
de symétrie, 142, 144
Chargement des poutres, 240-241
Charges réparties, 163-164, 240
Charnières, 126, 462-488
Chiffres significatifs, 14-15
Coefficient :
de frottement cinétique, 275-277
de frottement de roulement, 304
de frottement statique, 275-276
Coins, 291
Commutativité (du produit
scalaire), 416
Composantes :
d'un moment, 408-409
d'un produit vectoriel, 403-404
orthogonales :
d'un produit de vecteurs,
403-404
Compression 59, 186, 249, 400
Corps :
isolé :
diagramme du —
(*voir* diagramme)
schéma du —, 125, 461
rigide, 3, 56, 397-459
à liaisons complètes, 466
en équilibre, 460
instable, 87, 467
schéma d'un, 464
soumis à deux forces,
481-482
soumis à trois forces, 482
soumis à deux forces, 99-100,
481-482
soumis à trois forces, 100, 482
Cosinus directeurs, 42
Couple(s), 68-70, 108-110,
427-430, 426-432
addition des (*voir* addition)
de l'espace, 108-110
du plan, 66-70
équivalents, 67-68, 110,
427-429
Courroie :
en V, 311
frottement de, 309-311
transmission par, 310-311

D'Alembert, Jean, 6
Décimètre, 12
Densité, 140, 355
Déplacement, 369
virtuel, 372
Diagrammes :
de Maxwell, 198-199

des efforts tranchants, 34-35, 125, 244
des moments fléchissants, 244
du corps isolé, 34, 35
Disque d'embrayage, 302
Distributivité :
du produit scalaire, 416
du produit vectoriel, 403
Dynamique (définition de la), 5

Effort(s) tranchant(s), 237, 242-244
diagramme des (*voir* diagramme)
Éléments différentiels :
pour les moments d'inertie :
des masses, 356
des surfaces, 320-323
pour les surfaces, 153
pour les volumes, 175
Encastrement, 462-463
Énergie potentielle, 369-388
Entretoises, 208
Équations d'équilibre :
d'un corps rigide, 460
dans l'espace, 125
dans le plan, 81
d'un point matériel, 33, 49
Équilibre :
d'un corps rigide, 460-487
dans l'espace, 124-127, 488-490
dans le plan, 81-88, 99-100, 460
d'un point matériel :
dans l'espace, 49
dans le plan, 33-35
équations d' (*voir* équations d'équilibre)
indifférent, 389-390
instable, 389-390
stabilité d', 389-390
Espace, 6

Flèche, 261, 269
Flexion, 237

Force(s), 6
appliquée à un corps rigide, 397-459
dans l'espace, 106-107
dans le plan, 56-105
appliquée à un point matériel :
dans l'espace, 40-45
dans le plan, 16-29
appliquée sur les surfaces immergées, 164-165
composantes d'une, 21, 25-26, 40-45
composantes orthogonales :
de la —, 25, 40
du moment d'une —, 408-409
composition des, 20, 29
concourantes, 20, 21
conservatives, 387
coplanaires, 20
dans une barre, 188
de liaison, 82, 461
par câble, 462, 487
direction d'une, 16
équivalentes, 399-400
extérieures, 398
forme déterminante du moment d'une — :
à partir d'un produit mixte, 419
à partir d'un produit de vecteur, 419
grandeur d'une, 16
hydrostatiques, 164-165
intérieures, 56-57, 398
point d'application d'une, 16-56, 398
réparties, 138, 320
résultante des, 8, 17, 45, 117, 440
sens d'une, 16
système de forces, 440-488
système équivalent de —, 441-442
dans l'espace, 106-124
dans le plan, 56-81
Frottement, 274-319

angles de (*voir* angle)
cercle de, 301
cinétique (*voir* coefficient)
coefficient de (*voir* coefficient)
constante de — statique, 275-276
de Coulomb, 274, 301-303
de courroie (*voir* courroie)
de disque, 301-303
de roulement (*voir* coefficient)
lois de, 274-278
sec, 274-280
statique (*voir* coefficient)
surfaces sans, 83, 125

Gramme, 6
Gravitation :
constante de, 4
loi de, 4-5
Gravité :
accélération de, 4
centre de (*voir* centre)

Hamilton, sir William, 2

Inertie :
axe d'(*voir* axe)
moment d'(*voir* moment d'inertie)
produit d'(*voir* produit d'inertie)
théorème des axes parallèles d' (*voir* axe)
Instabilité géométrique, 88, 468

Joint de cardan, 488-489
Joule, 370

Kilogramme, 6
Kilomètre, 6
Kilonewton, 6

Lagrange, J.L., 2
Liaison(s), 374
à cardan, 126
complètes, 86, 466
forces de (*voir* force(s))

incomplètes, 86, 126, 186-188, 466-490
incorrectes, 87-88, 466-490
statiquement indéterminées, 466, 490
Liberté (degrés de), 387
Ligne d'action, 16, 58, 399
Loi(s) :
de frottement (*voir* frottement)
de gravitation (*voir* gravitation)
de Newton (*voir* Newton, lois de)

Machine :
idéale, 375
réelle, 375-376
Main droite (règle de la), 108, 405
Masse, 6
Maxwell (diagramme de) (*voir* diagramme)
Mécanique :
définition de, 5
newtonienne, 6-9
principes de (*voir* principe)
rendement, 375-376
Mégagramme, 10
Membrure à effort nul 191
Mètre, 9
Millimètre, 9
Moment :
d'un couple, 66, 426-427
d'une force, 60-61
par rapport à un axe donné, 419-421
par rapport à un point, 405-407, 409
de flexion : diagramme des — (*voir* diagramme)
fléchissant, 237, 242, 258
statique, 141, 173
Moment(s) d'inertie, 320-357
des corps composés, 356
des figures géométriques usuelles, 336, 357
des masses, 352-357
des plaques minces, 355-356
des surfaces, 141, 320-343
des surfaces composées, 330
des volumes, 356
détermination des — par intégration, 332-333, 356
orthogonal, 323-353
par rapport à des axes inclinés, 341
polaires, 323
principal, 343
Mohr (cercle de), 344-345
Mouvement (*voir* Newton (lois de))

Newton, 9
Newton, sir Isaac, 6
Newton (lois de) :
du mouvement : deuxième, 7
première, 7, 33, 34
troisième, 7, 184-185
(*voir aussi* gravitation)
Noeuds (méthode des), 187-192

Paliers, 125, 300-303, 488
à butée, 301
à double effet, 301-303
à simple effet, 300-301
d'extrémité, 301-302
Pappus-Guldinus (théorèmes de), 154-156
Parallélogramme (principe du), 7, 18-19
Pas :
d'un filetage, 293
d'un torseur, 118, 445
Pascal, 165
Pied, 8
Pivot, 462, 488
Plan de symétrie, 175
Poids, 8
spécifique, 140, 172
Point isolé (schéma) 34-35
Point matériel, 7, 16
équilibre d'un (*voir* équilibre)
schéma du — isolé, 34-35
Pôle, 323
Polygone (règle du), 20
Ponts suspendus, 260
Poutres, 240-257
composées, 241
mises en charge des, 240-241
portée des, 241
supports des, 240-241
types de, 241
Précision numérique, 14-15
Pression (centre de) (*voir* centre)
Principe(s) :
de glissement, 399
de la mécanique, 6-9
de la transmissibilité des forces, 3, 58-59, 399
du travail virtuel, 372-375
Problèmes (méthode de solution des), 13-14
Produit :
d'inertie, 339-340
mixte, 418-419
forme déterminante du —, 419
scalaire, 415-418
vectoriel, 401-404
composantes orthogonales, 404-405
forme déterminante du —, 405
Profilés (propriétés des), 332-333
Propriété associative de l'addition des vecteurs, 20

Rayon (de giration), 324, 352
Réactions, 462-489
aux appuis, 462, 488-489
statiquement déterminées, 86-88, 466
statiquement indéterminées, 86-88, 466
Réactions d'appui et de liaison, 83-84, 125-127, 462 , 488
statiquement déterminées, 87
statiquement indéterminées, 86-88
Réduction :
à une force et un couple :
de l'espace, 116
du plan 69-70
d'un système de forces, 440-446
de l'espace, 117

du plan, 75-76
d'une force :
à ses composantes :
de l'espace, 40-43
du plan, 21-25
à un système formé d'un couple et d'une force, 431
Relativité (théorie de la), 6
Repos (angle de) (*voir* angle)
Ressort :
constante du, 385
énergie potentielle du, 387
force exercée par le, 385-386
Résultante, 431 (*voir aussi* addition de forces, addition de vecteurs)
des forces (*voir* force(s))
Révolution :
corps de, 155, 356
surfaces de, 155
Rotule(s) :
sphérique, 488-489
support à —, 126, 488
Roues, 125, 303, 486
Rouleaux, 83, 125, 462-488
Roulement :
coefficient de (*voir* coefficient)
résistance de, 303-304

Scalaire, 17
composante, 26
Seconde, 9
Sections (méthode des), 201-203
SI (*voir* système d'unités)
Statique (définition de la), 5
Structure(s), 210-213
à deux dimensions, 60, 406
du plan, 60
étude des, 184-223
forces intérieures dans les, 184
isostatique, 466
statiquement déterminées, 213
statiquement indéterminées, 213
symétriques, 406
Surfaces :
de révolution (*voir* révolution)
rugueuses, 83, 125-126, 462, 488
sans frottement, 83, 125, 462, 488
Surfaces composées :
centre de gravité des (*voir* centre)
moment d'inertie des (*voir* moment d'inertie)
Symétrie :
axes de (*voir* axe(s))
centre de (*voir* centre)
Système(s) :
d'unités, 9-13
de couples, 70
de forces (*voir* force(s))
équipollents, 442
force-couple, 431

Temps, 6
Tension, 59, 186, 236, 400
Théorème(s) :
de Pappus-Guldinus (*voir* Pappus-Guldinus)
de Varignon (*voir* Varignon)
des axes parallèles (*voir* axe(s))
des masses, 353-354
des moments d'inertie des surfaces, 329-330 (*voir aussi* moments d'inertie)
des produits d'inertie (*voir* produit d'inertie)
Tonne :
métrique, 10
Torseur, 118, 446
Transfert (formule de) (*voir* théorème des axes parallèles)
Transmissibilité (principe de la) (*voir* principe)
Travail :
d'un couple 371, 384
d'un poids, 384-385
d'une force, 369, 384
de la force exercée par un ressort, 385-386
des forces appliquées à un corps rigide, 371
fourni et reçu, 375
virtuel : principe du — (*voir* principe)
Triangle (règle du), 19
Treillis :
composés, 203
de l'espace, 193
hyperrigides, 203
hyporigides, 204
rigides, 187
simples, 187, 193
statiquement déterminés, 203
statiquement indéterminés, 204
usuels, 186

Unités (*voir* système d')

Varignon (théorème de), 62, 407
Vecteurs, 17-18
addition des, 18-20
composantes des, 26
coplanaires, 20
couples, 108, 430-431
glissants, 18, 58, 399
libres, 18
liés, 17
position, 69, 405
Vérins, 292
Vis, 292-293
à filetage carré, 292-293
autobloquante, 293
Volumes composés :
centre de gravité des (*voir* centre)
moment d'inertie des (*voir* moment d'inertie)

# Réponses aux problèmes supplémentaires pairs

**CHAPITRE 2**

- **2.2** 3240 N ∠ 40,9°.
- **2.4** *a*) 63,2 kN ∠ 5,1°, *b*) 66,1 kN.
- **2.6** 123,4°.
- **2.8** 65,5 N; 134,3 N.
- **2.10** 193,9 N ∠ 78,4°.
- **2.12** 2990 N ∠ 72,8°.
- **2.14** 0,855 kN→, 2,35 kN↑.
- **2.16** 89,0 N→, 153,9 N↑; 209 N→, 76,1 N↑; 171,7 N→, 205 N↓.
- **2.18** 250 N→, 600 N↓.
- **2.20** 890 N ∠ 4,3°.
- **2.22** 470 N ∠ 3,1°.
- **2.26** 62,5 kN.
- **2.28** 6,3° et 133,7°.
- **2.30** $T_{AC}$ = 534 N; $T_{BC}$ = 695 N.
- **2.32** $T_{AC}$ = 981 N; $T_{BC}$ = 2350 N.
- **2.34** *a*) 60°, *b*) $T_{AC} = T_{BC}$ = 770 N.
- **2.36** 2,87 kN ∠ 75°.
- **2.38** $C$ = 2170 N; $D$ = 3750 N.
- **2.40** $T_{AC}$ = 205 N; $T_{BC}$ = 164,1 N.
- **2.42** 0,991 m.
- **2.44** *b*) 654 N. *d*) 491 N.
- **2.46** 31,8 mm.
- **2.48** *a*) 80,1 N, *b*) 106,8 N.
- **2.50** *a*) + 113,3 N, + 217 N, − 52,8 N, *b*) 63,1°, 30,0°, 102,2°.
- **2.52** *a*) − 291 N, + 1045 N, − 245 N.
- **2.54** 48,8°; 230 N, 629 N, 585 N.
- **2.56** 700 N; 64,6°, 120,9°, 42,0°.
- **2.58** − 3560 N, + 3560 N, − 6230 N.
- **2.60** 116,4°, 63,6°, 141,1°.
- **2.62** *a*) 54,7°, 125,3°, *b*) 60°, 120°.
- **2.64** $T_{AC}$ = 21 kN; $T_{AD}$ = 64,3 kN.
- **2.66** 4940 N.
- **2.68** $T_{AD}$ = 467 N; $T_{BD}$ = 347 N; $T_{CD}$ = 334 N.
- **2.70** $T_{AD} = T_{BD}$ = 1,75 kN; $T_{CD}$ = 3 kN.
- **2.72** $T_{AD}$ = 139,9 kN; $T_{BD} = T_{CD}$ = 115,7 kN.
- **2.74** *a*) 28,0 N, *b*) 32,0 N.
- **2.76** $T_{AD}$ = 103,5 N; $T_{BD}$ = 51,8 N; $T_{CD}$ = 89,7 N.
- **2.78** $T_{AC}$ = 5950 N; $T_{BC}$ = 4490 N.
- **2.80** 1223 N $\leqslant P \leqslant$ 3173 N.
- **2.82** *a*) 2220 N, *b*) 1668 N.
- **2.84** 5340 N, vers le bas.
- **2.86** $T_{AC}$ = 547 N; $T_{BC}$ = 800 N.
- **2.88** 418 N ∠ 32,3° ou 767 N ∠ 32,3°.
- **2.90** $P$ = 120,1 N; $T_{AB}$ = 227 N.

## CHAPITRE 3

**3.2** −37,5 N·m; $\alpha = 20°$.
**3.4** *a*) −88,8 N·m, *b*) 395 N ←,
*c*) 280 N ↙ 45°.
**3.6** 18,87 N·m.
**3.8** −61,8 N·m.
**3.12** $x = aQ/(Q - P)$.
**3.14** *a*) 271 N, *b*) 390 N, *c*) 250 N.
**3.16** 31,6 N·m ⤸.
**3.18** *a*) 400 N ↖ 60°, 77,8 N·m ⤸;
*b*) 400 N ↖ 60°, 55,1 N·m ⤸.
**3.20** 71,2 kN ↓; 76,2 mm à gauche de AB.
**3.22** *a*) 960 N ↗ 60°; 28,9 mm à droite de O,
*b*) 960 N ↗ 60°; 50 mm au-dessus de O.
**3.24** $F_A = Pb/a$↑; $\mathbf{F}_C = P(a+b)/a$↓.
**3.26** *a*) 600 N ↖ 36,9°; 28,8 N·m ⤹;
*b*) $\mathbf{F}_B$ = 200 N ↖ 36,9°;
$\mathbf{F}_D$ = 400 N ↖ 36,9°.
**3.28** *e*.
**3.30** *a*) 1334 N →; 271 mm au-dessus de A,
*b*) 667 N ←; 1288 mm au-dessus de A,
*c*) le système se réduit à un couple de 452 N·m.
**3.32** *a*) 0,5 m, *b*) 0,875 m, *c*) 1,625 m.
**3.34** 224 N ↘ 26,6°; 265 à gauche de C,
132,5 mm au-dessous de C.
**3.36** 4670 N; 2,84 m à droite de A.
**3.38** *a*) 3370 N →; 20,6 kN·m ⤹,
*b*) 3370 N →, 6,10 m au-dessous de DE.
**3.40** *a*) 184,7 N ←, *b*) 92,4 N ↘ 60°,
*c*) 184,7 N ↗ 60°.
**3.42** 150,6° ou −52,5°.
**3.44** *a*) 183,5 N, *b*) 527 N ↗ 73,4°.
**3.46** *a*) $T = (W\cos\theta)/(2\cos\frac{1}{2}\theta)$, *b*) 52,2 N.
**3.48** ±60°.
**3.50** 2,4 kN.
**3.52** $\mathbf{A}_x$ = 57,8 kN →, $\mathbf{A}_y$ = 44,2 kN ↑,
**B** = 35,6 kN ↘ 60°.
**3.54** $\mathbf{A}_x$ = 26,2 kN →, $\mathbf{A}_y$ = 29,7 kN ↑,
**B** = 52,3 kN ↘ 60°.
**3.56** $T$ = 534 N; **A** = 3340 N ←;
**B** = 3340 N →.
**3.58** *a*) **A** = 600 N ↑; **B** = 2400 N →;
**C** = 2400 N ←, *b*) **A** = 520 N ↑;
**B** = 1780 N →; **C** = 1480 N ←.
**3.60** **A** = 740 N ↗ 30°; **B** = 740 N ↙ 30°.
**3.62** *a*) **A** = $M/2L$ ↑; **B** = $M/2L$ ↓,
*b*) **A** = $M/L$ ←; **B** = $M/L$ →,
*c*) **B** = 0; $\mathbf{M}_B = M$ ⤸, (*d*) **A** = $M/L$ ↑;
**B** = $M/L$ ←; **D** = $\sqrt{2}M/L$ ↖ 45°.
**3.64** *a*) **A** = 30 kN ↑; **B** = 105 kN ↑,
*b*) **A** = 80 kN ↑; **B** = 130 kN ↑.
**3.66** 100,1 N ⩽ $P$ ⩽ 2790 N.
**3.68** *a*) **A** = 236 N ↘ 28,3°; **B** = 232 N ↓,
*b*) **A** = 133,3 N ←; **B** = 141,2 N ↙ 58,2°,
*c*) **A** = 240 N ↙ 30°; $\mathbf{M}_A$ = 46,4 N·m ⤸.
**3.70** *a*) $\mathbf{A}_x$ = 351 N →;
$\mathbf{A}_y$ = 1397 N ↑; $\mathbf{M}_A$ = 1708 N·m ⤸,
*b*) 550 N; 195,3 N.
**3.72** *a*) 377 N, (*b*) 849 N ↘ 39,7°.
**3.74** 18,4°.
**3.76** *a*) $T = \frac{1}{2}W/(1 - \tan\theta)$, *b*) 36,9°.
**3.78** *a*) $\cos\frac{1}{2}\theta = \frac{1}{4}\left(\frac{W}{P} + \sqrt{\frac{W^2}{P^2} + 8}\right)$,
*b*) 65,0°.
**3.80** *a*) 0° ou 180°, *b*) 73,3°, *c*) 90°,
*d*) 26,6°, *e*) 203 mm.
**3.82** 1) À liaisons complètes; dét.;
$A = C$ = 222 N ↑.
2) À liaisons complètes; dét.;
$B$ = 0, $C = D$ = 222 N ↑.
3) À liaisons complètes; indét.;
$A$ = 334 N →, $D$ = 334 N ←.
4) À liaisons incomplètes; dét.; équil.;
$C = D$ = 222 N ↑.
5) À liaisons complètes; dét.;
$B$ = 334 N →, $D$ = 556 N ↘ 53,1°.
6) À liaisons incorrectes; pas d'équil.
7) À liaisons incorrectes; indét.; pas d'équilibre.
8) À liaisons incorrectes; indét.; pas d'équilibre.
9) À liaisons complètes; indét.;
$B$ = 222 N ↑, $D_y$ = 222 N ↑.
**3.86** *a*) 76,0°, *b*) 145,2 N ↑;
**C** = 582 N →.
**3.88** 254 mm.
**3.90** **A** = 418 N ↗ 44,2°;
**B** = **C** = 758 N ↙ 22,6°.
**3.92** *a*) 49,1°, *b*) 1,323 $W$.
**3.94** 2,65 m.
**3.96** 23,2°.
**3.98** **R** = 0; **M** = 683 N·m ⤹.
**3.100** *a*) **B** = 1023 N ↙; **C** = 89,0 N ↙;
**D** = 667 N ↑, *b*) Roulettes 1 et 3.
**3.102** *a*) **A** = 534 N ↗ 69,4°; **E** = 187,5 N ←,
*b*) 36,9° et 69,4°.
**3.104** −45 N·m ⩽ $M$ ⩽ 3 N·m.
**3.106** −42,1° ⩽ $\alpha$ ⩽ 49,1°.
**3.108** $\mathbf{A}_x$ = 302 N ←, $\mathbf{A}_y$ = 530 N ↑;
$T$ = 201 N.

## CHAPITRE 4

**4.2** $M_x = 0$, $M_y = -1627$ N · m, $M_z = 3250$ N · m.

**4.4** $M_x = 40$ N · m, $M_y = -90$ N · m, $M_z = -40$ N · m.

**4.6** *a*) $+ M_x = -(267$ N) (0,203 m) $\sin\theta = -54{,}20 \sin\theta$ N · m; $+ M_y = 0$; $+ M_z = (267$ N) (0,152 m) $= 40{,}70$ N · m, *b*) $= M_x = -54{,}20$ x sin 120° = −46,94 N · m; $M_y$ et $M_x$ ont les mêmes valeurs qu'en (*a*), *c*) $+ M_x = -54{,}20$ x sin 240° = +46,94 N · m; $M_y$ et $M_x$ ont les mêmes valeurs qu'en (*a*).

**4.8** 4,88 kN.

**4.10** −31,6 N · m.

**4.14** $M_x = -20{,}3$ N · m, $M_y = 9{,}04$ N · m, $M_z = 6{,}78$ N · m.

**4.16** $M_x = 3{,}6$ kN · m, $M_y = 7{,}72$ kN · m, $M_z = 0$.

**4.18** $R_x = 0$, $R_y = -100$ kN, $R_z = 0$; $M_x = -5$ kN · m, $M_y = 0$, $M_z = -12{,}5$ kN · m.

**4.20** *a*) $R_x = -2670$ N, $R_y = 2670$ N, $R_z = 1335$ N; $M_x = -1627$ N · m, $M_y = 0$, $M_z = 3250$ N · m, *b*) **R** = même que *a*; $M_x = 7320$ N · m, $M_y = 5690$ N · m, $M_z = 3250$ N · m.

**4.22** *a*) $C_y = 66{,}7$ N, $C_z = 0$, *b*) $R_x = -44{,}5$ N, $R_y = -66{,}7$ N, $R_z = 0$; $M_x = -20{,}3$ N · m, $M_y = M_z = 0$.

**4.24** $P = 2{,}24$ kN; $\theta_x = 116{,}6°$, $\theta_y = 90°$, $\theta_z = 26{,}6°$.

**4.26** 72,2 N.

**4.28** **A** = 17,79 kN ↓, **B** = 124,5 kN ↓.

**4.30** $\cos(AOB) = (P_3^2 - P_1^2 - P_2^2)/2P_1P_2$;

$\cos(AOC) = (P_2^2 - P_1^2 - P_3^2)/2P_1P_3$.

**4.32** *a*) $R = 50$ N, $\theta_x = \theta_y = 90°$, $\theta_z = 0$; $M = 28$ N · m, $\phi_x = 90°$, $\phi_y = 153{,}4°$, $\phi_z = 116{,}6°$, *b*) $R = 50$ N, $M = -12{,}5$ N · m; pour $x = 500$ mm, $y = z = 0$; direction des axes : $\theta_x = \theta_y = 90°$, $\theta_z = 0$; pas = −250 mm.

**4.34** $R = 44{,}5$ N, $M = 22{,}6$ N · m; pour $x = 0$, $y = -356$ mm, $z = 406$ mm; direction des axes: $\theta_x = 180°$, $\theta_y = \theta_z = 90°$; pas = 508 mm.

**4.36** $R = \sqrt{2}P$, $M = -Pa/\sqrt{2}$; pour $x = 0$, $y = a$, $z = \frac{1}{2}a$; direction des axes : $\theta_x = \theta_y = 45°$, $\theta_z = 90°$.

**4.38** $F_3 = -\frac{1}{2}P\ R = \frac{3}{2}P$, pour $x = 0$, $y = a$ $z = \frac{1}{2}a$; direction de la ligne d'action : $\theta_x = \theta_y = 48{,}2°$, $\theta_z = 109{,}5°$.

**4.42** $A_x = 1040$ N, $A_y = -200$ N, $A_z = 0$, $T_{BD} = T_{BE} = 849$ N.

**4.44** $T_{BC} = 3470$ N, $T_{BD} = 2490$ N; $A_x = 5340$ N, $A_y = A_z = 0$.

**4.46** $T_{AD} = 2{,}29$ kN, $T_{CD} = 2{,}07$ kN, $T_{ED} = 2{,}19$ kN.

**4.48** $T_{BG} = 451$ N, $T_{EF} = 1401$ N; $A_x = 1503$ N, $A_y = 450$ N, $A_z = -100{,}1$ N.

**4.50** $T_A = 22{,}2$ N; $T_B = 66{,}7$ N; $T_C = 89{,}0$ N.

**4.52** 222 N; $x = 406$ mm, $z = 330$ mm.

**4.54** $\frac{1}{3}L$.

**4.56** $P = 462$ N; $A_x = A_z = 0$, $A_y = 123$ N; $B_y = 1139$ N, $B_z = 0$.

**4.58** $A_x = -42{,}7$ kN, $A_z = -10{,}68$ kN; $B_x = 42{,}7$ kN, $B_z = 10{,}68$ kN; $A_y$ et $B_y$ indéterminés ($A_y + B_y = 53{,}4$ kN).

**4.60** $F_{CD} = 184{,}2$ N; $A_x = 178{,}3$ N, $A_y = 322$ N; $B_x = 0$, $B_y = 368$ N, $B_z = 0$.

**4.62** $F_{CE} = 749$ N; $A_x = -209$ N, $A_y = 0$; $B_x = -209$ N, $B_y = 556$ N, $B_z = -278$ N.

**4.64** $F_{CE} = 749$ N; $B_x = -417$ N, $B_y = 556$ N, $B_z = -278$ N; $(M_B)_y = -212$ N · m, $(M_B)_x = 0$.

**4.66** $T_{BD} = 7{,}8$ kN, $T_{CF} = T_{BE} = 6{,}5$ kN; $A_x = 19{,}2$ kN, $A_y = 0$, $A_z = -3$ kN.

**4.68** $A_x = 0$, $A_y = 400$ N, $A_z = -500$ N; $B_x = 600$ N, $B_y = 0$, $B_z = 500$ N; $C_x = -600$ N, $C_y = 400$ N, $C_z = 0$.

**4.70** $M_x = 25$ N · m, $M_y = 360$ N · m, $M_z = -190$ N · m.

**4.72** *a*) 3,11 N, *b*) 14,23 N.

**4.74** $(M_O h)/(Wr^2)$.

**4.76** *a*) $R = P$, $M = Qr\sin\theta$; parallèle à l'axe x pour $x = 0$, $y = (rQ/P)\cos\theta$, $z = r\sin\theta$, *b*) $(P/Q)^2 y^2 + z^2 = r^2$.

**4.78** $10W$; $x = 0{,}6a$, $z = 0{,}3a$.

**4.80** *a*) $R_x = 400$ N, $R_y = R_z = 0$; $M_x = 15$ N · m, $M_y = 66$ N · m, $M_z = -60$ N · m, *b*) $R = 400$ N, $M = 15$ N · m; pour $x = 0$, $y = 150$ mm, $z = 165$ mm; direction des axes: $\theta_y = \theta_z = 90°$; pas = 37,5 mm.

## CHAPITRE 5

**5.2** $\bar{x} = 55,4$ mm, $\bar{y} = 66,2$ mm.
**5.4** $\bar{x} = 33,9$ mm, $\bar{y} = 71,9$ mm.
**5.6** $\bar{x} = 0$, $\bar{y} = 82,0$ mm.
**5.8** $\bar{x} = 0$, $\bar{y} = 9,26$ mm.
**5.10** $\bar{x} = 0$, $\bar{y} = 1,393$ m.
**5.12** $\bar{x} = 152,5$ mm, $\bar{y} = 17,2$ mm.
**5.14** $\frac{2}{3} \frac{\sin \alpha}{\alpha} \frac{(a^3 - b^3)}{(a^2 - b^2)}$.
**5.16** $\bar{x} = 53,0$ mm, $\bar{y} = 68,6$ mm.
**5.18** $\bar{x} = 0$, $\bar{y} = 74,7$ mm.
**5.20** 0,520.
**5.22** $a = 2,54r$; $\alpha = 51,8°$.
**5.24** 693 mm.
**5.26** $\cos \alpha = \frac{1}{2} \csc \theta$.
**5.28** $\bar{x} = 22,6$ mm, $\bar{y} = 0$.
**5.30** $\bar{x} = 0,7424a$; $-1,01\%$.
**5.32** $\bar{x} = \frac{2}{3} b$; $\bar{y} = \frac{1}{3} h$.
**5.34** $\bar{x} = \frac{1}{2} a$; $\bar{y} = \frac{2}{5} b$.
**5.42** $\bar{x} = 0,611L$.
**5.44** $\bar{x} = 0,549R$, $\bar{y} = 0$.
**5.46** $\bar{x} = \bar{y} = 26,1$ mm.
**5.48** $\bar{x} = \bar{y} = \frac{(n+1)^2}{(n+2)(2n+1)}$.
**5.50** $a)$ $\frac{1}{2} \pi a^2 h$, $b)$ $8\pi a h^2/15$.
**5.52** $4\pi R^2 \sin^2 (\phi/2)$.
**5.54** 0,655 m³.
**5.56** $a)$ 24,6 m³, $b)$ 31,0 m³.
**5.58** $\bar{y} = 274$ mm.
**5.60** $V = 120,4 \times 10^3$ mm³;
$A = 19,86 \times 10^3$ mm²,
**5.62** $a)$ $\pi R^2 h$, $b)$ $\frac{2}{3} \pi R^2 h$, $c)$ $\frac{1}{2} \pi R^2 h$,
$d)$ $\frac{1}{3} \pi R^2 h$, $e)$ $\frac{1}{6} \pi R^2 h$.
**5.66** **R** = 6kN ↓, 3 m à droite de A;
**A** = 1,5 kN↑; **B** = 4,5 kN↑.
**5.68** **A** = 3670 N↑; $\mathbf{M}_A$ = 780 N·m ↺.
**5.70** **B** = 1200 N↑; $\mathbf{M}_B$ = 800 N·m ↺.
**5.72** $a)$ 0,500; $\mathbf{M}_A = \frac{1}{4} w_A L^2$ ↻, $b)$ 1,000;
$\mathbf{A} = \frac{1}{3} w_A L$ ↑.
**5.74** $a)$ $w_2 = w_1(a/L)[4 - 3(a/L)]$;
$w_3 = w_1(a/L)[3(a/L) - 2]$, $b)$ $a/L \geq \frac{2}{3}$.
**5.76** $a)$ **H** = 79,9 kN →, **V** = 267 kN↑;
3,85 m à droite de A,
$b)$ **R** = 85,4 kN ↗ 20,6°.
**5.78** 2,47 m.
**5.80** 90 mm.
**5.82** 2,39 m.
**5.84** $\mathbf{A}_x$ = 1,635 kN →, $\mathbf{A}_y$ = 9,81 kN↓;
**D** = 8,18 kN →.
**5.86** 1,491 m.
**5.88** 2,58 m.
**5.90** 1810 N ↘ 23,2°.
**5.92** $\sqrt{3}$.
**5.94** $\sqrt{3}$.
**5.96** 69,5 mm au-dessous de la base.
**5.98** $\bar{x} = \bar{z} = 4,58$ mm, $\bar{y} = 0$.
**5.100** 82,2 mm au-dessous de la base.
**5.102** $\bar{x} = 1,823$ mm, $\bar{y} = -39,3$ mm, $\bar{z} = 0$.
**5.106** $\bar{x} = 0$, $\bar{y} = -h/3$, $\bar{z} = -4a/3\pi$
**5.110** $\bar{x} = 2h/3$, $\bar{y} = 16a/15\pi$, $\bar{z} = 0$.
**5.112** $\bar{x} = \frac{3}{8} a$, $\bar{y} = \frac{1}{4} h$, $\bar{z} = \frac{3}{8} b$.
**5.116** 3.
**5.118** $\bar{x} = a/2$, $\bar{y} = \pi^2 h/32$, $\bar{z} = b/2$.
**5.120** $\bar{x} = 0$, $\bar{y} = 32,9$ mm.
**5.122** 105,7 X 10³ mm².
**5.124** $\bar{x} = 114,3$ mm, $\bar{y} = 19,05$ mm,
$\bar{z} = 76,2$ mm.
**5.126** $\frac{1}{3}$.
**5.128** $W_2 = W_1/\cos \theta$ au point $B$.
**5.130** 60°.

## CHAPITRE 6

**6.2 et 6.22** *1-2* = 13,34 kN *T*;
*1-3* = 14,23 kN *T*; *2-3* = 17,79 kN *C*.
**6.4 et 6.24** *1-2* = 3600 N *C*; *1-3* = 3900 N *T*;
*2-3* = 4500 N *C*.
**6.6 et 6.26** *1-2* = *5-6* = *9-10* = 400 N *C*;
*1-3* = *3-4* = *7-8* = *7-9* = 0;
*2-3* = *7-10* = 849 N *C*;
*2-4* = *4-6* = *6-8* = *8-10* = 600 N *T*;
*3-5* = *5-7* = 800 N *C*;
*3-6* = *6-7* = 283 N *T*.
**6.8 et 6.28** *1-2* = 3,56 kN *C*; *1-3* = 2,67 kN *C*;
*1-4* = 4,45 kN *T*; *2-4* = *5-6* = 0;
*3-4* = 7,12 kN *C*; *3-5* = 8,01 kN *C*;
*3-6* = 8,90 kN *T*; *4-6* = 2,67 kN *T*.
**6.10 et 6.30** *1-2* = *6-8* = 8 kN *C*;
*1-3* = *3-5* = *5-7* = *7-8* = 6,93 kN *T*;
*2-3* = *4-5* = *6-7* = 4 kN *T*;
*2-4* = *2-5* = *4-6* = *5-6* = 4 kN *C*.
**6.12 et 6.32** *1-2* = *2-4* = *4-6* = *6-8* = 133,4 kN *T*;
*1-3* = *3-5* = *5-7* = 151,2 kN *C*;
*2-3* = *3-4* = *4-5* = *5-6* = 0;
*6-7* = 106,8 kN *C*; *7-8* = 222 kN *C*.
**6.14** *2-3*; *6-7*; *6-9*; *8-9*; *8-11*; *10-11*.
**6.16** *1-6*; *3-8*; *4-5*; *5-10*; *7-12*; *9.14*.
**6.18** $F_{BE} = F_{BC} = F_{DC} = F_{DE} = P \sqrt{2/4}$ comp.;
les autres barres: $P \sqrt{2/4}$ tract.

**6.20** *a*) $A_x = +7{,}12$ kN, $A_y = -2{,}37$ kN, $A_z = -3{,}56$ kN; $B_x = 0$; $C_x = -7{,}12$ kN, $C_y = +2{,}37$ kN, *b*) $F_{AC} = 1{,}779$ kN $T$; $F_{AE} = 7{,}71$ kN $C$; $F_{CE} = 7{,}71$ kN $T$; pour les autres barres : $F = 0$.

**6.34** *1-2* = 4970 N *C*; *1-5* = 4450 N *T*; *2-3* = *3-4* = 3980 N *C*; *2-5* = 996 N *C*; *3-5* = 890 N *C*; *4-5* = 1606 N *T*; *5-6* = 2670 N *T*; symétrique par rapport au centre.

**6.36** *1-2* = *1-8* = N *C*; *1-3* = *1-4* = *1-5* = *1-6* = *1-7* = 536 N *C*; *2-3* = *3-4* = *4-5* = *5-6* = *6-7* = *7-8* = 1035 N *T*.

**6.38** *1-2* = *2-4* = 0; *1-3* = 17,97 kN *T*; *1-4* = 17,97 kN *C*; *3-4* = 6,67 kN *T*; *3-5* = 24,0 kN *T*; *3-6* = 7,12 kN *C*; *4-6* = 16,68 kN *C*; *5-6* = 4,45 kN *T*.

**6.40** $F_{CE} = 214$ kN $C$; $F_{CF} = 44{,}5$ kN $T$.

**6.42** $F_{DF} = 91{,}4$ kN $T$; $F_{DE} = 38{,}6$ kN $C$.

**6.44** 60 kN *T*.

**6.46** $F_{EG} = 45$ kN $T$; $F_{EF} = 55$ kN $C$; $F_{DF} = 45$ kN $C$.

**6.48** $F_{EC} = 20{,}9$ kN $T$; $F_{CD} = 16{,}01$ kN $C$; $F_{CB} = 0$.

**6.50** $F_{DF} = 115{,}6$ kN $C$; $F_{DG} = 66{,}7$ kN $T$.

**6.52** $F_{AB} = 5P/6$ tract., $F_{KL} = 7P/6$ tract.

**6.54** 22,5 kN *C*.

**6.56** $F_{AB} = 0$; $F_{EJ} = \frac{2}{3}P$ *comp.*

**6.58** $F_{BD} = 21{,}3$ kN $C$; $F_{EC} = 10{,}67$ kN $T$. $F_{CD} = 13{,}33$ kN $T$.

**6.60** $F_{BE} = 71{,}2$ kN $C$; $F_{CG} = 44{,}5$ kN $C$; $F_{BG} = 44{,}5$ kN $T$.

**6.62** a) Liaisons complètes; dét, b) Liaisons complètes; indét, c) Liaisons complètes; dét, d) Liaisons incorrectes.

**6.64** a) Liaisons complètes; dét, b) Liaisons incorrectes, c) Liaisons complètes; indét, d) Liaisons complètes; dét.

**6.66** $F_{BD} = 2000$ N $T$; $C_x = 1201$ N ←, $\mathbf{C}_y = 1068$ N ↓.

**6.68** $\mathbf{A}_x = 560$ N →, $\mathbf{A}_y = 160$ N ↑; $\mathbf{B}_x = 560$ N ←, $\mathbf{B}_y = 280$ N ↓; $\mathbf{C} = 160$ N ↓; $\mathbf{D} = 280$ N ↑.

**6.70** $\mathbf{E}_x = 111{,}2$ N →, $\mathbf{E}_y = 245$ N ↓.

**6.72** *a*) $\mathbf{B}_x = 500$ N →, $\mathbf{B}_y = 200$ N ↓, *b*) $\mathbf{B} = 200$ N ↑.

**6.74** $\mathbf{D}_x = 2{,}00$ kN →, $\mathbf{D}_y = 2{,}67$ kN ↓; $\mathbf{E}_x = 0$, $\mathbf{E}_y = 5{,}34$ kN ↑; $\mathbf{F}_x = 2{,}00$ kN ←, $\mathbf{F}_y = 2{,}67$ kN ↓.

**6.76** $\mathbf{E} = 0{,}667$ kN ↑; $\mathbf{F} = 2{,}00$ kN ↑; $\mathbf{C} = 4{,}00$ kN ↓.

**6.78** $\mathbf{A} = 0$, $\mathbf{M}_A = 2{,}03$ kN·m ⤸; $\mathbf{D} = 2{,}22$ kN ↑.

**6.80** *a*) 79,4°, *b*) $\mathbf{A} = 2{,}55$ kN ←; $\mathbf{B} = 2{,}26$ kN ⦣ 79,4°.

**6.82** *a*) À chaque roue: $\mathbf{A} = 89{,}9$ kN ↑; $\mathbf{B} = 132{,}6$ kN ↑, *b*) $\mathbf{C} = 12{,}99$ kN →; $\mathbf{D}_x = 12{,}99$ kN ←, $\mathbf{D}_y = 193{,}9$ kN ↓.

**6.84** *a*) À chaque roue: $\mathbf{A} = 5640$ N ↑; $\mathbf{B} = 3170$ N ↑; $\mathbf{C} = 4420$ N ↑, *b*) $\mathbf{B} = 324$ N ↑; $\mathbf{C} = 151$ N ↑.

**6.86** $\mathbf{A} = 960$ N →; $\mathbf{B} = 160$ N ←; $\mathbf{C} = 1000$ N ⦣ 36,9°.

**6.88** $F_{AF} = \frac{1}{4}P$ *comp.*; $F_{BG} = F_{GD} = P/\sqrt{2}$ tract.; $F_{EH} = \frac{1}{4}P$ tract.

**6.90** $F_{AF} = M_0/4a$ tract.; $F_{BG} = F_{GD} = M_0/a\sqrt{2}$ *comp.*; $F_{EH} = 3M_0/4a$ tract.

**6.92** *a*) Rigide; $\mathbf{A} = 20$ kN ↑; $\mathbf{B} = 20$ kN ↓; $\mathbf{C} = 40$ kN ↑, *b*) Non rigide.

**6.94** *a*) Rigide: $\mathbf{A} = 30$ kN ↑; $\mathbf{B} = 40$ kN ↓; $\mathbf{C} = 50$ kN ↑, *b*) Non rigide.

**6.96** *a*) $\mathbf{A} = 2{,}45$ kN →; $\mathbf{B} = 4{,}67$ kN ←; $\mathbf{D} = 3{,}51$ kN ↑; $\mathbf{E} = 1{,}833$ kN ↑, *b*) $\mathbf{C}_x = 2{,}45$ kN ←, $\mathbf{C}_y = 1{,}833$ kN ↓.

**6.98** $\mathbf{A} = 11{,}12$ kN ↑; $\mathbf{B} = 6{,}67$ kN ↑; $\mathbf{C} = 22{,}2$ kN ↑; $\mathbf{D} = 13{,}34$ kN ↑.

**6.100** $\mathbf{A} = P/15$ ↑; $\mathbf{D} = 2P/15$ ↑; $\mathbf{E} = 8P/15$ ↑; $\mathbf{H} = 4P/15$ ↑.

**6.102** $\mathbf{D} = 400$ N ↓; $\mathbf{E} = 800$ N ↑; $\mathbf{F} = 200$ N ↑.

**6.104** $\mathbf{D} = 5{,}24$ kN ⦤ 58,0°; $\mathbf{C} = 2{,}78$ kN →.

**6.106** *a*) 2500 N, *b*) 2760 N ⦣ 63,1°.

**6.108** *a*) 7,47 kN, *b*) 18,68 kN.

**6.110** *a*) 36,8 N·m ⤹, *b*) $\mathbf{C}_x = 120$ N ←, $\mathbf{C}_y = 160$ N ↑.

**6.112** 7,51 kN.

**6.114** $\mathbf{A}_x = 4{,}89$ kN ←, $\mathbf{A}_y = 22{,}0$ kN ↓; $\mathbf{C}_x = 5{,}45$ kN →, $\mathbf{C}_y = 22{,}0$ kN ↑.

**6.116** 1540 N.

**6.118** $F_{DE} = 8{,}44$ kN $C$; $F_{EF} = 18{,}68$ kN $T$.

**6.120** *a*) 18,75 kN *T*, *b*) $\mathbf{H}_x = 10$ kN ←, $\mathbf{H}_y = 20$ kN ↓.

**6.122** 222 N.

**6.124** *a*) −21,0 N·m, *b*) $G = 0$, $M_G = 2{,}75$ N·m; $H = 0$, $M_H = -11{,}70$ N·m; couples parallèles à l'axe x.

**6.126** a) 1,5, *b*) 4 $M_A$ ⤸.

**6.128** *a)* $M_A = 43{,}3$ N·m;
*b)* $B_x = B_y = D_x = D_y = E_x = E_y = 0$,
$B_z = -250$ N, $D_z = 350$ N,
$E_z = -100$ N.
**6.130** 150,0 g (masse).
**6.132** 18,4°.
**6.134** $F_{DF} = 40$ kN $C$; $F_{EF} = 90$ kN $C$;
$F_{EG} = 247$ kN $T$.
**6.136** Dans la structure :
**F** = 7,17 kN ↑; **A** = 2,22 kN ←;
$\mathbf{D}_x = 2{,}22$ kN →, $\mathbf{D}_y = 3{,}83$ kN ↓.
**6.138** $F_{AB} = F_{BC} = 7{,}12$ kN $T$;
$F_{AE} = F_{BF} = 0$; $F_{CF} = 5{,}34$ kN $C$;
$F_{CG} = 8{,}90$ kN $T$; $F_{DE} = 7{,}12$ kN $C$.
**6.140** 45,4 N·m ↺.
**6.142** **D** = 5,38 kN ∠ 7,1°; $F_{BF} = 4{,}45$ kN $T$;
$F_{CE} = 2{,}22$ kN $C$.

## CHAPITRE 7

**7.2** (*AJ*) **F** = 560 N →; **V** = 160 N ↑;
**M** = 16 N·m ↻.
**7.4** (*DJ*) **F** = 2,00 kN ←; **V** = 2,67 kN ↑;
**M** = 1,627 kN·m ↻.
**7.6** (*CA*) **F** = 300 N ←; **V** = 50 N ↓;
**M** = 40 N·m ↺.
**7.8** (*CB*) *a)* $\mathbf{F} = \frac{1}{2} wL \csc \theta$ ↗; **V** = 0;
$\mathbf{M} = \frac{1}{8} wL^2 \cos \theta$ ↻, *b)* **F** = 1112 N ↗;
**V** = 0; **M** = 610 N·m ↻.
**7.10** (section gauche) **F** = 1028 N ↙;
**V** = 79,1 N ↖; **M** = 30 N·m ↻.
**7.12** (*JC*) 10,79 N·m ↺.
**6.14** (*JC*) $\mathbf{F} = (W\theta/\pi) \cos \theta$ ↗;
$\mathbf{V} = (W\theta/\pi) \sin \theta$ ↖;
$\mathbf{M} = (Wr/\pi)(\sin \theta - \theta \cos \theta)$ ↺.
**7.16** $V = 0{,}1786W$; $\theta = 40{,}7°$.
**7.18** $M_{max} = \frac{1}{8} wL^2$.
**7.20** $V = 0$ partout; $M = +T$ entre $B$ et $C$;
$M = 0$ ailleurs.
**7.22** $M_B = -PL/2$; $M_C = -3PL/2$.
**7.24** $M_C = -4{,}75$ kN·m.
**7.26** $M_D = +28$ N·m.
**7.28** 24 kN.
**7.30** $M = -6{,}78$ kN·m au centre.
**7.32** Juste à la gauche de $D$; $M = +20$ N·m.
**7.34** $M_C = +2{,}03$ kN·m.
**7.36** *a)* $\frac{1}{3} P$, *b)* $\frac{1}{4} P$.
**7.46** $M_D = +48$ kN·m.
**7.48** $M_D = +59{,}9$ N·m.
**7.50** $M = +2{,}71$ kN·m, 3,05 m à droite de $A$.
**7.52** $M = -2$ kN·m en $C$; $M = +0{,}667$ kN·m,
1,333 m à gauche de $B$.
**7.54** $V = w(\frac{1}{2}L - x)$; $M = \frac{1}{2} w(Lx - x^2)$.
**7.56** $V = \frac{1}{2} w_0 L [\frac{1}{3} - (x/L)^2]$;
$M = \frac{1}{6} w_0 L^2 [x/L) - (x/L)^3]$;
$M_{max} = +0{,}0641 w_0 L^2$, pour $x = 0{,}577L$.
**7.58** *a)* 0,500,
*b)* $V = \frac{1}{4} w_1 L[1 - 4(x/L) + 3(x/L)^2]$;
$M = \frac{1}{4} w_1 L^2 [(x/L) - 2(x/L)^2 + (x/L)^3]$,
*c)* $M_{max} = w_1 L^2/27$, pour $x = L/3$.
**7.60** $P = 445$ N; $Q = 222$ N;
$V_A = +1023$ N.
**7.62** *a)* $\mathbf{E}_x = 3{,}34$ kN →, $\mathbf{E}_y = 2{,}22$ kN ↑;
*b)* 4,01 kN.
**7.64** $\mathbf{E}_x = 1600$ N →. $\mathbf{E}_y = 1100$ N ↑.
**7.66** 1 m.
**7.68** 1090 m.
**7.70** 0,831 m.
**7.72** *a)* $\sqrt{3L\Delta/8}$, *b)* 3,73 m.
**7.74** 8 m à gauche de $B$; 14,72 kN.
**7.76** $x > 0$, $y = 8h(x/L)^3$; $x < 0$, $y = -8h(x/L)^3$;
$T_0 = w_0 L^2/24h$.
**7.80** $y = h(1 - \cos \pi x/L)$;
$T_{max} = (w_0 L/\pi)[1 + (L/h\pi)^2]^{1/2}$;
$T_0 = w_0 L^2/h\pi^2$.
**7.84** 27,1 m; 307 N.
**7.86** *a)* 102,8 m, *b)* 10,4 m, *c)* 977 N.
**7.88** *a)* 11,27 m, *b)* 29,5 kg/m.
**7.90** 15,33 m; 247 N.
**7.92** *a)* 36,8 N, *b)* 2,04 m, *c)* 96,3 N.
**7.94** *a)* $L = 1{,}326\, T_m/w$, *b)* 12,12 km.
**7.96** 0,1408.
**7.98** *a)* $1{,}029(2\pi r)$, *b)* $0{,}657\, wr$.
**7.100** $M_C = +1017$ N·m.
**7.102** $M_C = M_D = M_E =$
$M_F = -16{,}95$ kN·m.
**7.104** *a)* 395 N, *b)* 1456 N.
**7.106** $a = 0{,}293L$.
**7.108** (*AJ*) **F** = 10,40 kN ↖;
**V** = 0,928 kN ↙; **M** = 0,5 kN·m ↻.
**7.110** (*JB*) *a)* $\mathbf{M}_j = \frac{1}{2} Wr$ ↻,
*b)* $\mathbf{M}_{max} = 0{,}579\, Wr$ ↻, $\theta = 116{,}3°$.

## CHAPITRE 8

**8.2** *a)* 930 N ←, *b)* 151,2 N ←.
**8.4** $P = W \sin (\alpha + \phi_s)$; $\theta = \alpha + \phi_s$;
$A$ et $B$ en mouvement: $\mathbf{F}_A = 9{,}48$ N ↗;
$\mathbf{F}_B = 3{,}79$ N ↗; $\mathbf{F}_C = 12{,}71$ N ↗.
**8.8** $\theta \geqslant 29{,}4°$.
**8.10** *a)* 160,1 N, *b)* 1,016 m.

**8.12** *a*) 66,4°, *b*) 512 N.
**8.14** 177,9 N →.
**8.16** *a*) 54,5 N·m, *b*) 46,2 N·m.
**8.18** 36,6°.
**8.20** (*b*) jusqu'à $b = 0{,}689$ m.
**8.22** 371 N (mouvement imminent au point *C*).
**8.24** 2,67 kN.
**8.26** 92,4 mm.
**8.28** 0,80.
**8.30** $\mu_A = 0{,}222$; $\mu_C = 0{,}247$.
**8.32** *a*) 48,0 N (glissement au point A),
*b*) 60,1 N (glissement au point C).
**8.34** (*a*) $\frac{2}{3}L$.
**8.36** *a*) $P = W \tan \phi / \cos \theta$,
*b*) $M = \frac{1}{2} Wr \sin 2\phi / \cos \theta$.
**8.38** 60,1 N·m ↺.
**8.40** 2,31 N ↗; *A* en roulement.
**8.42** $\theta \leqslant 45°$.
**8.44** 54,4°.
**8.46** 1454 N.
**8.48** 2,11 kN.
**8.50** 190,4 N.
**8.52** 80,9°.
**8.54** *a*) **P** = 41,7 kN ←, *b*) 30 kN →.
**8.56** *a*) 260 N ←, *b*) La machine restera au repos.
**8.58** 1128 N·m.
**8.60** 16,88 N·m.
**8.62** *a*) 12,80 kN·m, *b*) 3,09 kN·m.
**8.64** 3,60 N·m.
**8.66** 1,650 N·m.
**8.68** *a*) 0,24, *b*) 247 N.
**8.70** 0,10.
**8.72** $T_{AB} = 310$ N; $T_{CD} = 290$ N; $T_{EF} = 272$ N.
**8.74** 127 mm.
**8.76** 15,44 N.
**8.78** 514 N; 1200 N.
**8.82** 11,57 N.
**8.84** 58,9 N.
**8.86** 305 mm.
**8.88** *a*) 0,33, *b*) 2,66 tours.
**8.90** 0,116.
**8.92** 121,9 N·m.
**8.94** 88,8 N·m ↺.
**8.96** 109,5 kg.
**8.98** 4,01 m.
**8.100** 0,253.
**8.102** 531 N·m.
**8.106** 0,27.
**8.108** *a*) 713 N, *b*) 902 N.
**8.110** *a*) 235 N, *b*) 207 N.
**8.112** *a*) 26,0 N, *b*) Mouvement imminent au point *B*.
**8.114** 1833 N.

## CHAPITRE 9

**9.2** $2a^3b/7$.
**9.4** $a^3b/20$.
**9.6** $2ab^3/15$.
**9.8** $ab^3/28$.
**9.10** $ab^3/30$; $b\sqrt{2/15}$.
**9.12** $a^3b/6$; $a\sqrt{2/3}$.
**9.14** $(5\sqrt{3}/48)a^4$; $a\sqrt{5/12}$.
**9.16** (*b*) 10,6%; 2,99%; 0,125%.
**9.18** $4a^3/9$.
**9.20** $614 \times 10^3$ mm⁴; 19,01 mm.
**9.22** $159{,}0 \times 10^6\ \mathrm{mm}^4$; 102,6 mm.
**9.24** 152,4 mm; $74{,}9 \times 10^6\ \mathrm{mm}^4$.
**9.26** $\bar{I}_x = 1{,}5 \times 10^6\ \mathrm{mm}^4$, $\bar{I}_y = 3 \times 10^6\ \mathrm{mm}^4$.
**9.28** $60{,}7 \times 10^6\ \mathrm{mm}^4$.
**9.30** $\bar{I}_x = \bar{I}_y = 2{,}08 \times 10^6\ \mathrm{mm}^4$.
**9.32** $\bar{I}_x = 130{,}3 \times 10^6\ \mathrm{mm}^4$,
$\bar{I}_y = 154{,}4 \times 10^6\ \mathrm{mm}^4$;
$\bar{k}_x = 96{,}5$ mm, $\bar{k}_y = 104{,}9$ mm.
**9.34** $2550 \times 10^6\ \mathrm{mm}^4$, $567 \times 10^6\ \mathrm{mm}^4$;
201 mm, 94,7 mm.
**9.36** $3\pi r/16$.
**9.38** $(a + 3b)h/(2a + 4b)$.
**9.40** *a*) $\frac{1}{2}\gamma\pi r^2 h$, *b*) $\frac{1}{4}\gamma\pi r^4$.
**9.44** $b^2h^2/8$.
**9.46** $a^2b^2/4(n + 1)$.
**9.48** $0{,}80 \times 10^6\ \mathrm{mm}^4$.
**9.50** $+6{,}66 \times 10^6\ \mathrm{mm}^4$.
**9.52** $1{,}627 \times 10^6\ \mathrm{mm}^4$, $0{,}881 \times 10^6\ \mathrm{mm}^4$;
$-0{,}954 \times 10^6\ \mathrm{mm}^4$.
**9.54** $I_u = I_v = 5a^4/24$; $P_{uv} = -a^4/8$.
**9.56** $-25{,}7°$; $2{,}28 \times 10^6\ \mathrm{mm}^4$,
$0{,}230 \times 10^6\ \mathrm{mm}^4$.
**9.58** $+28{,}5°$; $40{,}9 \times 10^6\ \mathrm{mm}^4$, $8{,}87 \times 10^6\ \mathrm{mm}^4$.
**9.62** $1{,}627 \times 10^6\ \mathrm{mm}^4$, $0{,}881 \times 10^6\ \mathrm{mm}^4$;
$-0{,}954 \times 10^6\ \mathrm{mm}^4$.
**9.66** $-25{,}7°$; $2{,}28 \times 10^6\ \mathrm{mm}^4$,
$0{,}230 \times 10^6\ \mathrm{mm}^4$.
**9.72** *a*) $I_{AA'} = mb^2/24$; $I_{BB'} = mh^2/18$,
*b*) $I_{CC'} = m(3b^2 + 4h^2)/72$.
**9.74** *a*) $\frac{1}{2}m(r_1^2 + r_2^2)$, *b*) $\frac{1}{2}m(R_1^2 + r_2^2)$.
**9.76** $ma^2/20$.
**9.78** $\frac{1}{3}ma^2$; $a/\sqrt{3}$.
**9.80** $\frac{1}{6}m(a^2 + 3h^2)$; $[(a^2 + 3h^2)/6]^{1/2}$.
**9.82** $\frac{1}{20}m(a^2 + 12h^2)$.
**9.84** $\frac{3}{10}m\frac{r_2^5 - r_1^5}{r_2^3 - r_1^3}$.
**9.86** 1,514 kg·m²; 155,8 mm.
**9.88** *a*) $m(\frac{2}{5}a^2 + R^2)$,
*b*) $(a/R)^2/[(a/R)^2 + 2{,}5]$, *c*) 9,98*a*.
**9.90** $5ml^2/24$, $ml^2/12$, $7ml^2/24$.

**9.92** 0,384 X $10^{-3}$ kg · m²; 26,2 mm.
**9.94** *a*) 2,13 kg · m², *b*) 3,68 kg · m², *c*) 1,629 kg · m².
**9.96** $\frac{1}{6}m(3a^2 + 2L^2)$.
**9.98** $3a^2h^2/16$.
**9.100** $a\sqrt{2}/4$.
**9.102** 29,0 X $10^6$ mm⁴, 4,84 X $10^6$ mm⁴; 64,0 mm, 26,1 mm.
**9.104** *a*) $\frac{1}{4}ma^2$, $\frac{1}{4}mb^2$, *b*) $\frac{1}{4}m(a^2 + b^2)$.
**9.106** 1,305 X $10^{-3}$ kg · m².

## CHAPITRE 10

**10.2** 133,4 N.
**10.4** 900 N.←.
**10.6** $\frac{3}{2}P \tan \theta$.
**10.8** $P \cos \theta / \sin \frac{1}{2}\theta$.
**10.10** $M = 2Wl \sin \theta$.
**10.12** 222 N.
**10.14** 541 N.
**10.16** 69,4°.
**10.18** 50,4°.
**10.20** 335 mm.
**10.22** 51,3°.
**10.24** 3,49 *W*.
**10.26** 78,7°; 323,8°; 379,1°.
**10.30** $\frac{1}{2}Pl \tan \theta / (1 - \mu \tan \theta)$.
**10.32** 250 N↑; 450 N · m ↺.
**10.34** 600 N.
**10.36** 15,88 mm ↑.
**10.44** 45°, stable; −135°, instable.
**10.46** 0°, stable; 60°, instable.
**10.48** 78,7° et 379,1°, stable; 323,8°, instable.
**10.50** 10,3°, stable; 33,1°, instable; 90°, stable.
**10.52** (*b*) 65,1°.
**10.54** 10,9°; 39,5°.
**10.56** $k > 4{,}91$ kN/m.
**10.58** $P < kl/2$.
**10.60** $k \leq 3P/4l$.
**10.62** *a*) $P < ka^2/2l$, *b*) $P < ka^2/2l$.
**10.64** $P < kl/3$.
**10.66** 23,9 kN.
**10.68** $Q = P \cos \theta / \cos(\beta - \theta)$.
**10.70** *a*) 890 N, *b*) 25,4 cm.
**10.72** $Q = M \cos^2 \theta / r \sin \theta$.
**10.74** 27,0°, 294 mm.
**10.76** 63,4°.

# ANNEXE

## CHAPITRE A3

**A3.2** 37,5 N · m ↻ ; $\alpha = 20°$.
**A3.4** *a*) 88,8 N · m ↻, *b*) 395 N ←, *c*) 280 N ⊿ 45°.
**A3.6** 121,7 N · m ↻.
**A3.8** 61,8 N · m ↻.
**A3.12** $\mathbf{M}_O = \dfrac{P(x_1y_2 - x_2y_1)\mathbf{k}}{[(x_2 - x_1)^2 + (y_2 - y_1)^2]^{1/2}}$.
**A3.14** *a*) $\mathbf{M}_O = -58\mathbf{i} + 4\mathbf{j} + 32\mathbf{k}$, *b*) $\mathbf{M}_O = +6\mathbf{i} - 4\mathbf{k}$, *c*) $\mathbf{M}_O = -30\mathbf{i} + 12\mathbf{j}$.
**A3.16** (4,88 kN · m)**i** + (13,02 kN · m)**j** − (4,88 kN · m)**k**.
**A3.18** *a*) (40 N · m)**i** − (90 N · m)**j** − (40 N · m)**k**. *b*) (9 N · m)**i** − (86,25 N · m)**j** − (42 N · m)**k**.
**A3.20** (36 N · m)**i** + (24 N · m)**j** + (32 N · m)**k**.
**A3.22** 293 mm.
**A3.24** 5 m.
**A3.26** **P**·**Q** = 0; **P**·**S** = −11; **Q**·**S** = 2.
**A3.28** 36,9°.
**A3.30** *a*) 23,5°, *b*) 413 N.
**A3.32** *a*) 70,5°, *b*) 267 N.
**A3.34** 4.
**A3.36** 4,88 kN.
**A3.38** $\theta = 30°$. 177,9 N.
**A3.40** −280 N · m.
**A3.42** +34,9 N · m.
**A3.44** +124,2 N · m.
**A3.48** 229 mm.
**A3.50** *a*) 271 N, *b*) 390 N, *c*) 250 N.
**A3.52** *a*) 89,0 N, *b*) 71,2 N, *c*) 53,4 N.
**A3.54** $M_x = -61{,}0$ N · m, $M_y = 27{,}1$ N · m, $M_z = 20{,}3$ N · m.
**A3.56** $M_x = 3{,}6$ kN · m, $M_y = 7{,}72$ kN · m, $M_z = 0$.
**A3.58** *a*) 400 N ⊿ 60°, 77,8 N · m ↻. *b*) 400 N ⊿ 60°, 55,1 N · m ↻.
**A3.60** 14,5°.
**A3.62** *a*) **F** = 222 N ⊿ 60°, **M** = 26,3 N · m ↻, *b*) **A** = 346 N ← ; **B** = 346 N →.
**A3.64** **B** = 4**P**; **C** = −3**P**.
**A3.66** **F** = −(173,2 N)**j** + (100 N)**k**, **M** = (7,5 N · m)**i** − (6 N · m)**j** −(10,39 N · m)**k**.

**A3.68** *a*) $\mathbf{F} = (2{,}67\ \text{kN})\mathbf{i} - (1{,}334\ \text{kN})\mathbf{j} + (2{,}67\ \text{kN})\mathbf{k}$, $\mathbf{M} = (4{,}88\ \text{kN}\cdot\text{m})\mathbf{i} - (4{,}88\ \text{kN}\cdot\text{m})\mathbf{k}$, *b*) $\mathbf{F} = (2{,}67\ \text{kN})\mathbf{i} - (1{,}334\ \text{kN})\mathbf{j} + (2{,}67\ \text{kN})\mathbf{k}$, $\mathbf{M} = -1{,}627\ \text{kN}\cdot\text{m})\mathbf{i} - (13{,}02\ \text{kN}\cdot\text{m})\mathbf{j} - (4{,}88\ \text{kN}\cdot\text{m})\mathbf{k}$.

**A3.70** Système force-couple appliqué au point C.

**A3.72** $\mathbf{F} = (136{,}6\ \text{N})\mathbf{i} + (68{,}3\ \text{N})\mathbf{j} - (91{,}2\ \text{N})\mathbf{k}$, $\mathbf{M} = -(31{,}3\ \text{N}\cdot\text{m})\mathbf{i} + (8{,}68\ \text{N}\cdot\text{m})\mathbf{j} - (32{,}4\ \text{N}\cdot\text{m})\mathbf{k}$.

**A3.74** *e*.

**A3.76** *a*) 0,6 m, *b*) 1 m, *c*) 1,8 m.

**A3.78** 53,4 kN ↓; 5,28 m à droite du point A.

**A3.80** 4670 N; 2,84 m à droite du point A.

**A3.82** 400 N ∠ 36,9° *a*) 75 mm à gauche du point C, *b*) 56,3 mm en dessous du point C.

**A3.84** 445 N ∠ 36,9° *a*) à *A*, *b*) 203 mm à droite du point B, *c*) 76,2 mm en dessous du point C.

**A3.86** *a*) $\mathbf{F} = P \angle \theta$, $\mathbf{M} = Pa \sin 2\theta \cos \theta$ ↻, *b*) 35,3°.

**A3.88** $\mathbf{R} = -(534\ \text{N})\mathbf{i} - (267\ \text{N})\mathbf{j} - (267\ \text{N})\mathbf{k}$, $\mathbf{M} = (976\ \text{N}\cdot\text{m})\mathbf{j} - (162{,}7\ \text{N}\cdot\text{m})\mathbf{k}$.

**A3.90** $\mathbf{R} = -(400\ \text{N})\mathbf{j} - (200\ \text{N})\mathbf{k}$, $\mathbf{M} = (120\ \text{N}\cdot\text{m})\mathbf{i} + (40\ \text{N}\cdot\text{m})\mathbf{j} - (105\ \text{N}\cdot\text{m})\mathbf{k}$. *a*) À serrer, *b*) À serrer.

**A3.92** 200 N; $y = 63{,}4$ mm, $z = 200$ mm.

**A3.94** $10W$; $x = 0{,}6a$, $z = 0{,}3a$.

**A3.96** $R = 44{,}5$ N, $M_1 = 40{,}7$ N·m; parallèle à l'axe $x$ (sens opposé) passant par $y = -356$ mm, $z = 711$ mm; pas = 914 mm.

**A3.98** $R = 300$ N, $M_1 = -5$ N·m; parallèle à l'axe $y$ (sens opposé) passant par $x = 125$ mm, $z = 0$; pas = $-16{,}67$ mm.

**A3.100** *a*) $\mathbf{R} = \sqrt{2}P\,\mathbf{i}$; $\mathbf{M} = (Pa/\sqrt{2})(\mathbf{i} + \mathbf{j} - \mathbf{k})$, *b*) $R = \sqrt{2}P$, $M_1 = Pa/\sqrt{2}$; parallèle à l'axe $x$ et passant par $y = z = \frac{1}{2}a$; pas $= \frac{1}{2}a$.

**A3.102** $R = \sqrt{3}P$, $M_1 = -\sqrt{3}Pa$; à l'origine, cosinus directeurs $\theta_x = \theta_y = \theta_z = 54{,}7°$.

**A3.104** $\mathbf{F}_B = -(89{,}0\ \text{N})\mathbf{i} + (133{,}4\ \text{N})\mathbf{j} + (267\ \text{N})\mathbf{k}$, $\mathbf{F}_{xz} = (356\ \text{N})\mathbf{i} - (177{,}9\ \text{N})\mathbf{k}$, $x = 38{,}1$ mm, $y = z = 0$.

**A3.110** *a*) 1334 N →; 217 mm au-dessus de *A*, *b*) 667 N ←; 1288 mm au-dessus de *A*, *c*) système réduit à un couple.

**A3.112** *a*) $\mathbf{F} = 600$ N ∠ 45°, $\mathbf{M} = 16{,}97$ N·m ↺, de 425 N·m ↺. *b*) $\mathbf{B} = 150$ N ∠ 45°, $\mathbf{C} = 450$ N ∠ 45°.

**A3.114** 142, 3 kN ↓, sur *AB*, 2,67 m de *A*.

**A3.116** *a*) $(94{,}9\ \text{N}\cdot\text{m})\mathbf{i} + (2088\ \text{N}\cdot\text{m})\mathbf{j} - (949\ \text{N}\cdot\text{m})\mathbf{k}$, *b*) + 108,5 N·m.

**A3.118** *a*) $R = P$, $M_1 = Qr \sin\theta$; parallèle à l'axe $x$ passant par $x = 0$, $y = (rQ/P)\cos\theta$, $z = r\sin\theta$, *b*) $(P/Q)^2y^2 + z^2 = r^2$

**A3.120** $\mathbf{F} = -(1\ \text{kN})\mathbf{i} - (9\ \text{kN})\mathbf{j} - (2\ \text{kN})\mathbf{k}$, $\mathbf{M} = -(12\ \text{kN}\cdot\text{m})\mathbf{i} - (6\ \text{kN}\cdot\text{m})\mathbf{k}$.

## CHAPITRE A4

**A4.2** *a*) 1,672 kN ↑, *b*) 4,01 kN ↑.

**A4.4** *a*) $T = (W\cos\theta)/(2\cos\frac{1}{2}\theta)$, *b*) 52,2 N.

**A4.6** ±60°.

**A4.8** 2,4 kN.

**A4.10** $\mathbf{A} = 346$ N ∠ 60,6°; $\mathbf{B} = 196{,}2$ N ∠ 30°.

**A4.12** 31,0°; $\mathbf{A} = 268$ N ∠ 70,8°, $\mathbf{B} = 171{,}5$ N ∠ 59,0°.

**A4.14** *a*) $\mathbf{B} = 1601$ N ↗ ; $\mathbf{C} = 1601$ N ↙ ; $\mathbf{D} = 890$ N ↑, *b*) Rouleaux 2 et 3

**A4.16** *a*) 706 N, *b*) $\mathbf{A} = 441$ N ↑; $\mathbf{B} = 353$ N →.

**A4.18** $\mathbf{A} = 890$ N ↓; $\mathbf{B} = 890$ N ↑.

**A4.20** *a*) $\mathbf{B} = 2P/\sqrt{3}$ ∠ 60°; $\mathbf{C} = 2P/\sqrt{3}$ ∠ 60°; $\mathbf{D} = P$ ↓, *b*) $\mathbf{B} = \frac{1}{2}P$ ∠ 60°; $\mathbf{C} = \frac{3}{2}P$ ∠ 60°; $\mathbf{D} = \sqrt{3}P/2$ ↓.

**A4.22** 30 kN $\leqslant P \leqslant$ 210 kN.

**A4.24** 267 N $\leqslant P \leqslant$ 2490 N.

**A4.26** *a*) $\mathbf{A} = 5540$ N ∠ 87,3°; $\mathbf{C} = 683$ N ∠ 67,4°, *b*) $\mathbf{A} = 4900$ N ↑; $\mathbf{M}_A = 1890$ N·m ↺, *c*) $\mathbf{A} = 6740$ N ∠ 83,6°; $\mathbf{M}_A = 3510$ N·m ↻; $\mathbf{C} = 1950$ N ∠ 67,4°.

**A4.28** $\mathbf{K} = 147{,}6$ N ∠ 28,3°; $\mathbf{L} = 183{,}8$ N ∠ 45°.

**A4.30** *a*) $\mathbf{E} = 211$ kN ∠ 67,8°; $\mathbf{M}_E = 81{,}3$ kN·m ↺, *b*) 111,2 kN.

**A4.32** *a*) 30,1 kN, *b*) 7,71 kN →; 18,55 kN ↑.

**A4.34** 18,4°.

**A4.36** *a*) $T = \frac{1}{2}W/(1 - \tan\theta)$, *b*) 36,9°.

**A4.38** *a*) $\cos\frac{1}{2}\theta = \frac{1}{4}\left(\frac{W}{P} + \sqrt{\frac{W^2}{P^2} + 8}\right)$, *b*) 65,0°.

**A4.40** 1) À liaisons complètes; dét.; $\mathbf{A} = 481$ N ∠ 56,3°; $\mathbf{B} = 267$ N ←.
2) Incorrectement lié; indét.; en déséquilibre.
3) À liaisons incomplètes; dét.; équilibre possible; $\mathbf{A} = \mathbf{C} = 200$ N ↑.
4) À liaisons complètes; dét.; $\mathbf{A} = 200$ N ↑; $\mathbf{B} = 333$ N ∠ 36,9°; $\mathbf{C} = 267$ N →.
5) À liaisons complètes; indét.; $A_y = 200$ N ↑.

6) À liaisons complètes; indét.; $A_x = 267$ N →; $B_x = 267$ N ←. 7) À liaisons complètes; dét.; **A** = **C** = 200 N ↑.
8) Incorrectement lié; indét.; en déséquilibre.

**A4.44** *a*) 32,6°, *b*) **C** = 937 N ⦣ 36,9°; **D** = 1041 N ↑.

**A4.46** **A** = 534 N ∠ 69,4°; **E** = 187,5 N ←.

**A4.48** **A** = 31,5 N →; **B** = 180,6 N ⦩ 80,0°.

**A4.50** *a*) 1500 N ⦣ 30°. *b*) 593 N ⦩ 30°.

**A4.52** **A** = 1198 N ∠ 21,8°; **E** = 1198 N ⦩ 21,8°.

**A4.54** *a*) 30°, *b*) 40°, *c*) 60°.

**A4.56** $\sin^3 \theta = 2a/L$.

**A4.58** 23,2°.

**A4.60** $T_{BD} = T_{BE} = 11$ kN; **A** = −(3,6 kN)**i** + (14 kN)**j**.

**A4.62** $T_{BC} = 2490$ N; $T_{BD} = 1601$ N; **A** = 4000 N ∠ 36,9° (suivant *AB*).

**A4.64** $T_{EBF} = 35,4$ kN; $T_{CD} = 24,6$ kN.

**A4.66** $T_{AD} = T_{BD} = 1,717$ kN; $T_{CD} = 3,10$ kN.

**A4.68** $T_A = 22,2$ N; $T_B = 66,7$ N; $T_C = 89,0$ N.

**A4.70** 89,0 N pour $x = 508$ mm, $z = 381$ mm.

**A4.72** *a*) $T_B = 120,1$ N; $T'_B = 40,0$ N, *b*) $A_y = 121,9$ N, $A_z = -18,59$ N; $E_y = 24,3$ N, $E_z = 167,3$ N; $A_x$ et $E_x$ sont indéterminés ($A_x + E_x = 0$).

**A4.74** $P = 400$ N; **A** = (192 N)**j** − (120 N)**k**, **B** = (954 N)**j** + (320 N)**k**.

**A4.76** *a*) 200 N, *b*) 267 N; 762 mm.

**A4.78** **B** = (60 N)**k**; **C** = (30 N)**j** − (16 N)**k**; **D** = −(30 N)**j** + (4 N)**k**.

**A4.80** $P = 118,9$ N; **A** = (42,9 N)**i** − (69,9 N)**k**; **B** = (61,1 N)**i** + (196,2 N)**j** + (84,7 N)**k**.

**A4.82** $F_{CD} = 19,62$ N; **B** = −(19,22 N)**i** + (94,2 N)**j**; $\mathbf{M}_B$ = −(40,6 N·m)**i** − (17,30 N·m)**j**.

**A4.84** $T = 3760$ N; $A_x = 0$, $A_y = -371$ N; $B_x = 1780$ N, $B_y = 1112$ N; $A_z$ et $B_z$ sont indéterminés ($A_z + B_z = 2970$ N).

**A4.86** $F_{CE} = 749$ N; **B** = −(417 N)**i** + (556 N)**j** − (278 N)**k**; $\mathbf{M}_B$ = −(212 N·m)**j**.

**A4.88** $T_{BE} = 6,5$ kN, $T_{CE} = 7,16$ kN, $T_{CF} = 0$; **A** = (12 kN)**i** − (3 kN)**k**.

**A4.90** **A** = (222 N)**j** + (278 N)**k**; **B** = (334 N)**i** − (278 N)**k**; **C** = −(334 N)**i** − (222 N)**j**.

**A4.92** 1868 N.

**A4.94** 206 N.

**A4.96** **D** = (250 N)**i**.

**A4.98** **A** = 740 N ∠ 30°; **B** = 740 N ⦣ 30°.

**A4.100** **A** = 300 N ↑; **B** = 680 N →; **C** = 160 N ←, *b*) **A** = 0; **B** = 600, N ←; **C** = 1200 N

**A4.102** *a*) 0° ou 180°, *b*) 26,6°, *c*) 73,3°. *d*) 90°, *e*) 203 mm.

**A4.104** $T = 1284$ N; **A** = 2570 N ∠ 60°.

**A4.106** $T_{BG} = 441$ N, $T_{EF} = 1373$ N; **A** = (1472 N)**i** + (441 N)**j** − (98,1 N)**k**.

**A4.108** *a*) **E** = (35,6 N)**i** + (47,5 N)**j**, *b*) **A** = −(35,6 N)**i** + (63,7 N)**j** − (33,4 N) **B** = (33,4 N)**k**.

Centroids of Common Shapes of Areas and Lines

| Shape | | $\bar{x}$ | $\bar{y}$ | Area |
|---|---|---|---|---|
| Triangular area | 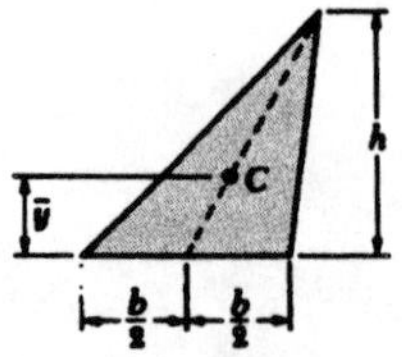 | | $\frac{h}{3}$ | $\frac{bh}{2}$ |
| Quarter-circular area | 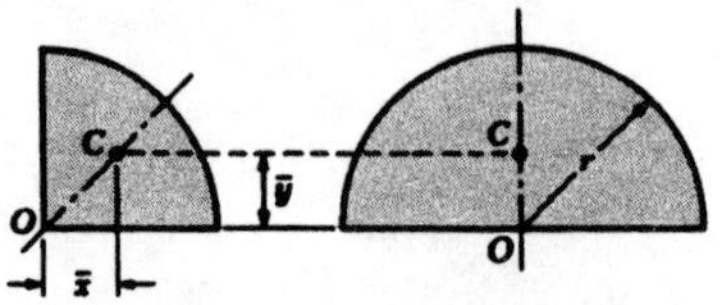 | $\frac{4r}{3\pi}$ | $\frac{4r}{3\pi}$ | $\frac{\pi r^2}{4}$ |
| Semicircular area | | 0 | $\frac{4r}{3\pi}$ | $\frac{\pi r^2}{2}$ |
| Semiparabolic area | 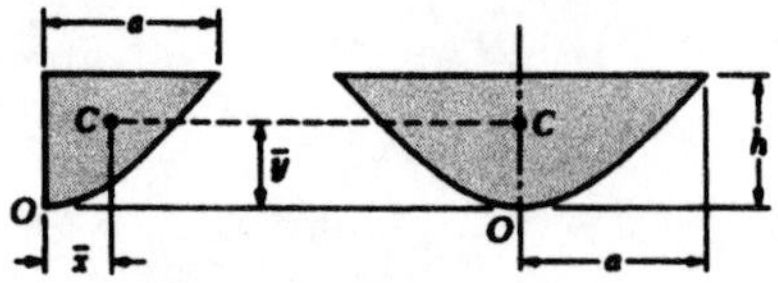 | $\frac{3a}{8}$ | $\frac{3h}{5}$ | $\frac{2ah}{3}$ |
| Parabolic area | | 0 | $\frac{3h}{5}$ | $\frac{4ah}{3}$ |
| Parabolic spandrel | 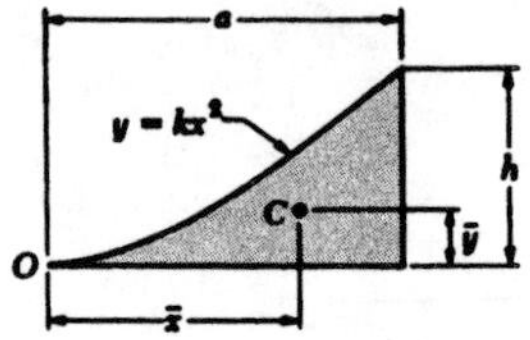 | $\frac{3a}{4}$ | $\frac{3h}{10}$ | $\frac{ah}{3}$ |
| Circular sector | 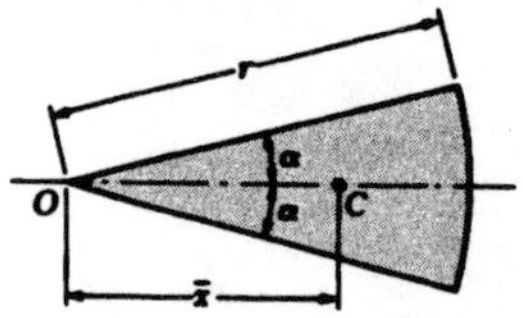 | $\frac{2r \sin \alpha}{3\alpha}$ | 0 | $\alpha r^2$ |
| Quarter-circular arc | 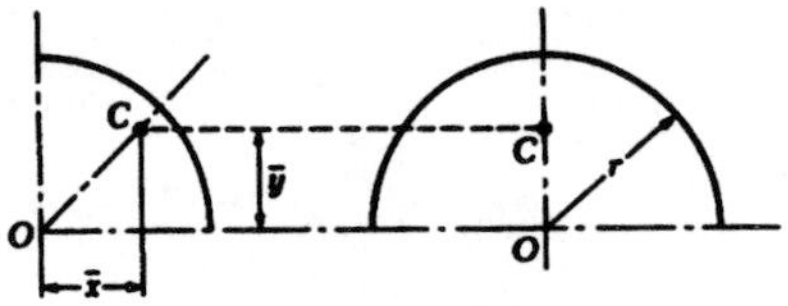 | $\frac{2r}{\pi}$ | $\frac{2r}{\pi}$ | $\frac{\pi r}{2}$ |
| Semicircular arc | | 0 | $\frac{2r}{\pi}$ | $\pi r$ |
| Arc of circle | 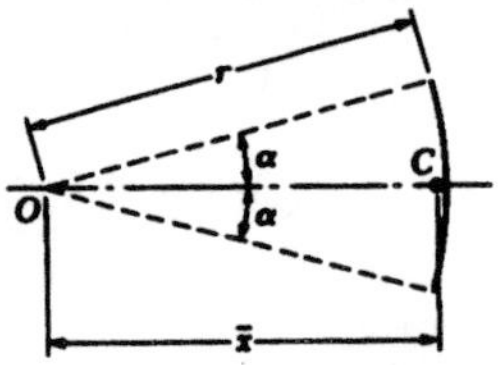 | $\frac{r \sin \alpha}{\alpha}$ | 0 | $2\alpha r$ |

## Moments of Inertia of Common Geometric Shapes

| | |
|---|---|
| **Rectangle**<br>$\bar{I}_{x'} = \frac{1}{12}bh^3$<br>$\bar{I}_{y'} = \frac{1}{12}b^3h$<br>$I_x = \frac{1}{3}bh^3$<br>$I_y = \frac{1}{3}b^3h$<br>$J_C = \frac{1}{12}bh(b^2 + h^2)$ | 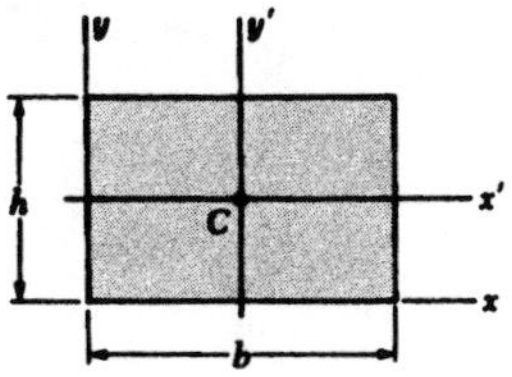 |
| **Triangle**<br>$\bar{I}_{x'} = \frac{1}{36}bh^3$<br>$I_x = \frac{1}{12}bh^3$ | 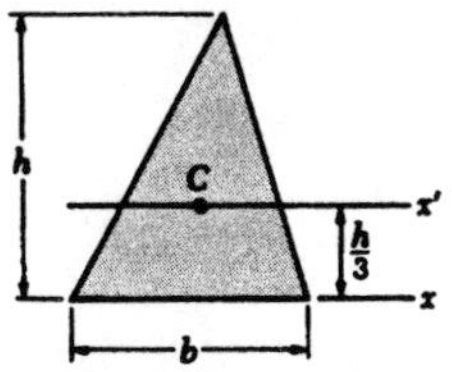 |
| **Circle**<br>$\bar{I}_x = \bar{I}_y = \frac{1}{4}\pi r^4$<br>$J_O = \frac{1}{2}\pi r^4$ | 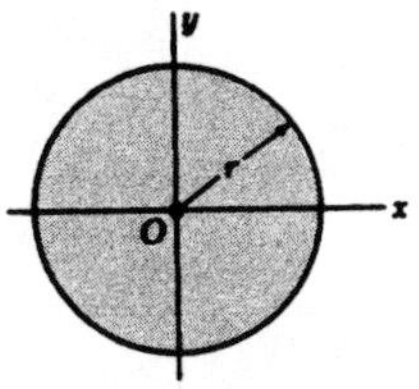 |
| **Semicircle**<br>$I_x = I_y = \frac{1}{8}\pi r^4$<br>$J_O = \frac{1}{4}\pi r^4$ | 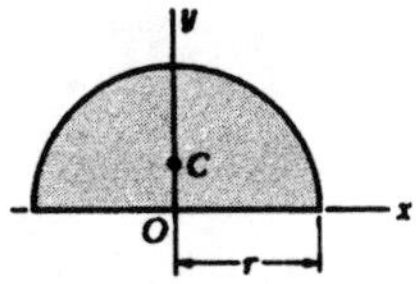 |
| **Quarter circle**<br>$I_x = I_y = \frac{1}{16}\pi r^4$<br>$J_O = \frac{1}{8}\pi r^4$ | 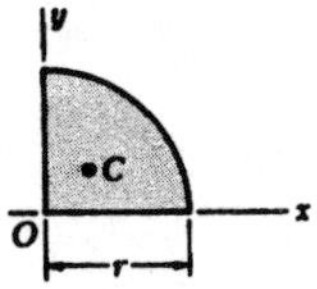 |
| **Ellipse**<br>$\bar{I}_x = \frac{1}{4}\pi ab^3$<br>$\bar{I}_y = \frac{1}{4}\pi a^3b$<br>$J_O = \frac{1}{4}\pi ab(a^2 + b^2)$ | 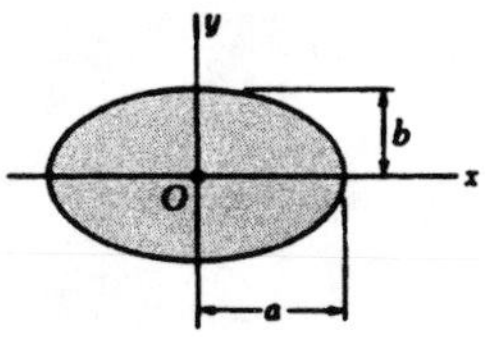 |

## Mass Moments of Inertia of Common Geometric Shapes

| | |
|---|---|
| **Slender rod**<br>$I_y = I_z = \frac{1}{12}mL^2$ | 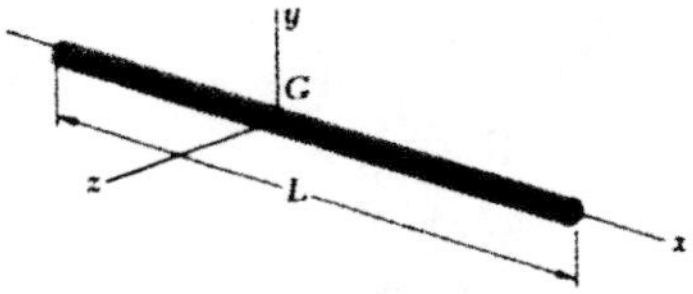 |
| **Thin rectangular plate**<br>$I_x = \frac{1}{12}m(b^2 + c^2)$<br>$I_y = \frac{1}{12}mc^2$<br>$I_z = \frac{1}{12}mb^2$ | 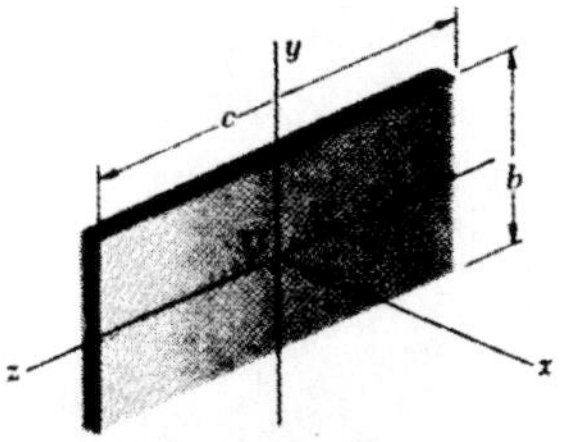 |
| **Rectangular prism**<br>$I_x = \frac{1}{12}m(b^2 + c^2)$<br>$I_y = \frac{1}{12}m(c^2 + a^2)$<br>$I_z = \frac{1}{12}m(a^2 + b^2)$ | 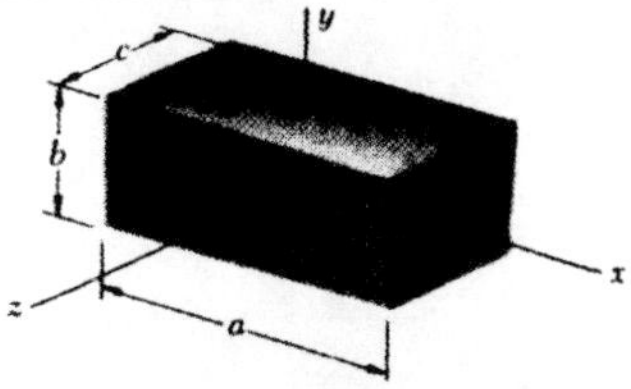 |
| **Thin disk**<br>$I_x = \frac{1}{2}mr^2$<br>$I_y = I_z = \frac{1}{4}mr^2$ | 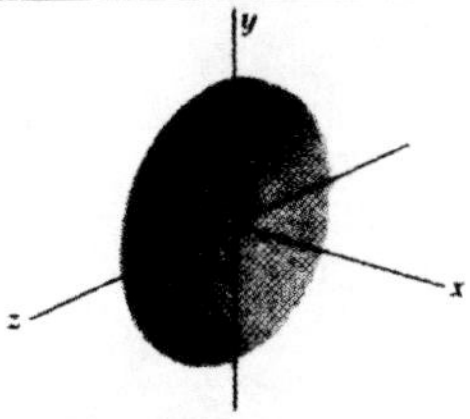 |
| **Circular cylinder**<br>$I_x = \frac{1}{2}ma^2$<br>$I_y = I_z = \frac{1}{12}m(3a^2 + L^2)$ | 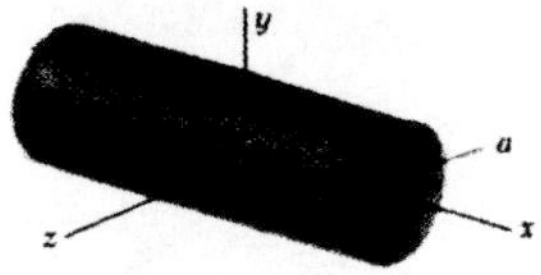 |
| **Circular cone**<br>$I_x = \frac{3}{10}ma^2$<br>$I_y = I_z = \frac{3}{5}m(\frac{1}{4}a^2 + h^2)$ | 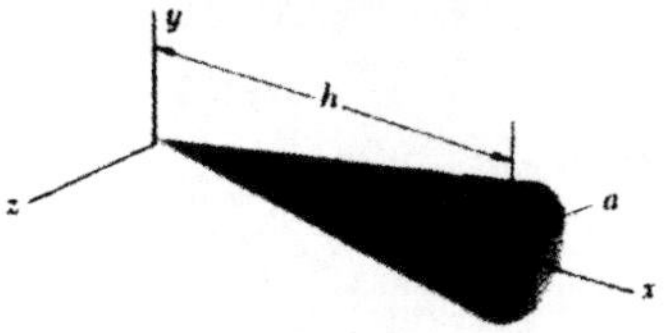 |
| **Sphere**<br>$I_x = I_y = I_z = \frac{2}{5}ma^2$ | 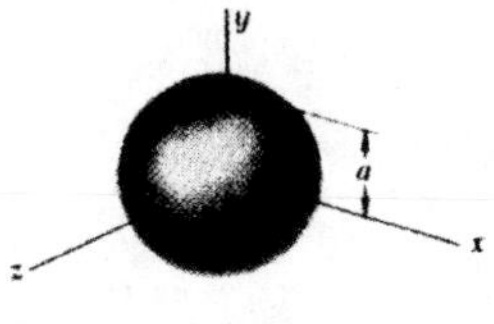 |